KRIEGHOFF
krieghoff.de
130
YEARS OF
EXCELLENCE

BLASE – Die Jägerprüfung

BLASE

Die

Jägerprüfung

Das grundlegende Lehr- und Nachschlagewerk für alle Bundesländer in Fragen und Antworten

Begründet von Dr. med. vet. Richard Blase (†)

34. Auflage

Herausgegeben von
Dr. rer. silv. Joachim Reddemann, Dipl.-Forstwirt (Univ.)

edition JAFONA
im Quelle & Meyer Verlag, Wiebelsheim

Die Angaben in diesem Buch sind von den Autoren, dem Herausgeber und dem Verlag sorgfältig erwogen und geprüft, dennoch kann keine Garantie übernommen werden. Eine Haftung der Autoren bzw. des Verlags und seiner Beauftragten für Personen-, Sach- und Vermögensschäden ist ausgeschlossen.

Bibliografische Information der Deutschen Nationalbibliothek
Die Deutsche Nationalbibliothek verzeichnet diese Publikation in der Deutschen Nationalbibliografie; detaillierte bibliografische Daten sind im Internet über http://dnb.d-nb.de abrufbar.

34. Auflage

www.quelle-meyer.de

Coverfoto: GTML Global Trading Marketing Logistics GmbH
Druck und Verarbeitung: Print Consult GmbH
Printed in Europe/Imprimé en Europe
ISBN 978-3-494-01939-0

Inhaltsverzeichnis

Vorwort

Gerne bin ich der erneuten Anfrage des Herausgebers nachgekommen, für diese nun 34. Auflage des BLASE, dem Nachschlagewerk meiner jagdlichen Lehrzeit vor 48 Jahren, das Vorwort zu verfassen. Denn selbst nach so langer Zeit habe ich nicht vergessen, dass der BLASE mir seinerzeit eine große Hilfe war, als es darum ging, meine jugendliche Begeisterung für die Jagd und das unentbehrliche theoretische Wissen unter einen Hut zu bringen. Gestützt auf den BLASE und mit den Grundkenntnissen dessen, was in der jagdlichen Praxis von Bedeutung ist, habe ich die Jägerprüfung dann auch erfolgreich gemeistert.

Der Sinn und Zweck der Jagd ist vor allem die Nutzung und der Erhalt der Wildbestände und ihrer Lebensräume. Das Jagdrecht in Deutschland legt die verantwortungsvolle Aufgabe der Jagd in die Hände der Jägerinnen und Jäger. Sie haben die Pflicht, aber auch die Fähigkeit, das Wild zu hegen, die Artenvielfalt seiner Lebensräume zu bewahren und den Wildbestand so zu regulieren, dass Wildschäden möglichst vermieden werden.

Mit der Jagdscheinpflicht hat der Gesetzgeber ein einzigartiges Ausbildungs- und Prüfsystem verbunden, das den vielfältigen Anforderungen der Gesellschaft an die Jagd immer wieder aufs Neue gerecht werden muss. Um in Deutschland die Jägerprüfung ablegen zu können, müssen Sie, liebe Leserinnen und Leser, ausreichende Kenntnisse insbesondere der Wildbiologie, des Natur- und Tierschutzes, des Jagdbetriebes, des Land- und Waldbaus, des Waffenrechts, der Wildbrethygiene nachweisen.

Die Bundesregierung plante in der letzten Legislaturperiode (2017 – 2021), die Anforderungen an die Jägerausbildung und -prüfung einschließlich der Schießprüfung einheitlich – über alle Bundesländer hinweg – umfassender zu regeln und u.a. der Wildbrethygiene, aber auch der notwendigen Zusammenarbeit von Jagdpächtern und Waldbesitzern/Landwirten einen stärkeren Stellenwert zu geben. Weiterhin sollten bundeseinheitliche Anforderungen und Standards zur Tötungswirkung von Kugelmunition bei gleichzeitiger Minimierung des Bleianteils neu geregelt werden. Darüber hinaus sollte ein bundeseinheitlicher jährlicher Schießnachweis eingeführt werden. Mit Rücksicht auf den Zustand des Waldes nach Jahren mit Stürmen, Dürre und Borkenkäferkalamitäten sollten außerdem die Regelungen zur Abschussplanung und -kontrolle neu gefasst werden, um den Jagdausübungsberechtigten und der Jagdgenossenschaft mehr Verantwortung zu übertragen und die Bedeutung und den Schutz der Verjüngung vor Wildverbiss, aber auch ggfs. notwendiger Ausgleichsmaßnahmen wie Wildruhezonen oder Äsungsflächen, zu unterstreichen. Leider scheiterte die Novelle an dem Konfliktthema Wald und Wild. Ob sich in der aktuellen Legislaturperiode erneut die Gelegenheit ergibt, die Themen wieder aufzugreifen, bleibt vorerst abzuwarten.

Der BLASE vermittelt seit vielen Jahren angehenden Jägerinnen und Jägern, aber auch interessierten Naturliebhabern, systematisch und anschaulich das komplexe Wissen rund um die Jagd. Er hilft Ihnen, liebe Leserinnen und Leser, die Jagd und die Zusammenhänge in der Natur besser verstehen und beurteilen zu können. Der Jägerbrief belegt nach erfolgreicher Prüfung schwarz auf weiß, dass Sie, liebe Jägerinnen und Jäger, über ein geprüftes jagdliches Wissen und Können verfügen. Sie haben das Recht, auf die Jagd zu gehen, und Sie haben zugleich die Verpflichtung, in den Ihnen anvertrauten Revieren die Artenvielfalt zu bewahren und an der Erhaltung und dem Schutz des Lebensraumes unseres Wildes mitzuwirken. In allem, was Sie tun, sind Sie wichtige, richtungsweisende Vorbilder im verantwortungsvollen Umgang mit der Natur.

Dr. Axel Heider
Ministerialdirigent im Bundesministerium für Ernährung und Landwirtschaft

Liebe Jagdscheinanwärterinnen, liebe Jagdscheinanwärter,

seit der ersten Auflage, die im Jahr 1936 erschien, ist der BLASE das führende Nachschlagewerk zur Vorbereitung auf die Jägerprüfung und die spätere Jagdpraxis.
Das Interesse an der Jagd ist ungebrochen. In Deutschland gibt es mittlerweile so viele Jäger wie nie zuvor. Die Zahl der Jagdscheininhaber beläuft sich auf circa 400.000. Im Vergleich zum Vorjahr ist das eine Steigerung um ein Prozent. Die positive Entwicklung der vergangenen Jahre setzt sich damit weiterhin fort. Der Jägernachwuchs ist zunehmend weiblich und kommt aus der Stadt. Inzwischen sind rund 24 Prozent der Jägerschaft Frauen.
Jagd ist mehr als das Erlegen von Wild zur Beschaffung von Nahrung. Jagd ist Verantwortung gegenüber der heimischen Flora und Fauna. Im Bundesjagdgesetz ist sie mit dem Begriff Hege des Wildes beschrieben.
Jagd ist Verantwortung gegenüber der Gesellschaft und den Verbrauchern. Als Naturnutzer und -schützer nehmen wir Jägerinnen und Jäger eine Vermittlerrolle ein. Wir nutzen die Wildbestände nachhaltig und wir jagen tierschutzgerecht. Wir erzeugen hochwertige und gesunde Lebensmittel. Wir pflegen die Jagdkultur durch eine ethisch hochstehende und kultivierte Jagd, die Zukunft hat. Davon profitieren Wild, Jägerei, aber auch das Gemeinwohl gleichermaßen.
Dennoch gibt es auch Kritiker an der Jagd. Insbesondere die Forderung nach schärferen Waffengesetzen, Verwendung von bleifreier Munition und nach noch strengeren Hygienevorschriften von Seiten der Politik machen dies deutlich.
Der Jäger reguliert den Wildbestand, er schafft und sichert Lebensraum für bedrohte Arten durch geeignete Hegemaßnahmen und er sorgt durch Hege mit der Büchse dafür, dass Arten nicht überhandnehmen. Dazu muss er über die Zusammenhänge in der Natur Bescheid wissen sowie Pflanzen und Tiere kennen. Der Jäger ist Lieferant von hochwertigen Lebensmitteln. Das bedeutet, er muss die einschlägigen Hygienestandards und rechtlichen Grundlagen kennen, um den sicheren Genuss von Wildbret zu garantieren. Auch der sichere Umgang mit der Waffe ist ein zentraler Bestandteil der Jägerausbildung. Jagdscheinanwärter stehen vor einer umfangreichen Stoffmenge, die sie bis zur Prüfung verinnerlichen müssen.
Jäger sein, das heißt Verantwortung übernehmen, und das gelingt nur mit fundiertem Fachwissen. Zusätzlich müssen wir Jägerinnen und Jäger auf die Anforderungen einer verstädternden Gesellschaft achten: Eine ethisch hochstehende Jagdausübung, die einen würdevollen Umgang mit den Wildtieren pflegt und aktiv für ihre Lebensräume eintritt – das ist der gesellschaftliche Anspruch an uns.
Um hierfür die theoretischen Grundlagen zu schaffen, ist die Ihnen vorliegende Neuauflage des BLASE hervorragend geeignet. Auch nach einer erfolgreich abgelegten Prüfung eignet sich dieses Buch als Nachschlagewerk. Wir hoffen, Ihnen mit diesem Buch die Vorbereitung auf die Jägerprüfung zu erleichtern.

Dr. rer. silv. Joachim Reddemann
Herausgeber und Autor

Zum Gebrauch des Buches

Das **mehrfarbige Leitsystem** dient der schnellen Orientierung. Jeder Themenkomplex ist durch eine Leitfarbe gekennzeichnet, die sich durch das Kapitel zieht und dem Leser signalisiert, in welchem Abschnitt er sich gerade befindet.
Der **Inhalt** des Blase ist nach wie vor in Frage- und Antwortform gehalten, ein Lernsystem, das sich bewährt hat, weil diese Möglichkeit des vorbereitenden Lernens der Prüfungssituation am nächsten kommt.
Bei der **dreigliedrigen Nummerierung** benennt die **erste Zahl** die Nummer des Hauptkapitels, so z.B. die 1 für Jagdwaffenkunde oder die 5 für Feld- und Waldbau.
Die **zweite Zahl** kennzeichnet das Unterkapitel, zu dem die Frage gehört. In der Kopfzeile der Textseiten lässt sich das jeweilige Unterkapitel sofort ablesen.
Schließlich trägt jede Frage eine Nummer, die **dritte Zahl**, die sie in Verbindung mit den Kapitel- und Unterkapitelnummern unverwechselbar macht.
Grau gedruckte Fragen gehören zum Aufbauwissen. Diese Inhalte könnten in der Jägerprüfung ebenfalls gestellt werden, jedoch sollte sich der Jungjäger zunächst mit den schwarz gedruckten Grundwissenfragen beschäftigen. Mit den Aufbauwissenfragen erfolgt dann eine Vertiefung des erworbenen Basiswissens.

Stets sind weibliche Adressaten gleichermaßen und gleichberechtigt gemeint, auch wenn der Text aus Gründen der Kürze und Lesbarkeit nur die männliche Form anführt.

Da der Blase in erster Linie das für die Jägerprüfung erforderliche Gesamtwissen vermitteln und ferner dem Jagdpraktiker als kompaktes Nachschlagewerk dienen soll, ist jedem Sachgebiet eine Liste mit weiterführender Literatur angefügt worden. Bitte beachten Sie, dass es sich um eine Auswahl handelt und sich Auflagen und Verfügbarkeiten ändern können.
In den einzelnen Kapiteln wird häufig Bezug genommen auf Gesetze und Verordnungen. Der Blase kann natürlich nur den Stand am Stichtag des Redaktionsschlusses berücksichtigen. Gleiches gilt für die im Anhang aufgeführten Jagdzeitenregelungen. Änderungen oder Hinweise auf solche finden Sie auf unserer Homepage: www.blasejaegerpruefung.de.
Um zu vermeiden, dass einzelne Sonderbestimmungen den Rahmen sprengen, erfolgte bewusst eine inhaltliche Reduzierung auf bundesweit gültige Gesetze und Verordnungen. Auf die jeweils gültigen Landesgesetze wird darüber hinaus hingewiesen.
Herausgeber und Verlag wünschen Ihnen eine erfolgreiche Vorbereitung auf die Jägerprüfung mit dieser 33. Auflage des Blase und viel Weidmannsheil in der jagdlichen Praxis!

Die Autoren der 34. Auflage

Dr. Nikolaus Bretschneider-Herrmann (Feldbau)
Agrarwissenschaftler, Landwirtschaftsdirektor a. D. am Amt für den ländlichen Raum im Hochtaunuskreis, Vorstandsmitglied des Landesjagdverbandes Hessen (LJV Hessen) seit 2005, Vizepräsident des LJV Hessen seit 2009

Gerd Bottler (Jagdhunderassen, Hundeprüfungen, Jagdhund und Tierschutz)
Oberstudienrat, Fachbuchautor, Hundeführer und -züchter, Verbandsrichter

Dr. Peter Greeske (Jagd und Recht)
Rechtsanwalt, ehem. Landesjustitiar des LJV Bayern

Prof. Dr. Dr. Sven Herzog (Wildtierkunde, Wildkrankheiten)
Forstwissenschaftler und Mediziner, Hochschuldozent für Wildökologie und Jagdkunde an der Technischen Universität Dresden seit 1998, Gründungsmitglied der Vereinigung der Wildbiologen und Jagdwissenschaftler Deutschlands. Mitglied der Gesellschaft für Wildtier- und Jagdforschung e. V. (GWJF)

Helmut Hilpisch (Jagdliche Praxis)
Berufsjäger, Schweißhundführer, ehemaliger Vorsitzender des Landesverbandes der Berufsjäger Rheinland-Pfalz

Ernst-Wilhelm Kalden (Wildbrethygiene und Wildverwertung)
prakt. Tierarzt, Vorsitzender des Rotwildrings Meißner-Kaufunger-Wald

Gundolf Pohl (Hundehaltung und Zucht, Ausbildung und Führung)
Oberforstrat, Hundeführer und -züchter

Werner Reb (Jagdwaffenkunde)
Dipl.-Forsting., Sachverständiger für Waffen und Munition, Büchsenschießlehrer, Veranstalter von Büchsenschießseminaren

Dr. Joachim Reddemann (Natur- und Umweltschutz)
Dr. rer. silv., Diplom-Forstwirt (Univ.), Forstzoologe

Dr. Rolf Roosen (Jagdliches Brauchtum)
Chefredakteur der „Deutschen Jagdzeitung" (DJZ) und „Jagen Weltweit"

Prof. Stefan Ruge (Waldbau)
Professor für Botanik und Waldbaugrundlagen der Hochschule für Forstwirtschaft Rottenburg

Dr. Egbert Strauß (Wildtierkunde: Hasenartige)
Wissenschaftlicher Mitarbeiter am Institut für Wildtierforschung an der Stiftung Tierärztliche Hochschule Hannover

Jagdwaffenkunde

1 Einleitung

Zum Nachweis der Sachkunde nach § 7 Abs. 1 *Waffengesetz* (WaffG) werden im Prüfungsfach „Jagdwaffenkunde" besonders hohe Anforderungen an den jagdlichen Nachwuchs gestellt, damit Unfälle sicher verhütet werden können und dem Wild bei der Ausübung der Jagd unnötige Qualen erspart bleiben.

Jagdwaffenkunde ist eines der wichtigsten Prüfungsfächer, denn die Prüfung gilt, selbst bei hervorragenden Leistungen in anderen Prüfungsfächern, als „nicht bestanden", wenn die Kenntnisse in Jagdwaffenkunde, die Leistungen in der Handhabung der Jagdwaffen und die Ergebnisse des jagdlichen Schießens nicht mindestens ausreichend sind. Hierzu ist die Prüfungsordnung des Landes maßgebend, in dem die Jägerprüfung abgelegt werden soll.

Der Jungjäger muss seinen Zeitplan so einrichten, dass er jedes Übungsschießen mitmachen und die Mindestanforderungen der Trefferergebnisse im Büchsen-, Flinten-, und gegebenenfalls im Kurzwaffenschießen erreichen kann. Er sollte deshalb seine Ausbildung mit dem Abschnitt „Jagdwaffenkunde" beginnen und gezielt darauf hinarbeiten, dass er die Erlaubnis zum Erwerb einer eigenen Flinte erhält, weil das Üben mit der eigenen Waffe die Trefferchancen wesentlich erhöht. Oft empfiehlt sich, *zusätzlich* zur Büchsenschießausbildung des Lehrgangsträgers – die ja schon aus Zeitgründen hauptsächlich prüfungsbezogen durchgeführt werden muss – bei einem externen Büchsenschießlehrer ein Grundseminar zu absolvieren.

Der Jungjäger muss die für die Jagd relevanten Bestimmungen des *Waffengesetzes* (WaffG) in der neuesten Fassung kennen.

Hinsichtlich der Mindestanforderungen, die im praktischen Teil des Prüfungsfaches „Jagdwaffenkunde" gestellt werden, müssen vorgelegte Munitionen (Schrot-, Büchsen- und Kurzpatronen sowie die gebräuchlichen Geschosse) erkannt und in ihrer Wirkung beschrieben werden können. Hierzu sollte sich der Jungjäger eine Patronensammlung anlegen. Dazu besorgt man sich entsprechende Zusammenstellungen bei Jägern oder einem Büchsenmacher, oder man lässt sich eine Sammlung von „Blindpatronen" (nur mit einem Geschoss versehene Hülse ohne Zündhütchen und Treibladungsmittel) anfertigen, z.B. von einem Wiederlader (jemand, der im privaten Rahmen Patronen aus losen Komponenten fertigt, wobei die Hülse mehrmalige Verwendung findet). In den Katalogen der bekannten Jagdausrüster kann man die gängigen Patronensorten ebenfalls studieren.

Weiter sind gründliche Kenntnisse in der Handhabung von Jagdwaffen nachzuweisen. Vorgelegt werden meist eine Selbstladeflinte und eine Selbstspanner-Doppelflinte, eine Bockflinte mit Ejektor, eine Handspanner-Bockbüchsflinte, ein Drilling mit Einstecklauf, zwei Repetierbüchsen, sowie eine Pistole und ein Revolver. Diese Jagdwaffen muss der Prüfling nach ihren Konstruktionsmerkmalen erkennen, beschreiben und praktisch bedienen können. Wer hier schwerwiegende Mängel zeigt, muss von der Fortsetzung der Prüfung ausgeschlossen werden.

Dieses Kapitel gibt dem Jagdscheinanwärter Antworten auf die für die Jägerprüfung relevanten Fragen zu den Themen „amtlicher Beschuss", Lang- und Kurzwaffen sowie Blanke Waffen, Ballistik und Munition, Jagdoptik, Waffenhandhabung sowie Unfallverhütungs- und Sicherheitsvorschriften.

Waffen des Jägers

Blankwaffen

- Weidmesser mit feststehender Klinge (darunter Nicker)
- Weidmesser als Schließmesser zum Teil mit mehreren Klingen und Zusatzwerkzeugen, wie Säge, Schere, Korkenzieher usw.
- Tools (Universalwerkzeug)
- Blanke Traditionswaffen (Hirschfänger, Weidblatt, Saufeder)

Feuerwaffen

(Hinterlader für Patronenmunition)

Langwaffen

Waffen mit feststehendem Lauf

- Blockverschlusswaffen
- Repetierer
  - mit Drehkammerverschluss (z.B. Mauser 98)
  - mit Geradezugverschluss (z.B. Blaser R93)
  - mit Unterhebelverschluss (Lever-Action)
  - mit Vorderschaftverschluss (Pump Action)
- Selbstladewaffen

Kipplaufwaffen

- Kipplaufflinten
- Kipplaufbüchsen
- kombinierte Waffen

Kurzwaffen

- Revolver
- Pistolen als
  - Selbstladepistolen
  - Kipplaufpistolen
  - Pistolen mit Zylinderverschluss

Jagdwaffen: nach Verschlussarten

	1. Kipplaufverschlüsse	
	Einläufig	
glatte Läufe (Flintenläufe) • Kipplaufflinte		*gezogene Läufe (Büchsenläufe)* • Kipplaufbüchse • Kipp-Blockverschlussbüchse • Kurzwaffen mit Kipplauf
	Mehrläufig	
glatte Läufe • Doppelflinte • Bockflinte • Flintendrilling	*Kombinierte Waffen* • Büchsflinte • Bockbüchsflinte • Drilling • Bockdrilling • Schienendrilling • Doppelbüchsdrilling • Büchsflintendrilling • Bockflintendrilling • Waldläufer • Vierling	*gezogene Läufe* • Doppelbüchse • Bockbüchse • Büchsdrilling • Bergstutzen
	2. Mehrladeverschlüsse ***Zylinderverschlüsse***	
glatte Läufe • Repetierflinte • Pump-Flinten	***Drehkammerverschluss***	*gezogene Läufe* • Repetierer Mauser 98 • Repetierer mit direkter Verriegelung • Repetierer für hülsenlose Munition
	Geradezugverschluss	• Geradezugrepetierer • In-Line-Repetierer (Krieghoff Semprio)
	Vorderschaftrepetierverschluss	• Pump-Büchsen
	Unterhebelrepetierverschluss	• Lever-Action-Büchsen
	3. Selbstladeverschlüsse	
glatte Läufe • Flinten – als Gasdrucklader – als Rückstoßlader		*gezogene Läufe* • Büchsen – als Gasdrucklader – als Rückstoßlader – mit Rollenverschluss
	4. Blockverschlüsse	
		gezogene Läufe Büchsen mit Vertikalblockverschluss (Revolver)

1.1 Der amtliche Beschuss

Die Regelungen zum amtlichen Beschuss wurden mit Wirkung zum 11. Oktober 2002 aus dem alten Waffenrecht herausgenommen und in dem separaten „Beschussgesetz" (BeschG) neu formuliert. An den inhaltlichen Grundlagen hat sich jedoch nichts geändert.

1 Was versteht man unter dem amtlichen „Beschuss" einer Waffe und wer führt ihn durch?

Die Überprüfung auf Haltbarkeit und Funktionssicherheit. Alle neuen und maßgeblich veränderten Waffen, bzw. die wesentlichen Teile derselben müssen von einer staatlichen Stelle beschossen werden, bevor sie in Umlauf gebracht werden dürfen. Staatliche Stellen sind die den Eichämtern angegliederten Beschussämter.

2 Müssen auch in anderen Ländern hergestellte, nach Deutschland importierte Waffen beschossen werden?

Grundsätzlich ja. Die Beschusspflicht gilt auch für Waffen, die durch Import in den Geltungsbereich des Waffengesetzes gelangen. Allerdings haben Belgien, Chile, Deutschland, England, Frankreich, Italien, Österreich, Spanien, Tschechien, Slowakei, Ukraine und Ungarn ein Beschussabkommen getroffen. Sie erkennen die Beschussprüfungen gegenseitig an, so dass Waffen aus diesen Ländern nicht nochmals beschossen werden müssen.

3 Welche Folgen kann der Gebrauch nicht ordnungsgemäß beschossener Waffen haben?

Unbeschossene Waffen entsprechen nicht den Vorschriften für Sicherheit und Gesundheitsschutz (VSG-Unfallverhütung), was zur Folge hat, dass der Jäger bei Verwendung unbeschossener Waffen keinen Versicherungsschutz hat.

4 Welchen Vorteil bietet der Beschuss?

Einen weitgehenden Schutz des Verbrauchers gegen Materialmängel und funktionelle Herstellungsfehler.

5 Wie erfolgt der Beschuss?

Alle Waffen werden einer Material- und Maßüberprüfung sowie einem Beschuss mit Patronen unterzogen, deren Gasdruck um mindestens 30 % über dem der Gebrauchsmunition liegt. Wird anstelle des Gasdrucks der Energiewert gemessen, so muss er den der Gebrauchspatronen um mindestens 10 % übersteigen.

6 Wie werden beschossene Waffen gekennzeichnet?

Alle Waffen, die geprüft und staatlich beschossen worden sind, erhalten an den Läufen und an wesentlichen Teilen des Verschlusses (Kammer, Block usw.) folgende Angaben eingestempelt:

» Kaliber
» Beschussart (Bundesadler + Kennbuchstaben)

» Ortszeichen
» Jahreszeichen
» bei verstärktem Beschuss die Druckangabe
» Waffennummer
» Warenzeichen bzw. Hersteller/Importeur

7 Was versteht man unter Vorprüfung im Zusammenhang mit dem Beschuss?

Bei der Vorprüfung wird festgestellt, ob die (meist weißfertig) vorgelegte Waffe beschussfähig ist und ob sie nach der Konstruktion oder nach dem Bearbeitungszustand ohne Gefahr geladen, geschlossen und abgefeuert werden kann.

8 Was ist im Zusammenhang mit dem Beschuss mit Nachprüfung gemeint?

Nach dem eigentlichen Beschuss mit der gasdruckstärkeren Beschussmunition (i.d.R. zwei Patronen) erfolgt die Nachprüfung. Hier wird geprüft, ob keine Beschädigungen, Dehnungen usw. aufgetreten sind.

9 Welche jagdwaffenbezogenen Beschussarten gibt es?

Den Normalbeschuss oder Nitrobeschuss, den Instandsetzungsbeschuss, den Verstärkten Beschuss und den Schwarzpulverbeschuss.

10 Welche Beschussämter gibt es und welche Ortszeichen verwenden sie?

Hannover (Pferd), Kiel (Nesselblatt), Köln (drei Kronen), München (geschwungenes Rautenschild), Suhl (Sohle mit Hacke), Mellrichstadt (einfaches Rautenschild) und Ulm (Geweihstange).

+ J = Instandsetzungsbeschuss
+ V = Verstärkter Beschuss
+ SP = Beschuss mit Schwarzpulver
+ L = Beschuss mit Treibladung
+ N = Nitro- oder Normalbeschuss für alle Waffen

Beim Endbeschuss sind außerdem das Ortszeichen des Prüfamtes und das Jahreszeichen anzubringen.

Zeichen für die Beschussstellen:

Suhl Hannover Kiel* Köln München Ulm Mellrichstadt

* früher Eichenblatt

1.1: Beschussämter

Ortszeichen deutscher Beschussämter

Hannover	München
Kiel	Suhl
Köln	Ulm
Mellrichstadt	

11 Woraus besteht das Jahreszeichen?

Aus den letzten beiden Ziffern der Jahreszahl; die Monatszahl kann vorgesetzt sein. Auf Antrag der Waffenhersteller wird die Jahreszahl verschlüsselt angebracht; an Stelle der Ziffern 0 bis 9 treten die Buchstaben A bis K. Das Jahreszeichen „9 KD" bedeutet dann 9 93; die Waffe wurde also im September 1993 beschossen.

12 Was bedeuten die Beschusszeichen „BWB" oder „BMI"?

Die entsprechenden Waffen wurden vom BWB (Bundesamt für Wehrtechnik und Beschaffung) bzw. von der Beschaffungsstelle des Bundesinnenministeriums beschossen.

13 Was bedeuten die Aufschriften „PTB" oder „BAM"?

Dass die so gekennzeichneten Waffen, Einsteckläufe oder Munitionen von der Physikalisch Technischen Bundesanstalt bzw. vom Bundesamt für Materialprüfung zugelassen wurden. Es handelt sich nicht um Beschusszeichen, sondern um eine Art Zulassungsstempel.

14 Erstreckt sich die staatliche Kontrolle beim Beschuss auch auf die Schussleistung?

Nein. Schussleistungsprüfungen werden von den Beschussämtern nicht durchgeführt, wohl aber gegen Gebühr von der DEVA (Deutsche Versuchs- und Prüfanstalt für Waffen) in Altenbeken.

15 Wo befinden sich die Beschusszeichen und Waffennummern der Kurzwaffen?

Die Beschusszeichen sind bei Revolvern an Lauf und Trommel zu finden, die Waffennummer am Rahmen (Trommel ausschwenken); bei Pistolen sind die Beschusszeichen am Lauf, am Rahmen und am Griffstück angebracht; die Waffennummer am Verschluss und manchmal auch am Griffstück.

16 Wo befinden sich die Beschusszeichen der Kipplaufwaffen?

An der Unterseite der Läufe in Höhe der Patronenlager sowie an der Basküle.

17 Wo befinden sich die Beschusszeichen von Repetierbüchsen und Selbstlade-Langwaffen?

Am Lauf in Höhe des Patronenlagers, am Hülsenkopf (zumeist jeweils links), sowie am Verschluss.

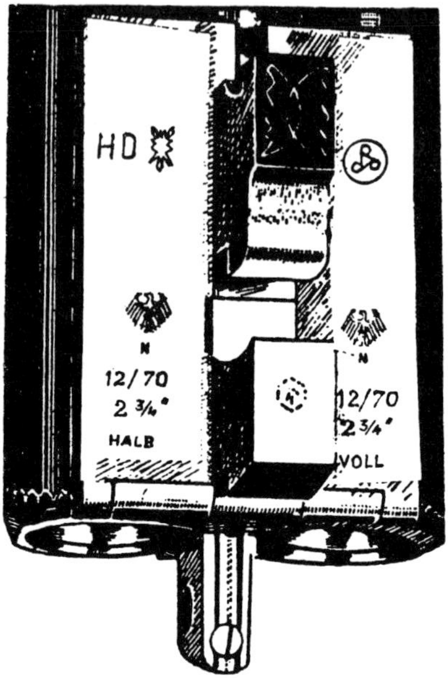

Jede Schußwaffe muß eine fortlaufende Nummer und das Warenzeichen oder den Namen des Herstellers tragen (hier oben rechts: Warenzeichen).

Es bedeuten:
HD: verschlüsselte Jahreszahl 1973

Nesselblatt: Prüfamt Kiel

Adler + N: Nitro-Sicherheitsbeschuß 12/70 und 2 3/4": für Schrotpatronen Kal. 12 u. 70 mm oder 2 3/4 Zoll Länge

HALB ***: HALB-CHOKE
VOLL * : VOLL-CHOKE

Unterseite eines Doppelflinten-Laufpaares mit Beschußzeichen

1.2: Beschusszeichen der Kipplaufwaffe

18 Wo befinden sich die Beschusszeichen an Blockbüchsen und Repetierbüchsen mit direkter Verriegelung im Lauf?

Da der Kasten dieser Waffen keine Kräfte aufzunehmen hat, müssen nur der Lauf und der Verschluss bzw. der Block einer Beschussprüfung unterzogen werden.

1.2 Langwaffen

Allgemeines

19 Welche Gewehre werden auf der Jagd geführt?

» Flinten (Gewehre mit normalerweise glatten Läufen für den Schrotschuss)
» Büchsen (Gewehre mit gezogenen Läufen für den Kugelschuss)
» kombinierte Gewehre mit einem Lauf oder mehreren Läufen für den Schrotschuss und mit einem Lauf oder mehreren Läufen für den Kugelschuss.

„Kugel“ ist die landläufige Bezeichnung für das Einzelgeschoss, das heute als „Langgeschoss“ ausgeführt ist. Man spricht deshalb auch von „Büchsengeschossen“ und „Büchsläufen“.

20 Welche Flinten gibt es hauptsächlich?

Ein- oder mehrläufige Flinten als Kipplaufflinten (Hahnflinten, Selbstspannerflinten, Handspannerflinten), sowie einläufige Flinten als Selbstladeflinten und Pump-Flinten (Vorderschaftrepetierer).

21 Welche Büchsen gibt es hauptsächlich?

» Ein- und mehrläufige Kipplauf-Büchsen als Handspannerbüchse, Selbstspannerbüchse, Hahn(en)büchse.
» Einläufige Büchsen mit starrem Lauf als a) Repetierbüchse (Zylinderverschlussbüchse, In-Line-Repetierer, Vorderschaftrepetierbüchse, Unterhebelrepetierbüchse), b) Blockbüchse und c) Selbstladebüchse.

22 Welche kombinierten Waffen gibt es hauptsächlich?

Bockbüchsflinten und Drillinge, sowie Büchsflinten und Vierlinge in verschiedenen Laufkombinationen.

23 Wie unterscheidet man jagdliche Schusswaffen nach ihrer Handhabung und der daraus folgernden rechtlichen Einordnung?

» Langwaffen (Gewehre) zum beidhändigen Gebrauch, 60 cm und länger
» Kurzwaffen (Pistolen und Revolver), weniger als 60 cm lang.

24 Wie können Langwaffen nach ihren Konstruktionsmerkmalen unterschieden werden?

» Kipplaufgewehre
» Gewehre mit feststehendem Lauf bzw. Laufbündel

25 Wie können Langwaffen nach dem Ladevorgang unterschieden werden?

» Einzellader
» Repetierwaffen
» Selbstladewaffen

26 Unter welchen waffentechnischen Sammelbegriff fallen die Jagdgewehre?

Unter den Begriff „nichtautomatische Hinterlader" für Patronenmunition.

27 Was waren die Vorläufer der modernen Jagdgewehre?

Ihre Vorläufer waren die „Vorderlader" mit dem Lunten-, Rad-, Feuerstein und später dem Perkussionsschloss. Diese Waffen wurden von der Mündung her geladen.

28 Sind Vorderlader heute zur Jagdausübung zugelassen?

Grundsätzlich ja. Wegen umständlicher Handhabung und unsicherer Funktion sowie schlechterer Präzision sind sie den modernen Jagdwaffen unterlegen. Erwerb und Lagerung des bei Vorderladerwaffen verwendeten Schwarzpulvers unterliegt besonderen waffenrechtlichen Auflagen (Ablegen einer Erwerbsscheinprüfung).

29 Was sind Selbstladewaffen?

Bei den Selbstladewaffen erfolgt der Ladevorgang und das Auswerfen der Hülse selbsttätig, nicht jedoch der Zündvorgang. Im Gegensatz zu automatischen Waffen muss bei den somit „halbautomatisch" funktionierenden Selbstladewaffen der Abzug vor jedem Schuss durchgezogen werden.

30 Warum dürfen Selbstladewaffen nicht als „Automaten“ bezeichnet werden?

Der von waffentechnischen Laien fälschlicherweise verwendete Ausdruck „Automat“ für Selbstladewaffe ist falsch, weil deren Funktion lediglich „halbautomatisch“ ist. Die Begriffe „Halbautomat“ oder „halbautomatische Waffe“ für Selbstladewaffen sind zwar technisch korrekt, sollten jedoch im Sinne jagdwaffentechnischer Öffentlichkeitsarbeit vermieden werden (Begriffsverwechslung mit den für die Jagd bzw. für den Zivilgebrauch verbotenen „automatischen Waffen“).

31 Sind Selbstladewaffen zum Schuss auf Wild zugelassen?

Ja, wenn sie lediglich mit 3 (bzw. 5 Patronen, Ländergesetze beachten!) geladen sind, (auch wenn das Magazin mehr Patronen aufnehmen kann).

32 Was sind automatische Waffen?

Der Zündvorgang, das Auswerfen der Hülse und der Ladevorgang erfolgen bei durchgezogenem und festgehaltenem Abzug automatisch und solange, bis das Magazin oder der Patronengurt leergeschossen ist.

33 Sind automatische Waffen zur Jagdausübung zugelassen?

Nein. Automatische Waffen gelten als Kriegswaffen und dürfen im Jagdgebrauch nicht verwendet werden.

34 Aus welchen Teilen besteht ein Gewehr?

Es besteht in einfacher Form aus dem Lauf (Rohr) mit Patronenlager, dem Verschluss mit dem Schloss (beides untergebracht im Verschlussgehäuse), sowie dem Schaft und der Visiereinrichtung.

35 Wozu dient der Lauf?

Er gibt dem durch die Pulvergase vorgetriebenen Geschoss oder der Schrotladung die Flugrichtung.

36 Welche Aufgabe hat das Patronenlager?

Das Patronenlager nimmt die Patrone auf. Seine Maße sind genau vorgeschrieben und dürfen die in den Maßtafeln zur jeweils gültigen WaffVO zum WaffG aufgeführten Mindestmaße nicht unterschreiten.

37 Welche Aufgabe hat der Verschluss?

Er verschließt mit Hilfe der lidernden (= abdichtenden) Hülse das am hinteren Ende des Laufes befindliche Patronenlager gasdicht hinter der Patrone ab.

38 Was versteht man unter dem Schloss der Waffe?

Es wird mit dem Abzug betätigt und enthält die Mechanik zur Anzündung der Patrone sowie zur Sicherung der Waffe. Die Mehrzahl von (Waffen-)Schloss ist Schlosse.

39 Welche waffentypischen Bezeichnungen für das Verschlussgehäuse gibt es?

Bei Kipplaufwaffen spricht man von der Basküle, vom Systemkasten oder vom Verschlusskasten; bei Zylinderverschlusswaffen von Hülse oder Kammerhülse und bei Blockbüchsen vom Kasten.

40 Welche Aufgabe hat der Schaft?

Er ermöglicht das Anschlagen der Waffe an die Schulter und das Zielen über die Visiereinrichtung.

41 Woraus besteht die Visiereinrichtung der Jagdgewehre?

Aus dem Korn und ggf. dem Visier/der Kimme („offene" oder „mechanische" Visierung) bzw. früher dem Diopter („geschlossene" Visierung), sowie aus dem Zielfernrohr oder dem Rotpunktvisier („optische" Visierung). Flinten haben ein Korn und ggf. ein Mittelkorn; Flinten zur speziellen Verwendung von Flintenlaufgeschossen haben meist ein Visier. Kombinierte Waffen und Büchsen haben Visier und Korn sowie meistens ein Zielfernrohr. Wenige Repetierbüchsen gibt es mit Hilfs-Dioptervisier. Bei manchen Repetierbüchsen fehlt die offene Visierung, wenn ein Zielfernrohr montiert ist. Der Schütze sollte wissen, wie seine Waffe über die offene Visierung schießt, wenn z.B. das Zielfernrohr ausfällt oder auf sehr kurze Entfernungen geschossen werden muss.

42 Aus welchem Material werden Gewehrschäfte gefertigt?

In der Hauptsache aus Nussbaumholz, weniger aus anderen Hölzern wie Buche und Birke, sowie aus Schichtholz oder aus Kunststoffen.

43 Was versteht man unter „Maserholz" oder „Wurzelmaserholz"?

Kontrastreich strukturiertes Holz wird als „Maserholz" bezeichnet. Der Terminus „Wurzelmaserholz" steht für besonders wertvolle Schafthölzer, ist aber irreführend, weil diese keineswegs nur im Wurzelbereich des Baumes vorkommen.

44 Welche Nachteile haben Holzschäfte?

Holz ist ein zwar „schöner", aber „lebender" Werkstoff und kann sich unter dem Einfluss der Witterung verziehen. Dies erzeugt Spannungen im System und Laufbereich, was Auswirkungen auf die Funktion und Präzision bzw. die Treffpunktlage haben kann.

45 Welche Vorteile hat ein Schichtholzschaft?

Schichtholz für Gewehrschäfte verzieht sich weniger als Vollholz und sieht gut aus. Es ist manchmal etwas schwerer, aber oft preiswerter als („gutes") Vollholz.

46 Welche Vorteile haben Kunststoffschäfte?

Sie sind standfest, pflegeleicht und meist preisgünstiger und von geringerem Gewicht als Vollholz oder Schichtholz. Vor allem Präzisionsschützen verwenden Waffen mit Kunststoffschäften.

47 Welche Vorteile hat ein Lochschaft?

Eine bessere Haltestatik und -Stabilität. Die Schießhand wird immer gleich ergonomisch positioniert, was die für präzises Treffen wichtige Abzugskontrolle erleichtert und auch dem lästigen „Mucken“ vorbeugen kann.

48 Aus welchen Hauptteilen besteht der Gewehrschaft?

Aus dem Vorderschaft und dem Hinterschaft (auch Kolben). Es gibt einteilige und mehrteilige Schäfte. Die Schäfte von Kipplaufwaffen sind immer zweiteilig.

49 Was versteht man unter der „Garnitur“ des Gewehres?

Dazu zählen die „Beschläge“ wie Pistolgriffkappe, Schaftkappe, Abzugsbügel, Riemenbügel sowie z.B. das Schaftmagazin.

1.3: Büchsen mit Kunststoffschaft sind besonders strapazierfähig. Links Mauser 03 Solid Extreme, rechts Blaser R93 Professional.

50 Welche Funktion hat der Vorderschaft bei Kipplaufwaffen?

Er dient als Handhabe für die Führhand bzw. zum Auflegen und beim Schließen (Zuklappen) und Öffnen (Abkippen) von Selbstspannergewehren als Widerlager für den Spannmechanismus bzw. aktiviert Patronenauszieher oder Ejektor. Er muss zum Zerlegen der Waffe abgenommen werden.

51 Wie wird der Vorderschaft abgenommen?

Er hat bei Kipplaufwaffen einen Patentschnäpper bzw. Druckknopf- oder Abreißverschluss; bei Büchsen ist meist ein Werkzeug (Schraubendreher oder Inbusschlüssel) nötig.

52 Was ist mit dem Satz „Die Läufe schießen, der Schaft trifft“ gemeint?

Der Schaft, vor allem der Hinterschaft, muss zu den Körpermaßen und Anschlagseigenheiten des Schützen passen, erst dann wird diesem die Waffe „liegen“. Dies gilt besonders bei Waffen für den Flüchtigschuss. Zumindest die Schaftlänge sollte den Körpermaßen entsprechen bzw. durch auswechselbare Schaftkappen unterschiedlicher Stärke auf die jahreszeitlich bedingte Bekleidung abgestellt sein.

53 Wozu dient eine Gummischaftkappe?

Eine Gummischaftkappe mindert den Rückstoß an der Schulter und verhindert das Wegrutschen der abgestellten Waffe. Bei Flinten und bei Büchsen für den Flüchtigschuss soll die Gummikappe mit einem dünnen Leder abgeklebt sein, damit ein flüssiger Anschlag gewährleistet bleibt.

54 Was versteht man unter „Halbschaft"?

Normalerweise reicht der Vorderschaft bis höchstens zur halben Lauflänge (Halbschaft). Seltener sind „Dreiviertelschäfte".

55 Was ist ein „Ganzschaft"?

Bei bis zur Laufmündung geschäfteten Büchsen spricht man vom Ganzschaft (Vollschaft, Stutzenschaft).

56 Welche Nachteile können Ganzschäfte haben?

Das witterungsbedingte Verziehen von Holz wirkt sich besonders bei ganzgeschäfteten Waffen aus: Liegt der Lauf am Schaft an, so kann die Schussleistung leiden. Mit „geteilten" Vorderschäften sind Verbesserungen möglich.

57 Was versteht man unter einem Stutzen?

Ursprünglich wurden alle (Militär-)Büchsen mit kurzem („gestutztem") Lauf als Stutzen bezeichnet. Heute spricht man vom Stutzen, wenn eine kurzläufige Büchse mit einem Vollschaft versehen ist.

58 Was ist ein „Stutzen-Vorderschaft"?

Bei Waffen mit zweiteiligem Schaft kann der Vorderschaft bis zur Laufmündung reichen. Dies hat nicht die möglichen Nachteile des einteiligen Stutzenschaftes.

59 Wozu dient die „Fischhaut"?

Die (von Hand oder mit Laser) geschnittene, auch eingepresste Aufrauung am Pistolgriff und Vorderschaft dient der Verbesserung der Griffigkeit. Es gibt sie z.B. als einreihige oder „schottische" Fischhaut.

60 Was ist die Schaftbacke?

Oftmals mehr schmückende als funktionelle Auswölbung des Hauptschaftes an der Schützenseite („Backenseite") der Waffe. Verschiedene Formen: „Deutsche Backe", „Bayerische Backe", „Falzbacke", „Doppelfalzbacke".

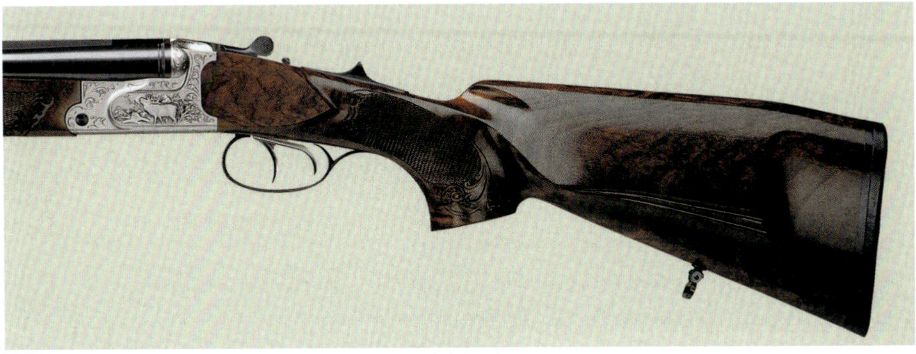

1.4: Maserholzschaft mit bayerischer Doppelfalzbacke

61 Wie prüft man annähernd die passende Schaftlänge?

Man setzt das Gewehr mit der Schaftkappe innen auf das rechtwinklig gebeugte Ellenbogengelenk und umfasst den Kolbenhals wie beim Schießen. Kann man mit der Falte zwischen erstem und zweitem Zeigefingerglied „gerade noch“ den (vorderen) Abzug erreichen, so ist die Schaftlänge annähernd richtig, wenngleich diese schnelle Überprüfung nur als grober Anhalt dienen kann. Die „normale“ Schaftlänge liegt bei 345 bis 375 mm.

62 Wie stellt man grob die individuell erforderliche Schaftlänge ohne Waffe fest?

Man misst die Länge des rechtwinklig aufgestellten Unterarmes von der Armbeuge bis zum Ende des *ausgestreckten* Zeigefingers und subtrahiert 2 cm (bei Einabzug) bis 4 cm (im Normalfall bzw. bei Doppelabzug) plus ggf. die Dicke der Kleidung im Schulterbereich.

63 Worauf muss der Jagdscheinanwärter vor dem Wurfscheibentraining unbedingt achten?

Ob ihm die Leihflinte liegt, d.h. ob *Länge*, *Senkung* und *Schränkung* des Schaftes und der Pitch sowie die Balance der Waffe seinen Körperformen entsprechen: Das Korn der Flinte soll bei flüssigem Anschlag auf das Ziel zeigen, ohne dass zu viel Schiene sichtbar ist und ohne dass der Anschlag nachkorrigiert werden muss.

64 Was versteht man unter der „Senkung“ des Schaftes?

Der senkrechte Abstand der Schaftnase und der Schaftkappe von der gedachten Rückwärtsverlängerung der Laufschiene. Die Senkung beträgt bei normalen Flintenschäften an

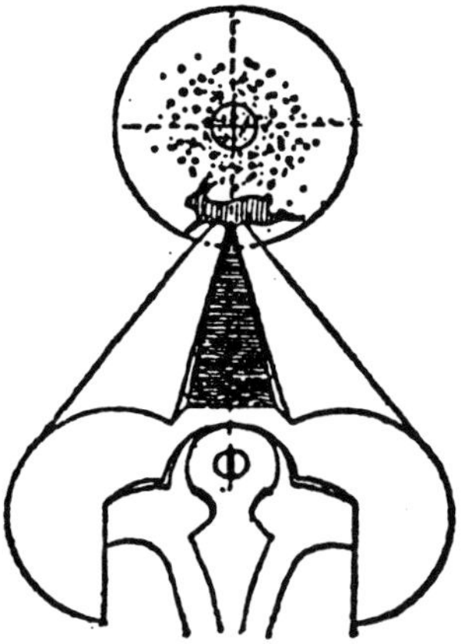

Schaft paßt nicht!
Wegen zu geringer Senkung sieht der Schütze zuviel Schiene was übermäßigen Hochschuß ergibt. Ein Mittelkorn kann helfen.

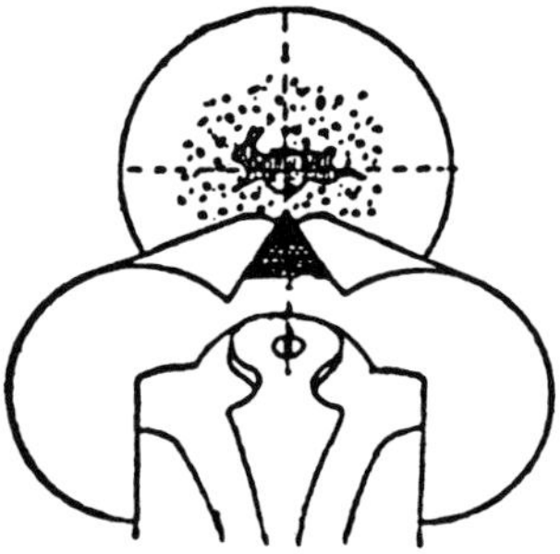

Passender Schaft!
Der Schütze sieht richtigerweise nur wenig Laufschiene. Das Ziel ist auf dem Korn aufsitzend.

Achtung: Die notwendigen Vorschwingmaße beim Flüchtigschießen sind in der Zeichnung nicht berücksichtigt.

1.5: Trefferlage beim unpassenden und passenden Schaft

der Nase 35 bis 42 mm und an der Kappe 50 bis 70 mm. Ist die Senkung des Schaftes für den Schützen zu gering, so sieht er zu viel Laufschiene und hat übermäßigen Hochschuss. Bedächtige Schützen und solche mit langem Hals brauchen eine stärkere Senkung (an der Nase etwa 40 mm, an der Kappe etwa 70 mm). Zielfernrohr-Waffen benötigen wiederum weniger oder gar keine Senkung, was bedeutet, dass die offene Visierung höher gelegt werden muss. Soll die Waffe gleichermaßen mit offener Visierung und mit Zielfernrohr geschossen werden und das aus unterschiedlichen Positionen (liegend, kniend, sitzend, stehend), so ist hinsichtlich der Senkung ein Kompromiss einzugehen oder es hilft eine höhenverstellbare Schaftbacke.

65 Was versteht man unter „Pitch"?

Betrachtet man eine Flinte von der Seite und bildet einen rechten Winkel zwischen der Aufstandslinie der Schaftkappe und der Oberseite der Basküle, so ist der Pitch das Abstandsmaß von der Kornseite der Laufmündung bis zur Verlängerung des rechten Winkels. In der Praxis stellt man die Schaftkappe der Flinte so auf den Boden, dass die Schaftkappe auf ganzer Fläche aufliegt und lehnt die Basküle an die Wand. Der Pitch ist die gemessene Strecke zwischen Wand und Kornseite der Laufmündung. Wenn die auf die Schaftkappe gestellte Flinte über die Kornseite umkippt, liegt ein „negativer" Pitch vor. Der Pitch einer „normalen" Flinte beträgt ca. 25 bis 30 mm.

66 Was versteht man unter der „Schränkung" des Schaftes?

Eine seitliche Ausbiegung des Schaftes aus der gedachten rückwärtigen Verlängerung der Laufschiene, also eine Ausbiegung „aus dem Gesicht". Sie ermöglicht ein gleichmäßig schnelles, bequemes Erfassen des Zieles ohne Überdehnung der Halsmuskeln bei gerade gehaltenem Kopf. Schützen mit breitem Gesicht, muskulösem Hals und breiten Schultern brauchen mehr Schränkung.

67 Was müssen Linksschützen bei der Schränkung ihrer Flinte unbedingt beachten?

Linksschützen sind auf eine „links geschränkte", zumindest eine nicht geschränkte Waffe angewiesen.

68 Wo soll der Balancepunkt einer gut balancierten Flinte liegen?

Der Balancepunkt (der Schwerpunkt) einer Kipplauf-Flinte liegt ca. 60 bis 70 mm vor dem Stoßboden. Unter Stoßboden versteht man die Fläche, an der bei geladenem Gewehr der Patronenboden anliegt. Bei Selbstladeflinten und VSR-Flinten (Pump-Flinten) liegt der Balancepunkt (der geladenen Waffe) etwa in der Höhe des Stoßbodens oder wenige Zentimeter vor dem Stoßboden.

69 Wie ermittelt man den Balancepunkt (den Schwerpunkt) des Gewehrs?

Umschnürt man den Balancepunkt mit einer Schnur, die man über der Laufschiene verknotet, so muss das Gewehr beim Anheben an der Schnur die Waage halten. Korrekturen werden durch Ausbohren von Schaftholz oder durch Unterlegen von Walzblei unter die Schaftkappe vorgenommen.

70 Warum muss eine Flinte „Balance haben"?

Ohne Balance der Flinte ist es selbst einem Könner kaum möglich, sicher und gleichmäßig zu treffen. Dies gilt vor allem bei Vorderlastigkeit der Flinte.

71 Wie viel Laufschiene soll der Schütze bei flüssigem Flintenanschlag sehen?

Es darf nur wenig Schiene und es muss das ganze Korn zu sehen sein.

72 Wie gelangt man am einfachsten zu einer passenden Schäftung?

Durch Probeschießen verschiedener Waffen oder durch einen Maßschaft. Hierzu werden die Körpermaße des Schützen von Hand gemessen oder durch ein sog. Gelenkgewehr ermittelt. Aufwendig, aber durch keine bessere Methode zu ersetzen ist die Ermittlung der individuell optimalen Schäftung der eigenen Flinte, deren Rohschaft im Verlauf von Übungsschießen maßlich ständig verbessert wird. Ein Maßschaft scheint erst sinnvoll, wenn der Anschlag des Schützen gefestigt ist.

Schrotläufe/Flinten

73 Welche Gewehre benutzt man für den Schrotschuss?

Kombinierte Waffen und Flinten, mit innen glatten Läufen. Läufe für den Schrotschuss werden Schrotläufe oder Flintenläufe genannt.

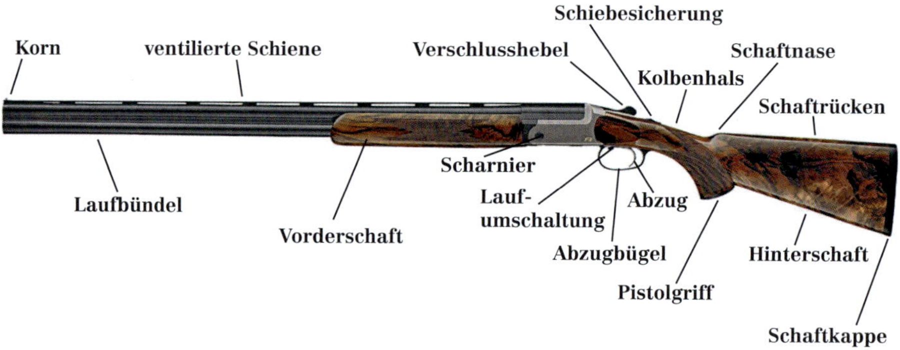

1.6: Benennung einer Flinte (Blaser Bockflinte F3)

74 Wie werden Schrotläufe hergestellt?

Aus tiefgezogenen Rohren, auch durch Ausbohren massiver Flussstahlstangen.

75 Was sind „Damastläufe"?

Früher verwendete man für Flinten sog. Damastläufe mit ihrer charakteristischen Oberflächenstruktur (der Begriff Damast kommt vom „Damaszenerstahl" und weist auf den Schmiedevorgang hin). Sie wurden aus dünnen, um einen Dorn aufwendig verschweißten Eisenblechen oder tordierten (gedreht verschmiedeten) Eisenstangen hergestellt.

76 Was sind „Schwesternflinten"?

Zwei in allen Einzelheiten übereinstimmende Flinten. Man benutzt sie zum wechselweisen Schießen und bedient sich dabei eines „Flintenspanners", der die jeweils abgeschossene Flinte neu lädt, spannt und dem Schützen bei Bedarf zureicht.

77 Was ist mit „Bohrung des Schrotlaufes" gemeint und welchen Zweck hat sie?

Es ist die Ausformung des Innenprofils an der Laufmündung. Ihr Zweck ist die Beeinflussung der Schrotgarbe und damit der Trefferleistung. Dies kann sowohl durch eine Erweiterung der Schrotlaufmündung, als auch durch eine Verengung geschehen.

78 Welche gebräuchlichen Bohrungsarten unterscheidet man?

» Skeetbohrung
» verbesserte Zylinderbohrung
» Würgebohrung oder Chokebohrung

79 Was ist eine „Skeetbohrung"?

„Skeetbohrung" ohne weiteren Namenszusatz ist ein untechnischer Begriff, da er sich nur auf die Auswirkung der Mündungsform auf die Schrotgarbe bezieht und sowohl leicht verengte Bohrungen umfasst (Skeet Nr. 2, entspricht etwa 1/4-Choke), als auch leicht erweiterte Schrotlaufmündungen (Glockenchoke) und sogar Kombinationen aus Verengung und Aufweitung (z.B. Skeet Nr. 1). Läufe mit Skeetbohrung werden für Nahschüsse auf schnelle Ziele eingesetzt, z.B. beim Skeetschießen, jedoch auch in entsprechenden jagdlichen Situationen (Frettieren).

80 Was versteht man unter Zylinderbohrung?

Ein Lauf mit gleichmäßigem Innendurchmesser ohne jede Erweiterung oder Verengung. Darf keinesfalls mit der leistungsfähigen „verbesserten Zylinderbohrung" verwechselt werden.

81 Was ist eine „verbesserte Zylinderbohrung"?

1. Eine jagdlich vielseitig einzusetzende, aber seltenere, nur bei hochwertigen Waffen zu findende, konzentrisch-kegelförmig sich zur Mündung hin gleichmäßig auf ganzer Lauflänge verjüngende Bohrung, also *keine* „Chokebohrung" (die sich ja nur auf den letzten Zentimetern verjüngt). Entspricht etwa 1/8 bis 1/4-Choke.
2. Vom englischen „Improved Cylinder" abgeleitete Bezeichnung für 1/4-Choke.

82 Was ist eine Würgebohrung oder Chokebohrung?

Die gebräuchlichste Mündungsform der Schrotläufe. Bei ihr wird der Lauf bis ca. 5 bis 10 cm vor der Mündung zylindrisch gebohrt, verengt sich dann kegelförmig und läuft mit meist gleich bleibender Verengung zur Mündung aus.

83 Welchen Zweck hat die Würgebohrung?

Man erzielt eine bessere Verdichtung, gleichmäßigere Deckung und kleinere Streuung der Schrote auf weitere Entfernungen.

84 **Wie wirkt die Würgebohrung?**

Beim Durcheilen der Würgebohrung wird die Schrotgarbe in die Länge gezogen, so dass sich der gewünschte Effekt (bessere Verdichtung, gleichmäßige Deckung, kleinere Streuung) durch die „hintereinander" im Ziel auftreffenden Schrote ergibt. Die Ladung wird durch den Choke also nicht etwa „besser zusammengehalten".

85 **Hat die Würgebohrung (der Choke) Einfluss auf den Pfropfen der Schrotpatrone?**

Nein. Früher glaubte man allerdings, dass die Würgebohrung den Pfropfen aufhielte und somit eine ungestörte Garbenentwicklung ermöglichte. Richtig ist aber, dass der Pfropfen oder Schrotkorb spätestens von der Mündung weg langsamer fliegt als die Garbe, selbst bei zylindrisch gebohrten Läufen.

86 **Welche Würgebohrungen sind gebräuchlich?**

Es gibt Laufverengungen von etwa 0,25 bis 1,0 mm, welche in Stufen von „Viertelchoke" bis „Vollchoke" eingeteilt werden. Während früher zumindest bei der Wasserjagd der Schwerpunkt auf den engen Chokes lag, verwendet man heute richtigerweise die mehr offenen Bohrungen, z.B. „1/4 bis 3/4" als Universalbohrungen für Wasser und Feld, sowie „verbesserte Zylinder bis 1/2" in der ausgesprochenen Waldwaffe, sei es Flinte oder Drilling. Dabei wird die engere Bohrung dem 2. Schuss, d.h. dem linken bzw. oberen Lauf zugeordnet.

87 **Woran erkennt man die Art der Bohrung?**

An den an der Unterseite der Läufe angebrachten Bezeichnungen (Vorderschaft abnehmen), die entweder ausgeschrieben oder (bei den auswechselbaren Choke-Einsätzen bzw. Multichoke-Aufsätzen) durch Zeichen wie „X" „Y", „*" oder Einkerbungen kenntlich gemacht sind. Dabei bedeutet * usw. = Vollchoke und ***** usw. = verbesserte Zylinderbohrung.

88 **Was sind Wechselchokes?**

Meist als einzeln einschraubbare Choke-Einsätze, seltener als aufschraubbare, im Durchmesser variable Laufverlängerungen ausgeführte Vorrichtungen sollen den Jäger in die Lage versetzen, die Mündungsweite seiner Waffe an wechselnde jagdliche Bedingungen anpassen zu können.

89 **Was ist ein „FLG-Lauf" oder „Sluglauf"?**

Ein für die Verwendung von Flintenlaufgeschossen (FLG = am. Slug) konzipierter, kurzer, als Wechsellauf z.B. für Selbstladeflinten oder Bockflinten gedachter, meist mit verbesserter Zylinderbohrung sowie offener Visierung oder speziellem Zielfernrohr versehener Schrotlauf, mit dem die Niederwildflinte zur Saujagdwaffe umfunktioniert werden kann. Manche FLG-Läufe sind gezogen und dann nur noch eingeschränkt für Schrotpatronen verwendbar.

90 Welchen Einfluss auf die Trefferleistung in Abhängigkeit von der Laufbohrung hat die Schrotpatronenart und die Schrotgröße?

Die Weitschusseigenschaften der Patronen mit Schrotkorb hängen mehr vom Aufbau der Ladung ab als von der Art des Choke. Andererseits reagieren die mit hochwertigen Fettfilzpfropfen verladenen Schrotpatronen besonders effektvoll auf unterschiedliche Würgebohrungen. Insofern ist die Angabe der Mündungsverengung kein Maßstab für die „Leistung" der Waffe. Der Einfluss der Bohrung ist bei kleinen Schroten am größten und bei groben Schroten bzw. Postenschrot kaum mehr zu erkennen. Zur Ausnutzung guter Leistungen sollte man selbst bei starker Mündungsverengung keine dickeren Schrote als ca. 3,5 mm schießen (Ausnahme schwere Magnumladungen ab 12/76).

Büchsenläufe/Büchsen

91 Was ist ein Büchsenlauf?

Der Büchsenlauf (Büchslauf, Kugellauf) besteht aus Patronenlager mit Übergangskonus und dem gezogenen Laufteil. Dieser ist im Gegensatz zum glatten Schrotlauf vom Ende des Patronenlagers bis zur Laufmündung mit schraubenförmig gewundenen („gedrallten") Einschnitten, den Zügen versehen. Die stehen gebliebenen Erhebungen des gezogenen Laufteiles nennt man Felder.

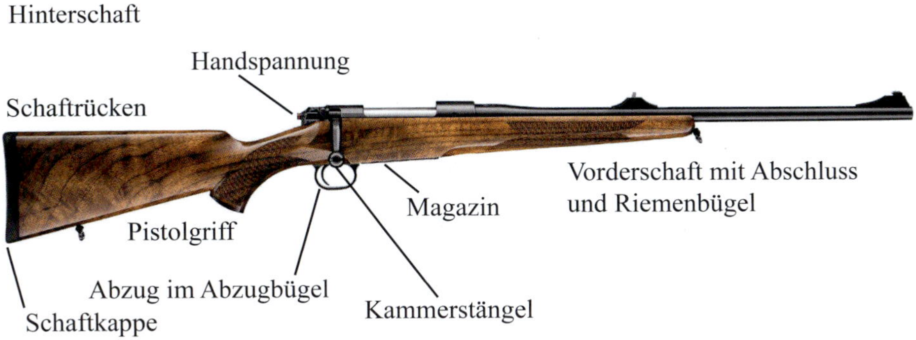

1.7: Benennung einer Büchse (Repetierbüchse Mauser M 03)

92 Was bezeichnet man als Drall?

» Die schraubenförmige Windung der Züge und Felder in Büchsenläufen.
» Die von den gewundenen Zügen und Feldern des Büchsenlaufes dem Geschoss vermittelte Drehung des Geschosses um seine Längsachse.

93 Welcher Laufdurchmesser ist größer: Der von Zug zu Zug oder der von Feld zu Feld?

Von Zug zu Zug. So beträgt z.B. beim Kaliber 5,6 x 50 R der Zugdurchmesser 5,69 mm (Felddurchmesser 5,56 mm) und beim Kaliber 7 x 65 R der Zugdurchmesser 7,24 mm (Felddurchmesser 6,98 mm).

94 Entspricht der Durchmesser eines Geschosses des entsprechenden Kalibers eher dem Feld- oder eher dem Zugdurchmesser des Laufes?

Eher dem Zugdurchmesser, z.B. haben Geschosse für die 5,6 x 50 R einen Durchmesser von 5,70 mm; Geschosse für die 7 x 65 R haben einen Durchmesser von 7,21 mm. Geschosse sind (bezogen auf den Mittelwert von Zug- und Felddurchmesser) meist überkalibrig und müssen vom Gasdruck in die Züge gepresst werden.

95 Welche Aufgaben haben Züge, Felder und der Drall?

Die Felder und Züge zwingen das den Büchsenlauf durcheilende Geschoss zu einer Drehung um seine Längsachse; es bekommt Drall. Durch die „Drallstabilisierung" (den Kreiseleffekt) ist es in der Lage, Richtung und Flugbahn beizubehalten.

96 Was versteht man unter Drall-Länge?

Die Laufstrecke, in der sich das Geschoss einmal um seine Achse dreht. Sie beträgt bei Kaliber 6,5 mm 20 bis 28 cm, bei Kaliber 7 mm 22 bis 25 cm und bei Kaliber 8 mm 24 bis 28 cm. Schnelle, leichte Geschosse brauchen einen langen Drall; schwere Geschosse brauchen einen kurzen Drall.

97 Wovon hängt die Umdrehungsgeschwindigkeit eines Geschosses ab?

Von der Anfangsgeschwindigkeit des Geschosses und der Drall-Länge des Laufes. Gebräuchliche Jagdbüchsengeschosse haben etwa 3500 bis 4500 Umdrehungen in der Sekunde.

98 Wie wird das Laufprofil in den Büchslauf eingearbeitet?

Durch die Kaltverformungsverfahren 1. Ziehen, 2. Drücken, 3. Hämmern. Ausgangsmaterial ist der bereits gebohrte Rohling.

99 Wie ist der Arbeitsablauf beim Laufziehen?

Beim Ziehen wird der Lauf in die Laufziehmaschine gespannt und das Ziehgestänge mit den Ziehmessern eingeführt. Alle Züge schneidet man gleichzeitig ein; die Schnitttiefe eines Durchgangs, nach dem jeweils die Späne mit Öl ausgespült werden, beträgt 1/1000 mm. Das Laufziehen wird bevorzugt bei Läufen mit Hakenstück angewandt.

100 Wie ist der Arbeitsablauf beim Laufdrücken?

Beim Laufdrücken sind die Züge auf einem Druckdorn als Negativprofil (erhöht) wiedergegeben (der Druckdorn wird „Knopf" genannt, weswegen man vom „Knopfdrücken" spricht). Hoher Druck schiebt das Material zur Seite und wölbt die Felder auf. Es wird immer nur ein Feld gedrückt. Vor allem Läufe für Kleinkaliberwaffen und Kurzwaffen werden so gefertigt.

101 Wie ist der Arbeitsablauf beim Hämmern?

Hierzu ist eine Hämmeranlage (hydraulische Rundknetmaschine) erforderlich. Der Lauf wird auf einen kaliberspezifischen Hämmerdorn geschoben, der sich entsprechend dem gewünschten Drall vorwärts schraubt. Gleichzeitig schlagen vier Schmiedehämmer von außen auf den Waffenstahl. Beim Hämmern kann das Patronenlager mitgefertigt werden. Gehämmerte Läufe sind oberflächenverdichtet und deswegen hochfest und glatt.

102 Welche Lauf-Innenprofile gibt es noch?

Vor allem in Militärwaffen, vereinzelt auch in Jagdwaffen finden sich Läufe mit einem polygonalen (vieleckigen) Innenprofil. Etwa vorhandene Vorteile des Polygonprofils (wie erleichterte Laufpflege und erhöhte Lebensdauer durch fehlende scharfe Kanten) kommen bei Jagdwaffen kaum zum Tragen.

Kipplaufwaffen

103 Was ist eine Doppelflinte?

Ein Gewehr mit zwei nebeneinander liegenden Flintenläufen zum Verschießen von Schrotmunition und Flintenlaufgeschossen. Die Doppelflinte wird auch „Querflinte" oder „Zwilling" genannt.

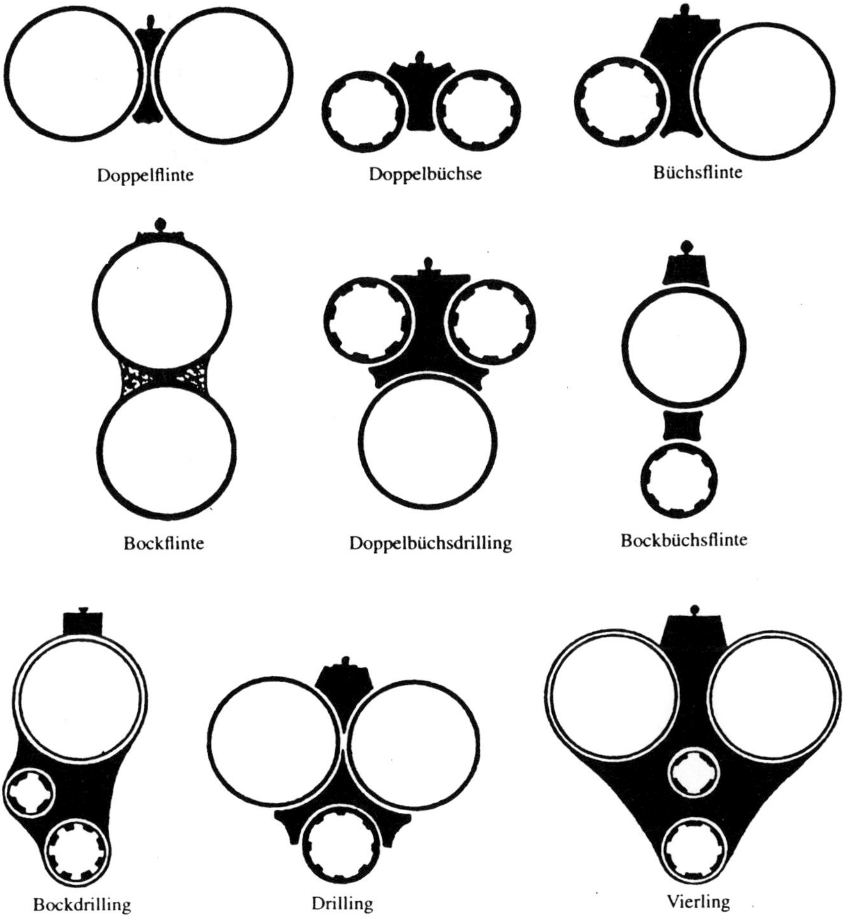

1.8: Laufanordnungen (Beispiele) bei Kipplaufwaffen

104 Was ist eine Doppelbüchse?

Eine Waffe mit zwei nebeneinander liegenden Büchsläufen zum Verschießen von Kugelpatronen. Vor allem im Alpenraum auch als „Doppelkugel" bezeichnet.

105 Wie ist die Laufanordnung einer Büchsflinte?

Ein Büchslauf liegt *neben* einem Flintenlauf (i.d.R. rechts).

106 Was versteht man unter Bockgewehren?

Gewehre mit *übereinander liegenden* („aufgebockten") Läufen:

» *Bockflinte* (zwei Flintenläufe)
» *Bockbüchse* (zwei Büchsenläufe gleichen Kalibers)
» *Bockbüchsflinte* (ein Schrotlauf und ein Kugellauf übereinander – überwiegend mit obenliegendem Schrotlauf)
» *Bockdrilling* (eine Bockbüchsflinte mit „Schrotlauf oben, Kugellauf unten" mit einem zusätzlichen, meist seitlichen „kleinen Kugellauf"
» *Bockflintendrilling* (eine Bockflinte mit seitlichem „kleinen" Kugellauf) oder ein Drilling mit um 90 Grad „verdrehter" Laufanordnung – selten)

107 Warum sollten die Ausdrücke „Bock*doppel*flinte" oder „Bock*doppel*büchse" nicht verwendet werden?

Die Ausdrücke Bock*doppel*flinte und Bock*doppel*büchse sind „weiße Schimmel", weil sie die Tatsache der vorhandenen zwei Läufe zweimal wiedergeben, nämlich erstens durch „doppel" und zweitens durch „Bock". Fachleute verwenden den technisch korrekten Ausdruck Bockbüchse" bzw. „Bockflinte".

108 Welche zweiläufige Büchse hat „aufgebockte" Läufe, ohne dass dies aus der Bezeichnung hervorgeht?

Der *Bergstutzen* mit einem obenliegenden „kleinen" Kugellauf und einem unten liegenden „großen" Kugellauf.

109 Was ist eine kombinierte Waffe?

Ein Gewehr mit mindestens je einem Büchs- und Flintenlauf.

110 Welche kombinierten Waffen gibt es?

» *Büchsflinte* (Büchs- und Flintenlauf nebeneinander, Büchslauf meist rechts; mit zwei Schlossen)
» *Bockbüchsflinte* (Büchslauf meist unten, Flintenlauf oben – führige Kombination; mit Einschloss-System oder mit zwei Schlossen)
» *Drilling* (zwei Flintenläufe oben, ein Büchslauf unten – universelle Kombination; seltener ein Büchslauf oben, zwei Flintenläufe unten; zwei oder drei Schlosse; Doppelflinte mit zusätzlichem Büchslauf)
» *Doppelbüchsdrilling* (zwei Büchsläufe, ein Flintenlauf meist unten; zwei oder drei Schlosse; Doppelbüchse mit zusätzlichem Schrotlauf)
» *Büchsflintendrilling* (ein Büchs- und ein Flintenlauf oben, zweiter Büchslauf unten; drei Schlosse; Büchsflinte mit zusätzlichem Büchslauf)

» *Bockdrilling* (Bockbüchsflinte mit meist seitlichem, seltener in der Laufschiene liegenden „kleinen" Kugellauf – im Alpenraum auch „Triumphbock" genannt; oft zwei Schlosse)
» *Bockflintendrilling* (Bockflinte mit seitlichem „kleinen" Kugellauf; meist drei Schlosse – selten)
» *Waldläufer* (Doppelflinte mit in die Schiene eingebautem KK-Lauf, meist mit zwei Schlossen; – selten)
» *Vierling* (Drilling mit zwei Flintenläufen und einem Büchslauf plus einem entweder in der verstärkten Laufschiene oder im Zentrum des Laufbündels untergebrachten „kleinen" Büchslauf; dann drei oder vier Schlosse; aber auch Kombination aus Doppelflinte und Bockbüchse oder Doppelbüchse und Bockflinte, dann zwei Schlosse).

111 Welche mehrläufigen Gewehre zählen *nicht* zu den Kombinationswaffen?

Der *Bergstutzen* („Große" Kugel und „Kleine" Kugel); sowie alle Gewehre mit zwar mehreren, aber gleichartigen Läufen z.B. der *Flintendrilling* (zwei Flintenläufe oben, einer unten, selten) und der *Büchsdrilling* (zwei Büchsläufe oben, einer unten, selten, teuer).

1.9: Mündungsbilder von Bockwaffen (Krieghoff TS): v. l. n. r. Bockbüchsflinte und mit Einstecklauf, Bergstutzen, Bockbüchse

Schlosse

112 Welche Teile beinhaltet das Schloss bei Kipplaufwaffen?

Die zur Anzündung der Patrone und die zur Sicherung der Waffe erforderlichen Teile.

113 Was versteht man unter „Basküle"?

Bezeichnung für den Verschlusskasten, der den Verschluss und die Schlossteile aufnimmt.

Die drei Sicherungsmöglichkeiten des Blitzschlosses:

Innen liegendes Schlagstück

1. Abzugssicherung
2. Stangensicherung
3. Schlagstücksicherung

Zwei dieser Sicherungen
können kombiniert sein, z. B.
Abzugs- und Stangensicherung

Schematische Darstellung eines Schloßsystems

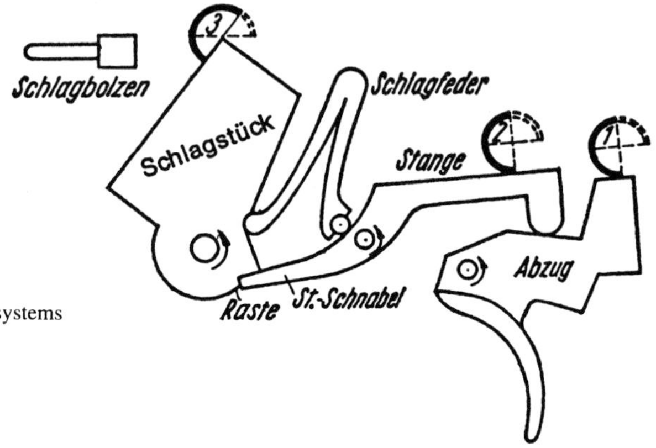

1.10: Die drei Sicherungsmöglichkeiten des Blitzschlosses

114 Was versteht man unter dem Stoßboden der Kipplaufwaffe?

Die Fläche der Basküle, auf der das hintere Ende des Laufes bzw. des Laufbündels anliegt und auf die der Hülsenboden während des Schusses aufschießt.

115 Welche Aufgabe hat das Schlagstück?

Es gibt, durch die Abzugsmechanik ausgelöst, die von der Schlagfeder konservierte Energie an den Schlagbolzen ab, wodurch die Zündung der Patrone erfolgen kann.

116 Wann spricht man von „Schlagstück", wann von „Hahn"?

Schlagstücke sind innenliegend (innerhalb des Verschlusskastens); Hähne liegen außen.

117 Wie werden Schlosse nach der Spannmechanik unterschieden?

» Schlosse mit Schlagstücken als *Selbstspanner* oder *Handspanner*.
» Schlosse mit Hähnen (*Hahn*waffen).

Schlosse mit Schlagstücken spannen sich entweder beim Abkippen der Läufe selbsttätig („Selbstspanner") oder sie werden über eine außen liegende Handhabe (meist Spannschieber auf dem Kolbenhals) *von Hand gespannt und entspannt.*

118 Welches sind die bekanntesten Schlosse bei Kipplaufgewehren?

» *Handspanner-Einschloss*: Für Bockbüchsflinten und Kipplaufbüchsen, Sicherheitsautomatik, zuverlässig, preiswert. Manche Systeme mit weichen, stecherlosen Abzügen.
» *Handspanner-Zweischloss*: Für Bockbüchsflinten und Drillinge. Fungiert oft als Selbstspanner (wie separate Kugelspannung).
» *Blitz-Schloss*: Teile sind auf dem Abzugsblech montiert.
» *Kastenschloss*: Befindet sich in Aussparungen der Basküle.
» *Seitenschloss*: Auf Seitenblechen montiert. Auch Hahnschlosse sind Seitenschlosse.

119 Welche Aufgabe hat die „Umschaltung“ beim Drilling?

Die als Schieber – seltener als Hebel oder Wippe – ausgeführte Umschaltung befindet sich auf dem Kolbenhals. Sie weist dem vorderen Abzug die Schlosse zu: Wird auf „S“ (für Schrot) gestellt, so bedient der vordere Abzug beim normalen Drilling das Schloss des rechten Schrotlaufs. Steht die Umschaltung auf „K“ (für „Kugel“), so ist der vordere Abzug dem Schloss des Büchslaufes zugeordnet. Gleichzeitig mit der Umschaltung auf den Büchslauf wird bei entsprechend eingerichteten Drillingen das Visier automatisch aufgestellt.

120 Was ist eine „separate Kugelspannung“ (separate Büchslaufspannung)?

Mittels eines auf dem Kolbenhals liegenden Spannschiebers wird das Schloss für den unteren Lauf (beim Drilling für den Büchslauf) gespannt und entspannt. Diese Einrichtung gibt es auch beim Doppelbüchsdrilling: Es wird jedoch das Schloss des (unten liegenden) Schrotlaufes gespannt, weswegen man hier von „separater Schrotlaufspannung“ sprechen kann.

121 Welche Vorteile hat die separate Schlossspannung?

» Waffen mit separater Spannung für das dritte Schloss sind handhabungssicherer als Drillinge mit drei ständig gespannten Schlossen (eine Gefahrenquelle weniger).
» Eine Sicherung für das dritte Schloss ist überflüssig.
» Die Federn des dritten Schlosses sind nicht ständig gespannt.
» Ist der Spannschieber vorne, so spannt sich wie bei den Selbstspannern das Schloss beim Öffnen und es kann schnell nachgeschossen werden.

122 Welchen Nachteil hat die separate Schlossspannung?

Der Vorteil der automatischen Schlossspannung bei in vorderer Position befindlichem Spannschieber ist gleichzeitig ein Unsicherheitsfaktor. Vielen Schützen ist nicht bewusst, dass bei vorne befindlichem Spannschieber nach dem Nachladen eine gespannte, ungesicherte Waffe vorliegt.

123 Was ist bei der Zwei-Schloss-Spannung zu beachten?

Bei manchen Ausführungen werden bei in vorderer Stellung befindlichem Spannschieber die abgeschlagenen Schlosse beim Abkippen des Laufbündels gespannt. Wird ein Lauf abgeschossen, so bleibt das zweite Schloss gespannt. Wie bei der separaten Kugelspannung muss der Spannschieber von Hand zurückgenommen werden, wenn man nicht weiterschießen will.

124 Wie wird ein Hahngewehr entspannt?

Durch Festhalten des Hahnes bei nachfolgendem Betätigen des Abzugs. Der Hahn kann dann vorsichtig heruntergelassen werden (vorderer Abzug – rechter Hahn). Vorheriges Öffnen der Waffe – wo möglich – reduziert das Risiko einer Fehlbedienung.

125 Wie wird eine Selbstspannerflinte entspannt?

Durch gleichzeitiges Abziehen beider Abzüge bei gebrochener Waffe und langsames Schließen der Waffe. Eine Waffe mit automatischer Sicherung kann auf diese Weise nicht entspannt sondern muss abgeschlagen werden.

126 Was versteht man unter „Abschlagen" eines Schlosses?

Die Betätigung des Abzugs der ungeladenen Waffe beim „Trockentraining" mit der Büchse oder zum Zwecke der Entspannung der Schlagfeder, wenn diese wegen der „automatischen Sicherung" der Flinte nicht entspannt werden kann („leer abschlagen" bzw. „auf Pufferpatrone abschlagen).

127 Ist das leere Abschlagen einer Waffe nachteilig?

Nicht zwingend. Der Hersteller gibt Empfehlungen, ob die Waffe gespannt stehen gelassen werden oder abgeschlagen werden kann, oder Pufferpatronen benutzt werden sollen. Bei manchen – älteren – Waffen sind beim Leerabschlagen Federbrüche denkbar, allgemein auch Abrisse des Schlagbolzens.

128 Was versteht man unter „gebrochener" Waffe?

Die Kipplaufwaffe ist geöffnet (aufgeklappt).

Sicherungen

129 Was ist eine „automatische Sicherung"?

Eine Abzugssicherung, die beim Aufklappen der Waffe zwangsgesteuert aktiviert wird. Sie kann Vorteile haben, z.B. wenn Unbefugte mit der Waffe hantieren, ist aber überwiegend nachteilig, weil sie dem Schützen im Hinblick auf die Unzuverlässigkeit der Abzugssicherung ein Gefühl von (falscher) Sicherheit vermittelt. Zudem wird das Entsichern oft vergessen.

130 Welche Sicherungen unterscheidet man bei Selbstspanner-Kipplaufwaffen?

Die Abzugsicherung, die Stangensicherung und die Schlagstücksicherung.

131 Gibt es die „sicherste" Sicherung?

Die Schlagstücksicherung, bei Kipplaufwaffen vor allem in Verbindung mit Fangstangen, wirkt noch am zuverlässigsten, gefolgt von der Stangensicherung. Am unzuverlässigsten ist die Abzugsicherung, bei der nur die Abzüge blockiert werden. Aber: Es gibt keine „sichere" oder gar „sicherste" Sicherungen, denn das sicherste Gewehr ist das entladen und geöffnet getragene; es folgen Waffen mit Handspannersystem, die geladen, aber entspannt geführt werden können. Freilich müssen auch diese entladen werden, wenn es die Situation lt. UVV oder WaffG vorschreibt.

132 Wie werden die Sicherungen betätigt?

Mit einem Schieber, der bei den meisten Kipplaufwaffen auf dem Kolbenhals (auf der „Scheibe") liegt („Schiebesicherung"). Die „Greener Sicherung" mancher Drillinge liegt seitlich am Kolbenhals bzw. am „Bäckchen". Wird der Schieber nach vorne (in Richtung Ziel), bzw. die Greener Sicherung nach unten geschoben (oft wird ein roter Punkt sichtbar), so ist entsichert. Bei manchen Waffen ist die Sicherung als Druckknopf ausgeführt.

133 Was sind die Vorteile und Nachteile der Hahnwaffen?

Sie können, da man sie erst unmittelbar vor dem Schuss spannt, geladen gehandhabt werden. Freilich verführt die umständliche Bedienung vor allem der doppelläufigen Hahngewehre dazu, die Hähne bereits lange vor der Schussabgabe zu spannen. Weitere Unsicherheit erwächst daraus, zum Entspannen in die Abzüge greifen zu müssen, ohne die Waffe vorher entladen zu können (nur wenige Hahnwaffen lassen sich in gespanntem Zustand öffnen).

134 Was sind die Vorteile der Kipplauf-Handspannerwaffen?

Sie sind praxisgerecht, weil sie mit einer Patrone im Lauf geführt werden können. Das Spannen kann erst im Anschlag erfolgen. Handspannerwaffen können, ohne wie bei den Selbstspannern oder Hahnwaffen in die Abzüge greifen zu müssen, durch Rücknahme des Spannschiebers schnell und sicher entspannt werden. Moderne Konstruktionen sind sehr geräuscharm. Bei den „Zweischloss-Handspannersystemen" stehen zwei gespannte Schlosse zur Verfügung. So können, wie bei Selbstspannerwaffen, beide Läufe hintereinander abgefeuert werden, ohne, wie bei den Einschloss-Handspannern, nachspannen zu müssen (durch Zurücknahme und Vorschieben des auf dem Kolbenhals liegenden Spannschiebers).

Abzüge

135 Welche Aufgabe hat der Abzug?

Der Fingerdruck auf den Abzug löst den Schuss aus: Die Abzugstange wird aus der Spannraste des Schlagstückes gehoben und dieses durch die Kraft der Schlagfeder auf den Schlagbolzen geschlagen. Durch die Energie des Schlages wird der Zündsatz und damit die Pulverladung angezündet.

136 Wie hoch soll der Abzugwiderstand bei Kipplaufwaffen sein?

Etwa 16 N (Newton) beim vorderen und 22 N beim hinteren Abzug; zu „weich" stehende Abzüge vergrößern die Gefahr des „Doppelns". Manche Systeme (Seitenschlosse und Handspannerkonstruktionen) erlauben niedrigere Abzugswiderstände. (1 N entspricht 0,1 kg)

137 Wie misst man den Abzugwiderstand?

Mit Abzuggewichten oder einer Abzugfederwaage. Der Wert wird aus dem Durchschnitt mehrerer Messungen ermittelt.

138 Welche Abzuganordnungen gibt es bei mehrläufigen Kipplaufwaffen?

Den Doppelabzug und den Einabzug. Beim Doppelabzug sind die Abzüge den Schlossen meist zugeordnet (z.B. vorderer Abzug rechter/unterer Lauf). Manche Doppelabzüge können auch als Einabzüge verwendet werden. Beim Einabzug ist die Zuordnung meist mit einem Laufwählschalter wählbar. Beim normalen Drilling bedient der hintere Abzug i.d.R. den linken Schrotlauf, der vordere den rechten Schrot- oder den Büchslauf, je nach Stellung des Umschalters oder der separaten Kugelschlossspannung.

139 Welche Abzugarten gibt es bei Jagdwaffen?

Bei Repetierbüchsen den empfehlenswerten Flintenabzug, den Kombiabzug (Flintenabzug kombiniert mit Rückstecher), weniger den Druckpunkt- und den Matchabzug. In neuen Waffen praktisch nicht mehr nachgefragt wird der Deutsche oder Doppelzüngel-Stecherabzug. Kombinierte Waffen haben zwar meist Kombianzüge (Direktabzug mit Rückstecher), doch wird von guten Schützen der praktischere, sicherere Direktabzug bevorzugt, selbst für den weiten Büchsenschuss.

140 Wo befindet sich der Laufwählschalter der Flinte?

Entweder als im Sicherungsschieber integrierter Schieber (sog. Browning-Umschaltung – etwas anfälliger gegen Verschmutzung und unbeabsichtigtes Verstellen) oder als robuste, deutlich sicht- und fühlbare Umschaltung im Abzugbügel.

141 Manche mehrläufige Flinten haben einen „Einabzug mit Rückstoßumschaltung". Was versteht man darunter?

Der Rückstoß des ersten Schusses bewirkt die Umschaltung des Abzugmechanismus vom ersten auf das zweite Schloss. Nachteil: Bei einem Versager oder „schlappen Schuss" wird nicht umgeschaltet und somit kann der zweite Schuss nicht abgegeben werden.

142 Was versteht man unter „Einabzug mit mechanischer Umschaltung"?

Die Umschaltung vom ersten zum zweiten Schloss nach Abgabe des ersten Schusses wird beim abermaligen Abdrücken zwangsgesteuert durchgeführt, d.h. ist nicht vom Rückstoß abhängig.

143 Was sind die Vorteile des Einabzugs?

Der zweite Schuss kann abgegeben werden, ohne mit dem Finger auf den zweiten Abzug und mit der Hand am Schaft umgreifen zu müssen.

144 Welche Abzuganordnung ist bei einer mehrläufigen Büchse anzuraten?

Erfahrene Jäger bevorzugen den Doppelabzug, weil bei Versagen eines Schlosses oder Abzugs das zweite Schloss mit dem zweiten Abzug ausgelöst werden kann. Dies gilt besonders bei der Jagd auf wehrhaftes Wild. Ein Stecherabzug ist bei solchen Waffen unnötig und wegen der Anfälligkeit seiner Mechanik bedenklich.

145 Wozu sollte der Stecherabzug nützen?

Der Stecher wurde vor einem Jahrhundert mit dem Ziel konzipiert, das „Verreißen" des Schusses zu verhindern. Der jagdpraktische Wert des Stechers ist bei Fachleuten allerdings sehr umstritten, weil mit dem Stecher – bzw. jedem zu fein eingestellten Abzug – die für den guten Treffer notwendige Abzugskontrolle nicht ausgeübt werden kann.

146 Wieso wird der Stecherabzug von Fachleuten als „unsicher" abgelehnt?

Wegen seiner nachgewiesenen Unfallträchtigkeit. Zu geringer Abzugwiderstand kann zu ungewollter Schussabgabe führen (z.B. im „Bockfieber" oder mit kalten Händen). Außerdem verführt die umständliche Handhabung und das störende Stechergeräusch dazu, die Waffe bereits lange vor Schussabgabe einzustechen, was bei falscher Bedienung die Unfallgefahr erhöht.

147 Welche Stecherabzüge gibt es?

Bei Kipplaufbüchsen und Repetierern baute man früher vor allem den Deutschen Stecher (Doppelzüngelstecher) ein. Dieser wird durch Druck von vorne auf den hinteren Züngel eingestochen und durch Abziehen des vorderen Züngels ausgelöst. Mehrläufige Kipplaufwaffen und Repetierbüchsen, sofern überhaupt noch mit Stecher ausgestattet, werden mit dem Rückstecher („französischer Stecher") versehen. Der Rückstecher wird durch Druck von hinten eingestochen; Druck von vorne löst ihn aus. Gute Rückstecherabzüge können mit ihrer besseren Abzugscharakteristik auch ungestochen verwendet werden.

148 Woran erkennt man das Vorhandensein eines Stechers?

Beim Rückstecher und beim Deutschen Stecher am Stecherschräubchen. Dieses befindet sich beim Deutschen Stecher zwischen den beiden Züngeln und beim Rückstecher hinter dem vorderen Abzug. Beim Hineinschrauben der Stecherschraube wird der Abzug feiner eingestellt; durch Herausschrauben härter. Aus Sicherheitsgründen sollte die Justierung des Stechers dem Fachmann vorbehalten bleiben.

Verschlüsse

149 Welche Aufgabe hat der Verschluss?

Er schließt, zusammen mit der lidernden (= abdichtenden) Patronenhülse das Patronenlager nach hinten ab, er nimmt bei manchen Waffentypen Teile des Schlosses (d.h. Zünd- und Abzugsmechanismus) auf und er stellt die Verbindung zum Schaft her.

150 Welche Verschlüsse werden hauptsächlich unterschieden?

» Verschlüsse für Kipplaufwaffen (Baskülverschlüsse)
» Verschlüsse für Einzel- und Mehrlader mit feststehendem Lauf einschließlich Selbstladewaffen.

151 Aus welchen Materialien bestehen die wichtigen Verschlussteile?

Aus Stahl oder aus speziellem Leichtmetall (bei gleicher Stabilität besonders leicht). Systemkästen aus Leichtmetall gibt es auch bei modernen Selbstlade- und Repetierbüchsen.

152 Was ist der Verschlussabstand?

Damit bezeichnet man das Abstandsmaß zwischen dem Stoßboden der verriegelten Waffe und dem Patronenboden. Der Verschlussabstand (VA) ist in den Maßtabellen der jeweils gültigen WaffVO zum WaffG festgelegt und beträgt 0,10 bzw. 0,15 mm.

153 Was ist bei zu großem Verschlussabstand zu beachten?

Verschlüsse mit zu großem VA gefährden durch Hülsenreißer und die dadurch verursachten Rückbläser und Waffensprengungen Personen und Waffe. Treten Anzeichen von beginnenden Hülsenabreißern auf (ersichtlich durch ringförmige Verfärbungen bzw. Einschnürungen und Teilabrisse einige Millimeter über dem Patronenboden), so darf keineswegs weitergeschossen werden. Die Schussleistung kann bereits bei geringer Überschreitung des VA-Maßes leiden. Auch bei wiederholten Versagern ist der VA zu überprüfen.

154 Was versteht man unter „System"?

Allgemeine Bezeichnung für die Konstruktionsart von Jagdwaffen, meist auf die Art der Verschlusseinrichtung oder des Schlosses bezogen (z.B. „Einschloss-System mit Keilverschluss" oder „Blitzsystem mit Kerstenverschluss").

155 Was ist das Merkmal aller Kipplaufverschlüsse?

Der Lauf oder das Laufbündel haben über untenliegende Laufhaken oder über seitliche Scharniere Verbindung zum Verschlussgehäuse. Die Waffe lässt sich nach Betätigung eines meist obenliegenden Verschlusshebels abkippen („brechen").

156 Welches sind die häufigsten Verschlüsse für Kipplaufwaffen?

» *mit* und *ohne Laufhakenverriegelung:* Keilverschluss, Greener-Querriegelverschluss, Kerstenverschluss, Purdeyverschluss.
» *mit Laufhakenverriegelung*: Kipp-Blockverschluss.
» *ohne Laufhakenverriegelung*: Flankenverschluss

157 Wie unterscheidet man Verschlüsse für Einzel- und Mehrlader mit feststehendem Lauf?

» Blockverschluss und Kippblock-Verschluss (Einzellader)
» Zylinderverschluss für Repetierwaffen (Mehrlader), als Drehkammerverschluss und Geradzugverschluss (die Verschlüsse der Unterhebel- „Lever Action" und Vorderschaft-Repetierwaffen „Pump-Action" sowie In-Line-Repetierer sind Variationen des Zylinderverschlusses).
» Verschlüsse für Selbstladewaffen (meist Drehkopf- oder seltener Rollenverschluss)

158 Welche Blockverschlüsse gibt es?

» Vertikal-Blockverschluss
» Kippblock-Verschluss
» Drehblockverschluss
» Fallblockverschluss (selten)

159 Welches sind die gebräuchlichsten Kammer- oder Zylinderverschlüsse bei Repetierbüchsen?

» Der *Drehkammerverschluss*. Es gibt ihn 1. mit *Verriegelung im Hülsenkopf*, 2. mit *Verriegelung in der Hülsenbrücke*, 3. mit *Verriegelung direkt im Lauf*.
» Der *Geradzug-Verschluss* meist mit Verriegelung im Lauf.

160 Aus welchen Funktionsteilen besteht der Drehkammerverschluss?

» Kammerhülse (aus Hülsenbrücke hinten und Hülsenkopf vorne) mit Abzugvorrichtung, Schlosshalter, Auswerfer und Kasten mit Mehrladeeinrichtung.
» Kammer mit Kammerstängel, Verriegelungswarzen, Auszieher, Schlagbolzenmutter, Schlagbolzen mit Schlagbolzenfeder und Schlösschen mit Sicherung.

161 Wie können „Sicherheitsrepetierbüchsen mit Handspannung" geführt werden?

Sie können mit einer Patrone im Lager (=geladen) geführt werden. Das Spannen geschieht unmittelbar vor dem Schuss mittels einem am hinteren Ende des Verschlusses oder auf dem Kolbenhals befindlichen Spannschieber (ähnlich der separaten Kugelspannung beim Drilling oder dem Spannschieber bei Sicherheits-Kipplaufwaffen). Soll nicht geschossen werden, wird die Schlossspannung durch Zurückführen der Spannhandhabe aufgehoben. Obacht: Auch für Handspannerbüchsen gelten UVV bzw. WaffG, wenn diese Entladen vorschreiben (keine Patronen in der Waffe) oder Unterladen zulassen (keine Patrone im Patronenlager).

162 Welche Vorteile haben Repetierbüchsen mit Verriegelung im Lauf?

» Jeder Lauf hat sein eigenes Verriegelungsstück. Dadurch sind Wechselläufe möglich.
» Die Waffen sind leicht zerlegbar. Das erleichtert die Pflege und den Transport im schwierigen Gelände (Rucksack) und auf Jagdreisen (kurzer, unauffälliger Waffenkoffer).
» Da eine kräfteaufnehmende Kammerhülse nicht notwendig ist, können erheblich leichtere Leichtmetall-Kästen verwendet werden.

163 Welche Sicherungen haben Repetierbüchsen mit Drehkammerverschluss?

Die Flügelsicherung des Systems 98 und verwandter Systeme sperrt den Schlagbolzen und ermöglicht in ihrer Mittelstellung das gefahrlose Entladen und die Zerlegung der Kammer. Ähnliche Funktion haben horizontal angelegte Flügelsicherungen. Weitere Sicherungsanordnungen sind der knopfarretierte Sicherungsschieber und die im bzw. am Abzugsbügel liegende Sicherungs-Wippe. Viele Repetierbüchsen haben eine seitlich neben dem Schlösschen liegende, auf den Abzugstollen (oder nur auf den Abzug) wirkende Schiebesicherung. Nahezu alle Sicherungen sperren die Kammer gegen unbeabsichtigtes Öffnen und Verlust der geladenen Patrone.

System Mauser M12 mit Schlagbolzensicherung

1.11: Die traditionelle Mauser Schlagbolzensicherung mit 3 Stellungen für eine sichere Handhabung. Eine Rolle im Inneren der Sicherung sorgt für leichtes, präzises und geräuscharmes Bedienen.

1.12: Kammer und Abzug sind gesperrt.

1.13: Kammer kann im gesicherten Zustand geöffnet werden.

1.14: Kammer kann geöffnet werden. Die M 12 ist schussbereit.

Spannen / Entspannen: Die M 03 wird erst kurz vor dem Schuss von Hand gespannt.

1.15

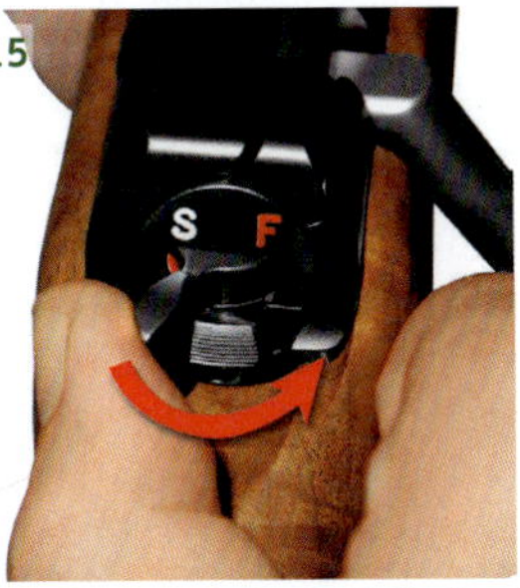

1.16

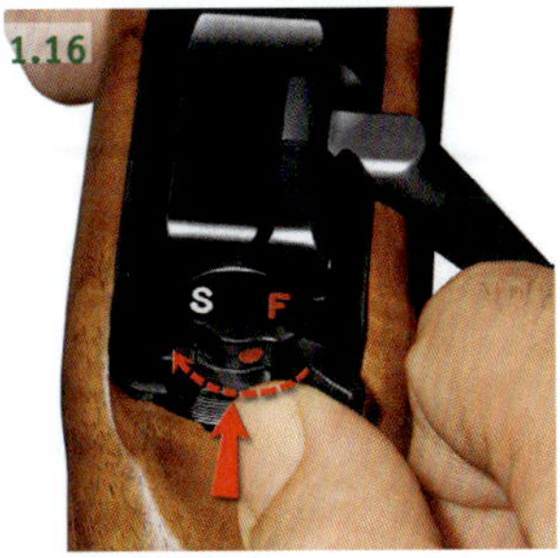

1.17

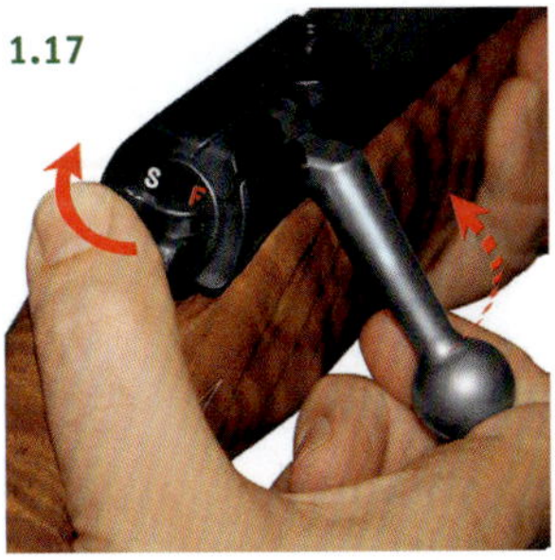

1.15: Spannen: Spannhebel auf Position „Fire“.
1.16: Entspannen: Druck auf den Entspannknopf, Spannhebel gleitet zurück in „Safe“-Position.
1.17: Im entspannten Zustand ist die Kammer gegen unbeabsichtigtes Öffnen gesperrt, lässt sich jedoch durch Drücken des Spannhebels über die Position „S“ hinaus öffnen, ohne die Waffe zu spannen.

164 Wie wird eine Repetierbüchse entspannt?

Repetierbüchsen mit separater Handspannung werden durch Zurücknahme des Spannstücks entspannt, herkömmliche Repetierbüchsen über den Abzug. Dazu hält man bei ungeladener und geöffneter Waffe den Abzug durchgezogen und schließt die Kammer per Kammerstängel.

165 Warum darf man eine Repetierbüchse mit Drehkammerverschluss nicht auf einer im Patronenlager befindlichen Patrone abspannen?

Weil selbst bei ungespanntem Schloss, wenn man z.B. mit der Waffe anstößt oder wenn sie zu Boden fällt, die Masse des Schlagbolzens zur Anzündung der Patrone ausreicht.

166 Wie funktioniert ein Vorderschaft- (VS) oder „In-Line" (IL) Repetierer?

Beim Vorderschaftrepetierer ist der Vorderschaft beweglich gelagert und umschließt (bei Flinten) ein bis zu acht Patronen fassendes Röhrenmagazin. Büchsen haben meist ein Kastenmagazin. Schiebt man bei geladenem Magazin oder Magazinrohr den Vorderschaft zurück und wieder vor, so wird eine Patrone in das Lager geladen und die Waffe ist schussbereit. Nach dem Schuss wirft die gleiche „Pump"-Bewegung die Hülse aus und die nächste Patrone wird zugeführt. Beim In-Line Repetierer (Krieghoff Semprio) ist die gesamte Laufgruppe samt Vorderschaft mit Visierung/Zielfernrohr beweglich gelagert. Sowohl beim VS- wie auch beim IL-Repetierer kann man die volle Magazinkapazität ausnützen, ohne die Führhand vom Vorderschaft, die Schießhand von der Waffe und ohne die Waffe von der Schulter nehmen zu müssen. Im Gegensatz zu Selbstladegewehren ist beim Schuss auf Wild die Magazinkapazität der VS- und IL-Repetierbüchsen nicht rechtlich beschränkt.

167 Was sind Unterhebel-Repetierbüchsen?

Bei der vor allem auf dem amerikanischen Kontinent auf kurzen Waldjagdentfernungen geführten, mit einem Röhren-, Trommel- oder Kastenmagazin ausgestatteten „Lever-Action"-Büchse erfolgt das Laden und Auswerfen der Hülse durch Betätigen des unter dem Kolbenhals liegenden vergrößerten Abzugsbügels, dem „Lever" oder Unterhebel genannten Verschlusshebel. Unterhebelrepetierer sind bei großer Magazinkapazität flach, leicht und führig. Entsprechende Munition vorausgesetzt, werden sie meist bei Drückjagden verwendet.

168 Welches sind die Funktionsprinzipien der Selbstladewaffen?

Wir unterscheiden unabhängig von der jeweiligen Systemfunktion (Rückstoßlader oder Gasdrucklader) nach *Masseverschluss* und *verriegeltem Verschluss*, wobei der Masseverschluss nur bei gasdruck- bzw. impulsschwachen Munitionen (KK-Patronen und leichten Kurzpatronen) vorkommt. Großkalibrige Selbstladebüchsen und die meisten Selbstladeflinten haben einen verriegelten Verschluss, entweder als Gasdrucklader oder Rückstoßlader mit Drehkopfverriegelung für Büchsen und Flinten oder als Rückstoßlader mit Rollenverschluss (vom deutschen Gewehr G3 abstammendes System).

169 Was versteht man unter Verschlusshebel?

Die Handhabe zum Öffnen oder Schließen des Waffen-Verschlusses. Der Verschlusshebel oder Öffnerhebel befindet sich bei Kipplaufwaffen meist auf der „Scheibe" (Oberhebel) und ist selten unter dem Abzugbügel (Unterhebel) oder als Seitenhebel ausgeführt. Er ist bei Blockbüchsen als Abzugsbügel ausgebildet oder in diesen integriert und wird bei Repetierbüchsen mit Zylinderverschluss „Kammergriff" oder „Kammerstängel" genannt. Bei der „Lever Action" liegt er unter dem Kolbenhals und heißt „Lever" oder Unterhebel; bei Selbstlade- Langwaffen ist er meist seitlich am Verschluss angebracht. Bei den Vorderschaftrepetierwaffen (Pump Action) und den Selbstladepistolen übernimmt der bewegliche Vorderschaft bzw. der Verschluss (Schlitten) seine Funktion. Eine Art Verschlusshebel ist der Sperrschieber am Revolver, der die Trommel arretiert.

Einsteckläufe, Einsteckpatronen und Reduzierhülsen

170 Was ist ein Einstecklauf?

Lose Läufe für (meist) kleinkalibrige Patronen, die in Läufe größeren Kalibers eingebaut (eingesteckt) werden. Im engeren Sinn meint man den in den Schrotlauf einer kombinierten Waffe eingebauten kleinkalibrigen E-Lauf; im weiteren Sinn zählen alle mit eigenen Läufen oder Laufansätzen versehenen „Einsteckpatronen" und Fangschussgeber hinzu, auch KK-Einstecksysteme für Repetierbüchsen.

171 Wozu dienen E-Läufe?

Sie vergrößern den Einsatzbereich der Waffe und machen sie universeller, weil man z.B. neben der „großen" Kugel für Schalenwild noch die „kleine" Kugel für kleines Nutzwild und Beutegreifer oder zum Übungsschießen einsetzen kann.

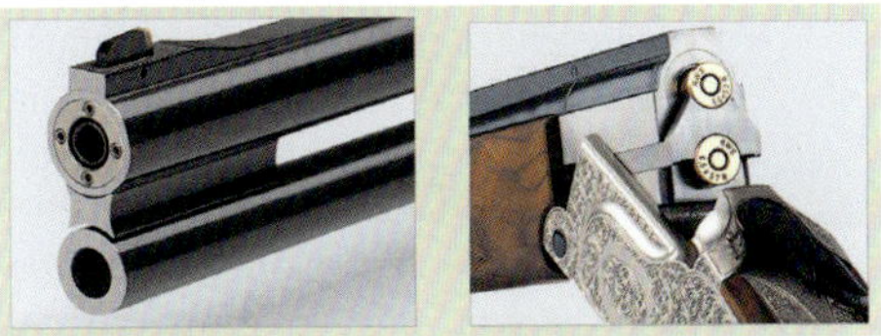

1.18: Bockbüchsflinte mit mündungslangem E-Lauf

172 Welche E-Läufe für Flintenläufe gibt es?

» Kurze E-Läufe für Randfeuerpatronen
» Mündungslange E-Läufe für Randpatronen und Zentralfeuerpatronen

173 Welche Patronen sind für den Einbau in E-Läufe geeignet?

Für kurze Läufe .22 l.f.B. und .22 Magnum. Mit der .22 Hornet ist bei häufigem Gebrauch die Grenze der Belastungsfähigkeit der meisten Verschlüsse erreicht. .222 Rem, 5.6 x 50 R und 5,6 x 52 R sind im Drilling nur bei gelegentlichem Einsatz anzuraten; die randlose .222 Rem ist wegen des fehlenden Randes und der zu erwartenden Ausziehprobleme zweite Wahl. E-Läufe für hochwildtaugliche Patronen sollten nur in Bockwaffen mit stabilem Verschlüssen eingebaut werden. Speziell für Einsteckläufe konstruiert, wurden die 6 x 70 R, sowie die hochwildtauglichen Patronen 6,5x50 R und 7x50 R (E-Läufe bei Keller & Simmann).

174 Für welche Waffen gibt es E-Läufe?

Der Drilling wird durch den E-Lauf zum Bockdrilling; die Bockbüchsflinte zum Bergstutzen oder bei Verwendung eines dem Büchsenlauf gleichkalibrigen E-Laufes zur Bockbüchse. Eine Sonderform sind E-Läufe .22 lfB für das Kaliber 9,3 x 74 R. Seltener werden E-Läufe für kleinkalibrige Schrotpatronen (z.B. .410 oder 28) in Flinten eingebaut.

175 Was sind die Nachteile der langen E-Läufe?

» Oft verändert sich bei Einbau eines E-Laufes die Treffpunktlage der anderen Läufe.
» Der E-Lauf schießt nur bei fachgerechter Behandlung gleichbleibend und zufriedenstellend.
» Der E-Lauf belastet den Verschluss und beschränkt die Lebensdauer einer Waffe.
» Die Waffe wird schwerer, vorderlastig und weniger führig.
» Die Pflege des Originallaufes wird erschwert.

176 Was sind die Vorteile der langen E-Läufe?

Sie bieten die vollständige Ausnützung der Patronenleistung auch kräftiger Patronen und können meist an der Mündung verstellt werden, was einen Ausbau erübrigt. Einige werden in rostfreier = pflegeleichterer Ausführung gefertigt.

177 Was ist beim Einbau eines E-Laufes in den Drilling zu beachten?

» Für den schnellen zweiten Kugelschuss, z.B. bei Dubletten auf Kitz und Geiß mit der rehwildtauglichen Kugel, soll der E-Lauf im linken Schrotlauf eingebaut sein.
» Soll der Stecher des vorderen Abzugs auch für den E-Lauf benutzt werden, so bietet sich der Einbau im rechten Schrotlauf an. Dann muss jedoch zwischen „Schrot" und „großer Kugel" umgeschaltet werden (bei 3-Schloss-Drillingen) bzw. umgeschaltet und das Kugelschloss nachgespannt werden (bei 2-Schloss-Drillingen).
» Soll die kleine Kugel auch ohne Zielfernrohr benutzt werden, so ist entweder die automatische Visieraufstellung auszubauen oder ein zweites (Klapp)-Visier anzubringen.

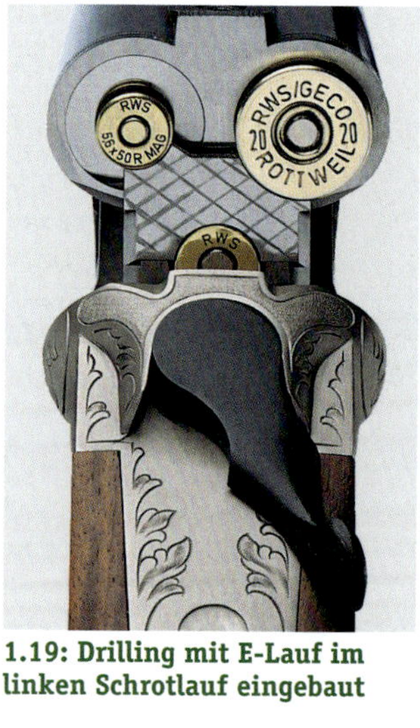

1.19: Drilling mit E-Lauf im linken Schrotlauf eingebaut

178 Welches ist der E-Lauf mit den geringsten Problemen und dem im Vergleich zum Aufwand größten Nutzen?

Der kurze E-Lauf. Durch seine geringe Masse werden Führigkeit und Treffpunktlage der Waffe kaum verändert; er lässt sich leicht ausbauen und im Schaftmagazin verstauen. Die Leistung und Präzision der Randfeuerpatronen .22 l.f.B. HV und .22 Magnum reicht freilich nur für kleines Wild auf kurzen Entfernungen aus.

179 Welche E-Läufe werden am häufigsten eingebaut?

Mündungslange, verstellbare in .22 Ho, 5,6 x 50 R, 5,6 x 52 R und 6 x 70 R.

180 Was sind KK-Einstecksysteme, Einsteckpatronen und Fangschussgeber?

1. *KK- Einstecksysteme* bestehen aus Lauf und Verschluss und werden in Lauf und Hülse von (meist 98er) Repetierbüchsen eingeschoben. Damit wird die großkalibrige Büchse im Kaliber .30 oder 8 mm zum KK-Gewehr. Mündungslange 4 mm M20-Einstecksysteme für Kurzwaffen ermöglichen ein effektvolles Heimtraining.
2. *Einsteckpatronen* sind technisch gesehen formschlüssig, d.h. ohne kraftschlüssige Befestigungen im Mutterlauf bzw. -lager gehaltene Einsteckläufe. Sie haben kurze oder nur angedeutete Läufe zum Verschießen von Patronen kleinerer Kaliber. Für Schrotpatronen und Büchsenpatronen, meist für Kurzpatronen und Randfeuerpatronen lieferbar.
3. Der *Fangschussgeber* ist eine Einsteckpatrone, mit deren Hilfe eine kleinere Patrone zum Zwecke des Fangschusses abgeschossen werden kann, z.B. die Kurzpatrone .38 Special aus der Flinte. Diese wird somit für den Fangschuss legalisiert, denn der Raue Schuss auf Schalenwild ist verboten, auch als Fangschuss. Fangschussgeber sind auf Entfernungen bis etwa acht Meter ausreichend präzise.

181 Was ist eine Reduzierhülse?

Im Unterschied zum Einstecklauf bzw. zur Einsteckpatrone wird mit Hilfe einer Reduzierhülse stets eine zwar hülsenkleinere, aber immer dem Kaliber der Waffe (zumindest weitgehend) entsprechende Patrone verschossen. Reduzierhülsen haben die äußere Form der Originalhülse. Sie nehmen eine dem Waffenlauf (etwa) gleichkalibrige, hülsenkleinere Patrone auf. Sollen Randpatronen aus für Zentralfeuerpatronen eingerichteten Waffen verschossen werden, so ist ein Zündstückübertrager notwendig, der den Schlagbolzenschlag auf den Rand der Randfeuerpatrone leitet. Gängige Reduzierhülsen sind 5,6 x 50 (R) auf .22 l.f.B.; .30-06 usw. auf 7,65 mm Browning oder .30 Carbine, sowie 8x57 IS usw. auf .32 S & W lang.

1.3 Kurzwaffen

Allgemeines

182 Wozu führt der Jäger Kurzwaffen?

Zum Fangschuss, sowie bei der Bau- und Fallenjagd.

183 Welche Kurzwaffen verwendet der Jäger?

Pistolen und Revolver.

184 Was ist ein Revolver?

Eine mehrschüssige Kurzwaffe mit drehbar gelagerter Trommel zur Aufnahme von fünf und mehr Patronen.

185 Was ist eine Pistole?

Eine meist mehrschüssige Kurzwaffe, die kein Revolver ist.

186 Welcher Kurzwaffentyp ist für den Jäger vorzuziehen?

Die Frage „Pistole oder Revolver“ kann nicht allgemein beantwortet werden, weil dies von den waffenpraktischen Fähigkeiten und von der Einstellung des Schützen zur Art der Waffe abhängt.

187 Darf man mit der Kurzwaffe (Pistole, Revolver) auf Wild schießen?

Ja, aber nicht zum Zwecke der Jagd, sondern nur zum Zwecke des Fangschusses sowie bei der Bau- und Fallenjagd.

188 Welche Einschränkungen hinsichtlich der Zulässigkeit des Gebrauchs der Kurzwaffe sind zu beachten?

» Für Fangschüsse *auf Schalenwild* muss die Mündungsenergie des Geschosses mindestens *200 Joule* betragen.

» Für den Schuss *auf anderes Wild* als Schalenwild (gleich ob Fangschuss, Bau- oder Fallenjagd) ist *keine Mindestenergie* vorgeschrieben.

189 Wie trägt man eine Kurzwaffe?

In einem Gürtel- oder Schulterholster, auch in speziellen Gürteltaschen. Trageweisen ohne Holster z.B. im Hosenbund oder in der Bekleidung sind aus Sicherheitsgründen und wegen der Gefahr des Abhandenkommens der Waffe bedenklich.

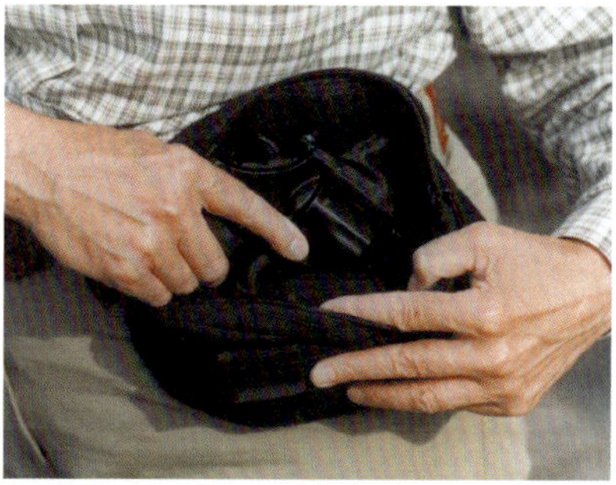

1.20: Kurzwaffen gehören in ein verliersicheres Gürtel- oder Schulterholster; nicht nur die Jüngerinnen Dianas benützen gerne die nicht so grimmig aussehende Gürteltasche (li.). Der Hundeführer wird sich einen Nachsuchengürtel zulegen, komplett mit passendem Holster sowie weiteren Behältern zum Beispiel für Verbandspäckchen, Taschenlampe und Reservemagazin (re.).

190 Was muss der Jäger bei Verlust der Kurzwaffe befürchten?

Der Jäger kann als „unzuverlässig“ im waffenrechtlichen Sinn erklärt werden, was zum Verlust aller waffenrechtlichen Genehmigungen führen kann, und er haftet bei einem Missbrauch der Kurzwaffe durch Dritte.

191 Was ist der Vorteil von DA-Waffen?

DA heisst Double Action. DA-Waffen haben eine Abzugsspannung (einen Spannabzug), d.h. sie können geladen geführt werden und sind trotzdem lediglich mit dem Durchziehen des Abzugs (gleichzeitig wird die Schlagfeder gespannt) schnell schussbereit. Soll ein präziser Schuss abgegeben werden, so ist der Hahn der DA-Waffen (Pistole wie Revolver) mit der Hand vorzuspannen.

192 Was bedeutet „Nur-Spannabzug-Waffe" (Double Action Only – DAO)?

Das sind besonders für den Polizeieinsatz konstruierte Pistolen und Revolver mit verdecktem Hahn, die ausschließlich per Spannabzug geschossen werden können, was Unfälle durch Handhabungsfehler vermeiden soll. Als eigenständige Konstruktionen mit Sonderfunktionen (z.B. „Safe Action") und als Sondermodelle bewährter (DA-)Waffen zu finden.

193 Was bedeutet Single Action (SA)?

SA-Pistolen und SA-Revolver haben keinen Spannabzug. Der Hahn der SA-Pistole muss vor dem ersten Schuss gespannt werden; der Hahn des SA-Revolvers vor jedem Schuss. Bei älteren SA-Revolvern darf die im Ruhezustand unter dem Hahn liegende Kammer nicht geladen werden.

194 Sind Sicherungen an Kurzwaffen notwendig?

Bei älteren Pistolensystemen muss die Sicherung benutzt werden. Revolver dagegen brauchen keine von Hand zu bedienende Sicherung; ebenso wenig Pistolen moderner Konstruktion mit Spannabzug oder mit Griffspanner oder DAO-Pistolen. Diese Waffen können ohne Sicherung geladen und ungespannt sicher geführt werden.

195 Wo befinden sich die Patronen bei der Kurzwaffe?

» beim Revolver in der (bei modernen Waffen ausschwenkbaren) Trommel.
» bei den Pistolen im Lager und bei der Selbstladepistole im herausnehmbaren Magazin.

196 Welche Kurzwaffen sind für die Bau- und Fallenjagd empfehlenswert?

Solche für schwache Patronen wie .22 lfB oder 6,35 mm (wegen geringer Balgzerstörung sowie Lärmbelastung).

197 Welche Kurzwaffen sind für die Nachsuche vorteilhaft?

Für den Hundeführer bzw. Hochwildjäger (Verkehrsunfälle) bieten sich großkalibrige Mehrlader moderner Konstruktion an. Für Rehwild stehen kompakte Kurzwaffen mittlerer Kaliber zur Verfügung. Die Frage des Waffentyps ist zweitrangig, nachdem es Pistolen und Revolver in starken Kalibern gibt.

198 Wie viele Kurzwaffen darf ein Jäger erwerben?

Die Zahl der ohne Bedürfnisnachweis erwerbbaren Kurzwaffen ist auf zwei begrenzt. Weitere können erworben werden, wenn ein begründetes Bedürfnis nachgewiesen werden kann. Dieses liegt i.d.R. vor bei Kurzwaffen für die Bau- und Fallenjagd und für Nachsuchenwaffen starker Kaliber, sodass diese neben der kompakten Mittelkaliberwaffe und der Übungswaffe erworben werden können.

199 Unterscheiden sich die Munitionen für Pistole und Revolver?

Grundsätzlich nicht: Die Hülsen der Revolverpatronen haben zwar meist einen Rand und die Hülsen der für Pistolen verwendeten Munition haben meistens eine Auszieherrille. Eine kompromisslose Unterscheidung zwischen „Pistolenpatronen“ und „Revolverpatronen“ macht aber keinen Sinn, da fast alle Kurzpatronen aus beiden Systemen verschossen werden können, z.B. die „Pistolenpatrone“ 9 mm Luger auch im Revolver und die „Revolverpatrone“ .44 Magnum auch in der Pistole. Randfeuerpatronen .22 l.f.B. oder .22 Magnum lassen sich ohnehin in dafür eingerichteten Pistolen und Revolvern verschießen. Kurzwaffen-Munition wird auch unter „Kurzpatronen“ (im Gegensatz zu „Büchsenpatronen“) zusammengefasst (obwohl der Übergang fließend ist, weil es für manche Kurzpatronen auch Büchsen gibt).

Revolver

200 Aus welchen Hauptteilen besteht der Revolver?

Aus dem Griffstück (samt Griffschalen) mit Rahmen und Lauf, dem Schlosswerk (Spann- und Abzugsmechanismus), sowie der Trommel samt Auswerferteilen.

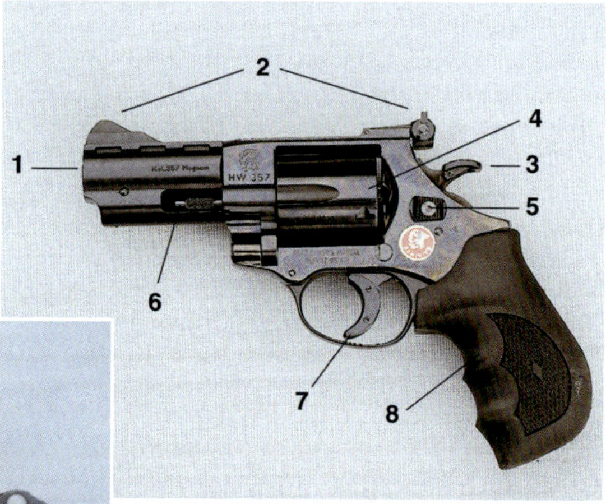

1.21: Benennung des Revolvers (Arminius Hw .357):
1. Lauf
2. Visier
3. Hahn
4. Trommel
5. Trommelöffner
6. Hülsenausstoßer
7. Abzug
8. Griffstück

1.22: Kontrolle des Laufes auf Fremdkörper (Daumennagel zum Entspiegeln von Licht)

201 Welches sind die gebräuchlichsten Jagd-Revolver?

DA-Modelle in oft rostfreier Ausführung mit Lauflängen zwischen 7,5 und 15 cm (drei bis sechs Zoll), verstellbarer Visierung und mindestens fünfschüssiger Schwenktrommel.

202 In welchen Kalibern werden die für den Jäger geeigneten Revolvern hauptsächlich geführt?

In .38 Special, die gleichzeitig das Minimum für die geforderte Mindestenergie auf Schalenwild darstellt, aber die für den Fangschuss auf Schalenwild geforderten 200 Joule nicht mit allen Ladungen bzw. aus allen Lauflängen erreicht. Waffen .357 Magnum sind flexibler, weil sie bei hoher Leistung kaum größer und schwerer sind als Revolver .38 Special.

203 Kann man die schwächere Patrone .38 Special aus Revolvern .357 Magnum verschießen?

Ja. Die .38 Special passt in das Lager der kalibergleichen, hülsenlängeren .357 Magnum, was ein Übungsschießen und den Fangschuss auf schwaches Wild mit der .38er-Patrone zulässt.

204 Was ist zu beachten, wenn zu Übungszwecken die .38 Spezial aus einem Revolver .357 Magnum verwendet wird?

Der Jäger muss sich mit den Nebenwirkungen der starken .357er-Einsatzmunition wie Knall, Rückstoß und Mündungsfeuer vertraut machen. Ebenso ist auf die oftmals unterschiedliche Treffpunktlage der beiden Patronen zu achten.

205 Was versteht man unter einem „Speed-Loader"?

Ein mit Patronen bestücktes, rundes Hilfsmagazin, das zum schnellen Befüllen einer Revolvertrommel dient.

Pistolen

206 Welche Pistolen gibt es?

Hauptsächlich Selbstladepistolen, daneben (selten) ein- oder mehrläufige, sowie ein- oder mehrschüssige Einzelladerpistolen mit Kipplaufverschluss (seltener Zylinderverschluss).

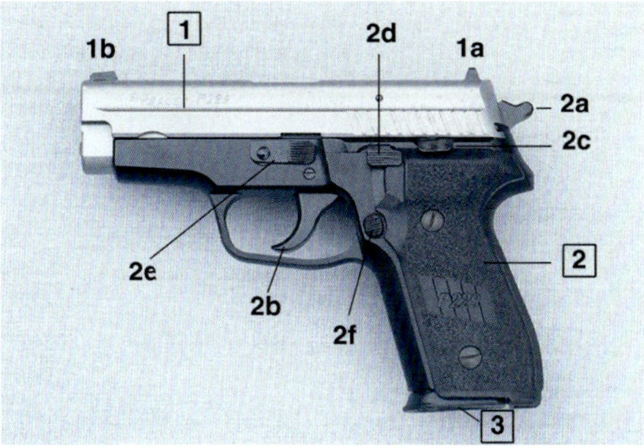

1.23: Benennung der Pistole (SIG-Sauer P229)
1. Verschluss („Schlitten") mit Visierung
1 a: „Visier"
1 b: „Korn"
2. Griffstück mit
2 a: Schlaghahn,
2 b: Abzug,
2 c: Verschlussfanghebel,
2 d: Entspannhebel,
2 e: Rohrhaltehebel,
2 f: Magazinhalter
3. Magazin

207 Welches sind die hauptsächlich geführten Pistolen?

Die Selbstladepistolen. Ihre große Verbreitung führte dazu, dass man „Pistole" sagt, wenn eine Selbstladepistole gemeint ist.

208 Wie unterscheidet man Selbstladepistolen nach ihrem Verschluss?

Vor allem solche mit verriegeltem Verschluss und solche mit Masseverschluss.

209 Wie unterscheidet man Selbstladepistolen nach ihrer Funktion?

» Abzugspanner mit und ohne Hahn
» Griffspanner
» Pistolen ohne Abzugspannung mit Hahn
» Pistolen ohne Abzugspannung ohne Hahn.

210 Welches sind bekannte Abzugspanner?

Alle sicherungslosen Konstruktionen mit und ohne Entspannhebel.

211 Wie funktioniert eine Griffspannerpistole?

Die Spannvorrichtung befindet sich im Griffstück und wird durch Zugreifen mit der Schießhand aktiviert. Ein Lockern des Griffes entspannt die Waffe wieder.

212 Was ist bei Pistolen ohne Abzugspannung mit Hahn zu beachten?

Bei Hahnspannern muss der festgehaltene Hahn über den Abzug entspannt werden; nicht alle Modelle lassen sich dabei sichern.

213 Was ist bei Pistolen ohne Abzugspannung und ohne Hahn zu beachten?

Sie sind für den Jäger nur begrenzt brauchbar und sollten unterladen, d.h. ohne Patrone im Lager, geführt und erst kurz vor dem Schießen durchgeladen werden.

214 Aus welchen Hauptteilen besteht eine Selbstladepistole?

Aus dem Griffstück, dem Lauf, dem Verschluss (Schlitten) mit Vorholfeder, dem Spann- und Abzugsmechanismus (Hahn, Abzug, Sicherungen) und dem Magazin.

215 Was ist eine Magazinsicherung?

Sie verhindert das Abschießen einer evtl. im Lauf befindlichen Patrone, wenn das Magazin (auch teilweise) entnommen ist. Der praktische Wert der Magazinsicherung ist umstritten.

216 Was ist ein Signalstift?

Er zeigt (bei so eingerichteten Pistolen) an, dass sich eine Patrone (oder Hülse) im Lauf befindet.

1.24: Pistole SIGSauer P229 in Einzelteile zerlegt:
1. Verschluss
2. Rohr („Lauf")
3. Schließfeder
4. Schließfederführung
5. Griffstück
6. Magazin

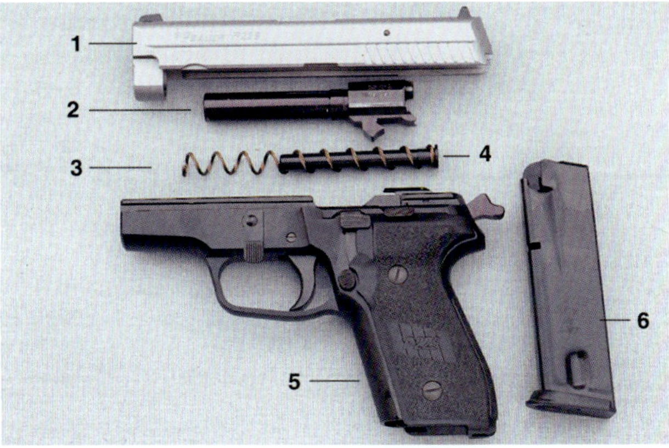

1.25: Schlaghahn spannen für SA beim beidhändigen Anschlag mit dem Daumen der Führhand (beim Einhand-Anschlag mit dem Daumen der Schießhand). Der Schießfinger bleibt dabei lang.

1.26: Abspannen mit Entspannhebel beim beidhändigen Anschlag mit dem Daumen der Führhand (beim Einhand-Anschlag mit dem Daumen der Schießhand). Der Schießfinger bleibt dabei lang.

217 Was sind die häufigsten Unfallursachen bei der Selbstladepistole?

» Nach dem Entnehmen des Magazins kann sich noch eine Patrone im Lager befinden.
» Nach dem Entladen der im Lauf steckenden Patrone wird selbsttätig eine neue Patrone zugeführt, wenn das Magazin nicht vorher entnommen wurde.
» Nach dem Schießen oder nach dem Einschieben des Reservemagazins (bei in hinterster Stellung befindlichem Verschluss) wird das Entspannen vergessen.

1.4 Ballistik

218 Was verstehen wir unter dem Begriff Ballistik?

Die Lehre von der Bewegung „geworfener" Körper, d.h. die Lehre vom Schuss.

219 Was behandelt die Innenballistik?

Vor allem die Vorgänge in der Patrone und in der Waffe beim Schuss. Sie untersucht den Gasdruckverlauf und die Geschwindigkeit des Geschosses bis zur Mündung.

220 Was behandelt die Mündungsballistik?

Hauptsächlich die Auswirkungen des Geschossaustritts aus der Mündung wie Mündungsfeuer und Mündungsknall (deswegen auch der Begriff Übergangsballistik), ferner die Umströmungen des Geschosses durch die schnelleren Pulvergase.

221 Was behandelt die Außenballistik?

Insbesondere das Verhalten des Geschosses beim Flug (deswegen auch der Ausdruck Flugballistik). Wichtig für den Jäger sind die GEE (Günstigste Einschießentfernung) einer Laborierung und die Flugbahndaten auf Entfernungen bis zu ca. 300 m, besonders im Zusammenhang mit der Definition der jagdlichen Wirkungsweite.

222 Was behandelt die Zielballistik?

Die Ziel- oder Wundballistik (auch Terminalballistik) beschäftigt sich mit der Wirkung des Geschosses im Wildkörper. Die unterschiedlichen Wirkungsweisen der verschiedenen Geschosse bieten dem Jäger die Möglichkeit, praktisch für jedes Wild das wirksamste Geschoss zu wählen.

223 Welche Maßeinheiten werden in den Schusstafeln verwendet?

Die Geschossmasse (das Geschossgewicht) wird in Gramm (g) angegeben; die Energie in Joule (J), die Kraft in Newton (N) und der Druck in Bar (bar). Die Geschossgeschwindigkeit wird in Metern pro Sekunde (m/s) gemessen. In US-amerikanischen Tabellen findet man noch die international veralteten Maßeinheiten grain (gr) für die Geschossmasse, feet per second (fps) für die Geschwindigkeit und footpounds (ft-lbs) für die Geschossenergie.

224 Wie hoch ist der Gasdruck der Jagdpatronen?

Mit Kupferstauchzylinder gemessen von 650 bar (Schrotpatrone Kaliber 12) über 900 bar (Magnum-Schrotpatronen), 1800 bar (KK-Patrone .22 l.f.B.) und 2900 bar (8 x 57 IRS) bis zu 4000 bar (Magnum-Büchsenpatronen) – jeweils Maximalwerte; der Gebrauchs-Gasdruck (Arbeitsgasdruck) liegt deutlich darunter. Mit einem, den Messstandard darstellenden mechanisch-elektrischen Wandler (Piezo-Quarz) gemessen, erhält man bei gleichen Drücken nominell höhere Zahlenwerte, z.B. 740 statt 650 bar (bei Kal.12).

225 Welche Geschossmassen (Geschossgewichte) kommen in jagdlichen Patronen zur Anwendung?

Bei Büchsenpatronen von 1,72 g (.17 Remington) bis zu 45,5 g (schwere Dickhäuterpatronen wie .600 N.E.). Die gängigen Büchsenpatronen verschießen Geschosse von etwa 3 g (.22 Hornet) über ca. 11 g (.30-06) bis etwa 19 g (9,3 x 64). Die Vorlagen der Schrotpatronen wiegen zwischen 19 g (Kaliber 36/76) und 52 g (12/76). Eine normale Vorlage, z.B. im Kaliber 16/70, hat etwa 31 g. Für den Fangschuss auf Schalenwild geeignete Kurzpatronengeschosse wiegen zwischen 8 und 11 g.

226 Welche Geschwindigkeiten werden mit Jagdpatronengeschossen erreicht?

Büchsenpatronen erreichen Mündungsgeschwindigkeiten von unter 700 m/s (.22 Hornet) bis 1150 m/s (6,5 x 68). Schrotpatronenvorlagen sind unabhängig vom Kaliber an der

Mündung gut 400 m/s schnell; ungefähr fünf Meter vor der Mündung fliegen sie abhängig von der Korngröße zwischen 300 m/s (2,5 mm Schrot) bis 400 m/s (4 mm Schrot). Kurzpatronen liegen etwa zwischen 250 m/s und 450 m/s.

227 Was meint die Schusstafel mit V_0, V_{100}, E_0 und E_{100} usw.?

Gemeint sind die Geschossgeschwindigkeiten (V von *Velocitas*) auf eine Distanz von Null Metern (d.h. an der Mündung) bzw. auf Distanzen von 100 m usw. in Metern pro Sekunde (m/s), sowie die Energiewerte in Joule (J) auf die gleichen Entfernungen.

228 Wie wirkt der Schrotschuss?

Als Streuschuss durch das gleichzeitige Auftreffen vieler Einzelschrote. Primärursache für die tödliche Wirkung ist die gleichzeitige starke Nervenreizung, die den sog. Oberflächenschock auslöst. Dazu kommen in ihrer Gesamtheit tödliche Organ- und Gefäßverletzungen durch einzelne Schrote.

229 Was meint der Leitsatz, dass die Schrote „lieber eine Nummer kleiner" gewählt werden sollen?

Ausschlaggebend für die Sofortwirkung der Schrotgarbe ist das gleichzeitige Auftreffen ausreichend vieler und gleichmäßig auf der gesamten Zielfläche verteilter Schrote. Die Energiemenge des einzelnen Schrotkorns ist dabei sekundär, solange sie Schock auslösend ist. Man wird im Zweifel wegen der besseren Deckung des Zieles deshalb dem kleineren Schrot den Vorzug geben, wie dies von Kennern und in den klassischen „Flintenländern" schon immer getan wird.

230 Unter welchen eng begrenzten Voraussetzungen ist grober Schrot, z.B. 3,7 mm für Fuchs oder 3,5 mm für Hase, angebracht?

Grober Schrot kann zur Verbesserung der Reichweite oder der Wirkung nur dann von Vorteil sein, wenn schwere Vorlagen (z.B. 52 g aus einer 12/76) aus Läufen mit starker Mündungsverengung verschossen werden. Dies gilt wegen der eng schießenden, d.h. stark verdichteten, jedoch nur mäßig deckenden Garbe und deren geringerer Trefferwahrscheinlichkeit aber nur für gute Schützen bzw. wenn beim Ansitz mit der kombinierten Waffe die Optik als Zielhilfe dient und man sich von der Treffpunktlage dieser Laborierung überzeugt hat. Magnum-Ladungen ergeben einen verstärkten Rückschlag.

231 Weshalb ist die Verwendung grober Schrote oft nicht tierschutzgerecht?

In normal schweren Vorlagen sind zu wenig grobe Schrote für eine ausreichende Deckung vorhanden. So enthält eine mittlere Schrotladung nur etwa halb so viele Schrote 4 mm (80 Stück) wie eine solche des für den Fuchs ausreichenden Durchmessers 3,2 mm. Grober Schrot ist dann nicht tierschutzgerecht, wenn die Gefahr des Verluderns wegen weniger, nicht sofort tödlicher Treffer groß ist. Gelegentliche Erfolge mit grobem Schrot sind kein Gradmesser für die Weitschusseigenschaft einer Patrone oder Waffe.

232 Wie überprüft man die Schussleistung der Flinte?

Provisorisch durch den Beschuss von gekalkten, etwa quadratmetergroßen Stahlscheiben, die nach jedem Schuss überstrichen werden, besser durch die Anfertigung von Schussbildern auf speziellen Scheiben, z.B. der 16-Felder-Scheibe (Jagdmunition) oder der 100-Felder-Scheibe (Sportmunition). Zur Vermeidung von Zielfehlern schießt man vom Anschießtisch aus.

233 Was ist die Prüfentfernung für die Anfertigung von Schrotschussbildern und wieviele Schüsse gibt man ab?

Sie ist abhängig von der Art der Ladung, z.B. wird man zur Leistungsermittlung einer Streupatrone auf etwa 25 m und mit einer für den Fuchsansitz gedachten Magnumpatrone etwa auf 35 oder 40 m schießen. Pro Laborierung und Lauf sind mindestens fünf Schuss abzugeben; dabei ist stets der gleiche Anschlag und Haltepunkt einzuhalten.

234 Nach welchen Kriterien wird der Schrotschuss beurteilt?

Hauptsächlich nach Trefferzahl (Anzahl der Schrote auf der Scheibe, Trefferprozenten (Verhältnis von Treffern zur Gesamtzahl der Schrotladung), Deckung und Verdichtung.

235 Wie wird die Deckung ermittelt?

Die in den einzelnen Segmenten der 16- oder 100-Felder-Scheibe liegenden Einschläge werden ausgezählt und die Zahl der Schrote pro Feld, sowie die Anzahl der ungedeckten Felder festgestellt. Je nach Schrotgröße und Wildart muss eine bestimmte Fläche mit einer vorgeschriebenen Anzahl von Treffern gedeckt sein. So sind z.B. für die Trefffläche eines Rebhuhns 90 cm^2 und mindestens vier Schrote 2,5 mm veranschlagt; für einen Hasen 560 cm^2 Fläche und mindestens sechs Schrote 3 mm. Laborierungen, die ungleichmäßig decken, scheiden für den getesteten Lauf aus.

236 Was ist die Trefferverdichtung?

Das Verhältnis der Treffer im Innenkreis, multipliziert mit drei und dann in ein Verhältnis zu den Treffern im äußeren Kreis gesetzt. Eng schießende Läufe geben zwar eine gute Verdichtung, aber eine schlechte Deckung. Deckung geht jedoch vor Durchschlagskraft.

237 Welche Qualitätskriterien können noch überprüft werden?

Die Gleichmäßigkeit von Schuss zu Schuss, die Ausdehnung der wirksamen Trefferfläche, der Bereich der optimalen Treffchancen, sowie die Wirkungsgrenze oder Weitschussgrenze. Das ist diejenige maximale Schussweite, auf die eine Patrone bzw. ein Flintenlauf eine der spezifischen Wildart noch entsprechende Deckung und Schrotgeschwindigkeit ergibt.

238 Hat der Jäger (auch wenn er kein Wiederlader ist) Einfluss auf die innenballistischen Vorgänge beim Schuss?

Nur indirekt durch Einflüsse der Lagerung der Patronen. Werden Patronen großer Hitze oder Sonneneinstrahlung ausgesetzt, z.B. im Auto oder in der am Kachelofen trocknenden Jacke, so kann die chemische Reaktion des Treibladungspulvers zu hohen Gasdrücken oder zu einer anderen Treffpunktlage führen. Feucht gelagerte und wieder „getrocknete" Schrotpatronen können an Leistung verlieren (sofern sie nicht gequollen sind und sich überhaupt noch in die Flinte laden lassen).

239 Was ist ein Durchschläger und was ein Rückbläser?

Durchschläger entstehen, wenn der Schlagbolzen beim Auslösen des Schusses das Zündhütchen oder (bei Randfeuerpatronen) den Hülsenrand perforiert. Treten dabei Pulvergase nach hinten aus, so spricht man von Hülsenbläsern oder Rückbläsern, die zu Waffenbeschädigungen und Verletzungen des Schützen führen können. Ursache ist meist ein zu langer, beschädigter oder schräg auftreffender Schlagbolzen, eine zu kräftige Schlagfeder oder eine zu weite Schlagbolzenführung. Beim Auftreten von Durchschlägern und Rückbläsern ist die Waffe zum Büchsenmacher zu bringen.

240 Was ist ein Ausbläser?

Ein Ausbläser liegt dann vor, wenn beim Schuss das Zündhütchen aus der Zündglocke gesprengt wird. Dies ist fast immer auf einen munitionsseitig verursachten Überdruck zurückzuführen (z.B. bei heiß gelagerter oder unsachgemäß wiedergeladener Munition) und stellt eine für Waffe und Schützen gefährliche Situation dar.

241 Was ist ein Hülsenreißer?

Das Auftreten von Längs- oder Querrissen in der Hülse, meist als Längsriss(e) im Hülsenhals und als Querriss etwa über dem Hülsenboden (Bodenreißer). Als Bodenabreißer wird die vollständige Abtrennung des Bodens vom Rest der Hülse bezeichnet. Ursache für Bodenreißer und Bodenabreißer sind ein zu großer Verschlussabstand, entweder waffenbedingt oder wegen zu großer Maßunterschiede zwischen Patronenlager und Patrone oder durch unsachgemäßes Wiederladen (Hülsenschulter wurde beim Kalibrieren zu weit zurückgesetzt). Ursachen für Hülsenmundrisse sind meist Materialfehler, Materialermüdungen durch wiederholte Kaltverformung (Wiederladen) sowie altersbedingte oder chemisch bedingte Versprödung. Vor allem bei Schrotpatronen kommen auch Hülsenmundabrisse vor.

242 Was muss der Schütze bei der Feststellung von Hülsenreißern beachten?

Bei allen Hülsenreißern ist vor dem erneuten Laden auf etwaige Hülsenteile im Lauf zu achten. Fremdkörper im Lauf führen in den meisten Fällen zu Waffensprengungen.

243 Was ist ein Versager?

Wenn der Schuss nach dem Abschlagen des Schlosses nicht bricht. Die Ursachen sind meist waffenmechanischer Art, z.B. zu schwache Schlagfedern, abgebrochene Schlagbolzen, Sicherungsmängel oder die Verharzung von Schlossteilen durch die Verwendung zu vieler oder ungeeigneter Pflegemittel. Munitionsbedingte Ursachen für Versager sind dagegen selten und kommen bei Billigmunition, falscher Lagerung oder Überalterung vor. Dagegen liegt *kein* Versager, sondern eine Waffen-Fehlbedienung vor, wenn bei manchen Waffentypen wegen unvollständiger Verriegelung (Kammerstängel nicht in Endstellung) die Schlagbolzenkraft dazu verwendet wird, die Verriegelung herzustellen (konstruktive Sicherheitsmaßnahme).

244 Was ist ein Nachbrenner?

Wenn der Schuss nicht unmittelbar nach dem Abschlagen des Schlosses bricht, sondern erst mit einiger Verzögerung (selten, Ursachen wie beim Versager). Aus Sicherheitsgründen ist die Waffe noch einige Sekunden auf das Ziel gerichtet zu halten. Nachbrenner kommen auch wegen ungenügender Abstimmung von Zünd- und Treibladungsmitteln vor (Billigmunition).

245 Wie lange ist moderne Munition lagerfähig?

Bei sachgerechter Lagerung (nicht zu feucht, nicht zu warm) praktisch unbegrenzt. Dies gilt allerdings nur für hochwertige Munition, nicht für Billigware.

246 Wodurch wird der Rückstoß beeinflusst?

Der für viele Schützen unangenehme Rückstoß oder Rückschlag ist eine Funktion aus Geschoss- und Pulvermasse, Geschossgeschwindigkeit und Masse der Waffe. Alles was die genannten Größen verändert, verändert auch den Rückstoß, so dass schwere Waffen, aus denen leichte Geschosse mit niedriger Geschwindigkeit verschossen werden, einen geringeren Rückstoß haben als leichte Waffen, die schwere Geschosse mit hoher Geschwindigkeit verfeuern.

247 Wie kann der Rückstoß verringert werden?

Mit *Schalldämpfern* (verringern den Mündungsknall), *Mündungsbremsen* (erhöhen den Mündungsknall) und *schaftseitigen Rückstoßbremsen* (erhöhen das Waffengewicht). Schalldämpfer und Mündungsbremsen mildern zudem das subjektive Rückstoßempfinden, indem der Hochschlag der Waffe verringert wird. Da der Rückstoß ohne Hochschlag genau gegen die Schussrichtung auf die Schützenschulter zuläuft, wird er leichter absorbiert und als weniger unangenehm empfunden. Schaftseitige *Rückstoßbremsen* wirken vor allem durch die zusätzliche Masse, sowie, falls schwimmend oder federnd gelagert, nach dem Massenträgheitsprinzip. Breite, ventilierte Gummischaftkappen und vor allem körpergerechte Schaftformen verringern den Rückstoß zumindest subjektiv.

248 Was ist der rotationslose Geschossweg?

Der Weg, den das Geschoss von seinem Sitz in der Hülse bis zum Eintritt in die Felder ohne Rotation zurücklegt.

249 Was versteht man unter dem Freiflug des Geschosses?

Ausschließlich den Teil des rotationslosen Geschossweges, den das Geschoss *nach dem Verlassen des Hülsenmundes mit dem Heck* und damit führungslos bis zum Eintritt in die Felder zurücklegt. Freiflug liegt nur dann vor, wenn die Führungslänge des Geschosses kürzer ist als die Länge des Patronenlager-Übergangs. Beim Freiflug schlagen die Treibgase am Geschoss vorbei und sind bei ungünstigen Umständen die Ursache für schlechte Präzision.

250 Ist Freiflug immer nachteilig?

Nein. Auftretende Präzisionsprobleme sind zwar möglich, haben aber meist zusätzliche Ursachen. Bei manchen Ladungen kann durch den Gasschlupf beim Freiflug die Druckspitze gebrochen und somit sogar eine höhere Leistung erzielt werden.

251 Woraus besteht der Knall beim Schuss?

Wir unterscheiden: 1. der *Geschossknall* (der das Überschall fliegende Geschoss auf ganzer Strecke begleitet) und 2. der *Mündungsknall*, welcher wiederum aus dem *Schussknall* (= schlagartiges Auftreffen auf die Luft der hinterm Geschoss austretenden Treibgase bzw. Dekompression des im Gewehrlauf befindlichen Gasdrucks an der Mündung) sowie aus dem *Mündungsfeuerknall* (Restverbrennung der Treibgase mit dem Sauerstoff der Luft) besteht.

252 Ist der Knall beim Schuss dämpfbar?

Bei im Überschallbereich eingesetzter Jagdmunition nur teilweise, denn *nur der auf den Vorgang an der Mündung begrenzte Mündungsknall ist waffen- oder munitionsseitig dämpfbar*. Nicht dämpfbar ist der Geschossknall, der an jeder Stelle der Geschossflugbahn auftritt, solange das Projektil mit Überschallgeschwindigkeit fliegt.

253 Welche Kräfte wirken auf das Geschoss im Lauf und während des Fluges?

Auf das Geschoss im Lauf wirken der Druck der Pulvergase, der Einpresswiderstand in den Zügen, die Leistenkräfte bei der Drallübertragung und die Reibungskräfte an der Laufwandung. Während des Fluges wirken Luftreibungskräfte und Erdanziehung.

254 Welche praktische Auswirkung auf die Flugbahn haben Luftwiderstand und Erdanziehungskraft?

Sie beeinflussen die Flugbahnkurve und damit die Treffpunktlage. Der Winkelschuss bergauf oder bergab verkleinert die Strecke, unter der die Kraft der Erdanziehung angreift und verursacht einen vom Schusswinkel abhängigen Hochschuss. Eine in Meereshöhe eingeschossene Büchse zeigt in größeren Höhen (wegen der dünneren Luft) einen (geringen) Hochschuss.

255 Wie verläuft die Flugbahn eines Geschosses?

In einer gegen deren Ende stärker abfallenden Kurve.

256 Was versteht man unter „Rasanz"?

Dieser untechnische Begriff meint die Gestrecktheit der Flugbahn. Eine rasante Flugbahn erhebt sich – im Unterschied zu stark gekrümmten Flugkurven – nur wenig über die Linie Laufmündung/Ziel. Umgangssprachlich werden Patronen oder Laborierungen als „rasant" bezeichnet: Je kürzer bei gleicher Zielentfernung die Geschossflugzeit, je flacher und gestreckter die Flugbahn, desto besser ist die „Rasanz" dieser Laborierung.

257 Was ist die „Rasanzgrenze"?

Sie ist die Entfernung, auf der das Geschoss einer spezifischen Laborierung 4 cm unter die Visierlinie fällt, wenn die Waffe auf Günstigste Einschuss-Entfernung (GEE) eingeschossen worden ist. Die Rasanzgrenze herkömmlicher Jagdmunitionen liegt etwa zwischen 160 m und 220 m.

258 Was versteht man unter „Haltepunkt"?

Der Punkt, den man im Zeitpunkt des Abdrückens anvisiert (oder zumindest anvisieren wollte), z.B. „Haltepunkt hochblatt".

259 Was versteht man unter „Abkommen"?

Der Punkt, auf dem sich die Zieleinrichtung (z.B. das Absehen des Zielfernrohrs) im Zeitpunkt des Lösen des Schusses befand („z.B. Abkommen Tiefblatt rechts"). Die Differenz zwischen Haltepunkt und Abkommen ist der Ziel- oder Abkommenfehler.

260 Was bedeutet im Zusammenhang mit dem Abkommen „durch das Feuer sehen"?

Der Schütze „sieht durch das Feuer", wenn er während der Schussentwicklung beide Augen geöffnet hält und durch das Mündungsfeuer auf das anvisierte Ziel sehen und somit angeben kann, wo er abgekommen ist (den Schuss „ansagen" können). Dabei ist notwendig, dass er nicht „muckt", sondern auch im Jagdfieber beim Schuss den Blick auf das Ziel gerichtet hält.

261 Was ist mit „Jagdfieber" (Bockfieber, Schussfieber) gemeint?

Ein untechnischer, nichtmedizinischer Ausdruck für die geistige und körperliche Erregung des Jägers vor und nach dem Schuss, die individuell stark unterschiedlich ausgeprägt, oder (seltener) gar nicht vorhanden ist. Äußert sich im Extremfall in der Unfähigkeit, einen Schuss abgeben zu können, meistens jedoch durch Zittern, was bei der Schussabgabe das Mucken noch verstärken und zu schlechten Treffern führen kann.

262 Was ist mit „Mucken" gemeint?

Wenn der Schütze aus Angst vor dem zu erwartenden Knall und Rückstoß die Augen schließt und den Abzug durchreißt. Dadurch wird der Schuss verrissen.

263 Was kann der Schütze gegen das Jagdfieber und das Mucken tun?

Gegen das Jagdfieber helfen Selbstdisziplin und Routine, gegen das Mucken eine gute schießtechnische Ausbildung („Abzugskontrolle" sowie „möglichst beide Augen offen"), ein ergonomisch passender Schaft (z.B. Lochschaft) und vor allem Übung. Die Beherrschung eines kontrollierbaren Direktabzuges (Flintenabzuges) trägt zur Vermeidung des Muckens bei. Der indirekt auslösende, daher nicht kontrollierbare Stecherabzug fördert das Mucken.

264 Was heißt GEE?

Günstigste Einschuss-Entfernung. Sie bezeichnet die Entfernung, in der das Geschoss der spezifischen Laborierung die Visierlinie das zweite Mal schneidet (d.h. „Fleck schießt"), wenn das Gewehr auf 100 m mit dem der Schusstafel des Munitionsherstellers entnommenen Hochschuss eingeschossen ist.

265 Welchen praktischen Vorteil hat eine auf GEE eingeschossene Waffe?

Die Flugbahn einer auf GEE eingeschossenen Waffe befindet sich bis zur GEE maximal 4 cm über der Visierlinie. Nach der GEE bis zur Rasanzgrenze befindet sich die Flugbahn – streukreisbereinigt – maximal 4 cm unter der Visierlinie, weswegen der Treffpunkt auf jagdlich vertretbare Entfernungen – bezogen auf diese Laborierung – immer gut auf dem Ziel zu liegen kommt.

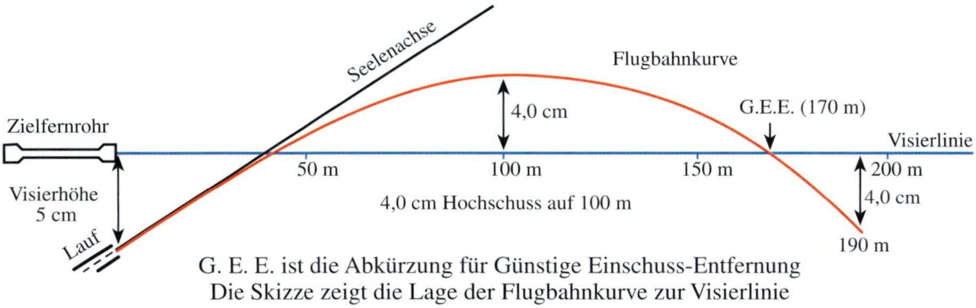

1.27: GEE und Flugbahnkurve

266 Auf welche Entfernung schießt man Jagdwaffen ein?

Auf die GEE der betreffenden Laborierung. Da das Schießen auf die exakte GEE-Entfernung meist nicht möglich ist, behilft man sich, indem man die Waffe auf 100 m (gebräuchliche Schießstandentfernung) mit dem in der Schusstafel für 100 m angegebenen Hochschuss justiert. Dieser beträgt oft 4 cm, bei sehr schnellen und sehr langsamen Ladungen manchmal auch weniger.

267 Warum ist der Hochschuss auf 100 m einer auf GEE eingeschossenen sehr langsamen (schnellen) Laborierung geringer als 4 cm?

Bei sehr langsamen Laborierungen, z.B. 9,3 x 72 R, ist der Hochschuss auf 100 m wegen der stark gekrümmten Flugbahn geringer. Bei sehr rasanten Ladungen ist der Hochschuss auf 100 m deshalb geringer, weil diese die höchste (gewollte) Flugbahnerhebung von 4 cm erst auf größere Entfernung als 100 m erreichen.

268 Welche Bewegungen führt ein Geschoss während des Fluges aus?

Neben der Drallbewegung (Rotation, Drehung um die Längsachse), die das Geschoss stabilisiert, gibt es eine etwa kreiselförmige Bewegung der Geschossspitze (Präzession).

269 Wie kommt es zu einem Querschläger („Langloch")?

Ein Geschoss kann wegen mangelnder Stabilisierung (z.B. durch einen zu langen Drall oder eine beschädigte Laufmündung) bereits in der Luft oder beim Anstreifen an Hindernisse (Gras, Äste) zu taumeln beginnen und wird schließlich „quer" auf dem Ziel einschlagen. Ein solcher Querschläger darf nicht mit einem, das Ziel nicht treffenden „Abpraller", z.B. vom Boden oder von einem Hindernis, verwechselt werden.

270 Gibt es zum Durchschießen von Hindernissen (Halme, Äste usw.) besonders gut geeignete Geschosse bzw. Laborierungen?

Nein. Zwar werden leichte bzw. gering querschnittsbelastete und zudem unterstabilisierte Geschosse eher abgelenkt als schwere bzw. hoch querschnittsbelastete, gut stabilisierte, doch soll man mit keinem Geschoss auf Wild schießen, wenn sich Hindernisse in der Flugbahn befinden.

271 Was versteht man unter dem „Ölschuss"?

Eingeölte Läufe haben einen anderen Reibungswiderstand, so dass sich die Mündungsgeschwindigkeit und vor allem die präzisions- und treffpunktlagerelevanten Laufschwingungen ändern können. Das Ausmaß der Veränderung ist stark waffenabhängig: Manche Läufe reagieren kaum; bei anderen führt der Ölschuss zu beträchtlichen Abweichungen. Vor dem Schießen muss deshalb der Lauf entölt werden.

272 Welchen Nachteil haben Waffen mit mehreren, zu einem Laufbündel verlöteten Läufen in Bezug auf einen möglichen Wechsel der Treffpunktlage?

Ursache für eine Veränderung der Treffpunktlage sind die Spannungsverhältnisse innerhalb des Laufbündels. Diese können sich durch einseitige Erwärmung verändern z.B. bei der Abgabe eines Schusses, aber auch schon bei einem Wechsel des Zielfernrohres oder durch den Einbau eines Einstecklaufes. Abweichungen, die ein Fehlen oder, noch schlimmer, ein Anschweißen des Stückes verursachen, sind durchaus möglich, besonders bei Waffen mit auf ganzer Länge verlötetem Laufbündel.

273 Was ist bei schneller Schussfolge aus mehrläufigen Waffen mit zu einem Bündel verlöteten Läufen zu beachten?

Es können sich bei den Folgeschüssen große Abweichungen der Treffpunktlage ergeben. In der Praxis wenig hilfreich ist der Rat, bei solchen Waffen Pausen von mindestens 10 Minuten einzuhalten. Dies wäre nur auf dem Schießstand machbar. Der Jäger muss vielmehr die Eigenarten seiner Waffe auf dem Schießstand kennen lernen, um sich in der Praxis danach richten zu können, z.B. durch Korrekturen des Haltepunktes für die Folgeschüsse.

274 Was ist mit dem „Klettern" der Bockwaffen mit verlötetem Laufbündel gemeint?

Der untere (Kugel-)Lauf von Bockwaffen neigt wegen der einseitigen Verspannung des verlöteten Laufbündels bei Folgeschüssen zum „Klettern": Der warme Lauf dehnt sich in Längsrichtung aus und biegt sich mit seiner Mündung nach oben. Der Schuss liegt höher als der Haltepunkt, besonders, wenn ein Zielfernrohr montiert ist, das die Aufwärtsbewegung des Laufbündels ja nicht oder nur begrenzt mitmacht. Gibt man Folgeschüsse mit dem oberen Lauf ab, so fällt die Treffpunktlage logischerweise.

275 Was ist die Ursache des „Kletterns" bei Repetierbüchsen?

Tritt das „Klettern" bei Repetierbüchsen auf, so geht dies auf meist wärmebedingte Verspannungen der Systemverschraubung oder unsachgemäß verspannte Zielfernrohrmontagen zurück. Letzteres besonders dann, wenn das Zielglas sowohl auf dem Lauf, als auch auf der Systemhülse montiert ist.

276 Wie reagieren Querwaffen auf das Warmschießen?

Waffen mit quer angeordneten Läufen reagieren mit horizontaler Auswanderung der Treffpunktlage, und zwar zur Seite des „kalten" Laufes. Waffen mit dickem Laufbündel wie Doppelbüchsdrillinge sind wegen der besseren Wärmespeicherung weniger anfällig.

277 Kann die warmschießbedingte Laufbündelverspannung durch die Verwendung freiliegender oder freischwingender Kugelläufe reduziert werden?

Ja, weswegen Kombinationswaffen bzw. Bockwaffen aus moderner Fertigung im mittleren Laufbündelteil unverlötet bleiben. Oder die Läufe sind nur am Lager verbunden und haben Mündungsbrillen, die Längsverschiebungen warmgeschossener Läufe bis zu einem gewissen Grad zulassen. Aus Waffen mit freischwingenden Kugelläufen lassen sich zu jeder Zeit und aus jedem Lauf präzise Folgeschüsse abgeben.

278 Welche Bedeutung für das außen- und zielballistische Verhalten haben Formwert und Querschnittsbelastung eines Geschosses?

Eine meist weit unterschätzte. Je größer die Masse (das „Gewicht") eines Geschosses im Vergleich zu seinem Querschnitt (Kaliber) ist und umso strömungsgünstiger („windschlüpfriger") die Form (bei gleichem Geschosstyp und Material), umso geringer ist der Einfluss des Luftwiderstandes, desto gestreckter ist seine Flugbahn und desto größer seine Auftreffgeschwindigkeit (V_z) und Tiefenwirkung im Ziel. Die Querschnittsbelastung (QB) des Projektils wird in g/cm^2 angegeben. Je größer die QB und je höher der Formwert, desto kürzer ist (bei gleicher V_0) die Flugzeit und umso rasanter die Flugbahn.

279 Was ist der Ballistische Koeffizient (BC)?

Eine sich aus Querschnittsbelastung und „Formwert" ergebende, bezeichnungslose Wertzahl: Je größer die Zahl (bei gleicher V_0) , desto „flacher" die Flugbahn. Jagdgeschosse gibt es mit BC von etwa 0,200 bis über 0,500. Unabhängig vom Kaliber haben bei gleichem BC gleich schnelle Geschosse die gleiche Flugbahnkurve.

280 Welche Aussagekraft hat die Auftreffenergie E_z für die Beurteilung einer Patrone?

Eine wichtige für die Zulässigkeit einer Laborierung hinsichtlich der vom Jagdgesetz geforderten Mindestwerte. Allerdings darf die E_z nicht als alleiniger „Qualitätsfaktor" herangezogen werden. Die Wirkung eines Projektils hängt vor allem von dessen Konstruktion und somit dessen Fähigkeit ab, die ihm innewohnende Energie dem Zielwiderstand angepasst an den Wildkörper abzugeben.

1.5 Munition

Allgemeines, Komponenten

281 Welche Munitionsart ist für jagdliche Zwecke üblich?

Patronenmunition, d.h. in einer Hülse sind die anderen Komponenten untergebracht.

282 Welche Munitionsarten außer der Patronenmunition gibt es noch?

Die „hülsenlose Munition". Ihre verpresste Treibladung bildet die äußere Form der Munition, in der die Anzündeinheit und das Geschoss „eingebacken" sind. Hülsenlose Munition wurde zu militärischen Zwecken entwickelt.

283 Wie unterscheiden sich Patronenmunitionen nach der Zündungsart?

Es gibt *Zentralfeuer*patronen mit ihrem zentral im Hülsenboden liegendem Zündhütchen und *Randfeuer*patronen, bei denen die Zündmasse in den gefalteten Rand der Patrone eingepresst ist.

284 Wozu dienen Randfeuerpatronen?

Zur Jagd auf kleines Wild sowie zum Übungsschießen mit Büchse, Einsteckläufen, Reduzierhülsen und der Kurzwaffe.

285 Welches sind die heute fast ausschließlich verwendeten Randfeuerpatronen?

Die sog. Kleinkaliber- oder „KK"-Patronen .22 l.f.B. und .22 Winchester Magnum. Die .22 l.f.B. (lang für Büchsen) heißt im internationalen Sprachgebrauch .22 l.r. (Long Rifle). Die .22 Winchester Magnum wird meist nur als „.22 Magnum" bezeichnet. Beide Patronen haben unterschiedliche Hülsenabmessungen und Geschossdurchmesser und dürfen nicht verwechselt werden. Aus der .22 Magnum weiterentwickelt ist die geschossleichtere .17 HMR.

286 Welche Patronenmunition mit Zentralfeuerzündung verwendet man zur Jagd?

Büchsenpatronen, Schrotpatronen, Patronen mit Flintenlaufgeschossen, Kurzpatronen.

287 Was versteht man unter den Komponenten der Zentralfeuerpatrone?

Bei den Büchsen- und Kurzpatronen zählen die Hülse, das Zünd*hütchen*, die Treibladung und das Geschoss zu den Komponenten; bei den Schrotpatronen sind es die Hülse, die Zünd*ung*, die Treibladung, das Zwischenmittel und die Vorlage. Die Komponenten der Patrone werden auch „Elemente" genannt.

288 Woraus besteht die Hülse der Patronenmunition?

Bei den Randfeuerpatronen aus kupfer- oder nickelplattiertem Stahl- oder Messingblech; bei den Büchsen- und Kurzpatronen aus Messing (meist MS72); bei den Schrotpatronen aus Plastik oder Pappe, jeweils mit einer Bodenkappe aus (vermessingtem) Stahlblech.

289 Woraus besteht das Zündhütchen?

Aus dem Näpfchen und dem brisanten, reibe- und schlagempfindlichen Zündsatz, sowie aus dem als Widerlager für den Schlagbolzen dienenden Amboss, falls dieser nicht, wie bei der veralteten Berdan-Zündung, in der Zündglocke der Hülse integriert ist.

290 Welche Ausdrücke für das Zündhütchen der Zentralfeuerpatronen gibt es noch und welche sind falsch?

Gebräuchlich sind Anzündhütchen und (vor allem im Alpenraum) Kapsel. Die Bezeichnungen Zünd*ung* und Zünd*er* sind falsch: Mit Zündung bezeichnet man das gesamte Zündsystem (z.B. „Boxerzündung") einer Patrone oder die Zündeinheit der Schrotpatrone (hier ist das Zündhütchen nur eines von drei Bestandteilen der Zündung). Der Ausdruck Zünder ist nur im Zusammenhang z.B. mit Minen und Sprengsätzen angebracht und daher falsch.

291 Was meint man im Sprachgebrauch mit „Pulver"?

Treibladungsmittel für Patronenmunitionen werden landläufig als „Treibladungspulver" oder „Pulver" bezeichnet, weil das früher verwendete Schwarzpulver von pulverförmiger Konsistenz war.

292 Welche Treibladungsmittel werden für jagdliche Patronenmunitionen verwendet?

Nitrozellulose-Treibladungsmittel mit Zusätzen (z.B. Nitroglyzerin) in verschiedenen Ausführungen.

293 Wie unterscheidet man Treibladungsmittel nach ihrer Abbrandgeschwindigkeit?

Man unterscheidet degressive oder offensive (schnell abbrennende) und progressive (langsam abbrennende) Treibladungsmittel. Diese dürfen nicht ohne weiteres vertauscht werden (Gefahr von Waffensprengungen).

294 Wofür nimmt man welches Treibladungspulver?

Offensive Treibladungspulver nimmt man i.d.R. für Schrotpatronen und Kurzpatronen, progressive für Büchsenpatronen. Dabei sind die Übergänge fließend; ein progressives Kurzpatronenpulver kann gleichzeitig ein offensives Büchsenpulver sein.

295 Welche Form hat Treibladungspulver?

Die Formen der Pulverteilchen variieren von würfel- und blättchenförmig (kubisch) über zylindrisch und röhrenförmig bis kugelförmig (sphärisch). Die gebräuchlichen Büchsenpulver sind röhrchen- oder zylinderförmig, manchmal auch kugelförmig; Schrotpatronenpulver sind meist blättchenförmig. Der oft falsch interpretierte Ausdruck „Kugelpulver" ist nicht mit „Büchsenpulver" gleichzusetzen, sondern kommt von der internationalen Bezeichnung „Ball Powder" für sphärische, also kugelförmige Pulverteilchen.

296 Gibt es auch mit Schwarzpulver geladene Patronen?

Schwarzpulver wird als Treibladungsmittel nur mehr ausnahmsweise verwendet, z.B. in Schrotpatronen für nicht nitrobeschossene Waffen.

297 Sind Treibladungsmittel Sprengstoffe im technischen Sinn?

Schwarzpulver ja, Nitropulver nicht. Trotzdem unterfallen (technisch unverständlich) alle Treibladungsmittel unter das Sprengstoffrecht, welches Erwerb, Vertrieb, Besitz und Verwendung oder Vernichtung sowie Lagerung von Treibladungspulvern regelt. Dies ist für den Wiederlader wichtig.

298 Welche wichtigen Ausdrücke im Zusammenhang mit Treibladungsmitteln sind richtig und welche sind falsch?

Eine Pulverladung wird mit Hilfe des Zündsatzes im Zündhütchen *angezündet*, bevor sie *abbrennt*. Bei regulärem Gebrauch des Treibladungsmittels sind Ausdrücke wie „explodieren" oder „detonieren" falsch.

299 Was fällt alles unter den Begriff Geschoss?

Neben dem Einzelgeschoss (Büchsenprojektil oder Flintenlaufgeschoss) alle durch den Lauf getriebenen festen Körper, z.B. Schrote und Zwischenmittel (sowie gasförmige Körper in Umhüllungen).

300 Was versteht man unter der Vorlage der Schrotpatrone?

Das aus den Zwischenmitteln, wie Schrotbecher, Pfropfen, Streukreuz usw. sowie der Schrotladung (bzw. dem Flintenlaufgeschoss) und ggf. dem Deckblättchen bestehende „Geschoss" der Schrotpatrone wird als Vorlage bezeichnet.

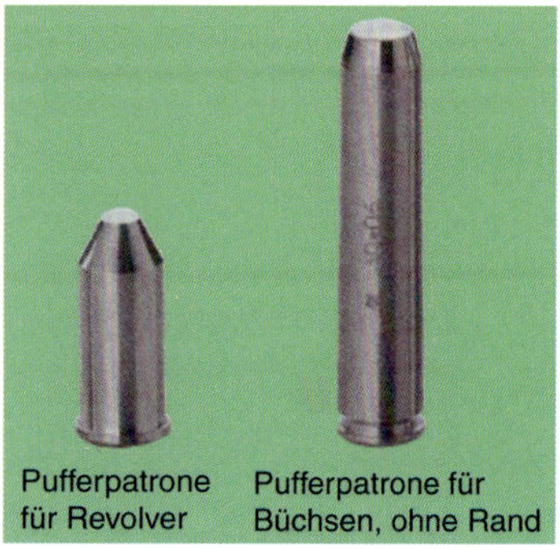

1.28: Pufferpatronen gibt es für fast alle Kaliber und Waffen.

301 Was ist eine Pufferpatrone?

Eine Patronennachbildung mit anstelle des Zündhütchens/der Zündung eingesetztem Pufferelement aus elastischem Material, auf das der Schlagbolzen/Schlagstift abgeschlagen werden kann, ohne dessen Spitze zu beschädigen. Sie dient zum Entspannen von Waffen, die über eine automatische Sicherung verfügen bzw. die nur durch Abschlagen entspannt werden können. Pufferpatronen sollten sich optisch möglichst stark von einer Hülse oder Patrone abheben, damit keine Verwechslungen vorkommen. Ob man eine Pufferpatrone verwenden muss oder die Waffe abschlagen kann, geht aus der Bedienungsanleitung hervor. Viele Waffen sind gegen leeres Abschlagen oder längeres Stehenlassen mit gespannter Schlagfeder unempfindlich.

302 Darf man eine normale Hülse als Pufferpatrone verwenden?

Nein, um jede Verwechslungsgefahr mit Patronen auszuschließen. Zudem kann die empfindliche Spitze des Schlagbolzens/Schlagstiftes beim wiederholten Abschlagen auf ein verformtes Zündhütchen Schaden nehmen.

303 Was ist eine Blindpatrone (ein „Dummy")?

Eine nur aus Hülse, Geschoss und leerem Zündhütchen bestehende, d.h. nicht vollständig geladene Patrone zu Anschauungszwecken. Da Pulverladung und Zündsatz fehlen, ist eine B. nicht funktionsfähig und unterliegt, wenn sie durch eine Hülsenbohrung als Blindpatrone (Dummy) erkennbar sind, den für Munition geltenden waffenrechtlichen Beschränkungen nicht. Dies ist wichtig bei der Anlage von Musterpatronensammlungen, die man sich am besten von einem Büchsenmacher oder Wiederlader zusammenstellen lässt.

304 Was sind Exerzierpatronen?

Mit deutlichen Längsrillen gekennzeichnete Blindpatronen gängiger Dienstkaliber. Dienen zum „Waffendrill" vor allem bei Polizei und Militär.

305 Was sind PT-Patronen?

PT ist die Abkürzung für „Plastik-Training" und steht für eine von Dynamit Nobel entwickelte Kurzbahn-Patronenfamilie mit Kunststoffhülse und angespritztem, sehr leichten Kunststoffgeschoss. PT-Patronen gibt es in .308 Winchester und einigen wichtigen Kurzpatronenkalibern. Die für kurze Entfernungen ausgelegten Patronen sind für das Gewöhnungsschießen konstruiert, nicht für den Schuss auf Wild.

306 Was ist an den häufig gehörten Bezeichnungen „leere Hülse", „volle Patrone" usw. falsch?

Es sind begriffliche „Weiße Schimmel", denn eine Hülse ist eben „leer". Demgemäß gibt es auch keine „volle" Hülse oder eine „leere" Patrone, ebenso wenig wie eine „scharfe" Patrone. Ist die Hülse mit Komponenten versehen, ohne dass jedoch eine (fertige) Patrone vorliegt, so spricht der Fachmann von einer „teilgeladenen Hülse".

307 Welchen Beitrag können Munitionsindustrie und Jäger zum Umweltschutz leisten?

Komponenten aus wiederladbaren oder wiederverwendbaren bzw. umweltverträglich abbaufähigen Materialien muss aus Gründen der Umweltbelastung bzw. der Rohstoffverknappung der Vorzug gegeben werden. Dazu gehört die Verwendung von Pappehülsen mit Filzpfropfen genauso wie die Rückführung z.B. von Messinghülsen in den Rohstoffkreislauf. Wiederladen ist ebenfalls ein Beitrag zum Umweltschutz.

Schrotpatronen

308 Aus welchen Komponenten ist die Schrotpatrone aufgebaut?

Aus der Hülse, der Zündung und dem Treibladungsmittel. Die Zwischenmittel bilden zusammen mit der Schrotladung die Geschossvorlage.

1.29: Schrotpatronen für verschiedene Kaliber und unterschiedliche Anforderungen

309 Welchem Hülsentyp ist die Schrotpatrone zugeordnet?

Den Randpatronen (d.h. der Verschlussabstand der Waffe wird über den am hinteren Ende des Patronenlagers in einer Randausfräsung aufliegenden Rand der Patrone gebildet).

310 Woraus besteht die Hülse der Schrotpatrone?

Aus dem Rohr (meist Pappe oder Plastik) und der den Rand bildenden Bodenkappe (meist Stahlblech). Es gibt auch Vollplastikhülsen. In dem von der Bodenkappe umschlossenen Hülsenboden befinden sich Zündkanal und Zündglocke, in der die Zündung eingesetzt wird.

311 Welche Zündung wird für Schrotpatronen verwendet?

Die Mediumzündung („offene Zündung"). Sie ist dreiteilig und besteht aus dem Amboss, dem Mantel und dem eigentlichen Zündhütchen, in dessen Näpfchen der Zündsatz eingestrichen ist. Vereinzelt wird noch die „verdeckte" Zündung verwendet.

312 Was rechnet zu den Zwischenmitteln?

Alle „zwischen" Pulverladung und Vorlage befindlichen Pfropfen aus Filz, Pappe und Kunststoff einschließlich des Becherpfropfens (Schrotkorbs) und der Zwischen-, Dämpfungs- und Distanzscheiben; im weiteren Sinn auch das in oder über der Schrotladung befindliche Streukreuz und das Deckblättchen.

313 Welche Aufgabe haben die Zwischenmittel?

Sie trennen Pulverladung und Vorlage, dichten (lidern) die Vorlage gegen die hochgespannten Treibgase ab und tragen einzeln oder in Kombination z.B. zur besseren Treibladungseffizienz, zur Verringerung des Rückstoßes oder zur Steuerung der Streuwirkung bei.

314 Hat die Wahl des Zwischenmittels Einfluss auf die Streuung der Garbe?

Grundsätzlich ja, im Zusammenhang mit der Laufbohrung.

315 Sind Patronen mit Becherpfropfen automatisch bessere „Weitschusspatronen"?

Nein. Relative „Weitschusseignung" kann genauso mit Fett-Filzpfropfen erreicht werden.

316 Welches sind die Vorteile des Becherpfropfens?

Schutz der Schrote vor einem Abschliff an der Laufwand. Undeformierte Schrote bleiben in der Garbe besser zusammen.

317 Welches sind die Nachteile des Becherpfropfens?

Seine Verwendung eliminiert einen Teil der gewünschten Streuwirkung der Chokebohrung; manche Kunststoffe verrotten nur langsam und können die Landschaft belasten.

318 Welches sind die Vorteile des Filzpropfens?

Sofern aus hochwertigem Fettfilz hergestellt, reduziert er den Abschussschock (d.h. eine Verformung der Schrote bereits vor Verlassen des Laufes) und hat einen laufpflegenden Wischeffekt. Filzpfropfenlaborierungen erfüllen die von der Laufbohrung vorgegebenen Anforderungen an Öffnung oder Verdichtung der Garbe besonders gut.

319 Was sind die Nachteile des Filzpfropfens?

Er ist teurer als ein Plastik-Zwischenmittel und lässt im Vergleich zum Becherpfropfen ein Scheuern der Schrote an der Laufwand und somit die Entstehung von deformierten „Randschroten" zu. Allerdings kann dieser Nachteil durch Verwendung guter Schrotqualitäten vermindert werden.

320 Welche Vorlagen gibt es bei der Schrotpatrone?

Schrote, Posten und Flintenlaufgeschosse.

321 Aus welchem Material sind Schrote?

Wir unterscheiden Bleischrot (aus Hartblei) und Weicheisenschrot (WE-Schrot; umgangssprachlich aber technisch falsch auch „Stahlschrot" genannt), ferner Wismut, Zink oder Wolframcarbid (eng. „Tungsten carbide") enthaltende Schrote.

322 Was sind die Vor- und Nachteile von Bleischrot und WE-Schrot?

Bleischrote sind ballistisch vorteilhafter, weil sie ein höheres spezifisches Gewicht aufweisen, können jedoch in großer Konzentration, z.B. von gründelnden Enten aufgenommen, toxisch (giftig) wirken. Bei der Wasserjagd oder auf wasserschutzsensiblen Schießständen im engeren Bereich von Trinkwassersammlern (obwohl hier die Toxizität nicht bewiesen ist) könnte WE-Schrot empfehlenswert bzw. regional vorgeschrieben sein. Aus zielballistischen Gründen ist WE ein schlechter Ersatz für Bleischrot.

323 Was ist bei der Verwendung von WE-Schrot hinsichtlich der Schrotgrößen zu beachten?

Wegen des geringeren spezifischen Gewichts müssen zur Erzielung vergleichbarer Leistungen die WE-Schrote größere Durchmesser haben. Als Faustregel gilt, dass WE-Schrote ein bis zwei Stufen stärker gewählt werden müssen, also z.B. 3,5 mm anstatt 3 mm oder 2,7 mm für die Entenjagd.

324 Welche Bleischrot-Korngrößen verwendet der Jäger?

Körnungen von 2 bis 3,7 mm mit einem Schwerpunkt von 2,7 bis 3,2 mm. Die Größe richtet sich nach dem Verwendungszweck. Je kleiner der Korndurchmesser, umso mehr Schrote fasst die Patrone und umso mehr Treffer gelangen auf das Ziel. Die Schrotgröße 4 mm wird – als für mitteleuropäische Wildarten zielballistisch unnötig – kaum noch angeboten.

325 Welchen Vorteil haben die kleineren Schrotgrößen?

Mit der Verkleinerung des Durchmessers verringert sich wegen der rascher abfallenden Geschwindigkeit zwar die kinetische Energie des einzelnen Schrotkorns und damit die wirksame Reichweite der Garbe. Dieser scheinbare Nachteil ist aber ein Vorteil hinsichtlich der geringeren Gefährdung des Hintergeländes und vor allem der verringerten Gefahr des Krankschießens von Wild auf vom Schützen unterschätzte, zu große Distanzen.

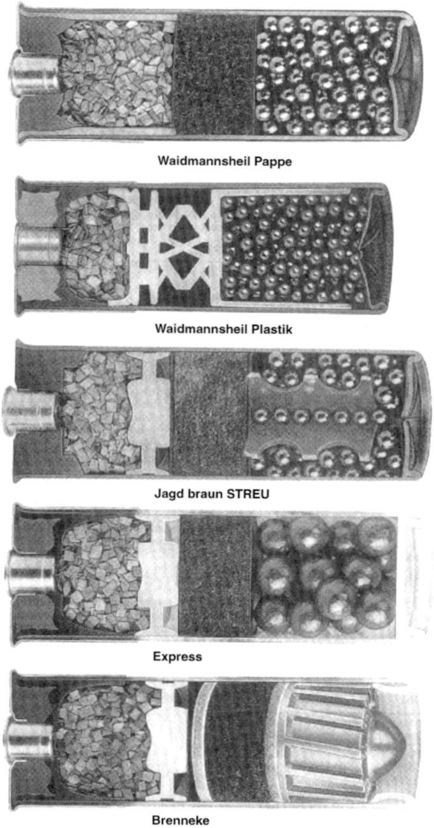

1.30: Flintenmunition für verschiedene Zwecke

326 Welches ist die weitaus universellste Schrotgröße?

Mit Schroten 2,7 mm kann unter geringer Einschränkung der Schussentfernung alles Wild erlegt werden. Die jagdpraktisch sinnvollen Streupatronen sind mit 2,7 mm (eigentlich 2,75 mm) – Schrot verladen. Den Schrotpatronen 2,7 mm gleichgestellt ist Munition mit der Bezeichnung „2,8 mm" oder „Nr. 6".

327 Wie viele Schrote sind in einer Schrotpatrone enthalten?

Dies hängt vom Vorlagegewicht und vom Korndurchmesser ab. Je schwerer die Vorlage und kleiner die Schrote, desto mehr Schrote wirken (Deckung).

328 Welche Hülsenlängen sind bei Schrotpatronen üblich?

67,5 mm und 70 mm für 70 mm tiefe Lager; 76 mm (oder noch längere) „Magnum"-Hülsen für entsprechende Lager. (In älteren Waffen auch 65,0 mm.) Die Hülsenlänge wird immer an der Hülse, nicht an der Patrone gemessen.

329 Dürfen Patronen mit 67,5 oder 70 mm langen Hülsen in 76er-Lagern verschossen werden?

Ja, jedoch können geringe Leistungseinbußen wie leichte Geschwindigkeitsverluste und mangelhafte Deckung eintreten.

330 Dürfen 76 mm-Patronen in 70er-Lagern verschossen werden?

Nein. Die durch den Hülsenmundverschluss verursachte Verkürzung der Patrone lässt das Laden der zu langen Hülsen zwar zu, doch kommt beim Schuss der Hülsenmund im Übergangskegel zu liegen, was zusätzlich zum bereits vorliegenden, höheren Gasdruck der 76er-"Magnum"-Patrone eine nochmalige Erhöhung des Gasdrucks ergibt.

331 Welche Ausnahme gibt es von dem Verbot der Verwendung von Patronen mit längerer Hülse?

Leichte Ladungen in Patronen mit 67,5-mm-Hülsen und dünnem Hülsenmundmaterial können aus den 65-mm-Lagern älterer Waffen verschossen werden (die Hersteller geben Auskunft). Voraussetzung ist der gute sonstige Zustand der Waffe, welche natürlich nitrobeschossen sein muss.

332 Was bedeutet die Bezeichnung „Magnum" im Zusammenhang mit Schrotpatronen?

Diese Patronen sind stärker verladen. Sie weisen bei höherem Druck eine schwerere Ladung, in der Geschwindigkeit der Normalladung jedoch vergleichbare Geschwindigkeit auf. Sie dürfen nur in entsprechend beschossenen und mit „Magnum" oder z.B. mit „900 bar" bzw. „1050 bar" gekennzeichneten Waffen verschossen werden. Es gibt Magnum-Patronen mit 70 mm, 76 mm und noch längerer Hülse.

333 Wie sind Schrotpatronen gekennzeichnet?

Auf dem Hülsenrohr sind aufgedruckt die Schrotstärke in mm (manchmal auch in Nummern, wobei diese je nach Herkunftsland trotz gleicher Schrotdurchmesser unterschiedlich sein können), sowie Hinweise auf verstärkten Gasdruck durch die Aufschrift „Magnum". Bei europäischen Fabrikaten ist auch die Hülsenlänge (in mm) angegeben. Kaliber- und Herstellerbezeichnungen sind auf dem Hülsenboden eingeprägt.

334 Welche Flintenkaliber gibt es?

Standard sind die Kaliber 12, 16 und 20. Darüber hinaus gibt es die Kaliber 10, 14, 24, 28, 32 und 36 (.410).

335 Wie erfolgt die Bestimmung des Flintenkalibers?

Nach der Anzahl von Rundkugeln des Laufkalibers, die aus einem englischen Pfund Blei (453,6 g) gegossen werden können. Kaliber 20 bedeutet, dass der Lauf den Durchmesser einer Rundkugel hat, von denen 20 Stück aus einem englischen Pfund Blei gegossen werden können. Kaliber 12 ist demnach größer, denn hier gehen nur 12 Kugeln des Laufdurchmessers auf ein Pfund Blei. Je größer die Zahl, desto kleiner das Kaliber.

336 Wie können die Flintenkaliber in Millimetern bezeichnet werden?

Kal. 10 = 19,3 mm; Kal. 12 = 18,20 mm; Kal. 16 = 16,80 mm; Kaliber 20 = 15,70 mm; Kal. 24 = 14,70 mm; Kal. 28 = 13,80 mm; Kaliber 32 = 12,70 mm; Kal. 36 = 10,20 mm. Die Angabe der Flintenkaliber in Millimetern ist jedoch unüblich und dient ausschließlich Vergleichszwecken.

337 Was ist das Schrotkaliber .410?

Das Kaliber 36 wird als einziges der Schrotkaliber manchmal nach dem Innendurchmesser benannt, allerdings nicht in Millimetern, sondern in Zoll (Inch). Kaliber 36 entspricht 0,410" (Inch) und wird im amerikanischen Sprachgebrauch als .410 bezeichnet.

338 Wie werden die Standard-Flintenkaliber 12, 16 und 20 hauptsächlich verwendet?

Kaliber 12 ist das meistgeführte Standardkaliber und kommt hauptsächlich in Flinten, aber auch in kombinierten Waffen zur Anwendung. Kaliber 16 ist das typische Flintenkaliber für kombinierte Waffen, weil es einen guten Kompromiss zwischen Führigkeit und Leistung ermöglicht; viele Besitzer kombinierter Waffen schießen es auch in der Flinte, um nur ein Kaliber benutzen zu müssen. Kaliber 20 ist das kleine Kaliber feiner Flinten; in leichten kombinierten Waffen wird es mittlerweile häufiger eingebaut als Kaliber 16.

339 Wie werden die exotischen Flintenkaliber hauptsächlich verwendet?

Das Kaliber 24 wurde früher in Damenflinten geführt und ist, neben dem fast unbekannten Kaliber 14, am wenigsten gängig. Kaliber 28 und 36/.410 sind vornehmlich sportlich eingesetzte Spezialkaliber des amerikanischen Marktes und in Mitteleuropa wenig bekannt, genauso wenig wie Kaliber 10. Kaliber 10 spielt (im Ausland) als 10/76 oder 10/89 eine gewisse Rolle bei der Wasserjagd: Mit WE-Schrot-Laborierungen hat das Kaliber 10 wegen seines größeren Volumens Vorteile.

340 Welches sind die gängigen Hülsenlängen der Standard-Schrotpatronen?

12/67,5 und 12/70, sowie 12/76 (Magnum). 16/67,5 und 16/70, 20/67,5, 20/70 und 20/76 (Magnum).

341 Welche Arten des Hülsenmundverschlusses gibt es bei Schrotpatronen?

Den Sternverschluss (Faltverschluss mit sechs oder acht Segmenten) und seltener den Bördelverschluss, bei dem der Hülsenmund über ein Deckblättchen gebördelt wird.

342 Gibt es Qualitätsunterschiede zwischen dem Sternverschluss und dem Bördelverschluss?

Nein. Die früher gehörte Begründung für die Abkehr vom Bördelverschluss, dass das Deckblättchen die Entfaltung der Schrotgarbe störe, ist falsch: Weder der Sternverschluss, noch das Deckblättchen haben Einfluss auf die Garbenentwicklung.

343 Patronen mit Sternverschluss sind kürzer als solche mit Bördelverschluss. Enthalten sie auch weniger Schrote?

Nein. Die Masse der Schrotladung wird zwar vom verfügbaren Hülsenvolumen bestimmt, jedoch kann der Ausgleich der (durch die Art des Hülsenmundverschlusses verursachten) fehlenden Hülsenlänge durch die Höhe des Zwischenmittels ausgeglichen werden.

344 Was versteht man unter Streupatrone?

Eine Schrotpatrone mit gewollt größerer Streuung. Ein in der Schrotladung befindliches Streukreuz aus Pappe oder Kunststoff trägt beim Durchgang der Garbe durch die Laufbohrung zur (weitgehend kontrollierten) Verwirbelung der Ladung und damit zur Vergrößerung der wirksamen Garbe bei. Die Wirkung des Streukreuzes steigt mit dem Grad der Laufverengung, so dass ein eng schießender Lauf mit der Streupatrone universeller gemacht und damit aufgewertet werden kann. Streupatronen sind eine wertvolle Ergänzung und ideale Patronen für kurze und mittlere Distanzen.

345 Was versteht man unter Posten?

Postenschrote oder „Roller“ (engl. „Buckshot“) sind Weichbleikugeln von 4,5 bis 8,6 mm. Sie sind nach dem BJagdG auf Schalenwild verboten und für Niederwild (wegen der viel zu geringen Deckung) technisch unsinnig.

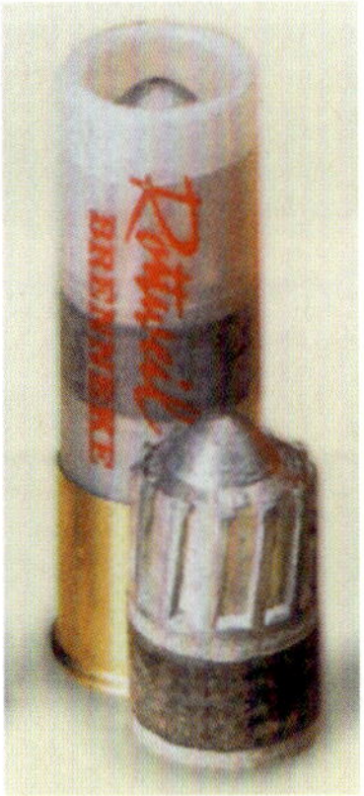

1.31: Flintenlaufgeschoss (FLG)

346 Kann man aus Flintenläufen auch Patronen mit Einzelgeschossen verwenden?

Ja. Solche Einzelgeschosse werden Flintenlaufgeschosse (FLG) genannt.

347 Sind FLG-Patronen auf Schalenwild zulässig?

Sie dürfen auf alles Schalenwild verwendet werden, da die Einschränkungen der sachlichen Verbote nach BJagdG hinsichtlich der Mindestenergie (1.000 bzw. 2.000 J) nicht zutreffen. FLG haben im Vergleich zu Büchsenpatronen eine niedrigere Geschwindigkeit (und damit Energie) und wirken vor allem durch hohe Geschossmasse und große Kopffläche.

348 Wie groß ist der Wirkungsbereich des FLG?

Er wird von der Schussleistung der Waffe und der Leistung der FLG-Ladung bestimmt. Man sollte jedoch mit einem FLG nur bis etwa auf 50 m auf Wild schießen, wenngleich es v.a. gezogene Läufe mit einem weitaus größeren Wirkungsbereich (bis über 100 m) gibt. Aufschluss bringt nur ein Probeschießen mit der entsprechenden Waffe. Der sinnvolle Einsatz des FLG hängt auch von der Eignung der vorhandenen Visierung ab.

349 Sind FLG-Patronen ausreichend präzise für den Schuss auf Schalenwild?

Ja. Präzision, Reichweite und Treffpunktlage sind jedoch waffenabhängig und müssen unbedingt durch Schießversuche mit der eigenen Waffe überprüft werden.

350 Hat die Würgebohrung Einfluss auf den Gasdruck der Patrone mit dem Flintenlaufgeschoss bzw. auf dessen Schussleistung?

Ja, abhängig von Bauart und Qualität des FLG sowie Ausführung des Choke. Allgemein schießen FLG bei normalem Gasdruck aus Läufen geringer Würgebohrung am besten. Manche Treibspiegel-FLG benötigen gezogene Läufe.

351 Wozu wird das FLG verwendet?

Vor allem für Drückjagden auf Schwarzwild, entweder in der gewohnten, für schnelle Schüsse auf kurze Distanz geeigneten Flinte oder in kombinierten Waffen. Diese können mit dem FLG doppelbüchsenähnlich z.B. für Doubletten (Kugel/FLG) eingesetzt werden.

352 Wie groß ist der Gefahrenbereich des FLG?

Etwa 1.500 m. Bei der Schussabgabe ist dem Hintergelände deshalb großes Augenmerk zu widmen (Geschossfang). Um Verwechslungen mit Schrotpatronen zu vermeiden (damit z.B. nicht mit dem FLG auf Flugwild geschossen wird), sollte man die FLG stets an gleicher Stelle des Patronengurtes oder der Bekleidung aufbewahren. Der Geschosskopf des FLG ist am offenen Hülsenmund fühlbar.

Tab. 1.2: Geschwindigkeit und Energie von Flintenlaufgeschossen

Entfernung (m)	V (m/s)	Energie Kal. 12 (31,5 g)	Energie Kal. 16 (27,0 g)	Energie Kal. 20 (24,0 g)
0	430	2.865	2.495	2.220
25	370	2.110	1.860	1.680
50	330	1.655	1.460	1.330
75	300	1.375	1.215	1.110
100	275	1.170	1.040	955

Büchsenpatronen

353 Aus welchen Komponenten oder Elementen ist die Büchsenpatrone aufgebaut?

Aus der Hülse, dem Zündhütchen, dem Treibladungsmittel und dem Geschoss.

354 Aus welchem Material ist die Hülse der Büchsenpatrone?

Aus Hülsenmessing, einer Legierung aus Kupfer und Zink.

355 Welche Hülsentypen werden bei den Büchsenpatronen nach ihrer Anlage im Patronenlager unterschieden?

Randhülsen, randlose Hülsen, Gürtelhülsen und Sonderformen.

1.32: Aus der kombinierten Waffe mit Einstecklauf lassen sich große Kugel, kleine Kugel, Schrot sowie Flintenlaufgeschosse verschießen. Wichtig: Durch Probeschießen die Schussleistung und Treffpunktlage der FLG feststellen.

356 Was kennzeichnet die Randhülsen?

Hülsen mit Rand sind die älteste und einfachste Form der Hülse. Der Verschlussabstand wird über den Rand der Hülse gebildet; der Rand liegt auf der Randausfräsung des Patronenlagers. Der stabile Auszieher greift unter den Rand. Randhülsen werden meistens in Kipplaufwaffen verwendet.

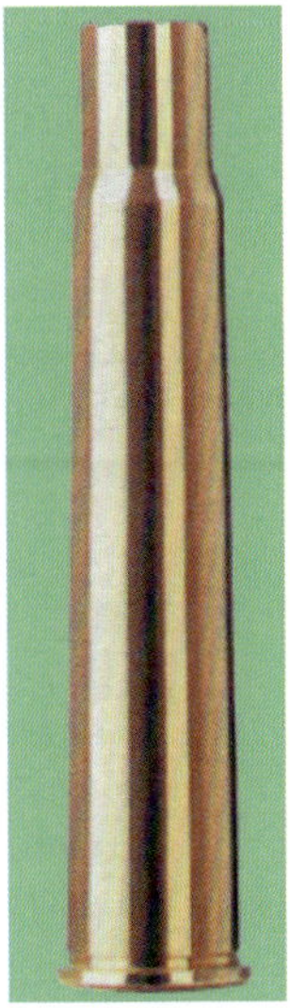

1.33: Hülse mit Rand

357 Was kennzeichnet randlose Hülsen?

Hülsen ohne Rand haben eine Auszieherrille, in die der Auszieher greift. Bei ihnen wird der Verschlussabstand über die Anlage der Schulter im Patronenlager gebildet.

358 Was kennzeichnet die Gürtelhülsen?

Hülsen mit Gürtel haben eine Auszieherrille in die der Auszieher greift. Der Verschlussabstand wird über die Vorderseite des Gürtels gebildet; der Gürtel liegt an der entsprechenden Ausfräsung des Lagers an. Der Gürtel ist keine die Leistung beeinflussende „Verstärkung" der Hülse, sondern dient der Herstellung des Verschlussabstandes.

359 Welche Sonderformen von Hülsen für Büchsenpatronen gibt es noch?

1. Die bei den Kurzpatronenhülsen, wie z.B. 9 mm Luger, gängigen *Hülsenmundanlieger* (Beispiel .30 M1 Carbine).
2. Die *Halbrandhülse*. Sie hat zwar einen kleinen („halben") Rand zum Ausziehen, liegt aber mit der Schulter im Patronenlager an (Beispiel .220 Swift).

3. *Hülsen mit eingezogenem* Boden, d.h. mit im Vergleich zum Pulverraumdurchmesser P1 geringeren Durchmesser R1 (Beispiel 7 x 66 S.E.v.H., .300 WSM 9,5 x 66 S.E.v.H.) können trotz ihres übergroßen Pulverraumes in Systemen mit normalem Stoßbodendurchmesser verwendet werden.

360 Kann man die Hülsenarten bestimmten Waffenarten zuordnen?

Nein. Fast alle Hülsenarten können in mehreren Waffenarten verwendet werden. So findet man Randhülsen sowohl in der Kipplaufwaffe als auch in der Repetierbüchse und sogar in der Selbstladebüchse.

361 Welche Hülsenart ist für Kipplaufwaffen besonders geeignet?

In Kipplaufwaffen können alle Hülsentypen eingebaut werden. Allerdings bietet sich wegen der Ausziehsicherheit und um Entladestörungen im Jagdbetrieb vorzubeugen die Randpatrone besonders an.

362 Welche Zündungsarten gibt es bei Büchsenpatronen?

Die Randfeuerzündung (z.B. bei den KK-Patronen .22 lfB sowie bei der .22 Magnum und .17 HMR) und die Zentralfeuerzündung.

363 Welches ist die fast ausschließlich verwendete Zentralfeuerzündung?

Die Amboss- oder (nach ihrem Erfinder so benannte) Boxerzündung. Bei ihr ist der Amboss im Zündhütchen integriert, was ein zentrales Zündloch ermöglicht und so das Entfernen des verbrauchten Zündhütchens erleichtert. Hülsen mit Boxerzündung sind zum Wiederladen geeignet und sollten nicht weggeworfen werden.

364 Welche Treibladungspulver kommen in Büchsenpatronen zur Anwendung?

Meist mittlere oder progressive Sorten. Es werden zylindrische, röhrenförmige und seltener kugelförmige Pulver verwendet.

365 Wie gliedern sich die Jagd-Büchsengeschosse nach ihrem Aufbau?

» Mantelgeschosse: Dazu rechnen alle Vollmantel- und Teilmantel-Geschosse, die einen Mantel (meist aus einer Messinglegierung wie Tombak oder Gilding) und einen Kern (meist aus Blei) aufweisen.
» Vollgeschosse: Dazu rechnen alle Projektile aus homogenem Material wie Blei (fast nur in KK-Randfeuerpatronen) oder Messing bzw. Geschosse aus anderen Kupferlegierungen. Sollen Vollgeschosse wie Teilmantelgeschosse wirken, so haben sie eine verdeckte oder offene Hohlspitze.
» Mischkonstruktion: So sind z.B. die nicht mehr hergestellten Hirtenberger ABC mit ihrem kleinen Bleikern weder zu den Vollgeschossen noch zu den Teilmantelgeschossen zu rechnen, ebenso nicht das Rhino Full Shank und andere mit einem Vollschaft aus Kupfer bzw. einer Cu-Legierung und vorderer (Blei usw.) Füllung.

366 Wie unterscheidet man die Mantelgeschosse nach ihrem Aufbau?

In Vollmantel-Geschosse und in Teilmantel-Geschosse. Bei Mantelgeschossen ist der Bleikern von einem stabilen Mantel aus Tombak (seltener Flusseisen) umgeben. Der Mantel ist bei den Vollmantelgeschossen an der Spitze geschlossen und am Heck offen; bei den Teilmantelgeschossen ist das Heck geschlossen, der vorne aus dem Mantel ragende Bleikern ist in verschiedenen Formen Teil des Geschosskopfes.

367 Was ist die Aufgabe der Vollmantel-Geschosse?

Sie sollen ähnlich wie die auf Durchschlag konstruierten Vollgeschosse wirken. Der Mantel an der Spitze von Vollmantelgeschossen darf nicht entfernt werden, weil es wegen des offenen Geschosshecks sonst zu „Durchbläsern" und damit zu „Mantelsteckern" im Lauf kommen kann.

368 Was ist die Konstruktion und die Aufgabe der Teilmantelgeschosse?

Unter den Begriff Teilmantelgeschosse fallen alle Projektile, die einen Kern aus weichem und einen vorne offenen Mantel aus hartem Material haben. Der Mantel ist meist aus Tombak, Gilding oder anderen, dem Messing ähnlichen Legierungen, auch aus Flusseisen oder Kupfer. Die Öffnung vorne im Mantel ist (mit vielen Zwischenstufen) entweder als Bleispitze, Hohlspitze oder Lochspitze ausgeführt. Die Form des Geschosskopfes geht von Flachkopf über Rundkopf zu Spitzkopf. Alle diese Konstruktionen sollen auf die Art und die Schnelligkeit der Geschossdeformation beim Auftreffen auf das Medium Einfluss nehmen.

369 Welche Aufgaben haben Vollgeschosse?

Es gibt Vollgeschosse, die aufgrund ihrer Konstruktion wie Deformationsgeschosse wirken und auf alles Wild eingesetzt werden können, z.B. das Barnes TSX-Geschoss, das Reichenberg HDB oder die ebenfalls bleifrei konstruierten Bionic-Geschosse von RWS.
Auf Durchschlag konstruierte monolithische Vollgeschosse sollen tief in das Medium eindringen und es durchschlagen, ohne durch Verformung Energie abzugeben. In diese Kategorie fallen schwere und großkalibrige Rundkopf-Geschosse für Dickhäuter genauso wie leichte, kleinkalibrige Spezialgeschosse für den balgschonenden Schuss auf Beutegreifer.

370 Was ist mit „Spezialgeschosse" gemeint?

Konstruktionen wie z.B. Nosler Partition, RWS H-Mantel, RWS KS, Brenneke TUG, Brenneke TIG oder MEN Starkmantel und Norma PPC werden von den Herstellern oft als „Spezialgeschosse" bezeichnet, sind aber von der Wirkungsweise ebenfalls Teilmantelgeschosse, auch wenn ihr Aufbau komplizierter ist als der eines einfach aus (Blei)Kern und Mantel bestehenden Teilmantelgeschosses.

371 Was sind Zerlegungsgeschosse und wie wirken sie?

Sie stellen die einfachste Form des Teilmantelgeschosses dar und heißen auch Splittergeschosse, wenn sie einen ausgeprägt dünnen Mantel haben oder deutliche, axiale

1.34: Barnes Vollgeschoß (Solid), Sierra TMS (Teilzerleger), Nosler Partition (Zweikammer), Lapua Scenar (Scheibengeschoß)

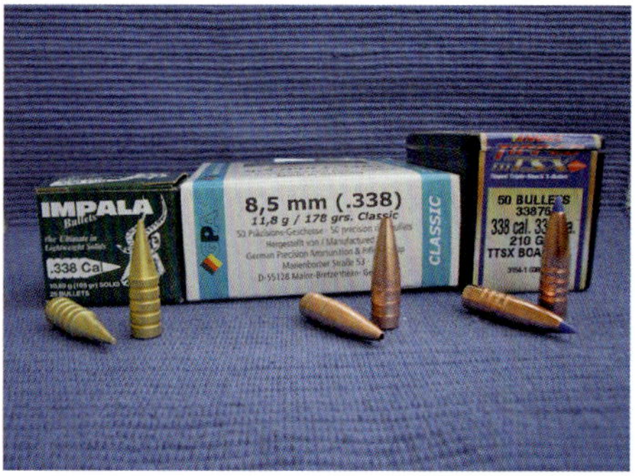

1.35: Bleifreie Jagdgeschosse – Impala (stabiles Vollgeschoß), Jaguar (Teilzerleger), Barnes TTSX (Deformation)

(längsgerichtete) Sollbruchstellen aufweisen. Ihr vergleichsweise wenig stabiler Mantel und die entweder als Hohlspitze, Lochspitze oder als Blei-Rundkopf ausgeführte, „weiche" Geschossspitze tragen zum schnellen Ansprechen und oft vollständigen Zerlegen im Wildkörper bei. Kleinkalibrige Splittergeschosse dienen dem schnell tötenden Schuss auf kleine Beutegreifer. Großkalibrige Zerlegungsgeschosse (wie die meisten TMR-Geschosse) können auf Hochwild zufriedenstellend wirken, aber nur bei ausreichend starkem Mantel und bei Kammerschüssen.

372 Was sind Teilzerlegungsgeschosse oder Zweikerngeschosse und wie wirken sie?

Ihr vorderer Geschossteil (oder ein durch radiale, d.h. umlaufende Sollbruchstellen, Einschnürungen oder Rillen definierter Teil davon) splittert nach dem Eindringen in den Wildkörper kontrolliert ab und gewährleistet die Breitenwirkung. Der verbleibende Geschossschaft soll möglichst unter Vergrößerung seines Querschnitts die erforderliche Tiefenwirkung sowie gegebenenfalls Ausschuss erzielen. Sie übertreffen die wundballistische Leistung von Splittergeschossen bei weitem und kommen in ihrem Effekt den Deformationsprojektilen gleich. In der Augenblickswirkung sind sie manchen Deformationsgeschossen überlegen. Teilzerlegungsgeschosse kommen hauptsächlich für Hochwild zur Anwendung. Auf Rehwild sind sie wildbretschonender als Splittergeschosse.

373 Welche sind bekannte Teilzerlegungs-/Zweikerngeschosse?

Das RWS-H-Mantelgeschoss (HMK), das Brenneke Torpedo-Idealgeschoss (TIG), das Brenneke Universalgeschoss (TUG), das RWS Doppelkerngeschoss (DK), das Speer Grand Slam usw.

374 Was versteht man unter „Scharfrand" bei Geschossen?

Bestimmte Jagdgeschosse (z.B. Brenneke TIG und Brenneke TUG oder Starkmantel) haben einen als Absatz am Geschossmantel ausgeführten Scharfrand, der ein glattes Einschussloch stanzen und so am Anschuss Schweiß und Schnitthaar liefern soll.

375 Was sind Deformationsgeschosse?

So bezeichnet man alle Geschosse, denen von Konstruktion und Material die Fähigkeit der dem Zielwiderstand angepassten Querschnittvergrößerung unter möglichst gering gehaltenem Masseverlust und Beibehaltung eines Ausschuss verursachenden Geschossrestes mitgegeben wurde. Die angepasste Deformation wird im Falle von Mantelgeschossen durch eine Abstimmung von Geschossform, Mantelgestaltung und Bleikernhärte erreicht, während Voll- oder Spezialgeschosse ihre Wirkung hauptsächlich aus der Formgestaltung beziehen.

376 Welche Aufgaben stellt der Jäger an ein Büchsengeschoss?

Es soll das Wild weid- und tierschutzgerecht d.h. schlagartig töten, ohne zu viel Wildbret zu entwerten.

377 Wovon hängt die Wirkung des Büchsengeschosses ab?

Vom Treffersitz, von der Auftreffgeschwindigkeit (Vz), von der Masse, der Konstruktion, dem Material und der Form des Geschosses. Auftreffgeschwindigkeit und Geschossmasse bestimmen die Auftreffenergie; Form und Konstruktion sowie Material des Geschosses bestimmen mit dem Verhältnis von Breiten- und Tiefenwirkung die Art und Schnelligkeit der Energieabgabe und der Wildbretentwertung.

378 Wie soll ein gutes Büchsengeschoss wirken?

Es soll sich beim Eindringen in den Wildkörper stauchen und seinen Querschnitt dem Zielwiderstand angepasst vergrößern („aufpilzen"). Dabei sollen bei den meisten Konstruktionen möglichst wenig Splitter abgegeben werden, weil dadurch Masse und Energie verloren geht. Jedoch bei einigen Konstruktionen (z.B. H-Mantel, DK) soll ein streng definierter Teil des Geschosses durch Splitter wirken. Ein vollständiges Zerlegen des Projektils, was bei schnellen Laborierungen unter Verwendung einfacher Teilmantelgeschosse die Regel ist, muss beim Schuss auf Schalenwild vermieden werden. Durch die Verformung des Geschosses wird Energie abgegeben und gleichermaßen der Schusskanal vergrößert. Der vom Geschoss erzeugte Druck wird durch die verdrängten, wassergefüllten Zellen weitergegeben und so die erwünschte Breitenwirkung erzielt. Gleichzeitig werden Organe und Blutgefäße zerstört. Ein kompakter, den Ausschuss und damit die eventuell notwendig werdende Schweißfährte erzeugender Geschossrest gewährleistet die erforderliche Tiefenwirkung.

379 Was versteht man unter Büchsenkaliber?

- » Die technische Festlegung einer bestimmten Form (Konfiguration) einer Büchsenpatrone nach Kaliber und Hülse, z.B. „das Büchsenkaliber 9,3 x 62".
- » Bei Jagdpatronen ursprünglich den Laufdurchmesser bzw. das Zugkaliber, z.B. „Kaliber 9,3 mm"; bei Militärpatronen dagegen das Feldkaliber z.B. „7,9 x 57" oder „7,62 mm NATO". Die tatsächlichen Maße z.B. Geschossdurchmesser oder Feld- Zugdurchmesser entsprechen meist nicht der Kaliberbezeichnung.

380 Was bedeuten die Angaben bei der Patronenbezeichnung?

Eine allgemein geltende Systematik gibt es nicht. Im deutschen Sprachraum bezeichnet man eine Patrone nach dem Laufkaliber und der Hülsenlänge, z.B. 7 x 64 für eine Patrone des Kalibers 7 mm mit einer Hülsenlänge von 64 mm. Diese Zahlen sind jedoch nur gerundete Nennzahlen. Bei anderen Patronen verwendet man ebenfalls gerundete Kaliberangaben (in Millimeter oder in Zoll), die Hülsenlänge fehlt oft; z.T. fügt man einen werbewirksamen Zusatz ein. Dieser bezieht sich meist auf den Hersteller (z.B. .222 Remington) oder ist Phantasie (z.B. .22 Hornet). Bei fast allen Patronen stimmen weder die Kaliberangabe noch die Hülsenlänge mit den genauen Maßen überein.

Tab. 1.3: Übersicht über die verschiedenen Geschossarten

Funktionell (nach der vorgesehenen Reaktion im Ziel) können Büchsengeschosse ungefähr wie folgt eingeteilt werden:			
A. Form- und massestabile Voll- und Vollmantelgeschosse	B. Weitgehend massehaltend deformierende Geschosse	C. Geschosse mit von Konstruktion und Material kontrollierter Masse und Formänderung	D. TM mit unkontrollierter, von VZ bzw. Zielwiderstand beeinflusster Masse und Formänderung
• massehaltend, • praktisch formstabil – Typ „monolithische Solid" aus Kupfer- oder Rotmetall (wie Impala LS)	• massehaltend, • gezielt deformierend – Typ ohne separaten Deformationsstarter (z.B. Barnes TSX)	• Typ mit festem oder • definiertem Zerlegungs- oder Deformationsstopp (z.B. Partition, Swift A-Frame, RWS DK, RWS HMK, Stoppring)	• meist vollständig in Splitter zerlegend – • Typ Totalzerlegung, NICHT für Schalenwild (z.B. V-Max, Power Lokt, RWS SG, Scenar)
• weitgehend massehaltend, • weitgehend formstabil – Typ „Vollmantel" aus (Blei) Kern und Mantel (wie RWS VMR)	• massehaltend, • gezielt deformierend – Typ mit separatem Deformationsstarter (z.B. RWS Bionic schwarz, Lapua Naturalis)	• Typ mit stabilem Vollschaft aus Kupfer/Kupferlegierung • und vorderer (Blei) Füllung (z.B. Hirtenberger ABC, Rhino Full Shank)	• weitgehend deformierendes/splitterndes Vorderteil – • Typ Teilzerlegung (z.B. KS, Vulcan, Mega, Alaska, Core Lokt, fast alle TR, TR, TH)
• weniger massehaltend, • weniger formstabil – Typ „Blei-Vollgeschoss" (wie .22 lfB RK/HSp oder Übungsladung für Büchsen)		• Typ Starkmantel, Solid Base • oder Verbundkern (RWS EVO, Swift Scirocco, Hornady Interbond, Nosler Accubond, Woodleigh Weldcore)	

381 Was bedeuten die Buchstaben bei den Patronenbezeichnungen, z.B. auf dem Hülsenboden oder auf Patronenpackungen?

R steht für „Randpatrone". S weist auf das „8 mm S-Kaliber" hin und J ist ein historisch begründeter Zusatz (von Infanterie – wurde früher mit J geschrieben) für die Patronen 8 x 57 JS, JRS, J und JR. NE meint „Nitro Express". SE heißt Super Express; VH (oder v.H.) bedeutet „vom Hofe" (Konstrukteur). Hersteller: Mit DN oder DNAG oder meist RWS (früher Rheinisch Westfälische Sprengstoffgesellschaft) werden Patronen von Dynamit Nobel

1.36: Kennzeichnung des Patronenbodens mit Angabe von Kaliber und Hersteller

bezeichnet. H & H ist „Holland & Holland"; REM ist Remington; WEA ist Weatherby; WIN ist Winchester; FED oder FC ist Federal; MEN ist Metallwerke Elisenhütte Nassau/Lahn. Aus Skandinavien kommen Patronen von Norma, Lapua und Sako; S & B heißt Sellier & Bellot (Prag); MAG bedeutet Magnum und WSM Winchester Short Magnum.

382 Was bedeutet das „S" in den Patronenbezeichnungen mancher 8-mm-Kaliber?

Dass es sich um Patronen mit dem dickeren, 8,22 mm messenden 8 mm „S"-Geschoss handelt. Ausnahmlich die Patrone 8 x 68 S und die amerikanische Nachkriegsentwicklung 8 mm Remington Magnum, die nur mit dem „S"-Geschossdurchmesser verladen werden, gab es alle genannten Patronen auch in Versionen mit einem durchmesserkleineren, nur 8,09 mm starken Geschoss, d.h. 8 x 57 J (R), 8 x 60 (R), 8 x 64, 8 x 65 (R) und 8 x 75 (R). *Achtung: Wegen zu erwartender Gasdrucksteigerungen und Waffensprengungen dürfen Patronen mit 8 mm „S"-Geschossen keinesfalls in Waffen mit engeren 8-mm-Läufen verschossen werden.*

383 Haben 8 mm „S"-Patronen eine besondere Kennzeichnung?

Nur im Fabrikat RWS sind manche 8 mm „S" Patronen mit einem schwarz eingefärbten Zündhütchen sowie einer Geschossrändelung versehen.

384 Warum weichen Kaliberbezeichnungen von den eigentlichen Maßen ab?

Es gibt zwei Möglichkeiten:

1. es handelt sich um gerundete Maße, wie z.B. bei vielen deutschen Kaliberangaben. So entsprechen z.B. die Kaliber 5,6 mm einem Geschoßdurchmesser von 5,70 mm (bei der 5,6 x 52 R sogar 5,79 mm), die Kaliberangabe ist hier ein gerundeter Wert aus Zug- und Feldkaliber (5,56/5,69 mm). Auch in der Nennkalibergruppe 6,5 mm gibt es solche Schwankungen bzw. Rundungen.
2. Vor allem bei amerikanischen Patronen dienen die unterschiedlichen Angaben einer werbeattraktiven Produkt- oder Herstellerbezeichnung, so z.B. .22 Hornet, .222 Remington, .220 Swift u.a. Der Amerikaner Weatherby rundete sogar seine Zahlenangaben auf, um dem Käufer die größere Leistung seiner Entwicklungen zu verdeutlichen, obwohl der Geschossdurchmesser jeweils einer kleineren Kalibergruppe entspricht (.460 Weatherby Magnum zu .458 Winchester, .340 Weatherby Magnum mit .338" usw.). Die ungenauen Bezeichnungssysteme, ganz gleich welchen Ursprungs, setzen daher immer genaue Kenntnis der Patrone voraus. Auf jeden Fall dürfen Patronen nur in für sie eingerichteten Waffen verschossen werden, d.h. die Angaben auf der Waffe und der Munition müssen übereinstimmen (jedoch sind auch hier Sonderfälle möglich, z.B. bei der .308 Winchester => 7,62 x 51).

385 Was versteht man unter einer Laborierung?

- » Eine genau nach einem Element oder mehreren Komponenten (Zündhütchen, Treibladungsmittel und Geschoss) definierte Patrone. Man spricht z.B. von der „Laborierung 7 x 64 Brenneke TIG 10,5 g".
- » Laborierung kann auch als Sammeldefinition gebraucht werden, wenn man z.B. „alle KS-Laborierungen von 5,6 bis 10,3 mm" meint.

386 Sind Patronen einer Laborierung absolut leistungsgleich, z.B. bei der Mündungsgeschwindigkeit?

Nein. Technische Toleranzen der Komponenten können Leistungsunterschiede von Fertigung zu Fertigung hervorrufen. Angegebene Leistungsdaten sind deshalb als Mittelwerte zu betrachten.

387 Was versteht man unter Fertigungszeichen (FZ)?

Patronenpackungen einer Fertigungsserie werden mit einem Fertigungszeichen gekennzeichnet. Das FZ ist ein Code aus Buchstaben und Zahlen und wird auf die Packung aufgedruckt.

388 Weshalb soll der Jäger nur Patronen aus gleicher Fertigung, d.h. nur Packungen mit gleichem FZ, verwenden?

Die Verwendung von Patronen aus Packungen gleichen Fertigungszeichens bietet die größte Wahrscheinlichkeit der gleichen Leistung und Treffpunktlage mit der einmal damit eingeschossenen Waffe. Bei einem Wechsel auf Patronen anderer FZ ist die Waffe in jedem Fall anzuschießen und ggf. einzuschießen.

389 Haben Laborierungen gleichen Geschossgewichts automatisch die gleiche Leistung und Treffpunktlage?

Keineswegs. Selbst bei gleicher Geschossmasse und gleicher Geschossform können unterschiedliche Laborierungen in Treffpunktlage und Leistung stark voneinander abweichen; erst recht Geschosse unterschiedlicher Formen. Klarheit bringt nur ein Probeschießen.

390 Welche Mindestanforderungen stellt das Bundesjagdgesetz (§ 19 Abs. 1 Nr. 2) an die Büchsenpatronen, d.h. welche Patronen-dürfen auf welches Wild verschossen werden?

1. Auf Rehwild (und Seehunde) muss die Auftreffenergie des Büchsengeschosses auf 100 m (E100) mindestens 1.000 Joule betragen. Die kleinste auf Rehwild zugelassene Patrone ist die .222 Remington, jedoch erreichen nicht alle angebotenen Ladungen .222 Remington die Anforderung.
2. Auf alles übrige Schalenwild (Gams-, Muffel-, Sika-, Dam-, Rot- und Schwarzwild) ist ein Kaliber von mindestens 6,5 mm gefordert *und* die Patronen müssen eine Auftreffenergie E100 von mindestens 2.000 J haben. Nicht alle Jagdpatronen bzw. Laborierungen im Kaliber 6,5 mm und darüber erfüllen die Forderung nach mindestens 2.000 J (z.B. 7,62 x 39, 9,3 x 72 R) und einige Patronen erreichen zwar 2.000 J, haben jedoch nicht den notwendigen Geschossdurchmesser (z.B. .243 Win, 6 x 62 Frères). Diese Patronen sind deshalb nur für Rehwild zugelassen. Lokal und zeitlich beschränkte Ausnahmen sind möglich.

391 Was ist eine „Schonzeitpatrone"?

Eigentlich ein unglücklich gewählter Begriff, denn in einer „Schonzeit" gibt es nichts zu schießen. Gemeint ist aber eine Patrone, mit der in der Schonzeit des Schalenwildes, der so genannten „Stillen Zeit" zwischen Spätwinter und Aufgang der Bockjagd, die kleinen

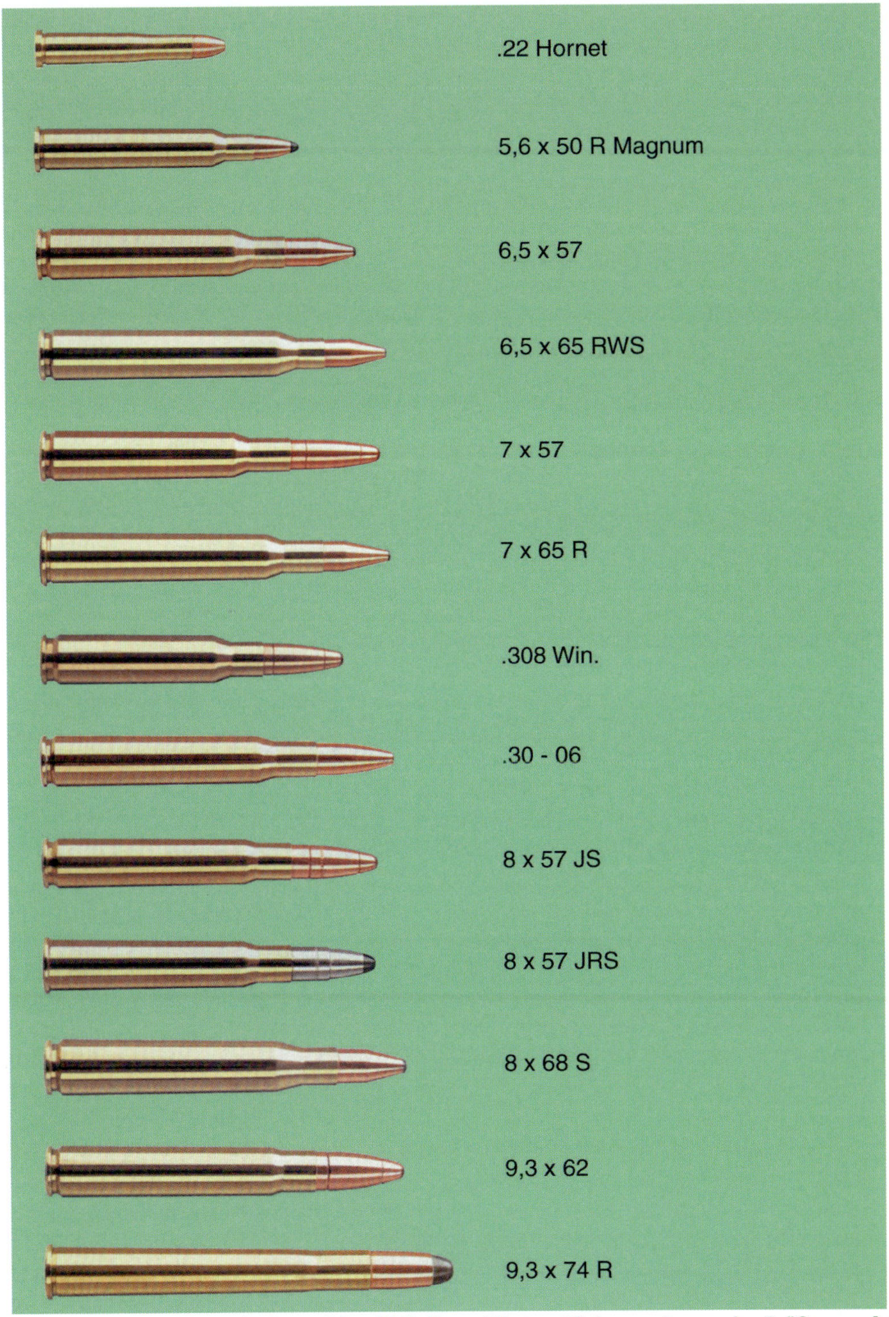

1.37: Eine Auswahl von in Deutschland häufig geführten Büchsenpatronen im Größenvergleich

und großen Beutegreifer bejagt werden können. Zu den Schonzeitpatronen rechnen alle nicht für Rehwild zugelassenen Patronen wie die kleinkalibrigen Randfeuerpatronen .22 l.f.B. und .22 Magnum, die .17 Remington und vor allem die .22 Hornet. Schonzeitpatronen werden in Einsteckläufen und in entsprechenden „Schonzeitwaffen" (Repetierbüchsen oder kombinierte Waffen) verschossen.

392 Was beinhaltet der Begriff „Rehwildpatrone"?

Alle Patronen, die nach den Bestimmungen der Sachlichen Verbote des BJagdG für Rehwild, nicht jedoch für Hochwild zulässig sind. Es ist aber ein Irrtum zu glauben, dass die Rehwildpatronen (nur weil sie „kleinkalibrig" sind) bei guter zielballistischer Wirkung besonders wildbretschonend wirken. Oft ist das Gegenteil der Fall, so dass viele Praktiker ihr Rehwild lieber mit einer mittleren Universalpatrone erlegen.

393 Was versteht man unter einer „Hochwildpatrone"?

Dies ist ein nicht genau definierter Begriff, weil „Hochwild" sowohl Gams, als auch schwerstes Rotwild oder Elch (theoretisch sogar „Auerwild") bedeuten kann. Demgemäß werden an solche Patronen unterschiedliche Anforderungen gestellt. Die kaliberkleinste und geschossleichteste, auf das Hochwild unter dem Schalenwild zugelassene Laborierung ist die 6,5 x 57 R mit 6,0 g TMS-Geschoss. Sie ist jagdpraktisch aber eher als Rehwild- und Gamspatrone zu bezeichnen. Mittleres Hochwild wird gerne mit populären Patronen wie 7 x 64, 7 x 65 R, .308 Win. oder .30-06 und .30 R Blaser mit Geschossen ab etwa zehn Gramm bejagt. Auf starkes Hochwild sollten zur Vermeidung von Nachsuchen und Verlusten nur geschossschwere und energiestarke Patronen mit anpassungsfähigen Geschossen verwendet werden. Untere Grenze sind die starken 30er-, 8-mm-, .338er oder 9,3-mm-Kaliber, wie .30 R Blaser und .300 Winchester Magnum (jeweils Geschosse um zwölf Gramm), 8 x 68 S und .338 Winchester Magnum, sowie 9,3 x 62 und 9,3 x 74 R. Die 9,3 x 64 oder die .375 H & H sind auf starkes Wild vorzuziehen.

394 Was ist mit „Großwildpatrone" gemeint?

Da die Definition von „Großwild" analog zu „Hochwild" nicht starr ist, kann auch eine Patrone hierfür nicht genau definiert werden. Meistens bezeichnet man schon die für schweres Schalenwild verwendeten Patronen (ab etwa 9,3 x 64) als Großwildpatronen. Dies hat dann seine Berechtigung, wenn man bereits die großen Antilopen und Bären zum Großwild zählt. Im klassischen Sinn sind jedoch erst die durchmessergroßen und geschossschweren Patronen ab etwa Kaliber .40/10,2 mm gemeint. Typische Großwildpatronen sind daher die .416 Rigby, die 10,75 x 73, die .458 Winchester Magnum und die .460 Weatherby Magnum.

395 Gibt es „die Universal-Büchsenpatrone"?

Nein. Zu unterschiedlich sind die Anforderungen der einzelnen Revier- oder Jagdverhältnisse und der Wildarten sowie die individuellen Ansprüche des Jägers. Am ehesten kann man die Kaliber 7 x 64, 7 x 65 R, .308 Win., .30-06, 8 x 57 IS und 8 x 57 IRS und 8,5 x 63 sowie 8,5 x 63 R als „Universal-Büchsenpatrone" bezeichnen. Grundsätzlich sollte man jedoch bei der Patronenwahl die Extreme meiden und weder zu schnelle Patronen mit zu leichten Geschossen noch zu langsame Ladungen mit zu schweren Projektilen wählen.

396 Was ist im Zusammenhang mit der Wahl des Büchsenkalibers unter dem wohl gemeinten Rat „Lieber eine Nummer dicker!" zu verstehen?

Anders als bei der Schrotpatrone, wo man im Zweifel eher die kleinere Schrotkörnung wählt, kann bei der Büchsenpatrone das jeweils „dickere" Kaliber effektiver sein. Die jeweils nächst kaliberstärkeren (und/oder geschossschwereren) Patronen – selbst wenn die Schusstafel niedrigere Energiewerte aufzeigen sollte – sind bei sonst gleichen Bedingungen in der Wirkung oft überlegen. „Lieber eine Nummer dicker" heißt jedoch nicht, dass mit Kanonen auf Spatzen geschossen oder die Geschwindigkeit vernachlässigt werden soll.

397 Was bedeutet der Ausdruck „Magnum-Patrone"?

Eine untechnische Bezeichnung, ursprünglich für eine besonders leistungsstarke Patrone innerhalb einer Kalibergruppe, z.B. 8 x 60 S Magnum (im Vergleich zur Standardladung 8 x 60 S bzw. zu den anderen Patronen des 8-mm-Kalibers) oder .22 Winchester Magnum (im Vergleich zu den schwächeren .22er-Randfeuerpatronen). Bei den Schrotpatronen bezeichnet „Magnum" offiziell den höheren Gasdruck der Ladung (z.B. 12/70 Magnum 1.050 bar anstatt 740 bar). Magnum wird meist als reine Werbebezeichnung gebraucht, vor allem bei anglo-amerikanischen Patronen, deren Leistung oftmals von bereits existenten Patronen (auch ohne den Zusatz) erbracht wird (z.B. 6,5 x 68 im Vergleich zur .264 Winchester Magnum oder 8 x 68 S im Vergleich zur 8 mm Remington Magnum). Der Begriff „Magnum" ist auch bekannt von Sektflaschen besonders großen Inhalts (vor allem gern genutzt nach bestandener Jägerprüfung!).

Kurzpatronen

398 Welche Kurzpatronen verwendet der Jäger?

Patronen für
» die Bau- und Fallenjagd (z.B. .22 l.f.B.)
» den Fangschuss (z.B. .44 Magnum auf schweres Schalenwild)

399 Kann man Kurzpatronen in solche für Revolver und solche für Pistolen unterteilen?

Nein. Zwar hat die Mehrzahl der in Revolvern verwendeten Patronen einen Rand und fast alle Pistolenpatronen sind randlos, doch lassen sich viele Kurzpatronen in mehreren Kurzwaffensystemen verschießen. Auch die Zuordnung „Revolver = Bleigeschosse" bzw. „Pistole = Vollmantelgeschosse" trifft nicht (mehr) zu, denn in fast allen Kalibern werden unterschiedliche Geschosstypen verladen.

400 Welche auf die Geschosstypen für Kurzpatronen bezogene Einschränkungen trifft das Waffengesetz?

Im Gegensatz zum alten Waffengesetz gibt es hinsichtlich der Geschosstypen für Kurzpatronen keine speziellen Einschränkungen. Allgemein verboten sind jedoch unterkalibrige Patronenmunition mit Treibspiegel und Patronen mit Leucht-, Brand- oder Sprengsatz oder Hartkern (WaffG, 11.10.2002; Anlage 2, Abschnitt 1, Nr. 1.5.3 und 1.5.4). Dieses Verbot trifft natürlich auch auf Kurzpatronen zu.

401 Welche auf die Mindestleistung beim Fangschuss bezogenen Einschränkungen trifft das Jagdgesetz?

Für den Fangschuss auf Schalenwild muss die Mündungsenergie der Patrone mindestens 200 Joule betragen. Für die Bau- und Fallenjagd sowie für den Fangschuss auf anderes Wild als Schalenwild gilt diese Beschränkung jedoch nicht.

Wiederladen

402 Was ist Wiederladen?

Die private, normalerweise nicht gewerbsmäßige Fertigung von Patronen mit losen Komponenten, wobei die Hülse eine mehrmalige Verwendung findet. Der Begriff Handladen trifft ebenfalls zu, wird aber meist nur gebraucht, wenn – entgegen der eigentlichen Grundidee des *Wieder*ladens – ausschließlich und jedes Mal neue Hülsen verwendet werden.

403 Welches sind die rechtlichen Voraussetzungen für das Wiederladen?

Wer wiederlädt, muss im Besitz einer gültigen „Erlaubnis nach § 27 des Sprengstoffgesetzes" sein. Diese ist zum Erwerb, Befördern, Lagern, Gebrauch oder zur Vernichtung von Treibladungspulver erforderlich. Man bekommt die Erlaubnis vom Staatlichen Gewerbeaufsichtsamt nach Besuch eines ein- oder zweitägigen Lehrgangs für Wiederlader und nach Ablegen einer Wiederladerprüfung. Die Zulassung zur Prüfung wird vom Nachweis eines Bedürfnisses abhängig gemacht, das beim Jagdscheininhaber („aus Gründen der Verbesserung der Schießleistung") als gegeben anzusehen ist. Weitere Auflagen beziehen sich auf die Bezugsmenge und die Lagerung von Treibladungspulver. Die anderen Komponenten wie Hülsen, Zündhütchen, Geschosse usw. sowie sämtliche Geräte zum Wiederladen sind frei käuflich.

404 Was ist beim Erwerb von Treibladungspulver zu beachten?

» Es darf nur gegen Erwerbsberechtigung (Erlaubnis nach § 27 Sprengstoffgesetz) abgegeben werden.
» Treibladungspulver darf nicht ohne geprüfte Ladevorschriften vertrieben werden. Die Publikation von Ladevorschriften ist Sache des Pulverherstellers bzw. des Pulverimporteurs.
» Der Transport und die Lagerung von Treibladungspulver unterliegt besonderen Bestimmungen.

405 Welche Patronen können wiedergeladen werden?

Hülsen mit Zentralfeuerzündung aus Messing; Schrotpatronenhülsen aus Pappe oder Kunststoff.

406 Was sind die hauptsächlichen Gründe für das Wiederladen?

» Abstimmung der Präzision und der Leistung der Munition auf die spezifische Waffe
» Fertigung von sonst nicht mehr erhältlicher Munition für alte Waffen
» Erhöhung der Verwendungsfähigkeit der Waffe durch nicht handelsübliche Laborierungen
» Fertigung von reduzierten Ladungen und dadurch Erhöhung der Vielseitigkeit der Waffe
» Verbesserung der Schießfähigkeit durch häufigeres Übungsschießen mit der durch Wiederladen stark verbilligten Munition.

1.38: Wiederladen heißt nicht in erster Linie „billiger Schießen". Das Motto ist vielmehr „billiger Schießen, öfter Schießen, besser Schießen". Eine neue Laborierung soll mit mindestens zwei Schussgruppen à 5 Schuss auf Tauglichkeit, d.h. Präzision und Treffpunktlage überprüft werden.

407 Welches sind die grundsätzlichen Tätigkeiten beim Wiederladen von Büchsen- und Kurzpatronen?

1. Inspektion und Vorbereitung der Hülse
2. Ausstoßen des verbrauchten Zündhütchens
3. Kalibrieren der Hülse
4. Setzen des Zündhütchens
5. Einfüllen des Treibladungsmittels
6. Setzen des Geschosses

408 Welches sind die grundsätzlichen Tätigkeiten beim Wiederladen von Schrotpatronen?

1. Inspektion der Hülse
2. Ausstoßen der verbrauchten Zündung
3. ggf. Kalibrieren der Bodenkappe
4. Setzen der Zündung
5. Einfüllen des Treibladungsmittels
6. Setzen des Zwischenmittels
7. Einfüllen der Vorlage
8. Herstellen des Hülsenmundverschlusses

409 Ist die Weitergabe nicht gewerbsmäßig wiedergeladener Munition erlaubt?

Nur in sehr begrenztem Umfang, z.B. am Schießstand zum sofortigen Gebrauch.

410 Welche Ladevorschriften und welche Literatur benutzt der Wiederlader?

Die wichtigste Unterlage ist ein Handbuch in deutscher Sprache mit gültigen Maßangaben („Gramm", „Meter/Sekunde") und mit dem deutschen Waffengesetz entsprechenden Ladevorschlägen, z.B. von der DEVA oder von Dynamit Nobel. Die Vorschläge in den Handbüchern meist US-amerikanischer Geschosshersteller in englischer Sprache und mit den veralteten Maßangaben „gr" („grain" – 1 grain = 0,0648 Gramm) und „fps" („feet per second" – 1 fps = 0,3048 Meter/Sekunde) entsprechen den deutschen Vorschriften oft nicht mehr.

1.6 Blanke Waffen

411 Wie bezeichnet man „blanke" Waffen noch?

Als „kalte" Waffen (im Gegensatz zu den früher als „Feuerwaffen" bezeichneten Schusswaffen).

412 Welche blanken Waffen kennt man?

- » Jagdmesser (Weidmesser) mit feststehender Klinge, darunter den traditionellen Nicker.
- » Jagd-Klappmesser, meistens mehrteilig mit Zusatzklingen und Zusatzwerkzeugen, darunter die so genannten Tools.
- » Von den früher gängigen Blankwaffen Weidblatt, Saufeder und Hirschfänger ist das von der „Praxe" abgeleitete Weidblatt (auch Standhauer genannt) nur noch gelegentlich in Gebrauch. Saufeder und Hirschfänger sind als Traditions- und Dekorationswaffen anzusehen, weil ihre praktische Verwendung aus tierschützerischen Gründen in Frage gestellt wird.

413 Wozu werden blanke Waffen verwendet?

Jagd- und Weidmesser sind mehr Werkzeug als Waffe. Sie finden beim Aufbrechen und Zerwirken des Wildes und beim Zerlegen des Wildbrets Verwendung, nur in Ausnahmefällen zum Abfangen und Abnicken kranken Schalenwildes. Die Tools mit ihren Zusatzwerkzeugen wie Zange, Säge usw. sind daneben für leichte Arbeiten im Revier brauchbar.

414 Ist das Abfangen oder Abnicken noch zeitgemäß?

Aus tierschützerischen Gründen soll es nur in Situationen angewendet werden, in denen ein Fangschuss aus Sicherheitsgründen nicht angebracht werden kann. Dies ist der Fall z.B. bei angefahrenem Wild an Verkehrsstraßen (Unfallgefahr durch abprallende Geschosse) oder bei von Hunden gedecktem Wild (Gefährdung der Hunde), oder bei Wildfolge ohne Waffe. Wer krankes Wild abfangen oder abnicken will, muss zur Vermeidung der Tierquälerei eine ausreichende Übung am verendeten Wild erworben haben.

415 Woher stammt die Bezeichnung „Nicker"?

Von „Knicker" oder „G`nicker", weil diese Messerform mit ihrer schmalen und spitzen Klinge auch für das Abnicken (von Genickfang – südd. dem „Abg`nicken") tauglich ist.

1.39: 1 und 2: Jagdnicker, 3: Hirschfänger, 4: Saufeder, 5: Waidblatt, 6 und 7: Jagdtaschenmesser

416 Wie geschieht das Abnicken?

Dazu wird mit der Hand der Kopf/das Haupt des Stückes zum Brustkern hin abgewinkelt und die Klinge von oben in das Genick, d.h. in die nun freiliegende Öffnung zwischen Hinterhauptbein und erstem Halswirbel, gestoßen. Dadurch wird der Halsmark-Strang im Wirbelkanal durchtrennt, was das sofortige Verenden des Stückes zur Folge hat. Abnicken setzt unbedingt Übung voraus und ist nur bei schwachem Wild zu empfehlen.

417 Wie geschieht das Abfangen?

Durch den Blattfang; dazu nähert man sich dem kranken Stück vom Rücken her und stößt die ausreichend lange und stabile Klinge hinter dem Blatt in den Brustkorb in Richtung Herz.
Entscheidend dabei ist, dass Luft in den Brustraum eintreten kann, weswegen der Stichkanal durch Drehen der Klinge oder einen Verlängerungsschnitt weiter eröffnet werden soll.

418 Welche blanken Waffen wurden früher zum Abfangen benutzt?

Hierzu verwendete man den Hirschfänger und das Weidblatt; zum Schwarzwildfang auch die Saufeder.

419 Was ist eine Saufeder?

Eine ca. 30 cm lange, blattförmig-zweischneidige, manchmal auch vierkantige Klinge mit Parierstange an einem zwei Meter langen Eschenholzschaft. Sie diente brauchtumsgerecht zum Abfangen von Schwarzwild, das von Hunden gestellt (gedeckt) war, wobei man die Klinge hinter dem Blatt bis zur Parierstange in den Wildkörper eindringen oder das Wild auflaufen (in die Klinge rennen) ließ. Die Saufeder ist heute nur noch selten im jagdpraktischen Einsatz.

420 Welche Eigenschaften sollte Jagdmesserstahl haben?

Der Messerstahl sollte eine hohe Schnitthaltigkeit, d.h. die Schärfe eine lange Standzeit haben. Er soll einfach nachzuschärfen sein, nicht rosten und nicht brechen. Die Eigenschaften der meisten einfachen Messerstähle lassen bezüglich dieser unterschiedlichen Anforderungen jedoch oft nur einen Kompromiss zu, sodass der Jäger Schwerpunkte setzen muss. Empfehlenswert sind Messer mit zwar teureren, aber die Belange des Jägers besser treffenden Spezial-Stählen. Diese sind zwar schwerer zu schärfen, bleiben aber länger scharf.

421 Worauf ist beim Kauf eines Jagdmessers zu achten?

» Für die Niederwildjagd genügt ein leichtes Messer mit dünner Klinge. Auch Hase, Kaninchen und Federwild wird „aufgebrochen"; das früher praktizierte Auswerfen und „Aushakeln" genügt nicht; „Federwildhaken" sind abzulehnen.
» Für die Rehjagd braucht das Messer nicht groß zu sein. Eine Klingenlänge von 70 bis 90 mm genügt zum Abnicken.
» Für die Hochwildjagd kann die Klinge etwas länger sein, doch 100 mm genügen. Zum Abfangen von Hochwild ist allerdings eine längere Klinge erforderlich.
» Wer wenig Übung im Aufbrechen hat, kann ein Klappmesser mit Säge benutzen. Favorisiert man mehrteilige Klappmesser, so sollte anstatt der Aufbruchklinge eine zweite Messerklinge gewählt werden, die nur für die feinen Arbeiten genommen wird und deshalb lange scharf bleibt. Der Preis für die Universalität eines Kombimessers ist seine Unhandlichkeit, es verschmutzt leicht und wird unhygienisch.

422 Wie pflegt man ein Jagdmesser?

Die richtige Pflege des Messers beginnt mit der sachkundigen Handhabung: Wer damit Dosen öffnet, Schrauben eindreht oder die Klinge in die Erde steckt, wird keine lange Freude an der Schärfe haben. Die Griffbeschalung eines ständig benutzten Messers, ganz gleich ob aus Holz oder Hirschhorn, braucht außer einem gelegentlichen Tröpfchen Öl keine weitere Pflege, genauso die Scheide. Das Messer wird von Hand mit Wasser gereinigt; die heiß trocknende Geschirrspülmaschine ist für mit edlen Griffmaterialien versehene Messer ungeeignet. Tools können dagegen unbedenklich in die Maschine gegeben werden. Die Klinge pflegt man durch regelmäßiges Nachschärfen: Nicht abwarten, bis sie stumpf ist.

423 Wie schärft man ein Jagdmesser richtig?

Ausschlaggebend für Schärfe und Standzeit der Klinge ist die Anlage des richtigen Schärfwinkels (zwischen 20° und 30° je nach Verwendungszweck) und dessen Einhaltung, wozu es Hilfswerkzeuge gibt. Ein Schärfwinkel von 25° bis 30° ist gut für eine lange Gebrauchsfähigkeit großer, strapazierter Gebrauchsmesser; ein Winkel von 20° bis 25° macht eine schärfere Klinge, hat aber weniger Standzeit.

424 Welche Schärfgeräte gibt es für Jagdmesser?

Bewährt haben sich Ölstein-Schärfsets mit Schärfwinkel-Vorsätzen, die auch von handwerklichen Laien benutzbar sind. Diamantbesetzte Schärfsteine oder Ceramic-Stäbe dienen der Konservierung der Schärfe während der Arbeit; auch bei ihnen muss der Schärfwinkel exakt eingehalten werden. Unbedingt zu vermeiden sind schnelllaufende Schleifsteine, weil sie die Klinge ausglühen und ruinieren. Metzger-Abziehstähle sind bei harten Stählen wirkungslos.

425 Welche weiteren Werkzeuge benötigt der Jäger?

Grobe Revierarbeiten werden effektiv mit dem einschlägigen Handwerkszeug erledigt: Motorsäge (vorgeschriebene Schutzausrüstung nicht vergessen!), Bügelsäge, Lattenhammer, Beil, Zange, Rechen, Pflanzhaue usw. Für kleinere Aufgaben haben Praktiker das Multifunktionswerkzeug (Tool) am Mann und führen neben dem Handbeil z.B. auch Spaten, Astungssäge und einen kleinen Flaschenzug im Jagdwagen mit.

1.7 Optik

426 Was bedeutet Optik?

Kurzbezeichnung für optische Geräte. Eigentlich „Lehre vom Licht"; umfasst alle Vorgänge beim Sehen.

427 Was zählt zur Beobachtungsoptik des Jägers?

Ferngläser (Feldstecher), Spektive und Nachtsichtgeräte.

428 Was zählt zur Zieloptik des Jägers?

1. Leuchtpunkt-Zielgeräte, z.B. von Aimpoint
2. herkömmliche Zielfernrohroptiken und

diese ggf. ergänzt durch Vorsatz- und Aufsatzgeräte der Typen Nachtsicht (NST) oder Wärmebild (WBK). Achtung: Nacht*ziel*geräte *mit eigenem Absehen* sind unzulässig.

429 Was ist ein Monokular?

Ein zum einäugigen Sehen konstruiertes optisches Gerät.

1.40: Das Ansitz- und Dämmerungsglas 8 x 56 (mi.) wird ergänzt durch leichtere Geräte für den Tageslichtgebrauch, z.B. Auszug-Spektiv 15-45 x 80 (li.) und Fernglas 8 x 30 (re.).

430 Was ist ein Teleskop?

Untechnischer Begriff für ein monokulares „Fernrohr“.

431 Was ist ein Spektiv?

Untechnischer Ausdruck für ein meist ausziehbares Teleskop mit hoher Vergrößerungsleistung.

432 Wozu braucht man ein Stativ?

Zum Befestigen eines optischen Geräts; dient dem verwacklungsfreien Gebrauch vor allem der stark vergrößernden Optik.

433 Was ist das Okular?

Die dem Auge des Betrachters zugewandte, die „Einblickseite“ des optischen Geräts (oculus = das Auge).

434 Was ist das Objektiv?

Die dem Objekt zugewandte „Ausblickseite“ des optischen Geräts.

435 Was versteht man unter Vergütung?

Die Reflexionsminderung (Entspiegelung) der Optik-Oberflächen durch Interferenz des Lichtes an aufgedampften dünnen Schichten (z.B. Magnesium-Fluorid). Die Vergütung bringt höhere Transparenz („T-Belag“) der optischen Systeme und erhöht den Kontrast durch die Verminderung von Streulicht.

436 Kann man die Vergütung sehen?

Ja. Die auf sämtlichen Glasoberflächen (Linsen- bzw. Prismenoberflächen) aufgedampften Stoffe hinterlassen einen dünnen, je nach Hersteller gelblich, bläulich oder rötlich schimmernden Belag. Die erste Vergütung wurde „Blaubelag“ genannt.

437 Ist die Vergütung dauerhaft?

Normalerweise ja, doch ist der oft nur in molekularen Schichten aufgetragene Belag so dünn, dass er an den Außenseiten von Okular und Objektiv durch mechanischen oder chemischen Abtrag gefährdet ist. Gläser sind deshalb nur mit Wasser zu reinigen: Nicht reiben, schon gar nicht mit schwitzigen Händen!

438 Was bedeuten Zusätze wie „CERALIN“, „SWAROTOP“ oder „T*“ im Zusammenhang mit der Vergütung?

Bezeichnungen für die von den einzelnen Herstellern verwendeten Vergütungen, deren Zusammensetzungen auf die Art des optischen Systems und die Glassorten sowie auf den hauptsächlichen Verwendungszweck des Gerätes abgestimmt sind.

439 Was bedeutet „phasenkorrigierte“ Optik?

Eine (bei Dachprismen) verwendete Vergütung nimmt Einfluss auf die hier mögliche Phasenverschiebung der Strahlenbündel. Die Phasenkorrektur beseitigt die technisch begründeten Nachteile der Dachprismengläser (geringfügig schlechtere Abbildungsleistung in Bildmitte) gegenüber Gläsern mit Porroprismen.

440 Wie kann man den Durchmesser der Austrittspupille eines optischen Geräts ausrechnen?

Die Austrittspupille kann errechnet werden, indem man den Objektivdurchmesser durch die Vergrößerung dividiert, z.B. hat ein 7 x 42 eine Austrittspupille von 6 mm und ein 8 x 56 eine solche von 7 mm. Man kann sie auch sehen, indem das Glas etwa 30 bis 40 cm vom Auge entfernt gegen einen hellen Hintergrund gehalten wird. Die Austrittpupille zeichnet sich dann auf dem Okular ab. Eine große Austrittspupille hat praktische Vorteile, kann allerdings von manchem alternden Auge nicht mehr voll ausgenützt werden.

441 Kann Form und Farbe der Austrittspupille als Qualitätskriterium verwendet werden?

Ja. Eine ungleichmäßig helle, sowie unrund oder vieleckig und an den Rändern abgedunkelt erscheinende Austrittspupille deutet auf Systemfehler und/oder schlechte Glasqualitäten hin.

442 Was ist die Dämmerungszahl?

Das Maß für die Fernrohrleistung beim Dämmerungssehen. Errechnet sich aus der Quadratwurzel von Vergrößerung x Objektivdurchmesser. Ein 8 x 56 hat demnach eine Dämmerungszahl von 21,2; ein 8 x 30 von 15,5. Die D. ist als Leistungszahl nur dann aussagekräftig, wenn die sonstige Qualität der Optik stimmt.

443 Was ist das Gesichtsfeld?

Das Bildfeld (Sehfeld) eines optischen Geräts; wird in Metern Breite ausgedrückt (Zieloptik auf 100 m; Beobachtungsoptik auf 1.000 m).

444 Was versteht man unter „Weitwinkel“ im Zusammenhang mit einem optischen Gerät?

Weitwinkel-Okulare ermöglichen ein größeres Gesichtsfeld, z.B. beim Spektiv.

445 Was bedeuten die Angaben, z.B. 8 x 30 oder 7 x 42, bei einem optischen Gerät?

Die optischen Kenndaten. Sie bezeichnen die Vergrößerung (z.B. 8- oder 7-fach) und den (die) Objektivdurchmesser.

446 Was sagen die optischen Daten, z.B. „8 x 56“ oder „Dämmerungszahl 21,2“, über die Qualität und Praxistauglichkeit eines Fernglases aus?

Über die Qualität überhaupt nichts und über die Praxistauglichkeit wenig. Es sind rechnerische Kenndaten.

447 Was sind die Qualitätskriterien jeden optischen Geräts?

Die Qualität der Komponenten und die Gängigkeit der Mechanik, Praxistauglichkeit, Langlebigkeit, Randschärfe, Farbwiedergabe, Kontrast, Helligkeit, Glasqualität, sowie im Falle von Binokularen die Festigkeit und Justierung der beiden Fernglashälften. Bei Zielgeräten auch die Wiederkehrbarkeit der Absehenverstellung und die Schussfestigkeit.

448 Welche Bedeutung kommt einer qualitativ hochwertigen Jagdoptik zu?

Eine sehr große, weil nur Gläser bzw. Spektive guter Qualität das wichtige Ansprechen des Wildes erlauben bzw. nur optisch und mechanisch hervorragende Zielfernrohre den sicheren Schuss auf Wild zulassen.

449 Welche Nachteile haben billige optische Geräte?

Durch die Verwendung einfacher Komponenten und die Anwendung simpler Fertigungstechniken ohne weitergehende Qualitätskontrolle entstehen zwar billige, aber für die jagdliche Praxis nur sehr bedingt taugliche Gläser, deren längerer Gebrauch sogar zu Gesundheitsschäden führen kann. Das billige Gerät ist letztlich teuer, weil es später doch durch ein qualitativ hochwertiges ersetzt werden muss.

450 Was versteht man unter Fokussierung?

Das „Scharfeinstellen" eines optischen Geräts auf eine optimale Bildschärfe.

451 Was ist eine Innenfokussierung?

Wenn die Scharfstellung des Geräts erfolgen kann, ohne dass eine äußere Linse oder ein Teil des Gehäuses bewegt werden muss. Innenfokussierte Gläser können leichter wasserdicht gehalten werden und sind robuster.

452 Was versteht man unter Dioptrieausgleich?

Anpassung des optischen Geräts auf die individuell unterschiedliche Sehleistung der Augen durch Justieren der Okulare. Bei einem normalsichtigen oder mit einer (passenden) Brille ausgerüsteten Jäger müsste der Dioptrieausgleich bei optimaler Bildschärfe auf „Null" stehen.

453 Was versteht man im Zusammenhang mit Optik unter Transmissionsgrad?

Den Lichtdurchlassgrad eines optischen Geräts. Er sollte nicht als alleiniger Faktor bei der Kaufentscheidung herangezogen werden, weil er nur in der Mitte der Optik gemessen wird und nur einen Teil der Faktoren wie Falschlichtanteil, Auflösung, Kontrast usw. ausmacht, welche die „Bildgüte" bestimmen.

454 Wie waren die ersten Ferngläser konstruiert?

Die ersten Ferngläser (zuerst monokular, dann binokular) waren Ferngläser mit einem Linsensystem.

455 Wie unterscheiden sich moderne Ferngläser nach dem Umkehrsystem?

Es gibt Prismengläser mit Porroprismensystem und mit Dachkantprismensystem.

456 Was ist das augenfällige Merkmal des Dachkantprismensystems?

Die „schlanke“, meist etwas höhere Bauart.

457 Was ist das augenfällige Merkmal des Porroprismensystems?

Die meist kurze, breitere Bauweise.

458 Was versteht man unter Brillenträgerokularen (B-Okularen)?

Besonders für den Gebrauch mit Brille konstruierte Okulare, bei denen die Austrittspupille weiter von der Okularlinse entfernt ist als bei normalen Okularen. Nur mit echten B-Okularen kann der Brillenträger das volle Sehfeld nützen.

459 Erkennt man Ferngläser mit Brillenträgerokularen an den Gummistülpmuscheln?

Nein. Brillenträgerokulare sind zwar fast immer mit Stülpmuscheln, Schiebe- oder Drehaugenmuscheln ausgestattet, aber umgekehrt gibt es (billige) Gläser mit Gummistülpmuscheln, die Brillenträgerokulare nur vortäuschen.

460 Kann auch der Normalsichtige die Vorteile eines Brillenträgerokulares nützen?

Ja, wenn er z.B. auf der Tagesjagd im Ausland eine Sonnenbrille verwendet. Außerdem muss man immer damit rechnen, im Alter eine Brille tragen zu müssen. Ein B-Okular hat keine Nachteile für den Nicht-Brillenträger.

461 Wie sind Gläser mit B-Okularen gekennzeichnet?

Sie tragen ein „B“ in der Modellbezeichnung, z.B. 8 x 56 B-GA.

462 Was bedeutet der Zusatz „GA“ oder „A“ in der Modellbezeichnung?

Gummi-Armierung oder Armierung. Ein anstelle der üblichen „Belederung“ angebrachter, oft gerippter, besonders griffiger Gummi- oder Kunststoffüberzug, der nicht klappert und das Glas vor Schlag und Stoß schützt.

463 Was unterscheidet Ferngläser mit „stabilisierter“ Optik von anderen Ferngläsern?

Sie sind mit einer zuschaltbaren, nach dem Prinzip der Wirbelstromdämpfung arbeitenden Bild-Stabilisierung ausgerüstet, die trotz der hohen Vergrößerung ein wackelfreies Beobachten aus der Hand zulässt.

464 Was bedeutet das „C“ in der Modellbezeichnung von Ferngläsern?

„C“ steht für „Compact“, womit die kleinen und kleinsten Ferngläser gemeint sind.

465 Was sind Faltgläser?

Kleine Ferngläser, die über meist zwei Scharniere klein zusammengelegt werden können.

466 Welchen Gebrauchswert haben Ferngläser mit kleinem Objektivdurchmesser?

Das Gewicht und die Größe eines Fernglases wird hauptsächlich von der Dimension des Objektivdurchmessers bestimmt. Ist Dämmerungsleistung nicht gefragt, z.B. bei der Gamsjagd oder der Bockpirsch am Tage, so sind gute Markengläser mit kleinem Objektivdurchmesser den schweren „Dämmerungsgläsern" von der optischen Leistung her ebenbürtig, von der Gewichtsbelastung und Handlichkeit überlegen.

467 Wo zeigen die Ferngläser mit großem Objektivdurchmesser und großer Vergrößerung ihren Vorteile?

In der Dämmerung, weswegen sie als Dämmerungsgläser bezeichnet werden. Den Ausdruck „Nachtglas" sollte man vermeiden, weil dieses Prädikat nur den echten Nachtsichtgeräten zukommt.

468 Wie ist ein Jäger zweckdienlich ausgerüstet?

Mit einem mittleren Gerät wie z.B. einem 7 x 42 oder 8 x 42 (guter Kompromiss zwischen Leistung, Volumen und Gewicht) und einem leichten 8 x 20 oder 8 x 30-Tagesglas. Wird für den Ansitz ein hochauflösendes und dämmerungsstarkes Fernglas benötigt, so kommt zusätzlich ein 8 x 56, ein 15 x 60 oder ein bildstabilisiertes 20 x 60 in Frage.

469 Ist es nicht übertrieben, zwei oder gar drei Ferngläser zu benutzen?

Nein. Es gibt bei den Ferngläsern wie bei den Waffen kein Universalgerät. Entweder muss man Kompromisse schließen oder verschiedene Optiken benutzen. Kaum ein Jäger käme auf die Idee, alle seine Jagdmöglichkeiten von Entenstrich bis Gamsjagd mit lediglich einer Waffe bestreiten zu wollen. Die Beobachtungsoptik wird aber ungleich häufiger gebraucht als die Waffe.

1.41: Ein Fernglas 7 x 42 und ein Zielfernrohr 6 x 42 auf der robusten Büchse sind als Grundausstattung beliebt.

470 Was ist der Mitteltrieb?

Die zentrale Handhabe zum gleichzeitigen Fokussieren beider Hälften des Fernglases (Zentralfokussierung).

471 Welche Vorteile hat die Zentralfokussierung?

Beim Beobachten bewegter Objekte auf wechselnde Entfernungen ist die Schärfe schnell und einfach nachzuführen. Unabhängig davon kann bei Ungleichsichtigkeit der Dioptrieausgleich am rechten Okular vorgenommen werden.

472 Was meint man mit Einzelokularverstellung?

Jede Fernglashälfte wird am Okular für sich verstellt.

473 Welche Nachteile haben Ferngläser mit Einzelokularverstellung?

Sie sind umständlich zu bedienen, vor allem bei sich bewegenden Objekten.

474 Wie werden Beobachtungsfernrohre hinsichtlich der Bauart unterschieden?

Solche mit fester Baulänge („Festspektive") und Ausziehfernrohre („Ausziehspektive"). Die Ausdrücke „Spektiv" und „Teleskop" werden untechnisch manchmal nebeneinander gebraucht.

475 Welche Bauweisen gibt es bei den Festspektiven?

Prismenteleskope, Spiegelteleskope und (heute kaum mehr) Linsenteleskope.

476 Welches Umkehrsystem kommt bei den Ausziehfernrohren zur Anwendung?

Das Dachkantprismensystem.

477 Was sind die Vorteile und Nachteile des Ausziehfernrohrs im Vergleich zu Beobachtungsfernrohren mit fester Bauweise?

Vorteile: relativ günstiger Preis bei guter Bildqualität; meist kurze Transportlänge; stabile Auflage und schnelle Auffindbarkeit der Ziele durch lange Bauweise. Nachteile: wenig robust, oft Probleme mit Ausziehmechanik und Dichtigkeit.

478 Was versteht man unter einem Doppelteleskop?

Ein Doppelteleskop besteht aus zwei parallel justierten Fernrohren fester Baulänge und großer Vergrößerung. Es ist für den stationären Einsatz gedacht und verbindet hohe Bildauflösung mit doppeläugigem (binokularem) und deshalb plastischem Sehen. Das bildstabilisierte 20 x 60 S von Carl Zeiss ist wegen des Vorteils des freihändigen Gebrauchs ein leistungsfähiger Hybrid aus Doppelteleskop und Fernglas.

479 Wie werden Nachtsichtgeräte unterschieden?

1. *Nachtsichttechnik - NST* („Restlichtaufheller")
2. *Wärmebildkameras - WBK*.

Beide Systeme gibt es als Beobachtungsgeräte und (als Aufsatz- sowie Vorsatzgeräte) auch für Zielfernrohre (Ländergesetze beachten!).

480 Was versteht man unter Nachtsichttechnik (NST)?

Restlichtaufheller verstärken natürliches und künstlichen Restlicht und wandeln es in ein grün getöntes oder schwarz/weißes Bild um.

481 Was sind Wärmebildkameras (WBK)?

Während die Nachtsichttechnik (NST) Restlicht benötigt, macht die bei völliger Dunkelheit (aber auch tags) einsetzbare WBK für den Menschen unsichtbare Wärmestrahlen sichtbar.

482 Gibt es Nachtsicht- oder Wärmebild-Zielfernrohre mit eigenem Absehen?

Ja, ihr Besitz und Gebrauch ist in DE (noch) Polizei und Streitkräften vorbehalten..

483 Können Jäger Nachtsichttechnik (NST) und Wärmebildtechnik (WBK) legal als Nachtzieltechnik nutzen?

Ja, seit Änderung des Bundeswaffengesetzes und unter Beachtung der Länder-Jagdgesetzgebung z.B. durch Montage eines „Dual-Use"-Wärmebild- oder Nachtsichtgeräts am montierten Zielfernrohr.

484 Was sind Entfernungsmesser?

Geräte zum Messen der Entfernung zwischen dem eigenen Standort und dem Ziel. Erhältlich früher als optische (Raumbild-, Schnittbild-) jedoch heute fast ausschließlich als Infrarot-Laser-Entfernungsmesser; auch integriert im Zielfernrohr oder Fernglas.

1.42: Spektive werden i.W. angeboten als Spiegelteleskop (li.), Ausziehfernrohr (mi.) und Teleskop in Festbauweise (re.).

485 Können Entfernungsmesser als Beobachtungsoptik eingesetzt werden?

Die monokularen E-Messer haben bei 4- bis 8-facher Vergrößerung meist kleine Objektivdurchmesser und sind nur eingeschränkt als Beobachtungsoptik nutzbar. Dagegen verfügen die binokularen Optiken hochwertiger Entfernungsmesser über meist 7-fache Vergrößerungen.

486 Was ist der Vorteil des Zielfernrohrs (der optischen Visierung) im Vergleich zur „offenen" (mechanischen) Visierung?

Beim Schuss mit der mechanischen Visierung muss der Schütze Visier, Korn und Ziel gleichzeitig „zusammenbringen", was besonders dem Fehl- oder Alterssichtigen Schwierigkeiten bereitet. Bei Verwendung des Zielfernrohrs ist lediglich das Absehen auf das Ziel zu richten. Somit dient das Zielglas der Erleichterung des sicheren, präzisen Schusses im Sinne des Tierschutzes.

487 Welche Zielfernrohre sind gebräuchlich?

Solche mit variabler und solche mit fester Vergrößerung.

488 Welche festen Vergrößerungen sind bei jagdlich eingesetzten Zielfernrohren meist üblich?

4- und 6-fach, daneben 2,5- sowie 8-fach. Dabei sind die vier- und vor allem sechsfachen Gläser als universell für Pirsch und Ansitz anzusehen, während die kleinen Vergrößerungen für den flüchtigen Schuss gedacht sind. Die achtfache Vergrößerung kommt in Verbindung mit einem großen Objektivdurchmesser bei Dämmerungszielfernrohren zur Anwendung.

489 Welche Vergrößerungsbereiche sind bei variablen Zielfernrohren üblich?

1,5- bis 6-fach sowie 2,5- bis 10-fach sind Standard und für die meisten Jagdarten geeignet. Speziell für den flüchtigen Schuss und die Pirsch bei Tageslicht (auch bei vielen Auslandsjagden) kommen Zielgläser von 1,5- bis 4,5-fach zum Einsatz, während Zielfernrohre mit 2,5- bis 10-facher oder 3- bis 12-facher Vergrößerung als „universelle Dämmerungs-Spezialisten" angesehen werden können. Verstärkt kommen Zielfernrohre mit weiteren Vergrößerungsbereichen zur Anwendung.

490 Welche Objektivdurchmesser werden bei Zielfernrohren meistens verwendet?

Hauptsächlich 42 bis 50 mm für universellen Gebrauch, daneben 18 bis 24 mm für Drückjagdgläser und bis 56 mm für Dämmerungsgläser.

1.43: Das Schmidt & Bender Zielfernrohr Zenith 1,5-6x42 mit Leuchtabsehen auf dem Krieghoff Drilling Optima ist eine vielfältig einsetzbare Kombination.

491 Welche Zielfernrohrvergrößerungen werden in Mitteleuropa am meisten geführt?

1,5 bis 6 x 42, 2,5- bis 10-fach bzw. 3- bis 12-fach mit 50- bis 56-mm-Objektiv, sowie 6 x 42 und 8 x 56.

492 Was sind die Vorteile von Zielfernrohren aus Leichtmetall?

Geringes Gewicht bei großer Stabilität, vor allem bei Zielfernrohren mit Schiene, sowie Korrosionsbeständigkeit.

493 Aus welchen Baugruppen besteht ein Zielfernrohr?

Aus dem Rohr, dem Okular, dem Umkehrsystem, dem Absehen, der Feldlinse und dem Objektiv.

494 Welches Umkehrsystem kommt bei Zielfernrohren zur Anwendung?

Das Linsen-Umkehrsystem (besteht zumeist aus zwei Doppellinsen).

495 Was versteht man unter Absehen?

Bezeichnung für die Zielmarke im Zielfernrohr. Es gibt verschiedene Formen, meist als Fadenkreuze, Stachel, Punkte oder Kombinationen daraus oft kombiniert mit einem Leuchtpunkt.

496 Welches ist das gebräuchlichste Absehen?

Das mit Abstand meistverwendete Absehen ist das aus einem Fadenkreuz unterschiedlicher
Balkenstärke bestehende, universelle Absehen Nr. 4 oder das ähnliche Duplex-Absehen. Mit einigem Abstand folgt das früher mehr beachtete Absehen Nr. 1, ein Stachelabsehen. Zum Flüchtigschießen dienen das Absehen Nr. 2 und die hieraus entwickelten Spezial-Absehen.

497 In welcher Bildebene des Zielfernrohres befindet sich das Absehen?

Entweder in der Objektiv-Bildebene oder in der Okular-Bildebene.

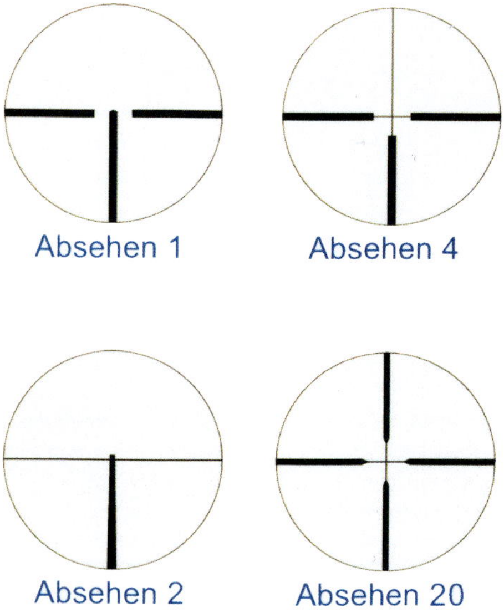

1.44: Häufige Zielfernrohrabsehen

498 Wie wirkt sich bei variablen Zielfernrohren die Lage des Absehens in der Praxis aus?

Befindet sich das Absehen in der Objektiv-Bildebene (auch 1. Bildebene genannt), so verändert sich bei Verstellung der Vergrößerung sowohl die Größe des Zieles als auch die Größe des Absehens. Befindet sich das Absehen in der Okular-Bildebene (auch 2. Bildebene genannt), so verändert sich nur die Zielgröße, während das Absehen immer gleich groß bleibt und im Verhältnis zum Ziel kleiner erscheint.

499 Was versteht man unter Parallaxe?

Die gesehene Verschiebung zwischen Ziel und Absehen. Sie tritt bei Positionierung des Auges außerhalb der optischen Achse auf, (beim schrägen Einblick in das Okular), wenn das Ziel nicht in der Entfernung liegt, auf die das Zielfernrohr parallaxfrei justiert ist.

500 Kann man das Zielfernrohr als Entfernungsmesser verwenden, indem man die Breite des Wildkörpers in eine Beziehung zu den Abmessungen des Absehens bringt?

Nein. Aufgrund der großen Schwankungen der Körpergrößen selbst erwachsener Stücke einer Wildart um bis zu 30 % ist diese Methode höchstens als grobe Entfernungsschätzung tauglich, zumal die Absehenmaße nicht genormt sind. Das Ergebnis der Schätzung hat bei Verwendung moderner, flachschießender Munition keinen Einfluss auf die richtige oder falsche Wahl des Haltepunktes.

501 Was ist ein zentriertes Absehen?

Das zentrierte Absehen moderner Zielfernrohre liegt immer im Zentrum des Sehfeldes, auch nach Betätigung der Absehenverstellung.

502 Wozu dient die Absehenverstellung?

Zum Einschießen der Waffe, d.h. sie dient dazu, den Haltepunkt möglichst mit dem Treffpunkt übereinzubringen.

503 Wo sitzt die Absehenverstellung?

In den meisten Fällen befindet sich die Seitenverstellung im seitlichen und die Höhenverstellung im oberen Türmchen des Zielfernrohres.

504 Was versteht man unter Klick-Verstellung?

Hochwertige Zielfernrohre haben eine rückkehrgenaue, vertikale und horizontale Rastverstellung des Absehens. Ein (hör- und sichtbarer) „Klick" des Stellrades versetzt das Absehen (je nach Zielfernrohrmodell) so, dass sich die Treffpunktlage auf 100 m um 10 mm oder um ca. 7 mm verändert.

505 Kann über Zielfernrohr auch mit Schrot geschossen werden?

Ja. Die mittlere Treffpunktlage der Schrotgarbe kann im Vergleich zur Abgabe des Schrotschusses ohne Zielfernrohr jedoch eine andere sein, wovon man sich durch Probeschüsse überzeugen muss. Schrotläufe neigen dabei umso mehr zum Tiefschuss, je schwerer das Zielfernrohr ist.

506 Kann man mehrere Zielfernrohre auf einer Waffe montieren?

Ja, bei einigen Montage-Systemen sogar unter Verwendung der gleichen Montage-Unterteile. Dadurch wird die Universalität der Waffe erhöht.

1.45: Der In-Line Repetierer Semprio von Krieghoff in Verbindung mit einem Schmidt & Bender Zenith 1,1-4 x 24 mit Leuchtabsehen ist besonders für die Drückjagd geeignet.

507 Was ist bei Verwendung von zwei Zielfernrohren auf einer Waffe zu beachten?

Besonders mehrläufige Waffen können auf unterschiedliche Zielfernrohre mit verschiedenartigen Laufschwingungen reagieren, welche auf die Schussleistung und die Treffpunktlage Einfluss haben.

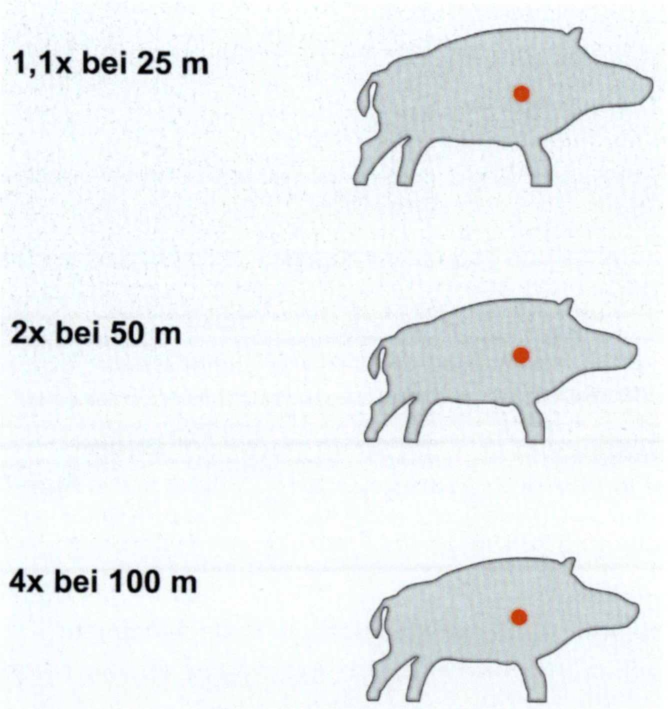

1.46: Größe des Carl Zeiss Varipoint-Absehpunktes bei verschiedenen Vergrößerungen und unterschiedlichen Enfernungen

508 Was versteht man unter Leuchtpunktzielgeräten?

1. Sog. Reflexvisiere (keine optischen Systeme), die i.W. aus einem Trägerrohr samt Montage und einem als Leuchtdiode ausgeführten oder sonstwie beleuchteten Zielpunkt bestehen.
2. Sonderformen sind Holosight-Visiere mit eingespiegeltem Leuchtpunkt.
3. Herkömmliche Zielfernrohre (optische Systeme) mit einem zusätzlich oder zuschaltbar zum Absehen vorhandenen, leuchtenden Zielpunkt, der zum Dämmerungs- oder/und zum Tagesgebrauch dient.

509 Welche Vor- und Nachteile haben Leuchtpunktzielgeräte?

Der im herkömmlichen Zielfernrohr zusätzlich oder zuschaltbar zum Absehen vorhandene Leuchtpunkt erleichtert das Zielen in der Dämmerung oder beim Flüchtigschuss, während Reflex- und Holosight-Visiere, die immer mit beiden Augen offen geschossen werden müssen, vor allem für das Flüchtigschießen bei Tageslichtverhältnissen gedacht sind. Nachteil billiger Leuchtpunktzielgeräte ist die Eigenschaft des Leuchtpunktes, das Ziel bei gewissen Außenlichtverhältnissen so zu überstrahlen, dass ein genaues Anvisieren unmöglich wird.

510 Welche Zielfernrohrformen werden hinsichtlich der Anbringung der Montage unterschieden?

Solche mit Prismenschiene oder Innenschiene und solche ohne Schiene, bei denen die Montageteile mit Ringen befestigt werden.

511 Welches ist die montagetechnisch empfehlenswerteste Zielfernrohrform?

Die mit Schiene, weil sie den Vorteil der großen Stabilität mit – im Vergleich zur Ringmontage – dem Vorteil relativer Spannungsfreiheit verbindet. Gegenüber der Prismenschiene hat die Innenschiene den Vorteil, dass sie nicht gebohrt werden muss.

1.47: Carl Zeiss 3-12x56 Diarange mit Laserentfernungsmesser und Absehenschnellverstellung mit Sattelmontage auf Repetierer Blaser R93 mit Lochschaft

512 Welche Zielfernrohrmontagen werden unterschieden?

1. Montagen zum Abnehmen und Aufsetzen des Zielfernrohres ohne Veränderung der Treffpunktlage: Schwenkmontagen, Einhakmontagen, manche Aufkippmontagen und Festmontagen.
2. Fest angebrachte Montagen ohne ausreichende Rückkehrgenauigkeit nach dem Abnehmen und Wiederaufsetzen des Zielfernrohres: Die meisten Aufkippmontagen, Aufschubmontagen, Pivotzapfenmontagen ohne einrastbaren Hinterfuß und einfache Festmontagen.

513 Welche Vorteile haben die Schwenkmontagen?

Preisgünstig durch Verwendung von weitgehend fertigen, genormten Teilen; technisch günstige Kraftaufnahme und Hebelwirkung; leicht zu handhaben und wenig montage- und bedienfehleranfällig.

514 Was ist bei der Einhakmontage zu beachten?

Handwerklich sauber ausgeführte Einhakmontagen sind zwar teuer, aber rückkehrgenau und einigermaßen bediensicher. Wegen oft mangelhafter Ausführung ist die Einhakmontage jedoch die Hauptursache für schlechte Schussleistungen und Reklamationen solcher Waffen.

515 Welche Zielfernrohr-/Montagekombination ist aus technischer Sicht als optimal zu bezeichnen?

Ein Zielfernrohr mit Innenschiene auf einer Schwenkmontage oder Sattelmontage mit möglichst wenig beweglichen Teilen, mit einfacher Rastung und proportional nicht zu großem Montageabstand bzw. mit Brückenschiene.

1.8 Waffenhandhabung, Unfallverhütung und Sicherheitsvorschriften (nach UVV/VSG und allgemein rechtsgültigenVorschriften)

Waffenhandhabung

516 Was muss man beim Umgang mit Waffen beachten?

Die Jagdwaffe darf nie auf einen Menschen gerichtet sein, auch wenn man glaubt oder genau weiß, dass sie nicht geladen ist. Eine Waffe ist immer als geladen zu betrachten. Dies gilt auch für die Handhabung von Waffen mit geöffnetem Verschluss.

517 Wann nur darf die Waffe geladen sein?

Nur während der tatsächlichen Jagdausübung, z.B. bei der Einzeljagd nach dem Überschreiten der Jagdgrenze oder dem Verlassen des Kraftfahrzeugs; bei der Gesellschaftsjagd erst nach dem Anblasen des Treibens. Gem. WaffG bzw. UVV „Jagd" darf eine Waffe im Kraftfahrzeug nicht geladen sein.

518 Wann gilt eine Waffe als geladen?

„Geladen" ist, wenn sich Patronen im Patronenlager, im Magazin oder in der Revolvertrommel befinden, selbst wenn die Waffe gesichert oder nicht gespannt ist.

519 Was meint man mit „unterladen"?

Dieser untechnische Begriff umschreibt den Zustand, wenn sich Patronen im Magazin, jedoch nicht im Patronenlager befinden. Eine „unterladene" Waffe zählt als geladen. Demnach ist „unterladen" nur dann statthaft, wenn auch das Führen der geladenen Waffe gestattet wäre. Dies gilt in übertragenem Sinn auch für geladene, aber nicht gespannte Handspannerwaffen.

520 Wann muss die Waffe entladen werden?

Immer bei Unterbrechungen oder mit Beendigung der Jagdausübung/des Schießbetriebes, z.B. nach dem Signal „Hahn in Ruh" und vor dem Verlassen des Standes. Weiter vor dem Besteigen eines Fahrzeuges oder Hochsitzes bzw. beim Verlassen des Hochsitzes, ebenso beim Überwinden von Hindernissen und beim Zusammentreffen mit Unbeteiligten.

521 Wie wird das Gewehr getragen?

Immer so, dass man sich und andere nicht gefährdet oder belästigt. Grundsätzlich ist die Waffe mit der Mündung steil nach oben zu tragen. Dies gilt auch für die ungeladene und geöffnete Waffe. Jagdleiter von Gesellschaftsjagden können bei Schlechtwetter die Trageweise „Waffe entladen, geschlossen, Mündung nach unten" anordnen bzw. zulassen.

522 Wie wird die Kurzwaffe getragen?

In einem der Waffenform angepassten Holster, das die Waffe vor dem Herausfallen schützt und dessen Rand den Abzug beim Ziehen verdeckt. Andere Trageweisen z.B. im Hosenbund oder in der Jackentasche sind unsicher.

523 Was soll der Schütze vor dem Laden stets tun?

Er soll durch die Läufe sehen und sie auf Fremdkörper überprüfen. Diese können Waffensprengungen und Verletzungen des Schützen verursachen.

524 Wie werden Waffen beim Laden, Spannen, Entladen usw. gehandhabt?

Die Laufmündung ist stets in eine Richtung zu halten, in der niemand gefährdet wird. Dabei ist auf ein mögliches Abprallen des Geschosses zu achten. Von umstehenden Personen wendet man sich ab. Soll nicht sofort geschossen werden, ist nach dem Laden unverzüglich zu sichern. Beim Abkippen nachspannende Handspannerwaffen oder Waffen mit separater Kugelspannung sind zu entspannen, sofern nicht sofort nachgeschossen werden soll.

525 Wohin zeigt die Laufmündung beim Schließen der Waffe?

Es empfiehlt sich die Laufmündung von Kipplaufwaffen und Kurzwaffen nach unten zu richten, während Repetierbüchsen und andere Waffen mit starrem Lauf steil nach oben zu halten sind.

526 Was ist beim Schließen von Kipplaufwaffen zu beachten?

» Abhängig von der Technik des Schließens der Waffe zeigt die Mündung entweder nach oben oder nach unten, nie waagerecht und nie auf Unbeteiligte.

1.48: Bockflinte mit Ejektor. Abgabe eines Schusses

1. Beschusszeichen überprüfen und Kaliber feststellen

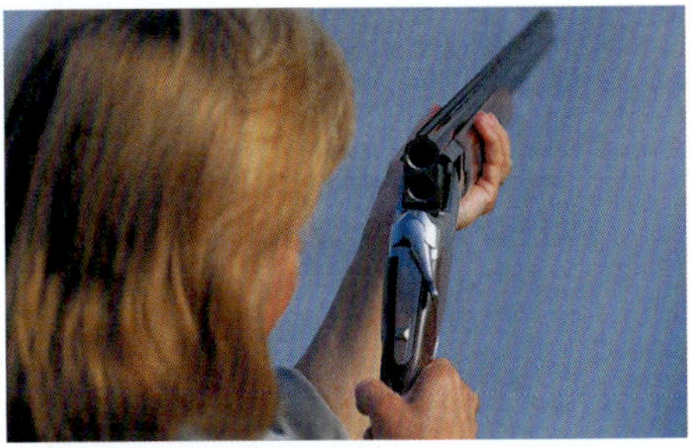

2. Blick durch die Läufe

3. Laden

4. im Anschlag entsichern

5. Flinte öffnen, Hülse wird ausgeworfen

6. Zweite Patrone entnehmen

- » Gute Schießausbilder lehren die sichere und deswegen richtige Handhabung beim Schließen einer Kipplaufwaffe: Dabei bleibt das Laufbündel nach unten gerichtet, während Basküle mit Schaft nach vorne bewegt werden.
- » Kipplaufwaffen dürfen nicht mit hartem Schlag geschlossen werden, weil sonst die Gefahr einer Waffenbeschädigung und der vorzeitigen Schussauslösung besteht. Der Verschlusshebel soll mit dem Daumen der Schießhand leicht gebremst werden und soll nicht „zuschnappen".
- » Der Verschluss muss sicher verriegelt sein, d.h. der Verschlusshebel soll sich in möglichst mittiger Stellung befinden (noch feste Verschlüsse lassen dies oft nicht zu, weswegen der Verschlusshebel leicht schräg steht).
- » Auf Fremdkörper zwischen Laufbündel und Basküle ist zu achten. Manche unverriegelten Waffen sind nicht schießfähig; bei manchen ist die Schussauslösung bei großer Verletzungsgefahr des Schützen jedoch möglich.

527 Wie macht man ein Handspannergewehr bzw. ein Hahngewehr schussfertig?

Durch Öffnen des Verschlusses, Laden der Läufe, Schließen der Waffe und Vorschieben des Spannschiebers bzw. Zurückziehen der Hähne. Handspannergewehre und Hahngewehre haben i.d.R. keine Sicherung.

528 Wie macht man ein Selbstspannergewehr schussfertig?

Es wird, wo möglich, zunächst gesichert. Dann wird der Verschluss mit dem Verschlusshebel geöffnet und die Schlosse (hörbares Einrasten) durch vollständiges Abkippen des Laufbündels gespannt. Der Vorderschaft muss montiert sein, weil in ihm die Widerlager für die Schlagfeder- und Ejektorspannung sitzen. Das Gewehr wird dann geladen und geschlossen. Vor dem Schießen muss entsichert werden.

529 Wozu dient die Sicherung bei Selbstspanner-Kipplaufwaffen?

Sie legt je nach Konstruktion die Abzüge, die Abzugsstangen oder die Schlagstücke fest, so dass sich kein Schuss lösen kann. Aber: Keine Sicherung ist so „sicher" wie die entladene oder ungespannte Waffe.

530 Was ist bezüglich der Sicherung von Selbstspanner-Drillingen mit separater Spannung eines Laufes zu beachten?

Bei nicht allen Drillingen mit separater Kugelspannung (oder Doppelbüchsdrillingen mit separater Schrotspannung) wirkt die Sicherung sowohl auf die selbstspannenden Schlosse als auch auf das handgespannte Schloss. Zur Sicherheit ist dies bei jedem Modell zu überprüfen.

531 Wie macht man einen Selbstspannerdrilling mit separater Kugelspannung schussfertig?

Der seitlich oder oben liegende Sicherungshebel ist zu betätigen. Durch das Abkippen des Laufbündels werden die beiden Schrotschlosse gespannt; durch das Vorschieben des Spannschiebers spannt sich das Kugelschloss. Verbleibt der Spannschieber in vorderer

Stellung, so spannt sich das Kugelschloss beim Öffnen der Waffe selbstständig. Bei Abgabe eines Schrotschusses muss wegen der Gefahr der unbeabsichtigten Auslösung des Büchsenschlosses die separate Kugelspannung entspannt sein.

532 Was ist beim Selbstspanner-Drilling zu beachten?

Alle drei Schlosse spannen sich beim Abkippen des Laufbündels.

533 Was bewirkt die Umschaltung beim Selbstspanner-Drilling mit Doppelabzug?

Da drei Schlosse, aber nur zwei Abzüge vorhanden sind, müssen diese zugeordnet sein. Dabei bedient der hintere Abzug immer den linken Schrotlauf, während der vordere Abzug je nach Stellung des Umschalters das Büchsschloss oder das rechte Schrotschloss auslöst.

534 Was bewirkt die Umschaltung bei einem Selbstspanner-Drilling mit Einabzug?

Steht die Umschaltung auf „K“ (für Kugel), so löst der Abzug zuerst das Büchsschloss und beim zweiten Abdrücken das linke Schrotschloss aus. Steht die Umschaltung auf „S“ (für Schrot), so feuert zuerst der rechte und dann der linke Schrotlauf. Man kann also nicht zuerst mit dem (meist enger gebohrten) linken Schrotlauf schießen.

535 Kann man den Stecherabzug des Drillings auch für das rechte Schrotschloss benutzen?

Ja, wenn die Umschaltung auf „S“ (für Schrot) steht. Dadurch lässt sich z.B. das präzise anzutragende Flintenlaufgeschoss und (bei im rechten Schrotlauf eingebauten Einstecklauf) die kleine Büchsenpatrone mit dem Stecher verschießen.

536 Wie wird der Rückstecherabzug gestochen?

Das Stechen erfolgt bei Kipplaufwaffen oder Repetierbüchsen mit Kombiabzug durch Drücken mit dem Daumen der Schießhand nach vorn auf den Rücken des vorderen Abzuges (französischer Stecher oder Rückstecher). Der Schießfinger liegt dabei außen am Abzugbügel.

537 Wie wird der Deutsche Stecherabzug gestochen?

Durch Anziehen des hinteren Züngels mit dem Schießfinger bis zum hörbaren Einrasten.

538 Welche gegebenenfalls gefährlichen Verwechslungen können sich ergeben, wenn Waffen mit Rückstecher neben Waffen mit Doppelzüngelstechern geführt werden?

Drückt man beim Doppelzüngelstecher den vorderen Züngel nach vorne, so passiert nichts. Drückt man jedoch den *hinteren* Züngel versehentlich nach vorne (wie man einen Rückstecher spannen würde), so löst sich der Schuss. Versucht man z.B. die beiden Abzüge eines Drillings so handzuhaben, als wenn man einen Deutschen Stecher einstechen wollte, so wird der linke Schrotlauf abgefeuert.

1.49: Zweischloss-Drilling mit Handspannung und rechts eingebautem Einstecklauf. Abgabe eines Schusses

1. Beschuss überprüfen und Kaliber feststellen
2. Läufe auf Fremdkörper überprüfen
3. Laden mit drei Patronen
4. Abgabe eines Kugelschusses „große Kugel“: Im Anschlag Spannschieber vorschieben und Umschalter auf „K“ (für Kugellauf)
5. Abgabe eines Kugelschusses „große Kugel“: ggf. vorderen Abzug einstechen
6. Abgabe eines Kugelschusses „große Kugel“: vorderen Abzug betätigen
7. Abfeuern des rechts eingebauten Einstecklaufes: Im Anschlag spannen und Umschalter auf „S“ (Schrot), Abzug drücken.
8. Abfeuern des linken Schrotlaufes: hinteren Abzug drücken. Dieser bedient unabhängig von der Umschalterstellung immer den linken Schrotlauf.

1.50: Drilling mit separater Kugelspannung ohne Einstecklauf „Der Bock springt ab"

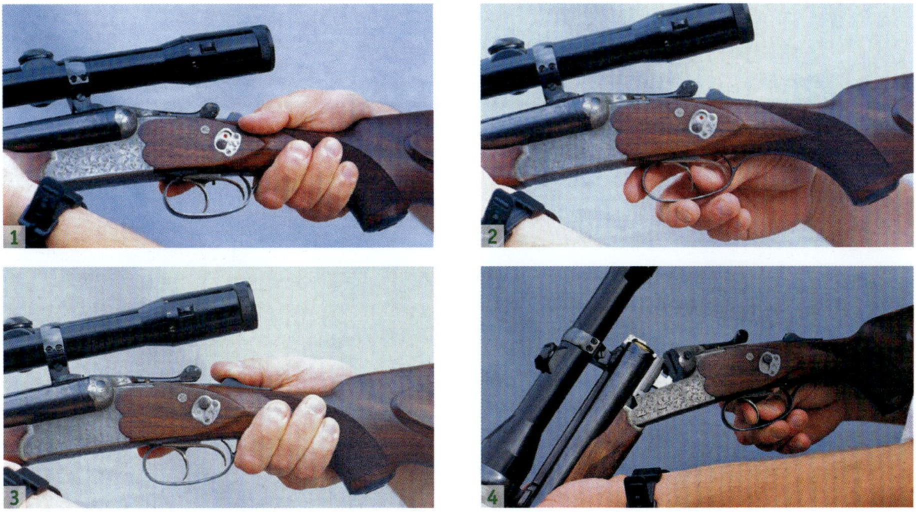

1. **Der geladene Drilling wird bei gespanntem Kugelschloss entsichert.**
2. **Der entsicherte Drilling wird eingestochen.**
3. **In diesem Moment springt der Bock ab. Der Drilling wird sofort im Anschlag gesichert und die Kugelspannung zurückgenommen.**
4. **Nach Entspannen des Büchsschlosses durch Zurücknahme des Spannschiebers wird der Drilling gebrochen und entstochen.**

539 Welchen Beitrag zur Sicherheit kann jeder Besitzer einer mit Stecher ausgerüsteten Waffe leisten?

Falls man sich nicht zum Kauf einer mit Direktabzügen ausgestatteten, stecherlosen Waffe entscheidet oder ein Umbau nicht möglich ist (bei Repetierbüchsen kaum der Fall), so sollte auch die Verwendung des ungestochenen Abzugs geübt und in Betracht gezogen werden. Ein guter Büchsenmacher kann den Abzug durch vorsichtiges Überarbeiten der gleitenden Teile gängiger machen, ohne dass dieser unsicher wird. Dem Laien ist eine solche Maßnahme durch die Ausführungen des WaffG streng untersagt.

540 Was versteht man unter Abzugwiderstand?

Die für das Auslösen eines Schlosses notwendige Kraft. Er beträgt bei guten Flinten etwa 16 N (Newton) für den vorderen und 22 N für den hinteren Abzug. Gute Direktabzüge für Repetierbüchsen liegen unter 10 bis 15 N. Stecherabzüge können zwar bis auf unter 0,1 N eingestellt werden (1 N entspricht 0,1 kg), sind dann aber unsicher und kaum beherrschbar.

541 Wann erst darf das Einstechen erfolgen?

Erst wenn das Gewehr im Anschlag liegt und entsichert auf das Ziel gerichtet ist.

1.51: Zwei-Schloss-Drilling mit Handspannung ohne Einstecklauf. „Den Fuchsrüden zuerst"

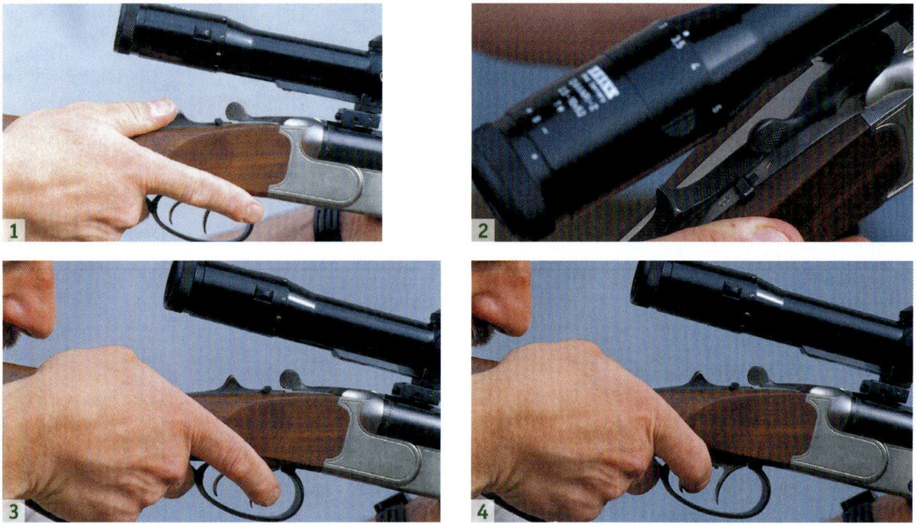

1. Der Drilling ist schussbereit und im Anschlag auf den Bock.
2. Plötzlich erscheint der Fuchs auf Schrotschussentfernung. Im Anschlag wird der Umschalter auf „S" gestellt.
3. Mit dem vorderen Abzug wird der rechte Schrotlauf ausgelöst.
4. Mit dem hinteren Abzug wird der linke Schrotlauf ausgelöst.

542 Was macht der Jäger, wenn das Wild bei eingestochener Waffe abspringt?

Kommt man nicht zu Schuss, dann muss das Gewehr sofort gesichert, bei Kipplaufwaffen der Verschluss geöffnet und der Stecherabzug entspannt werden.

543 Welche strengen Verhaltensmaßregeln gelten bei der Benutzung des Stecherabzugs?

Der Stecherabzug darf nur zum Schuss auf stehendes Wild benutzt werden, keineswegs auf flüchtiges Wild, z.B. auf Saujagden. Die Waffe darf nie gestochen geführt, geschultert, aus der Hand gegeben oder abgestellt werden – auch nicht, wenn gestochen und gesichert.

544 Welche Gefahr erwächst aus Benutzung einer gestochenen und gesicherten Waffe?

Konstruktionsbedingt kann sich beim Entsichern des gestochenen Gewehres aus manchen Waffenmodellen der Schuss lösen.

545 Welche Gefahr erwächst aus der gestochenen, wenngleich ungeladenen Waffe?

Wird sie schussfertig gemacht, so ist sie unbemerkt gestochen und deshalb unsicher. Nicht bei allen Waffen- oder Abzugs-Systemen wird der Stecher zwangsgesteuert beim Öffnen der Waffe (z.B. beim Anheben des Kammerstängels) entstochen.

546 Wie wird der Stecherabzug entstochen?

» *Rückstecher:* Sichern, Waffe öffnen, Abzug durch Rücknahme entstechen (geräuscharm zwischen Daumen und Zeigefinger). Bei manchen Waffen wird die Stecherfeder beim Öffnen der Waffe entspannt.

» *Deutscher Stecher:* Sichern bzw. Verschluss öffnen, hinteren Abzug mit Mittelfinger durchziehen und halten, Stecherabzug mit Schießfinger auslösen, beide Abzüge vorlassen.

547 Welche Gefahr erwächst aus der Verwendung eines zweiten Abzugs, wenn der Stecherabzug noch eingestochen ist?

Hat man einen Abzug eingestochen und feuert mit dem zweiten Abzug ein anderes Schloss ab, so besteht die Gefahr des Doppelns, d.h. der Stecher schlägt rückstoßbedingt auch das erste Schloss ab. Damit werden beide Schlosse ausgelöst. Dies ist dann besonders gefährlich, wenn die weitreichende Kugelpatrone unkontrolliert abgeschossen wird.

548 Was versteht man unter „Doppeln", „Doppeltreffer" und „Doublette"?

» *Doppeln* ist das ungewollte, gleichzeitige „Losgehen" zweier Schüsse aus mehrläufigen Gewehren. Es kann entstehen, wenn bei versehentlich gestochenem Büchslauf mit Schrot geschossen wird oder die Abzüge zu leicht stehen oder zwei Finger in den Abzügen liegen oder wenn wichtige Schlossteile abgenutzt oder beschädigt sind.

» Beim *Doppeltreffer* werden mit einem Geschoss oder Teilen dieses Geschosses zwei Stück Wild getroffen. Ein zielballistisch unsicherer und aus Gründen der Jagdethik abzulehnender, absichtlich oder fahrlässig herbeigeführter Doppeltreffer, z.B. ein Schuss auf hintereinander stehendes Wild, ist nicht tierschutzgerecht.

» Eine *Doublette* erzielt, wer hintereinander, ohne das Gewehr abzusetzen, mit zwei Schüssen zwei Stück Wild erlegt (bei drei Stück mit drei Schüssen spricht man von „Triplette", bei vier Stück mit vier Schüssen von „Quadruplette").

549 Wie wird ein Selbstspanner-Gewehr entspannt?

Bei selbstspannenden Waffen ohne automatische Sicherung erfolgt das Entspannen oder Abspannen durch Öffnen, Entladen und Schließen des Verschlusses bei durchgezogenen Abzügen. Bei automatischer Sicherung schiebt man bei geöffnetem Gewehr die Sicherung nach vorn, hält diese fest und schließt das Gewehr unter Durchziehen der Abzüge. Ist ein Entspannen auf diese Weise nicht möglich, so müssen die Schlosse abgeschlagen werden, gegebenenfalls unter Zuhilfenahme von Pufferpatronen.

550 Wie entspannt man einen Drilling mit drei selbstspannenden Schlossen?

Man stellt den Umschalter auf „S" (für Schrot) und schließt das Gewehr unter Durchziehen der beiden Abzüge etwas, wodurch die beiden Schrotschlosse entspannt werden. Dann schaltet man auf „K" (für Kugel) und zieht den vorderen Abzug nochmals durch, wobei ein Knacken hörbar wird. Vor dem vollständigen Schließen der Waffe empfiehlt es sich zur Schonung der Visier-Aufstellmechanik, wieder auf Schrot zu stellen. Anstelle dieser, nicht bei allen Systemen reibungslos funktionierenden Methode kann man zur Schonung der empfindlichen Schlossteile das Büchsschloss auch auf eine Pufferpatrone abschlagen.

551 Kann man in besonderen Fällen eine Waffe mit gespannten Schlossen aufbewahren?

Ja. Die Betriebsanleitung oder der Büchsenmacher geben Auskunft, ob bestimmte Waffen unbedingt entspannt werden müssen: Manche modernen Schlagfederkonstruktionen können längere Zeit gespannt stehen bleiben, ohne an Funktionssicherheit zu verlieren.

552 Wie entspannt man Hahnwaffen?

Durch Vorlassen des mit dem Daumen festgehaltenen Hahnes bei durchgezogenem Abzug. Bei Lever-Action Waffen ist der Hahn anschließend in die sog. „Sicherheitsrast" zurückzubringen. Bei doppelläufigen Hahnwaffen ist der vordere Abzug dem rechten Hahn zugeordnet und der hintere Abzug dem linken Hahn. Das Abspannen einer geladenen Waffe über den Abzug ist ein Handhabungsrisiko, weswegen die Waffe, wo möglich, geöffnet bzw. abgekippt werden sollte.

553 Wie entspannt man Handspannerwaffen?

Durch Zurücknehmen der Spann-Handhabe, die meist als auf dem Kolbenhals liegender Spannschieber ausgebildet ist. Dazu muss entweder ein Arretierknopf oder das schützenseitige Ende des Spannschiebers eingedrückt werden oder der Spannschieber wird zuerst ein Stück nach vorne geschoben und dann nach hinten gelassen oder der Spannschieber wird einfach nach hinten genommen.

554 Wie macht man eine Repetierbüchse schussfertig?

Man öffnet die Waffe durch Zurückziehen des Kammerverschlusses und lädt Patronen in das Magazin. Ist dies bei separatem Magazin nicht möglich, so muss das Magazin herausgenommen, aufmunitioniert und wieder in die Waffe eingeführt werden. Dann schiebt man den Verschluss nach vorne, wodurch die oberste Patrone aus dem Magazin in das Patronenlager eingeführt und die Waffe verriegelt wird. Danach wird die Sicherung betätigt, die den Abzug, den Abzugsstollen, oder den Schlagbolzen blockiert. Bei den meisten Repetierbüchsen ist in gesichertem Zustand auch die Kammer gegen unbeabsichtigtes Öffnen gesperrt. Entsichern hebt die Kammersperre auf.

1.52: Repetierbüchse mit Handspannung (Blaser R 93) Schussabgabe. Ausgangs-/Endlage ist die mit geöffnetem Verschluss ungespannt abgestellte Büchse.

1. Kaliber und Beschuss überprüfen

2. Blick durch den Lauf

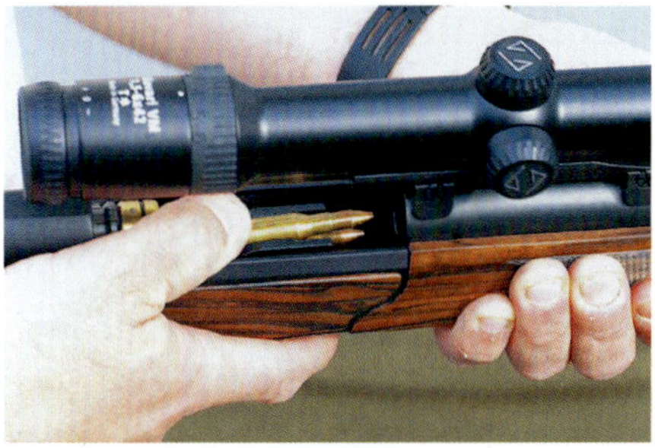

3. Laden mit drei Patronen

4. Waffe geladen und ungespannt

5. Im Anschlag wird gespannt

6. Im Anschlag wird repetiert

7. Im Anschlag wird entspannt

8. Zum Entladen muss beim R 93 nicht repetiert werden.

555 Was ist beim Schussfertigmachen der Repetierbüchse hinsichtlich der Stellung des Kammerstängels zu beachten?

Beim Schießen muss sich der Kammerstängel in seiner untersten Stellung befinden, weil der Schlagbolzen sonst das Zündhütchen nicht erreicht bzw. die Waffe nicht verriegelt ist.

556 Wie wird eine Repetierbüchse entladen?

Repetierbüchsen werden 1. durch Entnahme des Magazins und Herausrepetieren der im Patronenlager befindlichen Patrone oder 2. durch Öffnen des Klappdeckels mit Entnahme der Patronen nach unten entladen. 3. Bei Repetierbüchsen mit festem Magazinboden muss i.d.R. jede Patrone einzeln aus dem Magazin entnommen oder in das Lager hinein, bzw. aus diesem herausrepetiert werden.

557 Sind Repetierbüchsen mit herausnehmbarem Magazin „praktischer" als solche mit festem Magazin?

Nicht unbedingt, weil das Entfernen der im Patronenlager befindlichen Patrone beim Entladen bei beiden Systemen durchgeführt werden muss und weil das herausnehmbare Magazin verlegt, vergessen oder verloren werden kann.

558 Was versteht man unter „Sicherheitsüberprüfung" im Zusammenhang mit der Überprüfung einer Waffe?

Die Feststellung des momentanen Zustandes hinsichtlich des Stechers, der Sicherung, des Geladenseins, des Vorhandenseins von Fremdkörpern in Lauf und System und gegebenenfalls die Feststellung des Kalibers.

559 Was versteht man unter einer „schrankfertigen" Waffe?

Sie ist entladen, entspannt, entstochen und (womöglich) gesichert, sowie gereinigt und konserviert.

560 Was ist ein Ejektor?

Eine vor allem bei Kipplaufwaffen für das Flüchtigschießen (z.B. Bockflinten und Doppelbüchsen) zu findende Vorrichtung zum automatischen Auswerfen der Hülse. Da der sich beim Schließen der Waffe selbstspannende E. durch das Abschlagen des Schlosses aktiviert wird, müssen Patronen zum Entladen von Hand entnommen werden. Man unterscheidet Federdruck- und Schlagstück-Ejektoren System Holland & Holland.

561 Wie macht man ein Selbstladegewehr (oder ein Vorderschaftrepetiergewehr) mit Mittelschaftmagazin schussfertig?

Durch Einführen einer Patrone direkt in das Patronenlager, Schließen des Verschlusses und danach Einstecken des geladenen Magazins oder (umständlicher) durch Einführen des geladenen Magazins, Einrepetieren einer Patrone, Entnahme und Wieder-Aufmunitionieren sowie Wieder-Einführen des Magazins. Die Waffe hat zu jeder Zeit gesichert zu sein; die Laufmündung zeigt nach oben.

562 Wie macht man ein Vorderschaftrepetiergewehr mit Röhrenmagazin schussfertig?

Entweder durch Einführen einer Patrone in das Patronenlager, Schließen des Verschlusses und Aufmunitionieren des Röhrenmagazins oder durch Aufmunitionieren des Magazins, Betätigung des Verschlusses (und damit Einrepetieren einer Patrone in das Lager) sowie Komplettieren des Magazininhalts. Die Waffe muss ständig gesichert sein; die Laufmündung zeigt nach oben. Vorderschaftrepetierer haben eine größere Magazinkapazität als die auf zwei Patronen im Magazin begrenzten Selbstladegewehre.

563 Woraus besteht die Visiereinrichtung bei Flinten?

Gewöhnlich nur aus einem in der Nähe der Laufmündung angebrachten Rundkorn. Beim Schießen wird das Korn über die Mitte der Laufschiene gebracht. Ein Visier in Form einer Klappkimme oder eines Mittelkorns wird nur beim Verschießen von Flintenlaufgeschossen, beim gezielten Schrotschuss auf stehendes Wild oder bei Verwendung eines Einstecklaufchens benötigt.

564 Was ist die Laufschiene und welche Profile gibt es?

Laufschienen oder Visierschienen dienen bei einläufigen Büchsen und kombinierten Waffen zur Aufnahme von Korn und Visier; bei mehrläufigen Waffen auch zur Verbindung der Läufe untereinander. Bei Doppelflinten ist die Schienenoberseite manchmal hohl („Hohlschiene"), während man bei den anderen Waffen durchwegs ein flaches Profil findet. Waffen für lange Schussserien haben ventilierte Schienen, was ein Wärmeflimmern des Laufbündels vermindern soll. Die Oberfläche der Laufschiene ist meist mattiert oder „guillochiert", um Spiegelungen zu vermeiden. Freiliegende Läufe, die nur durch einige Stützen miteinander verbunden sind, findet man vor allem bei Bockflinten. Diese Anordnung soll ein Durchbiegen des Laufbündels vermindern, wenn fast nur mit einem Lauf geschossen wird, während der andere kalt bleibt (wie bei Sportflinten üblich).

565 Woraus besteht die Visiereinrichtung bei Büchsen und kombinierten Waffen?

Es gibt eine aus Visier und Korn bestehende „offene" Visierung, während man mit der „geschlossenen" Visierung die früher sehr beliebte Dioptervisierung meinte. Das Zielfernrohr ist eine optische Visierung.

566 Welche grundsätzlichen Visier- und Kornarten gibt es?

Die früher üblichen Arten „Perlkorn und halbrundes Visier" für Jagdwaffen, „Dachkorn und Dreiecksvisier" für Militärwaffen, sowie „Balkenkorn und Rechteckvisier" für Kurzwaffen lassen sich nicht mehr so strikt unterscheiden. Heute werden vor allem für den Schuss auf sich bewegendes Wild wie für Drückjagd- und Nachsuchwaffen Balkenkorne und Rechteckvisiere verwendet, aber vermehrt runde Leuchtkorne und durchbrochene Visierblätter oder solche mit abfallenden Flanken.

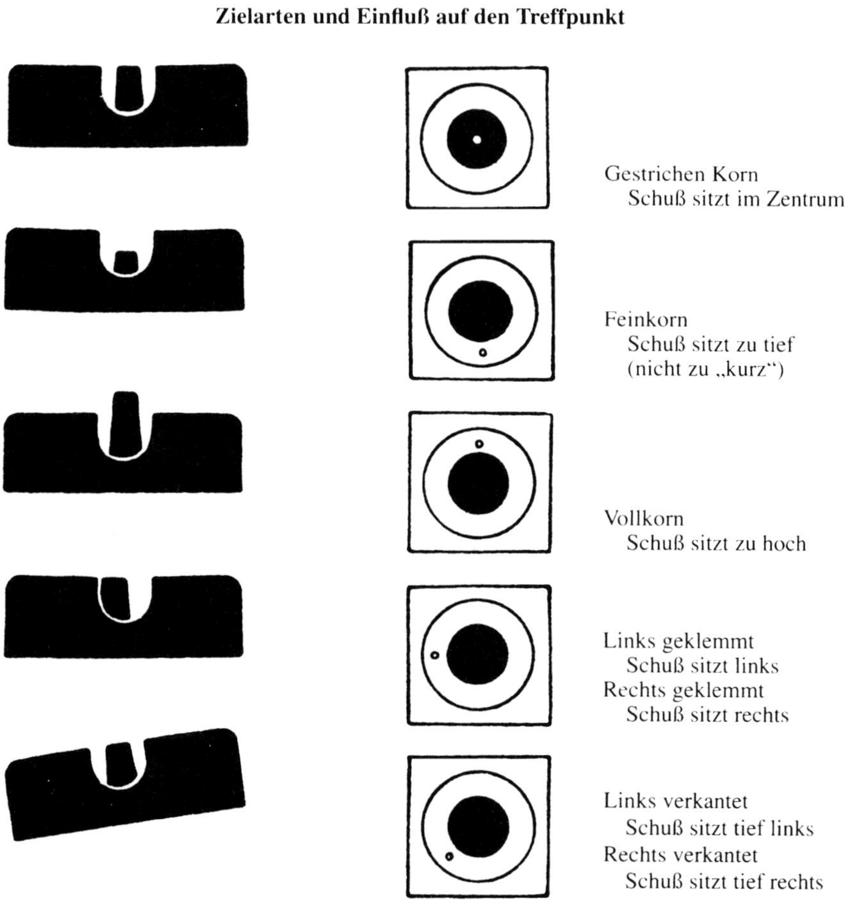

1.53: Zielarten und Einfluss auf den Treffpunkt

567 Was versteht man unter einem Schmetterlingsvisier?

Ein Visier mit nach außen aufsteigenden Flanken. Dieses Visier wird von Theoretikern als „Fluchtvisier" favorisiert, ist aber dafür untauglich, weil es zu viel vom Wildkörper verdeckt.

568 Was ist von den sog. Expressvisieren mit ihren mehreren Klappen zu halten?

Das Expressvisier hatte seine Berechtigung im Zeitalter der langsamen Großkaliberpatronen mit ihren stark gekrümmten Flugbahnen. Bei modernen Patronen kommt man auf die mit offener Visierung möglichen Zielentfernungen mit einer einzigen Visierhöhe aus.

569 Woraus besteht die Visiereinrichtung bei Kurzwaffen?

Pistolen und Revolver haben Visier/Kimme und Korn, welche meist in Rechteckform ausgeführt und oft verstellbar sind. Zum bequemen Ziehen sollte das Korn abgeschrägt und die Visierung nicht zu kantig sein.

570 Worauf ist beim Zielen mit Visier und Korn zu achten?

Das auf das Ziel gerichtete Korn muss in der Mitte der Visieraussparung (der Kimme) sein und bei normaler Justierung in der oberen Begrenzung mit der Oberkante der Visierung abschneiden („gestrichen Korn"). Je nachdem der Haltepunkt in das Ziel geht oder an dessen unteren oder oberen Rand gehalten wird, spricht man vom „in das Ziel gehen", „Ziel aufsitzen lassen" und „Ziel verschwinden lassen". Die Umstände „geklemmtes Korn", „Vollkorn", „Feinkorn" usw. und deren Auswirkungen auf die Treffpunktlage gehen aus der nachfolgenden Abbildung hervor.

571 Welchen Einfluss haben Witterung und damit Beleuchtung auf den Schuss mit Visier und Korn?

Gedämpftes Licht (z.B. bei warmer Luft, trüber Witterung und Dämmerung) gibt Hochschuss; kalte Luft, Schnee oder grelle Beleuchtung bringen Tiefschuss. Abhilfe, auch bei seitlicher Beleuchtung, die eine Abweichung der Trefferlage gegen die Richtung der Leuchtquelle nach sich zieht, schafft ein Kornschutz. Der muss aber ausreichend groß sein, um die Ausleuchtung des Kornes zuzulassen.

572 Welches sind zweckmäßige Hilfsmittel für das genaue Ein- und Kontrollschießen der Büchse?

Vor allem das sog. Benchrest-Dreibein und das der Kontur von Vorder- und Hinterschaft angepasste Sand- oder Bleischrotsäckchen. Schießgestelle z.B. System Preuß sind noch bei Büchsenmachern in Gebrauch. Sie haben wie andere „Einschießgeräte" den Nachteil, dass die mit ihnen ermittelten Ergebnisse (v.a. die Treffpunktlage) von anderen Schützen mit den im Jagdbetrieb angewandten Schießtechniken nicht immer reproduziert werden können.

573 Was ist der Vorteil der Benchrest-Ausrüstung?

Das stabile, stufenlos höhenverstellbare und schwere Dreibein nimmt mit einem formlich abgestimmten Sand- oder Bleisäckchen den Vorderschaft der Waffe auf. Der Hinterschaft ruht in einem „Ohrensäckchen". Geschossen wird mit der Benchrest-Schießtechnik: Leichte Seitenkorrekturen erfolgen mit den Fingern der gleichzeitig den Ohrensack und den Hinterschaft von unten umfassenden Führhand, und zwar durch Richten (Verdrücken der „Ohren") des mit Sand oder besser Bleischrot gefüllten Ohrensäckchens. Diese weltweit für das Präzisionsschießen angewandte Schießtechnik liefert im Gegensatz zur Verwendung von Schießgestellen oder „Einschießgeräten" immer gleiche, im praktischen Jagdbetrieb beständig reproduzierbare Ergebnisse. Für das nerven- und körperschonende Schießen mit Großkaliber verwendet man bleischrotgefüllte Lederkissen für die Schulteranlage.

574 Was ist beim Anschießen der Büchse im sitzend-aufgelegten Anschlag zu beachten?

Sie muss mit dem Vorderschaft und darf nicht mit dem Lauf aufgelegt werden; das Umfassen des Zielfernrohrs oder des Vorderschaftes von oben sowie jeder einseitige Druck auf die Waffe ist zu vermeiden; zu weiche Auflagen sind schlechter als harte.

1.54: Bestehende Schießanlagen sollen genutzt werden, dazu wurden sie gebaut (und nur durch rege Benützung wird ihr Bestand gesichert). Gem. WaffG sind sowohl das Anschießen (Abgabe von Kontrollschüssen zur Ermittlung der Treffpunktlage) als auch das Einschießen (Korrektur der Treffpunktlage) im Revier erlaubt. Wichtig: Äußere Sicherheit durch stabilen Kugelfang (z.B. Holzstoß am aufsteigenden Hang) sowie überlegte Standortwahl weitab von Ansiedlungen (Lärmschutz). Ein Drückjagdschirm ist mit wenigen „Zutaten" schnell zum provisorischen Schützenstand mit festem Sitz und Aufl age für beide Arme umgebaut. (Gehörschutz nicht vergessen!)

575 Was gilt für den Büchsenschuss steil bergab und bergauf?

Hier gilt die Regel: „Bergauf und bergunter, halt immer drunter!", weil durch die verkürzte Flugbahn des Winkelschusses im Vergleich zum Horizontalschuss ein geringerer Anteil der Erdanziehungskraft auf das Geschoss einwirkt. Dies gilt umso mehr in größeren Höhen, z.B. im Hochgebirge, weil die dort dünnere Luft dem Geschoss weniger Widerstand entgegensetzt. Außerdem muss berücksichtigt werden, dass beim Winkelschuss der Schütze das Wild aus einem anderen Blickwinkel sieht. Der Halte- und Treffpunkt eines Schusses, der z.B. durch das Herz gehen soll, liegt an einer anderen Stelle des Wildkörpers als beim Horizontalschuss, weil der Geschosskanal auch im Wildkörper „bergab" oder „bergauf" verläuft.

576 Welche Anschlagsarten gibt es beim Büchsenschuss?

Man kann den Büchsenschuss stehend, sitzend, kniend und liegend abgeben und zwar aufgelegt, angestrichen und freihändig. Die häufigste Anschlagsart im deutschsprachigen Raum ist am Hochsitz sitzend aufgelegt, doch ist der Jäger verpflichtet, unbedingt auch die anderen Anschlagsarten zu trainieren, um sie im Bedarfsfall ausüben zu können. Grundsätzlich ist immer die Anschlagsart zu wählen, die einen möglichst sicheren Schuss zulässt.

577 Welche Hilfsmittel gibt es beim freihändigen Schießen?

» Den Gewehrriemen, indem dieser als Schießriemen um Hand und Ellbogen des Führarms gewickelt wird.
» Den Jagdstock, dessen Krücke in die Jackentasche gesteckt wird (mit dieser Methode lässt sich auch ein schweres Jagdglas oder Spektiv bequem halten).

578 Was versteht der Praktiker unter dem „Burenanschlag"?

Man stützt beim Sitzendschießen mit fest gekreuzten Beinen die Außenseite der Oberarme an den Innenseiten der Knie ab (nicht die Ellbogen auf die Knie). Diese Position ist viel stabiler als jede andere freihändige und hat im Vergleich zum Liegendschießen den Vorteil, dass man mit der Waffenmündung über dem Bodenbewuchs ist und die Stellung leichter einnehmen oder ändern kann.

579 Was ist beim Anstreichen der Waffe zu beachten?

Vorderschaft und Lauf(bündel) liegen zwischen Daumen und Zeigefinger der Führhand. Keineswegs darf die Waffe direkt an der Anstreichhilfe (Fels, Baum) anliegen, weil dies einen Prellschlag mit Treffpunktverlagerung zur Folge haben könnte. Druck von oben auf den Lauf ist zu vermeiden.

580 Wann erst soll der Jungjäger auf Wild schießen?

Wenn er durch Anschlag-, Ziel- und Schießübungen mit eigener Waffe die notwendige Fertigkeit erreicht hat.

581 Wie bereitet man sich auf den jagdlichen Schuss vor?

Zur Vermeidung von Fehlabschüssen und Unfällen ist im Zweifel das *Fernglas vor dem Zielfernrohr* zu benutzen. Erst wenn die Abschusswürdigkeit des Stückes feststeht, wird man sich auf den Schuss vorbereiten. Man überprüft zuerst, ob ein Kugelfang vorhanden ist und ob andere Stücke hinter dem Ziel stehen. Schüsse über flaches Gelände gegen bewohnte Gebiete oder Straßen und Horizontschüsse sind nicht zulässig. Das Vorfeld muss frei von Flugbahnhindernissen sein, denn bereits dünne Halme und Zweige verursachen Geschosszerlegungen oder -ablenkungen – übrigens weitgehend unabhängig vom verwendeten Kaliber oder Geschoss.

582 Was ist beim Abdrücken zu beachten?

Man merkt sich den genauen Standort des Wildes sowie dessen Stellung. Dann geht man ohne Hast in das Ziel, krümmt den Abzug langsam durch und lässt sich ohne jedes Mucken

„vom Schuss überraschen". Dabei wird mit beiden Augen „durchs Feuer geschaut". Dies ist wichtig zum Feststellen der Schusszeichen und der Fluchtrichtung.

583 Welche Fragen stellt sich der Schütze unmittelbar nach dem Schuss?

1. Habe ich nachgeladen und gegebenenfalls entspannt/gesichert?
2. Wo ist der Anschuss (Entfernung, markante Geländezeichen)?
3. Wie stand das Wild beim Schuss (breit, schräg, spitz)? Hat es sich im Moment der Schussabgabe bewegt?
4. Wie bin ich abgekommen, d.h. wohin zeigte das Absehen bzw. das Korn im Moment der Schussabgabe?
5. Wie hat das Wild gezeichnet (z.B. durch Zusammenzucken, Hochspringen, Taumeln)?

Das beschossene Wild ist längere Zeit aufmerksam zu beobachten. Wird es hoch, so ist sofort nachzuschießen.

584 Darf man mit entsicherter und eingestochener Waffe auf ein anderes Ziel umschwenken?

Keineswegs. Ein Schuss könnte sich lösen und dem überstrichenen Bereich gefährlich werden. Vielmehr ist die Waffe im Gesicht zu sichern, zu öffnen und zu entstechen, sowie die Beute gegebenenfalls mit dem Fernglas anzusprechen, bevor die Waffe auf das neue Ziel gerichtet wird.

585 Wie weit sollte man höchstens mit der Büchse schießen?

Meterangaben sind wenig hilfreich, da die Beherrschung der Waffe, die äußeren Umstände, die Art der Auflage und vor allem die Munitionsleistung eine große Rolle spielen. So kann ein freihändiger 80-m-Schuss mit offener Visierung auf ein kleines Ziel bei schlechtem Licht schon „zu weit" sein. Andererseits stößt der beherrschte Jäger mit einer waffentechnisch und ballistisch hochwertigen Ausrüstung bei besten Witterungsbedingungen selbst bei einem 300-m-Schuss noch nicht an die Grenzen des Möglichen.

586 Welche außenballistischen Faktoren begrenzen die Wirkungsweite der Büchsenpatrone am meisten?

Die auf größere Entfernungen rasch nachlassende Rasanz; vor allem aber die selbst von Praktikern weit unterschätzte, durch Wind verursachte seitliche Abdrift des Geschosses.

587 Wie sieht die Rasanzkurve einer durchschnittlichen Büchsenlaborierung (z.B. 7 x 64 KS 10,5 g) aus?

Wird die Waffe auf GEE, d.h. mit etwa 4 cm Hochschuss auf 100 m eingeschossen, so fällt das Geschoss auf 200 m etwa 3 cm, auf 250 m etwa 13 cm und auf 300 m mehr als 27 cm. Wurde die Waffe dagegen nicht auf GEE, sondern auf 100 m Fleckschuss justiert, so fällt das Geschoss auf 200 m bereits 11 cm, auf 250 m 23 cm und auf 300 m 40 cm.

588 Wie groß ist die mögliche windbedingte Abdrift einer Büchsenlaborierung?

Die Abdrift ist abhängig von den ballistischen Eigenschaften des Geschosses sowie von der Richtung und vor allem von der Intensität der Luftbewegung. Die Abdrift einer Standardladung kann bereits bei mäßiger Luftbewegung mehrere Zentimeter auf 100 m aufweisen. Auf 300 m und bereits nur mittlerem Wind kann das Geschoss selbst einer Hochleistungspatrone um weit mehr verdriften und das Stück anschweißen oder fehlen.

589 Um wie viel muss beim Büchsenschuss auf flüchtendes Schalenwild vorgeschwungen werden?

Nur höchstens halb soviel wie mit der Schrotpatrone und wesentlich weniger als mit dem Flintenlaufgeschoss. Wer die kombinierte Waffe auf Saujagden führt, muss dies wissen, weil er mit der Kugelpatrone sonst zu weit vorne trifft und schwierige Gebrächschüsse verursacht. Er wird beim Kugelschuss z.B. auf Schwarzwild deswegen das Abkommen etwa in Höhe des Tellers richten, wenn die Schussentfernung bis ca. 40 m beträgt.

590 Wie weit kann man mit der Büchse auf flüchtendes Schalenwild schießen?

Ein mit einer V0 von etwa 880 m/s fliegendes Geschoss, z.B. 7 x 64 TIG 10,5 g, hat bis 100 m eine Flugzeit von etwa 0,12 sec. Bewegt sich ein Querziel während dieser Zeit mit einer Geschwindigkeit von etwa 10 m/s, was etwa „normalschnell" entspricht, so muss mehr als 120 cm vorgeschwungen werden. Bei flüchtigem Wild müsste sich diese Vorschwingstrecke auf 2,4 m verdoppeln, was zieltechnisch und wegen der Unwägbarkeiten nur schwer bewerkstelligt werden kann, auch nicht von sonst vorbildlichen Kugelschützen. 75 m scheint deshalb eine noch akzeptable Schussentfernung zu sein; das Vorschwingmaß beträgt im obigen Beispiel dann 90 cm für trollendes bzw. 180 cm für hochflüchtiges Wild.

591 Warum ist der Gebrauch des Stecherabzuges beim Flüchtigschuss abzulehnen?

Weil er vor allem bei den Gegebenheiten von Drückjagden zu gefährlich ist: Wegen des schnell auftauchenden Wildes müsste lange vorher oder überhastet eingestochen werden. Wie leicht löst sich aber der fein eingestellte Stecherabzug zur Unzeit (zumal wenn wegen kalten Wetters Handschuhe getragen werden) und gefährdet dadurch den Schützen und Unbeteiligte.

592 Was ist beim Anschlag mit der Flinte mit „etwas Schiene sehen" gemeint?

Der Schütze soll beim Anschlagen der Flinte etwas von der Laufschiene sehen. Bei den meisten Flinten wird dann der gewünschte Hochschuss von etwa 10 bis 15 cm erzielt. Das Wild soll dabei „aufsitzen", beim Schuss nicht verdeckt sein und mit dem Kern der Garbe getroffen werden. Sieht der Schütze dagegen nur das Korn und nichts von der Schiene, so entsteht Tiefschuss.

593 Wie wird der Fleckschuss einer Flinte ermittelt?

Ausschließlich durch den Beschuss von Scheiben, wobei man sich zu merken hat, wie viel Schiene bei dem erwünschten Hochschuss zu sehen ist.

594 Wie erfolgt der richtige Anschlag mit der Flinte?

Mit beiden Augen offen; niemals hastig, immer frei und locker. Die Wange des Schützen liegt kaum an der Backe der Waffe an; der Griff der Hände und der Kolbendruck in der Schulter sind stets gleichmäßig und unverkrampft. Drehpunkt der flüssigen Bewegungen ist immer die Hüfte, es schwingt nur der Oberkörper.

595 Warum haben beim Schießen beide Augen offen zu bleiben, wann immer möglich?

Aus Sicherheitsgründen (größeres Sehfeld) und wegen des erst mit beiden Augen möglichen räumlichen Sehens, welches zur Schätzung von Entfernung und Wildgeschwindigkeit unbedingt notwendig ist. „Beide Augen offen" ist zudem das beste Mittel gegen das leidige Mucken. Ausnahmen von der Regel „Beide Augen offen" gibt es nur bei Dominanz bzw. krankhafter Fehlsichtigkeit des Nicht-Schießauges (welches Auge dominant ist, lässt sich durch den „Daumensprung" feststellen).

596 Wie sieht die Beinstellung beim Schießen auf bewegte Ziele aus?

Der Fuß der Schießarmseite wird ein wenig nach außen gedreht; das andere Bein leicht vorgenommen (es zeigt ungefähr dorthin, wo das Ziel getroffen werden soll). Die Füße stehen etwa schulterbreit; beide Sohlen berühren den Boden. Zu breite Fußstellung, Schrittstellung, gekrümmter Rücken oder „Giraffenhals" sind grobe Stellungsfehler.

597 Wie übt man das Erfassen des Ziels?

Man wählt einen Zielpunkt aus, schließt beide Augen und geht flüssig in Anschlag. Beim Öffnen der Augen muss die Zieleinrichtung der Waffe auf den Punkt zeigen. Ist dies auch

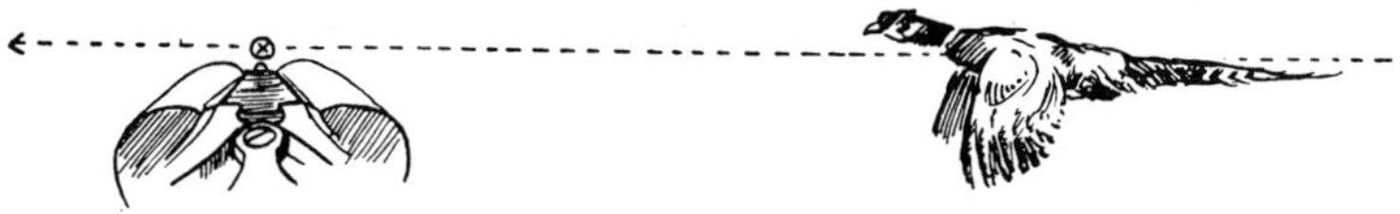

Schnell streichender Fasan ("Querreiter"): Auf 30 m etwa vier Längen aus dem Ziel herausschwingen und im Weiterschwingen ohne den Schwung anzuhalten abdrücken.

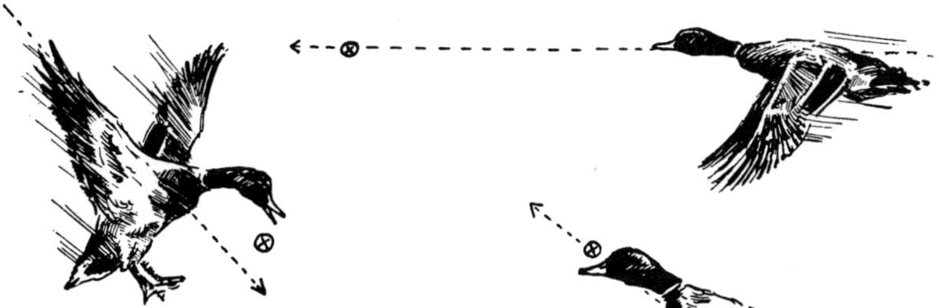

Oben rechts: Quer vorbeistreichende Ente
Oben links: Einfallende Ente
Rechts: Aufstehende Ente

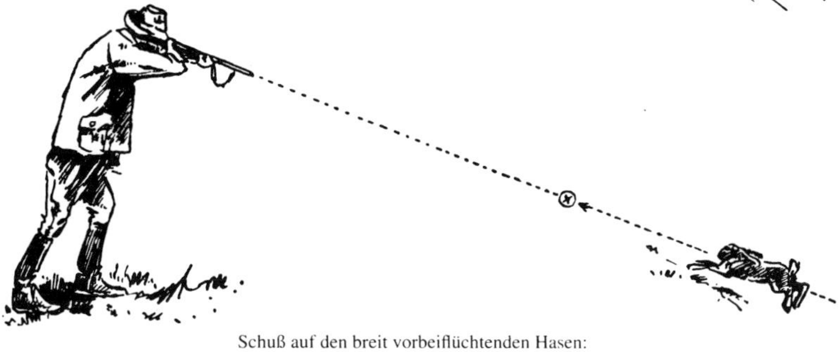

Schuß auf den breit vorbeiflüchtenden Hasen:
Je nach Entfernung ein bis zwei Hasenlängen „überholen“, durchschwingen und im weiterschwingen abdrücken.

Auch beim Schuß auf den anlaufenden oder wegflüchtenden Hasen darf das Weiterschwingen während des Abdrückens nicht vergessen werden.

1.55: Vorschwingmaße auf sich bewegende Ziele

nach einiger Übung immer noch nicht der Fall, so passt das Gewehr bzw. der Schaft nicht. Passt der Anschlag, so übt man gleichzeitig auch das Abziehen und das Weiterschwingen.

598 Wie ist der Ablauf beim Schuss auf in Bewegung befindliches Wild?

Nach dem Erfassen des Zieles schwingt man von hinten durch das Ziel und aus dem Ziel heraus („überholt" es) und drückt dann *immer noch mitschwingend* ab. Durch die Aufnahme der Geschwindigkeit des Ziels ergibt sich automatisch das richtige „Vorschwingmaß".

599 Warum muss man beim Schuss auf flüchtiges Wild beim Abdrücken vor- und weiterschwingen?

Weil die Geschosse für das Zurücklegen der Entfernung zwischen Schütze und Ziel eine bestimmte Flugzeit benötigen, in der sich das Wild inzwischen weiterbewegt hat.

600 Wie schnell fliegen Schrote?

Bei einer Mündungsgeschwindigkeit von etwa 400 m/s beträgt die Flugzeit der wegen ihrer ballistisch ungünstigen Form sehr schnell an Geschwindigkeit verlierenden Schrote auf 35 m etwa 1/8 Sekunde. Würde man im Schuss stehen bleiben (den Schwung unterbrechen), würde man das Wild hinten vorbeischießen.

601 Wie schießt man z.B. auf einen quer flüchtenden Hasen?

Bei einer Eigengeschwindigkeit von 12 m/s (ca. 44 km/h) bewegt sich der Hase während der Flugzeit der Schrote etwa 1,5 m weiter. Man muss daher vor der Schussabgabe den quer flüchtenden Hasen mit der Flinte um diese Strecke (ca. 1 1/2 Hasenlängen) überholen und dann *weiterschwingend abdrücken*, damit die Garbe Kopf, Hals und Blatt trifft und der Hase rolliert („Kopf steht", „über Kopf geht", „Rad schlägt"). Bei einer Entfernung von 20 m genügt ein „Überholen" von etwa einem Meter oder einer Hasenlänge.

602 Warum merkt man sich das Vorschwingmaß besser in Wildlängen und nicht in Metern?

Schwingt man „in Wildlängen" vor, so gleicht dies wegen der geometrischen Projektion etwaige schräge Fluchtrichtungen des Zieles aus.

603 Wohin muss der Schuss auf flüchtiges Wild fallen?

Dorthin, wo das Wild sein wird, keinesfalls dorthin, wo es gerade ist, weil man es sonst hinterschießen würde.

604 Wie viel Zeit sollte vom Anschlagen bis zum Lösen des Schusses vergehen?

Man sollte sich gerade soviel Zeit lassen, dass man die Worte „überholen, abdrücken und weiterschwingen" sagen kann. Versierte Schützen fahren erst im letzten Moment auf, ziehen mit, schwingen vor und drücken weiterschwingend ab.

605 Wie wird der vom Schützen fortflüchtende Hase beschossen?

Man schwingt je nach Entfernung zwischen oder gut über die Löffel und schießt wegen der sich bietenden geringen Wirkungsfläche (Kopf, Genick) nur bis 25 m. Schwingt man nicht genügend darüber, so zerschießt man dem Hasen nur die Hinterläufe.

606 Wie wird der Hase beschossen, der den Schützen anläuft?

Man schwingt abdrückend kurz vor dem Hasen auf den Boden. Nahschüsse, die das Wildbret entwerten, sind zu unterlassen. Man lässt das Wild erst weit genug „ablaufen" oder „abstreichen".

607 Was ist beim Schrotschuss auf den Fuchs zu beachten?

Seine Geschwindigkeit wird oft unterschätzt. Auch wegen des durch die dicke Lunte optisch weit hinten liegenden Schwerpunktes sollte betont weit vorgeschwungen werden. Der Schuss spitz von vorne ist zu vermeiden.

608 Wie schießt man auf Flugwild?

Streicht Flugwild in gerader Richtung vom Schützen ab, so nimmt man es auf's Korn und beschießt es knapp „aufsitzend" erst etwa auf 25 m. Beim Aufwärtsstreichen muss man über den Kopf, beim Abwärtsstreichen unter die Ständer schwingen. Der gerechte Jäger schießt immer nur auf ein einzelnes Stück Flugwild; bei frühen Hühnerjagden niemals auf das zuerst aufsteigende (das ist das Huhn).

609 Wie weit muss man auf Flugwild vorschwingen?

Bei langsam „aufstehendem" Flugwild genügt es, in Flugrichtung mitziehend, vor dem Kopf abzukommen. Bei schräg fortstreichendem oder quer vorbeistreichendem Flugwild muss man nicht nur mitschwingen, sondern über das Ziel hinausschwingen und dann weiterschwingend abdrücken. Im Unterschied zur Wurfscheibe wird aufsteigendes Flugwild immer schneller. Deshalb weit aus der Flugrichtung herausschwingen und keinesfalls im Schwung innehalten. Normal streichende Fasane brauchen ein Vorschwingmaß von einer Wildlänge. Mit dem Wind streichende Fasane erreichen Geschwindigkeiten von 80 km/h. Hier ist ein Vorschwingen von drei bis vier Längen nötig, lieber etwas mehr und selbst unter dem Aspekt, dass die Höhe streichender Fasane meist überschätzt wird. Selbst ein „turmhoch" streichender Fasan ist selten höher als 25 m und fällt mit Kopf- und Halstreffern bei 2,5 oder 2,7 mm. Bei hoch fliegenden Enten schwingt man bis zehn Längen vor, bei Krickenten eher mehr, ebenso bei der Ringeltaube. Schnepfen sind dagegen langsamer. Hier schwingt man nicht soweit vor, muss aber kurz vor dem oder gar erst im Abdrücken manchmal noch die gewechselte Flugrichtung berücksichtigen.

610 Welche Fehler werden beim Schrotschuss am häufigsten gemacht?

Ruhende Ziele, z.B. die Ente auf dem Wasser oder ein sitzender Hase werden meist überschossen, weil der Schütze nicht an den bis zu 15 cm betragenden Hochschuss der Flinte denkt. Flüchtende Ziele werden dagegen meist zu tief getroffen oder hinten vorbei geschossen, weil der unerfahrene Schütze mit der Flinte fälschlicherweise zu „zielen" versucht bzw. nicht ausreichend durchschwingt oder im anfänglich ausreichenden Schwung innehält.

611 Was versteht man unter dem „Abfangen" im Zusammenhang mit den Methoden des Flintenschießens?

Es handelt sich um eine nicht empfehlenswerte weil sehr theoretische, wenngleich ab und zu heiß diskutierte Methode des Flintenschießens. Dabei schwingt man nicht durch und weiter vor das Ziel, sondern stoppt im Schwung und schießt auf einen imaginären Punkt vor dem Ziel; versucht dieses „abzufangen". Im Zusammenhang mit dem „Abfangen" taucht auch der Ausdruck „Vorhalt" auf, welcher jedoch innerhalb der Terminologie der Schwingmethode nichts zu suchen hat, weil er alleine schon durch den Ausdruck „... halt" geeignet ist, den Schützen zu einem alles verderbenden Anhalten während der so wichtigen Durch- und Vorschwingphase zu verleiten.

612 Wie weit kann man auf Wild wirksam mit Schrot schießen?

Der Schrotschuss ist bis auf 30 m am wirksamsten; manche Ladungen und Läufe (Bohrungen) taugen auch bis 35 m. Auf weitere Entfernungen soll man keinesfalls schießen, vor allem sich nicht dem Trugschluss hingeben, man könne mit grobem Schrot die Reichweite der Flinte vergrößern. Wegen der schlechteren Deckung der groben Schrote ist gerade das Gegenteil der Fall. Der Jäger muss unbedingt in der Lage sein, im Gelände zuverlässig die Grenzen für den wirkungsvollen Schrotschuss zu erkennen. Die zulässige Schrotschussentfernung auf Wild (maximal 40 m – Anmerkung: Meter-Angeben gelten nur für Bleischrot. Für WE-Schrot gelten weit kürzere Reichweiten) darf nicht mit dem Gefahrenbereich des Schrotschusses verwechselt werden (z.B. ca. 400 m bei 4-mm-Schrot).

Der Umgang mit der Kurzwaffe

613 Welche Schießhaltungen sind beim Gebrauch der Kurzwaffe zweckmäßig?

Die Kurzwaffe dient zum Fangschuss auf angefahrenes oder angeschweißtes Schalenwild, und in schwächer munitionierter Ausführung auch für die Bau- und Fallenjagd. Dabei sind alle Methoden und Hilfen zur Verbesserung der Präzision des wichtigen Erstschusstreffers anzuwenden, d.h. Auflegen oder Anstreichen der Waffe, zumindest die stabile beidhändige Waffenhaltung.

614 Wie wird die jagdlich eingesetzte Kurzwaffe geführt?

In einem passenden (Gürtel- oder Schulter-)Holster, welches die Waffe zuverlässig vor dem Herausfallen schützt und dessen Rand den Abzug verdeckt.

615 Was ist beim Anstreichen oder Auflegen der Kurzwaffe zu beachten?

Dass die Unfallsicherheit und die Funktion der Waffe gewährleistet ist. So verführt Anstreichen oder Auflegen dazu, die Führhand in die Nähe der Mündung oder des Trommelspalts zu bringen oder die Auswurföffnung der Pistole wird blockiert, was eine Hemmung nach sich ziehen kann.

616 Welches ist der wirkungsvollste Fangschuss-Treffer mit der Kurzwaffe?

Ein Halswirbeltreffer mit starker, deformierender oder zumindest querschnittsgroßer Munition. Dieser kann nur auf kurze und mittlere Entfernung garantiert werden. Auf größere Entfernung empfiehlt sich der Schuss auf Trägeransatz oder auf Blatt, notfalls auch auf den Hüftgürtel (Lähmwirkung) oder auf das Haupt, denn beim Fangschuss hat die Erlösung des Stückes Vorrang vor etwaiger Wildbretentwertung oder Beschädigung der Trophäe.

617 Was ist beim Fangschuss auf tollwutverdächtiges Wild zu beachten?

Wegen der Notwendigkeit, für den Tollwutnachweis das Hirn unversehrt zu erhalten, ist von einem Kopfschuss abzusehen.

Die Waffe nach der Jagd

618 Wie ist die Waffe nach Gebrauch zu behandeln?

Sie ist bei Bedarf zu reinigen und getrennt von der Munition aufzubewahren.

619 Gibt es eine Aufbewahrungsvorschrift für Waffen?

Seit Inkrafttreten des WaffG vom 11. Okt. 2002 ist die Aufbewahrung von Waffen in § 36 geregelt. Darin heißt es:

» Waffen sind getrennt von Munition aufzubewahren, sofern sie nicht in einem Behältnis der Widerstandsklasse 0 (DIN/EN 1143-1) verwahrt sind.

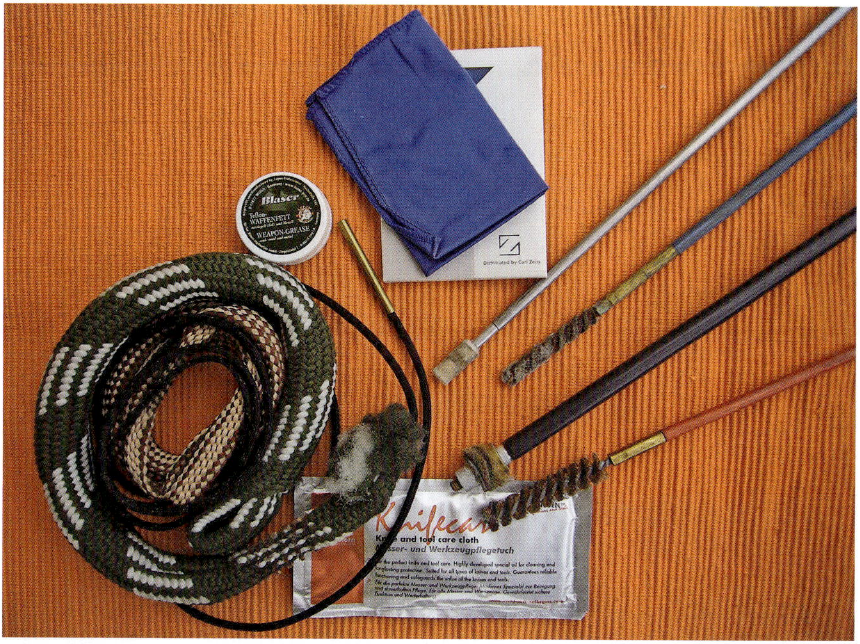

1.56: „Pflegegerät" – verschiedene Geräte zum Waffenreinigen

» Der Widerstandsklasse 0 gleichgestellt ist die Widerstandsklasse B (nach VDMA 24992).
» Bis zu zehn Langwaffen können auch in einem Behältnis der Widerstandsklasse A (nach VDMA 24992) untergebracht werden. Die Nachweispflicht liegt beim Waffenbesitzer.

620 Was ist zu beachten, wenn kalt gewordene Schusswaffen in geheizte Räume verbracht werden?

Sie beschlagen und sind deshalb zu trocknen; der Mündungsschoner ist zu entfernen und die Läufe trockenzuwischen.

621 Muss die Waffe nach jedem Reviergang bzw. nach jedem Schießen gereinigt werden?

Keineswegs. Es werden viel mehr Läufe „zu Tode geputzt" als ausgeschossen. Ebenso falsch ist es jedoch, die Waffe jedes Mal in Öl zu „baden".

622 Wie erfolgt das Reinigen des Laufes?

Der Lauf wird, wo dies möglich ist, vom Verschluss her mit trockenem Werg oder einem Wattepolster vorgereinigt. Bei Waffen mit nicht herausnehmbaren Verschluss kann man Reinigungsketten benutzen. Wichtig ist, alle hygroskopischen Schussreste noch am Schießtag zu entfernen. Soll die Waffe längere Zeit stehen, zieht man ein *leicht* mit Waffenöl oder einem Lösungsmittel getränktes Polster durch den Lauf. Das soll die Verbrennungsrückstände des Zündsatzes und des Pulvers neutralisieren und metallische Geschossrückstände (wie Blei, Nickel, Tombak usw.) in „verlegten" Läufen chemisch entfernen. Nach einer von der Laufverschmierung abhängigen Standzeit (z.B. eine Nacht) ist der Lauf mit mehreren unbehandelten Polstern trockenzuwischen. Bei stark verlegten Läufen sind anstatt des getränkten Polsters in chemisches Reinigungsmittel getauchte Messingdrahtbürsten (keine Stahlbürsten) zu verwenden (kombinierte chemisch-mechanische Methode). Drahtbürsten sollten ganz aus der Mündung gestoßen und dann erst zurückgezogen werden, um diese nicht zu beschädigen. Nach der Anwendung von chemischen Lösungsmitteln ist der Lauf mit einer ganz dünnen Ölschicht zu versehen, welche vor dem nächsten Schießen wieder vollständig entfernt werden muss (Treffpunktverlagerungen durch den verringerten Reibungswiderstand – „Ölschuss" – möglich.)

1.57: Jagdgewehr, Montage und Zielfernrohr sind Hochleistungsgeräte. Mangelnde (und falsche oder übertriebene) Pflege wird ihre Leistung beeinträchtigen.

623 Welches ist die anwendungstechnisch einfachste Methode der Laufreinigung?

Zum trockenen Reinigen, aber auch Einölen und Entölen werden auf den Putzstock gesteckte bzw. verschraubte, genau auf das jeweilige Kaliber abgestimmte Filzpfropfen oder ggf. mit einer integrierten Bronze- oder Messingbürste versehene Dochte durch den Lauf gezogen. Die Fasern dieses saugfähigen und schonenden Materials wirken wie kleine Bürsten und kommen auch in die Laufprofilkanten. Filze samt den zugehörigen Putzstöcken und Adaptern bzw. Dochte (BoreSnake, QuickClean usw.) gibt es für Büchsen und Flinten.

624 Wie pflegt man die Oberfläche der Waffe?

Zur Behandlung der äußeren Metallteile verwendet man die einschlägigen Waffenpflegeöle. Besonders rostanfällig sind manche Abzüge, Riemenbügelschrauben und Lötfugen. Zu viel Waffenöl, insbesondere, wenn es in das Innere des Schlosswerks dringt, kann durch Verharzen und Verdrecken zu Funktionsstörungen führen. Waffen mit oberflächengeschützen Metallteilen brauchen nicht gepflegt zu werden. Lackierte Schäfte muss man nicht pflegen; Ölschäfte behandelt man mit einem gelegentlichen Auftrag von Schaftöl.

625 Wo verwendet man Verstreichwachs?

Nur an solchen Stellen der Waffe, an denen die Mechanik des Schlosses und die Laufschwingungen nicht beeinträchtigt werden, z.B. an Fugen zwischen Schaft und System. Das früher propagierte totale Verstreichen der Lauflage kann sich negativ auf die Laufschwingungen auswirken und damit nachteilig auf die Präzision und Beständigkeit der Treffpunktlage.

626 Welche verschiedenen Waffenöle gibt es?

Man unterscheidet alkalisch reagierende Öle und andererseits Neutralöle. Alkalische Öle neutralisieren Verbrennungsrückstände und greifen Ablagerungen an. Man kann auch Leder- und Holzteile sowie die Stiche von Insekten und Zecken damit behandeln (Das „Einölen" festsitzender Zecken zum Zwecke der Entfernung sollte jedoch unterlassen werden). Neutralöle unterwandern aufliegende Nässe und bieten den besseren Korrosionsschutz, sind aber nicht so universell wie alkalisch reagierende Öle. Viele Pflegemittel gibt es auch in Spraydosen. Der Jäger achtet natürlich auf umweltfreundliche Gebinde.

627 Was kann für ein zunächst unerklärliches Nachlassen der Schussleistung ursächlich sein?

Vor allem Laufverschmierungen durch Geschossablagerung, aber auch eine locker gewordene Systembettung, Verspannungen des Schaftes durch Witterungseinflüsse, Montage- und Zielfernrohrdefekte, Schaftrisse und die Verwendung anderer Laborierungen bzw. anderer Munitionslose.

Vorsichtsmaßregeln im praktischen Jagdbetrieb

628 Was ist unbedingt vor Abgabe des Schusses zu beachten?

Man muss stets das Gelände beurteilen und prüfen, ob innerhalb der Reichweite der Geschosse Menschen sein können und ob das Gelände einen sicheren Kugelfang bildet. Die Vermeidung von Unfällen ist ungleich wichtiger als jeder jagdliche Erfolg.

629 Wann ist mit dem Abprallen von Schroten zu rechnen?

Bei jedem Schuss. Schrote prallen je nach Art und Härte des Untergrundes (weicher Boden, Wasserflächen, gefrorener Boden) auch bei Aufprallwinkeln von über 20° ab. Schräg zur Schussrichtung liegende Hindernisse wie Ackerfurchen, Steine und Kiele oder Knochen des Federwildes fördern die Ablenkung der Schrote von 45° und mehr aus der Schussrichtung. Abgeprallte Schrote können weit fliegen und die Reichweiten im freien Flug erreichen oder sogar vergrößern.

630 Welche Schrotart ist besonders ablenkgefährdet?

Stahlschrote (Weicheisenschrote) deformieren beim Aufschlag kaum, geben somit wenig Energie ab und sind deshalb besonders ablenkgefährdet. Sie können auf große Entfernungen noch unfallwirksam sein.

631 Welche Schrotgrößen sind nach der Ablenkung besonders gefährlich?

Große Schrote erreichen und halten höhere Fluggeschwindigkeiten. Sie gefährden nach dem Abprallen das Hintergelände ungleich stärker als feiner Schrot.

632 Welches Abprallverhalten zeigen Flintenlaufgeschosse?

Nach den Schroten haben die flug-instabilen Flintenlaufgeschosse die größte Abprallneigung. Sie setzen sich auch bei großen Aufprallwinkeln vom Gelände, von Hindernissen oder vom Ziel ab und können allseitig große Ablenkungen erfahren. Flintenlaufgeschosse erreichen auch nach Ablenkung Flugweiten bis 1.500 m.

633 Welches Abprallverhalten zeigen Büchsengeschosse?

Gut stabilisierte und stark querschnittsbelastete Büchsengeschosse haben die geringste Abprallneigung aller jagdlich verwendeten Geschosse, können aber schon bei einem flachen Aufprallwinkel selbst bei weichem Gelände abprallen und dabei allseitige Ablenkung aus der Schussrichtung erfahren. Wie bei allen Projektilen erwächst besondere Gefahr auch bei den Büchsengeschossen beim Schuss in gefrorenes Gelände und in Baumbestände. Bei schweren Unfällen wurden Mehrfach-Ablenkungen von über bzw. mehrmals 90° bekannt, übrigens ohne wesentliche Unterscheidung „bleifrei vs. bleihaltig".

634 Gibt es Geschossarten oder Geschossformen, die besonders widerstandsfähig gegen Abprallen oder Ablenkung sind, z.B. auch bei Hindernissen in der Flugbahn?

Nein. Zwar existieren innerhalb der jagdlich verwendeten Geschosse gewisse Abstufungen (z.B. sind Schrote und Flintenlaufgeschosse abprallgefährdeter als gut drallstabilisierte Langgeschosse, doch gibt es kein Geschoss, mit dem ganz ohne Folgen „in`s Dicke" geschossen werden kann.

635 Wie weit gefährdet ein Schrotschuss das hinter dem Ziel liegende Gelände?

Je nach Kornstärke bis etwa 400 m (Faustregel: Körnung x 100 m), d.h. je gröber der Schrot, desto größer der Gefahrenbereich. Die Ausdehnung der Schrotgarbe in der Breite und Höhe steigt dabei mit der Entfernung: Auf etwa 150 m Entfernung ist die Garbe mehr als 50 m breit und hoch.

636 Wie weit gefährdet ein Büchsengeschoss das Hintergelände?

Büchsengeschosse gefährden je nach Kaliber und Ladung sowie abhängig vom Abgangswinkel das Hintergelände auf Entfernungen bis zu fünf Kilometer. Die .22 l.f.B. trägt 1.500 m weit.

637 Welches sind die hinsichtlich der möglichen Reichweiten gefährlichsten Schusswinkel?

Für den Büchsenschuss etwa 33 Grad, für den Schrotschuss etwa 25 Grad. Es ist aber zu beachten, dass die annähernde Höchstschussweite bereits bei geringerer Lauferhöhung erreicht werden kann.

638 Wie verhält man sich bei einem Versager?

Die Waffe ist noch einige Sekunden auf das Ziel gerichtet zu halten, falls es sich nicht um einen Versager, sondern um einen Nachbrenner handeln sollte.

639 Wie verhält man sich bei einem Nachbrenner oder bei einem „schlappen Schuss"?

Bei einem Nachbrenner oder einem schlappen Schuss können unverbrannte Teile der Pulverladung oder Teile der Schrotladung z.B. der Pfropfen oder das ganze Geschoss, im Lauf verblieben sein. In solchen Fällen muss vor dem Laden durch den Lauf gesehen werden.

640 Wie trägt der Jäger sein Gewehr außerhalb der Jagdausübung?

Entladen und so, dass jeder Beteiligte sofort erkennen kann, dass das Gewehr entladen ist. Bei Gesellschaftsjagden oder in Begleitung ist die Waffe ungeladen mit geöffnetem Verschluss bzw. abgekipptem Lauf geführt. Magazine sind zu entnehmen bzw. zu entladen; „unterladen" ist unzulässig. Auch Waffen mit geöffnetem Verschluss sind mit der Mündung steil nach oben zu richten. Der Jagdleiter kann bei Schneefall andere Trageweisen anordnen z.B. „Waffe entladen, gesichert und geschlossen, Mündung nach unten".

641 Wie trägt der Jäger sein Gewehr bei der Jagdausübung?

So, dass er sich nicht in Gefahr bringt und andere nicht gefährdet oder belästigt werden. Die Trageweise hängt von den Umständen ab und schließt alle handhabungssicheren Möglichkeiten ein. Die besten Methoden sind die Trageweisen „Lauf hinter der Schulter, Hand am Gewehrriemen" oder „Gewehr auf dem Rücken, Riemen über der Brust". Die Trageweise „Lauf nach vorne, Unterarm auf dem Lauf" sollte man selbst auf der Einzeljagd und bei ungeladener Waffe nicht anwenden. In steilem Gelände sollte das Gewehr möglichst „talseitig" getragen werden. Wird der Hund links geführt, ist die Waffe rechts zu tragen.

642 Welche Vorsichtsmaßnahme ergreift der Schütze beim Überwinden von Geländehindernissen (Gräben, Zäune) oder beim Besteigen/Verlassen von Hochsitzen und Fahrzeugen oder Betreten von Häusern?

Er hat die Waffe gemäß den VSG 4.4 „Jagd" der hier zuständigen Berufgenossenschaften auf jeden Fall zu entladen. Der geöffnete Verschluss macht dies deutlich sichtbar. Das Führen der geladenen Waffe ist nur zulässig zur eigentlichen Jagdausübung. Dies gilt auch z.B. beim Verlassen des Standes oder während der Pausen anlässlich von Gesellschaftsjagden. Der Jäger wird die Laufmündung auch bei geöffnetem Verschluss in eine sichere Richtung zeigen lassen. Zäune dürfen beim Übersteigen nicht mit der Waffe niedergehalten und z.B. Hochsitzluken nicht mit der Waffe aufgestoßen werden. Daraus resultierende Unfälle wären ein „unsachgemäßer Gebrauch der Waffe" und demgemäß nicht versichert.

643 Wie kann man die Laufmündung schützen?

Mit einem Mündungsschoner. Aber nicht vergessen, diesen abzunehmen und nach dessen Abnehmen in den Lauf zu sehen, weil auch durch das Aufsetzen des Schoners in diesem befindliche Fremdkörper in den Lauf gelangen können. Bei Büchsläufen besser bewährt hat sich die Verwendung von Klebeband (transparent, um durch den Lauf sehen zu können).

644 Kann eine abgeklebte Büchslaufmündung gefahrlos für Sicherheit und Präzision durchschossen werden?

Ja, weil bereits die durch den Schuss verdichtete Luftsäule vor dem Geschoss und nicht das Geschoss selbst die Abklebung beseitigt.

645 Wie beseitigt man Fremdkörper im Lauf?

Durch geeignetes Reinigungsgerät. Herausblasen kann bei Minusgraden durch Vereisung der Atemluft zu Laufverengungen und -sprengungen führen, wenn anschließend geschossen wird.

646 Welche Vorteile haben abnehmbare Gewehrriemen?

Überall dort, wo der Riemen nicht direkt benötigt wird und nur hinderlich ist wie in Kanzeln, auf länger bezogenen Ständen, bei der Wasserjagd oder Drückjagd, im Waffenschrank. Auf dem Schießstand soll der Riemen abgenommen werden. Praktisch sind mit Riemenbügeln versehene, für mehrere Waffen passende, auch gegen farbige, auf Gesellschaftsjagden zweckmäßige „Sicherheitsriemen" austauschbare Schnellwechselriemen.

647 Wie hat man sich auf der Jagd zu verhalten, wenn andere Personen sich in der Nähe befinden?

In diese Richtung darf weder die Waffe gerichtet, noch angeschlagen und geschossen werden. Erfahrene Jäger nehmen die Waffenmündung hoch, wenn sich andere Personen nähern.

648 Was versteht man unter dem „Durchziehen mit der Waffe" im Zusammenhang mit der Unfallverhütung?

Das Durchziehen mit angeschlagenem Gewehr durch die Treiber- oder Schützenkette stellt wegen der Möglichkeit der unzeitigen Schussauslösung oder einer riskanten Vorder- bzw. Hintergrundgefährdung eine große Bedrohung dar. Wer eine solche Handlung begeht, erweist sich als unfähig im Umgang mit der Waffe.

649 Welche Konsequenzen sollte eine unsichere Waffenhandhabung haben?

Das gefährliche Durchziehen und andere Gefährdungen, z.B. das Führen der geladenen Waffe außerhalb der Jagdausübung, sollte mit dem Ausschluss des Übeltäters von der Jagd geahndet werden. Lächerliche „Verurteilungen" durch das abendliche „Jagdgericht" sind in solchen Fällen unzureichend.

650 Was bedeutet der Satz „Achte des Weidmanns erstes Gebot: Was du nicht kennst, das schieß nicht tot!" im Zusammenhang mit der Unfallverhütung?

Ein Schuss darf erst dann abgegeben werden, wenn das Ziel genau angesprochen ist und durch den Schuss und seine Folgen niemand gefährdet werden kann. Dies gilt insbesondere beim Ansitz in der Dämmerung oder zur Nachtzeit.

651 Muss der Jäger in Erster Hilfe ausgebildet sein?

Ja. Die Bundesländer schreiben die Teilnahme an Erste-Hilfe Kursen entsprechender Lehrgangsträger für die Zulassung zur Jägerprüfung vor. Erste Hilfe ist aber auch später wichtig, weswegen der Jäger freiwillig an Wiederholungskursen teilnehmen sollte.

652 Was ist vorbeugend und vorbereitend zu tun?

Erste Hilfe beginnt lange vor dem Unfall. Bei Gesellschaftsjagden veranlasst der Jagdleiter das Mitführen von Erste-Hilfe-Material. Darüber hinaus sorgt jeder Jäger für sich selbst. In jeden Jagdrucksack gehören Verbandszeug, Druckverbände und Dreieckstücher. Man hinterlässt immer Nachricht, in welchem Revierteil man sich aufhält, um nötige Suchaktionen abzukürzen. Man hat stets genügend Munition und eine Taschenlampe dabei, um mit dem Jägernotruf oder dem alpinen Notsignal Hilfe herbeizuholen. Funkgerät oder Mobiltelefon können hier wertvolle Zeitvorteile bringen.

653 Wie wird der in Jägerkreisen eingeführte Jägernotruf abgegeben?

Er besteht aus dem Signal „ -..-", l a n g, kurz, kurz, l a n g und bedeutet „Helft, bin in Not!" Das Signal kann optisch (z.B. durch Winken oder mit dem Signalspiegel) oder akustisch abgesetzt werden, z.B. mit dem Jagdhorn, der Autohupe, einer Trillerpfeife, durch vier mehr oder weniger gedehnte Waldrufe („Hooop, Hopp/Hopp, Hooop") oder durch vier Schüsse.

654 Wie wird der Jägernotruf durch vier Schüsse als solcher erkannt?

Einem einzelnen Schuss folgt nach etwa drei Sekunden ein Doppelschuss und nach wiederum drei Sekunden der vierte Schuss.

655 Wie wird das alpine Notsignal abgegeben?

Durch sechsmal in der Minute, d.h. ungefähr alle zehn Sekunden abgegebene Schall- oder Lichtzeichen z.B. durch Schießen, Schreien, Trillerpfeife, Taschenlampe, Winken, Signalspiegel usw. Die Antwort auf das alpine Notsignal, z.B. durch den Rettungstrupp, besteht aus drei Zeichen in der Minute.

656 Wie kann man außerdem zu erkennen geben, dass Hilfe notwendig ist?

» Durch Abschießen von roten Leuchtpatronen (erhältlich für Kaliber 16 und 20 oder für spezielle Notsignalgeräte). Die Bestätigung des Notsignals wird mit einer grünen Leuchtpatrone gegeben.
» Durch deutliches Strecken beider Arme über den Kopf. Beim Auftauchen eines Luftfahrzeuges wird man sich dazu auf den Rücken legen, um besser gesehen zu werden. Da dieses Signal international bekannt ist und in abgelegenen Gebieten sehr ernst genommen wird, sollte man z.B. bei der Auslandsjagd einem Luftfahrzeug niemals mit beiden Armen winken, da dies eine (unnötige und kostspielige) Suchaktion auslösen könnte.

657 Welche Notsignal- und Notausrüstung kann dem Wildnisjäger empfohlen werden?

Trillerpfeife, Signalspiegel und (Dynamo-)Taschenlampe; Heftpflaster, Mullbinden, mehrere Verbandspäckchen und Dreieckstücher; Klebeband, Schnur, Streichhölzer, Kerze, Rettungsfolie, Schweizermesser mit Schere und Pinzette; Bleistift, Papier; Lichtschutz- und Wundlaufsalbe sowie persönliche Medikamente.

658 Wie birgt man den Verletzten aus einer Gefahrenzone?

Mit dem Rautek-Rettungsgriff. Dazu legt man ihm einen Arm an die Brust und ergreift diesen mit beiden, unter seinen Achseln durchgesteckten Händen. Bei Verdacht auf Wirbelverletzungen darf der Verletzte nur bei unmittelbarer Lebensgefahr bewegt werden.

659 Was tut man bei Blutungen?

Schwere Blutungen stillt man mit ggf. mehreren Druckverbänden oder mit der Hand. Abbinden gilt als überholt. Leichte Wunden sind mit Pflaster und Verband zu versorgen, Nachimpfungen gegen Tetanus usw. sind sicherzustellen.

660 Was tut man bei Schussverletzungen?

Sie sind wie andere Blutungen zu behandeln. Festsitzende Geschosse, Geschossteile oder andere Fremdkörper sind zu belassen. Wichtig ist die Schockbehandlung. Abgetrennte Gliedmaßen sind dem Transport beizugeben.

661 Wie werden Knochenbrüche erstversorgt?

Knochenbrüche sind manchmal schwer erkennbar. Können Gliedmaßen nicht bewegt werden, reiben die Knochen aneinander oder beobachtet man Fehlstellungen, so liegt wahrscheinlich ein Bruch vor, wohingegen ein Bluterguss eher auf eine Prellung schließen lässt. Das verletzte Glied ist ruhig zu stellen, wobei eine Schienung nicht erforderlich ist. Man rollt Kleidungsstücke oder Decken zu Walzen und fixiert sie in U-Form um das verletzte Glied.

662 Was ist bei Verletzungen der Wirbelsäule zu beachten?

Bei Stürzen z.B. von Hochsitzen treten oft schwere Verletzungen der Wirbelsäule auf. Insbesondere wenn diese mit Lähmungen verbunden sind, darf man den Verletzten zwar wärmen, aber keinesfalls bewegen, bis der Arzt eintrifft und den Abtransport mit der Vakuumliege anordnet.

663 Was ist bei einem Verletzten zu tun, der einen Unfallschock erleidet?

Man erkennt den Schock am schneller und schwächer werdenden Puls, an der Blässe, am Frieren des Verletzten, an seiner kalten Haut, am Schweiß auf der Stirn und an einer ungewohnten Nervosität. Einen Nicht-Bewusstlosen bringt man in Schocklage: Man öffnet beengende Kleidungsstücke, spricht ihm gut zu und lagert seine Beine hoch. Dazu wärmt man ihn, denn selbst bei Sommertemperaturen kann man im Schockzustand leicht lebensgefährlich unterkühlen. Kein Alkohol!

664 Wie behandelt man einen Bewusstlosen?

Da Erstickungsgefahr besteht, werden ihm zunächst die Mundhöhle und die Atemwege frei gemacht. Dann bringt man ihn in die stabile Seitenlage. Man kniet sich vor ihn und ergreift Knie- und Armgelenk der gegenüberliegenden Körperseite und zieht ihn zu sich herüber. Den Zieharm winkelt man ab und polstert die Hand unter den Kopf, der wegen Erstickungsgefahr deutlich in den Nacken geschoben werden muss. Das untere Bein winkelt man ab.

665 Was ist bei Atemstillstand zu tun?

Es ist sofort mit der Atemspende zu beginnen. Diese wird bei den Erste-Hilfe-Kursen intensiv gelehrt und muss vorher unbedingt am Gerät geübt worden sein.

Vorschriften bei Führen, Transport und Aufbewahrung von Waffen

666 Was schreibt der Gesetzgeber beim Transport und Führen von Waffen vor?

Nur auf der Jagd (und zur Hundeausbildung) darf die Waffe geladen geführt werden (VSG beachten). Im Zusammenhang mit der Jagd, also auf dem (unmittelbaren) Weg dorthin, muss die Waffe entladen, kann aber zugriffsbereit sein (z.B. auf dem Rücksitz des Autos). Wird die Waffe zum Schießstand oder Büchsenmacher gebracht, so muss sie ungeladen und darf nicht schnell zugriffsbereit sein, d.h. in einem Behältnis oder im Kofferraum verstaut. Ein Schloss am Waffenfutteral ist jedoch *nicht* vorgeschrieben.

667 Welcher Grundsatz gilt für die Aufbewahrung von Schusswaffen und Munition?

Waffen und Munition müssen so aufbewahrt werden, dass sie vor unbefugtem Zugriff (auch von Familienangehörigen) geschützt sind.

668 Welche Arten von Behältnissen für Waffen und Munition gibt es?

1. Nur für Munition:
   - » Stahlblechschrank mit Schwenkriegelschloss (oder gleichwertig, ohne amtliche Klassifizierung)
2. Nur für Langwaffen (bis 10):
   - » A-Schrank, d.h. Behältnis Sicherheitsstufe A ohne Innentresor
3. Für (unbegrenzt) Lang- und (je nach Masse/Verankerung 5 bis 10) Kurzwaffen:
   - » B-Schrank, d.h. Behältnis Sicherheitsstufe B ohne Innentresor (Munition darf nicht aufbewahrt werden)
4. Für Langwaffen, Kurzwaffen *und* Munition:
   - » A-Schrank (bis 10 Langwaffen) mit B-Innentresor (bis 5 Kurzwaffen und Munition) – gängiges Behältnis, daher auch „Jägertresor" genannt.
   - » B-Schrank (Langwaffen unbegrenzt) mit Innentresor. Je nach Masse/Verankerung dürfen bis 5 oder bis 10 Kurzwaffen und Munition aufbewahrt werden.
   - » „0er-Schrank", d.h. Behältnis mit Widerstandsgrad 0 (Langwaffen unbegrenzt, 5-10 Kurzwaffen je nach Masse/Verankerung, Munition)
   - » „1er-Schrank", d.h. Behältnis mit Widerstandsgrad 1 (Lang- und Kurzwaffen unbegrenzt, Munition)

669 Was sagen die Vorschriften des Waffenrechts zur sicheren Aufbewahrung von Schusswaffen und Munition hinsichtlich zugelassener Behältnisse (Waffenschränke)?

Sie wollen folgende Waffen und Munition aufbewahren...	...und können hierfür folgende, nach VDMA 24992 bzw. DIN/EN 1143-1 zugelassene Behältnisse verwenden:
bis zu 10 Langwaffen plus Munition	1. einen A-Schrank (ohne Innentresor) für die Langwaffen *plus* einen Stahlblechschrank mit Schwenkriegelschloss für die Munition 2. einen A-Schrank mit B-Innentresor 3. einen B-Schrank (ohne Innentresor) für die Langwaffen *plus* einen Stahlblechschrank mit Schwenkriegelschloss für die Munition 4. einen B-Schrank (mit B-Innentresor) für die Langwaffen und für die Munition 5. ein Sicherheitsbehältnis des Widerstandsgrads 0 oder 1
mehr als 10 Langwaffen plus Munition	1. zwei A-Schränke ohne Innentresor (für jeweils bis 10 Langwaffen) *plus* für die Munition ein Stahlblechschrank oder Stahlblechschränke mit Schwenkriegelschloss 2. zwei A-Schränke mit Stahlblech-Innentresor 3. ein B-Schrank ohne Innentresor *plus* für die Munition ein Stahlblechschrank mit Schwenkriegelschloss 4. ein B-Schrank mit B-Innentresor 5. ein Sicherheitsbehältnis des Widerstandsgrads 0 oder 1
bis 10 Langwaffen plus bis zu 5 Kurzwaffen plus Munition	1. ein A-Schrank mit B-Innentresor 2. ein B-Schrank (<200 kg*) plus für die Munition ein Stahlblechschrank mit Schwenkriegelschloss 3. ein B-Schrank (<200 kg*) mit B-Innentresor 4. ein Sicherheitsbehältnis des Widerstandsgrads 0 oder 1
unbegrenzt Langwaffen plus bis 10 Kurzwaffen plus Munition	1. ein B-Schrank ohne Innentresor *plus* für die Munition ein Stahlblechschrank mit Schwenkriegelschloss 2. ein B-Schrank mit B-Innentresor 3. ein Sicherheitsbehältnis des Widerstandsgrads 0 oder 1
	(*Masse des Schranks geringer als 200 kg bzw. ohne entsprechende Wand-/Boden-Verankerung gegen Abriss. Bei >200 kg Schrankgewicht bzw. Wand-/Bodenverankerung können mehr als 10 Kurzwaffen aufbewahrt werden)

670 Was sagen die Vorschriften des Waffenrechts zur sicheren Aufbewahrung der Schlüssel für Waffenschränke?

Schlüssel bzw. Codes für Zahlenschlösser müssen so aufbewahrt werden, dass Unbefugte (auch Familienangehörige) keinen Zugriff haben.

Weiterführende Literatur

BERTON, J.: Das große Buch der Jagdwaffen, 2. Auflage 2000, Nebel Verlag, Utting a. Ammersee
BOTHE, C.: Das Messerbuch, 2. Auflage 2008, Kosmos, Stuttgart
KLUPS, N.: Jagdwaffenkunde, 1. Auflage 2008, Kosmos, Stuttgart
KLUPS, N.: Wiederladen für Jäger, 1. Auflage 2009, Neumann-Neudamm, Melsungen
WEIDINGER, H.: Jagdwaffen zwischen Tradition und Fortschritt, 1. Auflage 2008, Neumann-Neudamm, Melsungen
WEIDINGER, H.: Der waidgerechte Büchsenschuss, BLV Buchverlag (März 2011)

Abbildungsnachweis

Carl Zeiss: 1.44

Dynamit Nobel: 1.28

iStock.com/Cattallina: Deckblatt

Jafona, Wiebelsheim: 1.1, 1.2, 1.5, 1.8, 1.10, 1.42, 1.52

Kodiak Markenkommunikation GmbH, Isny: 1.6, 1.7

Krieghoff AG: 1.4, 1.9, 1.18, 1.19

Mauser Jagdwaffen GmbH: 1.11–17

Prepressolutions GmbH: 1.43, 1.45, 1.57

Reb, Werner: 1.3, 1.20–27, 1.29–39, 1.41, 1.46–1.51, 1.53–56

Silloptics GmbH & Co. KG: 1.40

Wildtierkunde

2 Einleitung

Um Wildtiere nachhaltig bejagen und langfristig erhalten zu können und um ihre Lebensäußerungen, ihr Verhalten in Raum und Zeit sowie ihre Reaktionen zu verstehen, reicht es nicht aus, über eine gute Artenkenntnis zu verfügen und die Brut- und Setzzeiten zahlreicher Wildtiere herunterbeten zu können.
So ist es für den Jäger wichtig zu wissen, welchen zoologischen Gruppen unser heimisches Wild zugeordnet wird und durch welche charakteristischen Merkmale diese Gruppen gekennzeichnet sind. Dies ist jedoch kein Selbstzweck, sondern trägt zum Verständnis der gesamten Biologie und Ökologie der Arten bei.
Auch die Populationsbiologie, die sich unter anderem mit der Genetik und der zahlenmäßigen Dynamik einer Wildtierpopulation befasst, ist für deren Hege und Bejagung essenziell.
Ein weiterer wesentlicher Aspekt, auf den besonders in der Jägerprüfung großer Wert gelegt wird, ist die Altersschätzung bzw. Altersbestimmung des Schalenwildes. Damit kein Fehlabschuss getätigt wird, hat insbesondere die Altersschätzung am lebenden Stück in der späteren Jagdpraxis eine große Bedeutung. Die Körperentwicklung des Tieres bzw. die Proportionen der einzelnen Körperregionen zueinander spielen hier, ebenso wie das Verhalten,eine entscheidende Rolle. Die Merkmale gilt es bei der Jagdausübung sicher und schnell einzuschätzen. Die Altersbestimmung bzw. -schätzung am erlegten Stück basiert vorwiegend auf dem Zahnwechsel und der Zahnabnutzung. Dazu muss der Jäger Grundkenntnisse des Zahnaufbaus, des Zahnwechsels und der Zahnformeln besitzen.
Im weiteren Verlauf des Kapitels werden die in Deutschland „jagdbaren", d.h. dem Jagdrecht unterliegenden, Tierarten hinsichtlich ihrer Verbreitung, ihres Aussehens, ihrer Lebensraumansprüche, ihrer Fortpflanzung und ihrer Ernährungsweise eingehend vorgestellt. Besondere Relevanz für die spätere Jagdpraxis haben die Abschnitte über Hege und Bejagung der vorgestellten Arten sowie die Schäden und Probleme, die diese im Wald und in der Landwirtschaft verursachen. Dass das Thema der Schäden, die durch Wild verursacht werden können, gesellschaftspolitisch bedeutende Ausmaße annehmen kann, zeigte sich in den letzten Jahren insbesondere beim Schwarzwild.
Ebenso wichtig sind Kenntnisse über Gefährdungsursachen dem Jagdrecht unterliegender Arten, die zwar nicht mehr bejagt werden, doch der besonderen Verantwortung des Jägers unterstehen. Dem Jagdscheinanwärter sollte schon während seiner Ausbildung bewusst sein, dass ihm als aktiver Jäger später eine besondere Verantwortung für unsere Wildtiere und deren Lebensräume zukommt.

2.1 Allgemeines

1 Zu welchen zoologischen Gruppen (Klassen bzw. Ordnungen) gehören unsere Wildarten?

Haarwild: Klasse: Säugetiere, Ordnungen: Paarhufer, Hasenartige, Nagetiere und Raubtiere. **Federwild: Klasse: Vögel, Ordnungen:** Hühnervögel, Wat- und Möwenvögel, Tauben, Greifvögel, Lappentaucher, Kranichartige und Entenvögel.

2 Die heimischen Schalenwildarten sind ausnahmslos Paarhufer. Wie untergliedert sich diese Ordnung weiter?

Paarhufer werden grundsätzlich in Nichtwiederkäuer und Wiederkäuer unterteilt. Zu den Nichtwiederkäuern zählt in Europa nur das Schwarzwild (Wildschwein). Die Wiederkäuer werden u.a. in die Familien der Hirsche (Cervidae) und in jene der Hornträger (Bovidae) gegliedert. Zu den Cerviden zählen Elch-, Rot-, Dam-, Sika- und Rehwild. Zu den Boviden gehören Gams-, Stein- und Muffelwild sowie der Wisent.

3 Welche wesentlichen Unterschiede zeigt das Skelett bzw. der Knochenbau von Haar- und Federwild?

Haarwild hat stets sieben Halswirbel. Beim Federwild schwankt die Zahl zwischen etwa 10 und 26 (Höckerschwan). Sämtliche Haarwildarten laufen bzw. stehen normalerweise auf vier Beinen (Läufen). Beim Federwild zeigen das Arm- und Handskelett (Flügelknochen), sowie vor allem die Brustwirbel, das Brustbein und Rippen die notwendigen Anpassungen an die Flugfähigkeit. Das Vogelskelett ist durch Lufteinschlüsse sowie die Reduktion einiger Elemente auf geringes Gewicht optimiert. Deutliche Unterschiede bestehen ebenfalls in der Ausformung und dem Bau des Schädels sowie des Kieferapparates (Vogelschnabel).

4 Welche Aufgaben hat das Skelett?

Knochen bzw. Knochengewebe findet man nur bei Wirbeltieren. Grundsätzlich sind Skelette Stützorgane. Sie bilden sozusagen den Rohbau, das Grundgerüst des Körpers. Sie bestimmen seine Form und schützen überlebenswichtige Organe. Gemeinsam mit jenen Muskeln, die an den Knochen ansetzen, und deren Aktivitäten durch das Nervensystem aufeinander abgestimmt werden, bilden Teile des Skeletts den Bewegungsapparat. Weiterhin ist das Knochenmark wesentlich an der Blutbildung beteiligt.

5 Aus welchem Stoff werden Haare, Federn und Hörner hauptsächlich gebildet, aus welchem Geweihe?

Haare, Federn und Hörner bestehen wie Fingernägel, Hufe oder Krallen überwiegend aus Keratin, einem Stütz- oder Gerüstprotein. Geweihe bestehen aus Knochensubstanz, überwiegend also aus phosphorsaurem Kalk.

6 Hörner und Geweihe unterscheiden sich auch hinsichtlich ihres Wachstums sowie ihrer Ausformung wesentlich – wie?

Die Hörner der heimischen Boviden sind stets unverzweigt. Die Hornscheide selbst ist mehr oder minder hohl und sitzt auf einem Knochenzapfen, mit dem sie

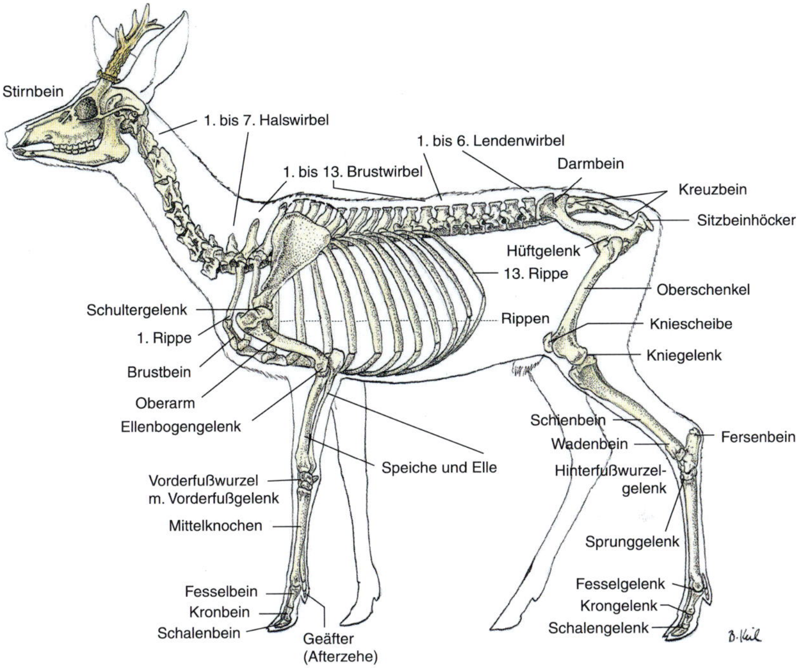

2.1: Knochengerüst eines Rehbocks

über Bindegewebe fest verbunden sind. Hörner wachsen lebenslang, mit deutlicher Reduktion im Winterhalbjahr und stets von der Basis. Im Alter geht das Hornwachstum deutlich zurück. Hörner werden nicht abgeworfen. Geweihe sind Knochenstrukturen und außer im Jährlingsalter in der Regel verzweigt oder mehrendig. Sie sitzen den Rosenstöcken auf, von deren oberster Schicht das Geweihwachstum ausgeht. Geweihe „wachsen“ stets an der Spitze bzw. an ihren Verzweigungen. Geweihe werden im Normalfall einmal jährlich gewechselt bzw. abgeworfen und neu geschoben. Ältere Hirsche, gleich welcher Art, setzen ab einem bestimmten Alter zurück. Nach einem einem artspezifisch, aber auch individuell unterschiedlichen Kulminationspunkt in der Geweihbildung nimmt die Geweihlänge und -masse relativ kontinuierlich wieder ab.

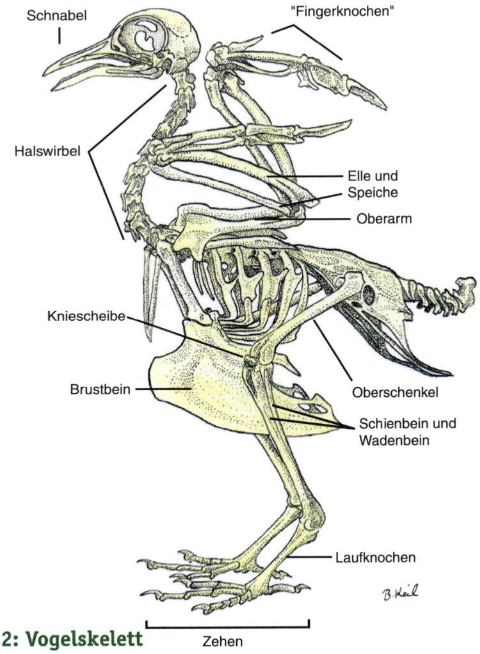

2.2: Vogelskelett

7 Wie wird der Geweihzyklus der Hirsche gesteuert?

Über Hormone. Der Geweihzyklus wird neben einer Vielzahl anderer Hormone vornehmlich durch das Wachstumshormon Somatotropin und das Sexualhormon Testosteron gesteuert. Somatotropin wird in der Hirnanhangdrüse gebildet, Testosteron in den Hoden. Hormone initiieren quasi als „Botenstoffe" unterschiedlichste Lebensvorgänge, fördern oder stoppen sie. Sie werden durch innere Sekretion (Drüsen) in die Blutbahn abgegeben. Hormone steuern die Funktion von Zellen bzw. Organen. Weitere über Hormone gesteuerte Bereiche sind z.B. die Fortpflanzung, der Stoffwechsel und Alterungsprozesse.

8 Benennen Sie die wichtigsten inneren Organe der Brusthöhle (der „Kammer") beim Haarwild und ihre Hauptfunktionen:

» *Herz*: Im übertragenen Sinne der Motor des Körpers. Ein Hohlmuskel, der durch seine Pumptätigkeit über das Blut und die verschiedenen Kreisläufe allen anderen Organen Sauerstoff, Nährstoffe, Minerale usw. zuführt sowie „Reststoffe" abführt.

» *Lunge*: Zentrales, paariges Atmungsorgan. Der wichtigste Atmungsmuskel der Säugetiere ist das Zwerchfell, das Bauch- und Brusthöhle voneinander trennt. In den Lungenbläschen findet ein Stoffaustausch statt: Der über die Luftröhre eingeatmete Sauerstoff wird an die roten Blutkörperchen gebunden und in den Kreislauf gebracht. Auf umgekehrtem Wege werden (stark vereinfacht ausgedrückt) Kohlensäure und Stickstoff abgegeben.

9 Welche wichtigen, größeren Organe liegen in der Bauchhöhle. Welche Funktion haben sie?

» *Leber*: Entgiftungsorgan, Bereitstellung der Gallenflüssigkeit für die Verdauung. Wichtige Funktionen im Eiweiß- und Kohlenhydratstoffwechsel. Blutbildung und -gerinnung. Speicher für z. B. Zucker, Fette, Eiweißbausteine (Aminosäuren), Vitamine, Eisen.

» *Niere*: Paariges Ausscheidungsorgan. Ausscheidung von Harnstoff und Harnsäure sowie giftiger Substanzen. Wichtige Funktion für die Regulation des Wasser- und Salzhaushaltes im Körper.

» *Milz*: Blut- und Eisenspeicher, Zerstörung überalterter roter Blutkörperchen, Antikörperbildung.

» *Magen und Darm*: Der Magen ist ein einkammeriger drüsiger Hohlmuskel (Ausnahme Wiederkäuer). Mit dem Darmsystem (Zwölffingerdarm, Dünndarm, Dickdarm) ist er für die Nahrungsverdauung zuständig. Aufschlüsseln der Nahrung, Entzug von Nährstoffen, Abgabe in den Kreislauf. Abführung von Reststoffen.

10 Schildern Sie den Aufbau und die Funktion des Wiederkäuermagens:

Der Wiederkäuermagen gliedert sich in drei Vormägen und den Labmagen, in dem die eigentliche Verdauung stattfindet. Die Vormägen bezeichnet man als Pansen (Rumen), Haube (Netzmagen) und Psalter (Blättermagen). Im Pansen erfolgt das Einweichen und Durchmischen (durch Kontraktion) der Äsung sowie ein Aufschluss der Zellulose durch Kleinlebewesen (u.a. Infusorien) und eine Vergärung durch Bakterien. Einfache Nährstoffe werden über die Pansenzotten bereits dem Kreislauf zugeführt. Aus dem Pansen wird die Äsung wieder hochgewürgt und wiedergekäut. Im Netzmagen wird die Äsung weiter durchmischt und separiert. Gröbere Bestandteile gehen in den Pansen zurück, feinere werden in den Blättermagen überführt. Dort wird der Äsungsbrei weiter aufgeschlüsselt und die Flüssigkeit entzogen (Wasserrückführung). Im Labmagen findet die eigentliche Verdauung statt. Er ist als einziger Abschnitt des Wiederkäuermagens mit einer deutlich drüsenhaltigen Schleimhaut versehen.

11 Beim Federwild bzw. Vögeln endet u.a. der Verdauungstrakt in der Kloake. Was ist darunter zu verstehen?

Die Kloake ist ein gemeinsamer Körperausgang für den End- bzw. Mastdarm sowie den Harnleiter und den Geschlechtsapparat. Bei Vögeln kommt es folglich nicht zur Ausbildung von Scheide und Penis im eigentlichen Sinne. Die Kopulationsorgane des männlichen Federwildes sind – wenn überhaupt – nur rudimentär entwickelt. Eine Ausnahme bilden z.B. die Entenvögel mit einem ausstülpbaren und spiralig gedrehten Penis. Die Hoden der Vögel befinden sich in der Bauchhöhle und sind äußerlich nicht sichtbar. Bei weiblichen Vögeln ist in der Regel nur ein traubenförmiger Eierstock ausgebildet, der vor den Nieren liegt.

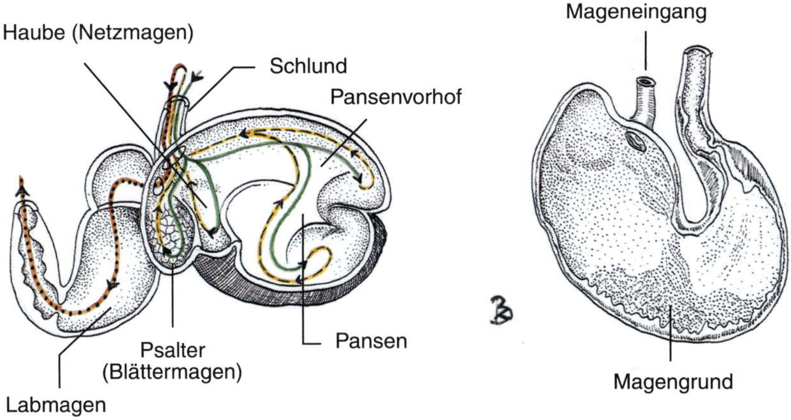

2.3: Wiederkäuermagen und einhöhliger, sackartiger Magen

12 Welche Aufgabe haben die Zähne? Wie sind Zähne aufgebaut?

Zähne dienen der Nahrungszerkleinerung (Verdauung) sowie dem Beutefang, der Verteidigung bzw. dem Kampf und der Körperpflege. Grundsätzlich werden Schneidezähne (Incisivi), Eckzähne (Canini), vordere Backenzähne (Prämolaren) und hintere Backenzähne (Molaren) unterschieden. Bis auf die Molaren erscheinen die Zähne zunächst als Milchzähne und erst nach dem Zahnwechsel als Dauerzähne.

Der Verlauf des Zahnwechsels gibt wichtige Anhaltspunkte für die Altersschätzung, speziell beim Schalenwild. Die Zähne sitzen mit der Wurzel in den Zahntaschen des Kieferknochens. Die Wurzel ist über den Zahnhals mit der Zahnkrone verbunden, die in die Mundhöhle hineinragt. Den weiteren schematischen Zahnaufbau zeigt Abbildung 2.4. Die Nagezähne (I1) der Nagetiere und Hasenartigen z.B. wachsen ebenso wie das Gewaff des Schwarzwildes auch nach dem Zahnwechsel je nach Abnutzung weiter (Längenwachstum). Sie sind durch eine offene Zahnwurzel gekennzeichnet.

13 Wie haben sich die Gebisse unterschiedlicher Säugetiertaxa in der Evolution entwickelt?

Ein ursprüngliches Säugetiergebiss weist 44 Zähne auf. In Mitteleuropa trifft dies nur noch auf das Schwarzwild und den Maulwurf zu. In Anpassung an die Nahrungsaufnahme und den Beutefang zeigen die Gebisse der übrigen Wildtiere mehr oder minder weitgehende Spezialisierungen, die in einer Reduktion der Gesamt-Zahnzahl sowie diversen Umbildungen und Funktionsänderungen sichtbar werden. So sind die Eckzähne (Canini) im Oberkiefer der Wiederkäuer völlig verschwunden oder nur noch als „Grandeln" vorhanden (bei Rotwild und Sikawild; beim Reh- und Damwild selten). Als ein Hinweis auf Eckzähne, die in der Evolution verlorengegangen sind, findet sich bis heute beim Rotwild eine etwas dunklere Deckenfärbung eines Teilbereiches des Unterkiefers. Die Canini im Unterkiefer sind an die Schneidezahnleiste gerückt und übernehmen dort die entsprechende Funktion (sog. incisivoide Eckzähne). Weiterhin fehlt den Wiederkäuern der erste Prämolare (P1) im Ober- und Unterkiefer.

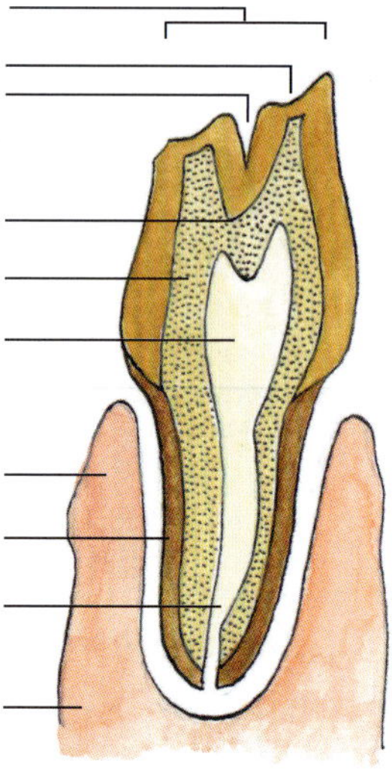

2.4: Aufbau eines Zahns

Im Raubtiergebiss sind die Eckzähne zu Fang-, die Backenzähne meist zu Reißzähnen ausgebildet.

Es ist offensichtlich und leicht verständlich, dass auch die Zahnformen, speziell ihre Oberfläche, z.B. beim pflanzenfressenden, wiederkäuenden Schalenwild und beim überwiegend fleischfressenden Raubwild völlig verschieden sind.

14 Welche Aufgaben erfüllt das Gehirn?

Das Gehirn ist im übertragenen Sinne die Schaltstelle des zentralen Nervensystems, zu dem auch das Rückenmark gehört. Gemeinsam mit den Nervenbahnen und -leitungen des peripheren Nervensystems dient es der Reizwahrnehmung sämtlicher Sinnesorgane, der Reizverarbeitung, der Bewegungs-Koordinierung und dem Gleichgewicht, der Schmerzempfindung u.a. Es ermöglicht darüber hinaus Lernprozesse, Gedächtnis- und Bewusstseinsleistungen. Das vegetative oder autonome Nervensystem hingegen regelt die Vorgänge im Wildkörper, die nicht dem „Willen" des Tieres unterworfen sind. Es steuert vor allem die Tätigkeiten und Funktionen des Stoffwechsels, also des Magen-Darm-Kanals (Verdauung), des Herzens, der Lunge, der Drüsensekretion usw. Vereinfacht dargestellt, kontrolliert und koordiniert es die Lebensäußerungen, die auch im Schlaf „weiterlaufen".

15 Wie unterscheidet sich die Kot- (Losung, Gestüber) und Urinabgabe des Haarwildes von jener des Federwildes?

Die Losung des Haarwildes wird über das Weidloch (After) abgesetzt. Urin wird beim weiblichen Wild über den Harnleiter und die Scheide, beim männlichen Wild über den

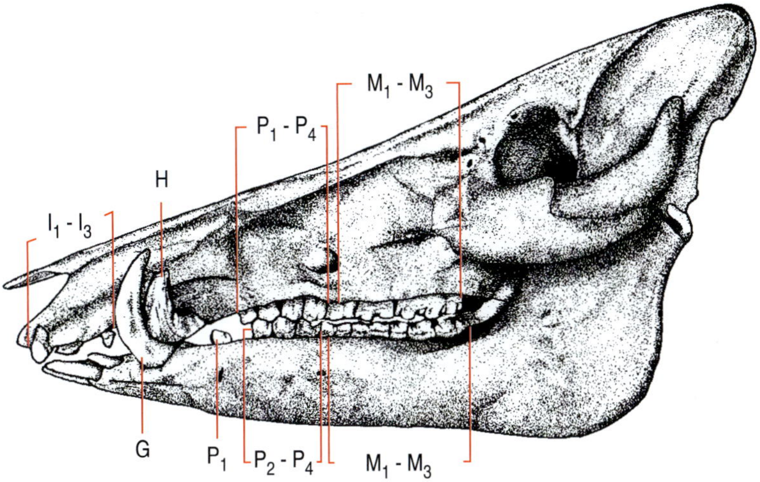

2.5: Schädel eines Keilers mit vollständigem Gebiss

Penis abgegeben. Beim Federwild münden Harnleiter und Mastdarm in einen gemeinsamen Körperausgang, die Kloake (s. Abb. 2.93). Der Harn des Federwildes ist darüber hinaus breiartig mit einem hohen Gehalt an Harnsäurekristallen und häufig als weißer Film auf dem Gestüber zu sehen. Eine Harnblase im eigentlichen Sinne ist bei Vögeln nicht ausgebildet (Vögel nässen nicht!).

16 Welche grundsätzlichen Fortpflanzungs- und Brutpflegestrategien heimischer Wildarten sind Ihnen bekannt?

Die Fortpflanzungs- und Brutpflegestrategien sämtlicher Wildtiere sind sehr unterschiedlich. Normalerweise geht mit einer geringen jährlichen Nachkommenzahl – z.B. beim Schalenwild – eine intensive und lange Brutpflege oder Brutfürsorge einher. Die Jungtiere werden entsprechend spät selbständig, stehen aber dafür lange unter dem Schutz und der Fürsorge bzw. Führung der Mutter oder beider Elterntiere. Eine hohe jährliche Nachkommenzahl bedingt fast zwangsläufig eine deutlich kürzere Brutpflege und Fürsorge. Das dadurch gegebene hohe Verlustrisiko oder eine entsprechende tatsächliche Verlustrate kann durch die höhere Zahl der Jungtiere kompensiert werden. Hohe Nachwuchszahlen werden entweder durch einen kopfstarken Wurf oder eine große Brut (z.B. Marderhund und Rebhuhn) oder durch mehrmalige jährliche Fortpflanzung mit weniger Jungtieren pro Wurf oder Brut realisiert (z.B. Feldhase und Ringeltaube).
In der Ökologie sprechen wir auch von sog. r- und K-Strategen. Dabei muss man allerdings wissen, dass diese Begriffe immer relativ sind. So ist beispielsweise das Schwarzwild im Vergleich zum Rotwild ein r-, im Vergleich zum Wildkaninchen eher ein K-Stratege.

17 Wie erfolgt die Ernährung des Embryos und des Jungtieres beim Haar- und Federwild?

Der Embryo des Haarwildes entwickelt sich im Körper des weiblichen Tieres und wird von diesem über die Placenta und Nabelschnur ernährt. Nach der Geburt wird das Jungtier mit Muttermilch gesäugt. Bis zur völligen Entwöhnung füttern die Elterntiere später zu (z.B. Raubwild) oder die Jungtiere nehmen selbständig Nahrung auf (z.B. Schalenwild). Der Embryo des Federwildes entwickelt sich im (Vogel-)Ei außerhalb des Mutterkörpers und wird bis zum Schlupf vom Dotter des Eies ernährt. Nach dem Schlupf werden die Jungvögel von den Elterntieren gefüttert (Nesthocker) oder nehmen selbständig Nahrung auf (Nestflüchter).

18 Was ist unter Populationsdynamik zu verstehen?

Unter einer Wildtierpopulation verstehen wir eine Fortpflanzungsgemeinschaft, d.h. alle Tiere, die zumindest indirekt in gemeinsamem Paarungskontakt stehen. So bildet beispielsweise das Schwarzwild zumindest Mitteleuropas eine einzige Population. Bestände sind demgegenüber kleinere, abgrenzbare Einheiten. Wildtierpopulationen und Wildbestände bzw. -besätze sind nicht statisch. Sie verändern sich fortlaufend in ihrer Größe und Struktur (Geschlechterverhältnis, Altersstruktur). Unter günstigen Umweltbedingungen kann ein Wildbestand durch eine entsprechend hohe Reproduktionsrate artspezifisch mehr oder minder rasch anwachsen. Ebenso kann er unter extrem schlechten Bedingungen deutlich reduziert werden oder zusammenbrechen, im Extremfall erlöschen. Diese Änderungen beschreibt die Populationsdynamik. Letztlich können wir sämtliche Zu- und Abgänge einer Population zusammenfassen und sehen, ob die Population wächst, stagniert oder ihr Umfang geringer wird. Zugänge erfolgen durch Geburt und Zuwanderung, Abgänge durch Tod und Abwanderung.

19 Wie werden Wildtierpopulationen natürlicherweise reguliert?

Allgemein bekannte Regulative sind das Wetter, Krankheiten, Lebensraumveränderungen, das Angebot bzw. die Verfügbarkeit der Nahrung, Beutegreifer sowie der Zustand der Population selbst. Kommt es zu Überpopulationen, kann es z.B. durch die Übernutzung des eigenen Lebensraumes oder Seuchen, bei einigen Arten auch durch Reduktion der Geburtenrate, zu Einbrüchen kommen. Durch tiefgreifende Veränderungen der Landschaften durch den Menschen erfolgten einerseits Verschiebungen im Artenspektrum, andererseits wurden verschiedene natürliche Regulative ausgeschaltet, auch durch die Jagd. Durch eine stark unterschiedliche Anpassungsfähigkeit der Arten sowie artspezifische Lebensraumansprüche führte die zunehmende Kultivierung der Landschaft zu einer Differenzierung in „Verlierer" (z.B. Rebhuhn und Birkwild) und „Gewinner" (z.B. Rotfuchs und Schwarzwild) innerhalb des gegenwärtig noch vorhandenen Artenspektrums. Ebenso wurden Wildarten in Lebensräume zurückgedrängt, die sie ursprünglich nicht oder nur vorübergehend nutzten. So ist es beispielsweise leicht vorstellbar, dass das weit ausgelegte Geweih des Rothirsches nicht in dichten Wäldern entstanden ist. Es ist die Aufgabe der Jagd sowie der Land- und Forstwirtschaft, in diesem komplexen Faktorengefüge einen Ausgleich zu schaffen.

20 Welche Strategien der Tiere kennen Sie, um den Winter zu überstehen?

Tiere können einerseits durch Zug bzw. Wanderungen geeignetere Winterhabitate aufsuchen. Das bekannteste Beispiel sind die Zugvögel. Aber auch das Rotwild ist in seinen natürlichen Lebensräumen eine Art, die regelmässig aus den Sommerlebensräumen in Winterlebensräume abwandert. Bei uns waren das früher typischerweise die lichten Auwälder entlang der grösseren Flüsse, die heute fast ausnahmslos durch Landwirtschaft und Siedlungen zerstört sind.

Eine weitere Möglichkeit, sich an den Winter anzupassen ist der Haarwechsel, um durch das dichtere und gelegentlich sogar weiße Haarkleid eine bessere Wärmeisolation zu erreichen.

Regelmäßig werden im Sommer und Herbst auch Fettreserven angelegt, die dann über den Winter aufgebraucht werden.

Um diese Fettreserven nicht zu schnell zu verbrauchen, kommt es häufig zu einer deutlichen Stoffwechselreduktion, etwa einem Winterschlaf oder einer Winterruhe, besonders ausgeprägt beim Murmeltier, aber auch Braunbär und Dachs verschlafen große Teile des Winters, wobei die grundlegenden Körperfunktionen (Puls, Verdauung etc.) mehr oder minder deutlich reduziert werden. Letzteres trifft auch für einheimische Wiederkäuerarten zu, die ebenfalls den Winter mittels reduzierten Stoffwechsels überstehen. Besonders gut ist dies bei Reh- und Rotwild untersucht. Dazu ist aber ein hohes Maß an Ruhe erforderlich, die in unserer Zivilisationslandschaft meist nicht mehr vorhanden ist.

21 Welche Rolle spielt die Winterfütterung durch den Jäger?

Die Winterfütterung ist dann erforderlich, wenn natürliche Überwinterungsmechanismen nicht mehr wirksam sind, weil die Lebensräume durch den Menschen zu sehr beeinflusst werden.

So hat das Rotwild heute weder die Möglichkeit, traditionelle Winterlebensräume aufzusuchen, noch hat es in den Sommerlebensräumen (insbesondere in den Mittelgebirgen und im Hochgebirge) die erforderliche Ruhe, um den Winter artgerecht zu überstehen. Jagd, Land- und Forstwirtschaft und nicht zuletzt die intensive Freizeitnutzung der Landschaft sind wichtige Störfaktoren für die Tiere. Dies gilt auch für das Rehwild, welches zwar von Natur aus kaum wandert, aber ebenfalls auf Ruhe angewiesen ist, um den Winter artgerecht zu überdauern. Eine artgerechte und der ökologischen Situation flexibel angepasste Notzeitfütterung ist daher ein wichtiges Instrument des Wildtiermanagement.

In der ausgeräumten, industrialisierten Agrarlandschaft ist Winterfütterung aber auch bei anderen Arten, z.B. beim Rebhuhn, sinnvoll.

22 Kann der Jäger die Funktion ausgerotteter Großraubtiere oder anderen Raubwildes übernehmen?

Ja und nein. Ja, wenn es um die rein zahlenmäßige Entnahme von Tieren aus einem Wildbestand geht. Nein, wenn es um die Jagdmethoden und die Auswirkungen auf den bejagten Wildbestand geht, wobei hier rechtliche und ethisch-moralische Gründe im Vordergrund stehen. Welcher Jäger erbeutet frisch gesetzte Rehkitze oder verwendet die Gelege von Rebhuhn und Fasan als Frühstückseier? Oder welcher Jäger erlegt – an Wolf und Luchs orientiert – eine hochbeschlagene Ricke? Umgekehrt hält sich Raubwild nicht an Jagdgrenzen, Jagd- und Schonzeiten oder Naturschutzgesetze. Raubwild kennt auch keine „Roten Listen“. Und es unterscheidet auch nicht, ob ein Beutetier vielleicht zur Aufzucht und/oder Führung von Jungtieren benötigt wird oder nicht. Die Auswirkungen auf die Beutetierpopulationen durch Jagd und Raubwild bzw. andere Beutegreifer müssen(!) also verschieden sein. Die menschliche Jagd, zumindest im mitteleuropäischen Kulturkreis, verfolgt heute weitgehend andere Ziele als der reine Nahrungserwerb der Beutegreifer.

23 Womit beschäftigt sich die Genetik?

Genetik bedeutet Vererbungslehre. Sämtliche Merkmale eines Organismus sind über die Erbanlagen (Gene) oder über die Umwelt oder über Erbanlagen und Umwelt festgelegt. Die Gene liegen in Form langer DNS (Desoxyribonukleinsäure)-Moleküle vor, welche wiederum die Chromosomen bilden. Jede Art ist u.a. durch einen artspezifischen Chromosomensatz gekennzeichnet. Ein Tier (wie auch der Mensch) bekommt 50 % seiner Erbanlagen über die mütterliche Eizelle und 50 % über die väterliche Samenzelle mit auf den Weg. Durch genetische Methoden können verschiedene Fragen zu Populationsbiologie und -ökologie geklärt werden. Allerdings können genetische Untersuchungen (zumindest ohne weitere Kreuzungsversuche) keine eindeutigen Aussagen zur Artzugehörigkeit treffen. Ob zwei Individuen zu ein und derselben biologischen Art gehören, lässt sich nur daran erkennen, ob sie sich untereinander kreuzen können und ihre Nachkommen fertil (fruchtbar) sind.

24 Was versteht man unter dominanten, was unter rezessiven Erbgängen?

Der „sichtbare" Organismus repräsentiert nur den sogenannten Phänotyp, d.h. die äußerlichen Merkmalsausprägungen, die sich bei der Kombination der elterlichen Erbanlagen vererbt haben und in Erscheinung treten. Darüber hinaus können weitere Erbanlagen auf den Chromosomen vorhanden sein, die aber nicht oder nur relativ selten zur Ausprägung kommen. So wird z.B. die Farbe „schwarz" beim Rehwild, die in Nordwestdeutschland häufig vorkommt, verdeckt oder rezessiv vererbt. Ein normal gefärbtes Reh kann also auch die Erbanlage für „schwarz" in sich tragen. Doch ist diese aufgrund des dominanten Erbganges der Normalfärbung nicht zur Ausprägung gekommen. Nur wenn das weibliche Reh (Ricke oder Schmalreh) und der Rehbock die Erbanlage „schwarz" weitergeben, und bei der zufälligen Kombination der elterlichen Erbanlagen „schwarz" und „schwarz" zusammenkommen, wird auch ein Kitz schwarz sein. So kommt es, dass eine Ricke ein schwarzes und ein normal gefärbtes Kitz setzen kann oder die Farbe Schwarz im Bestand längere Zeit nicht auftaucht.

25 Welche Rolle spielen Farben im Tierreich?

Wirbeltiere, Gliederfüßer (z.B. Insekten) und Weichtiere können Farben sehen. Allerdings nicht durchgehend und innerhalb der Gruppen in unterschiedlichem Ausmaß. Kaninchen z.B. gelten als farbenblind. Farben dienen der artinternen Erkennung, der Tarnung, der Abschreckung möglicher Feinde als auch der Werbung im Rahmen der Fortpflanzung. Farben spielen bei verschiedenen Vogelarten offenbar eine bedeutende Rolle, weniger bei den Säugetieren. Besonders auffällig ist die Mauser zahlreicher Entenarten (Erpel!) vom Pracht- ins Schlichtkleid und umgekehrt. Grundsätzlich wird zwischen echten Farben und sogenannten Strukturfarben unterschieden. Strukturfarben werden je nach Lichteinfall unterschiedlich sichtbar. So können z.B. die Armdecken und Stoßfedern der Elster grünlich oder bläulich schimmern oder ganz einfach schwarz erscheinen (Strukturfarben), während sämtliche Federn z.B. des Rebhuhns immer gleich erscheinen (echte Farben). Die Art mit einer großen Farbvariation unter den heimischen Wildarten ist das Damwild.

26 Welche Rolle spielen Gerüche im Tierreich?

Die meisten Säugetiere sind sog. Macrosmaten, d.h. sie leben in einer Riechwelt, die Vielgestaltigkeit ihrer Umwelt nehmen diese nicht wie wir Menschen vor allem über das

Auge, sondern über den Geruchssinn wahr. So ist ein Säugetier, welches erblindet, meist noch besser überlebensfähig als eines, welches den Geruchssinn verliert.

27 Weidmännische Ausdrücke beim Wild (Haarwild und Federwild)

After:	Weidloch
Aufziehen der Jungen:	aufbringen, führen (z.B. die Ricke bzw. Rehgeiß führt)
Blut, das aus dem Wildkörper austritt:	Schweiß
bluten:	schweißen oder färben
dahinsiechen:	kümmern
Darm:	kleines Gescheide (auch „Geschlinge")
erblicken:	eräugen
erblicken, riechen oder hören:	wahrnehmen
fett werden:	Feist ansetzen (das Wild ist dann gut im Wildbret, andernfalls kümmert es)
Fußabdrücke:	Tritt oder Trittsiegel. Die Aneinanderreihung der Tritte ergibt beim Schalenwild und Trappen sowie regional auch beim Auerwild die Fährte, beim übrigen Haarwild die Spur, beim Federwild das Geläuf.
Haarwechsel:	verfärben, verhären, bei Schwarzwild versetzen
Haut abziehen:	aus der Decke schlagen, bei Schwarzwild und Dachs abschwarten, bei Hase, Kaninchen und Beutegreifern streifen, abbalgen
hören:	vernehmen
Krankheit:	krank sein, abgekommen sein
Luftröhre mit Kehlkopf:	Drossel mit Drosselknopf
mager:	gering, abgekommen
Mastdarm:	Weiddarm
riechen:	winden, wittern, Wind bekommen, wahrnehmen
Schlafstellen:	bei Schalenwild Bett, Lager oder (beim Schwarzwild) Kessel, beim Hasen Sasse oder Lager, das Wild lagert sich,
Schlagen des getroffenen Wildes mit den Läufen:	schlegeln
sehen:	äugen
sich erheben:	aufstehen, hoch werden
sorglos sein:	vertraut sein
Speiseröhre:	Schlund
sterben durch tödliche Verletzung (Schuss oder Unfall):	verenden
sterben bei natürlichem	

Tod (Krankheit):	eingehen oder fallen
trinken:	schöpfen, sich frischen (Federwild: sich tränken)
unruhig (aktiv) werden:	rege werden
vertrieben sein:	vergrämt sein
vorsichtig sein:	heimlich sein
zurückbleiben:	sich abtun, kürzer werden

Körperteile des Haarwildes

Äußerlich:

Augen:	Lichter bei Hase, Kanin, Murmeltier und Schalenwild Bei Beutegreifern Seher
Beine:	Läufe, die Pfoten der Beutegreifer Branten (oder Pranken)
Euter:	Gesäuge (bei Wiederkäuern auch Spinne)
Flanken:	Dünnung (beim wiederkäuenden Schalenwild)
Haare:	Haare, Borsten und Federn, bei Hase und Kaninchen Wolle
Hals:	Hals, bei Geweihträgern Träger
Haut:	Decke, bei Schwarzwild und Dachs Schwarte, bei Hase, Kaninchen und Beutegreifern Balg
Hoden:	Brunftkugeln (mit Hodensack Kurzwildbret), bei Beutegreifern und Hund Geschröte
Hornige Teile der Klauen:	Schalen (mit Geäfter)
Kopf:	beim niederen Haarwild und Federwild Kopf, bei zum Hochwild zählenden Geweih- oder Hornträgern Haupt
Männliches Geschlechtsteil:	Brunftrute (die Haarbüschel an deren Ausmündung Pinsel), bei Beutegreifern Feuchtglied
Maul:	Äser oder Geäse, bei Beutegreifern Fang, beim Schwarzwild Gebrech
Nase:	Windfang, bei Hase, Kanin und Beutegreifern Nase
Ohren:	Lauscher, bei Hase und Kaninchen Löffel, beim Schwarzwild Teller und bei Beutegreifern Gehöre
Schulter:	Blatt
Schwanz:	beim Schalenwild Wedel, jedoch beim Schwarzwild und Dachs Pürzel, beim Hasen Blume, beim Fuchs Lunte oder Standarte
Weibliche Geschlechtsteile:	Feuchtblatt (Haarbüschel daran beim Rehwild Schürze), bei Beutegreifern Schnalle oder Nuss
Zähne:	Zähne, bei Beutegreifern Fänge (Gebiss mit Fang- und Reißzähnen), beim Keiler Gewaff (= Gewehre und Haderer)
Zunge:	Lecker, bei Schwarzwild und Beutegreifern Zunge

Innerlich:

Blut:	Blut (z.B. Verenden an innerer Verblutung)
Brusthöhle:	Kammer (z.B. Kammerschuss) Herz, Lunge mit Luftröhre (Drossel), Herz, Lunge, Leber und Nieren: Geräusch
Eingeweide:	Gescheide (Gedärme = kleines Gescheide)
Magen:	Magen (bei wiederkäuendem Schalenwild großes Gescheide, Pansen oder Weidsack)
Magen und Darm:	großes und kleines Gescheide (zusammen mit dem Geräusch: Aufbruch), bei Hase und Kaninchen Auswurf
Talg:	Unschlitt oder Inselt, beim Schwarzwild Weißes
Fett:	Feist, beim Schwarzwild und Dachs Weißes, bei Hase, Kaninchen und Beutegreifern Fett
Fleisch:	Wildbret, bei Beutegreifern (wenn nicht zum Verzehr bestimmt) Kern
Gebärmutter:	Tracht, Tragsack

Lebensäußerungen des Haarwildes

Man sagt statt

Abgehen:	flüchtig werden
Aufenthaltsort (regelmäßig):	Einstand (Hochwild hat seinen Einstand im Revier, d.h., es steht darin), Schwarzwild steckt in der Dickung, der Hase liegt im Lager oder in der Sasse, Dachs, Fuchs und Kaninchen liegen oder stecken im Bau (der Bau ist befahren)
aufstehen:	aufstehen (bei allem Wild) oder hochwerden (bei Schalenwild)
Begattungs- oder Fortpflanzungszeit:	bei allem Schalenwild außer Schwarzwild Brunft, bei Rehwild Blattzeit oder Brunft, beim Schwarzwild Rauschzeit, bei Hase und Kaninchen Rammelzeit, bei Fuchs, Katze und Dachs Ranz- oder Rollzeit, bei anderen Beutegreifern Ranzzeit
fressen:	äsen, sich äsen (beim Dachs weiden, bei Schwarzwild und Beutegreifern fressen)
Geburtsakt:	setzen, beim Schwarzwild frischen, bei Beutegreifern wölfen
gehen:	ziehen, bei Beutegreifern schleichen oder schnüren
Harn lassen:	nässen, feuchten
Hochnehmen des Hauptes (plötzliches):	bei wiederkäuendem Schalenwild aufwerfen
Kot, ihn abscheiden:	Losung, sich lösen
lahmen:	schonen (z.B. Haarwild schont einen Lauf)

Nahrung:	Äsung, bei Beutegreifern und Schwarzwild Fraß
töten durch Beutegreifer:	reißen
prüfen, ob Gefahr droht:	sichern, verhoffen
riechen:	winden, wittern, Wind bekommen, wahrnehmen
Schmerzen äußern:	klagen
sich legen:	wiederkäuendes Schalenwild tut sich nieder, Schwarzwild schiebt sich ein, Beutegreifer, Hase und Kaninchen lagern sich
springen:	überfallen (z.B. einen Graben), überfliehen, Beutegreifer und Kaninchen springen, wenn sie aus dem Bau gesprengt oder getrieben werden
Sprung:	Flucht, Fluchten, flüchtig werden
traben:	trollen, beim Fuchs schnüren, bei Hase und Kaninchen hoppeln
Trächtigkeit:	beschlagen sein, Hase und Kaninchen inne haben, Beutegreifer dick gehen
verscheuchen:	vergrämen

Körperteile des Federwildes

Äußerlich:

Augen:	Augen
Beine und Füße:	Ständer; bei Waldhühnern, Trappe und Fasan auch Füße; beim Schwan Ruder; bei Gänsen und Enten Latschen; bei Tauben Tritte, bei Greifvögeln Fänge, deren Krallen Waffen
Federn:	Gefieder (sich fiedern, ausgefiedert oder beflogen sein)
Federwechsel:	Frühlings- und Herbst-Mauser
Flügel:	Schwingen, bei kleinen Vögeln Fittiche
Haut mit Federn:	Balg
Schnabel:	Schnabel, bei den Schnepfenvögeln Stecher
Schwanz:	Stoß, bei Birkwild Spiel, beim Auerhahn Fächer

Innerlich:

Fett:	Feist
Fleisch:	Wildbret, bei Greifvögeln Fleisch
Magen und Darm:	Gescheide

Lebensäußerungen des Federwildes

Begattungszeit:	Balzzeit bei Enten Reihzeit
fortfliegen, sich erheben:	aufstehen, abstreichen, bei Auerwild: abreiten, bei Gänsen und Enten in der Luft: ziehen
Schlüpfen:	Ausfallen
Kot, abscheiden:	Gestüber, sich stüben (bei Auerwild Losung, sich lösen); bei Greifvögeln und Reihern Geschmeiß, schmeißen
Nahrung, fressen:	Äsung, äsen, bei Greifvögeln Atzung und Fraß, kröpfen, bei Fasan und Rebhuhn die Weide
sich niederlassen:	einfallen, sich einschwingen; bei Greifvögeln aufhaken, aufblocken
nisten:	nisten. Es horsten Kolkraben, Krähen, Greifvögel, Eulen sowie Störche, Kraniche und Reiher
erbeuten:	schlagen (Greifvögel).

2.2 Altersschätzung bzw. Altersbestimmung beim Wild

Altersschätzung am lebenden Stück

Die Altersschätzung am lebenden Stück erfolgt anhand der jeweiligen Körperentwicklung und des Verhaltens. Erstere läuft bei allen Tieren nach demselben Schema ab. Dabei spielen die Proportionen der einzelnen Körperregionen zueinander eine entscheidende Rolle. Besonders wichtig sind die Kopfformen: Anfänglich zeigt das Jungtier den „Kindchenkopf", d.h. bevorzugte Ausbildung des Hirnschädels unter Vernachlässigung des Gesichtsschädels. Grund dafür ist, dass das Jungtier sein Zentralnervensystem von Anfang an voll funktionsfähig gebrauchen muss. Die Zähne werden dagegen erst später (voll) benötigt. Deshalb wachsen Ober- und Unterkiefer erst im nachhinein aus dem Schädel bzw. Kieferwinkel nach vorne heraus, um für die nun stark wachsenden Zähne Platz zu schaffen. Auch wenn bereits alle Zähne vorhanden sind, ist der Kiefer noch nicht ausgewachsen. Dies erkennt man an der schräg nach oben über die zuletzt im Unterkiefer stehenden Zähne verlaufende Zahnfleischlinie. Erst wenn die Zahnfleischlinie an allen Backzähnen parallel zum Kieferknochenoberrand verläuft, ist das Wildtier ausgewachsen. Dies ist beispielsweise beim Rothirsch mit acht Jahren, beim Damschaufler mit sechs und beim Rehbock mit drei Jahren der Fall.
Ein wichtiges Merkmal für Jugend ist bei den meisten Tieren der jugendliche Habitus: kurzer Kopf, dünner Hals (dies kommt allerdings auch bei ganz alten Stücken der nach dem Setzen im Frühjahr vor), buntes Gesicht und schlanke Figur. Ferner lassen auch biologisch notwendige Abläufe wie Haarwechsel, Geweihwachstum, Feistansatz oder Bemuskelung Rückschlüsse auf das Alter zu.
Erst nach Abwägung aller biologischen Altersmerkmale sollte man zu einem Endurteil gelangen. Einzelmerkmale können leicht zu Fehlurteilen führen.

Altersschätzung am erlegten Stück

Hierzu werden beim Schalenwild vor allem die Unterkiefer herangezogen. Die Altersschätzung basiert vornehmlich auf dem Zahnwechsel und der Zahnabnutzung (im Unterkiefer). Nun sind einige Grundbegriffe näher zu definieren:

Zuerst ist die international gültige Zahnformel darzustellen und zu erläutern: Die **Schneidezähne/Incisivi** werden von der Kiefernaht zwischen den Kieferhälften her mit **I1, I2, I3** bezeichnet, im Jugendgebiss mit **Id1, Id2, Id3**. Die **Eckzähne**, **Canini**, werden mit C bzw. Cd wiedergegeben. Die **Prämolaren** werden mit **P1, P2, P3, P4** bzw. im Jugendgebiss mit **Pd1, Pd2, Pd3, Pd4**, die **Molaren** – es sind bleibende Zähne – mit **M1, M2, M3** bezeichnet. Das d steht dafür, dass der Zahn noch gewechselt wird, bzw. hinfällig ist. Der komplette Name für den ersten Prämolaren des Jugendgebisses lautet beispielsweise: Dens (Zahn) praemolaris („vor den Molaren stehend") deciduus („hinfällig") = Pd1. Das in der Evolution „ursprüngliche" Gebiss, von dem sich alle anderen ableiten lassen, wäre das Dauergebiss des Schwarzwildes. Die Formel für den Unterkiefer lautet: I1, I2, I3, C, P1, P2, P3, P4, M1, M2, M3 oder verkürzt I1-3, C, P1-4, M1-3.

Dabei ist zu beachten, dass P1 nur beim Schwarzwild als bleibender Zahn vorkommt und in der Lücke zwischen C und P2 steht (=Lückenzahn). Er ist folglich von der durchgehenden Backzahnreihe P2 bis M3, abgesetzt. Bei allen Wiederkäuerschalenwildarten fehlt der P1. Bei den Wiederkäuern ist im Unterkiefer Eckzahn (C) an den Schneidezahnteil versetzt (incisivoider Eckzahn). Im Übrigen sind die Zahnbezeichnungen bei allen Tieren gleich. Dies erleichtert das Erlernen von Zahnformeln und das Bestimmen der Einzelzähne. Wissen muss man, das Pd4, der letzte Prämolar, und M3 jeweils dreiteilig sind. P4 ist dagegen zweiteilig. Mit diesem Hintergrundwissen ausgestattet, lassen sich folgende Leitlinien zur sicheren Zahnbestimmung und Altersfeststellung aufstellen:

1. Bei allen Schalenwildarten zählt man die Backzähne in der **durchgehenden** Backzahnreihe beginnend mit P2 bzw. Pd2, P1 fehlt nämlich bei allen Wiederkäuern und manchmal auch beim Schwarzwild. Bei der Katze fehlen wegen des kurzen Schädels sogar P1 und P2.
2. Einer der Zähne im Gebiss ist immer dreiteilig; das ist im Jugendgebiss Pd4 und im bleibenden Gebiss M3. Diese Zähne können deshalb besonders gut als Orientierungspunkte dienen.
3. Die Abnutzung der Zähne („Zahnabschliff") gibt nach dem Zahnwechsel Anhaltspunkte für das Alter. Genauers findet sich hierzu in der Fachliteratur.
4. Während der Wachstumsphase sind alle Zähne an den Wurzeln unten offen.
5. Im Laufe des Lebens werden die Zahnkronen durch Abnutzung immer kürzer.
6. Es gibt Labormethoden der Altersschätzung, z.B. die Schleifmethode von M1. Dabei werden Jahrringe im Ersatzzahnknochen nachgewiesen. Auch das Augenlinsengewicht kann zur Altersbestimmung heran gezogen werden. Es gibt noch andere Körpermerkmale, die hierfür tauglich sind, beispielsweise die Rosenstockform, die Verknöcherung der Nasenscheidewand oder die Verknöcherung der Knochenfugen (Stroh'sches Zeichen beim Feldhasen). Bei den horntragenden Schalenwildarten können die Krucken, Schnecken usw. zur Altersschätzung herangezogen werden. Bei ihnen bildet sich – aufgrund eines nahezu eingestellten Hornwachstums im Winter – jeden Winter ein Ring, also mit ½, 1½, 2½ usw. Jahren. Die Altersbestimmung bei Mufflon, Gams- und Steinwild erfolgt sicherer anhand der Schneidezähne. Sie wechseln nämlich diese Zähne später als die Cerviden. Id1 wird mit 1½ Jahren, Id2 und Id3 mit 2½ Jahren und Cd erst mit 3½ Jahren gewechselt. C ist erst nach 4½ Jahren voll hochgewachsen. Bei der Gams entsteht im Alter von 4 bis 5 Jahren ein Zentimeterring. Danach werden nur noch Millimeterringe pro Jahr gebildet. Das Stroh'sche Zeichen dient als

Alterskennzeichen des Junghasen bis maximal 9 Monate Alter. Das Stroh'sche Zeichen ist eine Wachstumsfuge am unteren Ende der Elle, die es bei allen Tieren gibt. Beim Hasen können auch die Geschlechtsorgane zur Unterscheidung von Jung- und Althasen dienen.

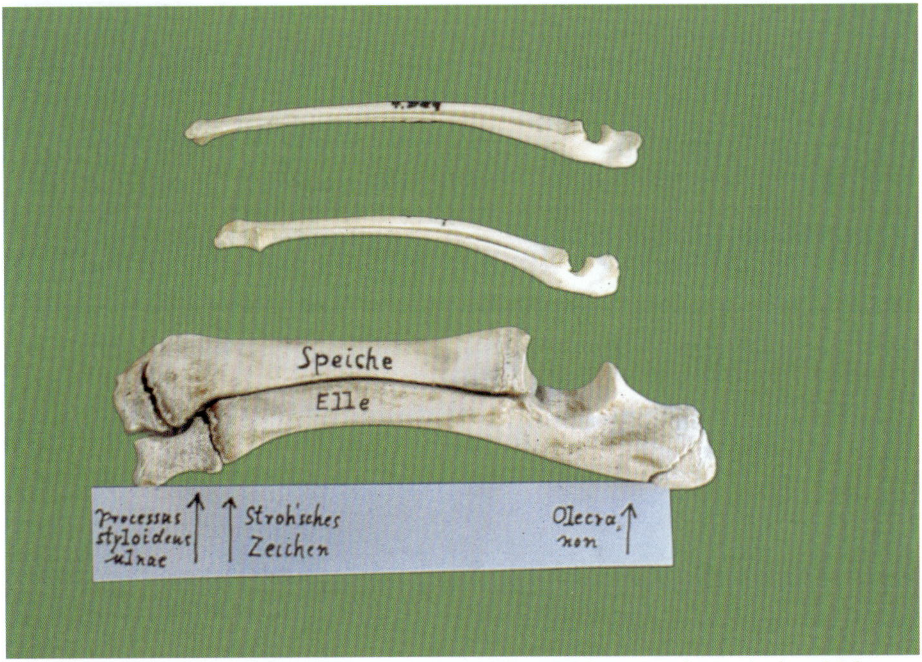

2.6: Unterarmskelett vom Althasen (o.) ohne Stroh'sches Zeichen, Junghasen (m.) und Schwarzwild (u.) 1 Jahr, mit Stroh'schem Zeichen (Wachstumsfuge an der Elle)

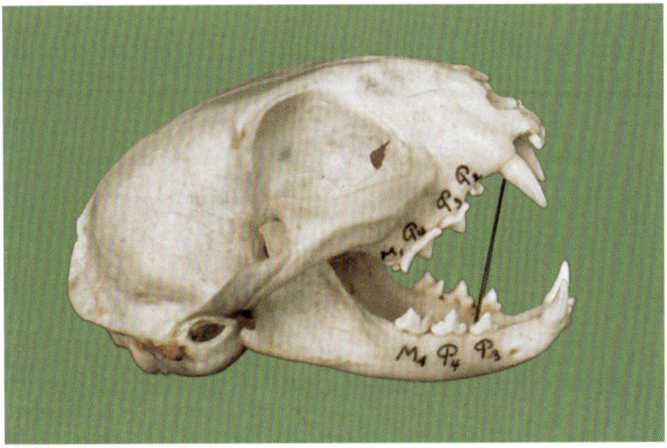

2.7: Katzenschädel; Nahrungserwerb mit der Pfote, deshalb kurzer Ober- und Unterkiefer, lediglich noch P3, P4, M1

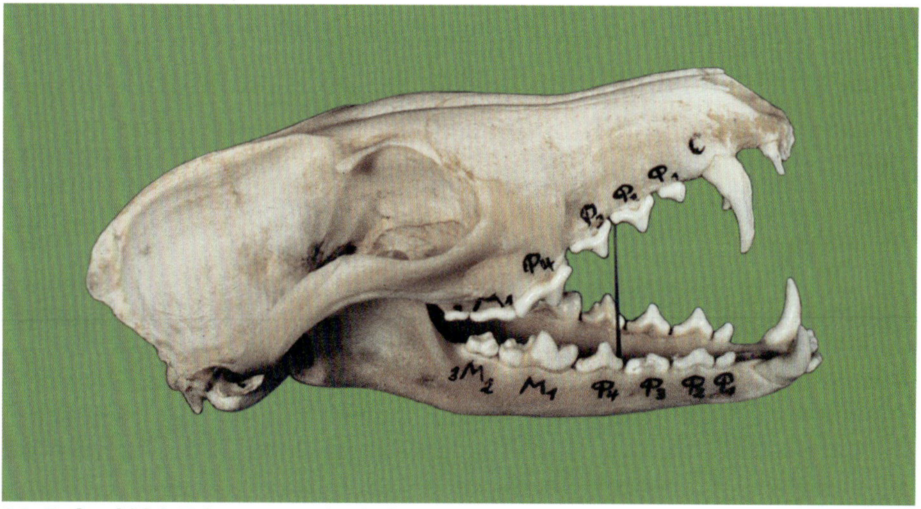

2.8: Fuchsschädel; Nahrungserwerb mit dem Fang, deshalb langer Ober- und Unterkiefer mit kompletter Bezahnung. Man beachte das sog. Brechscherzahnpaar (P4 im Ober- und M1 im Unterkiefer).

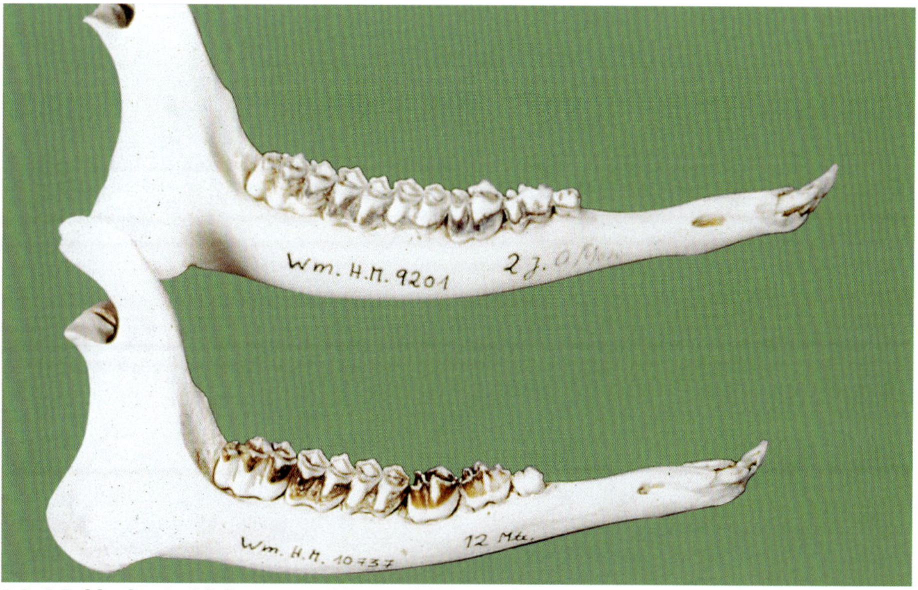

2.9: 2 Rehbockunterkiefer von markierten Stücken; Alter unten: 1 Jahr; die Zahnfleischlinie an M3 steigt deutlich an, zwischen P4 und M1 erscheint noch eine Lücke, die Zähne haben sich in ihrer Stellung gegeneinander einreguliert. Alter oben: 2 Jahre, Zahnfleischlinie an M3 ebenfalls noch etwas ansteigend und auch P4 und M1 sind noch nicht fertig einreguliert.

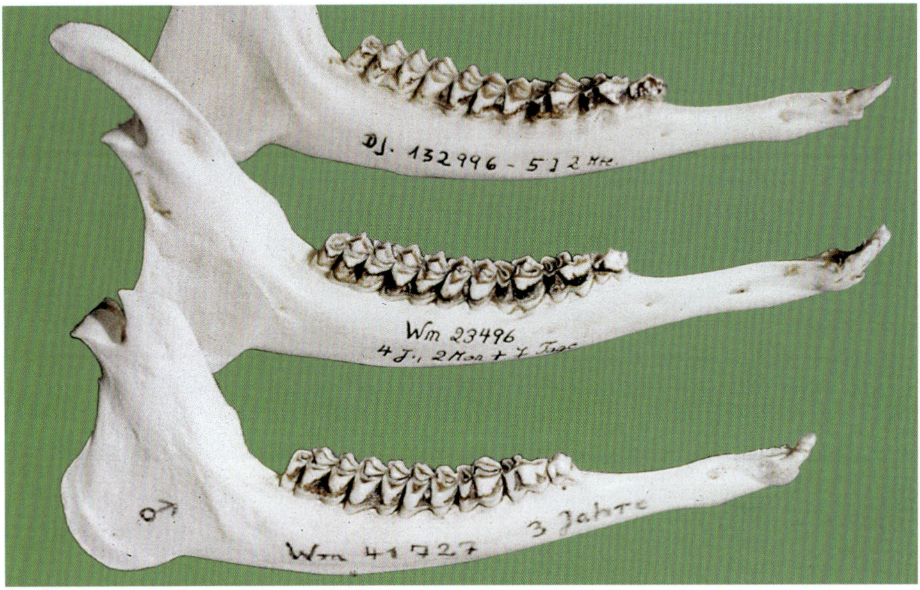

2.10: 3 Rehbockunterkiefer (von unten 3, 4 und 5 Jahre alt); bei allen läuft die Zahnfleischlinie parallel zum Unterkiefer; die Zahnkronen werden niedriger, die Kunden werden kürzer und die braune Dentinfläche breiter; beim obersten Kiefer (5 J.) verschwindet die Kunde in M1.

2.11: 2 Rehbockunterkiefer (6 bis 8 Jahre); der Abrieb nimmt zu, die Zahnkronen werden deutlich niedriger, die Kunden verschwinden.

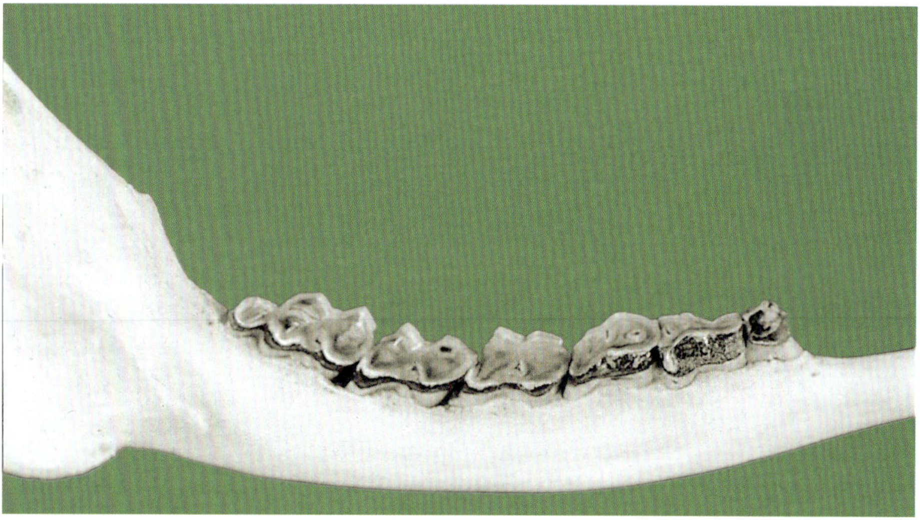

2.12: Rehbockunterkiefer (8–10 Jahre); die Kunden fehlen total, die Zahnkronen sind nur noch 1–3 mm hoch

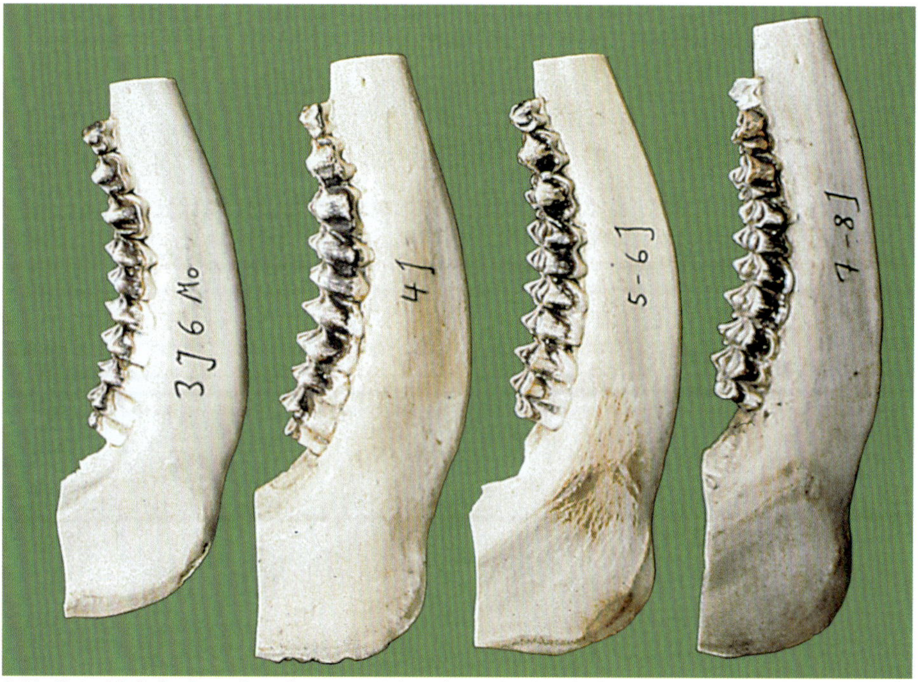

2.13: Unterkieferbackenzahnteil von 3–8 Jahre alten Hirschen in der Seitenansicht; man beachte die an M1–M3 ansteigende Zahnfleischlinie als Anzeichen eines noch nicht ausgewachsenen Schädels

2.14: Unterkieferbackenzahnteil von 3–8 Jahre alten Hirschen in der Aufsicht. Der Abrieb der Zahnkrone nimmt zu, die Kunden werden kürzer und die braunen Zahnbeinflächen breiter.

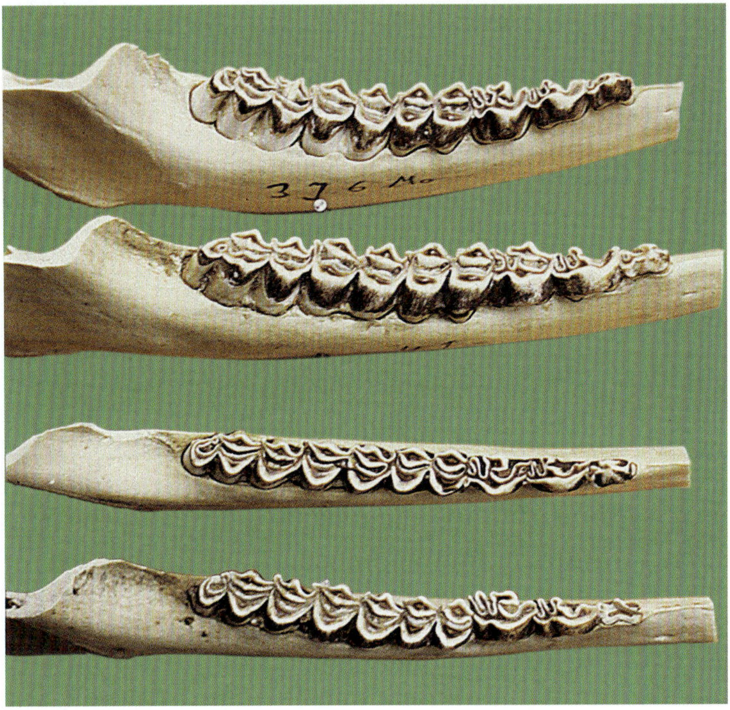

2.15: Unterkieferbackenzahnteil von 8–14 Jahre alten Hirschen in der Seitenansicht. Die Zahnfleischlinie verläuft parallel zum Unterkiefer, die Zahnkronen werden mit dem Alter deutlich kürzer.

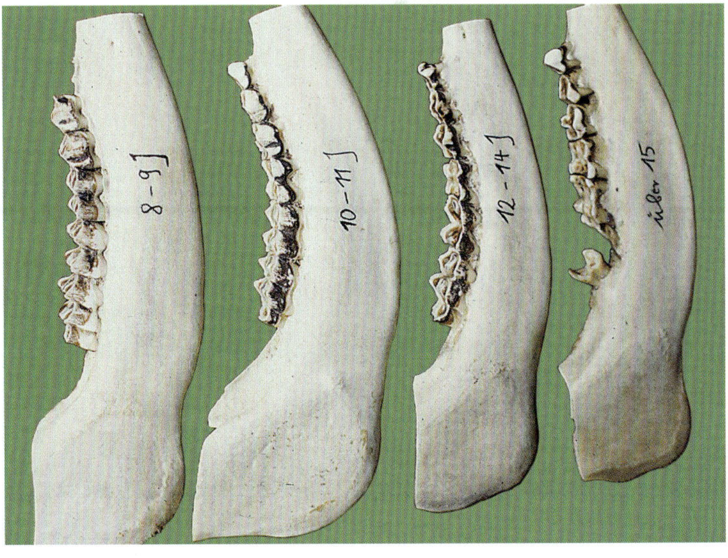

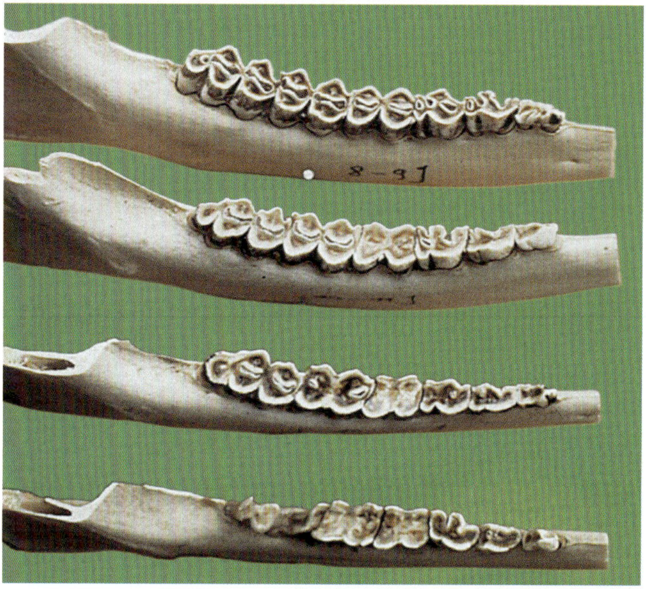

2.16: Unterkieferbackenzahnteil von 8–14 Jahren alten Hirschen in der Aufsicht; die Kunden werden immer kürzer; Dentinflächen (braun) werden größer; ab 10 Jahren verschwinden die Kunden, beginnend bei M1.

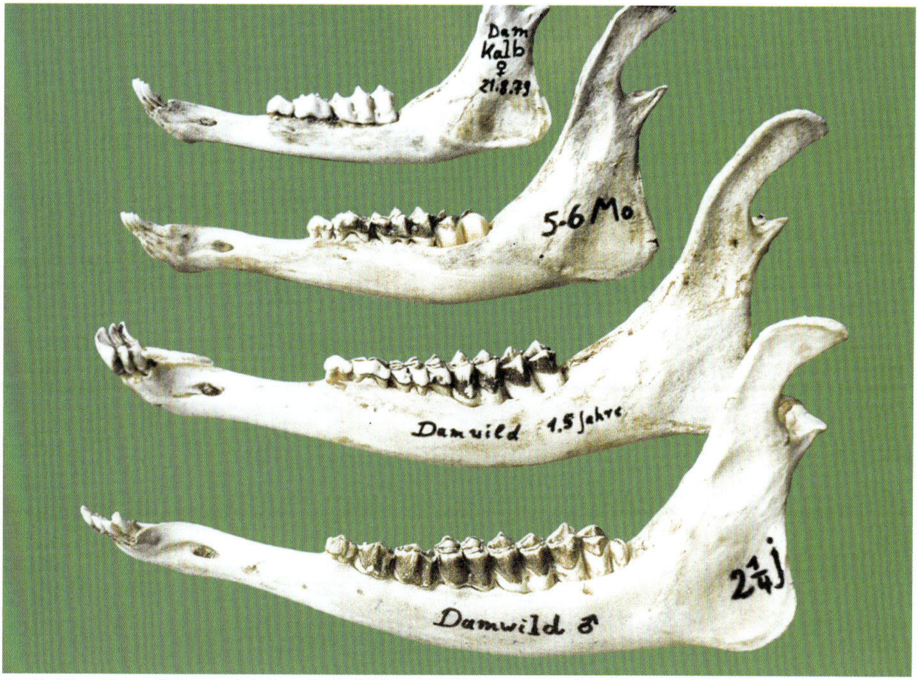

2.17: Vier Damwildunterkiefer; Kalb 3 Mon. und 5–6 Mon. alt, Schmalspießer 18 Mon., Schaufl er 27 Mon.; Darstellung der Kieferstreckung während des Wachstums

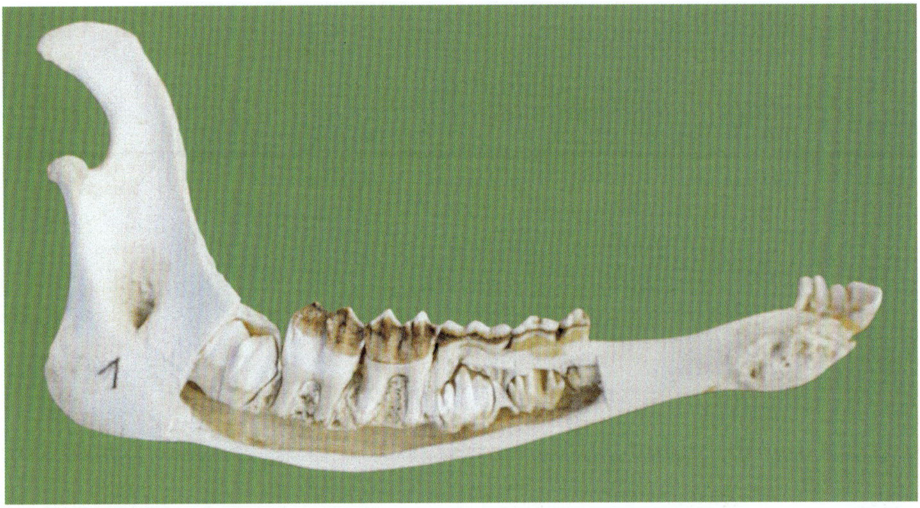

2.18: Damwildunterkiefer 21–23 Monate alt; die Zahnfleischlinie verläuft über dem Vorderteil von M3 stark nach oben; die Zähne sind im Bereich von Pd2–Pd4 freigelegt. Die Abb. zeigt den Wechsel der Prämolaren.

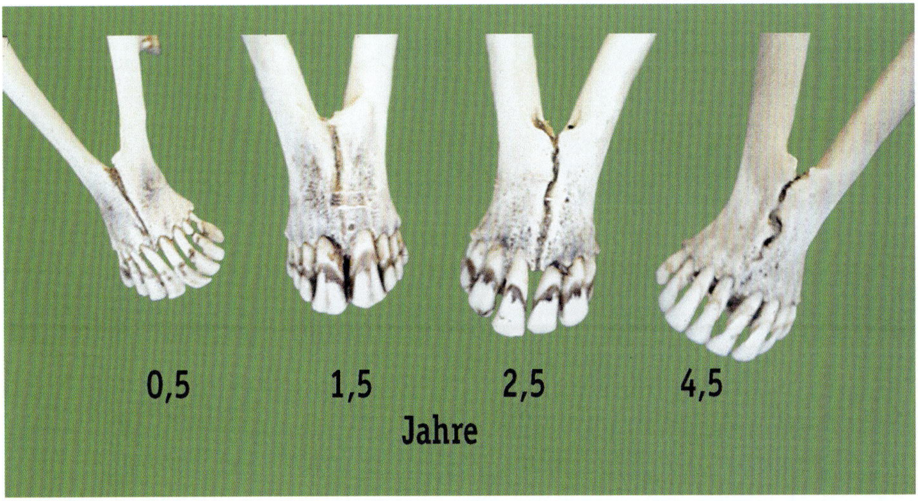

2.19: Muffelwildunterkiefer Schneidezahnteile, Alter 6, 18, 32 und 54 Monaten; der Zahnwechsel erfolgt später als beim Rot- und Damwild. Der Eckzahn (C) wird erst mit 42 Monaten gewechselt.

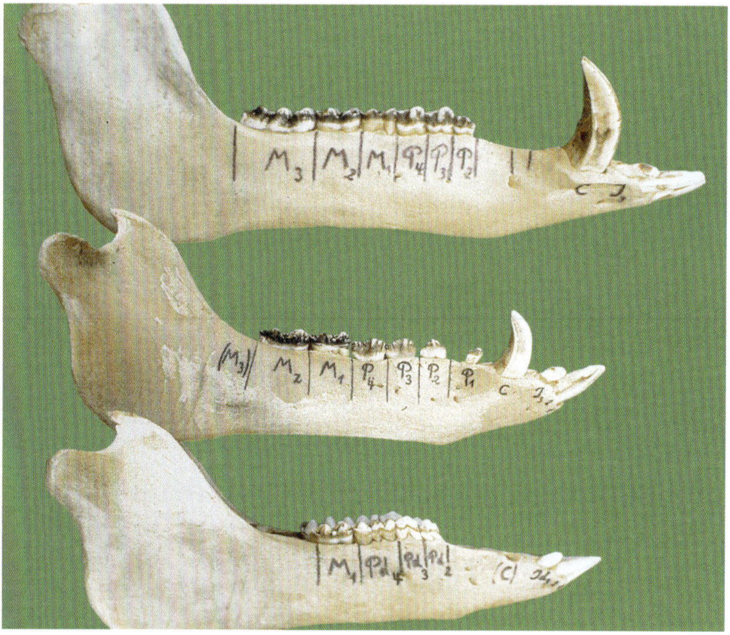

2.20: Drei Schwarzwild-unterkiefer von Frischling (u.), Überläufer (m.) und Keiler (o.) 3 Jahre, P1 fehlt

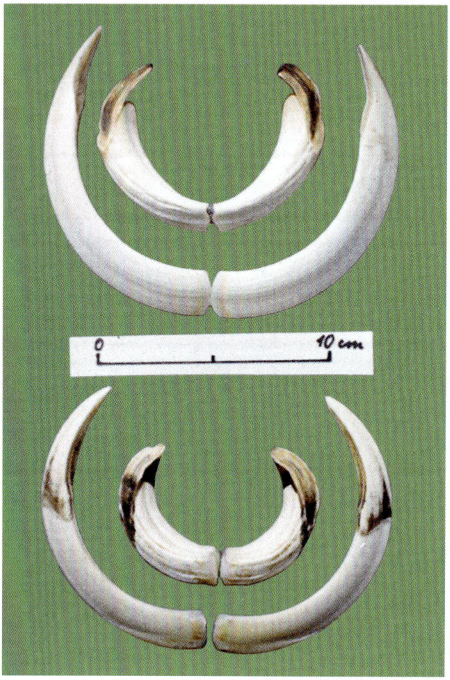

2.21: Gewaff von zwei Keilern: unten 3 Jahre alt, starke Gewehre und Haderer, an beiden ist der Durchmesser an der Wurzel deutlich größer als an den Schleifflächenecken; oben ~ 7 Jahre alt, schwache Gewehre und Haderer, sehr deutliche Durchmesserverringerung an den Wurzeln v.a. der Haderer

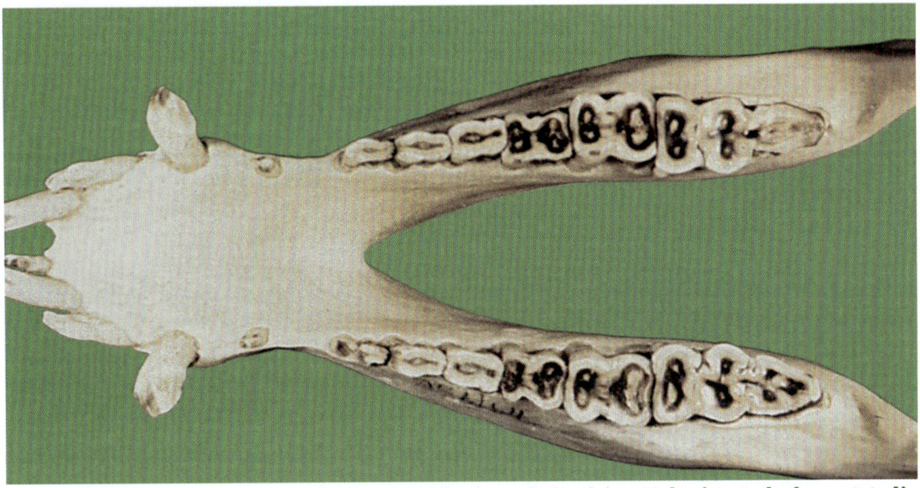

2.22: Unterkiefer einer alten Bache (ca. 7-8 Jahre); auch der dritte Molar ist stark abgenutzt; die Eckzähne verjüngen sich sehr stark nach unten.

2.3 Säugetiere/Haarwild

Ordnung	Paarhufer
Unterordnung	Wiederkäuer
Familie	Hirsche (Cervidae)
Unterfamilie	Echthirsche
Gattung	Edelhirsche i.w.S. (Cervus)

Rotwild *(Cervus elaphus)*

Aussehen

Rotwild ist der (neben dem Elch) größte Vertreter der Wirbeltiere in Mitteleuropa (bezogen auf die Schulterhöhe). Bei einer Schulterhöhe von 120 bis 150 cm beträgt das Durchschnittsgewicht ausgewachsener Hirsche je nach Lebensraum 100 bis 180 kg, das der Alttiere schwankt zwischen 60 und 90 kg. Die rotbraune Sommerdecke hat dem Rotwild den Namen gegeben. Im September verfärbt das Haar zur grauen Winterdecke, deren lange, derbe Haare erst im Mai wieder abgestoßen werden.

Verbreitung

Von Spanien bis Polen, von Schottland bis zu den Balkanländern ist Rotwild in Europa verbreitet. Griechenland sowie Nordskandinavien sind rotwildfrei.
Ursprünglich als Art der Offen- und Halboffenlandschaften flächendeckend verbreitet. Heute in Deutschland oft auf Waldgebiete der Mittel- und des Hochgebirges zurückgedrängt.Auch in Deutschland finden wir eine inselartige Verbreitung. Insbesondere in Süddeutschland (Bayern und Baden-Württemberg) ist ein Großteil der Fläche rotwildfrei.

Lebensraum

Bis zum Beginn der letzten Eiszeit war Rotwild ein Bewohner der offenen und halboffenen Landschaft, einer fast baumlosen Steppe. In geschichtlicher Zeit gehen wir von einem nahezu flächendeckenden Vorkommen in unterschiedlchen Dichten aus. Unter dem Einfluss des Menschen (insbesondere mit der Bindung des Jagdrechts an das Grundeigentum im 19. Jahrhundert) wurde diese Wildart zurückgedrängt auf größere Waldflächen mit einem Angebot an Deckung, Äsung und Ruhe.

Ernährung

Rotwild ist Mischäser, lebt von einer Mischäsung aus Pflanzen und Pflanzenteilen. Der Bedarf beträgt im Mittel über das Jahr 12 kg pro Tag.
Im Wald besteht die Äsung überwiegend aus Gräsern und Kräutern. Aber auch Knospen, Blätter, Nadeln, Triebe, Früchte und Rinde der Bäume zählen dazu. Dabei ist das Spektrum der aufgenommenen Äsung auch abhängig von Stress durch jagdliche und nicht-jagdliche Störungen. In der Agrarlandschaft werden vor allem Flächen von Weizen, Hafer, Kartoffeln, Mais und Raps (aufgrund des Jagddruckes in der Regel nachts) aufgesucht.

Tagesrhythmus

In ungestörten Lebensräumen äst das Rotwild in Zyklen von etwa sieben Stunden. Dabei tritt es gerne auf Offenflächen aus. Danach folgen Dösen, Wiederkäuen und Schlaf in Deckung bis zur nächste Äsungsaufnahme. Bei intensiver Störung (falsche Jagdstrategie, Freizeitnutzung) ist dieser Zyklus zeitlich verschoben und es findet sich oftmals nur eine oder zwei Äsungsperioden des Nachts, während das Rotwild bei Tag ruht oder aber in Dickungen äst. Dabei entstehen leicht Verbiss und Schäle.

Sozialverhalten

Rotwild bildet Rudel, die typischerweise nach Geschlechtern getrennt leben.
Beim weiblichen Wild bilden sie sich aus den Grundelementen Alttier-Kalb-Schmaltier (sog. Gynopädium). Solche Kahlwildrudel können sich mit anderen Verbänden zu größeren Rudeln zusammenschließen.
Hirsche bilden von Jugend an bis zum mittleren Alter gerne kleine Trupps, gelegentlich auch größere Rudel. Alte Hirsche bevorzugen Ruhe im Alleinsein oder mit wenigen anderen Hirschen. Die Kahlwildverbände sind über die Zeit sehr stabil und finden sich bei Auflösung großer Rudel meist wieder in gleicher Zusammensetzung.

Fortpflanzung

Die Brunftzeit in Deutschland beginnt etwa am 15. September und endet am 10. Oktober. Sie dauert bei intakten Sozialstrukturen etwa drei Wochen, ansonsten zieht sie sich auch länger hin.. Das weibliche Wild zieht oft zu traditionellen Brunftplätzen. Zu diesen gesellt sich ein typischerweise älterer Hirsch (Platzhirsch), der das Brunftrudel gegen Rivalen verteidigt. Dazu dient das Schreien (Röhren) der Hirsche, Imponierverhalten, etwa in Form des Parallelganges und – wenn sich ein Rivale davon nicht abschrecken lässt – auch der Brunftkampf. Dieser dient dem rituellen Kräftemessen und hat nicht den Charakter eines Beschädigungskampfes. Der unterlegene Hirsch verlässt nach dem Kampf den Brunftplatz. Jüngere bzw. schwächere Beihirsche werden in der Nähe geduldet und kommen gelegentlich auch zur Fortpflanzung.

Die Tragzeit dauert 34 Wochen. Typischerweise ein (sehr selten zwei) Kalb wird zwischen Mitte Mai und Mitte Juni gesetzt und bis ins nächste Frühjahr hinein gesäugt. Die Führung und der sehr innige Kontakt werden erst mit dem Setzen des nächsten Kalbes schwächer und lassen zum Herbst hin weiter nach.

Wildschäden

Rotwild kann durch seine Fraßeinwirkungen auch Schäden an Bäumen (Verbiss von Knospen und Schälen der Rinde) verursachen. Diese gilt es durch Hegemaßnahmen und artgerechte Bejagungsstrategien zu minimieren.
Ursachen für Wildschäden können neben einem für die forstlichen Wirtschaftsziele zu hohen Bestand vor allem auch Störungen durch Freizeitnutzung der Wälder, fehlerhafte Bejagung (z.B. im Hochwinter oder Frühjahr und Frühsommer) oder fehlende oder falsche Winterfütterung sein.

Bejagung

Entscheidendes Ziel ist eine artgerechte Bejagung und eine dem Lebensraum – insbesondere dem Wald – angepasste Wilddichte. Um Wildschäden zu vermeiden, kommt es vor allem auf eine artgerechte Bejagungsstratgie an.
Mit Beginn der Jagdzeit wird im wesentlichen die Einzeljagd (Pirsch, langsam und leise, oder Ansitzjagd, ohne Störung beim Weg zum Ansitzplatz) oder auch Gruppenansitze eingesetzt.
In der Brunft kann der gut schreiende Hirsch pirschend „angegangen" werden. Auch die Lockjagd mit dem Hirschruf ist hierbei möglich. Diese Jagd erfordert aber viel Erfahrung!
Drück- und Drück-Stöberjagden im Spätherbst erlauben oft gute Strecken. So kann ab Ende Dezember wieder Ruhe im Revier herrschen. Auch für die Organisation von bzw. die Teilnahme an Drück-Stöber-Jagden ist große Erfahrung und ein hoher Standard in Bezug auf waidgerechtes Verhalten (Tierschutz!) zwingend. Der Einsatz ausschließlich kleiner und fährtenlauter Hunde, das Vorhalten einer hinreichenden Zahl erfahrener Nachsuchegespanne, die gründliche Untersuchung jedes(!) abgegebenen Schusses oder die strikte Begrenzung der Zahl abgegebener Schüsse mit unklarem Ergebnis sind nur einige der Grundvoraussetzungen. Eine zu hohe Zahl an Schützen überfordert die Jagdleitung leicht.
Die Büchse des Jägers sollte bei der Rotwildbejagung ein Kaliber von 7 bis 9,3 mm haben, das Geschoss ein Mindestgewicht von 10 Gramm.

Verbreitung

28 In welchen Ländern Europas befinden sich größere Rotwildvorkommen?

In Spanien, Frankreich, Schottland, Österreich, Schweiz, Deutschland, Belgien, Bulgarien, Rumänien, Slowenien, Ungarn, Polen, Tschechien, Slowakei, Russland sowie den baltischen Ländern Estland, Lettland und Litauen.

29 Welche bedeutenden Rotwildvorkommen gibt es in Deutschland?

Vor allem sind es die Zentren der größeren Mittelgebirge, z.B. Harz, Solling, Reinhardswald, Teutoburgerwald, Meißner, Spessart, Odenwald, Vogelsberg, Thüringer Wald, Fichtelgebirge und Bayerischer Wald, Pfälzer Wald, Eifel und Hunsrück, aber auch die Alpen und die Lüneburger Heide sowie die waldreichen Landesteile von Schleswig-Holstein, Mecklenburg-Vorpommern, Brandenburg, Sachsen-Anhalt und Sachsen.

2.23: Starker Kronenhirsch

30 Wäre es sinnvoll, das Rotwild seine Verbreitungsgebiete selbst auswählen zu lassen?

Dies würde behördlich ausgewiesene Rotwildgebiete überflüssig machen, vor allem den Lebensraumansprüchen des Rotwildes entgegenkommen.
Derzeit überwiegen allerdings noch die Interessen der Land- und Forstwirtschaft, die Rotwild leider oftmals auch heute noch aus einer Nutzen-Schaden-Perspektive betrachten.
Bei in etwa gleicher Dichte könnte allerdings eine bessere Vertreilung des Rotwildes in der Landschaft auch dazu beitragen, Schäden im Wald zu vermeiden.

Zoologische Einteilung, Aussehen, Beschreibung

31 Wie ist das Rotwild zoologisch einzuordnen?

Rotwild zählt zum Stamm der Wirbeltiere, zur Klasse der Säugetiere, zur Ordnung der Paarhufer, zur Unterordnung der Wiederkäuer, zur Familie der Hirsche, zur Unterfamilie der Echthirsche. Zu diesen zählen auch Dam- und Sikawild.

32 Wie unterscheiden Jäger das Rotwild nach Alter und Geschlecht?

Hirschkälber sind männliche Jungtiere im ersten Lebensjahr. Wildkälber sind weibliche Jungtiere im ersten Lebensjahr. Schmalspießer sind männliche Jungtiere im zweiten Lebensjahr. Schmaltiere sind weibliche Stücke im zweiten Lebensjahr, die noch nicht gesetzt haben.
Hirsche nennt der Jäger männliche Stücke ab dem dritten Lebensjahr. Alttiere oder Tiere sind weibliche Stücke, die gesetzt haben.

33 Wie nimmt das Körpergewicht des Rotwildes mit dem Alter zu?

Bei einem Geburtsgewicht von 6 bis 8 kg erreichen die Kälber in ihrem ersten Lebenshalbjahr ein Gewicht von etwa 45 bis 60 kg (Lebendgewicht). Das Gewicht des einjährigen männlichen Stückes von etwa 70 bis 85 kg verdoppelt sich bis zum 6. bis 7. Lebensjahr. Dann ist seine körperliche Entwicklung im Wesentlichen abgeschlossen. Einzelne Hirsche erreichen ein Maximalgewicht von 200 kg. Die weiblichen Stücke sind schon mit dem fünften Lebensjahr ausgewachsen. Sie wiegen dann in unseren Breiten etwa 75 bis 90 kg.

34 Wie ist Rotwild gefärbt?

Die Decke ist im Sommer rotbraun, der Spiegel gelblich gefärbt. Im Winter sind Decke und Spiegel graubraun. Die Kälber sind anfänglich hell gefleckt. Rotwild verfärbt im Mai zum Sommerhaar, im September/Oktober zum Winterhaar.

35 Was ist ein „Aalstrich"?

Ein schmaler schwarzer Streifen auf dem Rücken der Schmal-, seltener der Alttiere.

36 Wie sind die Sinnesorgane beim Rotwild ausgeprägt?

Rotwild eräugt Bewegungen sehr gut. Plastisches Sehen dagegen ist ihm nur in einer sehr schmalen Zone möglich. Das Hörvermögen ist gut ausgeprägt.
Rotwild ist ein sog. „Macrosmat", der Geruchssinn ist ausserordentlich wichtig. Mit dem Windfang überprüft Rotwild häufig das Umfeld. Sobald ein Stück misstrauisch geworden ist, entscheidet sein hervorragender Geruchssinn in erster Linie über das weitere Verhalten.

37 Welche Lautäußerungen kennen wir vom Rotwild?

Beide Geschlechter haben einen tiefen, rauen, sehr lauten Warnlaut, das Schrecken. Zwischen Mutterstück und Kalb, auch beim Jungwild untereinander, hört der Jäger gelegentlich das Mahnen, einen leisen, weichen Verständigungslaut. Das Klagen ist ein gellender Schmerzenslaut, der eine akute Notsituation des Tieres anzeigt.
Beim Brunftschrei des Hirsches unterscheiden Jäger:

» das *Orgeln*, Röhren, oder Melden, das als tiefer, langgezogener Ton weit zu hören ist und anzeigt: Ich bin hier.
» den *Sprengruf*, ein ruckartiger, kurzer, harter Laut, beim Treiben des Tieres oder Vertreiben der Beihirsche zu vernehmen.

2.24: Weit schallt das Röhren des Brunfthirsches.

» das *Trenzen*, ein leiser, verhaltener Ton, meist im engen Kontakt zum brunftigen Tier ausgestoßen.
» das *Knören*, ein leises, langgezogenes „Öh", das der Hirsch – oft sitzend im Bett – hochbrunftig vernehmen lässt.

38 Was ist die Voraugendrüse?

Wie die Duftdrüsen der Haare, der Hinterlaufbürste, der Zwischenzehendrüse und die Drüse am Wedel, scheidet die Voraugendrüse – auch Tränengrube genannt – ein Sekret aus einer Hautfalte nach draußen aus. Es ist dunkel, zähflüssig und riecht besonders in der Brunft beim Hirsch intensiv. Die Absonderungen aller Duftdrüsen dienen der Markierung.

Lebensraum, Rotwildgebiete, Lebensweise, Ernährung

39 Was kennzeichnet einen guten Rotwildlebensraum?

Eine Mischung aus Wald- und Offenflächen mit mehrschichtiger und abwechslungsreicher Vegetation sowie einem Angebot von Deckung, Äsung und Ruhe bieten in Europa am ehesten eine biologische Grundlage hierzu. Hinreichende Offenflächen (z.B. gepflegte Wildwiesen) und Ruhezonen schaffen die Möglichkeit, Wildschäden zu vermeiden.

40 Was ist eine jagdliche Raumordnung?

Das sind Planungen zur Verbreitung und zum Lebensraum der größeren Wildtiere. Es gilt, isolierte Einzelforderungen, die aus dem Erhalt von Schalenwildarten erwachsen, in ihrer Wirkung auf die gesamte Situation von Landschaft und Mensch zu prüfen und einzupassen. Dies ist Aufgabe der obersten Jagdbehörden der Bundesländer bei der Bildung und Überprüfung der einzelnen Rotwildgebiete. Wird Rotwild in einer konkreten Population zur Leitwildart bestimmt, so erfährt es in allen Belangen eine besondere Aufmerksamkeit. Vor allem die Bejagung aller anderen Wildarten sollte möglichst störungsfrei für das Rotwild erfolgen.

41 Was sind Rotwildgebiete?

Es sind durch Rechtsverordnungen der Bundesländer abgegrenzte, zusammenhängende größere Landesflächen, in denen Rotwild unter Berücksichtigung von Landschaft, Landeskultur, Lebensansprüchen der Menschen sowie Gesichtspunkten des Artenschutzes nach gemeinsamen Richtlinien der Jäger erhalten, gehegt und bejagt wird. Sie stellen nur einen Teil des ursprünglichen Verbreitungsgebietes dar.

42 Was beinhalten Rotwildrichtlinien?

In ihnen legt je nach Bundesland, der Gesetz- und Verordnungsgeber und/oder die Verantwortlichen eines Rotwildgebietes oder -bezirkes, die sich auf gesetzlicher oder freiwilliger Grundlage zu einer Hegegemeinschaft zusammengeschlossen haben, die Grundsätze fest, nach denen sie gemeinsam Rotwild hegen und bejagen wollen. Dazu zählen als Hegeziele z.B. das Fütterungskonzept, die Festlegung von Äsungsflächen, Wildäckern und Ruhezonen sowie die Bejagungsstrategie.

43 Wie erfolgt die Rotwildbejagung außerhalb der Rotwildgebiete?

Hier soll eine intensive Bejagung erfolgen. Innerhalb der Jagdzeiten können in der Regel – je nach Landesjagdrecht – alles Kahlwild und geringe bzw. kronenlose Hirsche erlegt werden. Ein Genaustausch zwischen den einzelnen Rotwildgebieten wird durch diese intensive Bejagung oft weitestgehend unterbunden. Auch die früher üblichen Wanderungen des Rotwildes der Gebirgslagen zwischen Sommer- und Wintereinstand werden dadurch erschwert, wenn nicht unmöglich gemacht.

44 Wie verläuft der Lebensrhythmus in ungestörten Lebensräumen?

Die Mehrzahl der täglichen Aktivitäten hängt mit der Äsung zusammen. Das Aufsuchen der Nahrung und deren Aufnahme wechselt mehrmals mit Ruheperioden, in die das zeitaufwendige Wiederkauen und die kurzen Schlafphasen fallen. Die Aktivitäts- und Ruhephasen dauern jeweils etwa 6 bis 8 Stunden. Das Rotwild ist ungestört also auch tagsüber aktiv. Während der Ruhe sitzt das Stück in der Regel im Bett, das es sich mit den Vorderläufen freigeschlagen hat. Rotwild beim Schlafen zu beobachten, gelingt sehr selten. Wie beim Hund liegt der Kopf dann ausgestreckt zwischen den Vorderläufen oder bei gebogenem Träger am Rumpf.

45 Wie groß ist der Aktionsraum des Rotwildes?

Beim ungestörten weiblichen Wild ist dieser ganzjährig überraschend klein. 50 bis 100 ha geben einen Anhalt. Beim Hirsch dagegen ist der Lebensraum deutlich größer (200–400 ha), teilweise auch deutlich mehr, wobei größere Exkursionen zur Brunft eine wesentliche Rolle spielen.
Dort, wo das Rotwild noch Gelegenheit hat, in seine Winterlebensräume zu wechseln, unternimmt es im Herbst und Frühjahr oft Wanderungen zwischen Mittelgebirge und Tieflagen (oft Auwälder entlang der großen Flüsse). In Mitteleuropa sind diese Winterlebensräume allerding fast ausnahmslos durch den Menschen als Agrarfläche oder siedlungsraum genutzt. Verkehrswege und Jagd (rotwildfreie Gebiete) sind weitere Fakoren, die solche jahreszeitlichen Wanderungen verhindern.

46 Ist eine soziale Rangordnung in einer Rudelgemeinschaft gegeben?

Sie ist zumeist ausgeprägt. Die Rangordnung im Kahlwildrudel ist im Wesentlichen bedingt durch Alter und Erfahrung. Beim Hirschrudel spielen sicher auch Geweihgröße sowie Kampfbereitschaft und Erfahrung eine Rolle. Eine rein lineare Rangordnung ist nur in kleinen Lebensgemeinschaften klar erkennbar.
Ausgeprägt ist dabei ein ausgesprochen verträgliches Verhalten des Rotwildes untereinander. So tolerieren sich zwei verschiedene Rotwildrudel durchaus bei Begegnungen auf einer Äsungsfläche.

47 Wer führt die Rudel an?

Beim Kahlwildrudel, das aus Familieneinheiten gebildet wird, in dem aber auch Hirsche vom zweiten und dritten Lebensjahr vorkommen können, ist das Leittier stets ein führendes Alttier. Dieses entscheidet über das Rudelverhalten. Verliert es sein Kalb, gibt das Leittier die Führung ab.

2.25: Ein Familienverband: Alttier, Schmaltier, Kalb (v.r.)

Beim Hirschrudel, das häufig aus drei- bis achtjährigen Hirschen besteht, hat die Führung fast durchweg nicht ein Hirsch der sozialen Spitzenstellung, sondern ein jüngerer Hirsch. Bei akuter Gefahr verwerten aber die älteren Hirsche ihre Erfahrungen in der Regel unabhängig vom Leithirsch und bestimmen selbst ihren Fluchtweg.

48 Welche Reaktionen zeigt Rotwild seinen Feinden gegenüber?

In seinen ersten Lebenstagen „drückt sich" das Kalb. Bei gesenkter Herzfrequenz gibt es kaum Witterung ab, da alle stärker riechenden Körperteile im zusammengerollten Zustand abgedeckt sind. Die Stücke eines Rudels flüchten bei Gefahr in Deckung. Wenn Flucht aussichtslos erscheint, erfolgt eine aktive Verteidigung – z.B. gegenüber dem stellenden Hund – beim Hirsch mit dem Geweih, bei dem Kahlwild mit den Schalen der Vorderläufe. Beides sind durchaus wirkungsvolle Waffen.

49 Welche Äsungsansprüche stellt Rotwild?

Es äst weniger wählerisch als Rehwild (Konzentratselektierer), aber auch weniger systematisch als (Wild)rinder (Rauhfutteräser) oder Muffelwild. Rotwild verlangt größere Mengen einer „Mischäsung", die aus Gras, Kräutern, Baumfrüchten und Raufutter besteht. Der Bedarf an Zellulose und Fasern ist relativ hoch, der Verdauungsrhythmus ist darauf eingestellt. Die Nahrung wird vorwiegend auf dem Boden aufgenommen. Aber auch Blätter, Nadeln, Rinde und kleinere Zweige von Sträuchern und Bäumen dienen als Nahrung. Auf dem Feld äst Rotwild mit Vorliebe Milchhafer sowie Kartoffeln und Rüben, im Winter auch Raps.

50 Wann ist die Feistzeit und wie verhält der Rothirsch sich während dieser?

Im Juli/August führt reichhaltige Äsung zur Bildung eines Feistvorrates beim Rothirsch. Der Rothirsch bereitet sich so auf die energieaufwendige Brunft vor. Ruhiges, ja träges Verhalten ist die Folge. Der Einstand wird gerne in aller nächster Nähe der Äsungsplätze gewählt. Ende August lösen sich die Feisthirschrudel auf.

51 Welche Merkmale zeigt Rotwildlosung?

Die Losung ist eichel- bis walzenförmig und schwarz. Größe, Form und Farbe schwanken je nach Stärke des Einzelstückes, Jahreszeit und aufgenommener Äsung. Eine Unterscheidung nach Geschlechtern – etwa durch „Näpfchen und Zäpfchen" bei der Hirschlosung – ist nicht möglich. Beim ausgewachsenen Hirsch sind jedoch der ganze Losungskörper und die einzelnen Losungsbeeren deutlich größer als beim Alttier.

Altersansprache

52 Wie kann das Alter des lebenden Stückes geschätzt werden?

Zur Altersschätzung am lebenden Stück ist langjährige Übung und Erfahrung erforderlich. Die Körpermerkmale variieren so stark, dass auch dem erfahrenden Jäger Fehlansprachen unterlaufen. Nur viele vergleichende Beobachtungen bei Tageslicht bringen Sachkenntnis. Beim Kahlwild ist die Altersansprache besonders schwierig. Selbst Wild- und Hirschkalb sind in ihren ersten Lebensmonaten schwer zu unterscheiden. Zu dicht liegt die Brunftrute an der Bauchdecke. Später geben beim männlichen Kalb dunkle Bauchdecke, stärkere mähnenähnliche Trägerbehaarung und hirschähnlicher Kopf einen Anhalt. Alttiere sind oft noch im Herbst stärker entwickelt als Schmaltiere, bei denen in der Sommerdecke häufig noch die Kälberflecke vom Vorjahr erkennbar sind. Im übrigen ist die Form des Hauptes neben der Körpergröße ein wichtiges Unterscheidungsmerkmal zwischen Alt- und Schmaltier. Dennoch besteht immer die Gefahr, dass beispielsweise ein Alttier unmittelar nach dem Setzen in hoher Vegetation mit einem Schmaltier verwechselt wird. Daher sollte die Bejagung der Schmaltiere im Frühsommer, wenn überhaupt, äusserst erfahrenen Jägern vorbehalten bleiben.

Beim Hirsch sollte sich der Jäger orientierend auf drei Altersklassen beschränken und dabei bemüht sein, mehrere Körpermerkmale zu beachten:

» 2- bis 4-jährig: Die jungen Hirsche besitzen in der Regel ein schmales, spitzes Haupt, einen schlanken, steil aufgerichteten Träger, eine gerade Rückenlinie, eine gleichmäßig auf Vorder- und Hinterläufe verteilte Rumpfmasse. Die Trittsiegel laufen nach vorn spitz zu.

» 6- bis 10-jährig: Die mittelalten Hirsche besitzen meistens ein breites, stumpfes Haupt, einen breiten, gestreckt getragenen Träger, eine durch den Widerrist über den Blättern gebogene Rückenlinie, eine deutliche Massenverlagerung nach vorne. Die Einzeltrittsiegel werden breiter und stumpfer.

» 11-jährig und älter: Die alten Hirsche besitzen zumeist ein dreieckig bullig wirkendes Haupt, oft heller gefärbt als der Rumpf, (der Blick wirkt abweisend) fast waagerechte Trägerhaltung, eine nach hinten abfallende Rückenlinie, starkes Gewicht auf den Vorderläufen. Einfache Merksätze für den wirklich alten Hirsch sind etwa: „Vorne Löwe, hinten

Katze" oder „Gesicht wie eine Kuh, Vorderläufe mittig unter dem Körper". Die Stümpfe der Schalen sind jetzt wirklich rund geworden.

Beachte: Wenn die Stücke ausgewachsen sind, wird die Altersschätzung immer schwieriger und ungenauer.

53 Wie lange kann das Alter eines erlegten Stück Rotwilds relativ genau bestimmt werden?

Eine vergleichsweise genaue Altersbestimmung ist nur bis etwa zum 30. Monat möglich. Dann ist der Zahnwechsel vom Milch- zum Dauergebiss beendet. Ermöglicht wird dies dadurch, dass alle Zähne – mit Ausnahme der Molaren – zunächst als Milchzähne vorhanden sind und später zeitlich unterschiedlich gewechselt werden.

54 Welche vier Grundbegriffe sind zur Kenntnis von Zahnaufbau und -abnutzung wichtig?

» Schmelz: weiße, sehr harte, dünne Umhüllung eines jeden Zahnes,
» Dentin: das gelblich-braune Zahnbein, das vom Schmelz umhüllt mit zunehmender Abnutzung wechselnde Formen aufzeigt,
» Kunde: eine von oben tief eingesenkte Schmelzfalte in jedem einzelnen Wurzelteil der Molaren,
» Zahnwurzeln: Schneide- und Eckzähne sind einwurzelig, Backenzähne zweiwurzelig, der M3 und der P3 als Milchzahn sogar dreiwurzelig.

55 Wie sind die Zähne im Rotwildgebiss angeordnet?

» Schneidezähne sind nur im Unterkiefer zu finden (Incisivi = I). Ein Unterkieferast besitzt 3 Schneidezähne, hinzu kommt als 4. „Schneidezahn" der im Laufe der Entwicklungsgeschichte nach vorne gewanderte Eckzahn. Im Oberkiefer steht den Schneidezähnen des Unterkiefers eine harte Gaumenplatte gegenüber.
» Eckzähne: im Oberkiefer haben sie heute keine Funktion mehr (Grandeln) (Canini = C). Der Eckzahn im Unterkiefer ist wie erewähnt heute in seiner Funktion ein Schneidezahn.
  » Backenzähne: sind vorhanden als Prämolaren (P, Vormahlzähne), je drei auf jeder Ober- und Unterkieferseite und als Molaren (M, Mahlzähne), in gleicher Anzahl und Verteilung.

56 Wie unterscheidet man Kalb, Schmaltier und Alttier am Gebiss?

Das Kalb hat neben dem Milchgebiss der Schneidezähne und Prämolaren nur den ersten Molar geschoben, der dritte Prämolar ist dreiteilig.

Das Schmaltier besitzt die ersten zwei Molaren, der dritte Prämolar ist noch dreiteilig, die schmale, spitze Milchgrandel wird im Frühherbst von der breiten, stumpfen Dauergrandel verdrängt. Das Alttier trägt das vollständige Dauergebiss etwa ab dem 28. bis 30. Monat.

57 Welche Methoden zur Altersschätzung werden beim Rotwild nach dem 30. Lebensmonat angewandt?

Heute dienen meist zwei Methoden zur Altersschätzung:

1. *Altersschätzung nach der Backenzahnabnutzung*:
   Der Grad der Zahnabnutzung bei den Backenzähnen wird schon seit mehr als 130 Jahren zur Altersschätzung herangezogen. Dabei gilt ganz orientierend: Bis zum Alter 4 Jahre kann das Alter bis auf ein Jahr, bis zum Alter 12 auf zwei Jahre und ab Alter 13 auf drei Jahre eingeschätzt werden. Als Anhalt mögen drei Werte gelten:
   » 2 ½ Jahre: Das Gebiss ist komplett, alle Milchzähne sind gewechselt, alle Molaren stehen in Kaufunktionshöhe,
   » 6- bis 7-jährig: schmalrhombisches Zungendentin des M3,
   » 10- bis 11-jährig: Kunde im vorderen Teil des M1 ist abgeschliffen oder fast abgeschliffen.

Der Vorteil dieser Methode besteht darin, dass sie mit etwas Übung ohne Hilfsmittel von jedem Interessierten auch im Revier nachvollzogen werden kann. Im Kapitel „Altersschätzung" oder der spezielleren Fachliteratur sind Bestimmungstabellen und Fotografien der Backenzahnreihen von Rotwildunterkiefern als Hilfsmittel zur Altersschätzung zu finden. Der Nachteil dieser Methode liegt darin, dass individuelle (genetische), aber auch umweltabhängige Unterschiede (unterschiedliche Äsung) zu Fehleinschätzungen führen können.

2. *Altersschätzung nach dem Zementzonenverfahren*
   Im Wurzelbogen des M1 wird zu seiner Stabilität Zahnzement eingelagert. Dies erfolgt in Winter- (dunkel) und Sommerzonen (weißlich, breiter), die mit 8- bis 12-facher Vergrößerung ausgezählt werden können, sobald der Zahn mit einer feinen Säge im Unterkiefer durchtrennt und herausgezogen wurde. Zu der ermittelten Jahrringzahl wird zur Altersschätzung ein Jahr hinzugerechnet. Diese Methode wird in der Regel im Labor vorgenommen, kann aber von engagierten Jägern mit entsprechendem Werkzeug auch selbst durchgeführt werden.

58 Welche weiteren Methoden gibt es zur Rotwildaltersschätzung und wie sind sie in ihrer Zuverlässigkeit einzuordnen?

» Eidmann, 1932: Der J1 wird breitseitig angeschliffen und das in der Pulpahöhle schichtweise abgelagerte Sekundärdentin ausgezählt. Eine bewährte Methode, die aber leider dadurch sehr begrenzt wird, dass die ersten abgelagerten Schichten schon mit 7 bis 8 Jahren wieder abgenutzt werden.
» Harke, 1955: Rosenstockhöhe und -durchmesser werden gemessen und mit Tabellenwerten verglichen. Mit erheblichen Fehlerquellen schon bei der Messung verbunden.
» Budenz, 1965: untersucht nur die dritte, hintere Säule des M3. Ist die Kunde ganz herunter geschliffen, beträgt das Alter ca. 9 bis 10 Jahre. Eine grobe Orientierung an einem kleinen Objekt.

Fortpflanzung

59 Wann ist die Brunftzeit des Rotwildes?

In Mitteleuropa von Mitte. September bis Mitte Oktober. Bei kontinentalerem Klima z.B. in Ungarn ca. zwei bis drei Wochen früher, in Schottland bei atlantischem Klima ungefähr zwei Wochen später.

60 Woran erkennt man das zum Beschlag bereite Alttier?

Der Wedel wird leicht angehoben, das Stück bleibt nach vorne abgeduckt stehen, wenn sich der Hirsch nähert.

61 Was ist ein Brunftplatz, was ein Platzhirsch?

Eine in der Regel möglichst übersichtliche, ebene Fläche, die vom Kahlwild aufgesucht wird. Der Platzhirsch folgt dem Brunftrudel und markiert seinen Brunftplatz olfaktorisch und auch akkustisch durch Schlagen mit dem Geweih und und lautes Röhren. Er vertreibt regelmäßig die Beihirsche und beschlägt möglichst viele Alttiere. Rivalen, die das Rudel streitig machen könnten, versucht er, zu vertreiben. Oft suchen alte Hirsche jedes Jahr den gleichen Brunftplatz auf.

62 Wie finden Brunftkämpfe statt?

Gleichrangige Hirsche kämpfen durch frontalen Zusammenstoß mit ihren Geweihen nach vorherigem Imponiergehabe und festen Regeln, oft bis zur Erschöpfung. Ein tödlicher Ausgang ist selten, da das Kampfritual streng geregelt ist, kommt aber häufiger vor als bei Rehböcken.

63 Wie lang ist die Tragezeit eines fruchtbar beschlagenen Alttiers?

Sie beträgt 34 Wochen.

64 Wann ist die Setzzeit der Alttiere?

Ausgehend von der Brunft in Mitteleuropa etwa zwischen Mitte Mai und dem Mitte Juni. Das Alttier setzt in der Regel ein Kalb.

65 Wie lange wird das Kalb gesäugt?

Das Alttier hat – verbunden mit enger mütterlicher Fürsorge, die bis zu einer energischen Verteidigung reicht – bis in den Spätwinter Milch im Gesäuge. Auch danach bleibt das Kalb noch längere Zeit eng an das Muttertier gebunden.

2.26: Rotwildkalb im Frühsommer

Geweih, Aufbau und Entwicklung

66 Wie erfolgt der jährliche Geweihaufbau beim Rothirsch?

Unmittelbar nach dem Abwerfen im Februar/März werden die Rosenstöcke von einem stark durchbluteten Knorpelgewebe überwallt, das als „Kolben“ aufwärts wächst. Von den Kolbenstangen zweigen zunächst die Sprossen, später die Enden der Krone ab.
Zur Festigung des knorpeligen Eiweißgewebes wird Kalk eingelagert. Blutgefäße, die an der Schläfenarterie beginnen und von einer behaarten Haut, dem Bast, umgeben in der äußeren Schicht der Kolben verlaufen, transportieren die Aufbaustoffe zu den Wachstumszellen. Der Geweihaufbau erfolgt als reines Spitzenwachstum, d.h. am fertigen Geweih sind die Kronenenden die jüngsten Stangenteile.
Bei den erwachsenen Hirschen ist der Geweihaufbau im Juli beendet, bei den jüngeren erst Anfang August. Der Bast wird abgefegt. Der zunächst noch helle Knochen wird durch Pflanzensäfte beim Schlagen dunkelbraun bis schwarz gefärbt. Nur die Endenspitzen leuchten elfenbeinweiß.

2.27: Kolbenhirsche Anfang Juli. Ende Juli haben die alten Hirsche meist schon gefegt.

67 Was ist ein Kolbenhirsch?

Ein Hirsch mit Bastgeweih, also in den Monaten April bis Juli.

68 Was ist ein Mönch, was ein Plattkopf?

Ein Mönch ist ein geweihloser Hirsch, der Rosenstöcke besitzen kann oder auch nicht.
Ein Plattkopf trägt kurze, rudimentäre Geweihstummel auf Rosenstöcken. Beide Hirsche zeigen in der Regel normale Fortpflanzungsfähigkeit und können sogar Brunftrudel führen.

69 Aus welchen Substanzen besteht das fertige Geweih?

Die körpereigenen, mineralsalzhaltigen Eiweißverbindungen machen 44 % des Geweihvolumens aus, der überwiegend phosphorsaure Kalk 53 % und Magnesium etwa 2 bis 3 %.

70 Was ist eine Demarkationslinie?

Im Spätwinter (Februar und März) lösen sich unmittelbar unter der Rose in einer dünnen Schicht die Knochenzellen von außen nach innen auf. Sobald der Halt zwischen Rosenstock und Stange zu gering wird, bricht diese ab, sie wird abgeworfen.

71 Was sind Passstangen?

Es sind beide Abwurfstangen eines Hirsches aus demselben Jahr.

72 Was bezeichnet der Jäger als Petschaft?

Die helle Abbruchstelle der Abwurfstange, die von der dunklen Rose kranzförmig umgeben ist.
Zur Altersschätzung ist das Petschaft eine gute Hilfe. Je größer das Petschaft im Verhältnis zur Breite des Rosenkranzes, um so älter ist der Hirsch. In der Regel wird das Petschaft dabei auch flacher.

73 Wie entwickelt sich das Geweih in den ersten Lebensjahren?

Im ersten Lebensjahr schiebt das Hirschkalb kein Geweih. Erst im Januar erkennt man um die sich langsam bildenden Rosenstöcke einen dunkleren Haarkranz.
Im zweiten Jahr wird das erste, rosenlose Geweih bis in den September hinein geschoben. Es sind meist Spieße. Ihre Stärke und Länge wird einerseits bestimmt vom sozialen Rang der Mutter, in deren Familienverband sich der Spießer noch gerne aufhält, andererseits spielt für die Länge der Spieße auch eine genetische Veranlagung eine Rolle. Erst im April des Folgejahres werden die Spieße wieder abgeworfen.
Im dritten Jahr wird immer ein Geweih mit Rosen geschoben. Mehrendigkeit ist die Regel. Wir erkennen Gabler, Sechser, Achter oder auch schon Zehnergeweihe. Der Fegezeitpunkt liegt von jetzt an zumeist in den ersten zehn Tagen des August oder auch schon in der letzten Juliwoche.

74 Wie wird das Geweih nach Zahl der Sprossen und Enden angesprochen?

Die Bezeichnung des Geweihes erfolgt nach derjenigen Stange, welche die größere Zahl an Enden aufweist. Diese Zahl wird verdoppelt, die andere Stange bleibt unberücksichtigt. Haben die Geweihstangen unterschiedliche Endenzahlen, so wird dies durch den Zusatz „ungerade" gekennzeichnet. Ein „ungerader Kronen-10er" zeigt also an einer Stange Augsprosse und Mittelsprosse sowie drei Kronenenden, auf der anderen Seite mindestens ein Ende weniger. Beim „geraden 12-Ender" weisen beide Stangen gleiche Endenzahl auf (typischerweise Aug-, Eis- und Mittelsprosse sowie drei Kronenenden).

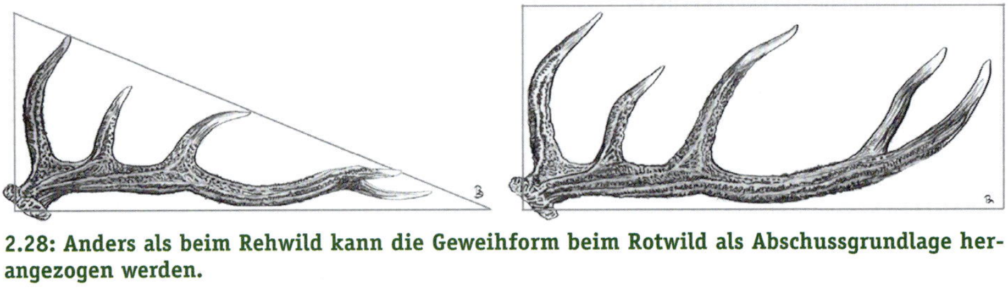

2.28: Anders als beim Rehwild kann die Geweihform beim Rotwild als Abschussgrundlage herangezogen werden.

75 Wie unterscheidet sich der junge Zukunftshirsch im Geweih von dem weniger gut veranlagten Hirsch?

Die Mittelsprosse des zwei- bis vierjährigen Hirsches ist durch Länge und Stärke ein geweihprägendes Merkmal beim Zukunftshirsch. Eine um die Geweihstange gezogene Linie bildet tendentiell ein Rechteck.

Beim erlegungsnotwendigen Hirsch ist die Mittelsprosse so kurz, dass die Linie von der Augsprossenspitze zum Stangenende durch diese Sprosse nicht unterbrochen wird. Eine um die Stange gedachte Linie bildet eher ein Dreieck („Lotzedreieck").

2.29: Dieser sehr alte Hirsch trägt nur noch Geweihstümpfe auf sehr kurzen Rosenstöcken.

76 In welchem Alter trägt der Rothirsch sein stärkstes Geweih?

Meist im Alter von 12 bis 14 Jahren. Erst dann beginnt das Zurücksetzen des Geweihs, insbesondere Endenzahl und Stangenlänge nehmen dann ab.

Hege, Bejagung

77 Welche Ziele werden bei der Rotwildhege verfolgt?

Hegeziel ist ein gesunder, qualitativ hochwertiger und an den Lebensraum angepasster Rotwildbestand. Dies beinhaltet unter anderem, dass der Wald nicht in unvertretbarer Weise in seiner Entwicklung beeinflusst wird und die Schäden im Feld in Grenzen bleiben. Der Vegetationszustand ist also ein wichtiger, doch keinesfalls der einzige Weiser für die Tragbarkeit eines Rotwildbestandes. Dabei spielt die örtliche und zeitliche Wilddichte eine entscheidende Rolle, da Rotwild sich nicht gleichmäßig im Lebensraum verteilt, sondern in sozialen Verbänden, beim Kahlwild ins Familienverbänden und bei Hirschen in Trupps auftritt.

78 Wie kann der Jäger dieses Hegeziel erreichen?

Wichtig ist es, das natürliche Äsungs- und Deckungsangebot zu erhalten und zu verbessern. Dazu sollen im Wald regelmäßig Wildwiesen angelegt werden. Diese sollen nicht bejagt werden. Um den Schutz vor Störungen (auch jagdlicher Art) zu gewährleisten, gilt es, Wildruhezonen auszuweisen, welche nicht bejagt werden und möglichst abseits von Wegen mit intensiver Freizeitnutzung liegen.

Eine im Jahr zeitlich konzentrierte Rotwildbejagung, etwa in der Zeit von August bis Dezember (freiwillige Jagdruhe im Frühsommer und Spätwinter, auch wenn die Jagdzeitenverordnungen längere Jagdzeiten ermöglichen) dient ebenso dem Hegeziel wie die Lenkung der Waldbesucher. Da viele dieser Aufgaben in kleieren Revieren nur schwer umsetzbar ist, sollte Rotwildhege und -bejagung grundsätzlich abgestimmt in Hegegemeinschaften stattfinden.

79 Welche Ziele hat eine fachgerechte Rotwildbejagung?

Neben einer zahlenmäßigen Regulation der Wilddichte sowie der Aufrechterhaltung einer ausgewogenen Altersstruktur (hinreichend viele mittelate und alte Stücke) sowie eines ausgewogenen Geschlechterverhältnisses (z.B. Reduktion eines evtl. vorhandenen Kahlwildüberhanges) ist heute die Lenkung des Rotwildes von großer Bedeutung. Gerade um Wildschäden im Wald zu vermindern, sind zeitgemäße Bejagungskonzepte wie beispielsweise die Schwerpunktbejagung von zunehmender Bedeutung.
Dazu bedarf es praxisnaher, einfacher Abschussrichtlinien und einer engmaschigen Abstimmung der forstlichen und Jagdlichen Ziele.

80 Was sind ausgewiesene Ruheintervalle, was sind Ruhezonen?

Innerhalb der im jeweiligen Bundesland nach Verordnung zulässigen Rotwildjagdzeiten können etwa durch die Hegegmeinschaft oder den Grundeigentümer freiwillig jagdfreie Intervalle festgelegt werden, in denen kein Schuss im Revier fällt. Es ist wichtig, dass in diesen Ruheintervallen auch andere Wildarten nicht bejagt werden.
Daneben sollten Jagdruhezonen angelegt werden, welche dauerhaft nicht bejagt werden. Für diese gilt grundsätzlich „je größer, desto besser". Daher sollten diese nicht auf Basis einzelner Reviere, sondern auf der Ebene der Hegegemeinschaft oder des Forstbetriebes ausgewiesen werden.
Aber auch kleinere Ruhezonen von wenigen Hektar können hilfreich sein, eine Mindestgröße gibt es nicht. Auch Wildwiesen im Wald sollten keinesfalls bejagt werden, sondern wie Jagdruhezonen behandelt werden.
Diese freiwillige Beschränkung der Jäger in der Jagdausübung ermöglicht dem Rotwild einen deutlich verbesserten Lebensrhythmus in weniger gestörten Lebensräumen. Dadurch wird normalerweise auch eine deutliche Reduktion der Wildschäden im Wald bewirkt.

81 Was verstehen wir unter Schwerpunktbejagung, was bedeutet Intervallbejagung?

Schwerpunktbejagung und Intervallbejagung sind sog. Jagdkonzepte. Sie dienen einer der Vermeidung einer zu großen Stressbelastung des Wildes durch jagdliche Eingriffe.
Bei der Schwerpunktbejagung werden die jagdlichen Aktivitäten auf bestimmte Flächen konzentriert (insbesondere Verjüngungsflächen oder schälgefährdete Bestände). Dafür werden umfangreiche Ruhezonen geschaffen und andere Teile der Jagdfläche zeitweise weniger oder gar nicht bejagt. Dadurch wird einerseits mehr Wild genau dort erleg, wo es Schaden verursacht und gleichzeitig der Vergrämungseffekt durch die Bejagung genutzt. Im Zentrum der Überlegungen steht also nicht die flächenhafte Reduktion des Gesamtbestandes, sondern die gezielte Reduktion dort, wo Schäden zu erwarten sind. Die absolute Höhe des Abschusses spielt hier eine untergeordnete Rolle.
Schwerpunktbejagung bietet sich vor allem als Jagdkonzept bei anspruchsvollen forstlichen Zielsetzungen an.
Intervallbejagung bedeutet, dass freiwillig jagdfreie Zeitintervalle über das Jahr festgelegt werden. Es ist wichtig, dass in diesen Ruheintervallen auch andere Wildarten nicht bejagt werden.
Solche jagdfreien Intervalle sollen die Stressbelasung des Wildes durch Bejagung vermindern und damit evtl. auch Wildschäden verhindern. Die Erfahrung zeigt, dass auch bei

Intervallbejagung in den freiwillig verkürzten Jagdzeiten eine ähnliche Jagdstrecke wie ohne Intervallbejagung problemlos erzielt werden kann.
Intervallbejagung bietet sich darüber hinaus beispielsweise in Naturschutzgebieten oder an Rastplätzen der Zugvögel an.
Beide Konzepte stellen langfristige, strategische Ausrichtungen dar. Innerhalb von Schwerpunkt- und Intervallbejagungskonzepten können alle Jagdarten individuell nach den Erfordernissen des Revieres ausgewählt und kombiniert werden.

82 Welche Jagdarten entsprechen beim Rotwild einer guten fachlichen Praxis?

Bei den Einzeljagdarten:

» Der *Ansitz*. Unter Berücksichtigung des Windes bietet er gute Beobachtungsmöglichkeiten. Hierbei werden wichtige Erfahrungen gesammelt. An Äsungsflächen sollte keinesfalls die Ansitzjagd erfolgen.
» Die *Pirsch*. Nur in ausreichend großen Revieren, bei guter Orts- und Wildkenntnis ist sparsam zu pirschen. Zu leicht ist ein Revier „leergepirscht".
» Die *Brunft- oder Lockjagd*. Sie ist für viele Jäger die Krone jagdlichen Tuns. Das Angehen eines Hirsches mit dem Hirschruf verlangt Erfahrung. Es gilt, die Risiken, die gerade bei dieser Jagdart gegeben sind, abzuwägen und schnell zu entscheiden.

Bei den Gesellschaftsjagdarten:

» Die *Drückjagden*. Drückjagd bedeutet Jagd ohne Hunde und mit nur wenigen Treibern, die ruhig durch den Bestand gehen. Sie sind leises Jagen. Die Jägerzahl kann sehr klein sein. Standruhe und ständige Aufmerksamkeit werden verlangt. Das Wild kommt in der Regel langsam gegen den Wind gezogen und erleichtert so Ansprechen und Schussabgabe. Die Kunst dabei ist das Drücken, weniger die Leistung des Jägers.
» Die *Stöber- oder Riegeljagden*. Sie verlangen anhaltend und weit stöbernde Hunde, große Waldgebiete, revierübergreifende Treiben, eine größere Jägerzahl und zwei, besser drei Stunden Zeit. So können größere Strecken gemacht werden. Bei der Auswahl der Stände ist gute Revierkenntnis von Nutzen. Bei deren Besetzung ist darüber hinaus auf Schießfertigkeit und Ansprecherfahrung der Schützen zu achten.
» Die *Drück-Stöber-Jagd*. Diese Jagdart ist heute wohl die häufigste auf Rowild eingesetzte Gesellschaftsjagdart. Sie kombiniert die Drückjagd mit dem Einsatz spurlauter, kleiner Hunde. Einer der häufigsten Fehler bei Drück-Stöber-Jagden ist der Einsatz stumm jagender und großer Hunde, die das Wild hetzen.

Schäden und Probleme

83 Welche Probleme bestimmen in der Bundesrepublik die Situation in den Rotwildrevieren?

Forstliche und jagdliche Interessen stehen sich vielfach in lokalen Konflikten gegenüber. Forstleute wünschen sich häufig einen geringen, oftmals aus rechtlicher Sicht gerade noch zulässigen Wildbestand. Jäger tendieren in ihren Pachtrevieren nicht selten zu eher höheren Beständen. Zeitgemäße Jagdkonzepte, etwa die Schwerpunktbejagung können für einen zumindest teilweisen Interessenausgleich sorgen, werden aber bislang noch eher selten angewandt.

84 Welche Wildschäden verursacht Rotwild im Wald?

Rotwild verursacht Schäle und Verbiss. Dabei handelt es sich zunächst um Fraßeinwirkungen. Zu einem Schaden werden diese dann, wenn sie wirtschaftlich bewertet werden. Schälen bedeutet, dass mit den Schneidezähnen Rindenteile von Stämmen oder Wurzelanläufen erfasst, gegen die Gaumenplatte gepresst und abgerissen weden. Gefährdet sind alle Laubbaumarten (außer der Eiche, sobald sie verborkt ist), aber auch Fichte, Kiefer und Douglasie. Wir unterscheiden Sommer- und Winterschäle. Sommerschäle entsteht nicht durch Nahrungsmangel, sondern durch unausgewogene Nahrung (etwa proteinreiche Äsung auf dem Feld) oder durch Störungen oder falsche Bejagung. Bei Winterschäle können diese Faktoren ebenfalls ursächlich sein, darüber hinaus kann es sich aber auch um einen absoluten Nahrungsengpass handeln. Schälschäden sind nicht immer zu vermeiden. Das Ausmaß wächst aber bei sehr hoher Wilddichte, falschem Überwinterungsmanagement und Störung der täglichen Nahrungszyklen an.
Der Verbiss von Baumtrieben ist ebenfalls ein typisches Äsungsverhalten im Wald. Bei Auswahlmöglichkeit ist hier Laubholz stärker betroffen als Nadelholz.
Das Fegen des Geweihs und somit Fegeschäden beschränken sich auf die letzten Tage des Julis und die ersten zwei Augustwochen.
Von wirtschaftlich schon größerer Bedeutung sind Schlagschäden, welche durch das Schlagen mit dem fertigen Geweih entstehen. Dabei handelt es sich um ein Imponierverhalten, welches in der Brunft verstärkt zu beobachten oder zu hören ist, aber bis in den Winter anhält.

85 Welche Wildschäden verursacht Rotwild im Feld?

Weizen- und Haferfelder in der Milchreife ziehen an, Maiskolben sind beliebt, Kartoffeln werden aus dem Boden geschlagen, Zucker- und Futterrüben werden benagt und als Grünäsung werden Raps, Bohnen, Lupinen und Wicken geäst. Auch hier gilt: nicht jede Fraßeinwirkung ist ein Schaden. Letzterer entsteht, wenn es zu Ertragsausfällen kommt.

86 Welche Abwehrmaßnahmen gegen Wildschäden können getroffen werden?

Vorbeugend wirken das Herstellen einer angemessenen Wilddichte, Ruhezonen und verbesserte Äsungsbedingungen, z.B. Anlage von ruhigen Wildäsungsflächen im Wald.
Direkte Abwehrmaßnahmen sind eine intensive Bejagung an den Schadflächen (mit entsprechender ruhe an anderen Stellen, sog. Schwerpunktbejagung), Flächenschutz durch Zäunung von Kulturen oder Einzelschutz von ausgewählten Bäumen (chemisch oder mechanisch). Die Zäunung wird aufgrund des damit verbundenen Lebensraumverlustes und der Gefährdung von Wildtieren durch Verletzungen beim Fliehen gegen den Zaun als die ungünstigste Lösung angesehen.
Im Feld können Flächen zumindest zweitweise mit Elektrozaun oder punktuell durch optische oder akustische Repellentien (Abschreckungsmittel) geschützt werden.

87 Wo liegt die zulässige Rotwilddichte?

Ein Rotwildbestand gilt als standörtlich angepasst, wenn bei Umsetzung eines sachgerechten Bewirtschaftungskonzeptes die Pflanzendecke, vor allem die auflaufende Verjüngung aller Hauptbaumarten, sich gut entwickeln kann und Verbiss und Schäle tolerierbar sind. Der Vegetationszustand ist also der entscheidende Weiser, den sowohl Forstmann als auch Jäger ständig im Auge haben sollten.

Hirschgerechte Zeichen

88 An welchen „hirschgerechten Zeichen“ kann der Jäger den Rothirsch erkennen?

Die „hirschgerechten Zeichen“ befassen sich besonders mit der faszinierenden Fährtenkunde des Hirsches, aber auch Zeichen an Bäumen und Sträuchern. Die Suhle und der Malbaum zählen ebenfalls dazu. Döbel und Frevert unterscheiden noch 72 hirschgerechte Zeichen. Der Jungjäger sollte zunächst nur die erlernen, die ihn die Wildart erkennen lassen und ihm bei der Altersansprache Hilfe sind.

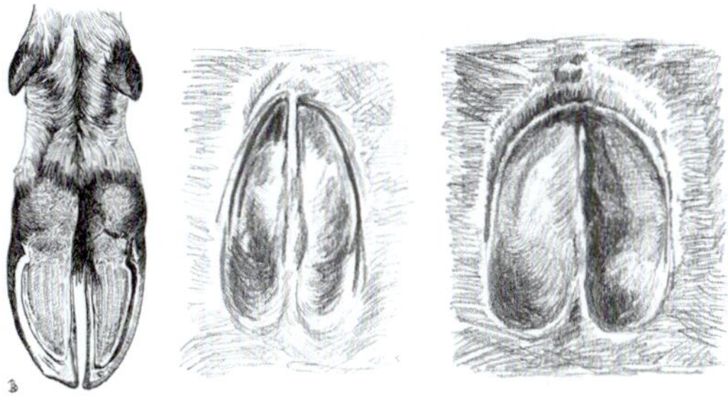

2.32: Schalen (links), Tritte: Tier (mittig), Hirsch (rechts)

89 Wie sieht das Trittsiegel von Rotwild aus?

Beim Ziehen drückt Rotwild die Schalen und Ballen ab, sobald es flüchtig wird, in weichem Boden und unter Schmerzen auch das Geäfter, um den Halt zu vergrößern. Der Tritt des Hinterlaufes wird genau in den Tritt des Vorderlaufes gesetzt, der Hirsch „macht den Schluss“.

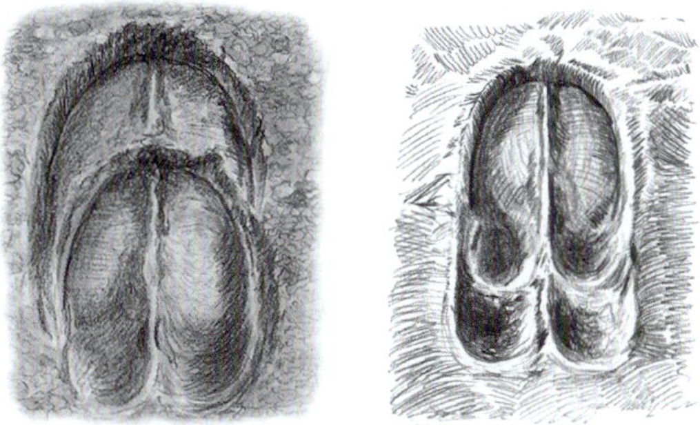

2.30: „Zurückbleiben“ (links), „Übereilen“ mit „Vierballenzeichen“ (rechts)

90 Wie unterscheidet sich das Trittsiegel eines Hirsches von dem des Tieres?

Es ist beim Hirsch vom dritten Lebensjahr an deutlich länger und vor allem breiter. Beim Ziehen drückt der Hirsch die Schalen enger zusammen als das Tier („Zwang“). Dadurch nutzen sich die Schalenspitzen schneller ab, sie werden runder.
Es entstehen die „Stümpfe“, eines der sichersten Altersmerkmale beim Rothirsch. Das Alttier dagegen drückt die Schalenspitzen deutlich mehr gespreizt ab.

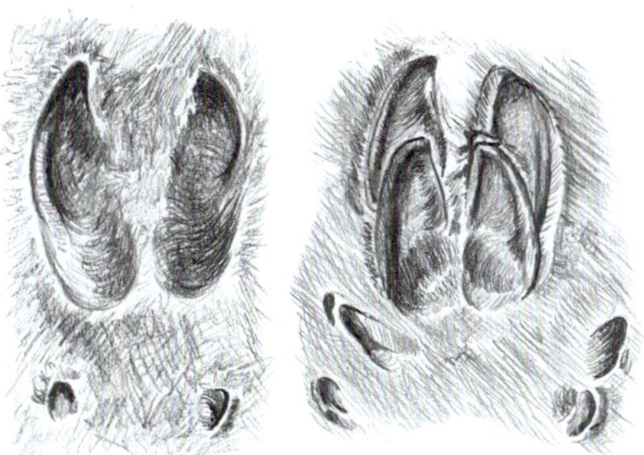

2.31: Rotwild flüchtig (links), Schwarzwild ziehend (rechts)

91 Was bezeichnet der Jäger als „übereilen", was als „zurückbleiben" bzw. „hinterlassen"?

Wenn der Hirsch beim Ziehen mit dem Hinterlauf über den Abdruck des Vorderlaufes hinwegtritt, so „übereilt" er, ein Zeichen für einen jungen Hirsch. Eine Folge des Übereilens ist das „Vierballenzeichen". Sobald er mit dem Hinterlauf hinter dem Tritt des Vorderlaufes zurückbleibt, spricht der Jäger von „zurückbleiben", „hinterlassen" oder auch vom „ereilen", wenn der Hinterlauf noch teilweise den Abdruck des Vorderlaufes erreicht. Dieses Zurückbleiben lässt auf einen älteren Hirsch schließen.

92 Was ist der „Schlosstritt"?

Wird der Hirsch aus dem Bett hoch, so setzt er dabei einen Hinterlauf mitten in seine Ruhestelle. Ist der Jäger dabei in der Nähe, kann er den Schlosstritt – ähnlich dem Hufschlag eines Pferdes – sogar hören.

93 Wie unterscheidet sich ein Rotwildtrittsiegel von dem eines Stückes Schwarzwild?

Beim Schwarzwild ist das Geäfter stets abgedrückt und steht seitlich der Schalenabdrücke. Beim Rotwild erkennen wir es dagegen nur bei der Flucht, im tiefen Boden und beim kranken Stück hinter den Ballen. Während des Ziehens sind die Schalenspitzen einer Sau stets ein wenig gespreizt, die Außenschalen meist länger als die Innenschalen abgedrückt. Der Zwang führt beim Hirsch zu einer „reinen" Fährte. Erst das Flüchtigwerden bzw. anhaltender Schmerz werden von gespreizten Schalen beim Rotwild gekennzeichnet.

Trophäen

94 Welche Rotwildtrophäen kennt der Jäger?

Das Geweih des Hirsches, die Grandeln von Hirsch und Tier, eingefasst als Schmuck, die gegerbte Sommerdecke, den Hirschbart als Hutschmuck aus den Haaren der Mähne zusammengefasst.

95 Welche Eigenschaften des Geweihes werden zu seiner Bewertung herangezogen?

Die Länge der Stangen, der Aug- und Mittelsprossen, der Umfang der Rosen und der Stangen, die Auslage der Stangen, das Geweihgewicht, die Endenzahl sowie Farbe, Perlung, Spitze der Enden, Eissprossen und Krone. Die genaue Geweihbewertung Die genaue Geweihbewertung kann nach unterschiedlichen Formeln erfolgen.

Ordnung	Paarhufer
Unterordnung	Wiederkäuer
Familie	Hirsche (Cervidae)
Unterfamilie	Echthirsche
Gattung	Edelhirsche i.w.S. (Cervus)

Sikawild *(Cervus nippon)*

Aussehen

Die Grundfarbe der Sommerdecke ist rostrot mit weißen Flecken entlang der Rückenlinie auf den Flanken und Keulen. Ein deutliches Unterscheidungsmerkmal zum Damwild ist die an den Hinterläufen unterhalb des Sprunggelenkes gelegene weiße oder gelbliche Laufbürste.
Das Winterhaar des Sikawildes ist dunkelgrau bis fast schwarz oder braun. Die Hirsche tragen im Winterhalbjahr wie der Rothirsch eine Brunftmähne.
Die Körpergröße und das Körpergewicht (aufgebrochen) des in Mitteleuropa vorkommenden Sikawildes liegt unter den Werten des Damwildes. Sikahirsche erreichen Gewichte von 25 bis 50 Kilogramm, Tiere von etwa 23 bis 35 Kilogramm. Bei der Flucht und bei Verunsicherung zeigt das Sikawild so genannte Prellsprünge (wie auch das Damwild, siehe unten).
Hirsche vom zweiten Kopf tragen in der Regel ein Sechser- oder Achtergeweih, später normalerweise ein Achtergeweih, Kronenbildungen sind insgesamt relativ selten, kommen in einzelnen Sikabeständen jedoch häufiger vor. Inwieweit diese bereits Zeichen einer früheren Hybridisation mit Rotwild darstellen, müsste für den jeweiligen Bestand untersucht werden.
Hybriden zwischen Rot- und Sikawild zeigen typischerweise Merkmale der beiden Eltern(unter)arten.

Verbreitung und Lebensraum

Sikawild stammt ursprünglich aus Ostasien. Es kann als die ostasiatische Form des Rothirsches angesehen werden. In Asien kennen wir mehrere lokale Unterarten oder Ökotypen, die auch an unterschiedliche Umweltbedingungen angepasst sind.
Ursprünglich wurde das Sikawild von den britischen Inseln nach Europa eingeführt, angesiedelte oder aus Gehegen entkommene Tiere bilden etwa in Irland die Grundlage des heute dort nahezu

2.33: Sikawild im Winterhaar

2.34: Sikawild im Sommerhaar

flächendeckend vorkommenden Rot-Sikahirschbestandes, welcher durch Hybridisation mit dem einheimischen Rotwild entstanden ist. Aufgrund der problemlosen Hybridbildung zwischen Rot- und Sikawild müssen wir davon ausgehen, dass beide Formen Unterarten ein und derselben biologischen Art sind (und strenggenommen sollte der Sikahirsch daher auch nicht „Cervus nippon" sondern „Cervus elaphus nippon" heißen).

In Deutschland wurde Sikawild erst im 20. Jahrhundert in die freie Wildbahn entlassen. Nennenswerte Vorkommen existieren heute in Nordrhein-Westfalen (Arnsberger Wald), Schleswig-Holstein und Baden-Württemberg. Darüber hinaus existiert ein umfangreiches Sikawildvorkommen in Böhmen (Raum Karlsbad), von dort aus gibt es regelmäßige Zuwanderungen nach Bayern und Sachsen.

Hybridbildung zwischen Rot- und Sikawild in Deutschland kommt mit großer Wahrscheinlichkeit vor, hat allerdings bislang nie das Ausmaß wie in Irland angenommen.

Die Sikawildstrecke in Deutschland liegt gegenwärtig bei jährlich rund 1000 Stück.

Nahrung

Sikawild ist ein sog. Mischäser, ganz ähnlich wie das Rotwild.

Fortpflanzung

Die Brunft hat ihren zeitlichen Schwerpunkt später als beim Rotwild, etwa Ende Oktober/Anfang November. Sie kann sich insgesamt aber von September bis Dezember erstrecken. Der Brunftruf des Sikahirsches ist ein mehrmals wiederholter Pfeifton. Die Hirsche schließen sich – wie auch beim Rotwild – zur Brunft den Kahlwildrudeln an. Einen dominierenden Platzhirsch – wie beim Rotwild – gibt es in dieser Form nicht.

Nach einer Tragzeit von durchschnittlich siebeneinhalb bis acht Monaten fällt die Geburt der Kälber in die Zeit zwischen Mai und Juli, hauptsächlich in den Juni. Zwillingsgeburten sind selten. Sikawild wird im Alter von 15 bis 18 Monaten geschlechtsreif.

Hege und Bejagung

Hinsichtlich der Bejagung und der Hegemaßnahmen gilt entsprechend das für das Rotwild gesagte. Um Hybridbildung zu vermeiden, sollte beim gleichzeitigen Vorkommen von Rot- und Sikawild auf das Vorhandensein intakter und artgerechter Sozialstrukturen, insbesondere einer angemessenen Altersstruktur und eines ebensolchen Geschlechterverhältnisses, geachtet werden.

Fragen

96 Suhlt Sikawild?

Ja. Von den heimischen Schalenwildarten suhlen Rot-, Sika- und Schwarzwild. Vom Sikawild werden Suhlen ganzjährig angenommen, in besonders hoher Frequenz von den Hirschen zur Brunftzeit.

97 Wie erfolgt die Geweihbildung beim Sikahirsch in Mitteleuropa?

Das erste Geweih wird ab März des auf die Geburt folgenden Jahres als Spießergeweih geschoben. Es folgt typischerweise das Achtergeweih, welches seine maximale Stärke etwa ab dem siebten oder achten Kopf erreicht (Mindestzielalter!).
Spießer fegen von Ende August bis Anfang Oktober, ältere Hirsche von Mitte Juli bis Mitte September. Spießer werfen etwa Ende Mai ab, ältere Hirsche im April und Mai. Für das Fegen und Abwerfen der Geweihe gilt als Faustregel: alt vor jung.

98 Besitzt Sikawild Grandeln?

Ja. Beim Rot- und Sikawild tragen beide Geschlechter stets Grandeln, beim Reh- und Damwild selten. Die Grandeln des Sikawildes sind jedoch seiner Körpergröße entsprechend deutlich kleiner als jene des Rotwildes.

Ordnung	Paarhufer
Unterordnung	Wiederkäuer
Familie	Hirsche (Cervidae)
Unterfamilie	Echthirsche
Gattung	Edelhirsche i.w.S. (Cervus)

Europäisches Damwild *(Cervus dama)*

Aussehen

Damwild besitzt eine am Rücken rostrote, am Bauch helle Sommerdecke, die auch bei erwachsenen Stücken eine Fleckenzeichnung längs der Rückenlinie, auf den Flanken und Keulen aufweist. Die Fleckenzeichnung ist individuell unterschiedlich.

Vom Träger über den gesamten Rücken verläuft ein schwarzer Aalstrich. Der lange Wedel ist oberseits schwarz, seine Unterseite ist schneeweiß. Das Winterhaar ist schmutziggrau, graubraun bis dunkelbraun. Insgesamt ist das Damwild die „bunteste" Schalenwildart Europas. In fast allen Beständen kommen zahlreiche Farbvarianten einschließlich komplett schwarzer oder weißer Stücke vor. Damhirsche erreichen im Mittel etwa zwischen 50 und 100 Kilogramm. Gewichte über 100 Kilogramm (Feistzeit) beschränken sich auf wenige Ausnahmen. Das Körpergewicht der Schmal- und Alttiere schwankt zwischen etwa 30 und 45 Kilogramm.

Verbreitung und Lebensraum

Der Europäische Damhirsch lebte in den letzten beiden Zwischeneiszeiten zwar nachweislich im genannten Raum, überlebte die letzte Eiszeit jedoch nur im Mittelmeerraum und Kleinasien. Insbesondere im Bereich der heutigen Türkei lagen die Rückzugsräume des Damwildes. Vor etwa 2000 Jahren gelangte es durch die Römer wieder nach Mitteleuropa. Hier erfolgten über die Jahrhunderte auch immer wieder Freisetzungen aus Gehegen.

Heute finden wir größere Bestände in Brandenburg, Niedersachsen, Mecklenburg-Vorpommern, Schleswig-Holstein und Sachsen-Anhalt. Die Damwild-Strecke in Deutschland steigt nach einer Phase der Stagnation derzeit wieder an, was möglicherweise auf eine Tendenz zur weiteren Ausbreitung schließen lässt.

Weitere bedeutende Damwild-Vorkommen in Europa existieren in Großbritannien, Tschechien, die Slowakei, Schweden, Dänemark, Polen, Irland, Rumänien, Ungarn und Bulgarien.

Neben dem Europäischen Damhirsch ist der Mesopotamische Damhirsch als Unterart bekannt.

Als Lebensraum bevorzugt das Damwild lockere, offene Waldbestände. Entscheidend ist – unabhängig vom sonstigen Waldbild – in erster Linie die verfügbare Gras- und Krautschicht. Sofern möglich, zieht Damwild zur Äsung auch gern und bei entsprechender Landwirtschaftsstruktur (Vegetationshöhe) mitunter auch mehrere Tage lang ins Feld.

Höhere Regionen mit dauerhaft hohen Schneelagen sind für das Damwild ungeeignet.

Nahrung

Damwild ist ein Mischäser mit Tendenz zum Rahfutteräser, ist somit wenig anspruchsvoll und kann auch rohfaserreiche, relativ nährstoffarme Äsung verwerten. Die Hauptkomponente wird in den meisten Fällen durch die Grasarten der Waldeinstände gestellt. Hinzu kommen Kräuter (Heidelbeere!), Baummast, Blattäsung sowie forst- und landwirtschaftliche Pflanzen und ihre Früchte. Im Vergleich zum Reh- und Rotwild beeinträchtigt das Damwild die Waldvegetation in vergleichsweise geringem Maße.

Fortpflanzung

Die Brunft hat ihren zeitlichen Schwerpunkt später als beim Rotwild und fällt in die Monate Oktober und November. Der Höhepunkt liegt in der zweiten Oktoberhälfte. Anders als beim Rotwild zieht das Kahlwild zur Brunft normalerweise zum Hirsch. Die Plätze sind in relativ kleine Brunft-Territorien unterteilt. In diesen Territorien liegt die Brunftkuhle, eine flache ausgeschlagene Mulde, in der der Schaufler markiert, vorübergehend sitzt und/oder schreit. Gelegentlich – etwa bei geringen Wilddichten – ziehen Schaufler zur Brunft auch in Rothirschmanier mit dem Kahlwildrudel. Der Brunftschrei des Damhirsches ist ein kaum modifiziertes, einförmiges „Rülpsen". An die Brunft schließt sich eine etwa 33-wöchige Tragzeit an (ca. 7,5 Monate). Die Damkälber werden zwischen Mai und Juli mit Schwerpunkt im Juni gesetzt. Zwillingsgeburten sind relativ selten. Weibliches Damwild wird im zweiten Lebensjahr als Schmaltier geschlechtsreif. Nur in sehr seltenen Ausnahmen werden bereits Wildkälber beschlagen.

Hege und Bejagung

Zu den Hegemaßnahmen beim Damwild gehört vor allem die Sicherung angemessener Lebensräume einschließlich der Gewährleistung artgerechter Äsung und Ruhe.
Die Bejagung des Damwildes soll so erfolgen, dass ein angemessener Bestandesumfang und Altersaufbau sowie ein Geschlechterverhältnis von 1:1 gewahrt wird.
Der weibliche Frühjahrsbestand sollte sich in etwa 20 % Schmaltiere und rund 80 % Alttiere untergliedern. Für den männliche Teilbestand sollen etwa 45 % auf ein- und zweijährige Hirsche entfallen, ergänzt durch rund 40 % mittelalte Schaufler (3 bis 7 Jahre) und etwa 15 % reife Hirsche (8 Jahre oder älter). Hierbei handelt es sich um grobe Richtwerte für Damwildbestände, die ihre wirtschaftlich tragbare Wilddichte erreicht haben.
In gut strukturierten Damwildbeständen sollte sich der Abschuss weiblichen Wildes folglich aus etwa 40 % Wildkälbern, 20 % Schmaltieren und etwa 40 % Alttieren zusammensetzen. Bei den Hirschen sollten 35 bis 40 % des Abschusses auf Hirschkälber und einjährige Hirsche, etwa 45 % auf mittelalte Hirsche (2 bis 7 Jahre) und rund 15 bis 20 % auf reife Hirsche (8 Jahre oder älter) entfallen. Das Zielalter der Schaufler wird regional unterschiedlich hoch – meistens bei mindestens acht Jahren – angesetzt.
Bejagungsstrategien und -methoden sind im Grunde ähnlich einzusetzen wie beim Rotwild. Allerdings ist beim Damwild die höhere Tagaktivität bei gleichzeitig hervorragendem Gesichtssinn in Betracht zu ziehen und die Jagdstrategien und -methoden entsprechend anzupassen.

Fragen

99 Welche Besonderheit in der Fortbewegung haben Dam- und Sikawild?

Die Prellsprünge. Bei Störungen, Verunsicherung und Flucht springt Damwild mit allen vier Läufen gleichzeitig vom Boden ab.

100 In welchen Sozialverbänden lebt Damwild?

Die soziale Organisation entspricht weitgehend der des Rotwildes. Die Basis der Kahlwildrudel bilden Mutterfamilien (sog. Gynopädien: Alttier, Kalb oder Alttier, Schmaltier o. Spießer und Kalb). Zur Setzzeit löst sich der Rudelverband vorübergehend auf. Schmaltiere und Spießer (Bast) stehen dann allein oder in „Jugendgruppen". Ein Teil der Spießer zieht bereits in die Hirschrudel. Etwa vier Wochen nach der Hauptsetzzeit finden sich die Kahlwildrudel, die Alttiere begleitet von ihrem Kalb, wieder zusammen. Die Schmaltiere schließen sich wieder dem Rudel an, ein Teil der Spießer ebenfalls.

2.35: Damhirsch im Sommerhaar

2.36: Damwild, Tier und Hirsch

Die Hirsche sind außerhalb der Brunft ebenfalls in Rudeln vergesellschaftet, die beträchtliche Größen erreichen können. Einzelgänger kommen vor. Etwa ab September ziehen die Schaufler zu den Brunftplätzen oder in deren Nähe. Etwa ab Anfang Dezember verlassen die Schaufler das Brunftgebiet und bilden erneut Rudel. Wie bei anderen rudelbildenden Schalenwildarten sind sämtliche Verbände keine starren Einheiten, sondern können in ihrer Größe und Zusammensetzung in Raum und Zeit häufig variieren.

101 Welche Wildschäden verursacht Damwild?

Wie das Rotwild kann das Damwild Verbiss-, Schäl-, Fege- und Schlagschäden verursachen. Die Schäden sind ersatzpflichtig.

102 Wie errechnet sich die Zuwachsrate? Wie hoch ist sie durchschnittlich beim Damwild?

Wie bei allen anderen wiederkäuenden Schalenwildarten wird der Zuwachs – d.h. die Zahl der Kälber – eines Damwildbestandes auf die am 1. April vorhandenen weiblichen Stücke inklusive der Schmaltiere bezogen und als Prozentwert angegeben. In normal gegliederten Damwildpopulationen (Sozial- und Altersstruktur, Geschlechterverhältnis) beträgt der Zuwachs etwa 70 bis 80 %.

103 Wie verläuft die Geweihbildung beim Damhirsch? Welche Geweihstadien werden unterschieden?

Etwa bis zum März des auf die Geburt folgenden Jahres entwickeln sich auf dem Haupt der Hirschkälber die Rosenstöcke, auf denen im Regelfall zunächst Spieße, selten mehrendige Stangengeweihe wachsen.
Mehrjährige Geweihe tragen in der Regel eine Aug- und Mittelsprosse (ohne Eissprosse).

Mögliche Geweihformen sind der Spießer, Knieper, Löffler, Halbschaufler oder angehender Schaufler und der Vollschaufler. Nur in seltenen Fällen kommt es jedoch zu dieser – vielfach leider als „klassisch" angesehenen – starren Entwicklung bzw. Abfolge. Wie beim Rotwild kann die Geweihentwicklung bzw. -form auch beim Damwild eine oder mehrere Stufen überspringen oder insgesamt weit unter dem Populationsdurchschnitt in der jeweiligen Altersstufe bleiben. Der Höhepunkt der Geweihentwicklung ist etwa ab dem achten Lebensjahr (6 bis 12 Jahre) zu erwarten.

2.37: Damhirsch im herbstlichen Adlerfarn

104 Was bezeichnet man als Dorn?

Das untere Ende am rückseitigen Rand der Schaufel eines Damhirschgeweihes. Der Dorn kann als einfacher „Spieß" nach hinten abstehen, kann aber auch gegabelt sein.

105 Wann fegt der Damhirsch sein Geweih?

Das erste Geweih (Spieße) wird zwischen Ende Juli und Ende August gefegt. Ältere Hirsche fegen ihre Geweihe später! Somit weicht das Damwild von der Regel ab, dass ältere Hirsche normalerweise vor den Jährlingen fegen!

106 Trägt Damwild im Oberkiefer Grandeln?

Im Normalfall nicht. Doch wurden in diversen Untersuchungen immer wieder auch einige Stücke mit Grandeln bzw. Eckzähnen im Oberkiefer nachgewiesen.

Ordnung	Paarhufer
Unterordnung	Wiederkäuer
Familie	Hirsche (Cervidae)
Unterfamilie	Trughirsche
Gattung	Elche

Elch *(Alces alces)*

Aussehen

Der Elch ist die größte einheimische Hirschart und etwa pferdegroß. Die Läufe wirken im Vergleich zu anderen Hirscharten überproportional lang. Die Decke ist dunkelbraun bis schwärzlich, die Läufe sind heller (grau, hellgrau) abgesetzt. Elchbullen erreichen in Europa Gewichte von etwa 270 Kilogramm (Skandinavien), in Nordamerika oder Sibirien bis 500 Kilogramm. Die

Körpermasse steigt, je weiter die Vorkommen im Nordosten oder Nordwesten beheimatet sind. Charakteristisch sind weiterhin der höckerartige Widerrist, die überhängende Oberlippe sowie der beim Elchbullen deutlich ausgeprägte Bart (Kehlbart).

Verbreitung und Lebensraum

Elchwild kommt auf der gesamten Nordhalbkugel auf allen Kontinenten vor. Wir sprechen von einer sog. zirkumpolaren Verbreitung. In Europa finden wir Elche in Skandinavien, im Baltikum, in Polen, Russland, Weißrussland und der Ukraine als Standwild. In Tschechien existiert eine kleine Population in Mähren. In Deutschland wird Elchwild regelmäßig in Brandenburg beobachtet und taucht gelegentlich in Mecklenburg-Vorpommern, Sachsen, Sachsen-Anhalt und Bayern auf. Es handelt sich hierbei um Wechselwild aus Polen bzw. Tschechien. Derzeit mehren sich Beobachtungen aus Brandenburg, wo sich regelmäßig meist einzelne Elche einstellen. Meist fallen diese allerdings bald dem Straßenverkehr zum Opfer.

Äsung

Elche benötigen ähnlich wie das Reh eine konzentratreiche Äsung, allerdings nehmen sie auch Zweige, Blätter und Rinde (Schälen der Rinde!) auf. Hinzu kommen Gräser, Kräuter, Waldfrüchte (Beeren) und Pilze sowie Wasserpflanzen. Elche können ihren Windfang verschließen und unter Wasser äsen. Dort, wo es möglich ist, zieht Elchwild zur Äsung auch ins Feld. Überhaupt ist der Elch hinsichtlich seiner Biotopansprüche wenig anspruchsvoll und anpassungsfähig, bevorzugt aber weichholzreiche Nadelmischwälder sowie Kahlschläge oder Kalamitätsflächen mit ihrer typischen Sukzessionsflora.

2.38: Elchhirsch

Fortpflanzung

Die Hauptbrunft des Elches fällt in den September/Oktober. Der gesamte Ablauf kann sich allerdings von August bis in den November erstrecken. Ende August/Anfang September suchen die Hirsche nach Tieren. Die Brunft findet beim solitär lebenden Elch auch einzeln statt. Die Tragzeit dauert durchschnittlich etwa 235 Tage, sodass die Kälber (typischerweise zwei) meist Ende April bis Ende Mai gesetzt werden. Die Mehrzahl der Kälber kommt in der ersten Maihälfte zur Welt. Die Kälber tragen im Gegensatz zu den Jungtieren anderer Cerviden keine Flecken und folgen schon nach etwa zehn Tagen dem Muttertier. Weibliches Elchwild wird mit etwa anderthalb Jahren geschlechtsreif.

Hege

Der Elch unterliegt in Deutschland zwar dem Jagdrecht, hat aber ganzjährige Schonzeit.
Die beiden größten Probleme einer Wiederansiedlung des Elches in Deutschland sind seine Fraßeinwirkungen auf den Wald, die sich in Verbiss, vor allem aber Schäle äußern sowie das Unfallrisiko im Straßen- und Bahnverkehr.
Daher fehlt derzeit auch ein systematisches Wiederansiedlungsprogramm und dementsprechend auch systematische Hegemaßnahmen.
Jäger, in deren Revier sich ein Elch einstellt, können in Absprache mit dem Grundeigentümer derzeit vor allem für Ruhe im Einstand sorgen und versuchen, auf entsprechende Warnschilder an nahegelegenen Straßen hinzuwirken. Dennoch wird der Elch meist bald wieder abwandern.

Fragen

107 Wo steht das Elchwild in der zoologischen Systematik?

Der Elch wird wie das Rehwild zu den Trug- bzw. Neuwelthirschen gezählt. Das Rotwild gehört demgegenüber wie Sika- und Damwild zu den Altwelt- oder Echten Hirschen. Bei den Trughirschen, zu denen auch das Rentier zählt, blieb der untere Teil des Mittelfuß- (bzw. Mittelhandhand-)knochens erhalten, bei den Echten Hirschen das obere Ende. Die größte und kleinste heimische Hirschart sind also vergleichsweise nah miteinander verwandt.

108 Was kennzeichnet das Geweih des Elches?

Die Rosenstöcke setzen im Gegensatz zu allen anderen heimischen Hirscharten seitlich am Schädel an. Entsprechend erscheint das Geweih horizontal und seitlich ausgebreitet. Die Geweihformen gehen vom Stangengeweih bis zum starken Schaufelgeweih. In Skandinavien, dem Baltikum oder Ostpreußen neigen Elchhirsche eher nicht zur Schaufelbildung, sondern bilden oft lediglich Stangengeweihe aus.

Ordnung	Paarhufer
Unterordnung	Wiederkäuer
Familie	Hirsche (Cervidae)
Unterfamilie	Trughirsche
Gattung	Rehe

Rehwild *(Capreolus capreolus)*

Aussehen

Bei einer Schulterhöhe von 60 bis 70 cm wiegen in Mitteleuropa ausgewachsene Rehe 14 bis 18, selten bis 20 kg. Die Böcke sind im Mittel etwas schwerer als die Ricken.
Das Sommerhaar ist kurz, rotbraun bis gelblich rot gefärbt. Das Winterhaar ist derber, länger und von graubrauner Farbe. Der Haarwechsel erfolgt im September / Oktober bzw. im April / Mai. Gesunde Stücke verfärben zuerst, kranke, körperlich überlastete und überalterte deutlich später. Kitze verlieren ihre weißen Flecke in der Decke erst Anfang September. Haben die Böcke abgeworfen, zeigt im Frühwinter der geschossene nierenförmige Spiegel den Unterschied zum herzförmigen der Ricke. Das Haarbüschel der „Schürze" bedingt hier diese Form.

Verbreitung

Seit der Eiszeit kommen überall in Mitteleuropa Rehe vor. Von den Alpen bis zur Meeresküste, im Walde wie im Felde, ebenso in den Randlagen der Städte, zuweilen sogar innerhalb städtischer Grünflächen. Hier erweisen sich Rehe als anpassungsfähige vitale Kulturfolger.

Lebensraum

Rehe sind „Grenzlinienbewohner". Bei versteckter Lebensweise bevorzugen sie Landschaften mit vielschichtigen Aufwuchsformen in möglichst kleinstandörtlichem Wechsel. Hier finden Rehe Äsung, Deckung und Ruhe und können sich ihren Feinden oft unauffällig als sog. „Schlüpfer- oder Duckertypen" entziehen, ohne weit flüchten zu müssen. Die Anzahl der Rehe im Revier wird häufig unterschätzt.

Äsung

Als „Konzentratselektierer" äsen Rehe wählerisch ihnen zusagende Einzelpflanzen, Kräuter und Knospen. Es erfolgt also kein flächenweises Abäsen von Wiesen, wie wir es vom Rotwild kennen. Die Nahrungsaufnahme erfolgt – wenn ungestört – in geringen Mengen und häufiger am Tage als z.B. beim Rotwild.
Im Herbst und Winter ist der Energiebedarf der Rehe deutlich geringer.
Rehe trinken („schöpfen") eher selten. Tau und grüne Pflanzenteile decken meist ihren Wasserbedarf.

Schäden

Der Verbiss von Keimlingen und Knospen, vor allem von Laubhölzern, führt besonders auf Kleinflächen zur Hemmung des Höhenwachstums und zu einer Entmischung der Waldverjüngung. Das kann den Aufbau stabiler Jungbestände stören.
Fegen und Schlagen mit dem fertigen Gehörn fällt nur dort als Schaden ins Gewicht, wo die Böcke sich dazu in den Forstkulturen gerade die durch Pflanzung eingebrachten Mischbaumarten auswählen.

Brunft und Nachkommen

Rehbrunft ist Einzelbrunft, d.h. der Rehbock steht immer nur bei einem weiblichen Stück.
In Mitteleuropa umfasst die Brunftzeit etwa drei Wochen um den 1. August herum.
Die Tragzeit einer beschlagenen Ricke umfasst insgesamt 10 Monate. Die Ricke setzt – abhängig von ihrem Beschlag in der Brunftzeit – zwischen Mitte Mai und Mitte Juni meist zwei, häufig aber auch nur ein Kitz. Drei Kitze sind selten. In engem Kontakt zum Muttertier werden diese bis Ende November gesäugt, beginnen aber schon nach 3 Wochen pflanzliche Nahrung zu äsen.

Feinde

Die natürlichen Feinde des Rehs sind der Wolf als Hetzjäger und der Luchs als Anstandsjäger. Für Kitze, die sich in den ersten 10 Lebenstagen im Vertrauen auf ihre geringe Witterungsabgabe noch fest auf den Boden drücken, sind Schwarzwild und Fuchs die wichtigsten Prädatoren.

Wildverluste durch Menschen

Bedeutend sind Mähverluste von Kitzen, die sich selbständig im hohen Gras abgelegt haben, durch Kreiselmäher mit großer Arbeitsbreite an schnell fahrenden Schleppern. Wildretter als Anbaugeräte helfen leider nur wenig. Heute ist auch der Einsatz von Drohnen zur Kitzrettung oftmals die Methode der Wahl.
Die Verluste an Rehen durch den Verkehr auf Straße und Schiene weisen zunehmende Tendenz auf. Spiegel- oder kombinierte Spiegel- und Geräuschreflektoren an den wichtigsten Gefährdungspunkten am Straßenrand versuchen, hier Abhilfe zu schaffen. Ob diese wirklich vom Wild als abschreckend wahrgenommen werden oder ob sie eher auf die Autofahrer wirken, ist eine noch offene Frage.

Bejagung

Die Einzeljagd wird als Pirsch und Ansitz ausgeübt. Die Lockjagd zur Blattzeit (das sog. „Blatten") hat in Mitteleuropa eine lange Tradition. Dabei wird das Fiepen der Ricke mit dem Buchenblatt oder dem künstlichen Blatter nachgeahmt.
Zahlenmäßig gute Erfolge haben im Herbst Stöberjagden mit kurzläufigen Hunden auf kleinerer Fläche. Es ist verblüffend, wie geschickt sich Rehe dabei dem fährtenlauten Hund entziehen können.
Als Rehwildlaborierungen werden solche mit Geschossgewichten von 6 bis 9 Gramm gerne gewählt. Pulverart und -menge werden sich danach richten, ob überwiegend im Wald oder der offenen Feldmark gejagt wird. Zu leichte, schnelle Geschosse führen leider oft zu Blutergüssen am erlegten Stück.

Verbreitung

109 Wie lange und wo kommen Rehe in Europa vor?

Seit dem Ende der letzten Eiszeit gibt es Rehe in Europa. Dank seiner enormen Anpassungsfähigkeit und seiner Vitalität besiedelt das Reh alle Landschaften von der Küste bis zu den Alpen. Es ist damit in den verschiedenartigsten Lebensräumen heimisch geworden. Wir finden Rehe ebenso in geschlossenen Waldgebieten wie auf großer, freier Feldflur und als typische Kulturfolger auch in Stadtrandlagen.

Zoologische Einteilung, Aussehen, Beschreibung

110 Wie ist das Rehwild zoologisch einzuordnen?

Das Rehwild zählt zum Stamm der Wirbeltiere, zur Klasse der Säugetiere, zur Ordnung der Paarhufer, Unterordnung der Wiederkäuer, zur Familie der Hirsche und hier zur Unterfamilie der Neuwelt- oder Trughirsche. Rehwild steht damit dem Elch/Ren näher als dem Rot- und Damwild.

2.39: Rehbock im März, sein Gehörn ist noch nicht gefegt.

111 Wie wird Rehwild nach Alter und Geschlecht unterschieden?

Im ersten Lebensjahr sind männliche Jungtiere Bockkitze, die weiblichen Ricken- oder Geißkitze (jagdrechtlich bis zum 31. März des nächsten Kalenderjahres). Im zweiten Lebensjahr sind männliche Stücke Jährlinge oder Jahrlinge, die weiblichen Schmalrehe oder Schmalgeißen.

Vom dritten Lebensjahr an sind männliche Stücke Böcke mit einem Durchschnittsgewicht von aufgebrochen meist 14 bis 18 kg, weibliche Stücke Ricken oder Geißen mit einem Durchschnittsgewicht von aufgebrochen meist 14 bis 16 kg.

112 Wie kann im Winter ein männliches von einem weiblichen Stück Rehwild sicher unterschieden werden?

Beim Blick spitz von hinten zeigt sich der geschlossene, nierenförmige Spiegel des männlichen Stückes. Beim weiblichen Stück dagegen formt die „Schürze" den Spiegel herzförmig. Im Winterhaar ist dieses lang herabhängende helle Haarbüschel gut zu erkennen. Beim Bock sind in dieser Zeit meist auch die Rosenstöcke und beim breitstehenden Stück der Pinsel erkennbar.

113 Wie heißt die Vereinigung mehrerer Stück Rehwild?

Sprung. Da die sozialen Bindungen beim Rehwild nur sehr locker sind, besteht ein solcher Sprung in der Regel nur aus einem kleinen Familienverband von Ricke mit Kitzen. Größere Gemeinschaften sind im Winter und bei Feldrehen zu beobachten. Ältere Böcke leben überwiegend allein.

114 Wann verfärben Rehe?

Im April/Mai verlieren die Rehe das graue Winterhaar oft büschelweise. Das brandrote Sommerhaar wechseln sie im September/Oktober. Gesunde Stücke verfärben zuerst. Der Verfärbezeitpunkt ist nach heutiger Erkenntnis kein zuverlässiges Mittel der Altersschätzung, nur ein Anhaltspunkt.

2.40: Vor allem im Winter stehen Feldrehe in Sprüngen zusammen.

115 Wann verlieren die Kitze ihre hellen Flecke?

Von der zweiten Augusthälfte bis in die ersten Wochen des Septembers hinein wechseln die Kitze ihr Jugendkleid gegen ihr erstes Winterhaar. Sie sind also im Frühherbst die ersten grauen Rehe.

116 Was versteht der Jäger unter dem Drossel- oder Halsfleck?

Im Winterhaar besitzen manche Rehe einen weißen Fleck an der Halsunterseite, der auch doppelt untereinander vorkommt. Er ist kein Alterskennzeichen, fehlt aber bei den Kitzen.

117 Was versteht der Jäger unter der „Muffel"?

Das nackte schwarze Nasenfeld um den Windfang, das stets feucht gehalten wird.

118 Was bezeichnet man als „Muffelfleck"?

Den weißen Fleck oberhalb des Windfanges, der früher als Kennzeichen eines 2- bis 3-jährigen Bockes galt, aber bei Böcken aller Altersklassen zu beobachten ist.

2.41: Der Bock markiert seinen Einstand.

119 Welche Drüsen des Rehs sondern Duftstoffe ab?

Drei Drüsen sind von Bedeutung.
Zum einen liegen zwischen den Schalen Drüsen, deren Duftstoffe eine intensiv riechende Fährte bewirken, die von den Feinden der Rehe leicht zu halten ist und für unerfahrene Jagdhunde eine große Verleitung darstellen.

Ferner befindet sich an der Außenseite der Hinterläufe unterhalb des Sprunggelenkes eine deutlich erkennbare dunkle Haarbürste, die „Kastanie". Unter ihr sitzen Schweißdrüsen, deren Sekret an höherem Pflanzenwuchs abgestreift wird. Der Bock hat außerdem noch Duftdrüsen unter der Stirnlocke. Mit den Duftstoffen dieser Drüsen markiert er sein Einstandsgebiet beim Fegen und Reiben seiner Stirn an Stämmchen und Ästen.

Lebensraum, Lebensweise, Ernährung

120 Was kennzeichnet einen von Rehwild bevorzugten Lebensraum?

In fast allen Lebensräumen Mitteleuropas bevorzugt Rehwild als typischer „Grenzlinienbewohner" den häufigen Wechsel unterschiedlicher Vegetations- und Aufwuchsformen. Neben der abwechslungsreicheren Äsung ist das artspezifische Sicherheitsbedürfnis des Rehwildes hierfür ausschlaggebend.

121 Woran erkennt der Jäger, dass Rehwild im Revier lebt?

An Betten, Losung, Fege-, Schlag- und Plätzstellen, Fährten, Verbiss von Pflanzen, Abwurfstangen, Lauten des Rehs.

122 Gibt es bei Rehwild ein Territorialverhalten?

Ja, es ist im Frühjahr und Frühsommer sehr ausgeprägt. Der mehrjährige Bock verteidigt seinen Einstand besonders im Frühjahr energisch gegen andere Böcke, auch gegen stärkere Jährlinge. Die Ricke zeigt ein gleiches Verhalten zur Setzzeit und ersten Aufzuchtzeit der Kitze gegenüber ihren Vorjahreskindern und fremden weiblichen Stücken. Während und nach der Brunft geben beide Geschlechter ihren strengen Gebietsanspruch weitgehend wieder auf, sind aber standorttreu.

123 Wie groß ist der Aktionsraum eines Rehs?

Dieser ist tendentiell geringer als beim Rotwild, richtet sich aber entscheidend nach dem gegebenen Biotop und der Zahl der Rehe im Revier. 10 bis 30 ha bieten einen Anhalt. Das Einhalten des festen engen Aktionsraumes ist mit zunehmenden Alter eines Rehs häufiger zu beobachten. Zur Brunft erweitert sich der Aktionsradius bei den Böcken erheblich.

124 Ist eine zahlenmäßige Erfassung von Rehen möglich?

Rehe zu zählen ist ausgesprochen schwierig. Zwei Gründe sind hierfür entscheidend. Zum einen nimmt durch zunehmenden Stickstoffeintrag aus der Luft und veränderte waldbauliche Behandlung der Bestände die Deckung auf der ganzen Fläche zu. Darüber hinaus zwingen die Störungen durch Spaziergänger, Jogger, Reiter, Feierabendlandwirte, ganzjährige Forstwirtschaft und auch Jagddruck die Rehe immer wieder in Deckung. Ausgewachsene Rehe nutzen dabei oft das ihnen angeborene Drückverhalten, was vielfach zur Unterschätzung des örtlichen Bestandes führt. Da die Anzahl der setzfähigen Ricken als Berechnungsbasis nicht bekannt ist, ist es auch praktisch nicht möglich, einen konkreten Wert für den Zuwachs in einem bestimmten Jahr zu errechnen und diese als Grundlage für den Abschussplan festzulegen.

125 Was ist ein Zähltreiben?

Mit vielen verlässlich zählenden Personen werden überschaubare Waldflächen von 100 bis 150 ha Größe vollständig durchgetrieben. Jedes durch die kreisförmige Menschenkette ein- und auswechselnde Stück Rehwild wird gezählt. Der Abstand der Zählenden darf nur sehr gering sein, um sich drückende Rehe nicht zu überlaufen. Der hohe Aufwand rechtfertigt aber nur sehr selten die Anwendung dieser Methode.

126 Zu welchen Leistungen sind die Sinnesorgane des Rehwildes fähig?

Rehe äugen wie Rotwild mit einer Brennlinie. Sie sind Bewegungsseher und vermögen nur in einem sehr kleinen Bereich dreidimensional zu beobachten. Ihr Hörvermögen ist gut, ihr Geruchssinn ist ausgezeichnet (Rehe sind sog. Macrosmaten). Haben Rehe Zweifel an drohender Gefahr, entscheiden sie mit dem Windfang über ihr Fluchtverhalten.

127 Welche Lautäußerungen des Rehs sind im Revier zu vernehmen?

Das „Fiepen", ein hoher Stimmlaut der Rehe, dient der Verständigung von Ricke und Kitz, ist aber auch anhaltend von der Ricke in der Brunft zu hören, wenn sie vom Bock getrieben wird.

Das „Schrecken" oder „Schmälen" ist ein kurzer, rauer, dunkler Stimmlaut, der mehrfach hintereinander ausgestoßen wird und Unwillen über eine Störung, z.B. von Mensch, Sau oder Fuchs, anzeigt. Er ähnelt ein wenig dem Hundebellen. Das „Klagen" ist der hohe, gellende Schmerzschrei des Rehs, den es in höchster Not hören lässt, z.B. wenn es von Hunden gehalten wird. Das „Keuchen" vernimmt der Jäger in der Blattzeit beim Bock, wenn er anhaltend die brunftige Ricke treibt, und ganz selten auch einmal beim weiblichen Stück in dieser Zeit.

Das „Husten", oft in Verbindung mit „Niesen", ist immer dann hörbar, wenn sich in Nasen- und Rachenhöhle eines Rehs Larven der Rachenbremse festgesetzt haben.

128 Welche natürlichen Feinde hat Rehwild und welche sonstigen Verluste treten heute auf?

Von den Großraubtieren kommt der Bär heute in Deutschland praktisch nicht mehr vor, Luchs und Wolf werden zunehmend wieder bedeutender. Kitzverluste kommen durch Füchse und auch durch Schwarzwild vor. Größere Verluste erleiden die Bestände aber durch Straßen- und Schienenverkehr, durch wildernde Hunde und bei Kitzen v.a. durch Mähmaschinen.

129 Welches Verhalten zeigt Rehwild seinen Feinden gegenüber?

Die Kitze drücken sich in den ersten Lebenstagen fest auf den Erdboden. Wie beim Rotwildkalb ist die abgegebene Witterung in eingerolltem Zustand dann deutlich verringert. Werden Rehe flüchtig, geschieht dies in der Regel nicht weiträumig. Als „Ducker- oder Schlüpfertyp" sucht das Reh in seinem Lebensbereich rasch Deckung auf, verharrt hier oft länger und versucht in mehrfacher Wiederholung von Flucht und Verhoffen, so seinen Feinden zu entkommen. Bei geeignetem Gelände ist ein Reh also häufig „gar nicht weit weg", nachdem es flüchtig geworden ist. Eine Abwehr von Feinden – z.B. Fuchs – erfolgt meist nur von der Ricke zur Verteidigung der Kitze mit den Schalen der Vorderläufe.

130 Warum sind Kitze unmittelbar nach dem Setzen stark gefährdet?

Das Kitz „drückt sich" in den ersten Lebenstagen und vertraut dabei instinktiv der guten Tarnfarbe und der herabgesetzten Witterung. In den waldnahen Wiesen hat dieses Feindvermeidungsverhalten heute gravierende Mähverluste durch Kreiselmäher mit hoher Arbeitsgeschwindigkeit zur Folge.

2.42: Kitze drücken sich in den ersten Lebenstagen

131 Wie können Mähverluste reduziert werden?

Es gibt mehrere Möglichkeiten:

» Die zu mähende Wiese wird am Vortage angemäht, d.h. ein 4 bis 8 Meter

» breiter Randstreifen um die Wiese herum wird freigeschnitten. Stattdessen

» oder zusätzlich kann die Wiese mit Wildscheuchen versehen, wobei das Aufhängen leerer Papier- oder Düngersäcke schon genügt.

» Man kann darüberhinaus die zu mähende Wiese mit einem wesensfesten Gebrauchshund und mehreren Helfern in engem Abstand gegen den Wind absuchen und die gefundenen Kitze möglichst weit in den Nachbarbestand tragen, denn es besteht die Gefahr, dass sie schon nach kurzer Zeit in die zu mähende Wiese zurückstreben.

» Schließlich kann mit Wärmebildkameras, idealerweise in Kombination mit einer Drohne, abgesucht weden. Diese reagieren auf die langwellige Wärmestrahlung des Objektes (Kitz oder Hase), zeigen also den Temperaturunterschied zur normalen Umgebungstemperatur der Wiese an.

» Darüber hinaus sollte der Landwirt Wildrettergeräte an seinem Mäher anbauen, damit beim Mähvorgang das Kitz evtl. doch noch zum Hochwerden veranlasst wird.

132 Welche Äsungsansprüche stellt Rehwild?

Rehwild ist „Konzentratselektierer", d.h. es bevorzugt ihm zusagende Einzelpflanzen, wie z.B. Klee, Kräuter, Knospen. Das Reh wählt dabei insbesondere leicht verdauliche, nährstoffreiche Nahrung, die in seinem einfach gebauten Verdauungssystem relativ schnell verwertet werden kann. Im Unterschied zum Rot-, Dam- oder Muffelwild werden also Wiesen nicht flächig abgeäst.

133 Welche Merkmale zeigt Rehwildlosung, und wie unterscheidet sich die Losung im Sommer und im Winter?

Die Losung ist walzenförmig, die einzelne „Beere" ist etwa 14 mm lang und 8 mm stark. Bei wasserreicher Nahrung im Sommer hängen die Losungsteilchen stärker zusammen und bilden eine Wurst. Bei trockener Äsung im Winter fällt die Losung in einzelne Beeren auseinander.

134 Schöpft Rehwild?

Längeres minutenlanges Saugen von Wasser ist bei Rehen selten zu beobachten. Sie decken ihren Wasserbedarf weitgehend durch Aufnahme grüner Pflanzenteile und Morgentau.

Altersansprache

135 Wie kann der Jäger das Alter eines Rehs am lebenden Stück einschätzen?

Viele Kriterien, die früher zur Altersansprache herangezogen wurden, wie Gesichtsfarbe, Stirnlocke, Dachrosen, Färbe-, Fege- und Abwurfzeitpunkt oder auch die Ausprägung des Trägers gelten heute als eher unzuverlässig. Individuelle Entwicklungskriterien, wie die soziale Stellung, die Qualität des Einstandes und der Äsung haben offenbar mehr Einfluss auf die Ausprägungen dieser Merkmale, als früher angenommen.

Als Anhalt für die Altersschätzung kann gelten:

» Jährlingsböcke und Schmalrehe verfärben meist früher als ältere Böcke und Ricken.

» Ricken benötigen im Frühjahr mehr Energie für die Entwicklung der Föten, im Sommer für die Aufsicht ihrer Kitze. So verfärben sie i.d.R. spät.

» Jährlingsböcke fegen überwiegend erst nach dem Verfärben im Mai.

» Gesunde ältere Böcke tragen beim Verfegen im März/April noch die graue Winterdecke.

Sicher anzusprechen sind während des Jahres nur die Kitze als solche.

136 Wie kann das Alter eines erlegten Rehs eingeschätzt werden?

Bis zum Wechsel der Prämolaren, der zwischen dem 10. und 14. Monat erfolgt, ist eine vergleichsweise genaue Altersbestimmung möglich.

Danach kann man sich am Abschliff der Zähne, ihrer Dentinfarbe und der Zahnfleischlinie orientieren.

Anhand markierter Rehe ist aber nachzuweisen, dass auch am erlegten Stück nur eine orientierende Altersschätzung möglich ist. Eine Untersuchung an markierten Rehen in Niederösterreich durch Reimoser führte zu dem Ergebnis, dass etwa ein Drittel der Schätzungen recht gut zutrifft, ein Drittel deutlich abweicht und ein Drittel grobe Ausreißer sind. Bei einer Altersbeurteilung sind also besser Altersspannen anzugeben, z.B. 2- bis 3-jährig oder 6- bis 7-jährig.

2.43: Schmalreh im Mai

137 Kann man vom Unterkiefer eines Rehs auf sein Geschlecht schließen?

Ja, der Winkelfortsatz des Unterkiefers ragt beim Bock nach hinten und unten über den Kieferrand hinweg und wird durch eine Furche abgegrenzt. Beim

weiblichen Stück kommt der Winkelfortsatz nur schwach zur Geltung. Der Unterkieferrand verläuft bis zum Winkel fast gerade.
Diese Erkennungsmethode ist erst von einem Alter ab etwa zwei Jahren brauchbar. Bei sehr alten Ricken werden die Unterschiede zum Bock geringer.

138 Hat Rehwild „Grandeln"?

Diese Eckzähne im Oberkiefer sind beim Rehwild sehr selten, im Unterschied zu Rot- und Sikawild.

Fortpflanzung

139 Wann ist die Brunft der Rehe?

Etwa von Mitte Juli bis Mitte August; in Mitteleuropa geben die Tage vom 20. Juli bis 10. August einen guten Anhalt. Rehbrunft ist eine typische Einzelbrunft, d.h. der Bock beschäftigt sich immer nur mit einem brunftigen weibliches Stück.

140 Was sind „Hexenringe"?

Durch anhaltendes, kreisförmiges Treiben der Ricke durch den Bock entstehet im Gras oder Getreide zur Blattzeitgut erkennbar ringförmig niedergetretene Vegetation.

141 Woran erkennt man die zum Beschlag bereite Ricke?

Die vom Bock getriebene, hochbrunftige Ricke wird in den Fluchten langsamer, die Kreisbögen werden enger. Schließlich bleibt die Ricke nach vorne abgeknickt mit leicht gesenktem Haupt stehen und lässt den Beschlag zu. Dieser wird oft mehrfach wiederholt.

142 Warum nennt der Jäger die Brunftzeit der Rehe auch Blattzeit?

Mit einem Buchen- oder Fliederblatt – heute vielfach mit künstlichen „Blattern" – kann das „Fiepen" der brunftigen Ricke nachgeahmt und so der Bock herangelockt werden („der Bock springt aufs Blatt"). Er reagiert in der Regel gegen Ende der Brunft, wenn bei vielen Ricken die Brunft bereits abgeklungen ist, schneller auf das Blatten.

143 Finden Brunftkämpfe beim Rehwild statt?

Brunftkämpfe finden statt, sie sind aber aufgrund der Territorialität des Rehwildes und der Einzelbrunft seltener als z.B. beim Rotwild. Nur in Ausnahmefällen nehmen sie ein tödliches Ende.

144 Wie lang ist die Tragzeit einer fruchtbar beschlagenen Ricke?

Die Tragezeit dauert etwa 10 Monate. Nach dem fruchtbaren Beschlag einer Ricke bilden sich sofort winzige, vielzellige Embryonen. Diese ruhen in ihrer Entwicklung bis Anfang Dezember. Wenn die Ricke in der Brunft nicht fruchtbar beschlagen wurde, reift im Laufe des Jahres kein weiteres Ei heran.
Beim Rehbock ist nur in der Brunftperiode Juli / August die Spermatozoenzahl in den vergrößerten Brunftkugeln und die Konzentration des Testosterons im Blut und Samen sehr hoch. Bis zum Oktober werden diese Werte wieder auf ein Fünftel reduziert.

Eine Nachbrunft im Herbst ist normalerweise nicht möglich. Die Voraussetzungen bei beiden Geschlechtern fehlen.

145 Wann ist die Setzzeit der Ricken?

Die Ricke setzt abhängig von ihrer Brunftzeit in der Regel von Mitte Mai bis Mitte Juni meist zwei Kitze, gelegentlich aber auch nur ein Kitz. Drei Kitze sind ausgesprochen selten.

146 Wie lange werden Kitze gesäugt?

Bis Ende November werden die Kitze gesäugt, die pflanzliche Äsung überwiegt zu diesem Zeitpunkt aber bereits bei weitem. Schon 2 bis 3 Wochen nach der Geburt nimmt das Kitz erste pflanzliche Kost auf. Die Ernährungssituation in den ersten Lebenswochen und -monaten ist für die Körperentwicklung eines Rehs insgesamt entscheidend.

Das Gehörn, Aufbau und Entwicklung

147 Sollte man den Kopfschmuck des Rehbockes als Geweih oder als Gehörn bezeichnen?

Aus zoologischer Sicht trägt der Rehbock ein Geweih, da es nicht aus Hornsubstanz, sondern aus Knochen gebildet und jährlich abgeworfen wird. Im jagdlichen Sprachgebrauch hat aber das „Gehörn“ seinen festen Platz gefunden. Der Begriff „Rehgeweih“ ist aber ebenfalls korrekt. Im Alpenraum wird es auch als „Gewichtl“ bezeichnet.

148 Was ist ein Erstlingsgehörn?

Nach der Entwicklung der Rosenstöcke im Spätsommer und Herbst des ersten Lebensjahres schieben die gut entwickelten, starken Bockkitze kleine, 3 bis 6 mm hohe „Knöpfchen“, die im Dezember durch die Decke durchbrechen und weiß leuchten. Schon Anfang Februar werden sie wieder abgeworfen. Körperlich schwache Bockkitze besitzen ein solches Erstlingsgehörn nicht.

149 Was ist ein Jährlingsgehörn?

In seinem zweiten Lebensjahr trägt der Jährling sein Jährlingsgehörn, das er meist erst im Mai oder Anfang Juni fegt. Meist handelt es sich um Spieße unterschiedlicher Länge und Stärke. Es kommt aber auch schon zu guter Endenbildung und Perlung bei Gabler- oder Sechsergehörnen. Rosen werden meistens entwickelt. Sie fehlen gering entwickelten Jährlingen, die nur Knöpfe oder kurze Spieße tragen.

Für die Stärke des Rehgeweihs ist weniger die Veranlagung, sondern mehr die Qualität der Äsung (insbesondere im ersten Lebensjahr, aber auch darüber hinaus) entscheidend.

150 Welche Bedeutung hat der Bast beim Wachstum des Gehörns?

Der Bast ist eine empfindliche, gefäß- und nervenreiche, behaarte Haut, die das Gehörn während des Schiebens umgibt. Im Bast verlaufen die Blutgefäße, die dem Gehörn beim Spitzenwachstum die körpereigenen Eiweißstoffe zur Bildung knorpeliger Zellen und später die Festigungsstoffe – vor allem Kalk – zuführen. Sobald das Gehörnwachstum abgeschlossen ist, wird der Bast gefegt. Das geschieht meist in wenigen Stunden.

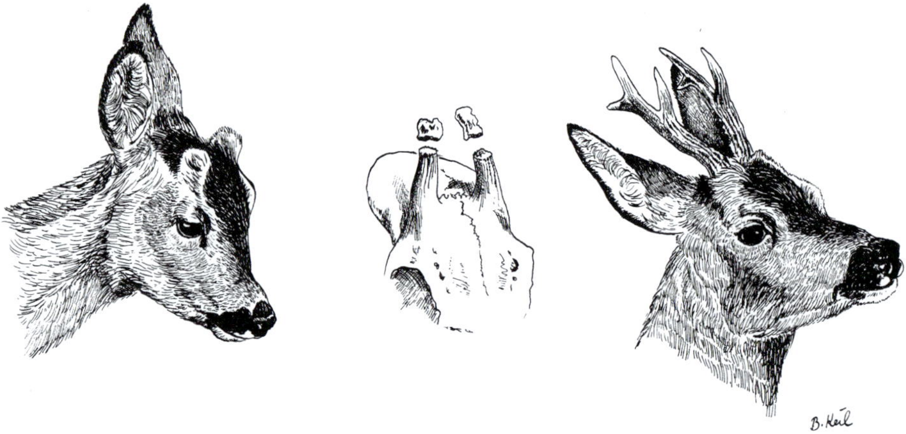

2.44: Erkennbare Rosenstöcke des Bockkitzes im September, Erstlingsgehörn des Bockkitzes im Dezember, gefegtes Gehörn des Jährlings im Juni (v.l.n.r.)

151 Wann fegen Rehböcke?

Mehrjährige Böcke fegen in der Regel im März/April. Bei den Jährlingen liegt dieser Termin etwa 4 bis 6 Wochen später.
Als Altersmerkmal etwa zur Unterscheidung eines dreijährigen von einem sechsjährigen Rehbock scheidet der Fegetermin jedoch aus.

152 Wie entsteht die Gehörnfärbung?

Beim „Fegen" – dem Befreien des Gehörns vom Bast – und vor allem beim „Schlagen" mit dem fertigen Gehörn in den ersten Tagen nach dem Fegen an Sträuchern und Bäumchen färben die hierbei aufgenommenen Pflanzensäfte die zunächst weißen Stangen hellbraun (z.B. bei Buchen) bis dunkelbraun (z.B. bei Erlen). Durch wiederholtes Schlagen im Verlaufe des Sommers werden die Stangenenden hell, die Stangen werden „poliert", und die weißen Perlenspitzen treten deutlich hervor.

2.45: Gehörnanomalien beim Rehwild: Perückenbock, Korkenziehergehörn, Widdergehörn (v.l.n.r.)

153 Welche Gehörnstufen kennt der Jäger?

Spießer, Gabler, Sechser- und sehr selten auch Achtergehörne. Wir unterscheiden dabei die Vorder- und Hintersprosse das Stangenende (gelegentlich auch als „Obersprosse" bezeichnet). Sind die Spieße sehr kurz oder knopfartig abgerundet, sprechen wir vom „Knopfbock".

154 Welche abnormen Gehörnformen gibt es und welche Ursachen sind bekannt?

Gehörnanomalien beim Rehbock gibt es zahlreiche. Wichtige sind:

Korkenziehergehörn, Widdergehörn	Störungen im Hormonhaushalt bewirken zu geringe Einlagerung von Kalk und Magnesium und bewirken Verformung der Stangen.
Doppelkopf	Um das nicht abgeworfene Gehörn des Vorjahres wird ein neues geschoben, meist bei jungen Böcken.
Perückengehörn	Das Bastgewebe wächst unkontrolliert stetig weiter und überwuchert langsam auch das Haupt des Bockes. Das Wachstumshormon wird nicht mehr von dem Sexualhormon gebremst.
Ledergehörn	Das Gehörn ist nicht mehr vollständig gefegt. Der Bast ist lederartig – häufig nur an den Gehörnspitzen – angetrocknet, meist bei alten Böcken. Eine Erkrankung der Knochenhaut wird vermutet.

Hege, Bejagung

155 Welche Hegemöglichkeiten bestehen beim Rehwild?

Es gilt, den Lebensraum der Rehe so zu erhalten oder zu verbessern, dass die arteigenen Bedürfnisse der Rehe gesichert sind, aber der Verbiss im Wald sich in erträglichen Grenzen hält. Dazu ist ganzjährig eine artgerechte, naturnahe Äsung in Wald und Feld, eine angemessene Alters- und Sozialstruktur innerhalb des Rehbestandes und ein möglichst geringer Jagddruck durch die Wahl angemessener Jagdzeiten und Jagdstrategien erforderlich.

156 Was sind Rehwildhegegemeinschaften?

Es handelt sich um Zusammenschlüsse von Jagdbezirken – häufig auch unter Einbezug von Jagdgenossen und Waldbesitzern – auf freiwilliger oder landesgesetzlicher Basis. Ziel ist es, Rehwild nach gemeinsam erarbeiteten Grundsätzen zu hegen und zu bejagen. Grundlage dazu bietet in vielen Fällen ein Lebensraumgutachten, in dem die Verhältnisse vor Ort und die Belastbarkeit des Lebensraumes festgehalten werden. Die Fläche sollte etwa 5.000 bis 8.000 ha umfassen und dabei durch örtliche Gegebenheiten sinnvoll begrenzt werden.

157 Müssen Rehe gefüttert werden?

Der Gesetzgeber verpflichtet zu einer Fütterung in Notzeiten. Diese muss artgerecht erfolgen und auf das Rehwild als Konzentratselektierer abgestimmt werden. Gleichzeitig sollte die Wahl der Fütterungsstandorte mit waldbaulichen Zielen abgestimmt werden.

158 Wie wirkt sich eine sehr intensive Winterfütterung auf das Rehwild aus?

Die Wintersterblichkeit wird reduziert und damit der Zuwachs angehoben. Rehe werden aus benachbarten Lebensräumen, in denen sie nicht gefüttert werden, abgezogen.

159 Warum blieben in der Vergangenheit die Erfolge der Rehwildhege gering?

Zwei Gründe waren entscheidend:

1. Unkenntnis über die biologischen Zusammenhänge beim Rehwild. Der lediglich „selektive" Abschuss von Schwachen, Kümmernden, Alten und Kranken nutzt die hohen Rehwildbestände nur unzureichend und verkennt die Tatsache, dass die Biotopqualität auf die Kondition des Rehwilds größeren Einfluss hat als die Erbanlagen. Die Zahl der Rehe wurde nur von ihrem Lebensraum begrenzt. Rehe und Vegetation litten gleichermaßen darunter.
2. Die Überbewertung der Trophäe als einziger „Lohn der Hege". Bis noch vor einigen Jahren war das Ziel der Rehwildhege einseitig auf das starke Gehörn als Trophäe ausgerichtet. Auf der Einzeljagd erfolgte eine Konzentration auf die Bejagung der männlichen Stücke, weibliches Rehwild wurde oft in geringen Anteilen geschossen.

160 Welche Bejagungszeiten gibt der Gesetzgeber vor?

Die Bundesverordnung über die Jagdzeiten vom 22. April 2000 lässt die Bejagung der Böcke und Schmalrehe ab 1. Mai zu. Die Jagdzeit der Böcke endet am 15. Oktober. Die Jagdzeit der Ricken beginnt am 1. September und endet am 31. Januar. Die Jagdzeit der Kitze geht vom 1. September bis zum 28. Februar. Abweichungen hiervon regeln die Länder. Wird während der gesamten Zeit, welche die Bundesverordnung zulässt, intensiv auf das Rehwild gejagt, so wirkt sich dieser Jagddruck nachteilig auf den Lebensrhythmus der Rehe, ihr Verhalten und v.a. in den Wintermonaten auf ihre Kondition aus. Gleichzeitig ist dadurch eine tendentiell höhere Verbissbelastung der Waldverjüngung zu erwarten. Sinnvoller ist daher eine schwerpunktmäßige Bejagung, idealerweise ab August bzw. September. Bis Ende Dezember sollte der Abschussplan möglichst erfüllt sein.
In einigen Bundesländern endet die Jagdzeit des Rehwildes (also auch diejenige der Rehböcke) am 31. Januar. Auch haben einigen Bundesländer festgelegt, Rehwild ohne Abschussplan zu bejagen. Aus wildbiologischer Sicht spricht vor allem die Bejagung im Hochwinter, im Januar, gegen diese Vorgehensweise. Die Verlängerung der Jagdzeit auf Böcke bzw. die Bejagung ohne Abschussplan ist weniger aus wildbiologischen Gründen, sondern eher aus Gründen des Tierschutzes (Verzicht auf präzises Ansprechen des fraglichen Stückes und in der Folge leichtfertige Schüsse) kritisch zu sehen.

161 Welche Jagdarten werden auf Rehe angewandt?

Methoden der Einzeljagd sind Ansitz, Pirsch und Lockjagd zur Blattzeit. Auch Gesellschaftsjagden können als Gruppenansitz durchgeführt werden. Darüber hinaus können Rehe durchaus wirkungsvoll auf Stöberjagden oder Drück-Stöber-Jagden, beide unter Einsatz langsamer und spurlauter Hunde bejagt werden. Flüchtiges Rehwild wird dabei nicht beschossen.

162 Wie wird Blattjagd ausgeübt?

Die Lockjagd auf den Rehbock – das Blatten – ist die verbreitetste Jagdart, mit Hilfe der Stimme des Wildes dieses heranzulocken. Das „Fiepen" der brunftigen Ricke wird vom Jäger mit dem Buchen- oder Fliederblatt oder käuflichem „Blatter" nachgeahmt und so versucht, den Bock zum „Springen", also zum Zustehen in Richtung des blattenden Jägers, zu veranlassen. Windstille Tage gegen Ende der Brunft – also in den beiden ersten Augustwochen – gelten als die besten Tage der Blattzeit.
Das Verhalten der Böcke beim Zustehen ist sehr verschieden. Der eine springt stürmisch und schnell, der andere lässt sich viel Zeit und zieht geräuschlos gegen den Wind, der dritte reagiert offenbar gar nicht auf die verlockenden Töne. Beim erfolgreichen Blatten ist stets die Nähe des Bockes der entscheidende Faktor. Übersichtliche Alt- und Stangenhölzer sind als Blattort zu empfehlen. Gute Deckung und langsame Bewegungen des Jägers bringen Erfolge. Durch einen unerfahrenen oder übereifrigen Blattjäger wird ein Bock rasch „verblattet", also vergrämt.

163 Welche Ziele hat die Rehwildbejagung?

Die Bejagung von Rehen dient einerseits der nachhaltigen Nutzung des hochwertigen Wildbrets. Darüber hinaus soll die Bejagung dazu beitragen, einen gesunden, altersmäßig abgestuften Bestand herzustellen und zu erhalten, der an dem jeweiligen Lebensraum ausgerichtet ist.

Schäden und Probleme

164 Welche Schäden verursachen Rehe im Walde?

Von Bedeutung für den Waldbesitzer ist vor allem der Rehwildverbiss der Terminal- oder Gipfeltriebe. Bevorzugt werden dabei die Knospen der Laubhölzer, z.B. Eiche, Esche, Buche und Ahorn und der Weißtanne. An sonnigen, windgeschützten Lagen leiden gelegentlich auch Kiefern und Fichten darunter, wenn keine Alternativen bestehen. Da die Rehe beim Verbeißen die selteneren Pflanzen bevorzugen, ist diese Entmischung von jungen Waldflächen besonders kritisch zu bewerten.
Das Fegen und Schlagen mit dem fertigen Gehörn trifft häufig gerade die aus waldbaulichen Gründen künstlich eingebrachten Mischbaumarten.

165 Wo liegt die Toleranzgrenze bei den Verbissschäden?

Keimlinge und Knospen gehören zur natürlichen Ernährung des Rehwildes. Die Forstverwaltungen unserer Bundesländer tolerieren recht einheitlich einen Terminaltriebverbiss bis zu einem Anteil von 20 % aller vorkommenden Baumarten. Übertrifft der Schaden diese Grenze jedoch, wird eine Erhöhung des Abschuss gefordert. Dies Grenze ist allerdings insbesondere bei Naturverjüngung nicht unumstritten. Wichtig ist auch, dass der neuen Abschussfestsetzung ein gemeinsamer Waldbegang von Waldbesitzern, Jägern und Forstbeamten vorausgeht.

2.46: Der unterständige Bestand bietet v.a. Deckung

166 Welche Abwehrmaßnahmen gegen Wildschäden im Wald bestehen?

Vorbeugend ist eine an der Vegetation ausgerichtete Wilddichte und – soweit dies möglich ist – eine Verbesserung der Äsungsbedingungen anzustreben. Direkte Abwehrmaßnahmen sind Flächen- oder Einzelschutz. So können Kulturen ganz eingezäunt werden. Dies ist eine nicht ganz unproblematische Lösung, da Zäune für Wildtiere auch Gefahren mit sich bringen und durch die Zäunung Einstandsflächen verloren gehen. Beim Einzelschutz werden besonders gefährdete Bäumchen mechanisch oder chemisch geschützt. Diese Verfahren verhindern Rehwildverbiss nicht, mindern aber Art und Intensität.

167 Wo liegt die zulässige Rehwilddichte?

Rehwild lässt sich mit vertretbarem Aufwand kaum bzw. nur mit großen Unsicherheiten zählen. Daher ist eine bloße Zahlenvorgabe für die Bejagung auch nicht hilfreich. Der entscheidende Weiser ist der Vegetationszustand der Verjüngungsbestände. Ein Rehwildbestand gilt als angepasst, wenn sich die Hauptbaumarten im Revier ohne Schutzmaßnahmen verjüngen lassen.

168 Welche Probleme bestimmen in der Bundesrepublik die Situation in Rehwildrevieren?

Ähnlich wie beim Rotwild entstehen vielfach starke Spannungen zwischen Forstleuten und Jägern aufgrund der teilweise sehr unterschiedlichen Einstellungen zur vertretbaren

Rehwilddichte und zu tolerierbaren Wildschäden. Dabei stehen in den Diskussionen je nach Interessenlage oft rein forstliche oder rein jagdliche Gesichtspunkte im Vordergrund, ohne dass die jeweils anderen Argumente ausreichend gehört oder berücksichtigt werden. Windwurfflächen, die aus Kostengründen überwiegend durch Naturverjüngung und möglichst ohne Gatter wieder begründet werden sollen, sind besonders verbissgefährdet. In den Waldrevieren ist dort eine schwerpunktmäßige Bejagung der Rehe zwingend, bis die Leittriebe der jungen Pflanzen aus dem Verbiss herausgewachsen sind. Gleichzeitig ist es allerdings wichtig, dem Wild anderenorts Ruhezonen zu schaffen.

Trophäen

169 Welche Trophäen des Rehwildes kennen wir?

Das Gehörn des Bockes ist beliebtes Erinnerungsstück. Grandeln sind beim Rehwild sehr selten. Die Sommerdecke kann an die Wand gehängt werden oder als Ruheplatz für den Hund dienen.

170 Welche Eigenschaften des Gehörns werden zu seiner Bewertung herangezogen?

Messungen werden bei der Ermittlung der Stangenlänge, des Gehörngewichtes und des Gehörnvolumens vorgenommen.
Bei den Zuschlägen werden Farbe, Perlung, Rosen, Auslage und die Spitzen der Enden berücksichtigt.
Leider fehlt bislang bei den unterschiedlichen Trophäenbewertungsverfahren das Kriterium „Alter". Erst dieses würde die Einordnung, ob die Erlegung aus biologischer Sicht richtig war, ermöglichen.

2.47: Ein kapitales Gehörn

171 Welche Bedeutung hat das Gehörngewicht bei der Beurteilung eines Gehörns?

Da die Volumenfeststellung stets umständlich durchzuführen ist, wird die Stärke eines Gehörns landläufig in der Regel mit seinem Gewicht ausgedrückt. Gut abgetrocknet gelten 300 g Gehörngewicht als gut, 400 g werden selten erreicht.

Ordnung	Paarhufer
Unterordnung	Wiederkäuer
Familie	Hornträger (Bovidae)
Unterfamilie	Rinder
Gattung	Bisons

Wisent *(Bison bonasus)*

Aussehen

Der Wisent ist ein Wildrind und der größte und schwerste in Europa freilebend vorkommende Paarhufer. Wisentbullen können Gewichte über 900 Kilogramm erreichen. Beide Geschlechter tragen Hörner. Die Kühe sind deutlich kleiner und leichter als die Bullen.
Der Wisent gehört der gleichen biologischen Art an wie der nordamerikanische Bison. Beide Unterarten sind uneingeschränkt kreuzbar und haben fruchtbare Nachkommen.

Verbreitung und Lebensraum

Der Wisent ist im Gegensatz zu seinem nahen Verwandten, dem amerikanischen Bison, eher ein Waldrind, welches strukturreiche, mit Lichtungen und auch größeren Offenflächen durchsetzte Laub- und Laubmischwälder bevorzugt. In historischer Zeit bewohnte der Wisent die Waldgebiete West-, Mittel- und Südosteuropas. In Deutschland ist der Wisent im 16. Jahrhundert in freier Wildbahn ausgestorben. Freilebende Bestände existieren heute in Polen und Weißrussland sowie auf dem Kaukasus. Seit kurzem wurde darüber hinaus in Deutschland mit der Ansiedlung einer kleinen Herde im Rothaargebirge begonnen, wobei hier derzeit große Probleme mit Schälschäden im Wirtschaftswald auftreten. Sämtliche freilebenden Vorkommen sind auf Wiederansiedlungsmaßnahmen zurückzuführen.

2.48: Wisentbulle

Äsung

Wisente sind als Rinder tendenziell Raufutteräser, nehmen also neben Gras und auch Kräutern auch Laub, Triebe von Bäumen und im Winter Laubstreu auf. Wisente neigen insbesondere im Herbst und Winter bekanntermaßen auch zum Schälen von Bäumen.

Fortpflanzung

Die Brunft liegt zwischen August und Oktober. Zur Brunft teilen sich die größeren Herden auf, einzelne Bullen suchen sich kleinere Gruppen von meist zwei bis vier Kühen, die sie gegen Artgenossen verteidigen. Brunftkämpfe zwischen Wisentbullen sind seltener als beim Rothirsch, doch sind Wisentbullen während der Brunft ausgesprochen aggressiv und attackieren auch andere Wildarten oder Wisentkälber. Die Tragzeit dauert etwa 38 Wochen, es kommt meist ein Kalb zur Welt. Wisentkühe setzen auch nicht jedes Jahr ein Kalb.

Hege

Wisenthege beschränkt sich in Deutschland derzeit auf die Frage, ob bzw. wo eine Wiederansiedlung dieser Art möglich ist und auf die intensive Betreuung des derzeit existierenden Wiederansiedlungsprojektes.

Ordnung	Paarhufer
Unterordnung	Wiederkäuer
Familie	Hornträger (Bovidae)
Unterfamilie	Ziegenartige
Gattung	Ziegen

Steinwild *(Capra ibex)*

Aussehen

Steinwild ist etwa ziegengroß, besitzt im Sommer eine rötlichbraune bis dunkelbraune, im Winter graubraune Decke. Auffallend ist auch der Ziegenbart der Böcke. Die Hörner der Böcke sind an der Basis dreieckig bis trapezförmig, tragen an der Stirnseite gut sichtbare Schmuckwülste und erreichen Längen um einen Meter, die der Geißen sind schmal, oval und maximal 35 Zentimeter lang. Böcke wiegen bis 140 Kilogramm, ausgewachsene Geißen können etwa 25 bis maximal 70 Kilogramm wiegen, bleiben meist aber deutlich leichter als 50 Kilogramm.

Verbreitung und Lebensraum

Das Steinwild ist eine Art der hochalpinen Regionen oberhalb der Baumgrenze bis zur Eisgrenze. Neben dem alpinen Vorkommen gibt es solche in den Pyrenäen, in den nordafrikanischen Gebirgen, im Kaukasus sowie in Sibirien. In Bayern gibt es derzeit mehrere Steinwildvorkommen in freier Wildbahn.

Äsung

Dem Steinwild dienen Kräuter (ca. 30 %), Gräser (ca. 65 %) sowie Holzgewächse, Moose, Flechten und Farne als Äsung.

Fortpflanzung

Die Hauptbrunft fällt in die Monate Dezember und Januar. Der gesamte Rahmen kann den Zeitraum von November bis März (Nachbrunft) umfassen. Nach einer Tragzeit von 23 bis 25 Wochen setzen die Geißen ein Kitz. Zwillingsgeburten sind seltene Ausnahmen. Die Brunft im Winter führt zu hohen Verlusten gerade auch der mittelalten Böcke, wobei diese Art an solche Verluste aber offenbar gut angepasst ist.

2.49: Steinwild im natürlichen Lebensraum

Hege

Mitte des 19. Jahrhunderts war der Alpensteinbock aufgrund der Nutzung fast all seiner Körperteile in der Volksheilkunde bis auf eine Kolonie im italienischen Aostatal (Gran Paradiso) im gesamten europäischen Alpenraum ausgerottet. Diese wurde nach Gründung des italienischen Königreiches Mitte des 19. Jahrhunderts unter strengen Schutz gestellt. Im 20. Jahrhundert erfolgte ausgehend von dem verbliebenen Restbestand die Wiederansiedlung durch den Menschen, sodass heute der Alpenraum wieder weitgehend besiedelt ist und in der Schweiz und in Österreich das Steinwild wieder regulär nach wildbiologischen Gesichtspunkten unter Berücksichtigung seiner Alters- und Sozialstrukturen bejagt wird.

Das Bundesjagdgesetz sieht demgegenüber keine Jagdzeit vor. Abschüsse erfolgen nur über besondere behördliche Regelungen (Reduktion und räudekranke Stücke).

Nachdem es Hinweise darauf gibt, dass sich das Steinwild im Alpenraum regelmäßig, aber in geringem Umfang mit Hausziegen kreuzt, stellt sich in Zukunft die Frage, wie mit diesem Phänomen umzugehen ist. So kann eine solche Einkreuzung durchaus der Steigerung der genetischen Vielfalt des Steinwildes dienen, und war damit möglicherweise für den Erfolg der Wiederansiedlungsprojekte mitursächlich, sie kann sich aber auch negativ auswirken. Daher ist noch nicht abschließend beurteilbar, wie mit dieser Frage in Zukunft umzugehen ist.

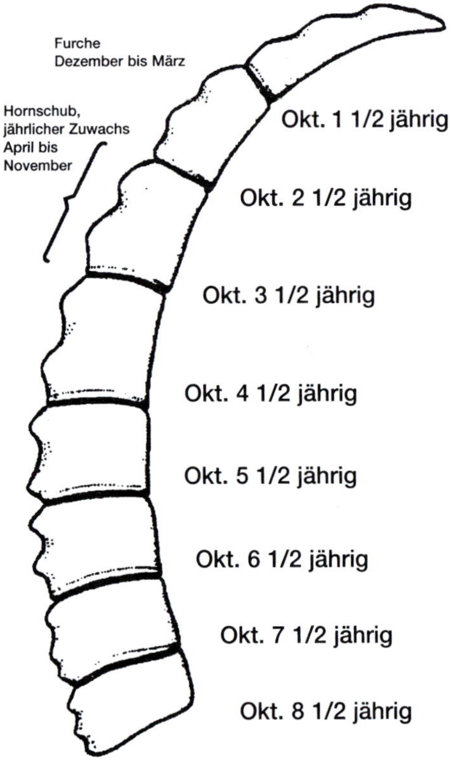

2.50: Altersansprache des Alpensteinbocks

Fragen

172 Wo steht das Steinwild in der zoologischen Systematik?

Das Steinwild bzw. der Alpensteinbock zählt wie Gams- und Muffelwild zur Familie der Hornträger (Bovidae) und darin zur Gattung der Ziegen. Steinwild kann sich zwar mit sämtlichen Hausziegenrassen fruchtbar kreuzen, doch stammen Hausziegen ganz überwiegend von der im westlichen Asien verbreiteten Bezoarziege ab.

173 Ist das Steinwild tag- oder nachtaktiv?

In Anpassung an seinen Lebensraum ist das Steinwild – auch in bejagten Beständen – tagaktiv.

174 In welchem Sozialsystem lebt Steinwild?

Steinwild lebt ganz überwiegend gesellig in mehr oder minder großen Rudeln.
Außerhalb der Brunft kommt es zur Bildung von Bock- und Geißenrudeln. In den Geißenrudeln findet man neben führenden Geißen mit ihren Kitzen, junge (noch) nicht führende Geißen sowie Geltgeißen und junge Böcke bis etwa drei Jahre. Auch Steinwildrudel sind keine festen Einheiten. Ihre Zusammensetzung wechselt häufig. Bei beiden Geschlechtern sind vorübergehend Einzelgänger zu beobachten.

175 Welche Möglichkeiten der Altersansprache gibt es beim Steinwild?

Mit Erfahrung ist die Altersansprache im Revier (Spektiv!) und die Altersbestimmung am erlegten Stück zumindest bei Böcken sehr einfach. Das Hornwachstum des Steinwilds stagniert in den Wintermonaten. Dadurch kommt es zur Bildung der Jahrringe, d.h. schmalen Einschnürungen, die an den Hornseiten und -rückseiten gut zu erkennen sind (s. Abb. 2.50). Die sog. Schmuckwülste an der Stirnseite lassen nur eine sehr grobe Altersschätzung zu. Ab dem zweiten Lebensjahr werden jährlich eine bis drei dieser Wülste gebildet. Bei den Geißen sind die Jahresringe, wenn überhaupt, nur aus nächster Nähe bzw. am erlegten Stück zu erkennen. Hier gelten der Gesamteindruck, die Kopfform, der Gesichtsausdruck gemeinsam mit der Länge der Hornschläuche als Alters-Ansprechmerkmale.

Ordnung	Paarhufer
Unterordnung	Wiederkäuer
Familie	Hornträger (Bovidae)
Unterfamilie	Ziegenartige
Gattung	Gämsen

Gamswild *(Rupicapra rupicapra)*

Aussehen

Im Sommerhalbjahr ist Gamswild gelbgrau bis fahlgelb gefärbt mit einem schwarzen Aalstrich über Träger und Rücken bis zum Wedel. Die hellere Unterseite ist durch ein dunkles (schwarzes) Band von der Oberseite der Sommerdecke getrennt. Die Läufe sind auch im Sommerhaar dunkel gefärbt. Das lange Winterhaar ist dunkelgrau, dunkelbraun oder schwarz. Das Gesicht ist im Winter weißlich mit schwarzem Zügel. Im Sommer ist es zwar ebenfalls heller, nähert sich aber eher der Farbe der übrigen Decke. Die Zügel sind im Sommer weniger dunkel gefärbt. Eine Sonderstellung nehmen die langen Grannenhaare längs des Aalstriches („Gamsbart") ein. Ihr Wachstum setzt mit dem Frühjahrshaarwechsel ein und wird vom Herbsthaarwechsel nicht unterbrochen. Die Barthaare erreichen etwa im Dezember ihre maximale Länge.

Adulte Gamsböcke sind durchschnittlich schwerer (25 bis 50 Kilogramm) als Geißen (20 bis 40 Kilogramm). Die Krucken weisen zwischen den Geschlechtern normalerweise gut sichtbare Unterschiede auf (Geschlechtsdimorphismus). Sämtliche Kruckenmaße, speziell der Hornumfang, liegen beim Bock im Durchschnitt deutlich über jenen der Geißen. Weiterhin weisen die Krucken des Bockes im Normalfall(!) an den Spitzen eine weit stärkere Hakelung (Krümmung) auf. Stark vereinfacht ausgedrückt zeigen die Kruckenspitzen der Böcke bei stehender Körperhaltung auf Haupt oder Träger, bei den Geißen auf den Rücken- oder Keulenbereich. Abweichend von der Norm gibt es aber auch „bockkruckige" Geißen und „geißkruckige" Böcke. Die Barthaare der Böcke sind deutlich länger als die der Geißen.

Verbreitung und Lebensraum

Auch das Gamswild ist eine typische hochalpine Art, ihr Lebensraum erstreckt sich typischerweise von der Wald- bis in die Felsregion.

Gamswild finden wir im europäischen Alpenraum, in den Pyrenäen, den Vogesen, den Gebirgen und Mittelgebirgen des Balkans sowie in den Karpaten. In Deutschland kommt Gamswild in den Alpen, aber auch in Mittelgebirgen, im Schwarzwald und in jeweils kleinen Teilpopulationen im Elbsandsteingebirge sowie an der Donau am südlichen Rand der Schwäbischen Alb vor. In Baden-Württemberg wird darüber hinaus auch außerhalb der genannten Gebiete immer wieder „wanderndes" Gamswild beobachtet. Auch in historischer Zeit war Gamswild in vielen bewaldeten, felsigen Mittelgebirgen beheimatet.

Äsung

Das Gamswild zählt unter den Wildwiederkäuern zu den Mischäsern (Intermediärtyp). Das Nahrungsangebot und seine Verfügbarkeit sind jahreszeitlich starken Schwankungen unterworfen. Im Sommer dominieren Gräser und Kräuter. In dieser Zeit selektiert das Gamswild die besonders energiereichen und leicht verdaulichen Pflanzenteile heraus. In den Wintermonaten stehen je nach Einstand weiterhin Gräser aber auch Sträucher wie Heidelbeere, Erika, sämtliche Wildrosen (Alpenrose) sowie Nadel- und Laubhölzer im Mittelpunkt.

Fortpflanzung

Die Hauptbrunft fällt in die Zeit von Ende Oktober bis etwa Mitte Dezember. Die Böcke stellen sich zu den Geißen. Nach einer Tragzeit von etwa 25 bis 26 Wochen werden die Kitze meist ab Mitte Mai gesetzt. Zwillingsgeburten sind selten. Gamsgeißen nehmen normalerweise erstmals im dritten oder vierten Lebensjahr an der Brunft teil.

Bejagung und Hege

An Jagdmethoden stehen insbesondere Pirsch, Ansitz und Riegeljagd zur Verfügung. Große Treibjagden auf Gamswild sollten unterbleiben. In der Schweiz sind sie verboten. Beim „Riegeln" wird nur ein relativ eng begrenztes Gebiet mit wenigen Schützen und Treibern (ohne Hunde) meist

still bejagt, bei der Stöberjagd werden zusätzlich Hunde eingesetzt, wobei darauf zu achten ist, dass diese nicht den Charakter einer Treibjagd annimmt. Die Einzeljagd besteht aus Ansitz und Pirsch oder (meist) einer Kombination dieser beiden Jagdarten.
Hegemaßnahmen bestehen beim Gamswild vor allem darin, kranke Stücke (z.B. Gamsräude, Gamsblindheit) rechtzeitig zu entnehmen, durch angemessene Bejagung den Bestand nicht zu sehr anwachsen zu lassen, und soweit möglich dazu beizutragen, dass Störungen, auch nichtjagdlicher Art, minimiert werden.

Fragen

176 Was wissen Sie zur sozialen Organisation des Gamswildes?

Gamswild lebt die meiste Zeit des Jahres gesellig in Rudeln. Alte Böcke sind außerhalb der Brunftzeit häufig Einzelgänger. Die Untereinheiten der Geißrudel bilden Mutterfamilien aus Geiß und Kitz oder Geiß, Kitz und Jahrling. Die Bockrudel bestehen aus jungen und mittelalten Böcken und sind normalerweise deutlich kleiner als die Geißrudel.

177 Wie wird Gamswild nach Alter und Geschlecht bezeichnet?

Gamswild im ersten Lebensjahr bezeichnet man als Kitze (Bock- und Geißkitze). Im zweiten Lebensjahr heißt es Jährling oder Jahrling bzw. Jährlingsbock oder Jährlingsgeiß. Ab dem dritten Lebensjahr spricht man von Gamsböcken und Gamsgeißen (Kurz: Bock, Geiß). Nicht mehr aufnehmende, alte Geißen werden als Geltgeißen bezeichnet. Jüngeres Gamswild im Rudelverband nennt man Scharwild.

2.51: Gamsbock im Winterhaar

2.52: Gamsrudel im Sommer

178 Welche Körpermerkmale sind zur Altersansprache des Gamswildes geeignet?

Wie bei anderen Schalenwildarten orientiert man sich zunächst am Gesamteindruck des Stücks: Stärke, Verhalten, Dominanz usw. Weiterhin lässt der Zügel Rückschlüsse auf das Alter zu. Bei jungen Gams ist dieser schwarz oder schwarzbraun und scharf gegen das hellere (weißliche) Gesicht abgegrenzt. Mit zunehmendem Alter verwaschen sich die Zügel und erscheinen mattschwarz oder gräulich und sind weit weniger klar vom später gräulichen, „greisen" Gesicht abgegrenzt. Auch die Stärke der Krucken – im Zweifel je stärker, desto älter – lässt bei Kenntnis des Bestandes eine Altersschätzung zu. Am erlegten Stück ermöglichen die Jahrringe an den Krucken eine meist exakte Altersansprache. Das Kruckenwachstum stagniert in den Monaten von Dezember bis März. An den Schläuchen bleiben als Folge recht deutliche Einschnürungen, die Jahrringe, zurück. Der Zuwachs an der Gamskrucke ist im zweiten Lebensjahr am größten. Etwa ab dem vierten Lebensjahr geht der jährliche Zuwachs deutlich zurück und bewegt sich später nur noch im Millimeterbereich. Die Altersbestimmung anhand der Jahrringe kann durch Schmutz und Baumharz (Pechgehörne) erschwert werden, die sich durch das Reiben der Krucken an Bäumen und Sträuchern („Hornen") ablagern können. Etwa ab dem fünften Lebensjahr verengt sich die zuvor breitere Kruckenbasis – die Krucke „schließt" sich. Sie verjüngt sich dann mehr oder minder deutlich sichtbar zur Basis hin.

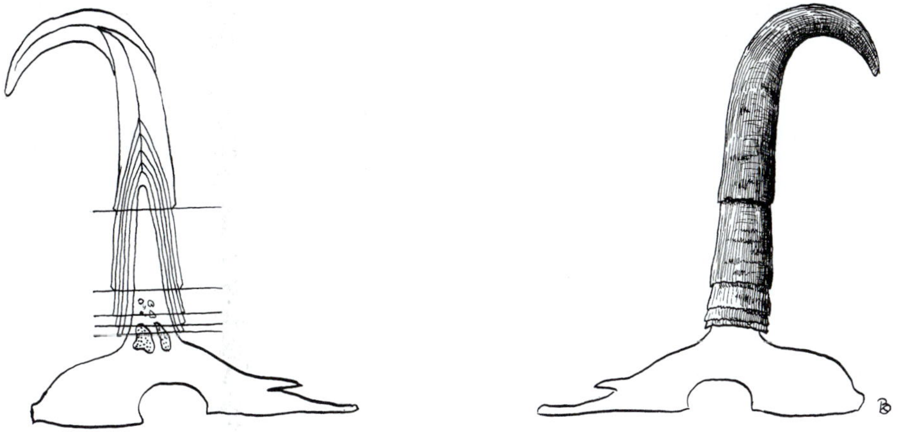

2.53: Schematischer Aufbau der Gamskrucke (Querstriche = Jahrringe)

179 Was bezeichnet man als Brunftfeigen?

Die Brunftfeigen (Postcornualdrüsen) liegen bei Gams beiderlei Geschlechts hinter den Krucken. Das Sekret dieser etwa drei Zentimeter langen Drüsen dient der Markierung. Durch Reiben der Brunftfeigen an Bäumen, Sträuchern, Stauden und anderen Pflanzen werden Geruchsmarken gesetzt, offenbar ohne bestimmte Areale zu markieren. Die Brunftfeigen produzieren ganzjährig Sekret, sind zur Brunft aber besonders aktiv.

180 Welche Regionen besiedelt das Gamswild im Alpenraum?

Gamswild im Alpenraum bewohnt vornehmlich die Regionen oberhalb der Baumgrenze (Gratgams) bzw. in der Kampfwaldzone. Die sog. Waldgams leben ganzjährig in tiefer gelegenen Waldgürteln. Möglicherweise bilden sie eine eigene, genetisch besonders angepasste Teilpopulation. Extreme Schneelagen kann auch jenes Gamswild, das normalerweise oberhalb der Baumgrenze seinen Einstand hat, in tiefere, bewaldete Regionen drücken.

181 Was gilt beim Gamswild als Jagdtrophäe?

Als Trophäen gelten die Krucken, der Gamsbart und gelegentlich die gegerbte Decke.

2.54: Gamsbock 7 Jahre; der sog. „Zentimeterring" (0,9-1,1 cm) entsteht im Alter von 4 und 5 Jahren. Danach werden nur noch „Millimeterringe" gebildet.

Ordnung	Paarhufer
Unterordnung	Wiederkäuer
Familie	Hornträger (Bovidae)
Gattung	Schafe

Muffelwild *(Ovis ammon musimon)*

Aussehen

Muffelwild ist von der Größe her mit Hausschafen zu vergleichen. Das kurze Sommerhaar ist braun- oder kupferrot. Die Bauchseite, der Spiegel sowie die Läufe und der Äserbereich sind weißlich oder grauweiß. Das lange Winterhaar ist graubraun, dunkelbraun bzw. schwarzbraun. Die Widder tragen meist einen weißen oder weißgrauen Sattelfleck, die „Schabracke". Zur Brunft (im Winterhaar) bildet sich schon bei Jährlingen ein aus längeren Haaren bestehender schwarzer „Kragen" am Träger, der sich bei älteren Widdern zur langen Brunftmähne auswächst.
Die Hornschläuche der Muffelwidder (Schnecken) beschreiben mit zunehmendem Alter erst Halbkreise, später Kreise. Der größte Hornzuwachs erfolgt in den ersten beiden Lebensjahren. Während beim Gams- und Steinwild grundsätzlich beide Geschlechter Hörner tragen, ist dies beim Mufflon nicht der Fall. Der Anteil gehörnter Schafe (sie tragen sog. „Stümpfe") schwankt herkunftsspezifisch.

Verbreitung und Lebensraum

Wildschafe zählten nicht zur nacheiszeitlichen Fauna Mitteleuropas, ihre Urheimat ist Kleinasien. Die heutigen europäischen Wildschafe stammen mit hoher Wahrscheinlichkeit von kleinasiatischen Mufflons ab, deren Stammform ausgestorben ist. Wir gehen heute davon aus, dass diese auch die Vorfahren der Wildschafe auf den Mittelmeerinseln Korsika und Sardinien waren, von wo aus es dann auf das Europäische Festland gelangte. In Deutschland begann die Ansiedlung des Muffelwildes schwerpunktmäßig im letzten Jahrhundert, so etwa 1902 im schlesischen Eulengebirge (heute Polen), 1903/04 in der Göhrde (Lüneburger Heide) sowie 1906 im damaligen Anhaltinischen Forstamt Harzgerode im Ostharz.
In Deutschland leben die umfangreichsten Bestände heute in Rheinland-Pfalz, Thüringen, Sachsen-Anhalt und Brandenburg.
Muffelwild ist hinsichtlich seiner Lebensraumansprüche wenig spezialisiert. Dies belegen erfolgreiche Ansiedlungen in den unterschiedlichsten Lebensräumen (z.B. Harz und Lüneburger Heide). Die Mufflons bevorzugen bergige (hügelige) und trockene, relativ locker bestockte und mit Freiflächen durchsetzte Waldgebiete. Sehr feuchte Lebensräume oder solche mit dauerhaft hohen Schneelagen über 30 Zentimeter (Hochgebirge) sind ungeeignet. Als ursprüngliche Bergbewohner sind die Muffel auch in Flachlandbiotopen überwiegend tagaktiv, eine Eigenschaft, die das Muffelwild für Waldbesucher beobachtbar und attraktiv macht.
Muffelwild galt in der Vergangenheit als sehr standorttreu, oftmals wurden Straßen oder Flußläufe als Einstandsgebietsgrenzen von den Mufflons über Jahre respektiert. Durch die zunehmende Bejagung auf Drück-Stöber-Jagden ging diese Standorttreue schnell verloren: sobald die Grenzelinien einmal überschritten wurden, geschieht dies auch in Zukunft regelmäßig. Damit wurde einer flächigen Ausbreitung des Muffelwildes Vorschub geleistet.
Wo große Prädatoren wie Wolf und Luchs vorkommen, verschwinden die Mufflonbestände schnell. Dies wird auf die jahrtausendelang fehlende Anpassung an bodengebundene Großprädatoren auf den Mittelmeerinseln zurückgeführt.

Äsung

Muffelwild zählt zu den Intermediär- oder Mischäsern. Es hat von allen heimischen wiederkäuenden Schalenwildarten den relativ größten Verdauungstrakt. So nimmt es gerne auch krautige Äsung und – wo möglich – Feldfrüchte sowie die Blätter und Triebe von Gehölzpflanzen auf. Das Muffelwild deckt seinen Wasserbedarf fast ausschließlich über die aufgenommene Pflanzenäsung. So werden die Wildschafe nur in sehr seltenen Ausnahmefällen beim Schöpfen beobachtet.

Fortpflanzung

Muffelwild brunftet etwa in den Monaten von Oktober bis Dezember. Die Hauptbrunft fällt normalerweise in die Wochen um den Monatswechsel Oktober/November bzw. in den November. In dieser Zeit werden die meisten Schmalschafe und Schafe beschlagen. In der Nachbrunft (Januar) werden auch frühreife Schaflämmer erfolgreich beschlagen. Von März bis Anfang Mai kann eine Frühjahrsbrunft beobachtet werden. In dieser Zeit werden Schafe nach Lammverlusten sowie ausgereifte, gut konditionierte Altschafe ein zweites Mal beschlagen.
Die Tragzeit schwankt zwischen 148 und 160 Tagen. Bei zeitigem Beschlag des Schafes wird ein Teil der Lämmer folglich schon im März gesetzt. Die Hauptsetzzeit erstreckt sich von Mitte März bis einschließlich April. Die Schmalschafe (als Lämmer beschlagen) setzen in der zweiten Mai- und ersten Junihälfte. In der Frühjahrsbrunft beschlagene Altschafe setzen im September und Oktober die so genannten Herbstlämmer. Ein Lamm pro Schaf ist der Normalfall, Zwillingsgeburten sind Ausnahmen. Wie bei allen Wildschafen und Wildziegen zählen auch die Lämmer des Muffelwildes zu den sog. „Laufjungen", d.h. sie folgen schon kurz nach ihrer Geburt dem Muttertier („Liegejunge", die von der Mutter zunächst abgelegt werden, finden wir z.B. beim Rehwild).

Hege und Bejagung

Der Zuwachs kann zwischen den Beständen und bestandesintern von Jahr zu Jahr starken Schwankungen unterworfen sein, und bewegt sich zwischen 40 bis 100 Prozent des weiblichen Frühjahrsbestandes (1. April). Im Normalfall bewegt sich der Zuwachs zwischen 70 und 80 %. Die dargestellten Schwankungen können im Alter, in den Witterungsbedingungen zur Setzzeit sowie dem Umfang oder der Struktur der jeweiligen Population begründet sein.

2.55: Muffelwidder mit Schabracke / Sattelfleck

2.56: Muffelrudel mit jungem Widder

Dem stark variierenden Zuwachs folgend, ist die Bejagungsplanung beim Muffelwild ungleich schwieriger als z.B. bei Rot-, Dam- oder Rehwild. Sofern möglich, sollte der Zuwachs der einzelnen Bestände jährlich neu bestimmt werden. Muffelwild-Bestände reagieren auf jagdliche Fehlplanungen ungleich empfindlicher als andere Schalenwildarten. Vorrang muss wie bei sämtlichem Schalenwild stets der Eingriff in die Jugendklasse (Lämmer, Jährlinge) haben, wobei die Bejagung der Lämmer im Vordergrund stehen sollte.

Hinsichtlich der Jagdmethoden (Jagdarten) sind sowohl Ansitz und Pirsch (wobei die Ansitzjagd erfolgversprechender ist) als auch Drück- und Stöberjagden üblich. Allerdings ist das Mufflon auf Drückjagden ausgesprochen schwierig zu bejagen, da das Wild sich bei Gefahr rudelt und als geschlossener Verband häufig hochflüchtig das Treiben verlässt, sodass ein Ansprechen und eine saubere Schussabgabe kaum möglich ist.

Stöberjagden sind auf Muffelwild noch problematischer, da sich das Wild in Anbetracht des Stöberhundes ebenfalls rudelt und die jüngeren Stücke, die es zu erlegen gilt, sich oft im inneren des Verbandes befinden. Da in unseren Revieren oft keine Rückzugsmöglichkeiten vorhanden sind, verlässt das derart beunruhigte Wild oftmals großräumig die Einstände, der Jagderfolg bleibt gering.

Sinnvoller sind Gemeinschaftsansitze oder Ansitz-Drückjagden mit nur ganz wenigen Treibern, ähnlich einer Riegeljagd.

Fragen

182 Gehört das Muffelwild heute zum „heimischen Wild“?

Auch wenn Muffelwild keine nacheiszeitlich autochthone Art in Mitteleuropa darstellt, so gehört es doch zum heimischen Wild. Dazu zählen sämtliche Arten, die bei Inkrafttreten des Bundesjagdgesetzes am 1. April 1953 im Bundesgebiet heimisch waren. Hierzu gehört auch das Muffelwild.

183 Wo ist Muffelwild in der zoologischen Systematik einzuordnen?

Wie das zuvor behandelte Stein- und Gamswild gehört das Muffelwild zur Familie der Hornträger (Bovidae) unter den Wiederkäuern. Doch wird das Mufflon der Gattung der Schafe zugeordnet. Steinwild zählt zur Gattung der Ziegen, das Gamswild zu jener der

Gämsen. Das Muffelwild ist die kleinste Unterart der Wildschafe, deren größter Vertreter das Argali oder Riesenwildschaf ist.

184 In welchen sozialen Organisationseinheiten lebt Muffelwild?

Muffelwild lebt normalerweise in Rudeln verschiedener Größe. Die weiblichen Stücke leben mit ihren Lämmern, Schmalschafen und Jährlingen in Verbänden verschiedener „Mutterfamilien". Diese Rudel werden vom Leitschaf geführt. Die Größe und Zusammensetzung variiert. Gelegentlich sind auch noch zwei- bis dreijährige Widder in diesen Rudeln zu beobachten.
Widder dieses Alters verlassen normalerweise die Mutterfamilien und bilden mit mittelalten und älteren Geschlechtsgenossen Widderrudel, deren Größe ebenfalls starken Schwankungen unterworfen ist. Die Gruppengröße sinkt offenbar mit steigendem Alter der Widder. Alte Widder sind häufig Einzelgänger. Zur Brunft ziehen die älteren dominanten Widder in die Schafrudel.

185 Was versteht man unter Einwachsern und Scheuerern?

Beim Einwachser drehen die Hornspitzen nicht in einem ausreichend weiten Abstand am Haupt oder Träger vorbei – sie wachsen z. B. in den Träger ein, was früher oder später stets tödlich endet. Man unterscheidet Kiefer- und Nackeneinwachser. Beim Scheuerer reiben die Schnecken durch einen zu kleinen Krümmungsdurchmesser an der Decke des Trägers, was zu offenen Wunden führen kann.

186 Was ist unter den so genannten Schalenerkrankungen beim Muffelwild zu verstehen?

Muffelwild leidet vergleichsweise häufig unter Schalenerkrankungen, die in ihrem Erscheinungsbild sehr variabel sind. Es kommt u.a. zur Bildung von „Schnabelschuhen" und zum Ausschuhen, dem kompletten Verlust der Schalen.
Dabei ist das Schalenauswachsen (überschüssige Hornproduktion oder zu geringe Abnutzung) von der Moderhinke, einer bakteriellen Erkrankung (siehe dort) zu unterscheiden. Ob für das Schalenauswachsen vorwiegend genetische (zu hohe Hornproduktion, evtl. sogar gefördert durch die Bejagungskriterien) oder ökologische (zu geringe Abnutzung auf weichen Böden) Faktoren oder Ernährungsstörungen oder ein Komplex aus mehreren oder allen Faktoren maßgeblich ist, ist derzeit noch nicht abschließend geklärt.

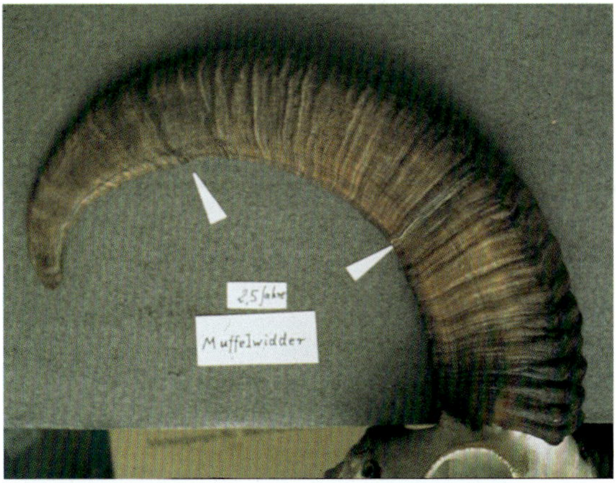

2.57: Muffelwidder 2½ Jahre alt, die Hauptrillen an der Schnecke entstehen ab 6 Monaten alljährlich. Sie sind bei älteren Widdern oft nur noch schwer erkennbar.

Ordnung	Paarhufer
Unterordnung	Nichtwiederkäuer
Familie	Altweltliche Schweine
Gattung	Wildschweine

Schwarzwild *(Sus scrofa)*

Aussehen

Die Frischlinge sind in den ersten vier Monaten gut an den gelben Längsstreifen zu erkennen. Im Herbst ist ihr einfarbig bräunliches Deckhaar eine gute Hilfe bei der Altersansprache.
Ausgewachsene Sauen in der kurzen grauen Sommerschwarte lassen sich bei gutem Licht am besten ansprechen. Der Pinsel verrät den Keiler, das Gesäuge die führende Bache, die freie Bauchschwarte das nicht führende Stück.
In der schwarzen Winterschwarte wirken alle stärkeren Sauen gedrungen und massig. Beim Einzelstück werden Alter und Geschlecht nun oft schwer erkennbar.

Verbreitung

In sehr variablen Formen sind Sauen fast auf dem ganzen Erdball verbreitet. Lediglich einzeln gelagerte Inseln – z.B. Großbritannien –, Hochgebirgslagen, Wüsten, die Polarregionen und deckungslose Küstenstreifen sind von Natur aus nicht besiedelt.
Witterungsbedingungen, Deckung, Nahrung und gelegentlich Krankheiten sowie Prädatoren wie der Wolf sind die natürlichen Regulatoren.

Lebensraum

Sauen sind äußerst anpassungsfähig und leben in den unterschiedlichsten Lebensräumen. Ihr Bestand zeigt in Deutschland langfristig eine steigende Tendenz. Im Wald werden bei guter Tagesdeckung nach Möglichkeit Einstände bevorzugt, in deren Nähe Eichen und Buchen Wintermast tragen.
Im Sommer werden im vorgelagerten Feld gerne tagsüber Getreide-, Mais- und Rapsschläge als Deckung angenommen.
Längere Schneeperioden ohne Bodenfrost bilden keine Gefahr für Sauen, eine Winterfütterung ist dann nicht zwingend notwendig.

Ernährung

Schwarzwild ist ein Allesfresser. Überwiegend pflanzliche (je nach Standort und Jahreszeit ca. 90 %) wie tierische (ca. 10 %) Kost wird in verschiedener Form je nach Jahreszeit aufgenommen. Im Sommer bevorzugen die Sauen meist Feldfrüchte, suchen aber auch auf Grünland nach Insektenlarven, im Winter liefern in Mastjahren Eicheln und Bucheckern Nahrung.
Sauen bevorzugen – soweit möglich – leicht verdauliche Nahrung, da sie wenig kauen und ihr Magen einfach gebaut ist. Im Sommer dienen bevorzugt Feldfrüchte und Grünäsung als Nahrung, im Winter in Mastjahren Eicheln und Bucheckern.

Sozialstruktur

Frischlinge wachsen in engerem Kontakt zum Muttertier heran. Schwarzwildrotten sind vom Grunde her Mutterfamilien, die sich auch zu größeren Rotten zusammenschließen können. Regelmäßig übernimmt die ranghöchste – meist älteste – Bache als Leitbache die Führung in strenger Ordnung. Die Rottenmitglieder zumindest einer Mutterfamilie sind i.d.R. alle miteinander verwandt und kennen sich gut.
Schon im Überläuferalter sondern sich die männlichen Stücke von der Rotte ab und bilden gelegentlich kleine Überläuferrotten. Etwa ab dem dritten Lebensjahr werden Keiler Einzelgänger.

Fortpflanzung

Bei intakter Sozialstruktur beginnt in Mitteleuropa die Rauschzeit etwa Ende November. Dabei markiert die rauschige Bache Zweige und kleine Bäume mit Speichelschaum. Es existiert die Hypothese, dass weitere weibliche Stücke der Rotte werden dadurch angeregt und gleichfalls rauschig werden. Jetzt treten Keiler zur Rotte, markieren ebenfalls und kämpfen die Ranghöhe aus. Zwei bis sieben Frischlinge (gelegentlich bis zu zwölf) werden nach einer Tragzeit von 114 bis 118 Tagen in einem trockenen Wurfkessel geboren. Frischlings- und Überläuferbachen haben meist nur wenige Frischlinge, während ältere Bachen regelmäßig eine größere Anzahl an Nachkommen frischen. In den ersten Lebenswochen sind die Frischlinge bei anhaltendem Frost oder bei nasskalter Witterung durch Unterkühlung gefährdet.
Ein zweites Frischen im gleichen Jahr ist bei Bachen nur selten, und vor allem dann beobachtet worden, wenn die Bache früh im Jahr ihren ersten Wurf Frischlinge vollständig verloren hat. Durch regellose Bejagung (Zerstörung der Alters- und Sozialstruktur), hinreichend Fraß in den Agrarflächen, aber auch durch zahlreiche Jahre mit milder Witterung kommt es heute zunehmend zu einer Verlängerung der Rauschzeit in den Herbst und ins Frühjahr hinein. Somit finden wir heute auch zu fast allen Jahreszeiten von der Mutter abhängige Frischlinge. Die ersten Würfe kommen häufig bereits im Januar zur Welt.

Jagdarten

Üblich sind als Einzeljagdarten Pirsch und Ansitz. Dieser besonders an Kirrplätzen und Schadflächen in der Feldmark. In den letzten drei Jahrzehnten hat aber eine Bejagung der Sauen durch großangelegte Drück-Stöber-Jagden zugenommen.
In der Praxis angestrebt ist ein jährlicher Streckenanteil von 75 % Frischlingen, 15 % Überläufern und je 5 % von Keilern und Bachen.
Aufgrund des Auftretens der Afrikanischen Schweinepest auch in Deutschland wird vielfach eine intensive Schwarzwildbejagung, oftmals ohne Rücksicht auf Alters- und Sozialstruktur empfohlen. Davon ist aus wildbiologischer Sicht, aber auch aus Gründen der Seuchenbekämpfung, eher abzuraten. Vielmehr sollte eine Bejagung so erfolgen, dass das Schwarzwild nicht großräumig beunruhigt wird und dadurch auch seine Streifgebiete vergrößert.
Im Falle des lokal akuten Auftretens der Afrikanischen Schweinepest werden von den Veterinärbehörden im Einzelfall durch Verordnung konkrete Bestimmungen erlassen, an die der Jäger gebunden ist.
Ausgewachsene Sauen sind schusshart. Zu ihrer Bejagung wird empfohlen: ein Kaliber ab 8 mm, ein Geschossgewicht von 12 bis 18 Gramm und eine stabile Geschossform.

2.58: Querziehende Bache

Verbreitung

187 Wie stellt sich die Schwarzwildverbreitung in Deutschland dar?

Bei noch immer ansteigender Tendenz erfolgte in den letzten 60 Jahren die Verbreitung des Schwarzwildes weiträumig über alle Bundesländer. Lediglich deckungslose Küstenstreifen und Hochgebirgslagen mit extrem hoher Schneelage sind von der Besiedlung ausgenommen.
Ursachen hierfür sind in der intensiven und großflächigen Landwirtschaft zu suchen, wobei zunehmend Fruchtarten (insbesondere Mais und Raps) angebaut werden, die in hohem Ausmaß Fraß und Deckung während des Sommerhalbjahres und bis in den Herbst liefern. Die milderen Winter der vergangenen Jahrzehnte haben ebenfalls die Ausbreitung gefördert.

188 Beschränkt sich das Verbreitungsgebiet des Schwarzwildes nur auf Europa?

Nein. In Europa kommt es gegenwärtig auf dem gesamten Kontinent einschließlich der Britischen Inseln und Südschweden vor, wenn auch in unterschiedlicher Bestandesdichte. Die nördliche Verbreitungsgrenze verläuft etwa in Höhe des 65. Breitengrades. In sehr variablen Formen kommt diese Wildart ferner in Afrika in einem nördlichen Küstenstreifen und entlang des Nils vor, im Iran und Irak, der Türkei und großflächig in Mittel- und Südasien bis zu den Japanischen und Sunda-Inseln. Im 19. Jahrhundert wurden Wildschweine im Westen Australiens und regional in Süd- und Nordamerika ausgesetzt, wobei sie sich in Australien örtlich zu einer Plage entwickelten.

Zoologische Einteilung, Aussehen, Beschreibung

189 Wie ist das Schwarzwild zoologisch einzuordnen?

Das Schwarzwild zählt zur Klasse der Säugetiere, zur Ordnung der Paarhufer (Artiodactyla), Unterordnung der Nichtwiederkäuer und ist eine eigene Gattung und Art in der Familie der Altweltschweine (Suidae).

190 Welche weidmännischen Ausdrücke sind beim Schwarzwild üblich?

Aufeinanderschlagen der Eckzähne	Wetzen
Begattungszeit	Rauschzeit
zur Begattung bereit sein	Rauschig sein
das Gebären der Jungen	Frischen
Eckzähne	Gewaff
Eckzähne im Unterkiefer	Gewehre
Eckzähne im Oberkiefer	Haderer
Fett	Weißes
Haarbüschel an der Austrittsöffnung des Penis	Pinsel (auch bei anderem männl. Schalenwild)
Haut mit Borsten und Unterwolle	Schwarte
Keule und der Hinterlauf beim Schwarzwild	Hamer
Liegeplatz einer Sau	Lager
Lager einer Rotte	Kessel
Lautäußerung vertrauter Sauen	Grunzen und Schmatzen
Lautäußerung beim Brechen	Schnaufen
Lautäußerung bei Erregung oder Misstrauen	Blasen
Lautäußerungen bei Schmerzen	Klagen
Magen	Weidsack
Maul	Gebrech
männliches Wildschwein, zwei- und mehrjährig	Keiler. Männliche Überläufer werden auch Überläuferkeiler genannt
männliches Wildschwein, etwa 3- bis 4-jährig	Angehendes Schwein
männliches Wildschwein, etwa 5- bis 6-jährig	Hauendes Schwein oder Grobes Schwein
männliches Wildschwein, über 6-jährig	Hauptschwein
Ohren	Teller
die langen Rückenborsten	Federn
Schwanz	Pürzel
Vereinigung mehrerer Sauen	Rotte
der vordere Teil des Kopfes mit Nase, mit der Wind geholt wird	Wurf
weibliches Wildschwein, zwei- und mehrjährig	Bache. Es gibt auch Frischlings- und Überläuferbachen

Wildschwein	Sau (Mehrzahl = Sauen)
Wildschwein im ersten Lebensjahr	Frischling
Wildschwein im zweiten Lebensjahr	Überläufer
Wildschweine	Schwarzwild
mit der Nase den Boden aufwühlen	Brechen
Nahrung suchen	Im Gebräch stehen

191 Wie groß ist ein Wildschwein?

Größe und Körpermasse des Schwarzwildes sind sehr unterschiedlich und abhängig vom Alter und von den jeweiligen Lebensbedingungen. Zur groben Orientierung ist die Körperlänge (Kopf-Rumpf) eines voll erwachsenen männlichen Stückes mit maximal 180 cm zu veranschlagen.

192 Was wiegt ein Wildschwein?

Frischlinge wiegen bei der Geburt etwa 1 kg, nach fünf Monaten schon etwa 20 kg. Voll ausgewachsene Keiler erreichen aufgebrochen in unseren Breiten 140 kg, in Ausnahmefällen auch 180 kg. Adulte weibliche Stücke wiegen heute zunehmend auch mehr als 80 kg. Nach Osteuropa hin werden die Stücke stärker.

193 Was kennzeichnet die äußere Erscheinung eines Wildschweins?

Das äußere Bild der Sauen bestimmen die Borsten als Deckhaar. Im Winter ist ihre Farbe braun bis schwarz, wobei die Federn (besonders lange Borsten auf dem Rücken) eine größere Höhe des Stückes vortäuschen. Dichtes, helleres Wollhaar darunter schützt in dieser Zeit vor Kälte. Im Mai erfolgt der Haarwechsel. Dünnes, kürzeres Haar lässt die Sauen jetzt silbergrau erscheinen. Führende Bachen tragen oft noch bis zum Juni Reste von Winterborsten auf dem Rücken. Frischlinge besitzen gelblich-weiße Längsstreifen auf rötlichbrauner Schwarte bis zum vierten Lebensmonat. Dann erfolgt ihr erster Haarwechsel zu meist einfarbig braunen Borsten. Gefleckte Sauen mit hellen oder seltener rabenschwarzen Punkten oder Platten auf ihrer Schwarte fallen sofort ins Auge. Als Ursache kann eine in früheren Zeiten erfolgte Vermischung mit Hausschweinen vermutet werden.

194 Woran erkennt man Tritt und Fährte einer Sau?

In weichem Boden ist beim Tritt eines Wildschweines stets das Geäfter abgedrückt. Im Gegensatz zu dem des flüchtigen Rotwildes überragt es die Schalenbreite auf beiden Seiten. Zusammen mit den Schalen wird der Tritt trapezförmig. Oft steht beim langsamen Ziehen einer Sau das Geäfter von Vorder- und Hinterlauf hintereinander (Abb. 2.59), erscheint also doppelt. Die Fährte ist im Schnee am leichtesten von derjenigen anderen Schalenwildes zu unterscheiden. Die kurzen Läufe hinterlassen typische Schleifspuren; ist die Schneelage extrem hoch, verursacht der Rumpf eine deutliche Furche.

Auffallend ist die Schrittlänge eines wirklichen Hauptschweines. Wie beim starken Hirsch beträgt sie ca. 70 cm.

195 Woran erkennt man die Losung eines Wildschweins?

Die Losung besteht aus dunkelbraunen bis schwarzen Kotballen, die im Winterhalbjahr aneinander gepresst fest zusammenhalten, im Frühjahr und Sommer dagegen – bei Aufnahme von mehr wasserhaltiger Nahrung – weicher und breiiger ausfallen.

196 Welche Sinne sind beim Schwarzwild am besten entwickelt?

Leiten lässt sich das Schwarzwild hauptsächlich von seinem Geruchssinn, da der Windfang mit einer besonders hohen Zahl an Riechzellen ausgestattet ist (sog. Macrosmat). Mit ihren großen Tellern können Sauen auch gut vernehmen. Deutlich schwächer ist der Gesichtssinn ausgebildet. Obwohl Sauen räumlich sehen können, äugen sie eher schlecht und nehmen vor allem Bewegungen wahr.

197 Welche Laute kennt der Jäger bei den Sauen?

Am bekanntesten ist der Warnlaut der Sauen: ein kurzes aber lautes „Wuff", dem in der Regel die Flucht folgt, beim erwachsenen Stück oft lautlos, bei der Rotte wegprasselnd. Der Schmerzlaut ist ein gellend hohes Klagen. Bei schlechtem Kugelsitz hört es der Jäger nur einmal, werden aber Frischlinge von wildscharfen Hunden gehalten, klagen sie anhaltend. Ist die Bache mit ihren noch jungen Frischlingen vertraut unterwegs, „quieken" diese meist ununterbrochen. Die Bache hat als Verständigungslaut ein warmes, leises Grunzen. Wetzt ein Keiler, so schlägt er Gewehre und Haderer hart aufeinander. Höchste Alarmstufe wird so angezeigt, entweder dem Rivalen zur Rauschzeit oder Mensch und Hund bei der Verfolgung eines wunden Keilers.

198 Wie unterscheidet sich der Keiler von der Bache?

Bei ausgewachsenen Stücken sind im Winterkleid die Geschlechter schwer voneinander zu unterscheiden. Beide zeigen den kompakten, gedrungenen Rumpf auf kurzen Läufen schon vom Überläuferalter an. Sicher anzusprechen ist das männliche Stück nur am Pinsel und ab einem Alter von drei Jahren – besonders beim Blick spitz von vorne – an den nun erst deutlich herausragenden, hellen Gewehren. Im Sommer ist bei allen Altersstufen der Pinsel gut zu erkennen, gutes Licht und freie Sicht vorausgesetzt. Unter den gleichen Bedingungen zeigt die führende Bache ihr Gesäuge und manchmal bis in den Juni hinein Reste von schwarzen Winterborsten auf dem Kamm.

Lebensraum, Lebensweise, Ernährung

199 Welche Ansprüche an seinen Lebensraum stellt Schwarzwild?

Schwarzwild ist sehr anpassungsfähig und kann verschiedene Lebensräume besetzen. Wichtig ist das Vorhandensein von drei Faktoren: Deckung, Nahrung, Wasser. Ausreichende Deckungsmöglichkeiten finden Sauen in größeren, möglichst ruhigen Waldflächen, ausgedehnte Schilfpartien, im Sommer auch in Getreide-, Raps- oder Maisschlägen, gelegentlich aber auch in niedrigstem Anwuchs. Günstig für eine abwechslungsreiche Ernährung mit vielfältiger pflanzlicher und tierischer Kost sind gut strukturierte Mischwälder mit einem hohen Anteil mastfähiger Eichen und Buchen.

Sauen benötigen unbedingt feuchte Stellen in ihrem Lebensraum. Trocknen im Sommer die Suhlen aus und fehlt das Wasser zum Schöpfen und Suhlen, verlassen die Sauen dieses Gebiet.

200 Wie verhält sich das Schwarzwild in seinem Lebensraum?

Wenn auch von Natur aus tagaktiv, werden die Sauen durch die Umweltbedingungen in der Kulturlandschaft und v.a. durch die starke Bejagung dazu gezwungen, den Tag in Dickungen, dichtem Gebüsch oder Röhricht zu verbringen. Meistens sind sie dann nur wenig rege und liegen in ihren Kesseln oder Lagern. Erst gegen Abend wechseln sie zu ihren Nahrungsstätten im Wald oder auf den Feldern. Am frühen Morgen ziehen sie wieder zurück in die Tageseinstände. Im Sommer bleiben sie tagsüber gerne in großen Getreide-, Raps- und Maisschlägen.

201 Wie lässt sich Schwarzwild im Revier bestätigen?

Neben den Fährten und der Losung fallen im Revier vor allem die Suhlen und Malbäume ins Auge. Suhlen sind flache Wasserstellen, die von den Sauen zur Kühlung ganzjährig gerne angenommen werden. Diese Aktivitätsphase erlaubt gute Beobachtungen. Die Sauen gleiten entweder langsam in die Suhle oder werfen sich aufspritzend hinein, bleiben fast regungslos im Wasser liegen oder wälzen sich manchmal ungestüm darin. Meist in der Nähe von Suhlen dienen Malbäume den Sauen zum Reiben und Scheuern der Schwarte. Vor allem zu Zeiten der Haarwechsel, die vermutlich einen Juckreiz verursachen, malen die Sauen besonders aktiv, sicher aber auch um die Ektoparasiten auf der Haut zu zerreiben. Dem Malen voraus geht gelegentlich eine Verletzung der Rinde der Malbäume. Vor allem bei Fichte und Kiefer finden wir solche Bissstellen, deren austretendes Harz eine Schutzschicht an den Seiten der Sauen schafft. Bei alten Keilern bildet sich im Laufe der Jahre gelegentlich eine solche Schicht extrem stark auf der Blattpartie aus, die der Jäger dann Schild nennt.

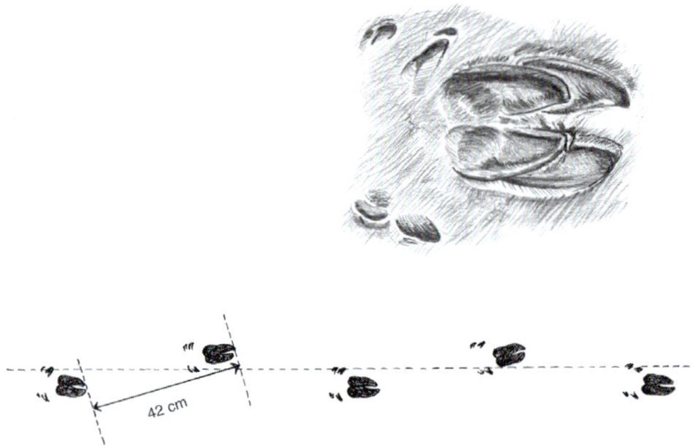

2.59: Tritt (trapezförmig) und Fährte des Schwarzwildes

202 Wie bildet sich eine Sozialstruktur in einer Schwarzwildpopulation?

Frischlinge leben ganzjährig in engem Verband mit der Mutterbache. Sobald die eigenen Frischlinge der Bache regelmäßig und über weitere Distanzen folgen können, vergesellschaftet sich die Bache nicht selten mit ihren weiblichen Vorjahreskindern und gelegentlich mit anderen, verwandten führenden Bachen. Dadurch können größere Rotten entstehen, in denen die älteste Bache als Leitbache die Führung übernimmt. Die männlichen Frischlinge des Vorjahres verlassen in der Regel die Rotte im Alter von 12 bis 15 Monaten, also als Überläuferkeiler. Aus solchen Überläuferkeilern können sich kleinere Rotten bilden. Zur Rauschzeit zerfallen diese. Von nun an sind die Keiler regelmäßig Einzelgänger, die nur zur Rauschzeit die Rotten aufsuchen.

203 Welche Bedeutung hat die Leit- oder Führungsbache für die soziale Struktur einer Rotte?

Die Familienverbände des Schwarzwildes leben in einer strengen sozialen Ordnung. Das ranghöchste Muttertier übernimmt dabei die Leitfunktion in allen Lebensbereichen. Beim Tod der Leitbache wird die soziale Organisation einer solchen Vergesellschaftung von Sauen nachhaltig zerstört. Die nun fehlende Führung hat untypische Rottenbildungen aus wenigen Stücken zur Folge. Auch gibt es Hinweise darauf, dass dann in der etwa synchrone Rauschzeitraum verloren geht, sodass Frischlinge zu allen Jahreszeiten geboren werden.

204 Welche Folgen hat die versehentliche Erlegung einer Leitbache?

Beim Tod der Leitbache wird die soziale Organisation einer Rotte nachhaltig ge- oder gar zerstört. Die nun fehlende Führung hat untypische Rottenbildungen aus wenigen Stücken zur Folge. Auch gibt es Hinweise darauf, dass dann in der etwa synchrone Rauschzeitraum verloren geht, sodass Frischlinge zu allen Jahreszeiten geboren werden. Derartige führungslose Rotten haben oft hohe Wildschäden zur Folge, fördern aber auch die Ausbreitung der Afrikanischen Schweinepest.

205 Wie ernährt sich Schwarzwild?

Als Allesfresser nimmt das Schwarzwild Grünpflanzen, Wurzeln und Knollen, Waldfrüchte, insbesondere die Mast von Eiche und Buche, Feldfrüchte wie Kartoffeln und Rüben, Getreide- und Maiskörner wie auch Fallobst auf. Daneben wird im wechselnden Anteil tierische Kost wie Schnecken, Würmer, Insekten und deren Larven, Mäuse, auch die Eier von Bodenbrütern und Jungwild bis zum Rehkitz, sowie Luder gefressen.

Die vom Wildschwein täglich aufgenommene Nahrungsmenge beträgt bei Frischlingen im Sommer etwa 1,5 kg, im Herbst und Winter etwa 2,5 kg, bei älteren Stücken im Jahresdurchschnitt etwa 3,5 kg.

206 Welche natürlichen Feinde hat das Schwarzwild?

Als natürliche Feinde kommen in Mitteleuropa Bär, Wolf und ggfs. Luchs oder Fuchs in Frage. Für den Wolf spielt in Mitteleuropa das Schwarzwild (noch) eine untergeordnete Rolle im Beutespektrum. Dem Fuchs oder Luchs gelingt es gelegentlich, einen sehr jungen Frischling zu reißen. Die Bewachung durch das Muttertier ist zu gut. Unfälle auf Straße und Schiene nehmen beim Schwarzwild in den letzten Jahren zu. Oft sind dabei gleich mehrere Stücke betroffen, da die Rotte in der Regel der Führungsbache dichtauf folgt. Im Winterhalbjahr führen hohe Schneelagen und lang anhaltender Frost zu Nahrungsmangel, der bei fehlendem Weiß die Sauen „schmal wie Bretter" werden lässt und bei geringen jungen Stücken zum Tod durch Verhungern führen kann.

In den ersten Wochen ihres Lebens leiden die kleinen Frischlinge besonders unter nasskalter Witterung oder auch starken Frösten. Unterkühlung ist die Folge. Fällt dadurch der ganze Wurf aus, wird die Bache in der Regel bald wieder rauschig und führt im Herbst schwache Frischlinge in geringer Zahl.

207 Welche Krankheiten und Parasiten treten in Schwarzwildbeständen auf?

Vor allem sehr hohe Schwarzwildbestände mit Stücken geringer Kondition werden von Krankheiten und Parasiten befallen. Die klassische ebenso wie die afrikanische Schweinepest befällt weltweit die Sauen, wobei vor allem von dem Virus befallene junge und schwache Stücke verenden. Weit weniger häufig treten Tollwut, Maul- und Klauenseuche und Tuberkulose auf. Wichtig dagegen sind die weit – wenn auch nicht zahlreich – verbreiteten Trichinen, die sich im Darm und in der Muskulatur einer Sau festsetzen. Da sie beim Verzehr, z.B. eines lediglich geräucherten Schinkens, beim Menschen zum Tode führen können, ist jedes erlegte Stück Schwarzwild untersuchungspflichtig. Die Sarcoptesräude ist beim Schwarzwild auffällig. Sie wird von Milben hervorgerufen, die flächigen Haarausfall an Körper und Kopf und darauf folgende, borkige Hautverdickungen bewirken. Immer sind die Stücke abgekommen. Ihr Abschuss ist zwingend.
Aktuell die wichtigste Krankheit für das Schwarzwild mit weitreichenden Konsequenzen für die Hege und Bejagung ist die Afrikanische Schweinepest, die sich in naher Zukunft vermutlich in Deutschland weiter ausbreiten wird.

Fortpflanzung

208 Was muss man über die Vermehrung des Schwarzwildes wissen?

Die Rauschzeit beginnt in der Regel im November und dauert bis zum Januar. Die Keiler – bis dahin Einzelgänger – schließen sich dann den Rotten an. Sind mehrere Keiler im selben Revier, kommt es zu harten Rangkämpfen. Überläuferkeiler kommen zum Zuge, wo es nur wenige ältere Keiler gibt, die Sozialstruktur also nicht mehr intakt ist. Die weiblichen Stücke können schon im Alter von 8 bis 10 Monaten die Geschlechtsreife erreichen. In einer sozial stabilen Rotte nehmen aber neben der Leitbache nur die anderen Bachen ab Überläuferalter an der Vermehrung teil. Fällt die Leitbache aber aus, zerbricht das Gefüge der Rotte. Ein Teil der Frischlinge wird rauschig und frischt schon im Alter von einem Jahr, meist nur wenige Junge und zur Unzeit. Bachen, die ihre Frischlinge frühzeitig verloren haben, etwa durch Unterkühlung bei anhaltend nasskalter Witterung im Frühjahr, werden in der Regel noch einmal rauschig. Das führt dazu, dass Frischlinge das ganze Jahr über im Revier anzutreffen sind. Nicht immer ist dies also ein Hinweis auf eine rücksichtslose Jagdausübung. Die Tragzeit dauert etwa 115 Tage (Faustregel: 3 Monate, 3 Wochen, 3 Tage). In der Mehrzahl frischen die erwachsenen Bachen gewöhnlich vier bis neun, junge Bachen (Frischlings- oder Überläuferbachen) oft nur ein bis vier Frischlinge. Gefrischt werden sie in einem Wurfkessel, der aus einer mit trockenem Laub, Gras, Moos und Zweigen ausgepolsterten Mulde besteht und meist an windstillen, warmen Stellen angelegt wird. Gelegentlich wird sogar eine Bedachung des Wurfkessels von der Bache vorgenommen.
Die Säugezeit erstreckt sich über drei bis vier Monate, aber schon nach drei Wochen beginnen die Frischlinge im Erdreich nach zusätzlicher Nahrung zu brechen.

209 Was bezeichnet man als Rauschzeitsynchronisation?

Beobachtungen von Forschern und Praktikern, die sich intensiv mit dem Schwarzwild beschäftigten, führten zu der Hypothese der Rauschzeitsynchronisation. Diese besagt, dass in einer Rotte gewöhnlich als erstes die Leitbache rauschig wird. Sie markiert dabei Zweige und junge Bäume mit ihrem Speichel und dem Sekret der Voraugendrüse. Dadurch werden die geschlechtsreifen, weiblichen Stücke der Rotte, die im Familienverband alle mit der Leitbache verwandt sind, stimuliert und setzen innerhalb weniger Tage gleichfalls mit der Rausche ein. So sind nach vier Monaten in einer intakten, größeren Rotte alle Frischlinge annähernd gleich alt und gleich groß.

Grundsätze der Hege und Bejagung

210 Welche Bedeutung hat eine jagdliche Auslese für einen Schwarzwildbestand?

Ziel einer jagdlichen Auslese ist es, einen zahlenmäßig begrenzten Bestand mit hohem Durchschnittsalter und guter Geschlechterstruktur zu schaffen. Das verringert Fortpflanzungsrate und Wildschäden. Bei dem starken Zuwachs des Schwarzwildes, der bis zu 200 % und mehr des Frühjahrsbestandes ausmachen kann, müssen vorrangig Frischlinge erlegt werden. Ihr Anteil am Gesamtabschuss sollte 75–80 % erreichen. Aus einer Rotte werden also möglichst zunächst die schwächsten Stücke entnommen. Die ständige Zunahme der Bestände und kaum tragbare Wildschäden verlangen aber auch Eingriffe in die mittelalten Stücke. Hier gilt der Abschuss vor allem den jüngeren Bachen, sobald ihre Frischlinge ihrer Führung nicht mehr bedürfen. Eine solche jagdliche Auslese ist am ehesten auf der Einzeljagd möglich. Bei den Keilern ist das Hegeziel ein Alter von sechs Jahren und ein Gewicht von mindestens 100 kg aufgebrochen. Nur selten werden diese Werte erreicht, denn schon der drei- bis vierjährige Keiler imponiert mit massigem Rumpf und wird nach seiner Erlegung für manchen Jäger zur Enttäuschung.

211 Welches sind die üblichen Jagdarten beim Schwarzwild?

Auf der Einzeljagd ist die bedeutendste Jagdart der Ansitz an Stellen, an denen die Sauen noch bei genügendem Licht anwechseln. Mondschein, eine geschlossene Schneedecke oder auch ein frisch abgeernteter Getreideacker können dabei hilfreich sein. Erfolgversprechend und heute ganz überwiegend im Gebrauch ist der Ansitz an Kirrungen. Im Wald wie auch im Feld ist manchmal das Anpirschen von nahrungssuchenden Sauen gut möglich. Brechende Sauen sind selbst ziemlich laut, sodass beim Anpirschen entstehende Geräusche (knackende Zweige oder Äste, raschelnde Halme) nicht wahrgenommen werden. Das schlechte Sehvermögen der Sauen erlaubt dem Jäger, bei gutem Wind bis auf passende Schussentfernung heran zu kommen.

Im Spätherbst und Winter werden größere Gesellschaftsjagden auf Sauen durchgeführt. Früher wurden bekannte Tageseinstände von den Jägern umstellt, oder es wurde morgens gekreist, d.h. anhand des Fährtenbildes im Schnee festgestellt, wo die Sauen stecken. Man jagte also bestätigt und Treiber und Hunde brachten die Sauen auf die Läufe. Heute sind revierübergreifende, große Drück-Stöber-Jagden üblich. Auf 500 bis 1500 Hektar sitzen mehrere Dutzend Jäger auf sog. Drückjagdböcken, d.h. kleinen, freisteghenden Ansitzeinrichtungen von ca. 1,5 m bis 2 m Höhe, weiträumig im Bestand so verteilt, dass genügend Platz zum Ansprechen und Schießen gegeben und die Sicherheit der Nachbarschützen gewährleistet ist. Die Auswahl der Stände bedarf also guter Vorarbeit von örtlich erfahrenen Jägern. Schmale Schneisen werden dabei vermieden. Den Erfolg der Jagd bestimmen ferner eine genügend große Zahl – ausgerichtet auf die Revierverhältnisse – und eine hohe Qualität der Stöberhunde. Selbständig, weit, ausdauernd und wildscharf sollten sie fährtenlaut stöbern.

Vor dem Hintergrund der in Deutschland aufgetretenen Afrikanischen Schweinepest sind großräumige Drückjagden nicht unproblematisch: durch sie werden Schwarzwildrotten in Bewegung gebracht, sodass befürchtet wird, daß diese Jagdmethode zur weiteren Ausbreitung der Krankheit beitragen kann.

212 Welches Ziel bei der Bejagung des Schwarzwildes streben die Jäger an und wie wird dabei dem Erhalt der Sozialstruktur der Rotte entsprochen?

Vorrangig sollen die meist sehr hohen Bestandeszahlen reduziert werden. Dadurch soll auch dem Auftreten von Krankheiten wie (Afrikanischer und klassischer) Schweinepest oder Räude vorgebeugt werden, hohe Wildschäden, insbesondere im Felde, sollen vermieden werden. Dies alles gelingt derzeit sicher lokal, etwa in einzelnen Revieren.
Flächendeckend sind es oft andere Faktoren (z.B. Witterung), welche die Schwarzwildbestände begrenzen.
Bei der Bejagung ist der Sozialstruktur im Familienverband der Sauen zu entsprechen. Also wird jede erkennbar führende Bache – vor allem die Leitbache – geschont, von Frischlingen geschossen, was erreichbar ist und im Felde auch ganzjährig die Überläufer in der Zahl reduziert. Als grober Anhalt für einen richtigen Abschuss gelten folgende Zahlen: Frischlinge 75–80 %, Überläufer 15 %, Keiler und Bachen 5–10 % Abschussanteil.
Wird eine Leitbache geschossen, fehlt der Rotte ihre Führung. Die Frischlinge und Überläufer der Rotte bleiben körperlich zurück und die weiblichen Stücke beginnen möglicherweise, zur Unzeit rauschig zu werden. Ganzjährig auftretende, gestreifte Frischlinge sind die Folge.

Altersschätzung am erlegten Stück

213 Wie kann die Altersschätzung bei erlegten Frischlingen und Überläufern am Unterkiefer vorgenommen werden?

Es ist einfach, die beiden Altersstufen anhand des Wechsels der Schneidezähne im Unterkiefer zu unterscheiden. Im Alter von etwa 4 Monaten ist das Milchgebiss fertig. Von den 6 Schneidezähnen sind die äußeren (I3) nur stiftartig. Im Alter von 10 bis 12 Monaten werden sie als Erste ausgewechselt. Die Dauerzähne sind deutlich breiter. Anschließend werden dann im Alter von 14 bis 16 Mo-

2.60: Bis zum 4.–5. Monat weist die rotbraune Frischlingsschwarte beidseitig mehrere helle Längsstreifen auf, die bis zu den Keulen reichen.

naten die inneren Schneidezähne (I1) ausgewechselt. Ihnen folgen im Alter von 18 bis 20 Monaten die mittleren (I2). In dieser Zeit wirkt die Schneidezahnfront lückig. Bei zweijährigen Stücken sind I1 und I2 auf gleiche Länge gewachsen und bilden eine gerade Front. I3 verbleibt auch weiterhin kürzer.

214 Welche Altersmerkmale am Dauergebiss des Schwarzwildes geben einen Anhalt für die Altersschätzung?

Das Schwarzwild hat ein Dauergebiss, welches mit 44 Zähnen nach 24 Monaten vollständig ist (s. Abb. 2.5). Die ständige Beanspruchung der Zahnoberflächen lässt mit zunehmendem Alter das Dentin immer stärker aus dem Zahnschmelz hervortreten und verkürzt die Zähne. Als Altersanhalt können die Backenzähne des Unterkiefers dienen.

» *Ca. 4-jährig*: Die Schmelzschlingen des ersten hinteren Backenzahns (M1) sind abgerieben, dunkelbraunes Dentin tritt flächig hervor. Der Schmelz aller vier mittleren Schneidezähne (I1 und I2) ist deutlich angeschliffen, ihr Dentin ist erkennbar.

» *Ca. 5-jährig*: Der zweite hintere Backenzahn (M2) erhält eine ebene Oberfläche. Beim dritten Molar (M3) zeigen sich sternförmige Dentinflecken. Dieses Standardwissen sollte ein jeder Schwarzwildjäger bei der Altersansprache am erlegten Stück bereit haben. Sind die sternförmigen Dentinflecken im hellen Schmelz sogar schon kleinflächig verbreitet, deuten sie auf ein Erreichen des Reifealters hin.

» *Ca. 6- bis 7-jährig*: Die Schneidezähne sind stark verkürzt. Der dritte Molar weist jetzt ebenfalls eine fast ebene Oberfläche auf, und sein Dentin tritt immer deutlicher hervor.

» *8- bis 9-jährig*: Beim ersten Molar ist das Dentin auf der ganzen Oberfläche sichtbar, die Höhe der Zähne ist deutlich verringert, M2 ist stark abgenutzt. Da die Zahnabnutzung auch von der Körperkondition des Einzeltieres abhängig ist, und auch davon, ob das Stück viel oder nur wenig schwer zerkaubare Nahrung aufgenommen hat, lässt sie nur eine Altersschätzung zu, nicht eine Altersbestimmung.

Da die Zahnabnutzung von der individuellen Veranlagung, dem Lebensraum und der konkreten Nahrungszusammensetzung des jeweiligen Individuums abhängig ist, lässt sie nur eine Altersschätzung zu, keinesfalls eine verlässliche Altersbestimmung.

215 Ist bei Keilern eine Altersschätzung nach den Gewehren möglich?

Ja, jedoch mit eingeschränkter Genauigkeit. Mit der Schieblehre werden Durchmessermaße am Wurzelende, d.h. der breitesten Seite der Gewehre, und an der Schleifecke genommen. Die Berechnung erfolgt nach der Formel „größerer Durchmesser geteilt durch den Kleineren". Die Formzahl wird mit zwei Dezimalen hinter dem Komma berechnet. Bei Überläufern beträgt sie etwa 1,8. Bei reifen Keilern (über 5 Jahre) ist das Breitenwachstum weitgehend abgeschlossen, wodurch die Formzahl auf etwa 1,0 herabsinkt. Gewehre von mittelalten Keilern weisen Zwischenwerte auf, die nicht genau mit dem jeweiligen Alter übereinstimmen. Die Länge der Schleiffläche der Gewehre ist für die Altersschätzung ungeeignet, da sie sehr von der individuellen Stellung der Haderer und der Gewehre im Kiefer abhängt.

216 Welches Höchstalter erreichen Sauen?

In freier Wildbahn kann von Wildschweinen in Europa ein Alter von etwa 10 bis 12 Jahren erreicht werden, was als ökologische Lebensdauer bezeichnet wird. In der Bundesrepublik lässt die starke Bejagung aller Sauen zur Zeit nur wenige Stücke fünf bis sechs Jahre alt werden.

In Tierparks und Gehegen ist unter den gegebenen, optimalen Lebensbedingungen und ohne äußere Einwirkung sogar ein Höchstalter von 20 Jahren belegt.

Schäden, Probleme

217 Welche Wildschäden verursacht Schwarzwild?

Im Feld werden fast alle Anbaupflanzen vom Schwarzwild als Nahrung angenommen. Besonders bevorzugt werden Mais, Hafer, Weizen und Kartoffeln. Aber auch Grünäsung wie Klee, Raps und Lupinen hat eine starke Anziehungskraft. Schaden entsteht nicht nur durch das direkte Aufnehmen dieser Pflanzen oder deren Teile, sondern auch in Form von Trittschäden durch Zertrampeln und Umknicken.

Auf der Suche nach Würmern sowie Insekten und deren Larven (beispielsweise Engerlinge) werden Wiesen und Weiden und auch Dauergrünlandflächen im Walde vor allem im Spätwinter und Frühjahr oft so stark umgebrochen, dass eine Neueinsaat erforderlich wird.

218 Wie trägt die moderne Landwirtschaft zur aktuellen Wildschadensproblematik in Zusammenhang mit dem Schwarzwild bei?

Die zunehmende Rationalisierung führt zu immer größeren und kaum noch bejagbaren Schlägen. Die umfangreichen Raps- und Maisschläge bieten während der gesamten Periode von Frühsommer bis Herbst nicht nur Fraß, sondern auch Deckung. Das Schwarzwild kann, sobald z.B. der Raps etwa kniehoch steht, sich dort auch tagsüber einschieben. Sobald der Raps gedroschen wird, können die Sauen in Maisschläge wechseln, die bis dahin ebenfalls Deckung bieten. Somit schafft die Landwirtschaft über weite Teile des Jahres optimale Bedingungen(Fraß, Deckung und Ruhe) für das Schwarzwild. Dies wiederum führt zu einer gesteigerten Reproduktionsleistung des Schwarzwildes, welche durch jagdliche Maßnahmen nur lokal mit hohem Aufwand kompensiert werden kann.

219 Wie kann man Schwarzwildschäden verringern?

Vorbeugend wird das Herstellen einer angemessenen Wilddichte, die intensive Bejagung in den betroffenen Flächen, die relative Jagdruhe auf Schwarzwild im Wald und die Anlage von Wildäsungsflächen und Ablenkfütterungen im Walde empfohlen. Der direkten Abwehr dienen im Feld Elektrozäune, Blinklichter oder Knallapparate wie auch Geruchsrepellentien. Die genannten Methoden wirken meist für einige Zeit, später lernt das Schwarzwild, damit umzugehen und die Schäden nehmen wieder zu.

Im Falle besonders gefährdeter Anbauflächen ist eine nächtliche Bewachung sinnvoll, die auch mit jagdlichen Aktivitäten verbunden sein kann. Eine Behelfslösung sind Umzäunungen an der Wald-Feldgrenze. Deren Bau und Unterhaltung sind jedoch recht kostspielig, sie stellen eine Gefahrenquelle für andere Wildarten dar und das Schwarzwild findet häufig dennoch einen Weg, um auf die Felder zu gelangen. Auch wird dadurch etwa Rot- oder rehwild daran gehindert, ins Feld auszutreten. Das wiederum kann die Wildschäden im Wald steigern.

Ganz verhindern kann man den Wildschaden auf größeren Feldflächen nicht.

220 Was ist eine Ablenkfütterung?

In der Nähe der Einstände und in möglichst großem Abstand zu den Feldern wird den Sauen im Sommer attraktive Nahrung angeboten (z.B. Mais), die sie über längere Zeit beschäftigen und davon abhalten soll, ins Feld zu wechseln. Regelmäßiges Beschicken und Ruhe an diesen Orten sind hierbei sehr wichtig. Eine Bejagung muss hier unbedingt unterbleiben! Günstig ist es, wenn die Ablenkfütterungen die Form eines langen, schmalen Streifens haben, wozu sich bestens nicht mehr benutzte Waldwege wie auch Waldschneisen eignen. Das Futter sollte möglichst so angeboten werden, dass das Schwarzwild lange mit der Nahrungsaufnahme beschäftigt wird. Zu beachten ist jedoch, dass anderes Schalenwild möglichst nicht an das Ablenkfutter gelangen darf.

Trophäen

221 Was ist beim Präparieren von Keilerwaffen besonders zu beachten?

Die Gewehre stecken normalerweise zu zwei Dritteln im Unterkiefer. Ihre Beschädigung vermeidet der Jäger, indem er die Unterkieferäste jeweils hinter dem fünften Backenzahn durchsägt. Damit wird gewährleistet, dass man die Gewehre in voller Länge gewinnen kann. Nach dem Abkochen (etwa 30 Minuten) lassen sich die Waffen aus dem Knochen nach vorne herausziehen. Um das spätere Auseinanderplatzen der Gewehre zu verhindern, müssen sie mit Kunstharz oder Spezialkleber ausgegossen werden. Keinesfalls dürfen Keilerwaffen mit Wasserstoffperoxid behandelt werden, wie man es mit den Schädeln der Geweihträger tut. Dadurch würde nämlich die dunkle Färbung an der Austrittsstelle aus dem Zahnfleisch beseitigt werden, die Schönheitswert hat. Die Art des Aufsetzens der Waffen auf ein Schild ist Geschmacksache und kann verschieden vorgenommen werden.

Ordnung	Hasentiere (Lagomorpha)
Familie	Hasenartige (Leporidae)
Gattung	Echte Hasen (Lepus)

Bis ins 19. Jahrhundert wurden Hasen und Kaninchen aufgrund der Ähnlichkeit der ausgeprägten Schneidezähne noch zu den Nagetieren gezählt. Heute sind sie in der Ordnung der Hasentiere (Lagomorpha) eingruppiert. Neben verschiedenen anderen morphologisch-anatomischen Merkmalen besitzen sie im Unterschied zu den Nagetieren ein zusätzliches Paar kleiner Schneidezähne im Oberkiefer. Anhand dieser Stiftzähne lassen sich Hasen- und Kaninchenschädel von Schädeln größerer Nagetiere (z.B. Bisam) zuverlässig unterscheiden.

Europäischer Feldhase *(Lepus europaeus)*

Aussehen

Das Körpergewicht eines ausgewachsenen Feldhasen liegt zwischen 3 und 4,5 kg und ist damit deutlich größer als das Kaninchen. Die kräftigen Hinterläufe sind stark entwickelt und doppelt so lang wie die Vorderläufe. Beim Feldhasen reichen die nach vorne gelegten Löffel über den Kopf hinaus. Häsin und Rammler sind äußerlich nicht zu unterscheiden.
Sein Balg ist auf dem Rücken graubraun-erdfarben und die Bauchseite ist weiß. Die Löffelenden – ein wichtiges Unterscheidungsmerkmal zum Kaninchen – und die Oberseite der Blume sind schwarz. Der Haarwechsel (Färben) erfolgt zweimal jährlich. Im Winter ist die Wolle dichter und länger.

Verbreitung und Lebensraum

Sein Verbreitungsgebiet umfasst weite Teile von Europa, wohingegen er in einem Großteil der Iberischen Halbinsel und Irland fehlt. In Nordskandinavien wird er durch den Schneehasen ersetzt. Weiterhin ist der Feldhase auch in großen Teilen Asiens bis hin zum Baikalsee zu finden. In Australien, Neuseeland und Südamerika ist er vom Menschen angesiedelt worden.
Als ursprüngliches Steppentier liebt er die großflächigen Lebensräume und kommt in unserer intensiv genutzten Agrarlandschaft recht gut zurecht, solange ausreichend Nahrungs-, Deckungs- und ungestörte Rückzuggebiete vorhanden sind. Er nutzt sowohl die Grünland- wie auch die Ackerflächen. In geringeren Besatzdichten ist er auch in den größeren Waldgebieten anzutreffen. In den Alpen ist der Feldhase bis in Höhenlagen von 1600 m anzutreffen.

Fortpflanzung

Die Fortpflanzungszeit der Hasen beginnt bereits im Dezember. Anfang Februar können schon die ersten Junghasen gesetzt werden. Die Hauptreproduktionszeit liegt in den Monaten Mai – September, in denen die Häsin im Schnitt 4 Junge je Wurf setzt. In den übrigen Monaten sind es dagegen nur 2–3 Junge pro Wurf. Von September bis zum Dezember ist die Samenproduktion (Spermatogenese) bei den Rammlern reduziert bzw. eingestellt.

Ernährung

Die volkstümlich bezeichnete „Hasenapotheke" ist für die Hasen besonders wichtig. Ein vielfältiges und reichhaltiges Nahrungsangebot an Wildkräutern und Gräsern ist für die Ernährung, Gesundheit und Produktion der äußerst fetthaltigen Milch für die Junghasen überlebenswichtig. Im Herbst, Winter und Frühjahr sind die frisch aufgelaufenen Getreidepflanzen und Wiesengräser eine willkommene Äsung. Nur fehlen den Hasen und anderen Niederwildarten in unserer ausgeräumten Kulturlandschaft die notwenige Vielfalt an Wildkräutern, sodass Blühflächen und -streifen für gute Hasenbesätze von großer Bedeutung sind. Im Winter wird auch gern die Rinde von Obstbäumen oder anderen Weichholzbaumarten (Weide) geäst.

Hasenzählung und Besatzdichten

Die Kenntnisse über die Frühjahrs- und Herbstbesätze sind Grundlage für eine angepasste und nachhaltige Bejagung. Neben der Einschätzung der Besätze liefern die nächtlichen Scheinwerferzählungen bei zwei- bis dreimaliger Wiederholung im Frühjahr und Herbst zuverlässige Aussagen zum Hasenbesatz. Neuerdings wird auch die Wärmebildtechnik von den Jägern zur Besatzerfassung eingesetzt.
In vielen Bundesländern existieren langjährige Wildtiermonitoringprogramme in denen die Jäger aufgefordert sind, ihre Hasenbesätze zu erfassen. Im Rahmen des Wildtier-Informationssystems der Länder Deutschlands (WILD) werden die Zählergebnisse aus den Ländern zusammengeführt. Bundesweit werden einige Hundert Referenzgebiete seit 2002 gezählt.
Besatzdichten von einigen wenigen Hasen bis zu über 100 Hasen/100 ha wurden in Deutschland festgestellt. Im Schnitt liegen die Frühjahrsbesätze bei 15–25 Hasen/100 ha. In den ostdeutschen Bundesländern sind Hasenbesätze im Mittel deutlich niedriger als in den westdeutschen Ländern, ohne dass die Ursachen dafür eindeutig geklärt sind.

Beutegreifer / Prädatoren

Der Fuchs ist aufgrund seiner hohen Populationsdichte der bedeutendste Prädator für die Jung- und Althasen. Darüber hinaus wird durch Stein- und Baummarder sowie Habicht ein nicht unerheblicher Anteil vom Hasenbesatz erbeutet. Die Junghasen sind durch eine Vielzahl an Jägern und Gelegenheitsdieben wie dem Hermelin, Dachs, Marderhund, Mäusebussard, den Rabenvögeln und Weihen sowie durch verwilderte und streunende Hauskatzen gefährdet. Von daher ist die Verlustrate vor allem bei den Junghasen mit über 50 % besonders hoch.

Schutz- und Hegemaßnahmen

Neben einer intensiven Prädatorenbejagung sind Maßnahmen zur Lebensraumgestaltung in unserer ausgeräumten Kulturlandschaft besonders wichtig. Die Anlage von Gehölzen, Hecken, Saumstreifen und Blühflächen zur Verbesserung des Nahrungs- und Deckungsangebotes sind sehr effektiv. Eine angepasste Bejagung der Hasenbesätze ist darüber hinaus unerlässlich.

Systematik und Aussehen

222 Welche Verwandten des Feldhasen kommen in Europa und Deutschland noch vor?

In Deutschland kommen nur die beiden Arten „Feldhase“ und „Schneehase“ vor. In Europa kommen drei weitere Lepusarten in Spanien, Portugal, Italien sowie auf Korsika vor.

223 Woran kann ein Hasenschädel von einem Nagetierschädel (z.B. Bisam) unterschieden werden?

Obwohl der Feldhase gut sichtbare und kräftige, wurzellose Scheidezähne hat und im Winter gern die Rinde von Obstbäumen abnagt, gehört er nicht zur Gruppe der Nagetiere. Wie Schneehase und Wildkaninchen zählt er zu den Hasentieren (Lagomorpha) und weist ein zusätzliches Paar kleiner Schneidezähne im Oberkiefer auf.

2.61: Sichernder Feldhase

224 Welches sind die charakteristischen Merkmale für einen Feldhasen?

Neben der Größe mit einem Körpergewicht von 3 bis 4,5 kg sind die kräftigen, langen Hinterläufe, die weite Sprünge und Fluchtgeschwindigkeiten von bis 70 km/h erlauben, charakteristisch für den Feldhasen. Der Rücken ist graubraun, die Flanken erdfarben und die Bauchseite weiß. Die Löffel sind sehr lang und die Enden schwarz behaart.

225 Welche weidmännischen Ausdrücke benutzt man, wenn vom Hasen die Rede ist?

Augen	Seher
Ohren	Löffel
Schwanz	Blume
Haare	Wolle
Fell	Balg
Beine	Läufe
Fortbewegung, langsam	Hoppeln
Fortbewegung, schnell	Flüchtig gehen
plötzliche Änderung der Fluchtrichtung	Haken schlagen
männlicher Hase	Rammler
weiblicher Hase	Häsin
4–5 Monate alter Hase (zu drei Vierteln ausgewachsen)	Dreiläufer
Junge Hasen der ersten Monate	Junghasen
die Jungen einer Häsin	Satz
Lager des Hasen, eine von ihm ausgescharrte Bodenvertiefung	Sasse
Begattungszeit	Rammelzeit
Paarungsgeschehen in mehreren Hasen	Rammeln

Er hält gut, wenn der Hase den Jäger oder den Jagdhund nahe an die Sasse herankommen lässt.
Er drückt sich, wenn er sich in der Sasse oder auch auf freiem Feld klein macht. Dabei lässt er sich häufig überlaufen.
Er rückt ins Feld, wenn er zum Äsen ins Feld läuft, er rückt zu Holze, wenn er morgens in den Wald zurückkehrt.
Er benutzt einen Pass, wenn er häufig denselben Weg aus seinem Deckungseinstand auf die Äsungsflächen und zurücknimmt.

Verbreitung, Lebensraum, Lebensweise und Ernährung

226 Wo kommt der Feldhase vor?

In Deutschland ist der Feldhase weit verbreitet und besiedelt fast alle Lebensräume von den Marschgebieten an den Küsten bis zu den Almen in 1600 m Meereshöhe in den Alpen. Die höchsten Besatzdichten wurden auf den Nordseeinseln (fehlende Prädatoren) sowie in den Ackerbau- und Wiesengebieten des Nordwestdeutschen Tieflandes gezählt. In den Wäldern kommt der Hase zwar regelmäßig aber nur in geringen Besatzdichten vor.

227 Welche Lebensräume bevorzugt der Feldhase?

Der Feldhase ist als Kulturfolger sehr anpassungsfähig und daher in der Lage, verschiedenste Lebensräume wie Ackerbauflächen, Grünlandgebiete, Wälder, Salzmarschen, Moore und Almen zu besiedeln. Gerade diese zum Teil sehr vielfältigen Lebensräume erklären die großräumig unterschiedlichen Siedlungsdichten von einigen wenigen Hasen/100 ha in den waldreichen Regionen bis hin zu mehr als 100 Hasen/100 ha in den traditionellen Niederwildrevieren. Die besten Habitate findet der Feldhase in der offenen Feldflur, aber auch in strukturreichen Feld-/Waldgebieten ist er heutzutage häufig anzutreffen. Vor allem „warme", gut durchlüftete, schnell trocknende und fruchtbare Böden bieten dem Feldhasen gute Lebensbedingungen. In größeren Waldgebieten zieht er vor allem die Randzonen vor, wohingegen er im Waldinneren eher selten anzutreffen ist.

228 Wo hält sich der Feldhase am Tage und in der Nacht auf?

Die Tagesruheplätze und die nachts genutzten Äsungsflächen sind in der intensiv genutzten Agrarlandschaft gegenüber früher häufig voneinander getrennt. Die Sassen sind auf den Äsungsflächen, wenn dort ausreichend Deckung durch die Vegetation oder grobschollige gepflügte Äcker gegeben ist. Andernfalls ziehen sich die Hasen über den Tag in strukturreiche Habitate, wie Altgrasstreifen, Feldraine, Hecken, Gehölze und Waldränder zurück, die gute Deckung bieten. Die Hasen wechseln dann regelmäßig auf dem sogenannten „Hasenpass" zwischen Äsungsfläche und Tageseinstand von einigen Hundert Metern.

229 Woraus besteht die Nahrung des Feldhasen?

Der Hase ist ausschließlich Pflanzenfresser. Auf seinem Speisezettel finden sich Wildkräuter, Gräser, landwirtschaftliche Kulturpflanzen, Knospen und junge Triebe; seltener Obst, Sämereien und Pilze. Im Winter wird auch gerne die Rinde von Ästen und Baumstämmen (Prossholz) – gerne auch von Obstbäume – geäst. In der Nahrung des Feldhasen wurden rund 80 verschiedene Pflanzenarten festgestellt. Eine vielseitige und energiereiche Nahrung, beispielsweise die Blüten von Wildkräutern, erhöht deutlich den Fettgehalt der Milch und führt damit zu einer besseren Energieversorgung der gesäugten Jungtiere.

230 Muss der Feldhasen trinken?

Der Hase schöpft normalerweise kein Wasser. Ihm reicht die Feuchtigkeit in seiner Nahrung sowie die daran haftenden Tau- und Regentropfen.

231 Warum frisst der Hase seine eigene Blinddarmlosung?

Hasen und Kaninchen scheiden zweierlei Losung aus. Zum einen wird die feste und kugelige, schwarz bis grünliche Enddarmlosung in regelmäßigen Abständen ausgeschieden. Zum anderen wird einmal täglich, in der Regel in den Vormittagsstunden, die weiche und breiige Blinddarmlosung abgesetzt. Diese Losung wird vom Hasen wie auch vom Kaninchen direkt vom Weidloch abgenommen und verschluckt, um noch einmal verdaut zu werden. Diese Blinddarmlosung ist durch mikrobielle Verdauungsprozesse mit lebenswichtigen Vitaminen, Spurenelementen und Eiweißen angereichert, die dann im zweiten ,,Durchgang" im Dünndarm aufgenommen werden. Dieses wird als Caecotrophie bezeichnet und ist für Hasen und Kaninchen unentbehrlich.

232 Ist der Hase standorttreu?

Der Hase ist standorttreu, wobei ein jahreszeitlicher Wechsel des Aufenthaltsorts möglich ist. Sein Wohngebiet umfasst etwa 10 bis 20 ha, bei intensiver großflächiger Landwirtschaft kann dieser Aktionsraum auch deutlich größer sein. Im Laufe des Jahres kann sich je nach Nahrungs- und Deckungsangebot das Wohngebiet verschieben, sodass das Jahresstreifgebiet 200–300 ha umfassen kann. Bei hoher Besatzdichte überlappen sich diese Wohngebiete teilweise. Aktiv verteidigte Territorien der einzelnen Tiere gibt es nicht.

233 Wann ist der Hase aktiv?

Der Feldhase ist überwiegend nachtaktiv und verbringt die meiste Zeit der Nachtstunden mit der Nahrungssuche. In den Dämmerungsstunden erscheint er auf den Äsungsflächen, bzw. zieht sich in den Morgenstunden in die Deckungsbereiche zurück.
Während der Fortpflanzungsperiode ist er auch am Tage überaus rege. An sonnigen Winter- und Frühlingstagen ist er häufig zur Rammelzeit tagsüber zu beobachten.

234 Was gehört zu den spezifischen Verhaltensweisen des Feldhasen?

Der Hase nutzt zwei charakteristische Feindvermeidungsstrategien: „sich drücken" oder „flüchten". Im offenen Gelände ist der gesunde Hase aufgrund seines ausgezeichneten Gehöres und seines guten Sehvermögens für einen Beutegreifer kaum zu überraschen, zudem ist er ein schneller und ausdauernder Läufer. Wann immer möglich, versucht er sich vor einem sich nähernden Feind zu drücken. Erst wenn eine bestimmte Distanz unterschritten ist, sucht er seine Rettung in der Flucht. Dabei kann er Geschwindigkeiten bis zu 70 Stundenkilometer entwickeln. „Fährt der Hase aus der Sasse" so flüchtet er meist in gerader Linie bis zu 1.000 m weit, um dann in einer Schleife zu seinem eigentlichen Wohngebiet zurückzukehren.

235 Welches sind die wichtigen Sinne des Feldhasen?

Da das Gehör der entscheidende Sinn ist, versucht er meistens seinen Aufenthaltsort so zu wählen, dass er Gefahren frühzeitig vernehmen kann. Deswegen sucht er bei starkem Wind gern geschützte Lagen auf, wo er ,,unter Wind liegt". Er wählt dabei je nach Wind und Wetter diejenige Sasse, aus der er mit dem Kopf gegen den Wind liegen kann. Des

2.62: Körperhaltungen des Hasen: er drückt sich, sitzt, macht einen Kegel oder baut Männchen (v.l.n.r)

Weiteren ist der Hase auch ein Augentier. Seine hervorstehenden, seitlich am Kopf befindlichen Augen ermöglichen ihm ein Sehfeld von 360°. Zum Sichern seiner Umgebung macht er einen Kegel.

236 Welche Laute sind vom Hasen zu hören?

Die Stimmäußerungen des Hasen sind nicht häufig. Am bekanntesten ist die Hasenklage, ein in größter Angst ausgestoßener gellender Schrei. Mit der vom Jäger imitierten Hasenklage kann der Fuchs angelockt werden. Das „Murren" oder auch „Knurren" hört man dagegen selten.

237 Was kennzeichnen Hasenspuren?

Bei der schnelleren Fortbewegung oder bei der Flucht setzt der Hase die langen Hinterläufe weit vor die Vorderläufe und bildet so die typische und bekannte Hasenspur ab. Beim langsamen Vorrücken beim Äsen und beim langsamen Hoppeln hinterlassen die Hinterläufe den länglichen Abdruck der ganzen Trittsohle.

Fortpflanzung

238 Welches Sozial- und Paarungsverhalten zeigt der Feldhase?

Hasen sind keine reinen Einzelgänger. Bei den nächtlichen Scheinwerferzählungen sieht man die Hasen häufig paarweise auf den Äsungsflächen und bei höheren Besatzdichten ist eher von einer Gruppenbildung auszugehen.

Während der Paarungszeit ist auf den Rammelplätzen eine lebhafte Gruppenbalz über mehrere Tage zu beobachten. Das ausgedehnte Werbeverhalten, wie das Treiben der Häsin durch den Rammler, dient der Paarbindung und der Vorbereitung der Begattung und des Eisprunges, der durch die Kopulation ausgelöst wird.

239 Wie lange dauert beim Feldhasen die Paarungs- bzw. Rammelzeit?

Je nach den Wetterverhältnissen beginnt sie im Januar oder Februar, hat ihren Höhepunkt von April bis August und fällt dann wieder ab. Von November bis Dezember ruht die Fortpflanzungsaktivität bei Rammlern und Häsinen fast vollständig.

240 Wie lange dauert die Trag- und Säugezeit beim Hasen?

Die Tragzeit dauert 40 bis 42 Tage, also knapp 1,5 Monate. Die Häsin säugt ihre Jungen 25–30 Tage.

2.63: Hasen während der Rammelzeit

241 Wie viele Junghasen setzt eine Häsin pro Jahr?

Die ersten Sätze sind schon Anfang Februar zu finden. Weitere Sätze folgen

im Abstand von etwa zwei Monaten, die letzten im Oktober, sodass drei- bis viermal im Jahr Junge gesetzt werden.
In den Frühjahrsmonaten werden in der Regel ein bis zwei Junghasen geboren, von Mai bis September meistens drei bis vier Junge pro Satz. Im Durchschnitt bringt eine Häsin sechs bis neun Junge im Jahr zur Welt.

242 Was ist Superfötation?

Bei der Superfötation handelt es sich um eine doppelte Trächtigkeit der Häsin, die erst in den letzten Jahren in der Wildbahn nachgewiesen wurde. Ab dem 38. Trächtigkeitstag kann eine erneute Befruchtung erfolgen und ein zweiter Satz ausgetragen werden. Dadurch kann die Häsin innerhalb eines Jahres eine höhere Reproduktionsrate erzielen.

243 Wie sieht die Pflege der Junghasen aus?

Die Junghasen eines Satzes werden als so genannte Nestflüchter behaart und sehend mit einem Gewicht von ca. 80–150 g geboren. Die Häsin hält sich nicht bei den Jungen auf. Gesäugt werden die Jungen nur einmal am Tag nach Einbruch der Dunkelheit. Dabei kommen die Junghasen immer wieder zum gleichen Säugeplatz, wo sie innerhalb weniger Minuten ihren gesamten Tagesenergiebedarf aufnehmen müssen. Die Fett- und Energiegehalte der Hasenmilch sind sehr hoch und hängen stark von einer energie- und abwechslungsreichen Pflanzennahrung der Häsin ab. Mit 25 bis 30 Lebenstagen endet die Säugezeit, die Junghasen werden selbständig und erkunden mehr und mehr ihre Umgebung.

244 Wo halten sich die Junghasen auf?

Schon wenige Stunden nach der Geburt trennen sich die Junghasen und verstecken sich in der näheren Umgebung ihres Geburtsortes in deckungsreicher Vegetation in den Feldrändern, auf Äckern oder Wiesen. Randstrukturen wie Hecken, Blühstreifen, Feldraine, Weg- und Grabenränder sind die wichtigsten Lebensräume für die Junghasen. 90 % der Junghasen werden an diesen Randstrukturen gesetzt.

245 In welchem Alter ist ein Junghase erwachsen?

Junge Hasen sind schon im Alter von sechs bis acht Monaten fortpflanzungsfähig. Dies bedeutet, dass Häsinnen des ersten Satzes schon im Herbst des gleichen Jahres gebärfähig wären. Da allerdings die Spermatogenese (=Fruchtbarkeit) der Rammler von September bis November ruht, werden die Junghäsinnen in der Regel erst im folgenden Frühjahr befruchtet. Voll erwachsen sind die Hasen erst im zweiten Lebensjahr, wobei ihre Körpermasse aber noch bis zum vierten Lebensjahr etwas zunimmt.

246 Wie lange lebt ein Hase?

Der Feldhase hat eine maximale Lebensdauer von 12 bis 13 Jahren, jedoch werden in der freien Wildbahn nur wenige Hasen älter als vier oder fünf Jahre.

247 Wie kann das Alter eines Hasen bestimmt werden?

Im Herbst ist ein Dreiläufer, d.h. ein junger, dreiviertel ausgewachsener Hase, im Feld kaum von einem Althasen zu unterschieden. Für die Jagdpraxis ist nur die Altersbestimmung über das Stroh'sche Zeichen eine praktikable Methode, um Jung- und Althasen zu unterscheiden. Das Stroh'sche Zeichen ist eine knorpelige Verdickung an der Außenseite des Vorderlaufes ca. 1 cm oberhalb des Handwurzelgelenkes. Diese Erhöhung ist nur bis zum 6. Lebensmonat des Junghasen zu ertasten, danach verwächst diese Verdickung. Junghasen, die schon früh im Jahr gesetzt wurden, werden somit als Althasen klassifiziert. Dadurch kann der Althasenanteil in der Jagdstrecke überschätzt werden. Wissenschaftler nutzen die herauspräparierten und getrockneten Augenlinsen zur Unterscheidung von Alt- und Junghasen.

248 Wie kann das Geschlecht beim Hasen festgestellt werden?

Das Geschlecht lässt sich nur durch die Untersuchung der Geschlechtsorgane feststellen. Zur richtigen Ansprache gehört jedoch einige Übung. Der kegelförmige Penis des Rammlers hat gewisse Ähnlichkeit mit der rinnenförmigen Klitoris der Häsin. Mit zwei Fingern muss mit seitlichem Druck der Penis etwas herausgedrückt werden. Bei Junghasen ist die Geschlechtsbestimmung schwieriger als bei Althasen.

Das Geschlechterverhältnis in der Hasenpopulation liegt bei ungefähr 1:1, was sich in der Regel in der Jagdstrecke widerspiegelt.

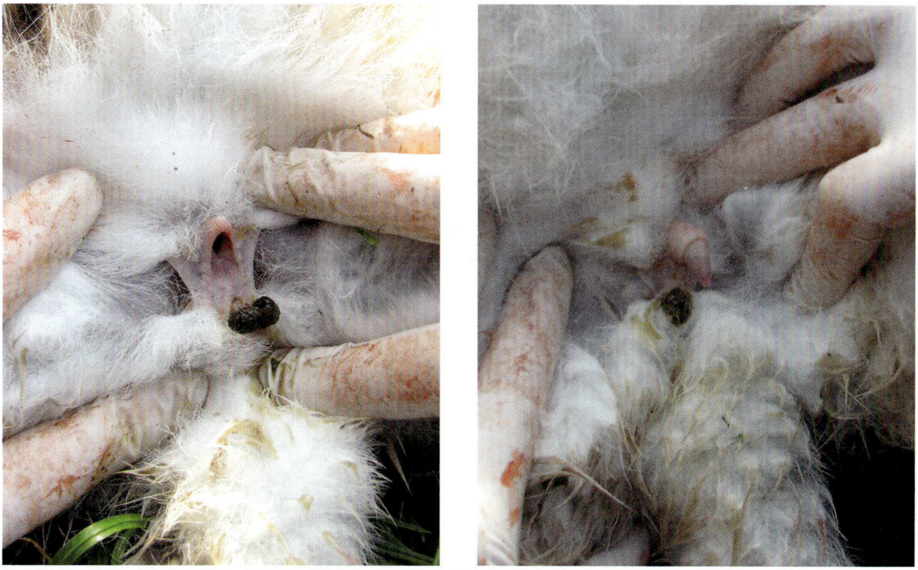

2.64: Geschlechtsbestimmung bei einem Rammler (rechts) und bei einer Häsin (links)

Wildtiermanagement am Beispiel des Feldhasen

249 Was ist Wildtiermanagement?

Wildtiermonitoring, Hege, Wildbewirtschaftung und Bejagung sind Teile eines Wildtiermanagements. Im Wildtiermanagement greifen verschiedene Disziplinen ineinander, um das Zusammenspiel zwischen Wildtier, Lebensraum und Menschen zu steuern. Dabei müssen die Schutzansprüche der Wildtiere und Habitate mit den Nutzungsinteressen des Menschen abgestimmt werden. Auf der Grundlage von Wildtiermonitoringdaten und weiteren Fakten werden Schutz- und Nutzungsziele formuliert, Maßnahmen umgesetzt und die Ergebnisse bewertet. Die Jagdstrecken sind dabei nach wie vor eine wesentliche Datengrundlage.

250 Was ist Wildtiermonitoring?

Ein Wildtiermonitoring ist das kontinuierliche und systematische Erfassen von Wildtierbesätzen. Dies kann entweder mittels wissenschaftlich fundierten Feldmethoden (z.B. Scheinwerferzählung) in ausgewählten Jagdbezirken (Referenzgebieten) durch geschulte Jäger oder Wissenschaftler erfolgen oder durch die Einschätzung der Besätze der ortsansässigen Jäger in ihrem Jagdbezirk. Letzteres wird auch als „citizen science" (Bürgerwissenschaft) bezeichnet, wenn dieses Monitoring durch wissenschaftliche Institutionen betreut wird.

251 Warum ist ein Wildtiermonitoring wichtig

Durch ein systematisches Monitoring kann langfristig und großräumig die Verbreitung und Entwicklung der Wildtierbesätze dokumentiert werden und ist Grundlage für ein Wildtiermanagement.

Nationale und internationale Vorgaben wie z.B. FFH-Richtlinien (Flora-Fauna-Habitat-Richtlinie) erfordern regelmäßige Aussagen über Vorkommen und Besatzentwicklungen verschiedener Tierarten oder dienen als Grundlage für die Erstellung der landes- oder bundesweiten Rote Listen gefährdeter Tierarten. Große Bedeutung erlangt das Monitoring auch vor dem Hintergrund zur Eindämmung von Seuchen (z.B. ASP), der Erfolgskontrolle von Biotopverbesserungsmaßnahmen oder anderer Managementziele. Darüber hinaus ist durch ein Wildtiermonitoring die Nachhaltigkeit der Bejagung zu belegen.

252 Wer ist für das Wildtiermonitoring zuständig?

Wildtiermonitoringprogramme wurden in den meisten Bundesländern durch die Landesjagdverbände, seltener durch die Jagd- bzw. Naturschutzbehörden initiiert. Wissenschaftliche Institutionen sind vielfach für die Durchführung und Auswertung zuständig. Für die großräumige und kontinuierliche Datenerfassung sind die Jäger prädestiniert.

Die Daten aus den Länderprogrammen werden auf Bundesebene durch den Deutschen Jagdverband im Wildtier-Informationssystem der Länder Deutschlands (WILD) zusammengetragen.

253 Welche Aufgaben können die Jäger übernehmen?

Die Jäger sind sachkundig, regelmäßig in ihrem Jagdbezirk unterwegs und erlangen dadurch einen zuverlässigen Überblick über die Wildbesätze. Viele Jäger führen eigenständig Zählungen mit Scheinwerfern oder Wärmebildkameras durch, um sich einen Überblick über den Wildbestand in ihrem Revier zu verschaffen. Darüber hinaus können eingewiesene und geschulte Jäger wissenschaftlich standardisierte Feldmethoden durchführen.
Aufgrund des Reviersystems in Deutschland sind Jäger flächendeckend im Land vertreten und können dadurch großräumige Erfassungen umsetzen. Sie sind somit prädestiniert für ein Wildtiermonitoring, in das sich auch Jungjäger gut einbringen können.
Darüber hinaus geben die Revierinhaber bzw. Revierpächter jährlich die Jagdstrecken an.

254 Warum werden Jagdstrecken erfasst?

Die Erfassung der jährlichen Jagdstrecken in den Abschusslisten (erlegte Stücke einer Wildart und Anzahl verendet aufgefundener oder verunfallter Tiere) ist rechtlich geregelt und eine hoheitliche Aufgabe der Jagdbehörden. Früher waren die Jagdstrecken meist die einzigen Daten, um Entwicklungen der Wildbesätze abschätzen zu können. Aufgrund rechtlicher Vorgaben von Schonzeiten (z.B. Rebhuhn) oder verschärfter Bejagung (z.B. Schwarzwild) sowie dem freiwilligen Bejagungsverzicht bei zurückgehenden Wildbesätze sind heutzutage die Jagdstrecken als Weiser für die Besatzentwicklung wenig geeignet. Trotz alle dem sind Jagdstrecken im Rahmen eines Wildtiermanagements unentbehrlich.

255 Wie kann der Hasenbesatz gezählt werden?

Die Scheinwerferzählung ist eine probate Methode, den Frühjahrs- und Herbstbesatz im Revier festzustellen. Dabei werden nachts die Felder und Wiesen entlang der Feldwege von einem PKW aus mit einem Handscheinwerfer (12V, 55W) abgeleuchtet. Die empfohlenen Scheinwerfer leuchten ca. 150 m ins Feld hinein und alle in dem Lichtkegel beobachteten Hasen werden gezählt. Aus der abgeleuchteten Fläche multipliziert mit der Länge der Fahrstrecken (Taxationsfläche) lässt sich die Besatzdichte errechnen, die auf die gesamte Revierfläche hochgerechnet werden kann. Ist diese Vorgehensweise wegen der Geländeverhältnisse nicht möglich, können auch Feldparzellen von bekannter Größe abgeleuchtet werden. Die Zählflächen sollten mindestens 200 ha umfassen. Jeweils zwei Wiederholungszählungen im Frühjahr und Herbst sind durchzuführen.
Die nächtlichen Scheinwerferzählungen sind zur Kontrolle der Besatzentwicklung und als Entscheidungsgrundlage für eine nachhaltige Bejagung zu empfehlen. Eine genaue Anleitung, Protokollbögen, Eingabetabellen und ausführliche Beschreibungen liegen unter „www.wildtiermanagement.com" oder beim DJV (WILD) zum Download bereit.

2.65: Scheinwerferzählung zur Bestimmung des Feldhasenbesatzes

Bei einem Zähltreiben wird tagsüber mit einer mehrköpfigen Treibergruppe in einer Streife über die Felder gezogen und alle hochgemachten Hasen gezählt. Diese Methode wird heute nur noch selten durchgeführt und ist dann sehr ungenau, wenn sich ein Großteil der Hasen in den Sassen überlaufen lassen oder sich in den nahegelegenen Gehölzen oder Hecken aufhalten.

256 Wie groß sind die Besatzdichten beim Feldhasen?

Die Besatzdichten in Westdeutschland schwanken im Mittel zwischen 10 und 50 Hasen/ 100 ha Offenlandfläche. Einzelne Reviere weisen durchaus überdurchschnittliche Besätze von bis zu 150 Hasen/100 ha aus. In Ostdeutschland liegen die mittleren Besätze zwischen 5 und 15 Hasen/100 ha. Lokale Hasenbesätze von unter 10 Hasen/100 ha müssen als sehr gering angesehen werden. Eine nachhaltige Bejagung ist hier nicht möglich.

257 Wie groß sind die Nettozuwächse beim Feldhasen?

Die Besatzzunahme vom Frühjahr zum Herbst wird als Nettozuwachs bezeichnet. Sie setzt sich aus dem bis zum Herbst überlebten Junghasenbesatz abzüglich der über den Sommer verstorbenen Althasen zusammen. Nettozuwachsraten sind lokal wie auch regional je nach Witterung und Lebensraum sehr unterschiedlich. Im Mittel sind Zuwächse von 0–50 % zu erwarten, sodass stets in Abhängigkeit der Nettozuwachsraten auf eine angepasste Bejagung zu achten ist. Unter ungünstigen Verhältnissen (Witterung, Lebensraum, Beutegreifer oder Krankheiten) können ebenso deutliche Besatzrückgänge vom Frühjahr zum Herbst eintreten. In solchen Fällen ist ganz auf die Bejagung zu verzichten. Von daher sind regelmäßige Besatzerfassungen (s. Scheinwerferzählung) im Frühjahr und Herbst zu empfehlen.

258 Was hat grundsätzlichen Einfluss auf die Besatzdichte des Hasen?

Für den Hasenbesatz sind drei Faktoren ausschlaggebend: der Lebensraum, die Witterung und die Beutegreiferdichte. Die Landwirtschaft beeinträchtigt durch die zunehmende Mechanisierung, der Vergrößerung der Schlagflächen, der Verlust an Bracheflächen und Blühstreifen sowie der Anwendung von Pflanzenschutzmitteln den Lebensraum, die Nahrungsgrundlage und die Überlebensraten der Hasen. Nasskalte Witterung, vor allem im Frühjahr und Sommer verringert darüber hinaus die Überlebenschancen insbesondere des Hasennachwuchses und fördert Krankheiten. Der Druck auf das Niederwild hat durch die angestiegenen Beutegreiferdichten gegenüber den letzten Jahrzehnten zugenommen.

259 Welche natürliche Feinde hat der Hase?

Der Hauptfeind des Feldhasen ist der Fuchs. Zur Zeit der Welpenaufzucht und vor allem in Zeiten geringer Mäusedichten kann die Beute des Fuchses zu einem großen Teil aus Jung- und Althasen bestehen. Prädatoren wie beispielsweise Fuchs, Habicht, Mäusebussard haben in den letzten Jahrzehnten stark zugenommen. Zum dem hat sich auch das Spektrum der Prädatorenarten erweitert; beispielsweise Uhu und Kolkrabe haben sich in ihren Besätzen wieder erholt bzw. sind zurückgekehrt, Marderhund, Mink und Waschbär haben weite Teile Deutschlands neu besiedelt. Verwilderte Hauskatzen sind des Weiteren ein nicht zu unterschätzendes Problem für Junghasen.

260 Was sind die wichtigsten Hasenkrankheiten?

Wesentliche Bedeutung kommen den parasitären und bakteriellen Erkrankungen zu.

Kokzidien, Lungen-, Magen- und Darmwürmer sind beim Hasen in geringen Befallsgraden häufig zu finden und in der Regel nicht lebensbedrohlich. In Folge nasskalter Witterung oder Mangelernährung kann jedoch aus einer geringen, unbedenklichen Parasitenbelastung eine hochgradige Kokzidiose oder Parasitose entstehen. Diese verursachen vor allem bei Junghasen hohe Verluste.

Von den bakteriellen Infektionskrankheiten sind insbesondere Pseudotuberkulose und Pasteurellose von Bedeutung. EBHS (European Brown Hare Syndrome) ist eine infektiöse Leberentzündung, die durch einen Virus hervorgerufen wird. Sie ist nicht identisch mit der Chinaseuche (oder RHD) beim Kaninchen. EBHS wurde erstmals Mitte der 1980er Jahre diagnostiziert und führte in den 1990er Jahren in Mitteleuropa großflächig zu hohen Verlusten beim Feldhasen. Nach wie vor treten lokale EBHS-Seuchenherde auf, die aufgrund hoher Verlustraten in den Revieren einen starken Besatzrückgang zum Herbst hin verursachen können. Auf eine Bejagung sollte dann unbedingt verzichtet werden. In der Regel erholt sich der Hasenbesatz nach einigen Jahren wieder.

In den letzten Jahren ist eine neue Variante (RHDV2) des ursprünglich nur beim Kaninchen vorkommenden RHD-Virus entstanden. Dieser RHDV2 kann sowohl Kaninchen als auch Feldhasen infizieren und führt bei den wenige Tage alten Jungtieren (einschließlich der Hauskaninchen) zu hohen Verlusten. Dieser erstmals in Frankreich diagnostizierte Virus ist seit einigen Jahren auch in den Hasen- und Kaninchenbesätzen in Deutschland nachgewiesen.

261 Welche Hasenkrankheit ist für den Menschen gefährlich?

Tularämie oder auch Hasenpest ist eine bakterielle Infektion. Sie ist in Mitteleuropa zwar weit verbreitet, tritt allerdings nur selten im Hasenbesatz auf. In der akuten Verlaufsform ist sie für den Hasen tödlich. Inwieweit sie die Besatzentwicklung des Feldhasen beeinflusst ist unbekannt.

Der Mensch kann sich über den direkten Kontakt über die Schleimhäute, über kleine Verletzungen in der Haut beim Aufbrechen und Zerwirken des Hasen infizieren.

Diese Infektionskrankheit ist somit eine Zoonose und für den Menschen lebensgefährlich, sodass grundsätzlich hygienische Vorsichtsmaßnahmen (Schutzhandschuhe) getroffen werden müssen. Sie lässt sich unter ärztlicher Versorgung gut behandeln.

Hege, Bejagung

262 Welche Maßnahmen sind zur Hebung eines Hasenbesatzes erforderlich?

Eine strukturreiche, mosaikartige Agrarlandschaft sollte durch die Anlage von Brache- und mehrjährigen Blühflächen, Altgrasstreifen, Hecken oder Gehölze erhalten oder geschaffen werden. Große Feldschläge sind durch Blühstreifen zu unterbrechen. Auf eine ausreichende Breite dieser Streifen (breiter 20m) ist zu achten, da sie andernfalls von Prädatoren zu leicht kontrolliert werden können. Feldraine, Weg- und Grabenränder in wenige genutzten Revierteilen sollten soweit wie möglich verbreitert werden. Auf ein häufiges Mähen dieser Ränder und Feldraine sollte verzichten werden, da in diesen deckungsreichen Strukturen der Alt- und Junghase Schutz suchen. Ein mehrjähriges, wechselseitiges Mähen sollte mit den Landwirten und Wasserverbänden abgestimmt werden.

Versuchen sie Spaziergänger und Freizeitaktivitäten durch Beschilderung aus Wildruhezonen fern zu halten und die Menschen für die Notwendigkeit dieser Ruhezonen zu sensibilisieren.

Ein weiteres Hauptaugenmerk muss der Jäger auf die Beutegreifer richten, insbesondere den Fuchs. Hier hat der Jäger die größte Einflussmöglichkeit. Daneben muss die jagdliche Nutzung möglichst gut an die Besatzsituation des Hasen angepasst sein.

263 Welches sind die Grundlagen einer nachhaltigen jagdlichen Nutzung der Hasenbesätze und welche Jagdarten sind dabei üblich?

Die jagdliche Nutzung muss immer an die Bestandssituation angepasst sein. Eine regelmäßige Besatzerfassung (Beobachtungen, Scheinwerferzählung, Wärmebilderfassung) gibt Anhaltspunkte dafür, ob intensive Kesseltreiben mit vielen Schützen vertretbar sind.

Bei geringen oder zurückgehenden Besätzen sowie bei fehlendem Nettozuwachs vom Frühjahr zum Herbst muss die Jagd auf den Hasen ruhen.

264 Welche Jagdarten sind dabei üblich?

Bei niedrigeren jedoch stabilen Besätzen ist das schonendere Vorstehtreiben zu empfehlen. Bei dieser Jagdart werden alle nach hinten oder seitwärts flüchtenden Hasen nicht beschossen. Zu den Gesellschaftsjagden zählt auch die Streife, bei welcher Schützen und Treiber in einer Linie vorrücken. Nachteilig bei der Streife ist, dass den nach vorne flüchtenden Hasen allzu oft auf die Keulen geschossen und damit das Wildbret entwertet wird.

Bei allen Gesellschaftsjagden sollte die Regel sein, nur eine einmalige Bejagung der Revierfläche pro Jahr durchzuführen. Zu den individuellen Jagdarten gehören Ansitz, Suche und Brackieren. Angesessen wird abends und morgens am Waldrand, wenn der Hase zu Felde oder zu Holz rückt (Hasenkur). Der Reiz der Suche auf Hasen liegt in der Freude an der Arbeit eines guten Hundes. Auch beim Brackieren ist der spurlaute Hund, der dem Jäger den Hasen vor die Flinte bringt, der Hauptakteur der Jagd.

265 Was sind die bei der Hasenjagd und beim Schuss auf Hasen zu beachtenden Grundregeln?

Benutzt werden Patronen mit 2,7 bis 3,3 mm Schrot. Die optimale Entfernung für einen guten Schrotschuss liegt bei 30 bis max. 35 m. Schussentfernungen über 40 m gelten als unweidmännisch, weil die Schockwirkung auf das Wild zu gering ist. Bei Gesellschaftsjagden auf Hasen gilt die Regel, dass der Schütze, der den Hasen zu seiner linken Hand hat, das Vorrecht hat ihn zu beschießen. Schüsse längs der Schützenlinie sind aus Sicherheitsgründen untersagt. Auch darf nicht mehr ins Treiben geschossen werden, wenn sich die Treiberwehr auf 300 m genähert hat.

266 Was ist nach der Hasenjagd zu tun?

Das Aufbrechen der Hasen hat aus wildbrethygienischen Gründen unmittelbar nach dem Streckelegen oder besser nach jedem Treiben zu erfolgen. Da durch die Schrotgabe gelegentlich die Därme aufgerissen werden und der Darminhalt das Wildbret verunreinigen kann, sollte das Stück möglichst rasch versorgt werden. Bei der gesetzlich vorgeschriebenen Fleischbeschau durch den Jäger ist auf die Veränderung der Organe, insbesondere auf die Milz und Leber zu achten.

Ordnung	Hasentiere (Lagomorpha)
Familie	Hasenartige (Leporidae)
Gattung	Echte Hasen (Lepus)

Schneehase *(Lepus timidus)*

Systematik und Aussehen

In Europa werden mehrere Unterarten unterschieden, die in Größe und Fellfärbung variieren. Der weiße Winterbalg und die schwarzen Löffelspitzen sind charakteristisch für den Schneehasen. Der Sommerbalg ist graubraun, ähnlich dem Kaninchen, mit weißer Bauchseite. Die gelbrostroten Töne wie beim Feldhasen fehlen. Er ist mit rund 3 kg etwas kleiner als der Feldhase. Darüber hinaus sind die Löffel kürzer als beim Feldhasen und reichen nach vorne angelegt nicht über den Kopf hinaus. Kreuzungen zwischen Schnee- und Feldhasen kommen vor.

Vorkommen und Verbreitung

Das Vorkommen reicht von Irland über Schottland, Skandinavien bis nach Sibirien. Hier besiedelt er die halboffenen Misch- und Übergangswälder, Sümpfe und Moore sowie weiter im Osten die Tundra. In den Alpen kommt er als isolierte Unterart in Höhen zwischen 1300 m und bis zu 4000 m vor.

Fortpflanzung

Aufgrund der alpinen Witterungsbedingungen werden die Junghasen meist in den Monaten April bis Juli gesetzt. Die Tragzeit ist mit ca. 50 Tagen deutlich länger als beim Feldhasen.

Besatzdichten

In den nordeuropäischen Bereichen können die Besätze sehr stark schwanken. In den Alpen sind Besätze gering und als gefährdet eingestuft.

Beutegreifer / Prädatoren

Der Fuchs ist für den nordischen und den Alpenschneehase der wichtigste Beutegreifer, hinzukommen Stein- und Baummarder, Uhu und Steinadler. Der Alpenschneehase versucht sich durch die nächtliche Lebensweise dem Prädationsdruck beispielsweise durch den Steinadler zu entziehen.

267 In welchen Lebensräumen lebt der Alpenschneehase?

Der Alpenschneehase besiedelt das ganze Alpengebiet. Sein Lebensraum reicht von der Krummholzregion oberhalb der Baumgrenze über die Zwergstrauchgesellschaften, den Almen und den offenen alpinen Matten bis hin zur Grenze des ewigen Schnees auf 4000 m Höhe. Zwischen den Tagesruheplätze mit guter Deckung und den nächtlichen Nahrungsplätzen können größer Distanzen liegen.
Bei starkem Schneefall lässt er sich oft einschneien und scharrt sich Gänge und Höhlen. Im Winter zieht er teilweise in den Bergwald und kommt bis in die Täler herab.

268 Welche Lebensraumveränderungen werden den Alpenschneehase zukünftig betreffen?

In Folge des Klimawandels werden sich die Vegetationszonen in höhere Lagen verschieben, somit auch die Baumgrenze. Damit wird auch der Lebensraum des Alpenschneehasen oberhalb der Baumgrenze kleiner, die Vernetzung der einzelnen Populationen nimmt ab und ein Besatzrückgang ist zu erwarten. Neuere Studien prognostizieren für den Alpenraum einen mittleren Lebensraumverlust von rund 35% bis ins Jahr 2100. Darüber hinaus ist zu erwarten, dass sich auch die Prädatoren wie Fuchs und Marder in höhere Lagen ausbreiten werden.

269 Was ist charakteristisch am Haarkleid des Alpenschneehasen?

2.66: Schneehase im Winterkleid

Der Alpenschneehase wechselt regelmäßig vom graubraunen Sommerbalg in den weißen Winterbalg. Der Winterbalg besteht aus dichter weißer Wolle, wobei die weiße Farbe durch eine große Zahl von Luftkammern im Markteil der Haare zustande kommt. Sie stellt einen wirksamen Schutz gegen Wärmeverlust dar. Die Löffelenden sind wie beim Feldhasen schwarz gefärbt.
Der Irische Schneehase bleibt auch im Winter braun und der Nordische im Sommer weiß.

270 Wovon ernährt sich der Alpenschneehase?

Die Nahrung ähnelt der des Feldhasen und entspricht in seiner Zusammensetzung den alpinen Vegetationsverhältnissen. Im Winter bilden Rinden und Triebe von Bäumen sowie Zwergsträuchern die wichtigsten Nahrungsanteile. In den übrigen Monaten nutzt er das breite Spektrum an Wildkräutern, Gräsern und Zwergsträuchern der alpinen Flora.

271 Wann kommt der Nachwuchs?

Die Rammelzeit beginnt im März und dauert bis zum Juni. Junge werden nur zwei- bis dreimal im Jahr –etwa von April bis August – gesetzt. Die Satzgröße variiert zwischen ein bis fünf Jungen, die wie beim Feldhasen behaart und sehend zur Welt kommen.

272 Wird der Schneehase bejagt?

In Österreich und in der Schweiz wird der Schneehase planmäßig bejagt. Die einzigen Vorkommen in Deutschland in den bayerischen Alpen haben ganzjährige Schonzeit.

Ordnung	Hasentiere (Lagomorpha)
Familie	Hasenartige (Leporidae)
Gattung	Wildkaninchen (Oryctolagus)

Europäisches Wildkaninchen *(Oryctolagus cuniculus)*

Aussehen

Das Wildkaninchen hat einen fahlgrauen Balg. Den recht kurzen Löffeln des Kaninchens fehlen die schwarzen Spitzen. Die Oberseite der Blume ist dunkelgrau (beim Hasen schwarz mit weißem Rand) und die Unterseite leuchtend weiß. Ein flüchtiges Kaninchen kann sehr gut an der stets hoch aufgestellten Blume erkannt werden. Vergleichsweise häufig sind beim Wildkaninchen Farbänderungen (Schwärzlinge, Silbergraue, Weißlinge und Schecken). Das Kaninchen ist mit rund 2 kg nur halb so schwer und auch deutlich kleiner als der Feldhase.

Verbreitung

Das Vorkommen des Kaninchens war ursprünglich auf die iberische Halbinsel, den Balearen und Nordafrika begrenzt. Im Mittelalter wurde das Kaninchen als Fleischlieferant und zu jagdlichen Freuden in Mitteleuropa und später auch in vielen Teilen der Welt angesiedelt. Durch die sprichwörtliche Vermehrungsfreude der Kaninchen nahm der Besatz im letzten Jahrhundert in weiten Teilen Europas enorme Ausmaße an und führte zu regelrechten Kaninchenplagen. Daraufhin wurde in den meisten europäischen Ländern das Aussetzen von Wildkaninchen verboten.
Die gegenwärtige Verbreitung des Wildkaninchens in Europa ist klimatisch bedingt. In Skandinavien kommt es nur in Südschweden vor. Die östliche Verbreitungsgrenze verläuft quer durch Polen weiter durch die Slowakei und Ungarn bis nach Kroatien.
Auch die Ansiedlungen in Australien, Neuseeland und vielen ozeanischen Inseln im 19. Jahrhundert führten rasch zu Massenvermehrungen mit schwerwiegenden ökologischen und wirtschaftlichen Schäden. Die Bekämpfung der Kaninchen wird dort im Rahmen nationaler Programme mit großem Aufwand betrieben.

Ernährung und Lebensraum

Wildkaninchen sind ausschließlich Pflanzenfresser, wobei Wildkräuter und Gräser die bevorzugte Nahrung darstellt. Bei hohen Besätzen können Wildschäden an landwirtschaftlichen Kulturen sowie der Verbiss an Forst- und Obstbäumen gravierend sein.

Fortpflanzung

Das Kaninchen wird nach 4–11 Monaten geschlechtsreif. Seine sprichwörtliche Vermehrungsfreude resultiert aus der relativ hohen Anzahl von 3–5 Würfen pro Jahr. Nach einer Tragzeit von 28 bis 31 Tagen werden 4–6 nackte und blinde Junge in einem gut gepolsterten Nest in der

Satzröhre geboren. Die Häsin sucht die Jungen zum Säugen nur einmal in der Nacht für wenige Minuten auf. Beim Verlassen wird die Satzröhre stets verschlossen, später wird häufig ein kleines Luftloch gelassen. Nach ca. 4 Wochen wird die Satzröhre aufgegeben. Die Jungen siedeln in den Familienbau um und werden fortan nicht mehr gesäugt. Eine Häsin bringt somit von März bis August in der Regel 13–20 Junge zur Welt.
Die Mortalitätsrate der Jungtiere von der Geburt bis zur Geschlechtsreife ist sehr hoch. Eine Überlebensrate von 2–3 % pro Jahr reicht aufgrund der mehrjährigen Lebenserwartung der adulten Tiere aus, um die Population auf einem stabilen Niveau zu halten. Eine höhere Überlebensrate führt zu einem raschen Anstieg des Besatzes.

Besatzdichten und Einflussfaktoren

Das Kaninchen ist in allen Teilen Europas durch Myxomatose und RHD (Rabbit Haemorrhagic Disease oder Chinaseuche) in seinen Besätzen in den letzten Jahrzehnten stark dezimiert worden. Beide Infektionskrankheiten wirken nach wie vor stark auf die Besätze ein und verhindern eine langfristige Erholung.
Besätze mit mehr als 100 Kaninchen sind in den Jagdbezirken der offenen Kulturlandschaft in Deutschland selten geworden. In vielen Jagdbezirken fehlen die Kaninchen oder weisen nur geringe Besätze zwischen 10 und 100 Kaninchen auf. Dagegen kommen die Kaninchen in Siedlungsbereichen (Parks, Friedhöfen etc.) und auf einigen Nordseeinseln noch in sehr hohen Besätzen vor.
Die Jagdstrecken in Deutschland und vor allem in Nordrhein-Westfalen und Niedersachsen mit den höchsten Kaninchenvorkommen sind in den letzten Jahren weiter zurück gegangen.
Neben den Krankheiten, dem Nahrungs- und Deckungsangebot sind die Beutegreifer Fuchs, Habicht, Steinmarder und Iltis die wesentlichen Einflussfaktoren, die die Besatzdichten bestimmen.

Hegemaßnahmen und Bejagung

Neben einer intensiven Prädatorenbejagung sind Maßnahmen zur Lebensraumgestaltung besonders wichtig. Die Anlage von Gehölzen, Hecken, Saumstreifen und Bracheflächen zur Verbesserung des Nahrungs- und Deckungsangebotes sind in den ausgeräumten Kulturlandschaften sehr effektiv. Eine angepasste Bejagung ist für stabile Kaninchenbesätze unerlässlich. Auf Friedhöfen, in Parks, an Bahndämmen und an See- und Binnendeichen kann bei hohen Besätzen eine Bejagung zwingend erforderlich sein, um Schäden durch Fraß und das Graben von Bauen zu vermeiden.

273 Wodurch unterscheidet sich das Wildkaninchen von einem Feldhasen?

Das Wildkaninchen ist deutlich kleiner als der Feldhase, hat kurze Löffel und einen fahlgrauen Balg. Die kurzen Hinterbeine verleihen dem Kaninchen einen schnellen wippenden Lauf. Das Kaninchen hält sich bevorzugt am Rand von Gehölze, Hecken und anderen Deckungsstrukturen auf, wohingegen der Feldhase eher die offenen Feldbereiche nutzt. Die waidmännischen Bezeichnungen sind die gleichen wie beim Feldhasen.

274 Wo kommt das Wildkaninchen heute vor?

Durch Auswilderungen im Mittelalter bis ins 20. Jahrhundert hinein wurde das Kaninchen in Mitteleuropa weit verbreitet. Im Nordwestdeutschen Tiefland und in den wärmeren deutschen Weinbaugebieten kommt es noch in vielen Revieren vor, überwiegend jedoch nur in geringen Besatzdichten. In Ostdeutschland und den Mittelgebirgen ist das Vorkommen sehr lückig. In Höhenlagen über 500 m kommt es nur selten vor, da hohe und lang andauernde Schneelagen im Winter dem Kaninchen zu schaffen machen.

275 Wo leben Wildkaninchen am liebsten?

Der bevorzugte Lebensraum ist Gelände mit trockenen, sandigen oder lockeren Böden mit dichten Hecken und Feldgehölze sowie die Dünenbereiche. Sie bieten Schutz und die Möglichkeit ihre weit verzweigten Baue anzulegen. Beliebt sind auch Parkanlagen, Friedhöfe, Industriegelände und dergleichen. Wichtig ist, dass in der Nähe genügend grüne Äsungsflächen zur Verfügung stehen. Größere Wälder werden gemieden.

2.67: Kaninchen in einem städtischen Park

276 Wie ernähren sich Wildkaninchen?

Auf ihrem Speisezettel stehen Wildkräuter und -gräser, landwirtschaftliche Nutzpflanzen, Gemüse, Blätter, Knospen, Baumrinde und Obst. Wie beim Feldhasen ist die Caecotrophie für das Kaninchen überlebenswichtig.

277 Was sind typische Verhaltensweisen des Wildkaninchens?

Kaninchen sind überwiegend dämmerungs- und nachtaktiv. Sie leben in Sippen oder Kolonien mit einer ausgeprägten Rangordnung und werden von einer dominanten Häsin und einem dominanten Rammler geführt. Die Sippen verteidigen ihre Territorien, wobei die Reviergrenzen durch Kotplätze markiert werden. Sinn dieser Gemeinschaft ist u.a. der Selbstschutz – das Wachen und Warnen vor Feinden. Dies geschieht durch akustische Signale, wie das Klopfen mit dem Hinterlauf auf den Boden. Wenn dieses Signal ertönt flüchten alle Kaninchen sofort in die nächste Deckung und in die Baue. Stimmlaute sind beim Kaninchen wenig entwickelt. Zu hören ist vor allem die Klage, die einem schrillen Pfiff ähnelt.
Kaninchen graben sich umfangreiche Erdbaue, die über mehrere Jahre von der Sippe bewohnt werden. Die Jungen werden in einer separaten, ein bis mehrere Meter lange Satzröhre gesetzt, die innerhalb oder außerhalb des Wohnbaues liegen kann.

278 Sind Wildkaninchen standorttreu?

Ausgewachsene Kaninchen sind überaus sesshaft und entfernen sich in der Regel nicht weiter als 100 m von ihrem Bau. Junge Kaninchen erkunden in ihrem ersten Lebensjahr sehr ausgiebig ihre Umgebung, sodass der Aktionsraum 500–800 m um den Bau betragen kann.

279 Wandern Wildkaninchen ab?

In einer intakten Population wandern vor der Geschlechtsreife hauptsächlich die männlichen Jungtiere ab. Wasser- oder Nahrungsmangel wie auch andere negative Einflüsse können zu Abwanderungen über größere Entfernungen führen. Das Erkundungsverhalten wie auch die Abwanderungen sind für das Kaninchen sehr Risiko behaftet. Die unbekannte

Umgebung sowie unzureichende Deckungs- und Unterschlupfmöglichkeiten machen die Kaninchen zu einer leichten Beute von Prädatoren. Dies wird umso gravierender je höher die Prädatorendichte ist.

280 Wann ist die Reproduktionszeit der Wildkaninchen?

Die Rammelzeit beginnt je nach den Wetterverhältnissen im Februar oder März und dauert bis zum Spätsommer. In der Rammelzeit beobachtet man beim Rammler bei fortgeschrittener Deckbereitschaft der Häsin ein als Werbung auszulegendes Verhalten. Er überspringt die Häsin und bespritzt sie mit Harn.

281 Wie lange dauert die Tragzeit und wie viele Junge setzt es?

Die Tragzeit beträgt 28 bis 31 Tage. Je Wurf werden 4–6 nackte und blinde Junge in der Satzröhre geboren, in der sie in der Regel einmal am Tag gesäugt werden. Nach ca. 4 Wochen verlassen sie die Satzröhre und ziehen zu den anderen Gruppenmitgliedern in den Familienbau um.

282 Welche natürlichen Feinde hat das Wildkaninchen?

Als Hauptprädator ist der Fuchs zu nennen, der auch die Wurfbaue ausgräbt. Iltis, Marder und Wiesel können die Kaninchen bis in die Baue verfolgen. Darüber hinaus sind Hauskatzen und Habicht für die Kaninchen eine Gefahr.

283 Wo verursacht das Wildkaninchen Wildschäden?

Bei größerer Besatzdichte können erhebliche Schäden auftreten. In der Nähe der Kolonien kommt es auf den Äsungsflächen zu regelrechtem „Kahlfraß“. Anders als die Feldhasen halten sich die Wildkaninchen immer in der Nähe der Baue und von Deckungsstrukturen auf, sodass vornehmlich an den Feldrändern geäst wird. Die hohen Fraßschäden an landwirtschaftlichen Kulturen führten in der Vergangenheit zu einer intensiven Bejagung der Kaninchenbesätze. Darüber hinaus sollten die Kaninchenbesätze durch die absichtliche Infektion mit Myxoma-Viren reduziert werden.

284 Wo macht sich das Wildkaninchen heutzutage unbeliebt?

Auch in Gemüse- und Obstplantagen, in Parkanlagen, Hausgärten und auf Friedhöfen macht sich das Kaninchen sehr unbeliebt. Umzäunungen müssen ziemlich hoch sein (etwa 1,5 m) und dazu noch tief in den Boden reichen (mindestens 50 cm), um den Kaninchen den Zugang sicher zu verwehren.

An Bahndämmen und Deichen ist die intensive Grabtätigkeit der Kaninchen ein hohes Sicherheitsrisiko.

285 Welche Krankheiten kommen bei Wildkaninchen vor?

Die Kaninchen haben sich wie die Feldhasen mit einer Reihe von Ekto- und Endoparasiten auseinanderzusetzen, die unter günstigen Lebensbedingungen die Tiere nur wenig beeinflussen. Allerdings können Darm- und auch Leberkokzidiosen vor allem bei Jungtieren hohe Verluste verursachen. Die bedeutendsten Krankheiten sind Myxomatose und RHD.

286 Was ist Myxomatose?

1952 wurden in Frankreich Kaninchen mit Myxoma-Viren absichtlich infiziert, um der Kaninchenplage Herr zu werden. Die Myxomatose (=Kaninchenseuche) geriet rasch außer Kontrolle und breitete sich innerhalb weniger Jahre über ganz Europa aus. Beim akuten Verlauf dieser Viruserkrankung treten Schwellungen und Entzündungen im Bereich der Augenlider, des Mundes, der Ohren und des Genitalbereiches auf. Das Tier verliert stark an Gewicht (es kommt ab) und nach circa 10–14 Tagen endet die Krankheit meistens mit dem Tod, wenn es nicht vorher schon von einem Beutegreifer ergriffen wurde.

287 Wie wird Myxomatose übertragen?

Übertragen wird der Virus durch blutsaugende Insekten oder auch durch den direkten Kontakt untereinander. Durch eine intensive Bejagung und infolge der hohen Verlustraten durch die Myxomatose wurden die Besätze in Europa stark dezimiert. In der Regel ist das Virus für den Menschen und andere Wildtiere ungefährlich.

288 Was ist RHD?

Die Chinaseuche oder auch RHD (Rabbit Haemorrhagic Disease) wird ebenfalls durch einen hochinfektiösen Virus verursacht. Innerhalb weniger Tage verenden die Tiere bei einem akuten Verlauf der Infektion. Typische Anzeichen für diese Erkrankung als Todesursache ist das Überstrecken des Kopfes zum Rücken hin. Zudem ist das Tier „nicht abgekommen".

289 Welche Rolle spielen Insekten bei der Übertragung?

Da der RHD-Virus wie auch der Myxoma-Virus über Stechmücken übertragen wird, können auch Hauskaninchen infiziert werden. Ein weiterer Überträger ist der Kaninchenfloh, der in den Kaninchenbauen lebt und somit die gesamte Sippe infizieren kann. Feldhasen erkranken nur äußerst selten an Myxomatose und nicht an RHD.

290 Welcher neue Krankheitserreger macht den Kaninchen zu schaffen?

In den letzten Jahren ist eine neue Variante (RHDV2) des ursprünglich nur beim Kaninchen vorkommenden RHD-Virus entstanden. RHDV2 führt vor allem bei den wenige Tage alten Jungkaninchen zu sehr hohen Verlusten. Dieser Virus kann sowohl Wildkaninchen, Hauskaninchen als auch Feldhasen infizieren.

Dieser erstmals in Frankreich diagnostizierte Virus wurde seit einigen Jahren auch in Deutschland in den Hasen- und Kaninchenbesätzen nachgewiesen.

291 Welche Krankheiten nehmen starken Einfluss auf die Kaninchenbesätze?

In sehr guten Kaninchenlebensräumen können 20–40 Kaninchen/ha vorkommen. Flächendeckend wurden diese Besatzdichten jedoch selbst in früheren Jahren nicht erreicht. Myxomatose (seit Mitte der 1950er Jahre) und RHD (seit Ende der 1980er Jahre) sind heutzutage die wesentlichen bestandsbeeinflussenden Infektionskrankheiten. Aufgrund der hohen Verlustraten durch die Myxomatose waren in den 1960 bis 1980er Jahren starke Besatzschwankungen infolge der periodischen Seuchenzüge zu verzeichnen. Das zusätzliche Auftreten von RHD führte in weiten Teilen Europas zu existenziell bedrohlichen Bestandseinbrüchen. Im Laufe der Zeit bildeten sich Resistenzen gegenüber Myxomatose aus und die Entstehung von schwachvirulenten Myxoma- und RHD-Virusstämmen stoppten den massiven Besatzrückgang. Wie sich RHDV2 auswirken wird, ist noch unklar.

292 Wie wird das Wildkaninchen bejagt?

Die häufigsten Jagdarten auf das Kaninchen sind der Ansitz, das Treiben, die Suche, das Frettieren und die Beize. Der Ansitz wird, von guter Deckung aus, in der Nähe der Baue oder Äsungsflächen praktiziert. Ausdauer und besonders ruhiges Verhalten ist dabei gefragt. Geschossen wird am besten mit der kleinen Kugel, z.B. der .22 lfB. Das nicht sofort tödlich getroffene Kaninchen fährt noch zu Bau und ist dann verloren. Daher wartet man am besten so lange, bis die Beute sich etwas vom Bau entfernt hat. Möglich ist auch der Schrotschuss. Bei der Treibjagd versprechen sonnige, windstille Tage den größten Erfolg, da die meisten Kaninchen dann nicht im Bau liegen. Die Suche wird mit einem Stöberhund durchgeführt, der die Kaninchen aufstöbert und aus der Dickung treibt. Beim Frettieren spielt das Frettchen die Hauptrolle, indem es in den Bau einschlieft, dort Panik unter den Kaninchen hervorruft und sie zum Springen (eiligen Verlassen) dieses Versteckes zwingt. Draußen stehen die Schützen und beschießen die ausfahrenden grauen Flitzer. Bei der Kaninchenjagd mit der Flinte sind Patronen mit 2,5 mm Schrot geeignet.
Das Kaninchen ist darüber hinaus ein beliebtes Jagdobjekt der Falkner, für deren Beizhabichte es die Hauptbeute darstellt. Gebeizt wird auf der Suche wie auch beim Frettieren. Häufig wird die Kaninchenbeize an Orten wie Friedhöfe oder stadtnahe Grünflächen durchgeführt, wo aus Sicherheitsgründen mit der Schusswaffe nicht gejagt werden kann.

Raubtiere

Ordnung	Raubtiere (Carnivora)
Unterordnung	Landraubtiere
Familie	Hundeartige (Canidae)
Gattung	Wolfs- und Schakalartige (Canis)

Wolf *(Canis lupus)*

Aussehen

Der europäische Wolf ist in etwa schäferhundgroß (Schulterhöhe ca. 70 bis 90 cm, Länge von 110 bis 160 cm), hat einen schmaleren, aber höheren Brustkorb und enger gestellte Vorderläufe. Die aufrecht stehenden Gehöre sind kleiner, der Kopf breiter und kräftiger. Rüden erreichen ein Gewicht bis zu 50 kg, gelegentlich auch deutlich darüber, Fähen bis etwa 45 kg.
Die Farbe ist weltweit gesehen recht variabel, von weiß über gelblich, rötlich, grau bis schwarz. In Mitteleuropa überwiegen gelblichgrau oder grau gefärbte Wölfe (daher auch die Bezeichnung „Grauhund").

Verbreitung und Lebensraum

Wölfe kommen ursprünglich praktisch auf der gesamten Nordhalbkugel vor (sog. „circumpolare Verbreitung"), wobei sie in vielen Teilen der U.S.A., Asiens und Europas durch direkte mensch-

liche Verfolgung, aber auch durch die Ausrottung wichtiger Beutetiere in den vergangenen Jahrhunderten verschwunden sind.. Die stabile baltisch-osteuropäische Population zeigt derzeit wieder eine deutliche Ausbreitungstendenz nach Westen, die sich in Deutschland derzeit wieder ansiedelnden Tiere sind praktisch der westliche Vorposten dieses großen Vorkommens. Mittlerweile wandern allerdings auch Wölfe aus der apennino-alpinen Population in Deutschland zu. Somit sind wir auf einem guten Weg, dass sich die verbliebenen (Teil-)populationen Europas wieder zu einer umfassenden eurasischen Population vereinigen.
Grundsätzlich sind in Deutschland größere Waldgebiete mit hinreichend großen Schalenwildbeständen günstige Lebensräume, doch wissen wir aus Südosteuropa und anderen Teilen der Erde, dass der Wolf ausgesprochen anpassungsfähig ist, in nahezu allen Lebnsräumen existieren kann und lokal auch Urbanisationstendenzen zeigt, d.h. sich auch an das Leben in menschlichen Siedlungen anpassen kann.

Nahrung

Wölfe sind Nahrungsgeneralisten; von pflanzlicher Kost über Aas, Insekten und Fische bis hin zu Säugetieren bis zur Größe eines Elches und darüber hinaus. In Deutschland ernähren sich Wölfe derzeit schwerpunktmäßig von Reh- und Rotwild, gelegentlich auch von Schwarzwild, in Südosteuropa eher von Schwarzwild (Frischlinge). Wo die Möglichkeit besteht, werden auch landwirtschaftliche Nutztiere, insbesondere Ziegen und Schafe, aber auch Pferde und Rinder, regelmäßig die Beute von Wölfen. Z.B. in Südosteuropa, sind auch Fälle bekannt, in denen Zivilisationsabfälle einen wichtigen Nahrungsbestandteil darstellen.

Fortpflanzung

Die Ranzzeit liegt schwerpunktmäßig im Februar. Nach ca. 63 Tagen werden in einem Bau, einer flachen Mulde im Dickicht bzw. im Schilf fünf bis acht Welpen gewölft, die in den ersten zehn Tagen blind sind. Sie nehmen ab der vierten Woche feste Nahrung auf und begleiten bereits nach drei Monaten ihre Eltern auf Streifzüge. Wölfe leben monogam. Typischerweise hat nur ein erwachsenes Paar innerhalb eines Rudels Nachwuchs, doch gibt es von dieser Regel auch Ausnahmen. Ein Teil der Welpen verlässt im zweiten Lebensjahr das Rudel und sucht sich eigene Lebensräume. Kreuzungen mit Haushunden sind möglich, kommen aber in freier Wildbahn nur in Ausnahmefällen vor, etwa wenn sich für eine zugewanderte Fähe in einer Region kein Wolfsrüde als Partner findet oder umgekehrt.

Hege

Der Wolf ist in Deutschland entweder durch das Naturschutzrecht geschützt oder durch das Jagdrecht ganzjährig geschont.
Die Tatsache, dass der Wolf erst in einem Bundesland (Sachsen) dem Jagdrecht unterliegt, sollte den Jäger nicht daran hindern, für diese Art grundsätzlich Verantwortung zu übernehmen. So sollte dort, wo Wolfsvorkommen bekannt sind, die Tötung wildernder Hunde im Rahmen des Jagdschutzes ausgesprochen zurückhaltend und nur durch im Ansprechen sehr erfahrene Jäger erfolgen. Darüber hinaus erscheint es wichtig, die Bevölkerung über die in der Region meist noch wenig vertraute Wildtierart sachlich zu informieren, um unbegründete Ängste zu nehmen, aber auch vor leichtsinnigem Verhalten (z.B. Gefahr für freilaufende Hunde) zu warnen. So können Konflikte rechtzeitig vermieden werden.

Fragen

293 Wo ist der Wolf in Europa derzeit verbreitet?

Der europäische bzw. eurasische Wolf, der ursprünglich in ganz Europa verbreitet war, war im 18. und 19. Jahrhundert in West- und Mitteleuropa fast ausgestorben. Gründe waren die Verfolgung des Wolfes durch den Menschen und die (in Deutschland etwa nach 1848) massiv dezimierten Schalenwildbestände. Nur in Spanien, Italien und Skandinavien haben Restbestände überlebt und waren nie völlig verschwunden. Eine stabile Population erstreckt sich in Osteuropa vom Baltikum über Russland, Ostpolen, Weißrussland, die Ukraine bis auf den Balkan. Ihre Fortsetzung findet diese im Osten nach Asien. In Deutschland haben sich aus dieser baltisch-osteuropäischen Population als deren westlichster Ausläufer wieder Wölfe angesiedelt und ziehen dort regelmäßig Nachwuchs groß. In Deutschland leben derzeit auf Basis der offiziellen Schätzungen deutlich über 1000 Wölfe mit steigender Tendenz sowie einer stetigen Ausbreitungstendenz nach Westen.

294 Wovon ernährt sich der Wolf?

Derzeit gehören Reh- und Rotwild zur Hauptbeute des Wolfes in Deutschland. in zunehmendem Maße werden auch landwirtschaftlich gehaltene Huftiere (Damvieh, Ziegen, Schafe, Rinder, Pferde, Alpacas und andere) erbeutet. In anderen Regionen Europas oder auf anderen Kontinenten stehen andere Hauptbeutetiere im Vordergrund.

295 Wer ist beim Wolf an der Aufzucht der Welpen beteiligt?

Sowohl Rüde als auch Fähe beteiligen sich an der Welpenaufzucht. Zusätzlich unterstützen sie oft weitere untergeordnete Rudelmitglieder insbesondere bei der Beschaffung von Beute.

2.68: Wolf

296 Warum stellt der Wolf eine ernste Gefahr für Muffelwildbestände dar?

Das Mufflon, welches in Mitteleuropa in den vergangenen zweihundert Jahren immer wieder angesiedelt wurde, stammt im wesentlichen aus Inselvorkommen (z.B. Korsika, Sardinien). Dort fehlen bodengebundene Prädatoren wie Luchs und Wolf, sodass diese Wildschafart in ihrem Feindvermeidungsverhalten nicht an den Wolf angepasst ist. Das Vorkommen von Wolf und Luchs führt meist innerhalb weniger Jahre zu einer Auflösung lokaler Muffelwildbestände.

297 Stellt der Wolf ein Risiko für Jagdhunde dar?

In Nord- und Osteuropa wird regelmäßig von durch Wölfe getöteten Hof- und v.a. Jagdhunde berichtet. Auch in Deutschland wurden bereits einzelne Jagdhunde vom Wolf getötet, sodass in Gebieten mit Wolfsvorkommen große Zurückhaltung bei der Jagd mit Hunden geübt werden sollte. Das kann bis zum Verzicht auf Stöberjagden gehen. Auch bei der Schweißarbeit, insbesondere bei der Nachsuche erst mehrere Stunden nach dem Schuss, ist Vorsicht geboten, der Hund sollte keinesfalls zu früh geschnallt werden. Die Attacken auf Hunde werden mit dem Revierverhalten des Wolfes (Eindringen in ein Rudelterritorium) und/oder der Verteidigung der Beute (wenn der Wolf das nachgesuchte Stück Wild vor dem Hund gefunden hat) erklärt.

298 Wie können sich Jäger am Schutz des Wolfes in Deutschland beteiligen?

Das erstmalige Vorkommen des Wolfes in einer Region wird oft durch Jäger bestätigt. Insbesondere durch besondere Sorgfalt beim Jagdschutz (Töten wildernder Hunde), aber auch durch Aufklärung der Bevölkerung können Jäger hier positiv wirken. Auch die Teilnahme an Fortbildungsmaßnahmen, etwa als sog. „Wolfsberater" und/oder für für die Begutachtung von Rissen zu Entschädigungszwecken, sollte erwogen werden.

299 Wo und wie wird der Wolf noch oder wieder bejagt?

In vielen Teilen der Erde (z.B. Osteuropa, Asien, Nordamerika) wird der Wolf nach wie vor bejagt oder sogar mit nichtjagdlichen Methoden dezimiert. In Westeuropa erfolgt eine nachhaltige Bejagung derzeit z.B. in Norwegen, im Baltikum oder in Schweden. In verschiedenen Ländern erfolgen regelmäßige Eingriffe in den Wolfsbestand aus Gründen des Herdenschutzes, etwa in Frankreich oder Schweden (sog. „Schutzjagd").

Ordnung	Raubtiere (Carnivora)
Unterordnung	Landraubtiere
Familie	Hundeartige (Canidae)
Gattung	Echte Füchse (Vulpes)

Rotfuchs *(Vulpes vulpes)*

Aussehen

Der Rotfuchs wirkt relativ kurzläufig und hat einen langgestreckten Körper, die Körperlänge (ohne Lunte) kann beim Rüden bis zu 75 cm, das Gewicht bis zu 8 kg (selten auch darüber) betragen.

Fähen sind im Mittel kleiner als Rüden. Der Balg ist rot-braun (Name!). Weißlich sind Teile der Lefzen, Kehle, Bauch und Luntenspitze (Blume), wobei letztere auch schwarz sein kann. Bei schwarzer Luntenspitze sprechen wir auch vom Kohl-, bei weißer Luntenspitze vom Birkfuchs. Bei allen Farbvarianten sind Gehöre und Branten schwarz.

Verbreitung und Lebensraum

Rotfüchse sind in über weite Teile Europas, Asiens, Nordamerikas und Nordafrikas verbreitet. In Australien wurde die Art vom Menschen angesiedelt.
Als sehr anpassungsfähiger Kulturfolger stellt der Fuchs keine besonderen Biotopansprüche, solange seine Ernährung gesichert ist. In urbanen Lebensräumen kommen Füchse in oftmals höherer Dichte als im Feld oder Wald vor.

Nahrung

Der Rotfuchs ist ein Nahrungsgeneralist, d.h. er weist ein breites Nahrungsspektrum von tierischer und pflanzlicher Nahrung auf, wobei die tierische Nahrung überwiegt (Mäuse, Wildkaninchen, Jungwild, Vogelgelege, Vögel bis Gänsegröße, Insekten, Käfer, Heuschrecken, Obst, Beeren, Aas etc.). Die Zusammensetzung der Nahrung weist deutliche saisonale Unterschiede auf und kann auch regionale Unterschiede zeigen. Den größten Beuteanteil stellen jedoch regelmäßig die Mäuse dar. In mäusearmen Jahren ist es dem Fuchs jedoch leicht möglich, auf andere Beute auszuweichen.

Fortpflanzung

Zur Ranzzeit des Fuchses im Januar und Februar sind die Rüden oft rund um die Uhr auf den Läufen. Oft folgen mehrere Rüden einer hitzigen Fähe, wobei der soziale Kontakt zunächst meist durch akustische Signale, wie ein weit zu hörendes heiseres Bellen (Kauw, kaw, kaw) hergestellt wird.
Bei Rangordnungskämpfen drohen die Rüden häufig intensiv mit „Keckern" untereinander. Oft stecken tagsüber auch mehrere Rüden mit einer Fähe im Bau.
Nachdem die Fähe nach Hundeart begattet wurde, wölft sie nach sieben bis acht Wochen im Mutterbau oder einem extra angelegten Wurfbau vier bis acht Welpen.
Der Wurfkessel wird mit Bauchhaaren der Fähe gepolstert. Die in den ersten 14 Tagen blinden Welpen werden als „Nesthocker" ca. 3 Wochen lang nur gesäugt. Da ihre Thermoregulation erst nach dieser Zeit ausreichend funktioniert, erscheinen sie nach ca. drei Wochen vor dem Bau, es wird zugefüttert. Nach 2 bis 3 Monaten kann man die Fähe mit ihrem Nachwuchs auf der „Schulpirsch" beobachten. Der Anteil der Rüden an der Aufzucht ist unterschiedlich hoch, in den ersten Lebenstagen der Welpen trägt der Rüde die Beute zu, wird aber nicht in die Nähe der Welpen gelassen.

Prädatoren und Regulation

Wolf, Luchs, Adler und Uhu sind natürliche Prädatoren, sie spielen in Mitteleuropa für die Bestandesregulation allerdings eine untergeordnete Rolle. Hier wurde bzw. wird der Fuchsbesatz hauptsächlich durch Krankheiten (Tollwut, Räude) dezimiert.
Durch Maßnahmen der Tollwutbekämpfung (Schluckimpfung) und zunehmende Verstädterung ist der Fuchsbesatz in den vergangenen Jahrzehnten im Mittel deutlich angestiegen (s.u.).

Inwieweit der Marderhund den Fuchs durch Konkurrenz, insbesondere um Baue, zurückdrängen kann, ist derzeit eine offene Frage.

Bejagung und Hege

Die Tatsache, dass unsere heimischen Fuchsbesätze stark anthropogen beeinflusst sind, macht eine intensive Bejagung erforderlich. So ist derzeit die Tollwut in Mitteleuropa durch Schluckimpfung der Füchse weitgehend zurückgedrängt. Gleichzeitig profitiert der Fuchs als eine der wenigen heimischen Arten von der großflächigen, industrialisierten Agrarlandschaft mit ihren hohen Mäusebeständen.
So erfordert die Hege von Hase, Rebhuhn und Fasan und vieler anderer, teils seltener bodenbrütender Vogelarten das Kurzhalten des Fuchses. Auch die Bekämpfung der Tollwut und des Fuchsbandwurmes spricht für eine intensive Bejagung.
Bei der Lockjagd wird der Fuchs durch geruchliche Lockmittel, z.B. einen Luderplatz oder gezogene Schleppen, angelockt und/oder man bedient sich akustischer Mittel, etwa nachgeahmter Klagelaute von Beutetieren (Hasen- und Kaninchenklage) oder man mäuselt. Soll ein Ansitz Erfolg versprechen, muss man gezielt dort sitzen, wo man mit dem regelmäßigen Erscheinen des Fuchses rechnen kann (Fuchspässe).
In den letzten Jahren haben sich revierübergreifende Fuchsansitze (auf Hegegemeinschaftsebene) bewährt. Baujagd (auch am Kunstbau) mit einem geeigneten Erdhund und einigen wenigen Flinten verspricht Erfolg im Frühwinter und in der Ranz. Bei Treib-, Drück- oder Stöberjagden ist der Fuchs oft Zufallsbeute. Wo sie heute noch zulässig ist, ist auch die Fangjagd erfolgreich – insbesondere mit sofort tötenden Fallen, z.B. dem Schwanenhals, aber auch mit geeigneten Lebendfallen.
Wo der Fuchs keine gesetzliche Schonzeit hat, sind erwachsene Füchse während der Aufzuchtzeit der Welpen zu schonen.

Fragen

300 Wann ist die Ranzzeit des Fuchses, und wie viele Welpen wölft die Fähe?

Die Ranzzeit ist im Januar und Februar, vier bis acht Welpen werden meist im März und April gewölft.

301 Welche Elternteile sind für die Aufzucht der Fuchswelpen erforderlich?

Beim Fuchs sind beide Eltern, Rüde und Fähe, für die Welpenaufzucht erforderlich.

302 Wann sind die Fuchswelpen selbständig?

Ab August kann im allgemeinen davon ausgegangen werden, dass die Fuchswelpen selbst für sich sorgen können.

303 Was versteht man unter einer sog. „Tragschlaffe"?

Wenn die Fähe, etwa bei Störungen des Gehecks, in den ersten Lebenstagen der Welpen mit diesen in einen anderen Bau oder Unterschlupf umzieht, trägt sie die Welpen einzeln dorthin. Dabei trägt die Fähe die Welpen am Nackenfell, die Welpen lassen sich schlaff herabhängen und bewegen sich nicht aktiv.

304 Welchen Aktivitätsrhythmus haben Füchse?

Der Fuchs ist überwiegend dämmerungs- und nachtaktiv. Je nach Lebensraum nimmt er alle Deckungsmöglichkeiten als Versteck und Ruheplatz an, die vollständigen Schutz vor Wind, Regen und Sicht bieten. Im Sommer und Herbst sucht der Fuchs nur selten einen Bau auf. Er liegt dann lieber an sonnigen Plätzen im Freien. Manche Baue stammen ursprünglich vom Dachs, in leicht grabbaren Böden legt der Fuchs selbst regelmäßig Baue an.

2.69: Rotfuchs

305 Wie kommt man dazu, Reineke (Voss) und seiner Frau Ermeline große Schläue zuzusprechen?

Füchse haben einen besonders guten Gehör-, Geruchs- und Tastsinn, darüber hinaus beweisen sie besondere Lernfähigkeit und Geschicklichkeit aufgrund besonderer Sinnesleistungen, z.B. das Rollen von Kröten im Sand, das Benässen von Igeln oder den sog. „Schautanz", wobei sich der Fuchs an das Beutetier nicht anschleicht, sondern sich ihm offen mit artuntypischen Bewegungen nähert und das Beutetier so über die wahre Absicht täuscht.

306 Was versteht man unter der „Viole" des Fuchses?

Ein Organ am Luntenansatz, das Duftmarkierungen (Veilchen) absondert.

307 Wie sieht die Fuchslosung aus?

Der letzte Teil der Losung ist zu einer feinen Spitze ausgezogen und lässt an der Oberfläche und im Inneren häufiger Haare und kleine Knochen erkennen. Man findet sie oft auf erhöhten Stellen (Grenzsteine, Baumstubben, Stocksulzen). Urin und Losung dienen dem Fuchs auch als Mittel zur Reviermarkierung.

308 Woran kann man die Fuchsspur von der anderer behaarter Beutegreifer im Revier unterscheiden?

Dachs, Fuchs und Hund zeigen deutliche Abdrücke der (Zehen-)Nägel; sie „nageln". Katze und Luchs nageln nicht.
Der Dachs hat an jeder Brante fünf Nägel, Fuchs und Hund haben nur vier. Beim Dachs sind die Nägel der Vorderbranten besonders lang, da sie als Grabwerkzeug dienen.

2.70: Trittsiegel im Vergleich

309 Wo kann man im Revier einen „Fuchspass“ vermuten?

Diesen Weg, den sich der Fuchs bei seinen Streifzügen oder bei der Flucht angewöhnt hat, kann man oft als gedachte kürzeste Verbindungslinie zwischen Deckungsmöglichkeiten im Feld annehmen. Dabei nutzt er auch Abschnitte ohne (z.B. Wege) oder mit nur niedriger Vegetation gezielt aus.

310 Welche Maßnahmen ergreift man (neben der Bejagung) zur Bekämpfung von Tollwut und kleinem Fuchsbandwurm?

Man versucht das Problem in den Griff zu bekommen, indem man „Schluckimpfungen“ mit ausgelegten Impfködern gegen Tollwut durchführt und mit Wurmmittelködern gegen den kleinen Fuchsbandwurm vorgeht. Allerdings haben viele Bundesländer mittlerweile die Schluckimpfungen gegen Tollwut aufgegeben. Die Bekämpfung des Fuchsbandwurms mit Ködern hat sich andererseits bisher noch kaum durchgesetzt.

311 Wie zeichnet der vorbei- oder krankgeschossene Fuchs?

Vorbeigeschossen schwingt er die Lunte kreisförmig (er winkt „Ade!“); getroffen geht er mit starrer, hocherhobener Lunte ab. Unanbhängig davon ist der Anschuss in jedem Falle mit dem Hund zu überprüfen.

312 Wann ist der Fuchsbalg als Trophäe zu nutzen?

Im Dezember (je nach Temperatur), wenn er weiß oder reif ist. Es muss in jedem Fall bereits gefroren haben.

313 Was bezeichnet man als Burgfrieden?

In umfangreichen Bauanlagen trifft man oft Fuchs, Dachs, Kaninchen und auch schon einmal Steinkäuze, Brand- oder Schellenten gemeinsam an. Diesen „Waffenstillstand“ innerhalb und in nächster Umgebung der Bauanlage bezeichnet man als „Burgfrieden“. Der Grund wird in einem reduzierten Antrieb zum Beutemachen in unmittelbarer Umgebung des Baues vermutet, etwa um die Fuchswelpen selbst nicht zu gefährden.

Ordnung	Raubtiere (Carnivora)
Unterordnung	Landraubtiere
Familie	Hundeartige (Canidae)
Gattung	Marderhunde (Nyctereutes)

Marderhund *(Nyctereutes procyonoides)*

Aussehen

Der Marderhund oder Enok ist etwa fuchsgroß, der Balg ist jedoch ist dunkel (grau-)braun mit schwarzem Anflug. Das Haar lang und zottig mit dichter Unterwolle. Der kleine Kopf zeigt eine auffällige Gesichtsmaske. Charakteristisch sind die kurzen Läufe und der im Vergleich zum Fuchs eher plump wirkende Körper.

Verbreitung und Lebensraum

Der in Ostasien beheimatete Marderhund ist zwischen 1928 und 1955 in großer Zahl in die Ukraine zwecks Haltung in Pelztierfarmen eingeführt worden. Dort gelangten regelmäßig Tiere in die Freiheit und die Art breitete sich nach Westen aus. Er besiedelt heute weite Teile Polens, Skandinaviens sowie Mitteleuropas und breitet sich weiter nach Westen und Südwesten aus.

Nahrung

Der Marderhund lebt omnivor und ernährt sich vorzugsweise von Kleintieren (Mäusen, Insekten, Fischen, Lurchen und Jungvögeln), Vogeleiern, aber auch einem beträchtlichen Anteil pflanzlicher Nahrung. Nicht selten findet er sich daher auch an Kirrungen ein.

Fortpflanzung

Die Ranzzeit liegt im Januar und Februar. Nach einer Tragzeit von 9 Wochen kommen 6 bis 8 Welpen zur Welt, die mit sechs Monaten ausgewachsen und im zweiten Jahr geschlechtsreif sind.

Prädatoren

Wolf sowie Stein- und Seeadler kommen als Prädatoren in Frage, wobei diese in der Praxis kaum eine Rolle spielen. Welche Faktoren den Marderhund bei erreichen hoher Populationsdichten regulieren, ist derzeit noch eine offene Frage.

Bejagung

Der Marderhund ist Gegenstand der E.U.-Verordnung über die Prävention und das Management der Einbringung und Ausbreitung invasiver gebietsfremder Arten. Ob es sich wirklich um eine invasive, d.h. andere Arten gefährdende Species handelt, ist aus fachlicher Sicht noch eine offene Frage. Dennoch

2.71: Er besiedelt heute weite Teile Polens, Skandinaviens sowie Mitteleuropas und breitet sich weiter nach Westen aus.

sollte der Marderhund intensiv bejagt werden, wobei selbstverständlich die Grundsätze der Waidgerechtigkeit anzuwenden sind.
Am erfolgversprechendsten ist die Fangjagd, wie dies auch in seiner Heimat geschieht. Erfolge auf dem Ansitz sind eher zufällig, vergleichsweise häufig kommt der Marderhund beim Ansitz auf Schwarzwild an der Kirrung zur Strecke.
Auch wo der Marderhund keine Schonzeit hat bzw. nicht dem Jagdrecht unterliegt, ist darauf zu achten, dass Elterntiere zur Aufzuchtzeit der Jungtiere zu schonen sind.

Fragen

314 Woher stammt der Marderhund ursprünglich?

Der Marderhund stammt aus Ostasien, etwa aus der Grenzregion zwischen China und Russland, wurde in die Ukraine als Pelztier eingeführt und wandert von dort aus selbständig westwärts.

315 Mit welcher Tierart wird der Marderhund häufig verwechselt?

Die auffällige Gesichtsmaske führt häufig zu Verwechslungen mit dem Waschbär.

316 Wie leben Marderhunde?

Sie führen ein sehr heimliches und weitgehend nächtliches Leben. Den Tag verbringt der Marderhund in selbstgegrabenen Bauen, aber auch in Fuchs- und Dachsbauen oder ähnlichen deckungsgebenden Strukturen. Als einziger Vertreter der Wildhunde hält er eine Winterruhe. Er bellt nicht.

317 In welchen Monaten liegt die Fortpflanzungszeit des Marderhundes?

Die Ranz fällt in den Januar und Februar, die Welpen kommen zwischen März und Mai zur Welt.

318 Welche Biotope bevorzugt der Enok?

In Ostasien sind es Wälder, Sümpfe und Feuchtgebiete der Ebene. Über seine hiesigen Biotopansprüche liegen nur wenige gesicherten Erkenntnisse vor. Offenbar spielen Gewässer für das Vorkommen des Marderhundes eine wichtige Rolle.

319 Wie wird der Marderhund bejagt?

Im Vordergrund stehen die Fangjagd und die Erlegung als Zufallsbeute an der Schwarzwildkirrung. Zur Zeit der Jungenaufzucht dürfen führende Elterntiere nicht erlegt werden.

Ordnung	Raubtiere (Carnivora)
Unterordnung	Landraubtiere
Familie	Kleinbären (Procynoidae)
Gattung	Waschbären (Procyon)

Nordamerikanischer Waschbär *(Procyon lotor)*

Aussehen

Der Balg ist typischerweise von graubrauner Grundfarbe, typisch ist seine schwarze Gesichtsmaske quer über die Wangen- und Augenregion und die schwarz geringelte buschige Rute. Die Körperlänge beträgt bis zu 70 cm, das Gewicht bis zu 6 kg, im Herbst bis zu 10 kg.

Verbreitung und Lebensraum

Der Waschbär wurde aus Nordamerika eingeführt. Er hat sich, nachdem er in den späten 1920er Jahren am Edersee in Nordhessen erstmals ausgesetzt wurde und später auch aus Farmen in die freie Wildbahn gelangte, ständig weiter ausgebreitet. Schwerpunkte seines Vorkommens liegen in Nordhessen und im Raum um Straußberg bei Berlin. Aktuell ist jedoch eine deutliche Ausbreitungstendenz zu verzeichnen, sodass heute bereits in vielen Teilen Deutschlands mit Waschbären von den Tieflagen bis ins hohe Mittelgebirge zu rechnen ist.

Der Waschbär bevorzugt Laubwälder mit ausreichendem Angebot an Feuchtgebieten. Als Unterschlupf dienen ihm je nach Biotop Felsspalten, Erdlöcher und hohle Baumstämme Baumstämme oder Baumhöhlen. Der Waschbär sucht durchaus die Nähe des Menschen, er zeigt auch deutliche Urbanisierungstendenzen.

Nahrung

Der Waschbär ist ein hauptsächlich nachtaktiver Allesfresser. Zum Nahrungsspektrum gehören Kleinsäuger und kleinere Vögel, insbesondere aber Eier, Insekten, Amphibien, Reptilien, Fische und vegetarische Kost. Hier schätzt er besonders Früchte. Er ernährt sich auch von Abfällen. Im Herbst legt er sich eine Winterfeiste an.

Fortpflanzung

Die Ranzzeit liegt im Spätwinter (Februar und März), wofür die Winterruhe unterbrochen wird. Gelegentlich wird die Ranzzeit bis Mai/Juni ausgedehnt. Nach etwa 9 Wochen Tragzeit wölft die Bärin zwei bis fünf Welpen, die etwa drei Wochen lang blind sind (typische „Nesthocker"). Die Jungen werden ca. acht Wochen lang gesäugt. Nach vier Monaten sind die Jungen selbständig. Die Jungbären sind im zweiten Lebensjahr geschlechtsreif.

Prädatoren

Inwieweit Wolf, Luchs oder Seeadler als potentielle Prädatoren der adulten Tiere sowie die kleinen und größeren Eulen als mögliche Prädatoren der Jungtiere einen Einfluss auf die Waschbärenbestände ausüben können, wird die Zukunft zeigen. In Nordamerika werden Waschbären von Wolf und Kojote, vor allem aber vom Puma erbeutet. Daneben spielt für erwachsene Tiere auch der Virginia-Uhu eine Rolle, für Jungtiere verschiedene Raubsäuger und Greifvögel.

Bejagung

Der Waschbär ist Gegenstand der E.U.-Verordnung über die Prävention und das Management der Einbringung und Ausbreitung invasiver gebietsfremder Arten. Wir müssen davon ausgehen, dass er sowohl boden- als auch baumbrütende Vogelarten deutlich beeinträchtigt. Daher ist eine waidgerechte, doch intensive Bejagung erforderlich.

Im Unterschied zur Situation in Nordamerika, wo der Waschbär mit Hunden und Scheinwerfern gejagt wird, ist es mit unseren Jagdmethoden schwierig, diese Art wirkungsvoll zu bejagen. Die Fangjagd verspricht dabei den größten Erfolg. Im Fuchsbau, in dem er manchmal vom Hund gestellt werden kann, ist er für diesen ein schwerer und gefährlicher Gegner.

Fragen

320 Wo ist der Waschbär ursprünglich beheimatet?

Der Waschbär stammt aus Nordamerika und wurde Anfang des 20. Jahrhunderts in Deutschland aktiv angesiedelt (Edersee), später sind auch Tiere aus Pelztierfarmen in die freie Wildbahn gelangt.

321 Woher stammt der Name „Waschbär"?

Der Name kommt von den „waschenden Handbewegungen", mit denen er Nahrungsbrocken säubert. Ob dies auch in freier Natur vorkommt oder nur in Gefangenschaft geschieht, ist unklar. Der Waschbär gehört zu den Kleinbären.

2.72: Waschbär

322 Welche Besonderheit weist die Spur des Waschbären auf?

Der Waschbär ist Sohlengänger und hat im Unterschied zum Marderhund fünf Zehen. Die Spur des Hinterlaufes gleicht dem Abdruck eines Kleinkindfußes. Seine Vorderpranken setzt er geschickt als Greifhände ein. Waschbären schwimmen und klettern gut.

323 Kann der Waschbär auch in der Landwirtschaft zu Schaden gehen?

In Mais- und Getreidefeldern richtet er dadurch oft großen Schaden an, dass er zwar nur einen Teil der Früchte frisst, dabei aber viel zerstört. Auch in Obstkulturen vermag er großen Schaden anzurichten.

324 Welchen Tagesrhythmus haben Waschbären?

Waschbären verschlafen – ähnlich wie die Marder – den Tag in einem Versteck. Sie leben gesellig in Familiengruppen.

325 Wie kann man den Waschbären im Revier nachweisen?

Wegen der Nachtaktivität sind indirekte Nachweise besonders wichtig. Schnee hilft aufgrund der Winterruhe wenig, ansonsten sind die Trittsiegel allerdings typisch. Krallenspuren an Schlafbäumen, glattpolierte Eingänge und Losung auf Ästen sind deutliche Hinweise.

326 Können Verwechslungen mit dem Marderhund vorkommen?

Das ist gerade beim Nachtansitz möglich, aber der Enok hat die typische Canidengangart, während der Waschbär – wegen seiner langen Hinterläufe – schwerfällig läuft und mehr springt.

327 Warum sollten Waschbär und auch Marderhund intensiv bejagt werden?

Bei diesen Arten handelt es sich um sog. Neozoen, die vom Menschen eingeführt wurden. Unsere einheimische Tierwelt ist an diese Raubsäuger nicht angepasst, sodass durch Konkurrenz oder durch Prädation einheimische Tiere zurückgedrängt werden können. So erbeutet der Waschbär beispielsweise häufig die vom Aussterben bedrohte Europäische Sumpfschildkröte und dezimiert die Gelege zahlreicher boden- aber auch baumbrütender Vogelarten.

328 Wie wird der Waschbär bejagt?

In erster Linie durch die Fangjagd. Dabei dürfen (selbst dort, wo sie noch gesetzlich zugelassen sind) keine Totschlagfallen eingesetzt werden, da der Waschbär den Köder nicht mit dem Fang, sondern mit den Branten nimmt. Ansonsten wird der Waschbär gelegentlich als Zufallsbeute beim Ansitz auf Schwarzwild oder bei der Stöberjagd erlegt. Ein Problem stellt die Tatsache dar, dass die Setz- und Aufzuchtzeit beim Waschbären nicht ganz klar abgegrenzt ist und man vom Frühjahr bis in den Herbst mit führenden Elterntieren rechnen muss.

Ordnung	Raubtiere (Carnivora)
Unterordnung	Landraubtiere
Familie	Marder (Mustelidae)
Gattung	Eigentliche Marder (Martes)

Edel- oder Baummarder *(Martes martes)* und Steinmarder *(Martes foina)*

Aussehen

Baum- und Steinmarder haben einen langgestreckten Körper mit relativ kurzen Läufen und langer, buschiger Rute. Die Oberseite ist rötlichbraun bis dunkelbraun gefärbt, auffallend ist der helle Kahlfleck. Unterwolle und Kehlfleck sind beim Baummarder gelblich, beim Steinmarder

M_1 beim Steinmarder deutlich gekerbt (außen), beim Baummarder fehlt diese Kerbung.
P_3 ist beim Steinmarder außen konvex, beim Baummarder konkav.

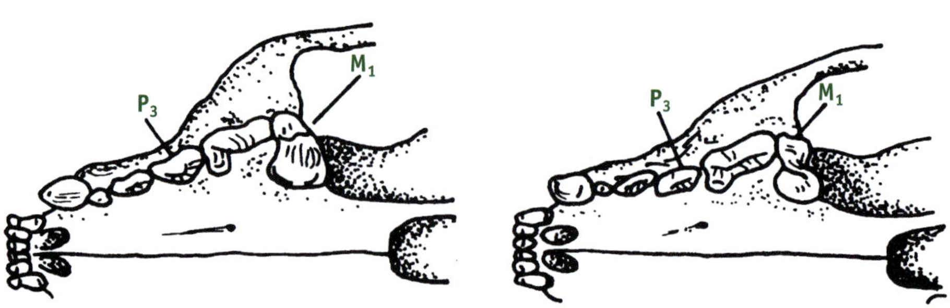

2.73: Zahnvergleich Baummarder (links) und Steinmarder (rechts)

reinweiß. Im übrigen ist der Kehlfleck beim Baummarder eher unregelmäßig-rundlich, beim Steinmarder eher gegabelt und bis auf die Vorderläufe reichend. Die Form des Kehlflecks ist allerdings bei beiden Arten sehr variabel. Der Nasenspiegel ist beim Baummarder eher dunkel, beim Steinmarder eher hell.

Am lebenden Tier ist die Unterscheidung nur möglich, wenn die äußeren Unterscheidungsmerkmale idealtypisch ausgeprägt sind und aus nächster Nähe angesprochen werden können. Diese Merkmale sind allerdings bei der heute vorkommenden Vielzahl von Farbvariationen beider Marderarten keine exakten Ansprechmerkmale mehr.

Beim Baummarder sind die Sohlen deutlich behaart, beim Steinmarder eher glatt.

Bei gleicher Zahnformel unterscheiden sie sich Baum- und Steinmarder am sichersten in der Form des letzten Backenzahns (M1) und des dritten vorderen Backenzahns (P3).

Verbreitung und Lebensraum

Beide Marderarten sind über weite Teile Europas und Zentralasiens verbreitet. Dabei fehlt der Steinmarder in Skandinavien und auf den britischen Inseln, kommt aber im gesamten Mittelmeerraum vor. Das Verbreitungsgebiet des Baummarders erstreckt sich nicht so weit nach Süden und Osten, er fehlt im Süden Spaniens und Portugals und kommt nur bis ins westliche Sibirien, auf dem Kaukasus und nach Kleinasien vor. Dafür finden wir ihn aber auf den britischen Inseln und in weiten Teilen Skandinaviens.

Der Baummarder ist, wie der Name bereits sagt, eine typische Waldart, sein Lebensraum sind große Waldgebiete. Er bevorzugt Laubmischwälder, wobei er durchaus auch in reinen Nadelwäldern zu finden ist, wie auch die englische Bezeichnung („pine marten") andeutet. Auch Waldrandbereiche werden vom Baummarder besiedelt.

Der Steinmarder ist demgegenüber mehr Kultur- und Zivilisationsfolger, lebt im Halboffenland und kommt auch in menschlichen Siedlungen in hoher Dichte vor.

Nahrung

Die Hauptnahrung beider Arten besteht aus Mäusen, Ratten, Kleinvögeln, Beeren und Obst. Im Spätsommer bis Winter ist der Anteil der pflanzlichen Kost sehr hoch. Daneben werden auch junge Hasen und Kaninchen, Vögel und insbesondere vom Baummarder gerne auch Eichhörnchen erbeutet. Der Marder nimmt gerne Eier, die er oft weit verschleppt. Um ein Ei für den Transport richtig fixieren zu können, hält es der Marder zunächst mit den Vorderbranten fest und schiebt den weit aufgerissenen Fang vorsichtig darüber. Wenn er in Ställe oder Fasanerien eindringen kann, tötet er Geflügel bis aufs letzte Stück, da ihn heftiges Geflatter reizt (sog. „überoptimale Reizsituation"). Zum Nahrungsspektrum zählen auch Fallwild und Aas.

Fortpflanzung

Die Ranzzeit der echten Marder fällt in die Zeit der Rehbrunft (Juli/August). Nach einer Tragzeit von ca. 9 Monaten (Keimruhe!) bringt die Fähe im März bis April ihr aus ca. zwei bis vier Jungen bestehendes Geheck. Die Jungen sind behaart, aber ca. 38 Tage blind und werden acht Wochen gesäugt. Kreuzungen zwischen Baum- und Steinmarder gibt es nicht.

2.74: Baummarder

2.75: Steinmarder

Prädatoren

Als Prädatoren der Marderarten kommen Wolf, Luchs, Fuchs und verschiedene Greifvogelarten, insbesondere Stein- und Seeadler, Habicht und Uhu in Frage. Welchen Einfluss diese Arten auf die Bestände ausüben, ist weitgehend unklar.

Bejagung

Man fängt Marder typischerweise in Fallen (Kastenfallen und ggf., wo zulässig, Abzugseisen). Beim Ansitz sind sie eher Zufallsbeute, doch lassen sich Marder auch mit Obst ankirren. Sehr erfolgreich ist das Ausneuen: man verfolgt die Spur eines Marders im frischen Schnee bis zu seinem Tagesversteck, das man oft daran erkennt, dass der Marder Losung absetzt oder nässt, bevor er aufbaumt. Beim Baummarder gilt es, die Baumkrone nach seinem Unterschlupf abzusuchen, um ihn aus seinem Versteck herauszuklopfen und zu erlegen. Der Steinmarder steckt sich in Reisig-, Steinhaufen oder Holzstapel. Diese werden umgeschichtet, bis der Marder springt. Steinmarder kann man aus Heuböden etc. auch ausklopfen.
Zu beachten ist, dass der Baummarder derzeit nicht in allen Bundesländern eine Jagdzeit hat.

Fragen

329 Welches ist der Lebensraum von Baum- und Steinmarder?

Der Baummarder ist ein typischer Wald- oder Waldrandbewohner, während der Steinmarder ursprünglich eher in halboffenen, felsigen Landschaften beheimatet war. Heute finden wir den Steinmarder als Kultur- und Zivilisationsfolger vor allem in und um menschliche Siedlungen.

330 Wie unterscheiden wir Baum- und Steinmarder?

Der Baummarder hat insgesamt eine gelbliche, der Steinmarder eine eher weiße Unterwolle und einen ebensolchen Kehlfleck. Letzterer ist beim Baummarder mehr abgerundet, beim Steinmarder mehr gegabelt und oft bis auf die Vorderläufe reichend. Die Kehlflecke sind aber ein eher unsicheres Merkmal, da sehr variabel. Weitere eher unsichere Merkmale sind auch die Farbe des Nasenspiegels und die Behaarung der Sohlen (beim Baummarder behaart, beim Steinmarder unbehaart). Das sicherste morphologische Unterscheidungsmerkmal ist die Form des dritten vorderen Backenzahns (P3).

331 Welche anderen Bezeichnungen sind für Baum- und Steinmarder noch im Sprachgebrauch?

Baummarder: Gelbkehlchen, Edelmarder, Goldmarder, Waldmarder. Steinmarder: Weißkehlchen, Hausmarder, Dachmarder.

332 Wann ist die Fortpflanzungszeit von Baum- und Steinmarder und welche Besonderheit zeigen die Marder diesbezüglich?

Die Fortpflanzungszeit (Ranzzeit) ist im Juli/August. Damit die Jungen zu einem günstigen Zeitpunkt im Frühjahr zur Welt kommen, kommt es zu einer Keimruhe.

333 Woran erkennt man Marderlosung?

Im Herbst ist die Losung der Marder oft mit Beerenresten durchsetzt, sie ist in ihrer Wurstform etwas gedreht.

334 Hält der Steinmarder feste Pässe ein?

Er hält nicht nur bestimmte Pässe ein, sondern er durchstreift sein Revier auch in einem regelmäßigen Turnus. So kehrt der Steinmarder im Abstand von einigen Tagen an dieselben Stellen zurück.

335 Wie schädigt der Steinmarder Kraftfahrzeuge und was kann man dagegen tun?

Sein naturgegebenes Spiel- und Territorialverhalten lässt die Tiere immer wieder in den Motorraum geparkter Autos eindringen. Dort kommt es häufig zum Zerbeißen von Gummi- und Kunststoffteilen (am ehesten Erkundungs- und Spielverhalten).
Durch lockeres Auslegen eines entsprechend großen Stückes Kaninchendraht unter dem Motorraum kann man den Marder am ehesten davon abhalten, in denselben einzudringen, da er ein solches Gittergeflecht ungern betritt.

336 Wie bejagt man Baum- und Steinmarder?

Am effizientesten ist die Fangjagd, entweder mit Kastenfallen oder, sofern erlaubt, mit dem Abzugseisen (Eiabzugseisen). Eine weitere Jagdart, insbesondere auf den Steinmarder, stellt das Ausneuen dar.

Ordnung	Raubtiere (Carnivora)
Unterordnung	Landraubtiere
Familie	Marder (Mustelidae)
Gattung	Erd- und Stinkmarder (Mustela)

Iltis *(Mustela putorius)*

Aussehen

Der Iltis, neben der Schleichkatze das älteste europäische Raubtier, unterscheidet sich äußerlich zunächst einmal durch die „Verkehrtfärbung" vom Marder. Der Iltis hat im Unterschied zu den

Mardern einen hellen Rücken mit gelblicher Unterwolle und eine dunkle Bauchseite. Eine weiße Nasenspitze, ein weißes Kinn und die gelbliche Färbung der Kopfseiten und Ränder der rundlichen Ohrmuscheln geben dem Kopf eine auffällige Färbung. Er ist kleiner als Baum- und Steinmarder, wobei sich die Fähe wie beim Hermelin noch einmal mit ca. 30 cm Körperlänge deutlich in der Größe vom Rüden mit ca. 50 cm Körperlänge unterscheidet. Der Iltisschädel hat eine deutlich höhere Stirnleiste, zudem weist das Iltisgebiss mit 34 Zähnen vier weniger auf als das der Marder.

Verbreitung und Lebensraum

Der Iltis lebt in weiten teilen Mittel- und Südeuropas und bis in Höhen von 2000 m auch in den gemäßigten Gebieten Asiens und Nordafrikas. In Australien wurde er der zur Eindämmung der Kaninchenplage angesiedelt. In Eurasien kann man einen östlichen Ökotyp, den Steppeniltis, und eine westliche Form, den Waldiltis, unterscheiden.
Der Iltis ist neben Fischotter und Nerz die am weitesten ans Wasser angepasste Marderart. Die Art ist in sehr unterschiedlichen, aber immer von Gewässern beeinflussten, Lebensräumen heimisch.

Nahrung

Der hauptsächlich nachtaktive Iltis ernährt sich vornehmlich von Mäusen (bis zu 70 %), Ratten („Ratz"), Kaninchen, Amphibien, Kriechtieren, Fischen, Gelegen bodenbrütender Vogelarten und seltener von Beeren und Obst. Tagsüber schläft der Iltis tief und fest, daher auch der Ausdruck „schlafen wie ein Ratz". Eine Besonderheit ist die Anlage von Futterdepots, die zum großen Teil aus durch Biss gelähmten Fröschen oder anderen Lurchen bestehen.

Fortpflanzung

Die Ranzzeit fällt in die Monate März bis Juni. Die Fähe bringt nach ca. sechs Wochen ein Geheck von drei bis 10 Jungen, behaart und blind zur Welt. Nach ca. vier Wochen öffnen diese typischen Nesthocker die Augen. Das Geheck wird oft in einem Kaninchenbau oder einem ausgepolsterten Versteck unter Reisighaufen, Holzpoltern oder in Scheunen gewölft. Es bleibt ca. drei Monate zusammen. Die Fähe zieht die Jungen alleine auf.

Prädatoren

Prädatoren sind größere Landraubtiere, Greifvögel wie etwa der Habicht oder der Seeadler und größere Eulen, insbesondere der Uhu.

Bejagung und Hege

Der Iltis hat nicht mehr in allen Bundesländern eine Jagdzeit. Wo er noch bejagt wird, erfolgt dies vor allem durch Fallen, wobei grundsätzlich Lebendfallen eingesetzt werden sollten, um versehentliche Fänge des Fischotters zu vermeiden. Im übrigen ist der Iltis allenfalls Zufallsbeute beim Ansitz.
In einigen Regionen ist der Iltis in den letzten Jahrzehnten seltener geworden. Die Gründe hierfür liegen sicher nicht in der Bejagung, doch sie sind letztlich noch weitgehend unklar. Ob hier chronische Vergiftungen, etwa durch die in weltweit in nahezu allen Ökosystemen als Verunreinigung vorhandenen polychlorierten Biphenyle (PCB) eine Rolle spielen, oder ob sich der Iltis vom Lebensraumverlust in der Mitte des 20. Jahrhunderts noch nicht wieder erholt hat, bleibt unklar. Die Erhaltung und Renaturierung von Gewässern und Feuchtgebieten hat auch auf den Iltis positive Auswirkungen.

Fragen

337 Welche typische Körperhaltung kann man beim laufenden Iltis beobachten?

Der Iltis macht beim Laufen einen angehobenen Buckel.

338 Wie nennt man den Iltis noch?

Verbreitet sind die Bezeichnungen Ratz, Stinkmarder, Ilk und Stänker. Den Namen verdankt er den Drüsen am Weidloch, die wie bei Nerz und Wiesel in der Erregung ein für den Menschen widerlich riechendes Sekret absondern.

339 Welches ist die Hauptbeute des Iltis?

Er ernährt sich hauptsächlich von Mäusen und Ratten. Aber auch Amphibien und Reptilien sowie Gelege bodenbrütender Arten sind wichtige Bestandteile des Beutespektrums.

340 Wie sehen Eier aus, welche der Iltis im Fang getragen hat?

Sie haben durch den Einbiss der Eckzähne quer zum Ei fast viereckige Löcher.

341 Greifen Iltisse in Fischbesätze ein?

Als Bodenbewohner klettert der Iltis wenig, ist aber dafür ein ausgezeichneter Schwimmer und Taucher. Daher gehören auch Fische zu seinem Nahrungsspektrum. Ob er dabei jedoch signifikant in die Besätze eingreift, ist ausgesprochen zweifelhaft.

342 Kann man Iltisspuren von Spuren des Baum- oder Steinmarders unterscheiden?

Zunächst einmal gibt es einen wichtigen Unterschied bei den Bewegungsarten. Im Unterschied zu den guten Kletterern Baum- und Steinmarder kann der Iltis überhaupt nicht klettern. Da die Sprünge des Iltis kürzer sind und die Branten kleiner als die der echten Marder, ergibt sich ein anderes Sprungbild.

343 Was ist ein Frettchen?

Es ist die domestizierte Form des Iltis. Gelblichweiß gefärbte Tiere mit roten Augen bezeichnet man als Albinofrettchen, wildfarbene Tiere als Iltisfrettchen. Seit der Römerzeit wird das Frettchen zur Kaninchenjagd verwendet. Man setzt Frettchen zum Frettieren, d.h. zum Sprengen von Kaninchen aus dem Bau, ein.

2.76: Iltis am Wasser, wo er sich gerne aufhält

Ordnung	Raubtiere (Carnivora)
Unterordnung	Landraubtiere
Familie	Marder (Mustelidae)
Gattung	Erd- und Stinkmarder (Mustela)

Hermelin *(Mustela erminea) und Mauswiesel (Mustela nivalis)*

Aussehen

Äußerlich unterscheiden sich die beiden Wieselarten zunächst dadurch, dass das Große Wiesel oder Hermelin doppelt so groß ist wie das Kleine oder Mauswiesel, allerdings gibt es dabei starke Differenzen nach Alter und Geschlecht. Das Mauswiesel ist das weltweit kleinste bekannte Raubtier.

Das Mauswiesel hat ganzjährig eine hellgrau-braune Balgoberseite und eine hellere Bauchseite. In bestimmten Lebensräumen kommt aber auch ein Verfärben in ein weißes Winterkleid vor. Die ca. fünf cm lange Rute ist einfarbig wie der Balg, d.h. ohne schwarze Spitze.

Das Große Wiesel hingegen hat im Sommer einen an der Oberseite rot-braunen und unterseitig weißen, manchmal auch gelblichen Balg und sind im Winter typischerweise völlig weiß mit schwarzer Rutenspitze. Die Rute ist 10 bis 12 cm lang.

Verbreitung und Lebensraum

Die beiden Wieselarten sind zirkumpolar über die gesamte Nordhalbkugel verbreitet, also in Nordamerika, Europa und Asien, wobei das Hermelin im Norden bis in subarktische Regionen vorkommt, dafür aber in Südeuropa fehlt, während das Mauswiesel deutlich weiter im Süden und auch in Nordafrika heimisch ist. In Neuseeland wurde das Hermelin vom Menschen angesiedelt. Wiesel leben im Offenland, geschlossene Wälder meiden sie. Als Deckung und Unterschlupf bevorzugen sie Steinhaufen und Hecken. Besonders das Kleine Wiesel nutzt als Versteck auch Maulwurfsgänge und Wühlmausnester. Im Winter sind Wiesel gelegentlich in den Mäusegängen unter der Schneedecke zu finden.

Nahrung

Das Mauswiesel ist wie kaum ein anderes Landraubtier von einer einzigen Beute, den Kleinsäugern, insbesondere Mäusen, abhängig. Dementsprechend schwanken auch die Wieselbestände mit guten und schlechten Mäusejahren stark.

Das Große Wiesel ernährt sich daneben in größerem Umfang auch von Kriechtieren, Lurchen und Insekten, von Bodenbrütern und deren Gelegen sowie von anderen Kleinsäugern bis hin zum Kaninchen.

Fortpflanzung

Die Ranzzeit beider Wiesel fällt in das Frühjahr (Februar/März) oder den Sommer.

Der Hermelin hat grundsätzlich eine verlängerte Tragzeit von bis zu 10 Monaten, d.h. die befruchtete Eizelle nistet sich erst im März des Folgejahres ein, sodass die eigentliche Tragzeit dann nur vier Wochen beträgt. Das Mauswiesel trägt dagegen vier bis fünf Wochen, wobei eine feste Ranzzeit nicht überall zu beobachten ist. Unklar ist auch, wie oft beim Mauswiesel ebenfalls eine Keimruhe vorkommt. Hermeline bringen meist drei bis 18, Mauswiesel drei bis zehn Junge zur Welt, wobei die Zahl der Jungtiere vor allem von der Nahrungssituation (war z.B. das Vorjahr ein „Mäusejahr"?) abhängt.

Prädatoren

Prädatoren sind größere Landraubtiere, für das Mauswiesel auch das Hermelin, sowie viele Greifvögel und Eulen.

Bejagung

Nur zufällig kann man ein Wiesel mit der Flinte erlegen. Systematisch und erfolgreich kann die Fangjagd betrieben werden. Der Einsatz der typischen Wippbrettfalle ist heute jedoch nicht unumstritten, die zwar grundsätzlich lebend fängt, doch kommen Wiesel darin nicht selten vermutlich durch Unterkühlung zu Tode. Zudem hat in den meisten Bundesländern ausschließlich das Hermelin eine Jagdzeit. Daher müssen Wippbrettfallen heute grundsätzlich eine Öffnung aufweisen, welche Mauswiesel entweichen lässt.
Nicht selten kommen Mauswiesel auch als Beifang in Wühlmausfallen zu Tode, den der Einsatz solcher Fallen durch Gartenbesitzer ist somit aus ökologischer Sicht ausgesprochen fragwürdig

Fragen

344 Welches ist das kleinste Raubtier der Welt?

Das Mauswiesel.

345 Der Iltis klettert nicht, wie ist das bei den Wieseln?

Die Geschicklichkeit des Wiesels ist sprichwörtlich („wieselflink"), es schwimmt sehr gut und kann auch problemlos auf Bäume klettern, z.B. auf Kopfweiden, den beliebten Brutstätten von Stockenten.

346 Kann man durch Spuren Rückschlüsse auf Wieselvorkommen schließen?

Nur selten, da die Trittsiegel wegen des relativ geringen Gewichtes meist nur im Schnee oder auf weichem, blankem Boden deutlich sichtbar abgedrückt sind.

2.77: Mauswiesel im Größenvergleich

2.78: Hermelin im Winterkleid

2.79: Hermelin im Sommerkleid

347 Welches ist die Hauptbeute der Wieselarten?

Beide Wiesel leben zum überwiegenden Teil von Mäusen.

348 Gibt es auch ein „Zwergwiesel"?

Ja, dabei handelt es sich um einen Ökotyp des Mauswiesels, die in den Alpen und Skandinavien vorkommt und sich im Winter weiß färbt.

349 Welche Bedeutung hat die Weißfärbung im Winter?

Neben der Tarnwirkung auf Schnee reflektiert der weiße Balg die vom Körper nach außen abgegebene langwellige (Wärme)strahlung nach innen und verhindert so ein Auskühlen. Dies ist gerade bei kleinen Tieren wie den Wieseln von großer Bedeutung.

350 Müssen Wiesel bejagt werden?

Wiesel sind in ihrer Populationsdynamik in hohem Maße abhängig von der Entwicklung der Mäusepopulationen. Daher regulieren sich die Wieselarten auch selbst. Dennoch macht es in Niederwildrevieren durchaus Sinn, das große Wiesel zu bejagen. Dabei kommt vor allem die Fangjagd in Frage. Im urbanen Raum erscheint es sinnvoll, die Wiesel schonen, da sie wichtige Prädatoren der Wühlmäuse und Maulwürfe sind.

351 Wie kann das erlegte Hermelin genutzt werden?

Das Wiesel kann vorsichtig abgebalgt und der Balg gegerbt werden.

Ordnung	Raubtiere (Carnivora)
Unterordnung	Landraubtiere
Familie	Marder (Mustelidae)
Gattung	Erd- und Stinkmarder (Mustela)

Europäischer *(Mustela lutreola)* und Amerikanischer Nerz *(Mustela vison)*

Der Europäische Nerz ist in Mitteleuropa praktisch ausgestorben. Restvorkommen gibt es mit Sicherheit in Osteuropa. In Deutschland gab und gibt es verschiedene Wiederansiedlungsprojekte, z.B. am Steinhuder Meer in Niedersachsen.

Der Nerz ähnelt dem Iltis: er ist dunkler gefärbt, seine Gesichtszeichnung weniger lebhaft (nur ein weißer Fleck am Unterkiefer). Er ist stärker an Wasser gebunden als der Iltis, weshalb er auch Sumpfotter genannt wird. Im Flachland waren Moorgebiete und Flussufer seine Lebensräume. Der Nerz hat angedeutete Schwimmhäute zwischen den Zehen. Aus Pelztierzuchten entwichene Amerikanische Nerze oder Minke sind in Ausbreitung begriffen. Der Amerikanische Nerz ist konkurrenzstärker, er besetzt die gleichen Lebensräume und verdrängt so den Europäischen Nerz.

2.80: Nerz

Ordnung	Raubtiere (Carnivora)
Unterordnung	Landraubtiere
Familie	Marder (Mustelidae)
Gattung	Dachse (Meles)

Europäischer Dachs *(Meles meles)*

Aussehen

Auffällig sind der plumpe, auf kurzen Läufen stehende Körper, der vergleichsweise kleine Kopf und der kurze Schwanz (Bürzel). Der Kopf ist auffällig schwarzweiß gestreift, die Körperunterseite ist dunkler als der Rücken („Verkehrtfärbung" wie auch beim Iltis). Die Schwarte hat langes, steifes Grannen- und weiches Unterhaar. Die Länge des Dachses bis zum Pürzel beträgt bis zu 90 cm, das Gewicht bis zu 15 kg, selten auch mehr.

Verbreitung und Lebensraum

Der Dachs ist über ganz Europa (im Norden bis etwa zum 65. Breitengrad, in Russland etwas weiter nördlich) verbreitet. Im Südosten reicht sein Verbreitungsgebiet über den Kaukasus bis nach Kleinasien. Dachse fehlen auf den meisten Mittelmeerinseln.

Der Dachs lebt gerne im Wald, insbesondere in Laub- und Mischwäldern, ernährungsbedingt bevorzugt er dabei Waldrandlagen mit Feld- und Wiesenanschluss. Er kommt allerdings auch in der Agrarlandschaft und selbst in der deckungslosen Agrarsteppe vor.

Nahrung

Der Dachs ist ein typischer Allesfresser (Mäuse, Gelege, Jungwild, Schnecken, Würmer, Kriechtiere, Insekten, Wurzeln, Nüsse, Beeren, Obst, Getreide, Mais), das kräftige, aber stumpfe Gebiss mit Mahlzähnen lässt auch die Nutzung harter Baumfrüchte zu. Der Dachs findet die meiste Nahrung unter der Erde (zu einem großen Teil Regenwürmer), indem er mit den kräftigen Vorderbranten trichterförmige Löcher gräbt (er „sticht" nach Nahrung). Da er auch gern Getreide oder aber reifende Maiskolben annimmt, kann er im Feld Schäden verursachen.

Fortpflanzung

Die Ranzzeit des Dachses ist im Hochsommer (Juli/August). Ähnlich wie bei Reh, Seehund oder Baum- und Steinmarder macht das befruchtete Ei bis Dezember eine sogenannte Keimruhe durch. Nach einer Tragzeit von sieben Monaten wirft die Fähe in einem warm ausgepolsterten Kessel zwei bis fünf Junge, die erst nach vier Wochen sehen können. Ab Mitte April spielen sie vor dem Bau.

Im Unterschied zum Geheck der Füchse, das sich im Herbst auflöst, bleiben Jungdachse über den Winter im Mutterbau. Der Sozialverband löst sich dann erst im darauf folgenden Jahr auf. Manche Jungdachse bleiben allerdings bei der Familie.

Dachse sind erst im dritten Jahr geschlechtsreif und kommen daher nur auf ca. ¼ der Vermehrungsrate des Fuchses.

Prädatoren

Der Wolf und ggf. große Greifvögel wie der Seeadler kommen als Prädatoren in Frage, spielen aber praktisch kaum eine Rolle. Nässe und Kälte verursachen eine Jugendsterblichkeit von ca. 25 % des Besatzes.

Bejagung

Der Dachs wird typischerweise durch die Baujagd, aber auch beim Ansitz an der Schwarzwildkirrung erbeutet.
Derzeit kann und soll der Dachs wieder nachhaltig bejagt werden, nachdem er über einige Jahrzehnte durch die Fuchsbaubegasung örtlich sehr selten gewesen war.

Fragen

352 Wie unterscheidet sich der Dachs- vom Fuchsbau?

Der Kessel ist ständig mit Laub, Moos oder Farn ausgepolstert (im Unterschied zum Fuchsbau). Es ist nicht selten, dass in den geräumigen Bauen neben dem Dachs auch etwa der Fuchs – natürlich durchweg in verschiedenen Kesseln und Etagen – lebt.

353 Wie lebt der Dachs?

Der Dachs, auch „Meister Grimbart" oder „Schmalzmann" genannt, lebt gesellig, oft in größeren Familienverbänden. Dachse sind ausgesprochene Nachttiere, die tagsüber ihren Bau als Unterschlupf nutzen. Das Sehvermögen ist vergleichsweise schlecht, der Geruchssinn dagegen sehr gut und das Gehör mäßig ausgebildet.

354 Welche Besonderheit weist der Dachs hinsichtlich seiner Fortpflanzung auf?

Die Ranzzeit des Dachses ist im Juli/August. Das befruchtete Ei durchläuft bis Dezember eine sogenannte Keimruhe.

355 Wie verbringt der Dachs die Wintermonate?

Der Dachs hält eine Winterruhe. Bei höheren Temperaturen oder Hunger verlässt er zwischendurch den Bau. Während der Zeit der Winterruhe lebt der Dachs von seinen Fettreserven, denn bis zum Herbst hat er eine entsprechende Feistschicht angelegt.

356 Ist der Dachs essbar?

Bei einem Lebendgewicht von bis zu 20 kg ist der Kern des Dachses geräuchert als Leckerbissen be-

2.81: Dachs

kannt, ebenso Dachsschinken. Eine Trichinenschau ist vor der Zubereitung gesetzlich vorgeschrieben.

357 Welche Bedeutung hat der Dachs für die Naturheilkunde?

Das Feist des Dachses (Dachsschmalz) wird als Heilmittel genutzt.

358 Welche anatomische Besonderheit findet man am Dachsschädel?

Der Knochenkamm (Dachshelm) über dem Scheitelbein ist (besonders bei älteren Rüden) sehr stark ausgeprägt (ca. 10 bis 20 mm hoch). Der Unterkiefer ist in der Gelenkpfanne des Schädels fest verankert und nur mit Gewalt von ihr zu trennen. Auffallend sind auch die als Mahlzähne ausgebildeten Prämolaren und Molaren.

359 Welche Besonderheit kennen wir vom Dachs beim Absetzen der Losung?

Er gräbt zum Absetzen der Losung „Dachsaborte" in Baunähe. Das sind trichterförmige, faustgroße Vertiefungen im Boden (Bestätigung eines Dachsbaues).

360 Warum fallen dem Jäger Dachsspuren beim Reviergang leicht ins Auge?

Bei entsprechendem Untergrund erkennt man sie deutlich am „Nageln", dem Abdrücken der fünf langen Nägel der Vorderläufe (s. Abb. 2.70).

Ordnung	Raubtiere (Carnivora)
Unterordnung	Landraubtiere
Familie	Marder (Mustelidae)
Gattung	Otter (Lutra)

Fischotter *(Lutra lutra)*

Aussehen

Der Fischotter ist ein langgestreckter, schlanker, sehr beweglicher Wassermarder, der nur aufgrund seiner kurzen Läufe gedrungen wirkt. Die Hand- und Fußflächen dieser Läufe sind nackt und die fünf Zehen sind mit Schwimmhäuten versehen. Der Körper wirkt insgesamt spindelförmig, die Ghöre sind klein. Bei einer Gesamtlänge von ca. 1,35 m kann er ein Gewicht von 12 kg erreichen. Durch den Abdruck der Schwimmhäute lässt sich seine Spur klar identifizieren. Der erdbraune Balg ist außerordentlich dicht behaart, die Haarspitzen sind dunkel. An der Kehle, der Körperunterseite, den Gehören und dem Fang ist er heller gefärbt. Am Kopf fallen die deutlich ausgeprägten Vibrissen (Tasthaare) auf.

Verbreitung und Lebensraum

Das Verbreitungsgebiet des Eurasischen Fischotters umfasste ursprünglich ganz Europa und große Teile Asiens und Nordafrikas.

Im vergangenen Jahrhundert war der Fischotter in Mitteleuropa vom Aussterben bedroht, während eine nord- und eine osteuropäische Population immer stabil waren. In den letzten Jahrzehnten kommt es nun zu einer Wiederbesiedlung aus diesen verbliebenen Restpopulationen im Norden und vor allem im Osten, sodass die Bestände in Schleswig-Holstein, Niedersachsen, in Sachsen, Bayern, Brandenburg und Mecklenburg-Vorpommern wieder zunehmen und eine entsprechende Ausbreitungstendenz von Ost nach West, aber auch von Nord nach Süd zu erkennen ist, sodass wir Fischotter heute wieder in allen Bundesländern in zunehmender Zahl antreffen können.
Der Otter ist die am meisten an das Wasser angepasste Marderart. Er bevorzugt klare, rasch strömende Flüsse mit steinigem Bett und möglichst unzugänglichen, bewaldeten Flussufern. In Niederungen bevölkert er auch große Seen mit ausreichender Ufervegetation. Bei Gefahr flieht der Otter stets ins Wasser. Zum Ein- und Ausstieg benutzt er meist die gleiche Uferstelle. Diese ist im Gelände durch die fehlende Vegetation bzw. den durch das Rutschen ins Wasser niedergedrückten Schnee gut erkennbar.

Nahrung

Wie der Name schon sagt, ernährt sich der Fischotter ganz überwiegend (bis zu 97 %) von Fischen, die er geschickt unter Wasser jagt. Er nimmt nur tierische Nahrung zu sich, die je nach saisonalem Angebot auch aus Fischbrut, Fröschen, bodenbrütenden Vögeln und deren Gelegen sowie Mäusen besteht.

Fortpflanzung

Die Hauptranzzeit des Fischotters liegt im Februar und März. Nach einer Tragzeit von ca. 60 Tagen kommen ein bis vier Jungtiere in einem Bau zur Welt. Sie sind bei der Geburt blind und öffnen mit gut vier Wochen die Augen. Ab der sechsten Lebenswoche schwimmen sie selbständig. Weibchen sind mit knapp zwei Jahren, Männchen etwas später geschlechtsreif.
Die Tatsache, dass Jungtiere beim Fischotter zu unterschiedlichsten Jahreszeiten anzutreffen sind, gab früher zu verschiedenen Spekulationen über die Auslösung der Ranzzeit Anlass. Am wahrscheinlichsten ist die Hypothese, dass die Begegnung von Rüde und Fähe (beide leben für sich territorial) bei der Fähe einen Eisprung auslösen kann.

Prädatoren

Seeadler und ggf. Wolf kommen als Prädatoren in Frage.

Hege

Der Rückgang der Fischotterbestände im letzten Jahrhundert hat verschiedene Uraschen. Einerseits wurde die Art im 19. und frühen 20. Jahrhundert als Konkurrent der Fischerei und Teichwirtschaft intensiv verfolgt. Dies konnte erst durch die Jagdgesetzgebung im ersten Drittel des 20. Jahrhunderts wirksam verhindert werden. Darüber hinaus ist der Fischotter aber auch ein Prädator am Ende einer sog. „verkürzten Nahrungskette“, der sehr anfällig für die Anreicherung von Schad-

2.82: Fischotter

stoffen im Körper ist. Somit sieht in man der verbreiteten Gewässerverschmutzung im 20. Jahrhundert zusammen mit dem gleichzeitigen Lebensraumverlust (Begradigung größerer und Zerstörung vieler Kleingewässer) ebenfalls einen wichtigen Grund für den drastischen Rückgang dieser Art. Hinzu kamen und kommen immer wieder Verluste durch Unfälle in Fischreusen, in die der Otter, angelockt durch die Fische, zwar hinein, aber nicht mehr herauskommt und ertrinkt. Derzeit erholt sich der Fischotterbestand. Allerdings finden wir eine hohe Mortalität auf Straßen, sodass neben dem Erhalt von Lebensräumen der Schaffung bzw. Unterstützung geeigneter Querungshilfen sowie der Verwendung von Fischreusen mit entsprechenden „Fluchtklappen" in Zukunft wohl die größte Bedeutung unter den Hegemaßnahmen zukommen wird. Auch an Wiederansiedlungsprojekten beteiligen sich Jägerschaften aktiv.
In Deutschland ist der Fischotter ganzjährig geschont.

Fragen

361 Welche Merkmale zeigen die gute Anpassung des Fischotters an die Lebensweise am und im Wasser?

Der Otter besitzt einen langgestreckten, „stromlinienförmigen" Körper, welcher dem Wasser wenig Widerstand entgegensetzt. Die Gehöre sind klein und liegen mit Augen und Nase auf einer Linie, sodass beim Schwimmen alle drei Sinnesorgane sich oberhalb der Wasseroberfläche befinden. Die Zehen sind mit Schwimmhäuten versehen. Der Balg ist sehr dicht behaart und dadurch wärmeisolierend und wasserabweisend. Mit den ausgeprägten Vibrissen kann der Otter auch unter Wasser die Bewegungen seiner Beutetiere wahrnehmen.

362 Wo kommt der Fischotter in Deutschland und seinen Nachbarländern vor?

Früher war der Fischotter in ganz Deutschland heimisch. Im vergangenen Jahrhundert sind die Bestände bis auf wenige Restvorkommen im Osten und Norden sowie vereinzelt in den zentralen Mittelgebirgen Deutschlands zurückgegangen. In den letzten Jahrzehnten kommt es nun zu einer Wiederbesiedlung aus diesen verbliebenen Restpopulationen im Norden und vor allem im Osten. Derzeit nehmen die Bestände von Schleswig-Holstein, Niedersachsen, Sachsen, Bayern und Brandenburg aus wieder zu und besiedeln auch wieder Regionen, in denen der Fischotter nahezu ausgestorben war. So kommt der Fischotter heute in weiten Teilen Schleswig-Holsteins, Mecklenburg-Vorpommerns, Brandenburgs, Sachsens, Bayerns sowie in Österreich und Tschechien oder Dänemark wieder in stabilen Teilpopulationen vor. Im übrigen Mitteleuropa zeigen sich ebenfalls Bestandeszunahmen und eine weitere Wiederbesiedlung der Gewässer.

363 Wie kann man sich die Lebensweise der Otter vorstellen?

Sie sind vorwiegend dämmerungs- und nachtaktiv, an ruhigen ungestörten Plätzen kann man sie auch tagsüber – vor allem im Winter – beim Sonnenbaden beobachten. Der hervorragende Schwimmer bewegt sich auch an Land schnell und ausdauernd, er kann klettern. Otter sind meist Einzelgänger, die Mutter-Familie kann bis zu einem Jahr zusammenbleiben.

364 Warum werden Fischotter häufig auf Straßen überfahren?

Wenngleich es sich um eine wassergebundene Art handelt, wandern Fischotter immer wieder auch größere Strecken über Land. Insbesondere abwandernde Jungtiere im zweiten Lebensjahr kommen so nicht selten zu Tode.

365 Wodurch verursacht der Fischotter große Schäden in der Fischereiwirtschaft?

Fischotter sind zu nahezu 100 % auf Fisch als Nahrung angewiesen. In Teichwirtschaften leben nun viele Fische auf engem Raum, sodass hier eine „überoptimale Reizsituation" vorliegt, welche dazu führt, dass der Otter viel mehr Fische erbeutet, als er dies unter natürlichen Bedingungen tun würde bzw. als er selbst verwerten kann.

Ordnung	Raubtiere (Carnivora)
Unterordnung	Landraubtiere
Familie	Katzen (Felidae)
Gattung	Luchse (Lynx)

Eurasischer Luchs *(Lynx lynx)*

Aussehen

Der Luchs ist durch die kurze Rute („Stummelrute"), die Haarbüschel an den Gehörspitzen („Pinselohr") und den dicht behaarten „Backenbart" am runden Katzenkopf erkennbar. Der Luchs steht auf vergleichsweise hohen Läufen (Rückenhöhe bis zu 75 cm = ca. Schäferhundhöhe), sein Balg ist gelblich-braun und der Kuder wird bis zu 35 kg schwer.

Verbreitung und Lebensraum

Luchse waren ursprünglich zirkumpolar über die gesamte Nordhalbkugel verbreitet. In großen Teilen Europas wurde der Luchs Konkurrent einer kleinstbäuerlichen Landwirtschaft bis ins 19. Jahrhundert intensiv verfolgt und vielerorts ausgerottet.
In Europa, Asien und dem nördlichen Nordamerika werden drei Unterarten unterschieden, die manchmal auch als unterschiedliche Arten beschrieben werden, der Eurasische Luchs, der Kanadische Luchs und der Pardelluchs, letzterer besiedelt die Iberische Halbinsel und wird daher auch Iberischer Luchs genannt. Vom Süden Kanadas bis nach Mexiko finden wir den Rotluchs, der meist als separate Art beschrieben wird.
Der Luchs gilt als Kulturflüchter, liebt ausgedehnte, vom Menschen möglichst unberührte urwüchsige Wälder. Geschlossene Vorkommen gibt es in Ost- und Südosteuropa und auch in Skandinavien und Spanien hielten sich Restbestände.
Seit Beginn der 1980er Jahre gibt es vermehrt Meldungen über zugewanderte Luchse in Deutschland (Bayerischer Wald, Erzgebirge, Sächsische Schweiz), daneben existieren verschiedene Wiederansiedlungsprogramme, z.B. im Harz.
Die Reviergrößen des Luchses sind sehr stark vom Lebensraum und dem Nahrungsangebot abhängig, sie reichen von wenigen hundert Hektar beim Pardelluchs in der spanischen Estremadura

bis zu mehreren zehntausend Hektar im Norden des Verbreitungsgebietes, wobei sich die Gebiete insbesondere weiblicher und männlicher Individuen regelmäßig überschneiden.

Nahrung

Der Luchs erbeutet Säugetiere von der Maus über Hasen und Kaninchen bis hin zu Rehwild, Muffelwild sowie schwächerem Rot- und Damwild, Vögel wie Auer- und Birkwild, aber auch Waldgams und Füchse. Der tägliche Nahrungsbedarf liegt bei ca. 1,5 bis 3 kg Fleisch, dies entspricht etwa einem Reh pro Woche. In unseren Breiten ist das Rehwild seine Hauptbeute. Er ist ein Pirsch- und Ansitzjäger, der daher seine Beute kaum selektiv auswählt. Meist kehrt er mehrere Tage zu einem größeren Riss zurück. In Notzeiten nimmt er auch Fallwild an. Wirtschaftliche Schäden können entstehen, wenn Luchse Haustiere – etwa Ziegen oder Schafe – reißen.

Fortpflanzung

Die Ranz liegt im März bis April. Nach ca. 10 Wochen wirft die Katze zwei bis vier Junge, die bis zu 14 Tage blind sind und vielfach bis zur Geschlechtsreife (mit etwa zwei Jahren) in Kontakt mit ihrer Mutter bleiben. Der Kuder beteiligt sich nicht an der Aufzucht der Jungen.

Prädatoren

Luchsrisse durch Wölfe wurden berichtet, sind aber ausgesprochen selten. Jungtiere können selten auch von den großen Adlern (See- und Steinadler) erbeutet werden.

Hege

Wichtig ist derzeit vor allem die Unterstützung von Querungshilfen über Verkehrswege, wobei der Luchs die Querungshilfen für das Rotwild gut nutzen kann. Allerdings ist er in der Lage, normale Wildzäune an Straßen zu überklettern, sodass dort, wo Luchse vorkommen, besondere Zaunkonstruktionen erforderlich sind.
Auch eine aktive Beteiligung an Wiederansiedlungsprojekten bietet sich an.

2.83: Luchse

Fragen

366 Gibt es noch geeignete Lebensräume für den Luchs in Deutschland?

In Bezug auf Nahrung und Deckung scheint der Luchs keine spezifischen Habitatanforderungen zu stellen. Er ist an großräumige Waldlandschaften gebunden, in denen ausreichend Rückzugsmöglichkeiten vorhanden sind, wo sie ungestört ihren Nachwuchs aufziehen können.
Eine Verbindung von regionalen Teilpopulationen wird in Deutschland durch das dichte Straßennetz, welches die Lebensräume zerschneidet, und durch weite, ausgeräumte Agrarlandschaften behindert.

367 Wovon ernährt sich der Luchs in Deutschland hauptsächlich?

In unseren Breiten ist das Rehwild seine Hauptbeute. Daneben gehören andere Säugetiere bis zur Größe eines schwachen Rotwildkalbes sowie Vögel, etwa Auer- und Birkwild, zum Beutespektrum.

368 Hat der Luchs dort, wo er vorkommt, einen Einfluss auf die Rehwildbestände?

Der tägliche Nahrungsbedarf liegt bei ca. 1,5 bis 3 kg Fleisch, dies entspricht etwa einem Reh pro Woche. Würde sich der Luchs ausschließlich von Rehwild ernähren und nehmen wir ein Luchspaar auf 5000 ha und zehn Stück Rehwild pro 100 ha an, so würden 20 % des Rehwildbestandes vom Luchs erbeutet. Dies ist unproblematisch. Wichtig ist, dass der Jäger beim Vorkommen des Luchses nicht zu intensiv in den Rehwildbestand eingreift.

369 Warum stellt das Auftreten des Luchses ein Problem für das Muffelwild dar?

Aufgrund seiner Abstammung aus Inselpopulationen (Korsika, Sardinien) ist das Muffelwild nicht an bodengebundene große Prädatoren wie Luchs oder Wolf angepasst. Beim Auftreten dieser Prädatoren werden regionale Muffelwildvorkommen in einigen Jahren verschwinden. Dies ist langfristig auch ein Artenschutzproblem, da unsere mitteleuropäischen, angesiedelten Muffelwildbestände die letzten größeren Populationen dieses Wildschafes darstellen, das in seiner ursprünglichen Heimat weitgehend ausgerottet ist.

Ordnung	Raubtiere (Carnivora)
Unterordnung	Landraubtiere
Familie	Katzen (Felidae)
Gattung	Katzen (Felis)

Europäische Wildkatze *(Felis silvestris)*

Aussehen

Die Wildkatze hat eine gelbgraue Grundfärbung mit schwacher Streifung. Sie hat eine abgestumpfte und buschige, ca. 30 cm lange Rute, die drei deutliche und weitere weniger ausgeprägte geschlossene schwarze Ringe aufweist. Der Nasenspiegel ist fleischfarben, was allerdings auch bei Hauskatzen vorkommen kann. Der schwarze Sohlenfleck hinter den Ballen ist geringer als bei Hauskatzen. Der Kuder wird bis zu 10 kg schwer und ca. 40 cm hoch, das entspricht etwa der Größe eines starken Fuchses. Die Katze ist meist deutlich schwächer.

Verbreitung und Lebensraum

Wildkatzen der Art *Felis silvestris* finden wir in großen Teilen Europas mit Ausnahme Skandinaviens und Irlands, in Klein- und Mittelasien sowie in weiten Teilen Afrikas. Dabei kommt die Wildkatze in drei Formen (Unterarten) vor: die europäische Wildkatze, die asiatische Wildkatze und die afrikanische Wildkatze (Falbkatze).
Die europäische Wildkatze ist eine Art der Mittelgebirgswälder. Vermutlich ist sie noch deutlich häufiger als bislang angenommen. Eigentlich muss man überall in Mittelgebirgslagen mit ausgedehnten, deckungsreichen Waldungen mit ihr rechnen. In Gegenden mit gesicherten Vorkommen, wie dem Bayerischen Wald, dem Harz, dem Taunus, der Eifel, dem Pfälzer Wald, dem Hunsrück, dem Vogelsberg, Thüringen und auch dem Hessischen Bergland hält sie sich gerne auf sonnenseitigen Hanglagen mit nahrungsreichen Freiflächen, z.B. Forstkulturen (Mäuse), auf.

Nahrung

Die Wildkatze ist, etwa im Vergleich zum Fuchs, ein Nahrungsspezialist. Ihre Nahrung besteht hauptsächlich aus Mäusen, die sie mit ihrem filigran ausgebildeten Gebiss gut erbeuten und schlucken kann. Gelegentlich fängt sie auch Hasen oder Kaninchen, sehr selten einmal ein Rehkitz. Auch Vögeln gehören in das Nahrungsspektrum. Die Wildkatze orientiert sich beim Beutefang vor allem auf ihr Gehör und Gesicht. Der Geruchssinn ist wie beim Luchs vergleichsweise schlecht entwickelt.

2.84: Wildkatze

Ein Problem kann die Wildkatze etwa in langen, mäusearmen Wintern bekommen, dann kann sie nicht so leicht wie der Fuchs auf andere Beutetiere ausweichen.

Fortpflanzung

Den Ruf des Kuders als Zeichen der Ranz hört man im Februar/März. Die Katze geht dann ca. neun bis zehn Wochen dick (ist tragend) und bringt anschließend ca. zwei bis sieben Junge in einem sicheren Versteck (Baum- oder Felshöhle, Fuchsbau) zur Welt. Die Jungen sind als Nesthocker etwa neun Tage lang blind.

Prädatoren

Prädatoren der Wildkatze sind neben Wolf und Luchs auch der Fuchs sowie die großen Adler und der Uhu.

Hege

Wichtig ist auch für die Wildkatze die Unterstützung von Querungshilfen über Verkehrswege. Ebenso wie der Luchs kann die Wildkatze die Ausbreitungskorridore für das Rotwild nutzen. Um zu verhindern, dass Wildzäune an Straßen überklettert werden, werden dort, wo die Wildkatze vorkommt, besondere Zäune eingesetzt. Der beste Schutz für die Wildkatze ist im Übrigen, sie einfach in Ruhe zu lassen. Dort, wo Wildkatzen zu erwarten sind, sollten im Rahmen des Jagdschutzes keine wildfarbenen Katzen getötet werden, da die Unterscheidung zur Wildkatze allein durch äußere Merkmale nicht immer möglich ist.
Die Wildkatze unterliegt dem Jagdrecht und ist ganzjährig geschont.

Fragen

370 Wie ist der Lebensraum der Wildkatze gekennzeichnet?

Wildkatzen sind Wald- und Waldrandbewohner und heute noch in vielen Mittelgebirgswäldern heimisch.

371 Worin besteht heute die Gefährdung der Wildkatze?

Zahlreiche Waldgebiete sind heute durch großräumige Landwirtschaftsflächen voneinander getrennt, die dort lebenden Wildkatzen haben keinen Paarungskontakt mehr untereinander. Straßen können von der Wildkatze vergleichsweise gut überwunden werden, doch insbesondere im Winter stellen die weiten vegetationsfreien Agrarflächen ein Hindernis für die Ausbreitung dar.

372 Ist die Wildkatze die Stammform der Hauskatze?

Nicht die europäische Wildkatze ist die Stammform der Hauskatze, sondern deren nordafrikanische („Falbkatze“) bzw. kleinasiatische Unterart.

373 Warum bezeichnen wir die Wildkatze im Gegensatz zum Fuchs als Nahrungsspezialisten?

Die Hauptnahrung der Wildkatze sind, wie beim Fuchs auch, Mäuse. Insbesondere aufgrund der Form ihres Gebisses ist die Wildkatze allerdings in hohem Maße auf das Vorhandensein von Mäusen angewiesen, während der Fuchs etwa in mäusearmen Jahren leichter auf andere Beutetiere ausweichen kann. Dadurch ist die Wildkatze in harten Wintern gegenüber dem Fuchs deutlich konkurrenzschwächer und von Nahrungsmangel bedroht.

374 Kann es zur Hybridisierung zwischen Wild- und Hauskatze kommen?

Sog. Blendlinge, Kreuzungen zwischen Wild- und Hauskatze, treten gelegentlich auf. In welchem Ausmaß dies der Fall ist, ist derzeit unklar.

375 Was kann der Jäger zum Schutz der Wildkatze tun?

Die Unterstützung der Vernetzung der Landschaft, insbesondere auch durch die Anlage von Feldgehölzen, ist heutzutage vermutlich die wichtigste Schutzmaßnahme. Sind Grünbrücken oder andere Querungshilfen, z.B. auch für das Rotwild, an Straßen vorhanden, sollten deren Zugänge soweit als möglich jagdlich beruhigt werden. Im Übrigen scheint immer noch die alte Regel zu gelten, dass es der beste Schutz für die Wildkatze ist, sie einfach zu ignorieren und in Ruhe zu lassen. Wo Wildkatzen vorkommen, sollten im Rahmen des Jagdschutzes auf keinen Fall wildfarbene Hauskatzen getötet werden, da die Gefahr der Verwechslung mit der Wildkatze groß ist.

Ordnung	Raubtiere (Carnivora)
Unterordnung	Wasserraubtiere
Familie	Hundsrobben und Seehunde (Phocidae)
Gattungen	Seehunde (Phoca), Kegelrobben (Halichoerus) und Ringelrobben (Pusa)

Gemeiner Seehund *(Phoca vitulina)*, Kegelrobbe *(Halichoerus grypus)* und Ringelrobbe *(Pusa hispida)*

Die drei heimischen Robbenarten gehören zu verschiedenen Gattungen der gleichen zoologischen Familie. Alle drei haben flossenförmige Gliedmaßen, eine stromlinienförmige Körperform und es fehlen die Ohrmuscheln. Im Wasser sind sie sehr geschickt, an Land hingegen können sie sich nur sehr schwerfällig bewegen. In ihrer Lebensweise ähneln sie sich weitgehend.

» Die **Kegelrobbe** ist die größte Robbe, sie verdankt ihren Namen den kegelförmigen Zähnen. Sie hat ein meist graues Fell mit schwarzen Flecken, wobei die Flecken beim Männchen in der Regel größer als beim Weibchen sind. Die Jungen sind weiß. Sie wird bis zu 250 kg schwer und ca. 3 m lang.

» Der **Seehund** ist nur ca. halb so lang und männliche Hunde, die fast doppelt so groß wie Hündinnen werden, wiegen bis ca. 100 kg. Seehunde haben auf der Rückseite dunkle Flecken auf hellem Grund. Die Vibrissen (Tasthaare) sind weiß. Sein typischer Lebensraum ist das Wattenmeer.

» Die kleinste dieser Arten ist die nach ihren hellen Kringeln auf dem Körper benannte **Ringelrobbe**. Ihre Vibrissen sind braun.

Fragen

376 Wie sind die Wahrnehmungssinne des Seehundes entwickelt?

Er vernimmt und wittert sehr gut, äugt aber vergleichsweise schlecht.

377 Wo kommen die drei Robbenarten vor?

Sie leben gesellig in Rudeln in den Küstengewässern der Nord- und Ostsee und dort bevorzugt auf vorgelagerten Schlick- und Sandbänken. Der Seehund ist eine typische Art des Wattenmeeres.

378 Was weiß man über die Fortpflanzung der Robben?

Die Seehunde brunften im Juli bis August, die Ringelrobbe einen Monat früher. Die Hündin wirft nach 11 Monaten auf dem Land ein (selten zwei) Junges, welches 4 bis 6 Monate gesäugt wird.

379 Was sind sog. Heuler?

Dabei handelt es sich um verwaiste, dauerhaft von der Mutter verlassene Jungtiere, sie werden nach deren Kontaktlaut, dem „Heulen" benannt. Tod oder Verletzung der Mutter, aber auch Zwillingsgeburten können die Ursache sein.

380 Wie ist zu verfahren, wenn ein Heuler gefunden wird?

Seehunde unterliegen dem Jagdrecht. Beim Fund eines Heulers ist der staatlich bestellte Seehundjäger zu benachrichtigen, der befugt ist und entscheidet, den Heuler zu bergen und einer Seehundstation zu übergeben. Bis zum Eintreffen des Seehundjägers soll der Heuler nicht angefasst werden, Menschen und insbesondere Hunde sind fernzuhalten und sollen sich nicht näher als 300 m an das Jungtier annähern.

381 Wovon ernähren sich Robben?

Ihre Nahrung besteht aus Fischen, Weichtieren und Krebsen, die sie unzerkaut verschlingen.

382 Was muss man über die Jagdausübung auf Seehunde wissen?

Bei der Jagd auf Seehunde (Kegel- und Ringelrobbe unterliegen dem Naturschutzrecht) muss ein bestellter Seehundejagdführer anwesend sein. Netzjagd und die Jagd vom Boot aus sowie der Schuss auf schwimmende Stücke sind verboten. Im BJagdG (§ 19 Abs. 1 Nr. 1 u. 2) ist der Schrotschuss und Schuss mit Büchsenpatronen mit einer E100 von weniger

2.85: Seehund

als 1.000 Joule verboten. Seit über 30 Jahren wird allerdings die Jagd auf Seehunde in Deutschland nicht mehr ausgeübt, sie genießen ganzjährige Schonzeit.

383 Welche Eigenschaft des Seehundes machte man sich bei der Jagd zunutze?

Man nutzt seine Neugier und den (an Land) schlechten Gesichtssinn dadurch aus, dass man auf einer Sandbank liegend die Bewegungen eines Seehundes nachmacht, und sich so den Seehunden nähert.

384 Welche Ursachen haben die immer wieder zu beobachtenden „Seehundsterben"?

Wir gehen davon aus, dass dazu mehrere Ursachen zusammenkommen: zum einen ein hoher Besatz, welcher sich nicht zuletzt durch die fehlende Bejagung über viele Jahre aufbauen kann, dann eine Schwächung des Immunsystems durch Umweltgifte, z.B. polychlorierte Biphenyle (PCB), und schließlich als unmittelbarer Auslöser des Seehundsterbens ein Staupevirus, welches sich in der stressgeschwächten Population rasant ausbreiten kann.

Nagetiere

Ordnung	Nagetiere
Unterordnung	Hörnchenverwandte
Familie	Hörnchen (Sciuridae)
Gattung	Murmeltiere (Marmota)

Murmeltier *(Marmota marmota)*

Aussehen

In ihrem Äußeren sind Murmeltiere einer großen Wühlmaus oder einem großen Meerschweinchen ähnlich, allerdings bis ca. 5 kg schwer. Der dichte Balg ist gelb-bräunlich, der Bürzel im letzten Drittel schwarz. Den etwas dunkleren Kopf ziert eine schiefergraue Stirnplatte.

Verbreitung und Lebensraum

Murmeltiere sind als Art des hochalpinen Lebensraumes in den Hochlagen der Alpen, Karpaten, der Hohen Tatra sowie der Pyrenäen verbreitet. Sie kommen dort im Bereich der Almen und Matten oberhalb der Baumgrenze, aber unterhalb der reinen Felsregion vor. Das Murmel lebt in sog. Kolonien, diese besiedeln abgegrenzte Familienterritorien.

Nahrung

Das Murmeltier muss den Sommer über reichlich Fettvorräte anlegen, um den Winter in einem langen Winterschlaf zu überstehen. Somit nutzt es im Frühjahr zunächst unterirdische Pflanzenteile (Wurzeln) und alle erreichbaren Triebe, im Laufe der Vegetationsperiode nutzt es dann zunehmend spezifisch Gräser und Kräuter der Bergwiesen. Beweidung durch Rotwild, Gams oder Rinder fördert die Regeneration der Pflanzen und wird daher als günstig angesehen.

Fortpflanzung

Die Ranzzeit liegt im April und Mai. Die Tragzeit beträgt ca. 34 Tage. dann werden zwei bis vier nackte und blinde Junge geboren. Diese sind typische Nesthocker und verlassen erst nach ca. 40 Tagen den Bau. Sie werden über zwei Monate lang gesäugt. Erst nach zwei Jahren sind die Jungtiere selbständig und im dritten Jahr geschlechtsreif.

Prädatoren

Wichtigster Prädator des Murmeltiers in seinem hochalpinen Lebensraum ist der Steinadler, daneben spielen Habicht, Uhu und Fuchs eine nicht unbedeutende Rolle.

Hege und Bejagung

In Deutschland unterliegt das Murmeltier dem Jagdrecht, ist aber derzeit ganzjährig geschont. In den Ländern, in denen eine Bejagung stattfindet, wird das Murmeltier meist mittels Ansitz bejagt. Die Jagd unterliegt strengen Bejagungsplänen, es ist darauf zu achten, dass die Kolonien eine gewisse Mindestgröße nicht unterschreiten.

Fragen

385 Welches ist der natürliche Lebensraum der Murmeltiere?

Das Murmeltier ist ein Bewohner des hochalpinen Lebensraumes, der Bergwiesen und Matten oberhalb der Waldgrenze.

2.86: Murmeltier

386 Mit welchen Bezeichnungen werden die Murmeltiere benannt und wie sehen sie aus?

Man nennt das Männchen Bär, das Weibchen Katze und die Jungen bezeichnet man als Affen.

387 Wie leben Murmeltiere?

Murmeltiere leben in Kolonien, die sich aus mehreren Familien der verschiedenen Generationen zusammensetzen. Als echte Winterschläfer verbringen sie sechs Monate, je nach Witterung im Zeitraum von Oktober bis April, schlafend im Bau. Die tagaktiven Tiere verleben die Sommerzeit mit Fressen, Spielen und Sonnen.

388 Warum macht das Murmeltier im Sommer „Heu“?

Es benutzt die getrockneten Gräser als Vorrat und zum Auspolstern und Verschließen des Baues. Im Schlafkessel überwintern bis zu zehn Murmel eingerollt nebeneinander.

389 Wann pflanzen sich Murmeltiere fort?

Die polygamen Mankeis ranzen im April/Mai. Die Katze bringt nach ca. 34 Tagen 2 bis 4 nackte und blinde Junge zur Welt. Diese verlassen erst nach ca. 40 Tagen den Bau und werden über zwei Monate lang gesäugt.

390 Welche natürlichen Feinde hat das Murmeltier?

Wichtigster natürlicher Prädator ist der Steinadler. Das Mankei hat einen hervorragenden Gesichts- und Hörsinn und ist außerordentlich wachsam. Meist kommt es daher mit seinem Warnruf, einem hohen pfeifenden Schrei, seinen Feinden allerdings zuvor und verschwindet mit seinen Artgenossen in dem tiefen und verzweigten Bausystem.

391 Dürfen Murmeltiere bejagt werden?

Murmeltiere unterliegen dem Jagdrecht, sind aber in Deutschland ganzjährig geschont. Neben dem Balg, der ab der zweiten Septemberhälfte reif ist, gelten die braunroten Schneidezähne als Trophäen.

Ordnung	Nagetiere
Unterordnung	Hörnchenverwandte
Familie	Hörnchen (Sciuridae)
Gattung	Eichhörnchen (Sciurus)

Eichhörnchen *(Sciurus vulgaris)*

Eichhörnchen sind auf dem Eurasischen Kontinent in Wäldern bis in die Mittelgebirge weit verbreitet. Auffällig ist, dass Körper und buschiger Schwanz etwa gleichlang (ca. 20 cm) und die Hinterbeine länger als die Vorderbeine sind. Die Sohlen sind nur im Winter behaart. Das Fell ist fein und dicht, an der Oberseite braunrot, -schwarz oder ganz schwarz, bauchseitig weiß. Die Ohren haben Haarpinsel an den Spitzen.

Das Eichhörnchen lebt polygam. Zweimal im Jahr wirft es drei bis sieben Junge, die zunächst blind sind und nach ca. sechs Wochen das Nest verlassen. Sie sind bereits im Alter von 7 Monaten geschlechtsreif.

Man kennt das Eichhörnchen als gewandten Kletterer und Springer, der kugelförmige Nester (Kobel) in Baumkronen baut. Es ernährt sich von Knospen, Samen und Nüssen und erbeutet regelmäßig auch Gelege und Jungvögel. Seine Vorräte legt es in Baumhöhlen oder in der Erde an. Es steht dabei selbst auf der Nahrungsliste insbesondere von Baummarder und Habicht.

2.87: Eichhörnchen

Fragen

392 Darf man Eichhörnchen bejagen?

Nein, es genießt den besonderen Schutz der Artenschutzverordnung und unterliegt nicht dem Jagdrecht.

393 Was sind Grauhörnchen?

Grauhörnchen sind nicht zu verwechseln mit den dunklen (schwarzen) Farbvarianten des einheimischen Eichhörnchens. Es handelt sich dabei vielmehr um eine nordamerikanische Hörnchenart, welche vom Menschen nach Großbritannien, Irland und Italien eingeführt wurde. Da es konkurrenzstärker als das einheimische Eichhörnchen ist und auch Krankheiten verbreitet, gegenüber denen das einheimische Eichhörnchen deutlich anfälliger ist, wird befürchtet, das die Grauhörnchen langfristig das europäische Eichhörnchen verdrängen. Auch ist es Träger eines Virus (sog. „Eichhörnchenpocken"), welches für die heimischen Eichhörnchen deutlich gefährlicher als für die Grauhörnchen selbst ist.

Ordnung	Nagetiere
Unterordnung	Biberverwandte
Familie	Biberartige (Castoridae)
Gattung	Biber (Castor)

Biber *(Castor fiber)*

Aussehen

Der Biber ist mit seinem spindelförmigen Körper, einem breiten, abgeplatteten, mit lederartiger Haut bedeckten Schwanz („Kelle"), den Schwimmhäuten, Geschlechtsorganen im Körperinneren und der Möglichkeit sich einzufetten, perfekt an das Leben im Wasser angepasst. Er ist das größte europäische Nagetier. Beim Tauchen (bis zu 20 min.) werden Nase und Ohren verschlossen. Die charakteristische „Kelle" dient neben der Steuerfunktion beim Abtauchen auch zur Temperaturregulation und als Fettdepot. Das, mit ca. 23000 Haaren pro Quadratzentimeter ungewöhnlich dichte, braune Fell schützt vor Nässe und Auskühlung.

Verbreitung und Lebensraum

Der europäische Biber war ursprünglich in Europa und weiten Teilen Asiens heimisch, der kanadische Biber ist auch heute noch weit in Nordamerika verbreitet. Er bevorzugt fließende und stehende Gewässer in allen Größenordnungen sowie deren Uferbereiche als Lebensraum. Im Biberrevier befinden sich in der Regel zwei bis vier Wohnbaue, die je nach Biotopbeschaffenheit sehr unterschiedlich aussehen können. An steilen Uferböschungen graben sich Biber Höhlen und vernetzen sie mit Fress- und Fluchtröhren.
Die Biberburg dagegen besteht aus abgenagten Ästen, Zweigen und Schlamm und ist oft vollständig von Wasser umgeben. Der Eingang zum Wohnkessel liegt typischerweise unter der Wasseroberfläche, um Prädatoren fernzuhalten. Biber sind für ihre Dammbauten bekannt, mit denen sie Fließgewässer aufstauen und künstliche Teiche anlegen. Ziel ist es dabei, den Eingang

2.88: Biber

zur Biberburg unter Wasser zu halten. Außerdem führt die Überflutung zum Absterben der Hartholzarten und schafft damit eine dichte Verjüngung von Weichholzarten wie Pappel und Weide. Mit seiner „Sanduhrtechnik" (das Holz wird in Form einer Sanduhr benagt, bis der Baum fällt) kann der Biber in einer Nacht einen ca. 50 cm dicken Baum fällen.

Nahrung

Biber sind Pflanzenfresser, wobei sie nicht wählerisch sind. Neben den frischen Trieben, Rinde und auch Blättern von Weichlaubholzarten und Erlen sowie verschiedenen Sträuchern ernährt sich der Biber von verschiedenen Gräsern, Kräutern, Wasserpflanzen und auch Baumfrüchten.

Fortpflanzung

Biber leben monogam. Die Ranzzeit fällt in den Februar und März. Nach ca. 15 Wochen werden zwei bis drei Junge gesetzt. Obwohl sie behaart und sehend zur Welt kommen, müssen sie noch 2 Monate gesäugt und lange von den Elterntieren umsorgt werden. Geschlechtsreif sind sie erst mit dem dritten Lebensjahr.

Prädatoren

Wichtige Prädatoren des Bibers sind Seeadler und Wolf.

Hege

In Deutschland unterliegt der Biber dem Naturschutzrecht und wird nicht regulär bejagt. Wenn es zu übermäßigen, insbesondere land- oder forstwirtschaftlichen Schäden kommt, werden spezielle Genehmigungen zum Fang und zur Tötung erteilt.
Der Biber beeinträchtigt durch seine Dammbautätigkeit (Überflutun-

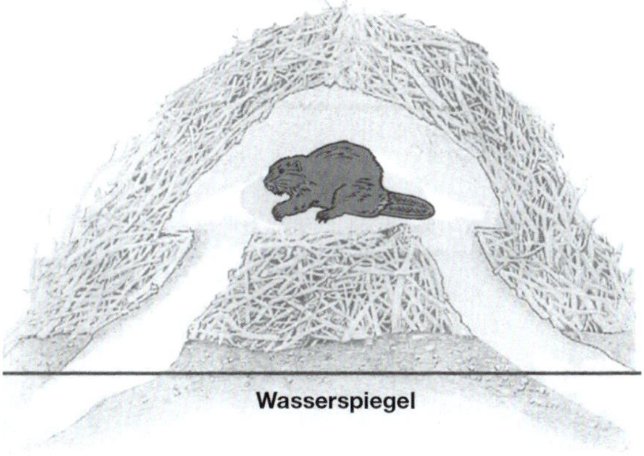

2.89: Skizze einer Biberburg

gen) sowie seine Baue (Deiche!) sehr unmittelbar menschliche Nutzungsinteressen. Daher ist er auf eine gewisse Toleranz seitens des Menschen angewiesen. Als spezielle Hegemaßnahmen kommen daher vor allem die Bereitstellung von Flächen zur Besiedlung und die Förderung von Weichlaubhölzern entlang von Gewässern in Frage. Beides sind Maßnahmen, welche natürlich auch anderen Wildtierarten helfen.

Fragen

394 Welchen Lebensraum beanspruchen Biber?

Biber benötigen saubere Gewässer mit der Möglichkeit, Baue bzw. eine Biberburg anzulegen. Die Ufer sollten möglichst Weichholzarten wie Weide und Pappel aufweisen.

395 Wo kommt der Biber in Deutschland vor?

Bis auf geringe Restbestände an der Elbe war er nahezu ausgerottet. Dank der Bemühungen verschiedener Naturschutzverbände gelang es in den letzten Jahren allerdings, diesen Großnager an verschiedenen Stellen – etwa in der Eifel oder den Donauauen – wieder anzusiedeln. Zwischenzeitlich ist der Biber in ganz Bayern anzutreffen.

396 Was waren die Gründe für die weitgehende Ausrottung der Biber?

Sein schmackhaftes Wildbret, ein wertvoller Balg und „Bibergeil" (in der Volksmedizin begehrtes Drüsensekret) machten den Biber interessant für Jäger. Dazu kam die Zerstörung ihrer Biotope durch Flussbegradigungen und -verbauungen. Vom Biber angerichtete Schäden an Uferbefestigungen durch Unterwühlen und Wasseraufstauungen sowie Fraßschäden an Forstkulturen und Feldfrüchten in Ufernähe führten zu weiterer Verfolgung.

2.90: Typisches Fraßbild eines Bibers

397 Wann ranzt der Biber?

Im Februar und März.

398 Ernährt sich der Biber auch von Fischen?

Nein, Biber sind reine Pflanzenfresser.

399 Halten Biber Winterschlaf?

Nein, sie sind Winterruher. Sie benötigen daher auch im Winter ausreichend Nahrung.

400 In welchen Gemeinschaften leben Biber?

Biber leben in Einehe mit zwei Generationen von Jungtieren. Wenn im Mai bis zu vier behaarte und von Geburt an sehende Junge zur Welt kommen, müssen die vorjährigen Jungen den Bau verlassen haben. Nach etwa drei Jahren erlangen die jungen Biber die Geschlechtsreife und werden dann auch von ihren Eltern aus dem Revier vertrieben. Sie legen bis zu 100 km zurück, um dann selbst einen Partner zu suchen und ein Revier zu gründen.

401 Welche rechtliche Stellung hat der Biber?

Der Biber unterliegt dem Naturschutzrecht und nicht dem Jagdrecht.

Ordnung	Nagetiere
Unterordnung	Meerschweinchenverwandte
Familie	Biberratten (Myocastoridae)
Gattung	Nutrias (Myocastor)

Nutria *(Myocastor coypus)*

Aussehen

Die Nutria besitzt ein braunes bis rötlichbraunes, auf der Unterseite graubraunes Fell und erreicht eine Körperlänge von bis zu 65 cm. Damit ähnelt sie dem Biber und ist auch nur geringfügig kleiner. Der bis zu 45 cm lange Schwanz ist allerdings im Gegensatz zur Biberkelle rund. Schwimmhäute haben Nutria zwischen den ersten vier Zehen der Hinterläufe. Auffallend sind auch die orangeroten Schneidezähne und die ausgeprägten Vibrissen.

Verbreitung und Lebensraum

Die Nutria stammt ursprünglich aus Lateinamerika und wurde in Mitteleuropa zur Farmhaltung zum Zwecke der Pelzgewinnung eingeführt.
Nutrias benötigen gewässernahe Lebensräume, wobei sie durchaus auch von intensiv genutzten Landwirtschaftsflächen in Gewässernähe profitieren. Als Behausung dienen meist selbstgegrabene, einfache Erdbaue im Ufer. Allerdings legen sie keine Vorräte für den Winter an, sodass in unseren Breiten harte Winter immer wieder zu Einbrüchen im Bestand führen.

Nahrung

Genau wie der Biber leben Nutrias vor allem von Pflanzen, wobei weniger die Gehölze und mehr die krautigen Pflanzen eine Rolle spielen. Auch Feldfrüchte werden gerne aufgenommen. Zusätzliche Nahrungsbestandteile sind kleinere Wassertiere, etwa Schnecken oder Muscheln.

Fortpflanzung

Nutrias leben paarweise oder in kleineren Gruppen monogam. Die Fortpflanzungszeit ist in unseren Breiten nicht klar abgegrenzt, sodass fast das ganze Jahr mit Jungtieren zu rechnen ist. Nach einer Tragzeit von ca. 19 Wochen kommen sechs bis acht gut entwickelte, sehende und behaarte Junge zur Welt. In einem Jahr sind zwei oder auch drei Würfe möglich. Mit ca. fünf Monaten sind diese selbständig.

Prädatoren

Wichtige Prädatoren der Nutria sind Habicht, Uhu, Seeadler, Fuchs und Wolf.

Bejagung und Regulation

In einigen Ländern unterliegt die Nutria dem Jagdrecht. Dort wird die Art regulär mit Falle, aber auch mit Flinte oder Büchse bejagt. Problematisch ist die Fortpflanzungszeit über weite Teile des Jahres, sodass immer das Risiko besteht, ein führendes Weibchen zu erlegen.
Wo die Nutria nicht dem Jagdrecht unterliegt, aber aus Gründen der Schadensreduktion (Landwirtschaft, Uferbefestigungen) dezimiert werden soll, ist auf das Vorhandensein einer entsprechenden waffenrechtlichen Erlaubnis zu achten.
Die Nutria unterliegt der E.U.-Verordnung über die Prävention und das Management der Einbringung und Ausbreitung invasiver gebietsfremder Arten und soll auch aus diesem Grunde intensiv bejagt werden. Ob es sich wirklich um eine invasive Art handelt, ist aus fachlicher Sicht fraglich, da in der Vergangenheit die Nutriabestände regelmäßig durch harte Winter dezimiert wurden. Erst das längerfristige Ausbleiben solcher harten Winter dürfte die Nutria großflächig zu einem Problem werden lassen.

Fragen

402 Wie ist die Nutria (Sumpfbiber) zoologisch einzuordnen?

Sie gehört zu den Biberratten und ist mit den Meerschweinchen verwandt. Sie hat jedoch weder mit Biber noch mit Ratten direkt etwas zu tun, sondern ist ein aus Südamerika stammendes Nagetier, das aus Farmen in die freie Wildbahn gelangt ist.

403 Wie unterscheiden sich im Aussehen Nutria von Bisam?

Der Schwanz ist drehrund und beschuppt (beim Bisam seitlich abgeplattet). Das dunkelbraune Haarkleid der bis zu 8 kg schweren Nutria besteht aus langen Grannen und dichter, seidiger Unterwolle.

404 Wie leben Nutria?

Es sind vorwiegend nachtaktive Tiere. Nutria sind monogam und leben mit ihren Jungen in Familienverbänden. Als Tagesunterschlupf dient in der Regel ein selbstgegrabener Bau mit großen Kesseln und einem oberirdischen, einfachen Röhrensystem. Nutria sind gute Schwimmer und können bis zu fünf Minuten tauchen.

405 Wie ernährt sich die Nutria?

Sie lebt hauptsächlich von Blättern, Stängeln und Wurzeln der Wasserpflanzen. Sie liebt aber auch Hackfrüchte und kann durch diese Vorliebe erhebliche Schäden auf landwirtschaftlichen Flächen anrichten.

2.91: Nutria

406 Wann erfolgt die Paarung der Nutria?

Der Sumpfbiber paart sich während des gesamten Jahres und bringt nach ca. 19 Wochen 6 bis 8 behaarte und sehende Junge zur Welt. Dieser Nachwuchs ist bereits nach nur 5 Monaten geschlechtsreif.

407 Welche anatomische Besonderheit weist das Nutriaweibchen auf?

Die Milchdrüsen sitzen sehr weit oben an den Körperseiten, fast auf dem Rücken.

408 Kann man Nutria essen?

Ja, das Wildbret dieser Biberratte ist sogar sehr schmackhaft. Der Gesetzgeber hat allerdings eine Trichinenschau vor den Verzehr gesetzt.

Ordnung	Nagetiere
Unterordnung	Mäuseverwandte
Familie	Wühler (Cricetidae)
Gattung	Bisamratten (Ondatra)

Bisam oder Bisamratte *(Ondatra zibethica)*

Aussehen

Der Bisam ähnelt dem Nutria, ist allerdings deutlich kleiner.
Durch extrem kurze Vorderbeine bewegt sich der Bisam an Land eher unbeholfen. Im Wasser dient ihm der seitlich abgeplattete (Nutria rund!), beschuppte Schwanz und ragt als besonderes Merkmal beim schwimmenden Bisam mit der Oberkante aus dem Wasser. Zum dämmerungs- und nachtaktiven Höhlenbewohner gehören die ca. 7 cm langen Vibrissen (Tasthaare) an der stumpfen Schnauze genauso wie kleine Ohrmuscheln und kleine schwarze Augen. Die langen Schneidezähne sind gelblich rot. Das rot-graubraune Fell besteht aus langen, glänzenden Grannen und dichter Unterwolle.

Verbreitung und Lebensraum

Die Bisamratte stammt ursprünglich aus Nordamerika. Bei uns kann sie jeden Lebensraum nutzen, der stehende oder fließende Gewässer aufweist, da ihr Hauptaufenthaltsort das Wasser ist. Bevorzugte Biotope sind gut mit Wasserpflanzen bestückte Teiche und Seen, in denen der Bisam durch weitgehende Zerstörung dieser Pflanzen und den Bau von Röhren in Uferböschungen und Dämme oft nachhaltige, negative Biotopveränderungen bewirkt. Andererseits erfüllt er als Vertilger überschüssiger Wasserpflanzen eine wichtige positive Rolle im Naturhaushalt (Vereitelung von Eutrophierungen).

Nahrung

Der Bisam ernährt sich fast ausschließlich von ober- und unterirdischen Pflanzenteilen sowie von Wasserpflanzen, gelegentlich allerdings auch von Weichtieren und Amphibien.

Fortpflanzung

Der Bisam ranzt im Februar/März und bringt nach einer kurzen Tragzeit von nur 28 Tagen fünf bis zehn Junge zur Welt, die bereits nach drei Monaten geschlechtsreif sind. Das Weibchen wirft zwei bis dreimal im Jahr.

Prädatoren

Prädator des Bisam sind Landraubtiere wie Iltis, Marder, Fuchs, Greifvögel wie der Rohrweihe oder Seeadler, aber auch große Fische wie etwa Hecht oder Wels.

Management

Der Bisam unterliegt nicht dem Jagdrecht, er darf vom Jagdausübungsberechtigten weder im Rahmen der regulären Jagdausübung, noch im Rahmen des Jagdschutzes erlegt werden. Es eignen sich ohnehin nur Fallen zur wirksamen Bestandesreduktion. Der Bisam unterliegt dem Pflanzenschutzgesetz und der Bisamverordnung. Seine Bekämpfung wird von den Ländern geregelt. Staatliche Bisamjäger überwachen die Privatfänger, denen bestimmte Reviere zugeteilt werden. Der Jagdausübungsberechtigte muss die Bekämpfung – und somit die Fallen des Bisamfängers – in seinem Revier dulden.
Auch beim Bisam handelt es sich um eine sog. „invasive Art“ gemäß der E.U.-Verordnung.

Fragen

409 Wo ist die ursprüngliche Heimat des Bisam?

Der Bisam stammt aus Nordamerika und wurde um 1900 als Pelztier zunächst in Böhmen eingebürgert, von wo aus er seine heutige Verbreitung in Europa begann.

410 Schadet der Bisam den Fischbesätzen?

Der Bisam ist fast ausschließlich Pflanzenfresser und greift daher nicht in Fischbesätze ein. In Gewässernähe angebaute Obst-, Garten- und Feldfrüchte nimmt er sehr gerne an.

411 Darf auch der Jagdausübungsberechtigte den Bisam in seinem Revier fangen?

Nur, wenn er die Erlaubnis der zuständigen Behörde besitzt. Da der Bisambalg wohl das beste, in Deutschland zu fangende Pelzwerk und der Fang im übrigen einfach ist, kann sich das Bemühen um solch eine Erlaubnis lohnen.

2.92: Bisam

Ordnung	Nagetiere
Unterordnung	Mäuseverwandte
Familie	Wühler (Cricetidae)
Gattung	Großhamster (Cricetus)

Feldhamster *(Cricetus cricetus)*

Der Feldhamster hat eine plumpe Gestalt, mit kurzen Beinen und kurzem Schwanz. Der an der Oberseite bunt braungelblich und unten schwarz gefärbte Nager wird ca. 20 bis 30 cm lang.
In Mitteleuropa hat sein Bestand stark abgenommen, vorwiegend kommt er in den Steppen Ost- und Südosteuropas bei kontinentalem Klima vor. Feldhamster sind dämmerungs- und nachtaktiv, graben Baue und Vorratskammern und halten Winterruhe. Wiesel und Iltisse dringen in Hamsterbauten ein und erbeuten die Hamster. Auch Fuchs, Goldschakal und verschiedene Eulen zählen zu den Prädatoren.
Der Feldhamster unterliegt nicht dem Jagdrecht, sondern ist nach Naturschutzrecht streng geschützt.

Ordnung	Nagetiere
Unterordnung	Mäuseverwandte
Familie	Mäuse (Muridae)
Gattung	Eigentliche Ratten (Rattus)

Wanderratte *(Rattus norvegicus)*

Die Wanderratte kann bis ca. 40 cm lang werden, wobei ca. 24 cm auf den Körper und ca. 16 cm auf den runden, allseits schuppigen Schwanz entfallen. Sie wiegt ungefähr 500 g. Man darf sie nicht mit der Wühlmaus verwechseln.
Die Wanderratte ist vor Jahrhunderten aus Asien zugewandert und hat die Hausratte weitgehend verdrängt.

412 Wie leben Wanderratten?

Nomen est omen: sie führen Wanderungen durch. Im Frühjahr verlassen sie die menschlichen Wohngebiete und siedeln sich in Feld und Flur an Gewässern, Schutthalden, Campingplätzen etc. an. Hier leben sie zunächst paarweise, bilden aber sehr schnell mit ihren bereits nach drei Monaten fortpflanzungsfähigen Nachkommen größere Gruppen. Wanderratten sind hervorragende Kletterer, Taucher und Schwimmer.

413 Warum ist es für die Niederwildhege so wichtig, die Wanderratte zu dezimieren?

Sie wird durch die menschliche Zivilisation, insbesondere die menschlichen Abfälle sehr gefördert und lebt als Allesfresser von pflanzlicher und tierischer Kost. Da sie sowohl Entengelege als auch Jungenten auf ihrem Speisezettel hat, kann sie insbesondere die Maßnahmen der Entenhege wirkungslos machen. Eine wirkungsvolle Bekämpfung ist nur mit Giften (blutgerinnungshemmende Mittel) am besten in speziellen Giftkästen für Ratten möglich.

414 Warum nehmen Wanderratten in den vergangenen Jahrzehnten regelmäßig zu?

Sowohl in den Agrarflächen, als auch durch die Zivilisationsabfälle findet die Art überall reichlich Nahrung. Darüber hinaus hat die in vielen Städten durchgeführte Trennung von Regenwasser- und Abwasserkanälen dazu geführt, dass die in den Abwasserkanälen lebenden Ratten durch Starkregenereignisse nicht mehr in dem Maße dezimiert werden, wie das früher der Fall war.

415 Wie kann man erkennen, ob man in seinem Revier Maßnahmen zur Bekämpfung ergreifen muss?

Außer dem direkten Anblick kann man die Wanderratte auch durch Trittbilder und typischen Fraßbildern erkennen. Sie hinterlässt vom erbeuteten Ei eine flache Wanne.

2.4 Vögel/Federwild

Zoosystematisch zählen die Flugwildarten zum Stamm der Wirbeltiere und hierin zur Klasse der Vögel (Aves). Sie sind gekennzeichnet durch folgende Besonderheiten:
Die Vordergliedmaßen sind zu Flügeln mit verlängerten Federn (Schwungfedern) umgebildet. Die ebenfalls verlängerten Federn des auf wenige Wirbel verkürzten Schwanzes (Stoßfedern) dienen der Steuerung des Fluges. Ihre Flugfähigkeit ermöglicht den Vögeln die Nutzung des Luftraums und eine hohe Mobilität. Das Knochengerüst des Rumpfes ist starr, die einzelnen Wirbel sind miteinander verwachsen. Schultergelenk und Brustbein sind fest miteinander verbunden, was die für den Flug nötige Stabilität gewährleistet. Das Brustbein ist zentral zu einem hohen Kamm erweitert, an dem beidseitig die großen Flugmuskeln sitzen. Diese machen bei den meisten Arten den größten Teil der Muskelmasse aus. Der Körper erhält dadurch die für den Flug günstige Stromlinienform. Die Knochen sind porös, die Röhrenknochen hohl und folglich von geringem spezifischem Gewicht.
Die Hintergliedmaßen dienen der Fortbewegung auf dem Boden, im Wasser oder im Geäst. Sie sind daher je nach Lebensweise der Art sehr verschiedenartig ausgebildet. Allen gemeinsam sind vier Zehen, von denen bei den meisten Arten drei nach vorne und eine nach hinten gerichtet sind. Letztere ist bei einigen (überwiegend laufenden) Arten stark verkürzt.
Im Gegensatz zum starren Rumpf ist der Hals des Vogels sehr beweglich. Der am Vorderkopf sitzende Schnabel kann somit für die verschiedensten Tätigkeiten eingesetzt werden, die bei Säugetieren oder Reptilien von den Vordergliedmaßen wahrgenommen werden (Körper- und Gefiederpflege, Nestbau, Pflege der Jungen etc.). Der Schnabel ist zahnlos, Ober- und Unterkiefer sind von Hornscheiden umgeben. Je nach Lebens- und Ernährungsweise variieren Form und relative Größe des Schnabels beträchtlich.
Dasselbe gilt für den Verdauungstrakt. Die Nahrung wird ja durch den zahnlosen Schnabel nur wenig oder gar nicht zerkleinert. Der Schlund ist daher zu einem Kropf erweitert, in dem sie zur Verdauung vorbereitet wird. Von dort gelangt sie bei Körner- und Insektenfressern in den muskulösen Kaumagen, wo sie mit Hilfe von Magensteinchen zerrieben wird. Diese werden regelmäßig mit der Nahrung aufgenommen. Fleisch- und Fischfresser hingegen haben einen mit Drüsen ausgestatteten Retortenmagen, in dem saure Magensäfte die Nahrung zur Aufnahme durch den Darm auflösen. Unverdauliche Reste wie Knochen, Haare, Federn oder Chitin von Insekten werden im Magen zu „Gewöllen“ gepresst und von Zeit zu Zeit ausgespien. Nur größere Greifvogelarten

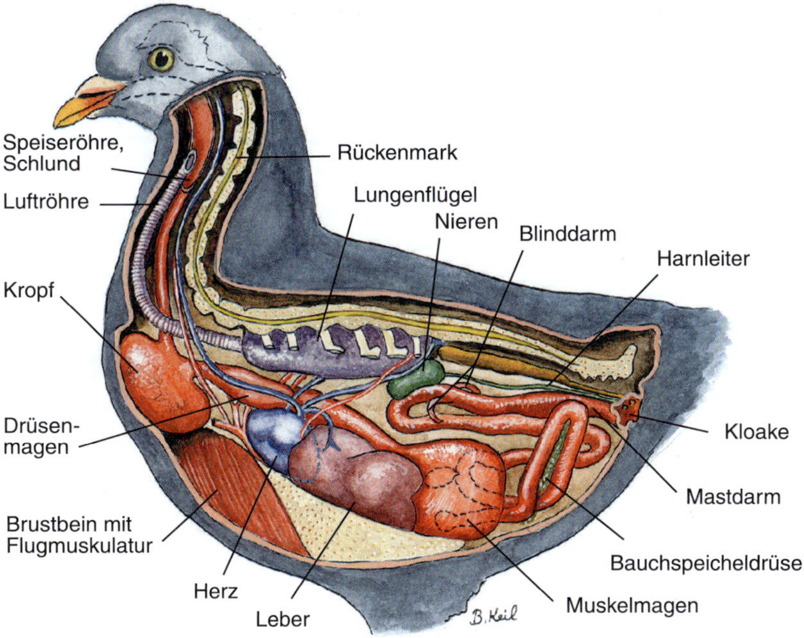

2.93: Anatomie der Vögel

lösen sämtliche Knochen auf. Gewölle mit vollständig erhaltenen Mäuseknochen stammen in der Regel von Eulen. Eine Besonderheit der Vögel (und der Kriechtiere) ist die Kloake, das sackartig erweiterte Ende des Darms. In diesem dreiteiligen Organ sammelt sich einerseits der Kot aus dem Darm, aber auch der Harnstoff der Nieren, und schließlich münden hierin auch die beiden Samenleiter bzw. der Eileiter. Vögel haben also keine Harnblase und nur eine anale Körperöffnung. Zur bakteriellen Verdauung zellulosereicher Nahrung sind bei einigen Arten (z.B. Gänse, Hühnervögel) die Blinddärme stark entwickelt. Der dunklere, schmierige Blinddarmkot unterscheidet sich deutlich vom Darmkot und wird viel seltener als dieser über die Kloake ausgeschieden. Der Flug der Vögel macht ein besonderes Atmungssystem erforderlich. Den Lungen sind Luftsäcke angegliedert, die sich beim Flügelschlag füllen und in die Lungen wieder entleeren. Der Körper der Vögel ist zur Flugfähigkeit und zur Wärmeisolation mit Federn bedeckt, die je nach Lebensweise sehr unterschiedlich strukturiert sind. Wie die Haare der Säugetiere werden sie jährlich mindestens einmal gewechselt („gemausert"). Einige Arten erhalten durch die Mauser jahreszeitlich verschieden gefärbte Federkleider. Zum Schutz gegen Nässe dient das Substrat der auf der Oberseite des Steißes sitzenden Bürzeldrüse. Die Vögel erreichen sie mit dem Schnabel und fetten ihr Gefieder regelmäßig ein. Wie die Reptilien, aus denen sie stammesgeschichtlich hervorgegangen sind, pflanzen sich Vögel durch Eier fort. Die werden meist in einem Nest je nach Art unterschiedlich lang (zwei bis vier Wochen) bebrütet. Nach dem Schlüpfen verlassen die Jungen das Nest entweder sofort („Nestflüchter") oder erst, nachdem sie flugfähig sind („Nesthocker"). Im Gegensatz zu Säugetieren, die sich meist ohne Paarbindung fortpflanzen, leben die meisten Vogelarten während der Brutzeit in „Saisonehe". Das heißt, auch das Männchen beteiligt sich an der Aufzucht der Jungen, bei einigen Arten auch am Brüten. Bei größeren Vogelarten, wie Adlern,

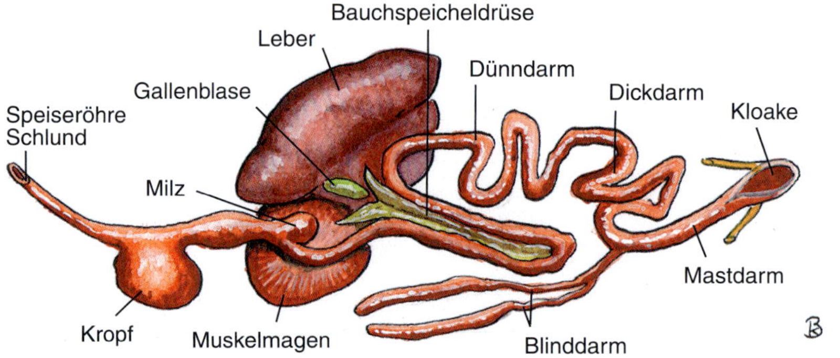

2.94: Verdauungssystem der Vögel

Störchen, Schwänen oder dem Kolkraben, kann die Paarbindung sogar über mehrere Jahre hinweg halten, und Gänsepaare ziehen in der Regel mit ihren Jungen ins Winterquartier. Doch auch bei Vögeln gibt es ausgeprägte Polygamie bzw. Agamie, auch bei einigen unserer Flugwildarten. Bei der Waldschnepfe, dem Auer- und Birkwild und dem Fasan pflegt ein, meist älterer, Hahn mit mehreren Hennen zu kopulieren. Bei den einzelnen Entenarten ist die Paarbindung unterschiedlich ausgeprägt (stark z.B. bei der Löffelente, gar nicht bei der Spießente). Doch in keinem Fall beteiligt sich der Erpel an der Brut und Führung der Jungen. Ihre hohe Mobilität gestattet den Vögeln die Nutzung weiter Lebensräume. Standvögel bleiben das ganze Jahr über in relativ eng umgrenztem Areal. Strichvögel suchen je nach Winterstrenge unterschiedlich weit entfernte Gebiete auf. Dagegen legen Zugvögel regelmäßig große Strecken zwischen Brut- und Überwinterungsgebieten zurück, die bei einigen Arten auf verschiedenen Kontinenten liegen. Teilzieher sind Vogelarten, bei denen Teilpopulationen wegziehen, andere jedoch nicht. Durch langfristige Klimaveränderungen wird auch das Zugverhalten der Vögel direkt oder indirekt beeinflusst. Eine direkte Beeinflussung wirkt auf diejenigen Arten, bei denen Nahrungsmangel oder Temperatur den Zugbeginn steuern. Diese Arten überwintern häufiger in ihren Sommerlebensräumen, wenn wärmere Winter auftreten. Umgekehrt können auch genetisch verankerte „Zugprogramme" durch selektive Prozesse langfristig verändert werden.

Aus verschiedenen Gründen erfreuen sich Vögel besonderer Beliebtheit. Im Gegensatz zu den meisten Säugetieren sind sie überwiegend tagaktiv, daher leicht zu beobachten. Viele Arten erfreuen den Menschen durch ihr buntes Gefieder, andere zudem durch ihren Gesang. Zugvögel künden durch ihr Erscheinen den Wechsel der Jahreszeiten an, im Frühjahr das Ende des Winters. Aufgrund dieser Wertschätzung war die Flugwildjagd immer wieder Gegenstand leidenschaftlicher Kritik. Wurden früher auch bei uns fast alle Arten, einschließlich der kleinen Singvögel, bejagt bzw. gefangen, so reduzierte sich die Liste bejagbarer Arten im Laufe des letzten Jahrhunderts beträchtlich. Zunächst war hierfür die „Nützlichkeit" vieler Arten als Vertilger schädlicher Insekten ausschlaggebend. Später waren einfach emotionale Gründe oder das aufkommende Artenschutzdenken entscheidend. Jeder erlegte Vogel galt als weiterer Verlust der ohnehin zu sehr strapazierten Natur. Erst die Fortschritte in der wildbiologischen und ökologischen Forschung während der letzten vier Jahrzehnte ließen erkennen: Jede Tierart, ob behaart oder befiedert, kann in artspezifisch unterschiedlichem Maße jagdlich genutzt werden, ohne Beeinträchtigung ihrer Bestandsentwicklung. Es besteht also in dieser Hinsicht kein prinzipieller Unterschied zwischen Rehwild, Fuchs oder Hase einerseits und Tauben, Enten und Schnepfen andererseits. Auch die Forderung nach einem Verbot der Jagd auf Zugvögel entbehrt einer fachlichen Begründung. Die ziehende Krickente kann ebenso nachhaltig bejagt werden wie der Standvogel Rebhuhn. Bei nachhaltiger Bejagung, wie sie die gesetzlichen Regelungen in Deutschland vorschreiben, stellt Jagd keinen Gefährdungsfaktor dar. Die Probleme mehrerer Flugwildarten liegen auf ganz anderer Ebene, nämlich in der Beeinträchtigung ihrer Lebensräume durch die menschliche Landnutzung und, ebenfalls aufgrund menschlicher Einflüsse, hohen Dichten von Prädatoren mit breitem Nahrungsspektrum. Durch ihre Hegemaßnahmen sind die Jäger bemüht, diese Negativfaktoren soweit als möglich abzumildern. Insofern ist das jagdliche Interesse eine wesentliche Triebfeder zur Erhaltung des Flugwildes.

Hühnervögel

Ordnung	Hühnervögel
Familie	Glatt- und Raufußhühner (Phasianidae)
Unterfamilie	Raufußhühner (Tetraoninae)
Gattung	Auer- und Birkhühner (Tetrao)

Auerwild *(Tetrao urogallus)*

Aussehen

Das Auerwild ist der größte Vertreter der Raufußhühner. Es zeigt einen deutlichen Geschlechtsdimorphismus.

Die auffallende Größe, die dunkle schwarz-schillernde Färbung, die leuchtend roten Rosen (nackte Hautstellen) über den Augen und der fächerartige Stoß kennzeichnen den Auerhahn.

Der Auerhahn (Urhahn oder Großer Hahn) erreicht eine Flügelspanne von 1.30 m und ein Gewicht von 5 kg, die Hennen spannen etwa 1 m, sind bedeutend leichter (ca. 2 kg) und von erdbrauner, gut tarnender Grundfärbung.

Verbreitung und Lebensraum

Auerwild ist in Mitteleuropa eine Art alter naturnaher Nadelwälder und kommt in Deutschland noch im Alpenraum sowie in geringer Dichte in einigen Mittelgebirgen (insbesondere Schwarzwald, Bayerischer Wald, Thüringer Wald) vor. In den letzten hundert Jahren hat die Art immer wieder Lebensräume verloren. Selbst der heute praktizierte Waldumbau zu naturnaheren Beständen ist für das Auerwild nicht nur positiv zu sehen, da auf diese Weise (künstliche) Nadelwälder, die als Lebensraum bedingt geeignet waren, durch Laubwälder ersetzt werden. Wiederansiedlungsprojekte waren in der Vergangenheit nur teilweise erfolgreich.

2.95: Auerhahn

Nahrung

Pflanzenteile, insbesondere Knospen, Kiefern- und Fichtennadeln, Beeren (Heidelbeere) und Sämereien sichern den Nahrungsbedarf. Die Küken benötigen darüber in den ersten Lebenswochen reichlich Insektennahrung.

Fortpflanzung

Auerwild lebt poly- bzw. agam, d.h. ohne Paarbindung. Die Balzzeit liegt im April und Mai.
Die Balz findet auf traditionellen Balzplätzen statt. Die Hennen kommen zum Balzplatz.
Unter den Hahnen wird durch Kämpfe eine Rangordnung ausgetragen. Die Hennen kommen nur während einer relativ kurzen Phase, in Mittelgebirgen gegen Ende April/Anfang Mai zum Balzplatz. Sie werden meist vom ranghöchsten Hahn getreten (=begattet) und verlassen den Balzplatz danach wieder. Die Balzzeit endet in der Regel mit dem Ausschlagen des Buchenlaubs.
Die Balzstrophe des Auerhahns besteht aus vier Teilen: dem Knappen (Schnalzen oder Zählen), dem Triller, dem Hauptschlag und dem Wetzen oder Schleifen. Die Strophe beginnt mit einem rhythmischen hölzernen Knappen („telac-telac"), das immer rascher wird (Triller) und plötzlich mit dem Hauptschlag endet (der Hauptschlag klingt wie „tirock" oder wie das Herausziehen eines Korkens aus der Flasche). Dann folgt als letzter Teil der Balzstrophe das Schleifen oder Wetzen. Es klingt wie das Sensenwetzen. Während des Schleifens streckt der Hahn den Kopf und Stingel (Hals) bei weit geöffnetem Schnabel nach oben, fächert die Stoßfedern und senkt die Schwingen. Dabei ist er auf etwa drei Sekunden so gut wie taub (jedoch nicht blind). Man unterscheidet eine Baum- und eine Bodenbalz.
Auerwild brütet in der Zeit von April bis Juni rund 28 Tage.
Sie legen in ein kunstlos in den Boden gescharrtes Muldennest fünf bis 12 Eier. Die Küken sind gegen Kälte und Nässe sehr empfindlich. Sie benötigen in den ersten 14 Tagen fast ausschließlich Insektennahrung. Wie alle Hühnervögel sind sie Nestflüchter. Das Gesperre bleibt bis zum Winter zusammen. Die Hähne beteiligen sich nicht an der Aufzucht.

Altersschätzung

Die Schaufeln (=Stoßfedern) sind beim Junghahn kürzer mit abgerundeter Spitze, beim älteren Hahn enden sie wie abgeschnitten.
Der Oberschnabel ist beim älteren Hahn stärker gehakelt und bekommt oft eine ausgeprägte Rille.
Die Schnabelfarbe wechselt von blaugrau (jung) bis horngelb (alt).

Prädatoren

Zu den Fressfeinden des Auerwildes zählen zahlreiche Raubwildarten, insbesondere der Fuchs. Unter den Greifvögeln ist besonders der Habicht zu nennen.
Die Gelege werden besonders vom Dachs und vom Schwarzwild erbeutet. Letzteres hängt damit zusammen, dass das Schwarzwild sich in den letzten Jahrzehnten auch in die Mittelegebirge ausgebreitet hat, wo es früher nicht vorkam.

Hege

In Deutschland unterliegt das Auerwild dem Jagdrecht (Hochwild). Es ist ganzjährig geschont (keine Jagdzeit).
Zu den wichtigen Schutzmaßnahmen gehören neben der (heute sehr schwierigen) Erhaltung geeigneter Lebensräume vor allem die intensive Prädatorenbejagung dort, wo Auerwild vorkommt. Als Jäger sollte man sich an wissenschaftlich begleiteten (!) Wiederansiedlungsprojekten beteiligen.

Fragen

416 Wie ist die heutige Bestandssituation der Waldhühner in Deutschland zu beurteilen?

Alle drei Arten sind zahlenmäßig seit Jahrzehnten rückläufig. Auerwild kommt noch in den Alpen, im Schwarzwald und (wiederangesiedelt) im Harz vor. Vom Birkwild gibt es stabile Bestände nur an der Baumgrenze der Alpen, kleinere in der Rhön und Thüringer Wald sowie einigen norddeutschen Mooren. Das Haselwild ist noch in Wäldern des Alpenraums verbreitet, in Mittelgebirgen kommt es dagegen nur sporadisch vor.

417 Worauf ist dieser Rückgang zurückzuführen?

Der Rückgang aller drei Arten hat verschiedene Ursachen. Vor allem die mittel- und langfristige Veränderung der Lebensräume waren und sind noch immer die Hauptursache für die rückläufigen Bestandszahlen. Aufforstungen von Offenlandflächen sowie Trockenlegung von Mooren und deren Abbau haben langfristig die angestammten Lebensräume zerstört. Kurzfristig können v.a. nasskalte oder kalte Witterung zur Aufzuchtzeit und der ganzjährig hohe Druck der verschiedenen Prädatoren (Fuchs, Marder, Dachs, Schwarzwild, Habicht und auch die Rabenvögel) negativ auf die Bestände wirken.

418 Welche Hegemaßnahmen ergeben sich daraus?

Entsprechend der Gefährdungspotentiale müssen langfristige und kurzfristige Maßnahmen getroffen werden. Wichtig ist insbesondere die Erhaltung oder Wiederherstellung der geeigneten Lebensräume (Bewirtschaftung traditioneller Niederwaldungen, Erhaltung strukturreicher Plenterwälder) und Schaffung der notwendigen Lebensgrundlage (Ansiedlung verschiedener Ameisenarten, deren Puppen den Küken als Nahrung dienen). Lenkung der Waldbesucher und Koordination forstlicher Arbeiten um v.a. während der Balz- und Brutzeit größtmögliche Ruhe in den Revieren zu halten.
Reduktion von Beutegreifern, Nestplünderern und konkurrierenden Arten (keine Ansiedlung von Fasanen in Birkwildgebieten) entsprechend der gesetzlichen Möglichkeiten ist ebenfalls geboten.

419 Wo kommt heute noch Auerwild vor?

In Deutschland finden sich Vorkommen insbesondere noch in den Alpen und in geringer Dichte auch in einigen Mittelgebirgen.

420 Was versteht man beim Auerwild unter „Schild“ und „Spiegel“?

Schild nennt man die große, unterschiedlich gefärbte Gefiederpartie auf der Brust dieser Hühnervögel. Der Auerhahn hat einen blaugrünen, die Auerhenne einen braunen Schild. Spiegel nennt man den weißen Fleck auf der Schwingenbeuge des Auerhahns und des Birkhahns.

421 Was sind „Balzstifte“ (oder Zehenstifte)?

Die verhornten Federn an beiden Seiten der Zehen unserer Waldhühner. Sie sind nur im Winterkleid vorhanden und ermöglichen, wie „Schneeschuhe“, ein besseres Fortkommen im Schnee. Sie stehen in keinem Zusammenhang mit der Balz und fallen bei der Frühjahrsmauser ab.

422 Welche Merkmale dienen zur Altersfeststellung?

Die Schaufeln oder der Fächer und der Oberschnabel. Die Schaufeln, also die Stoßfedern, sind beim Junghahn kürzer mit abgerundeter Spitze, beim älteren Hahn enden sie wie abgeschnitten. Der Oberschnabel ist beim älteren Hahn stärker gehakelt und bekommt oft eine ausgeprägte Rille. Die Schnabelfarbe wechselt von blaugrau (jung) bis horngelb (alt). Eine genaue Altersfeststellung ist jedoch wie bei fast allen Vögeln sehr schwierig.

423 Welches sind die Prädatoren (Fressfeinde) des Auerwildes?

Erwachsene Auerhühner werden vor allem vom Fuchs, Luchs oder Habicht erbeutet. Hennen und Jungvögel gehören darüber hinaus in das Beutespektrum des Stein- und (in Waldlebensräumen!) vor allem Baummarders. Die Gelege fallen darüber hinaus auch häufig dem Schwarzwild oder Dachs zum Opfer.

424 Warum waren Wiederansiedlungsprojekte beim Auerwild in der Vergangenheit nicht immer erfolgreich?

Dies hat verschiedene Ursachen. Zum einen fehlen vielfach geeignete Waldlebensräume, zum anderen leidet das Auerwild unter zahlreichen Prädatoren (Fressfeinden). Sowohl die durch den Menschen mitverursachte hohe Dichte an Füchsen als auch das zunehmende Auftreten des Schwarzwildes in den höheren Lagen der Mittelgebirge sind hier zu nennen. Auch sollten nicht ausschließlich Vögel aus Volierenzuchten ausgewildert werden, sondern auch Wildfänge.

425 Woran erkennt man die Anwesenheit von Auerwild?

An der herumliegenden Losung und zur Balzzeit an der Balzstrophe des Hahnes (auch Vers, Spiel und „G'setzl" genannt).

Die Losung besteht beim Auerhahn aus etwa 5 cm langen und bis 1 cm dicken Walzen, die Reste der Äsung enthalten (Kiefernnadeln, Beerenkerne, Insektenpanzer). Bei der Henne sind die Walzen kürzer.

426 Was versteht man unter der Balzlosung oder dem „Falzpech"?

Die dunkle, fladenförmige, zähflüssige Blinddarmlosung, die von Hahn und Henne neben der normalen Losung (meist in den Morgenstunden) abgesetzt und das ganze Jahr unter den Schlaf- und Balzbäumen gefunden wird. Sie hat mit der Balz nichts zu tun.

2.96: Während des Balzliedes wird der Stoß radförmig ausgelegt

427 In welche Monate fällt die Auerhahnbalz?

In die Monate April und Mai, in höheren Lagen später als in tieferen. Sie findet auf traditionellen Balzplätzen statt. Unter der Balzgesellschaft der Hahnen wird durch Kämpfe eine Rangordnung hergestellt. Die Hennen kommen nur während einer relativ kurzen Phase, in Mittelgebirgen gegen Ende April/Anfang Mai, zum Balzplatz und verlassen diesen nach dem Tretakt wieder. Die Balzzeit endet in der Regel mit dem Ausschlagen des Buchenlaubs.

428 Aus welchen Teilen besteht die „Gesangsstrophe" (auch „Vers" oder „G'setzl" genannt)?

Aus vier Teilen: dem Knappen (Schnalzen oder Zählen), dem Triller, dem Hauptschlag und dem Wetzen oder Schleifen. Die Strophe beginnt mit einem rhythmischen hölzernen Knappen („telac-telac"), das immer rascher wird (Triller) und plötzlich mit dem Hauptschlag endet (der Hauptschlag klingt wie „tirock" oder wie das Herausziehen eines Korkens aus der Flasche). Dann folgt als letzter Teil der Balzstrophe das Schleifen oder Wetzen. Es klingt wie das Sensenwetzen. Während des Schleifens streckt der Hahn den Kopf und Stingel (Hals) bei weit geöffnetem Schnabel nach oben, fächert die Stoßfedern und senkt die Schwingen. Dabei ist er auf etwa drei Sekunden so gut wie taub (jedoch nicht blind). Man unterscheidet eine Baum- und eine Bodenbalz. Der Hahn „tritt zu Boden", er „reitet ab", wenn er auffliegt.

429 Wie lange brütet die Auerhenne?

Auerwild brütet in der Zeit von April bis Juni rund 28 Tage.

430 Wie viele Eier legen Auerhennen?

Sie legen in ein kunstlos in den Boden gescharrtes Muldennest fünf bis 12 Eier. Die Küken sind gegen Kälte und Nässe sehr empfindlich. Sie benötigen in den ersten 14 Tagen fast ausschließlich Insektennahrung. Wie alle Hühnervögel sind sie Nestflüchter. Das Gesperre bleibt bis zum Winter zusammen. Die Hähne beteiligen sich nicht an der Aufzucht.

431 Wie wird die Jagd – wo sie erlaubt ist – auf den Auerhahn ausgeübt?

Der Hahn wird am Abend auf dem Balzplatz „verhört", da er die Balzstrophe oder knarrende Laute (das Worgen, Wörgen oder Kröpfen) hören lässt, sobald er sich auf seinen Schlafbaum „eingeschwungen" hat. Dort beginnt er in der Regel am nächsten Morgen etwa 1½ Stunden vor Sonnenaufgang zu balzen. Diese Zeit benutzt der Jäger, um durch vorsichtiges Angehen in Schussnähe zu kommen (ihn „anzuspringen").
In Deutschland ist das Auerwild ganzjährig geschont.

432 Welches ist die Trophäe des Auerwildes?

Der Auerhahn wird meist ganz präpariert (in Balzstellung oder als Stillleben). Ebenfalls als Trophäe gelten die glatt geschliffenen und oft schön gemusterten Magensteine, Magenkiesel oder Weidkörner.

Ordnung	Hühnervögel
Familie	Glatt- und Raufußhühner (Phasianidae)
Unterfamilie	Raufußhühner (Tetraoninae)
Gattung	Auer- und Birkhühner (Tetrao)

Birkwild *(Tetrao tetrix)*

Aussehen

Der Birkhahn ist von glänzend blauschwarzer Färbung, hat ein leierförmiges Spiel (Stoß), weiße Binden auf den Schwingen, weiße Achselflecken („Spiegel“) und scharlachrote „Rosen“ über den Augen. Er ist etwa so groß wie ein Haushuhn (daher im Vergleich zum Auerhahn die Bezeichnung „kleiner Hahn“). Der Stoß oder das Spiel besteht aus einem großen und einem kleinen Stoß. Der große Stoß setzt sich aus den (je nach Alter) bis zu vier tiefschwarzen sog. „Sicheln“ und den mittleren Stoßfedern zusammen, der kleine Stoß besteht aus schneeweißem Gefieder, dessen Mittelfedern den gefächerten großen Stoß in der Mitte überragen.
Die Hennen sind braun tarnfarben mit dunkler Querbänderung und weißem Schwingenband.

Verbreitung und Lebensraum

Birkwild benötigt einen Lebensraum mit Gehölzanteilen und offenen Flächen. Typisch sind Moore und Heiden, aber auch die lichte Baumgrenze im Gebirge. Birkwild liebt das Vorkommen von Pionierbaumarten wie Birke, Espe und Weide, deren Knospen und Blätter es äst, sowie Beeren, Wollgras und Seggen.
Es verschwindet, sobald der Mensch seinen Lebensraum zerstört, früher typischerweise durch Entwässerung und anschließende Aufforstung der Moore. Heute sind es oftmals schnelle Aufforstungen von Katastrophenflächen (Waldschäden, Insektenkalamitäten, Sturm, Waldbrand), welche dem Birkwild innerhalb weniger Jahre die Offenflächen, die es für die Balz benötigt, nehmen. Auch die im Zuge der Schutzwaldsanierung durchgeführten Aufforstungen im Hochgebirge engen den Lebensraum des Birkwildes ein.

Nahrung

Birkwild lebt von Sämereien, Blättern, jungen Pflanzentrieben sowie Beeren. Die Jungtiere benötigen vorwiegend tierische Kost (Insekten, Würmer, Schnecken etc.).

Fortpflanzung

Birkwild ist poly- bzw. agam, es gibt keine feste Partnerbindung. Die Balz spielt sich im April/Mai ab. In dieser Zeit sucht es feste Balzplätze, meist von Bäumen oder lichten Gehölzen umstandene Freiflächen, auf. Bei der Birkwildbalz handelt es sich um eine sog. „Arenabalz“: Die Hähne suchen gut einsehbare Freiflächen auf und beginnen mit der Balz. Die Hennen warten zunächst aufgebaumt in der Umgebung, streichen dann ebenfalls zum Balzplatz und suchen sich dort einen ihnen

2.97: Balzender Birkhahn

zusagenden Hahn. Auf dem Balzplatz haben die Hähne mehr oder weniger klar abgegrenzte Balzterritorien, in denen sie benachbarte Hähne nicht dulden. Man unterscheidet eine Morgen- und eine Abendbalz. Zur Morgenbalz streicht der Hahn regelmäßig vom Nachtstand auf den Balzplatz, sichert erst kurze Zeit und beginnt die Balz noch vor Sonnenaufgang bald nach dem Lerchenschlag. Bei Sonnenaufgang wird die Morgenbalz durch ein längeres Verschweigen, dem sogenannten „Morgengebet" unterbrochen. Die sich an das Morgengebet anschließende Balz bezeichnet man als Sonnenbalz. Die Abendbalz beginnt mitunter schon am zeitigen Nachmittag. Die Hennen kommen zum Balzplatz. Sie lassen sich in der Regel nur von den ranghöchsten Hähnen treten.

Birkhennen legen 3 bis 10 Eier in ein Bodennest. Sie brüten 24 bis 28 Tage. Die nach drei Wochen flugfähigen Jungen werden anfangs von der Henne gehudert. Sie sind Nestflüchter.

Altersschätzung

Beim alten Hahn ist das gesamte Gefieder blauschwarz und metallisch glänzend, während der junge Hahn noch einen bräunlichen Rücken aufweist. Die leuchtenden Rosen zu beiden Seiten des Scheitels sind beim Junghahn nicht ausgeprägt wie beim alten Hahn. Die gekrümmten tiefschwarzen Federn des Spiels, die Sicheln, werden mit zunehmendem Alter immer länger und breiter. Der Althahn hat vier, der junge Hahn bis je drei Sichelfedern im Spiel, die noch wenig gekrümmt sind.

Prädatoren

Prädatoren sind verschiedene Raubwildarten, insbesondere der Fuchs, aber auch z.B. der Luchs, wo er vorkommt. Unter den Greifvögeln sind besonders der Habicht und der Steinadler zu nennen.

Die Gelege werden besonders vom Dachs und vom Schwarzwild erbeutet. Letzteres hat eine zunehmende Bedeutung erlangt, da es sich in den letzten Jahrzehnten auch in die Mittelgebirge ausgebreitet hat, wo es früher nicht vorkam.

Hege und Schutzmaßnahmen

Zu den wichtigsten Schutzmaßnahmen zählt die Erhaltung und Wiederherstellung geeigneter Lebensräume, etwa alter Moor- und Heidelandschaften.

In Deutschland unterliegt das Birkwild dem Jagdrecht. Es ist ganzjährig geschont. In anderen europäischen Ländern, z.B. in Österreich, erfolgt die nachhaltige Bejagung aufgrund eines regelmäßigen offiziellen Monitorings, also einer Bestandeserfassung, welche Informationen darüber liefert, ob und ggf. wie viele Birkhähne in einem bestimmten Gebiet erlegt werden dürfen, ohne das dies die Population beeinträchtigt.

Wiederansiedlungsmaßnahmen sollten dort erfolgen, wo geeignete Lebensräume wiederhergestellt wurden, doch eine natürliche Besiedlung, etwa aufgrund der isolierten Lage des Gebietes, nicht in absehbarer Zeit zu erwarten ist.

Fragen

433 Wie wird der Birkhahn in der Waidmannssprache noch bezeichnet?

Im Unterschied zum Auerhahn heißt er „Kleiner Hahn" oder „Spielhahn".

434 Warum wird das Birkwild auch „Katastrophenhuhn" genannt?

Birkwild benötigt Waldlebensräume mit Offenlandanteilen, wie wir sie etwa auf Mooren und Heiden, aber auch nach Katastrophen wie Waldbränden, Sturmereignissen, Insektenkalamitäten oder Waldschäden durch Immissionsbelastung finden. Auf solchen Flächen gedeihen bald sog. Pionierbaumarten wie Birke, Espe und Weide, deren Knospen und Blätter dem Birkwild als Nahrung dienen. So kommt es oftmals zu einem schnellen Anstieg des Bestandes über wenige Jahre, der nach Wiederaufforstungsmaßnahmen aber genauso schnell wieder verschwindet.

435 Wie lebt Birkwild?

Abgesehen von der Balz lebt es nach Geschlechtern getrennt. Das tagaktive Birkwild ist besonders wachsam und nächtigt häufig auf Bäumen. Es ist ein Kulturflüchter.

436 Aus welchen Balzlauten besteht die Balzstrophe des Birkhahns?

Aus dem Kampfruf (dem Blasen oder Zischen) und dem Kullern. Der Kampfruf (Tschj-chsch, Tschj-chsch), bei dem er den Hals hochreckt, wird von meterhohen Balzsprüngen und von Flattern begleitet (nachgeahmter Tanz ist der bayerische Schuhplattler). Beim Kullern, Rodeln oder Grundeln (Rut-turu-ruttu-rutuluh, urr-urr-urr, rutturu-ruttu-rutuluh) spreizt er die Schwingen, trippelt mit waagerecht vorgestrecktem Hals umher und fächert dabei den Stoß. Dann bleibt er plötzlich stehen und bläst wieder. Im Herbst findet eine Herbstbalz statt, die jedoch nichts mit der Fortpflanzung zu tun hat.

437 Wie wird die Jagd – wo sie erlaubt ist – auf Birkwild ausgeübt?

Vom Bodenschirm aus oder auf der Pirsch erlegt man Birkwild mit Schrot oder der kleinen Kugel. Ferner kann man die Lockjagd betreiben.
In Deutschland ist das Birkwild ganzjährig geschont.

438 Was gilt beim Birkwild als Trophäe?

Trophäen sind der ganze (präparierte) Hahn, das Spiel als Hutschmuck und die Weidkörner (Magenkiesel).

439 Wie bezeichnet man die seltene Kreuzung zwischen Birkhahn und Auerhenne?

Wir sprechen von Rackelwild. Die umgekehrte Kreuzung (Auerhahn mit Birkhenne) ist ebenfalls möglich, aber noch seltener. Diese Tiere sind unfruchtbar; es handelt sich beim Rackelwild auch nicht um eine eigenständige Art!

2.98: Rackelhahn

Ordnung	Hühnervögel
Familie	Glatt- und Raufußhühner (Phasianidae)
Unterfamilie	Raufußhühner (Tetraoninae)
Gattung	Haselhühner (Tetrastes)

Haselwild *(Tetrastes bonasia)*

Aussehen

Haselwild ist etwas größer als ein Rebhuhn. Beide Geschlechter sind gleich groß und ähnlich gefärbt. Die kleine Kopfhaube oder „Holle" (Federn aufgerichtet) und der graue Stoß mit auffallend schwarzer Binde kommen ebenfalls bei beiden Geschlechtern vor. Der Hahn trägt vom Spätherbst bis zum Frühjahr eine tiefschwarze, weiß eingefasste Kehlzeichnung sowie auf der Brust einen hufeisenförmigen „Schild" mit rotem Rand. Die untersten Teile der Ständer und die Zehen sind unbefiedert.

Verbreitung und Lebensraum

Das Haselwild besiedelt in nördlichen Europa und Asien die Nadelwaldregion, in Europa auch die weiter südlich liegenden Laubwaldregionen. Haselwild liebt Bestände mit einem hohen Anteil an Hasel-, Birken-, Erlen- und Espenunterwuchs (früher kam es besonders in den Niederwäldern des Hügellandes vor). Das Vorkommen ist in deutschen Mittelgebirgen und in den unteren und mittleren Lagen der Alpen (aktuell größtes mitteleuropäisches Vorkommen) derzeit gering und auf extensiv bewirtschaftete Wälder beschränkt.

Nahrung

Bevorzugte Nahrung sind Sämereien und Früchte, etwa die Beeren von Eberesche, Mehlbeere, Mistel, Holunder und Tollkirsche sowie die Heidel- und Preiselbeere. Die Nahrung der Küken besteht in den ersten beiden Lebenswochen im Wesentlichen aus Insekten und wird danach rasch auf pflanzliche Kost umgestellt.

Fortpflanzung

Haselwild lebt monogam und findet sich oft schon im Herbst zusammen. Die Balzzeit ist von Mitte März bis Ende April. Das feine Balzpfeifen nennt man beim Hahn Spissen und bei der Henne Bisten. Damit locken sich die Vögel. Das männliche Tier steht dabei auf einer Bodenerhebung oder einem Baumstumpf und wippt bei hängenden Flügeln mit dem gefächerten Stoß. Die Henne legt in ein einfaches Bodennest bis zu zehn Eier (Brutzeit 23 bis 25 Tage), die sie alleine bebrütet. Die Jungen sind Nestflüchter und schon nach den ersten Stunden sehr selbstständig.

2.99: Haselhahn

Prädatoren

Jungvögel und erwachsene Vögel gehören in das Beutespektrum etwa von Fuchs, Marderhund und verschiedenen Marderartigen sowie des Habichts. Als Bodenbrüter sind die Gelege vor allem durch Schwarzwild, Dachs, Marderhund und Waschbär, aber auch verschiedene Rabenvögel bedroht.

Hege

Als wichtigste Schutzmaßnahme gilt der Erhalt von niederwaldartigen oder naturnahen, horizontal und vertikal strukturierten Wäldern.
Dort, wo das Haselwild früher einmal heimisch war, aber z.B. aufgrund der zunehmenden Verbreitung des Altersklassenwaldes mit Fichten- und Kiefernreinbeständen im 19. und 20. Jahrhundert ausgestorben ist oder nur noch in sehr kleinen Restbeständen vorkommt, sind Wiederansiedlungsmaßnahmen sinnvoll.
Wiederansiedlungsmaßnahmen müssen gut vorbereitet, wissenschaftlich begleitet und durch eine lokal intensive Raubwildbejagung flankiert werden.

Fragen

440 Wie bejagte man früher das Haselwild?

Früher wurde auf den Haselhahn im September/Oktober die Lockjagd ausgeübt. Mit einem Pfeifchen, dem „Wusperl", das man typischerweise aus dem Laufknochen eines Hasen fertigte, spisste der Jäger wie ein Haselhahn und reizte ihn dadurch zum Zustreichen. Das Wildbret gilt als Leckerbissen. Heute ist das Haselwild in Deutschland ganzjährig geschont.

Ordnung	Hühnervögel
Familie	Glatt- und Raufußhühner (Phasianidae)
Unterfamilie	Raufußhühner (Tetraoninae)
Gattung	Schneehühner (Lagopus)

Alpenschneehuhn *(Lagopus mutus)*

Aussehen

Das Alpenschneehuhn ist im Winter weiß, im Sommer dagegen graubraun gefärbt. Die Schwingen bleiben das ganze Jahr über weiß, der Stoß schwarz.

Verbreitung und Lebensraum

Schneehühner besitzen aufgrund der nacheiszeitlichen Landschaftsentwicklung in Europa ein zweigeteiltes, sog. boreo-alpines Verbreitungsgebiet. Während in Skandinavien im borealen Nadelwald das Moorschneehuhn vorkommt, finden wir in den Alpen oberhalb der Waldgrenze das Alpenschneehuhn.

Nahrung

Schneehühner äsen Insekten, Blattspitzen, Knospen und Flechten. Bei hoher Schneelage lassen sie sich einschneien und scharren Gänge und Höhlen zur Bodenäsung unter dem Schnee.

Fortpflanzung

Schneehühner leben monogam, nach der Brutzeit und im Winter leben sie in größeren Verbänden.
Die Balz findet im April bis Juni statt. Die Henne legt 5 bis 10 Eier, diese werden 22 bis 24 Tage bebrütet. Die Jungen sind Nestflüchter und nach zwei Wochen flugfähig.

2.100: Alpenschneehuhn

Prädatoren

Die Prädatoren des Alpenschneehuhns sind verschiedene Haarraubwildarten, insbesondere der Fuchs, sowie Habicht und Steinadler, wobei mit zunehmender Höhenlage vor allem die Gelegeprädatoren weniger in Erscheinung treten.

Hege

Das Alpenschneehuhn ist in Deutschland ganzjährig geschont. Die derzeitige Gefährdung des Alpenschneehuhns hat allerdings nichts mit Bejagung zu tun, vielmehr fürchtet man die Folgen einer möglichen Klimaerwärmung, welche große Teile des Lebensraumes und damit die Konkurrenzbedingungen zu anderen Arten verändern würde.

Ordnung	Hühnervögel
Familie	Glatt- und Raufußhühner (Phasianidae)
Unterfamilie	Glattfußhühner / Fasanenartige
Gattung	Eigentliche Fasane (Phasianus)

Fasan *(Phasianus colchicus)*

Aussehen

Viele verschiedene Rassen des Fasans sind bekannt, einige davon auch in Deutschland. Allen gemeinsam ist die unterschiedliche Färbung der beiden Geschlechter. Der farbenprächtige Hahn hat warzige, scharlachrot gefärbte „Rosen" als Augenkranz und kurze Federohren oder „Hörner" sowie einen langen spitzen Stoß. Die Henne ist schlicht braun bis gelblich braun gefärbt sowie dunkel gefleckt und hat einen kürzeren Stoß als der Hahn. Die Farbe des Federkleides ist bei den einzelnen Rassen und infolge von Rassenkreuzungen sehr verschieden. Es gibt Formen mit und ohne „Halsring". Der früher am weitesten verbreitete, heute zurückgedrängte oder mit anderen Rassen vermischte Fasanentyp ist der Colchicus (*Phasanius colchicus colchicus*), der auch als Kupfer- oder Böhmischer Jagdfasan bezeichnet wird. Das Gefieder des Hahnes ist kupferrot, sein Hals ringlos. Die Hennen sind kräftig graubraun. Eine dunkle Spielart des „Colchicus" ist der Tenebrosus (*Phasanius colchicus var. tenebrosus*). Er wird auch Dunkelfasan genannt, da das Gefieder des Hahnes schwarzblau und das der Hennen dunkel schwarzgrau ist. Der Hahn ist ringlos. Das unterscheidet ihn vom Torquatus (*Phasanius colchicus torquatus*). Der Hahn besitzt einen

2.101: Fasanenhenne

2.102: Fasanenhahn

schmalen weißen Halsring, sein Gefieder ist hell rostbraun, seine Schwingen sind hell graugelb. Die Hennen sind hell grau-braun gefärbt. Der ‚Torquatus' oder helle Ringfasan, Feldfasan bzw. Chinesische Reisfasan lässt sich im Unterschied zum nächsten Vertreter leicht züchten. Der Hahn des Versicolor (*Phasanius colchicus versicolor*) oder Japanische Buntfasan hat ein blaugrünes Gefieder und rotbraune Schwingen, er ist ringlos. Die Hennen sind von blaugrauer Farbe. Der Mongolicus (*Phasanius colchicus mongolicus*) wird auch als dunkler Ringfasan bezeichnet. Den Hahn kennzeichnet nämlich ein breiter weißer Halsring. Sein Gefieder ist dunkel rotbraun, die Schwingen sind heller und am Rücken ist der Hahn grünlich schillernd. Die Hennen sind braungrau gefärbt.

Verbreitung und Lebensraum

Fasane stammen ursprünglich aus Asien. Sie waren allerdings bereits im Altertum in Teilen Europas bekannt und sind spätestens seit dem Mittelalter auch als Beizwild beliebt.
Der Fasan liebt vor allem tiefere Lagen unterhalb 400 bis 500 m Höhenlage, insbesondere Auen und Bruchwälder mit etwa gleichen Anteilen Wald, Wiese und Feld, mit Weizen-, Mais- und Hackfrucht-Anbau. Weiter sollten auch genügend Deckung gegen Sicht sowie Wasser (Wassergräben, schilfreiche Gewässer), Grünäsung und Schlafbäume (Fichten in Dickungen) vorhanden sein. Reine Feld- und Waldreviere sind für den Fasan ungeeignet.

Nahrung

Fasane bevorzugen Getreidekörner, junges Grün, Sämereien von Wildkräutern sowie Beeren, aber auch tierische Kost wie Insekten oder Weichtiere wird gerne genommen. Die Küken sind in den ersten Lebenswochen auf Insektennahrung angewiesen.

Fortpflanzung

Fasane leben polygam bzw. agam. Das beste Geschlechterverhältnis ist beim Aussetzen ein Hahn zu drei Hennen, in Revieren mit geringem Besatz 1:4 und in gut besetzten Revieren 1:6, um eine volle Befruchtung der Eier zu garantieren. Die Balz- oder Paarungszeit beginnt Ende März/Anfang April.
Die Fasanenhenne legt Ende April/Anfang Mai in ein gescharrtes Muldennest 8 bis 18 einfarbig olivbraune Eier. Die Brutzeit dauert 24 Tage. Bei Ausfall des Erstgeleges erfolgt ein Zweitgelege, dessen Jungfasane zu Beginn der Jagdzeit noch nicht ausgefiedert sind. Die Küken sind Nest-

2.103: Fasanenfedern.

flüchter und nach 14 Tagen flugfähig. In der Voliere nimmt man den Hahn heraus, sobald die Henne auf dem Gelege sitzt.
Die Gesperre (also Henne und ihre Nachkommen aus dem laufenden Jahr) bleiben – im Unterschied zur Rebhuhnkette – nur bis zur Herbstmauser vereinigt.

Altersschätzung

Beim jungen Fasan ist das Brustbein biegsam, beim alten nicht oder nur schwer. Der Sporn, auch das Krönchen genannt, ist als Unterscheidungsmerkmal nur bis zu einem Alter von etwa 18 Monaten brauchbar. Bis zu diesem Zeitpunkt hat er die Form eines stumpfen Kegels. Ein älterer Fasan besitzt ein spitzes Krönchen. Die Länge des Sporns, seine Biegung (stark, schwach nach oben oder nach unten) und die Anzahl der Hornringe an diesem sagen (entgegen früherer Meinung) nichts über sein Lebensalter aus.

Prädatoren

Prädatoren sind neben dem Fuchs, Marderhund und der Hauskatze vor allem verschiedene Marderartige. Von den Greifvögeln ist insbesondere der Habicht zu erwähnen. Gelege fallen Krähen, Elstern und Ratten ebenso zum Opfer wie Dachs, Waschbär und dem Schwarzwild.

Hege

Grundsätzlich ist bei der Auswilderung von Fasanen zu prüfen, ob die Biotopverhältnisse geeignet sind. In Revieren, in denen ständige Bestandesstützungen durch Auswildern erforderlich sind, sollte auf die Ansiedlung von Fasanen verzichtet werden.
In Revieren mit Fasanenbesatz ist eine stringente Bejagung des Raubwildes im Rahmen der gesetzlichen Möglichkeiten wichtig.
Eine regelmäßige Beschickung der Schüttungen im Winter ist meist erforderlich.

Bejagung

Die Jagd auf den Fasan kann auf der Einzeljagd und auf der Gesellschaftsjagd erfolgen. Hinsichtlich der Jagdarten steht die Suche, das Stöbern oder Buschieren (einzeln oder mit wenigen Schützen), oder gelegentlich auch die Treibjagd im Vordergund.

Fragen

441 Welche wichtigen Lebensraumelemente des Fasans werden durch die fünf „W" bezeichnet?

Wald, Wasser, Weizen, Wiese, Wärme (gelegentlich auch „Wurzeln", gemeint sind Hackfrüchte) sind wichtige Voraussetzungen für ein gutes Gedeihen von Fasanenbeständen.

442 Welche Rassen kommen zur Ansiedlung in Frage?

Über die fünf Ws hinaus haben die verschiedenen Rassen verschiedene Ansprüche an ihren Lebensraum. Einige Rassen leben lieber im Wald, wo sie am Abend die Möglichkeit haben aufzubaumen. Dazu gehören v.a. der Colchicus (Böhmischer Jagdfasan), der Tenebrosus (Dunkelfasan) und der Versicolor (Japanischer Buntfasan). Andere wiederum, wie der Torquatus (Ringfasan), bevorzugen klimatisch mildere Feldebenen mit Hecken und Feldgehölzen. Der Mongolicus (Mongolischer Ringfasan) wiederum kann in Revieren angesiedelt werden, die eine Kombination von beiden Lebensräumen bieten. Zu beachten ist jedoch, dass es auch viele verschiedene Kreuzungsprodukte gibt, deren Zuordnung nicht so eindeutig möglich ist. Ansiedlungen in Gebieten mit ungünstigen Klimaverhältnissen und Biotopstrukturen sollten grundsätzlich unterbleiben. Derlei Mängel sind auch durch die Wahl bestimmter Rassen nur unbefriedigend auszugleichen.

2.104: Hahn und Henne im Geschlechterverhältnis 1:5 zeigen hier die Vielehe beim Fasan.

443 Welches Geschlechterverhältnis ist anzustreben?

Vor der Balzzeit sollen auf einen Hahn (drei bis) sechs Hennen entfallen. Es sind deshalb zur Jagdzeit hauptsächlich Hähne zu schießen. Wo der Bestand zunehmen soll, sind die Fasanenhennen zu schonen.

444 Aus welchem Ruf besteht der Balzlaut des Fasans?

Aus dem zweisilbigen Ruf „körk-kök", dem gewöhnlich ein schwirrender Flügelschlag folgt.

445 Welche Jahreszeit ist die beste für die Fasanenjagd?

Für die Suchjagd im Feld ist es der späte Oktober. Die Fasane liegen dann in niedriger Deckung. Suchjagden im Walde sollten erst stattfinden, wenn das Laub gefallen und die Deckung niedergefroren ist.

446 Worauf ist beim Schuss auf den Fasan zu achten?

Die Entfernung von maximal 25 bis 30 Meter (bleifreie Schrote: ca. 2 bis 3 mm) sollte nicht überschritten werden. Fasane, die nach dem Schuss den Kopf noch hoch haben, sind geflügelt und laufen nach dem Aufschlag so weit wie möglich fort. Ein weiterer Schuss ist daher noch während des Fallens oder beim Weglaufen erforderlich.

2.105: Schussbilder (v.l.n.r.): himmelnd (Lunge oder Rücken), taumelnd (nicht tödlicher Kopftreffer), geflügelt (ein oder beide Flügel verletzt), geständert (zwei bzw. ein Ständer zerschossen), „weich" (Eingeweide verletzt)

447 Welche Schüsse sind auf den Fasan gelten als nicht weidgerecht?

Der Schuss in ein „Bukett" (mehrere nahe beieinander fliegende Vögel), auf aufgebaumte Fasane und auf „Infanteristen" (Fasane zur Fuß). Letzteres ist durch die vergleichsweise geringe Wirkung einer Schrotgarbe bei angelegten Schwingen zu erklären.
Verletzte Fasane müssen natürlich auch auf dem Boden beschossen werden. Es darf immer nur ein Fasan anvisiert und beschossen werden!

Ordnung	Hühnervögel
Familie	Glatt- und Raufußhühner (Phasianidae)
Gattung	Rebhühner (Perdix)

Rebhuhn *(Perdix perdix)*

Aussehen

Rebhühner sind taubengroß mit ausgeprägter bräunlicher Tarnfärbung. Hahn und Henne sind nur schwer, im Flug überhaupt nicht zu unterscheiden. Auch der „Schild", ein kastanienbraunes Abzeichen in der Form eines nach unten offenen Hufeisens auf der Unterbrust, ist nicht als untrügliches Kennzeichen des Hahnes anzusehen, da auch Rebhennen mit stark ausgeprägtem Hufeisenfleck vorkommen. Das beste Unterscheidungsmerkmal sind die oberen Flügeldeckenfedern. Sie sind beim Hahn mit einem hellbraunen Längsstrich entlang dem Kiel und einem rostbraunen und einem schwarzen Fleck versehen. Bei der Henne weisen sie keine Fleckung auf, zeigen aber vom breiten hellen Schaftstrich ausgehende schmale Querbinden.

Verbreitung und Lebensraum

Das Verbreitungsgebiet des Rebhuhns erstreckt sich über weite Teile Europas und Asiens. Das Rebhuhn ist ursprünglich ein Bewohner von Offenlandschaften und als solcher auch eine typische Art der Agrarlandschaft, welche seit dem Sesshaftwerden des Menschen bis in das zwanzigste Jahrhundert enorm von der kleinteiligen Landwirtschaft in Mitteleuropa profitiert hatte. Mit dem Verschwinden dieser Form der Landnutzung scheint in vielen Regionen auch das Rebhuhn zu verschwinden.

Nahrung

Rebhühner bevorzugen Wildkräuter und deren Sämereien, Getreidekörner, Blattspitzen verschiedener Wild- und Kulturpflanzenarten, aber auch Insekten, besonders in der Mauser und vor der Brutzeit. Die Küken sind in den ersten Lebenswochen auf Insektennahrung und Weichtiere angewiesen.

Fortpflanzung

Die Balz ist im Februar/März. Die Rebhühner leben in Einehe (monogam). Rebhühner verpaaren sich, wie die meisten Tierarten, ungern innerhalb der Familie. Daher bedarf es in unmittelbarer Nachbarschaft mehrerer Ketten, die untereinander Kontakt halten können.
Die Henne legt ab Ende April etwa 15 einfarbig oliv-braune Eier unter Hecken, in Wiesen, im Klee oder wachsenden Getreide, die nach 24 bis 25 Tagen schlüpfen. Wenn das erste Gelege

im frühen Brutstadium verloren geht, erfolgt ein Nachgelege, das dann aber nur aus fünf bis zehn Eiern besteht. Die Küken schlüpfen dann erst im August. Jedes Paar hat sein Revier, das energisch verteidigt wird.

Altersschätzung

Die Altersschätzung ist nur am erlegten Rebhuhn möglich.
Junge Rebhühner haben gelbe bis gelbgraue Ständer, einen schwarzen Schnabel und spitz zulaufende erste Handschwingen; die Schädeldecke lässt sich leicht eindrücken; das Gefieder der unteren Halsfläche ist gelb, der Augenring ist glatt und bleigrau (ohne rote Rose).
Ältere Hühner haben blaugraue bis schiefergraue Ständer und einen harten, grau gefärbten Schnabel; die Spitze der ersten Handschwinge ist stumpf (abgerundet); die Schädeldecke ist druckfest, das Halsgefieder aschgrau, und der hochrote Augenring ist als „Rose" bei der Henne klein, beim Hahn größer.

Prädatoren

Prädatoren sind typischerweise Fuchs, Marderhund und Hauskatze sowie verschiedene Marderartige. Von den Greifvögeln sind insbesondere der Habicht und der Sperber zu erwähnen. Darüber hinaus wird auch gelegentlich von Bussarden bereichtet, welche sich auf Rebhühner spezialisiert haben. Dies dürfte vor allem den Raufußbussard betreffen, der in harten Wintern oder in Jahren mit einer geringen Lemmingpopulation in Skandinavien bei uns als Wintergast auftritt. Gelege fallen Krähen und Elstern ebenso zum Opfer wie Ratten, Dachs, Waschbär und dem Schwarzwild.

Hege

In industrialisierten, ausgeräumten Agrarlandschaften ist es wichtig, den Rebhühnern Deckung und Äsung, vor allem auch über den Winter, zu verschaffen. Hier spielen die Anlage von Blühstreifen im Feld, aber auch die Belassung eingestreuter Brachflächen oder die Anlage von Feldholzinseln sowie die Fütterung, vor allem im Spätwinter, eine wichtige Rolle.
Daneben sollten Prädatoren intensiv bejagt werden.
In vielen Regionen, in denen der Rebhuhnbesatz in den vergangenen Jahrzehnten deutlich rückläufig war, verzichtet die Jägerschaft auch freiwillig auf seine Bejagung und erste Bundesländer führen bereits eine ganzjährige Schonzeit ein. Allerdings ist die Bejagung keineswegs die Ursache des Rückganges beim Rebhuhn ist. Umgekehrt kann das Rebhuhn dort, wo es noch in hinreichend hohen Besätzen vorkommt, auch guten Gewissens bejagt werden.

Bejagung

Die Jagd auf Rebhühner erfolgt dort, wo noch hinreichende Besätze vorhanden sind, typischerweise auf der Suche im Feld hinter dem Vorstehhund. Aus einer aufstehenden Kette sollte keinesfalls das erste Huhn erlegt werden, da dies meist die führende Henne ist.

2.106: Rebhuhn

Fragen

448 Wie kann man das Vorkommen von Rebhühnern feststellen?

Am Gestüber an Huderstellen (Stellen, an denen sie ein Sand- oder Staubbad genommen haben), an dem lauten Lockruf „rirapp“ des Hahnes und „kirrit“ der Henne, durch Verhören der Hühner am Morgen sowie Abend und am Geläuf.

449 Wie ernähren sich Rebhühner?

Hauptsächlich von Grünäsung und Samen einschließlich Körnern verschiedener Getreidesorten.
Zu bestimmten Jahreszeiten und bei Küken in einer frühen Lebensphase sind Rebhühner jedoch auf tierische Nahrung angewiesen.

450 Welchen Lebensraum bewohnen Rebhühner?

Rebhühner bewohnen als typische Steppenvögel zwar die offene Agrarlandschaft, lieben jedoch abwechslungsreiche, kleinflächige Vegetationsstrukturen mit ausreichend Deckungsmöglichkeit (Hecken) und vielfältigem Nahrungsangebot.

451 Aus wie vielen Rebhühnern besteht ein Volk (eine Kette)?

Aus den zwei Elterntieren und etwa acht bis 18 jungen Rebhühnern. Ab Oktober finden sich manchmal mehrere Ketten von Rebhühnern zusammen. sodass man 30 bis 50 Hühner antreffen kann. Die Vereinigung mehrerer Ketten heißt „Schar“. Bei der Hühnerjagd versprengte Ketten finden sich durch Lockrufe schnell wieder zusammen.

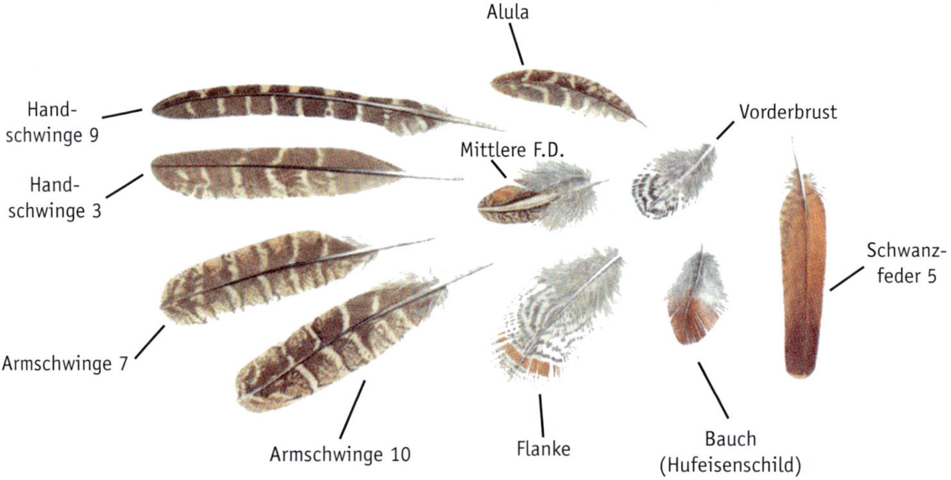

2.107: Gefiederzeichnung beim Rebhahn

452 Wie lange bleibt eine Rebhuhnkette beisammen?

Die Rebhuhnketten bleiben bis zur nächsten Paarzeit (Februar bis März) vereinigt.

453 Welche Faktoren beeinflussten die aktuelle Bestandesentwicklung?

Die „ausgeräumten" Landschaften mit großen, eintönigen Flächen lassen oft keine hohen Hühnerdichten mehr erwarten. Der Einsatz von Insektiziden verringert das Angebot an Insekten, die für die Aufzucht der Küken unbedingt erforderlich sind. Der Einsatz von Herbiziden verringerte die Pflanzenvielfalt und damit ebenfalls das Insektenangebot für die Küken. Wie bei allen Hühnervögeln wirkt sich ferner eine Reihe nasskalter Frühsommer sehr negativ auf den Bruterfolg aus, der durch hohe Dichten von Prädatoren (Fuchs, Rabenvögeln, Habicht u.a.) beeinträchtigt wird.

454 Welche Hegemaßnahmen sind geeignet, die Hühnerbesätze anzuheben?

» Anlage von Flächen mit deckungsreicher Vegetation zum Schutz der Bruten vor Ausmähen und Prädatoren, Schaffung kleinflächiger Strukturen
» Appelle an die Landwirte, den Pestizideinsatz auf ein Minimum zu reduzieren bzw. Flächen davon ganz auszunehmen
» Reduktion der Prädatoren entsprechend den gesetzlichen Möglichkeiten
» Winterfütterung oder gar ganzjährige Fütterung in ausgeräumten Agrarlandschaften

455 Wie verhält man sich, wenn Gelege der Rebhühner ausgemäht werden?

Befruchtete Eier können innerhalb 24 Stunden weiter bebrütet werden. Man bringt sie, ohne sie stark zu schütteln, in eine Brutanstalt oder versucht, sie mit dem „Brutkissen" zum Schlupf zu bringen. Auch Zwerg- oder Haushennen können beim Ausbrüten helfen. Für ausgemähte Gelege sind Fundprämien angebracht. Das gilt übrigens auch für Fasanengelege.

456 Was ist für die Aufzucht von Küken wichtig?

Das Einhalten einer vorschriftsmäßigen Fütterung. Für die Aufzucht der Küken haben sich fertige Aufzuchtfuttermittel in gepresster Form (Pellets) bewährt. Vor Kälte erstarrte (verklammte) Küken lassen sich durch vorsichtiges Wärmen mit Heizkissen oder durch Bestrahlen mit Infrarotwärmelampen retten.

457 Was ist bei der Bejagung der Rebhühner zu beachten?

Die beste Jagdart ist die Suche mit dem Vorstehhund gegen den Wind. Dabei sollten nur Gruppen von zwei Schützen mit einem Hund auf die Hühnerjagd gehen. Sinnvoll ist noch ein zusätzlicher Gehilfe, der die abstreichenden Hühner beobachtet. Es darf immer nur ein Huhn anvisiert und beschossen werden. Man schießt niemals auf das erste aufstehende Huhn einer Kette, denn das ist meistens die führende Henne. Die Bejagung soll sich in erster Linie auf die schussreifen Junghühner konzentrieren. Die Hühner „halten" am besten an sonnigen Tagen mit leichtem Wind. Regen ist denkbar ungünstig, da die Hühner nicht am Boden bleiben und auch die Hunde schlecht finden. Im Oktober streichen sie schon von weitem ab und sind nur schwer zu erlegen.

Ordnung	Hühnervögel
Familie	Glatt- und Raufußhühner (Phasianidae)
Gattung	Wachteln i.e.S. (Coturnix)

Wachtel *(Coturnix coturnix)*

Aussehen

Die Wachtel ähnelt dem Rebhuhn, sie ist sandbraun, die Oberseite ist stark weißlich gelb und schwarz gestreift. Allerdings ist sie (als kleinster Hühnervogel) mit einer Körperlänge von ca. 15 bis 20 cm deutlich kleiner als das Rebhuhn. Auffällig ist, vor allem beim Wachtelhahn, die typische schwarz-weiße Zeichnung von Kopf- und Halsgefieder.

Verbreitung und Lebensraum

Die Wachtel besiedelt weite Teile Europas, Asiens und Afrikas. Sie lebt im Offenland auf Äckern und Wiesen mit deckungsgebender Vegetation, wobei sie die landwirtschaftlich besseren Böden bevorzugt.

Sie ist der einzige Zugvogel unter den Hühnervögeln. Die europäischen Tiere überwintern im nördlichen Afrika.

2.108: Wachtel

Nahrung

Die Wachtel benötigt als Nahrung Wildkräuter und deren Sämereien, Getreidekörner, Blattspitzen verschiedener Wild- und Kulturpflanzenarten, aber auch Insekten, besonders in der Mauser und vor der Brutzeit. Die Küken sind in den ersten Lebenswochen auf Insektennahrung und Weichtiere angewiesen.

Fortpflanzung

Die Balz der Wachtel findet nach der Rückkehr aus den Winterquartieren (April/Mai) statt. Bald darauf legt die Henne sieben bis 12 gelblich-braune, fleckige Eier, welche etwa 18 bis 20 Tage bebrütet werden. Um Brut und Aufzucht der Jungen kümmert sich die Henne, Wachteln leben polygam. Die Küken sind Nestflüchter und nach etwa drei Wochen flügge.

Prädatoren

Die Prädatoren der Wachtel entsprechen weitestgehend denjenigen des Rebhuhns, allerdings spielen kleinere Greifvögel wie der Sperber eine größere Rolle.

Hege

Die bei uns ganzjährig geschonten Wachteln sind in manchen Jahren häufig und dann wieder jahrelang fast verschwunden. Diese abrupten Bestandsschwankungen sind meist Folge des Einflugs nach gutem Bruterfolg in oft weit entfernten Gebieten oder günstiger bzw. ungünstiger Umweltbedingungen in ihren Überwinterungsgebieten.

Der Wachtel kommen all jene Schutzmassnahmen zugute, die auch für das Rebhuhn sinnvoll sind, sofern sie im Frühjahr und Sommer wirksam werden.

Fragen

458 Wie erfolgt typischerweise der Nachweis der Wachtel im Revier?

Zwischen April und September fällt die Wachtel meist durch ihren Ruf auf. Der Ruf des Hahnes „pick-di-wick" und der Doppelruf der Henne „quip-quip" ist bei Tag und Nacht zu hören. Den Ruf der männlichen Wachtel bezeichnet man als Wachtelschlag.

459 Welches ist der typische Lebensraum der Wachtel?

Wachteln leben als Kulturfolger im Offenland auf Äckern und Wiesen.

460 Was ist ein „Wachtelkönig"?

Dabei handelt es sich um eine Rallenart („Wiesenralle"), die den gleichen Lebensraum besiedelt wie die Wachtel, auch ein Zugvogel ist und gelegentlich auch mit der Wachtel gemeinsam zieht. Da die Wiesenralle etwas größer als die Wachtel ist, und dementsprechend unter den ziehenden Wachteln optisch hervorsticht, wird sie auch als „Wachtelkönig" bezeichnet.

Ordnung	Hühnervögel
Familie	Glatt- und Raufußhühner (Phasianidae)
Gattung	Steinhühner (Alectoris)

Steinhuhn *(Alectoris graeca)*

Aussehen

Das Steinhuhn ist bis über 35 cm (Hähne) lang und deutlich farbenfroher als das Rebhuhn. Es ist an der Oberseite blaugrau, ebenso an der Brust, mit schwarzumrandeter weißer Kehle und weißem Streif über den Augen. Das Deckgefieder der Schwingen ist rotbraun, schwarz und weiß gebändert. Auge und Schnabel sind auffallend rot, die Ständer sind ebenfalls rötlich gefärbt.

Verbreitung und Lebensraum

Das Steinhuhn ist eine Art der Gebirge und felsigen Hochebenen des südlichen Europa. Wir finden es in Deutschland im Alpenraum (Allgäuer Alpen), ansonsten vor allem in Italien, Griechenland, der Türkei und in Kleinasien. Das Steinhuhn ist ein Standvogel. Im Gebirge lebt es typischerweise oberhalb der Baumgrenze, wobei im Laufe des Jahres witterungs- und jahreszeitbedingt durchaus Bewegungen in höhere bzw. tiefere Lagen vorkommen.

2.109: Steinhuhn

Nahrung

Die Nahrung des Steinhuhns besteht im Sommerhalbjahr aus einem breiten

Spektrum an pflanzlicher (Sämereien, Beeren, grüne Pflanzenteile) und tierischer Kost, insbesondere Insekten und Weichtiere. Während des Winterhalbjahres dominiert die vegetarische Nahrung.

Fortpflanzung

Im März und April beziehen die Steinhuhnpaare ihre Territorien, welche durch typische „wetzende“ Rufe gegenüber denjenigen anderer Artgenossen abgegrenzt werden. Anschließend beginnen die Hennen mit der Eiablage. Der Beginn des Eierlegens schwankt regional recht deutlich, in den Zentralalpen liegt der Legebeginn typischerweise im Mai.

Prädatoren

Typische Prädatoren der Steinhühner in Deutschland sind die im alpinen Lebensraum vorkommenden Arten wie Fuchs, Kolkrabe (Gelege), gelegentlich auch Habicht oder Steinadler.

Schutz

Die Population des Steinhuhnes gilt europaweit als nicht gefährdet, in Deutschland unterliegt es dem Naturschutzrecht. Eine nachhaltige Nutzung findet nicht statt.

Ordnung	Hühnervögel
Familie	Glatt- und Raufußhühner (Phasianidae)
Gattung	Truthühner i.e.S. (Meleagris)

Wildtruthuhn *(Meleagris gallopavo)*

Aussehen

Wildtruthühner sind bis zu etwa 125 cm lang und wiegen bis zu 10 kg (Hähne). Sie fallen durch ihr dunkelbraunes bis schwarzes, metallisch schimmerndes Federkleid und ihre typische unbefiederte Haut im Kopfbereich auf. Dabei sind Hals und Kehle rötlich, das Gesicht und der Scheitel bläulich gefärbt. Besonders auffällig ist der bis zu 8 cm lange rote Hautlappen, welcher beim Hahn oberhalb des Schnabels entspringt.

Verbreitung und Lebensraum

Das Wildtruthuhn ist eine in weiten Teilen Nordamerikas heimische Art, welche lokal vom Menschen in verschiedenen Teilen Europas, so etwa in Niederösterreich, in der Tschechischen Republik, aber auch in Nordrhein-Westfalen angesiedelt wurde. Hier leben derzeit nur noch wenige Individuen. Ihr Lebensraum sind deckungs-, aber auch lichtungsreiche Wälder.

Nahrung

Wildtruthühner ernähren sich wie die meisten Hühnervögel von Sämereien, Früchten, grünen Pflanzenteilen, aber auch Weichtieren, Insekten und gelegentlich auch einmal von jungen Mäusen oder kleineren Kriechtieren.

Fortpflanzung

Wildtruthühner leben polygam und die meiste Zeit des Jahres in geschlechterweise getrennten Gruppen, lediglich zur Balzzeit gesellen sich Hähne zu den Hennengruppen. Die Balz findet im April/Mai auf Waldlichtungen statt. Die aufgeplusterten Hähne stoßen kullernde Balzrufe aus, haben einen hochrot gefärbten Kopf und schlagen Rad mit ihrem Stoß.
Die Henne legt etwa acht bis 15 Eier, welche ca. vier Wochen bebrütet werden. Die Jungtiere sind recht bald, ca. 14 Tage nach Verlassen des Nestes, flügge. Sie leben in ihrem ersten Lebensjahr bei der Henne. Die Geschlechtsreife tritt im Alter von zwei Jahren ein.

Prädatoren

Typische Prädatoren. für die Jungvögel sind bei uns Fuchs, Baum- und Steinmarder sowie der Habicht. Gelege werden darüber hinaus auch gerne von Rabenvögeln, Dachs oder Schwarzwild erbeutet.

Bejagung

Die Population des Wildtruthuhns in Deutschland (Nordrhein-Westfalen) ist nahezu erloschen. Im Jahre 2010 wurde für den Kottenforst bei Bonn noch ein Bestandesumfang von ca. 80 bis 100 Individuen geschätzt. Derzeit Derzeit besteht noch eine Jagdzeit.

Taubenvögel

Ordnung	Taubenvögel
Familie	Tauben (Columbidae)
Gattung	Feldtauben (*Columba*)

Ringeltaube *(Columba palumbus)*

Aussehen

Die Ringeltaube ist mit bis ca. 40 cm Gesamtlänge und bis zu 500 g Gewicht die größte Wildtaube. Die alten, nicht jedoch die jungen Tauben haben weiße Halsseitenflecke, die von weitem wie ein weißer Ring wirken (Name). Die Augen haben eine gelbe Iris. Sie sind in jedem Alter an dem im Flug gut sichtbaren breiten weißen Band auf der Schwingendecke und am dunklen Stoßende kenntlich.

Verbreitung und Lebensraum

Die Ringeltaube besiedelt weite Teile Europas, aber auch Asiens und des nördlichen Afrikas. Sie war ursprünglich eher ein Waldbewohner, lebt heute aber auch im Offenland auf Äckern und Wiesen mit deckungsgebender Vegetation, wobei sie die Gegenden mit landwirtschaftlich besseren Böden bevorzugt.
Im Herbst verstreichen Ringeltauben beispielsweise in die Gemüseanbaugebiete West- und Südwestdeutschlands, finden sich allerdings in milden Wintern oder innerhalb von Siedlungen bei gutem Nahrungsangebot auch als Standvogel.
Außerhalb der Brutzeit leben Ringeltauben gesellig in Flügen.

Nahrung

Ringeltauben ernähren sich von Sämereien und grünen Pflanzenteilen, verschmähen aber auch kleinere Tiere nicht, insbesondere Insekten. Schäden in der Landwirtschaft entstehen in Saaten oder in Gemüsekulturen, wenn Ringeltauben in größeren Flügen auftauchen.

2.110: Ringeltaube

Fortpflanzung

Ab Februar kann man den typischen Balzruf des Ringeltaubers, das sog. „Rucksen", hören. Ringeltauben sind Baumbrüter und bauen ein einfaches Nest. Mit der ersten Brut ist ab März zu rechnen. Es kann bis zu drei erfolgreichen Bruten pro Jahr bis in den August oder September kommen. Der Balzflug des Taubers ist ein eindrucksvoller, wellenförmiger Flug, der auch das typische Flügelklatschen beinhaltet, welches man vom Abstreichen der Ringeltaube kennt. Ringeltauben leben wie alle einheimischen Taubenarten monogam. Ihr Gelege besteht immer aus zwei rein weißen, langelliptischen Eiern. Die Eier werden von beiden Geschlechtern 15 bis 17 Tage bebrütet. Die Bruten sind oft ineinander geschachtelt, d.h., während die Taube das nächste Gelege bebrütet, betreut der Tauber noch die Jungen der vorhergehenden Brut.
Die Jungvögel werden mit der sog. „Kropfmilch" (eine weiße bröckelige Masse) während der ersten zehn Lebenstage aus dem Kropf beider Elterntiere ernährt. Ihre Aufzuchtzeit beträgt etwa fünf Wochen, wovon vier Wochen auf die Nestlungs- und eine Woche auf die Ästlingszeit entfallen.

Prädatoren

Vor allem Greifvögel wie der Wanderfalke, aber auch Habicht oder selten Sperber kommen als Prädatoren in Frage. Bodengebundene Prädatoren sind etwa der Fuchs oder Stein- und Baummarder. Gelegeverluste entstehen auch regelmäßig durch Rabenvögel.

Bejagung

Bei der Ringeltaube spielte früher die Balzjagd eine wichtige Rolle. Insbesondere im Vorfrühling wurde der Tauber durch Anpirschen während seiner Balzstrophen oder durch Anlocken mit dem Balzruf bejagt. Den rucksenden Tauber ging man außerordentlich vorsichtig und schrittweise an. Die hohe Aufmerksamkeit des Taubers („auf jeder Feder ein Auge", wie man im Volksmund sagt) stellte dabei höchste Anforderungen an die Disziplin und die Fähigkeiten des Jägers. Die Balzjagd ist durch die aktuellen Schonzeitregelungen der meisten Bundesländer heute nicht mehr oder nur noch eingeschränkt möglich.
In wasserarmen Revieren kann der Ansitz an der Tränke genutzt werden. Hierzu nutzt man natürliche Tränken oder man legt eine Tränke mit Hilfe einer Kunststofffolie an und schüttet sie mit Kies auf. Die Tauben erwartet man vor der Mittagszeit und am späten Nachmittag. Beim Taubenansitz muss man den Wind im Nacken haben, denn die Vögel fallen gegen ihn ein. Lohnend kann auch die Anlage einer Salzlecke sein, in Form einer etwa fünf Meter langen Rinne, in die man grobes Salz streut.

Am verbreitetsten ist der Ansitz bzw. Anstand an den von Tauben zur Nahrungsaufnahme angeflogenen Flächen, also etwa von Getreideschlägen oder Stoppeläckern. In guter Deckung, etwa in einem Maisschlag oder auch in einem eigens dafür errichteten Schirm, werden die Tauben erwartet. Zusätzlich können bei dieser Jagdart künstliche Locktauben eingesetzt werden.
Flügge Jungtauben kann man in der Dämmerung bejagen, wenn sie sich auf die Außenzweige des Horstbaumes begeben.

In einigen Bundesländern kann aufgrund beträchtlicher Schäden an Feldfrüchten und Gemüsekulturen die sommerliche Schonzeit aufgehoben werden. Dabei besteht jedoch die Gefahr, dass noch fütternde Altvögel zur Strecke kommen. Man sollte deshalb von Mai bis September nur junge Ringeltauben erlegen, die gern in Flügen beisammen sind und die man am fehlenden Halsring von den alten sicher unterscheiden kann. Den Halsring bekommen die Jungtauben allerdings schon im Alter von etwa sieben Wochen.

Ordnung	Taubenvögel
Familie	Tauben (Columbidae)
Gattung	Feldtauben (*Columba*)

Hohltaube *(Columba oenas)*

Aussehen

Die Hohltaube ist kleiner als die Ringeltaube, sie ist bis ca. 35 cm lang und dunkler als die Ringeltaube. Sie hat kurze schwarze Binden auf den Armschwingen und einen glänzend grünen Halsseitenfleck sowie schwarze Augen.

Verbreitung und Lebensraum

Die Hohltaube ist, wenngleich zur Gattung der Feldtauben gehörig, unsere typische Waldtaube. Hohltauben bevorzugen lichte Mischwälder mit Altholzbeständen. Sie sind Höhlenbrüter, können diese Höhlen allerdings nicht selbst anfertigen. Daher sind sie auf die Anwesenheit der großen Spechtarten wie Grün- oder Schwarzspecht angewiesen.

2.111: Hohltaube

Hege

Die Hohltaube ist ganzjährig geschont. Eine wichtige Schutzmaßnahme ist beispielsweise der Erhalt von stehendem Totholz und von Höhlenbäumen im Wald.

Ordnung	Taubenvögel
Familie	Tauben (Columbidae)
Gattung	Turteltauben (Streptopelia)

Türkentaube *(Streptopelia decaocto)*

Aussehen

Die Türkentaube ist bis ca. 30 cm lang, aschgraubraun gefärbt und durch ein schwarzes Nackenband gekennzeichnet. Die Endhälfte ihres Stoßes ist unten weiß (Flugbild!). Sie erreicht ein Gewicht von etwa 200 g.

2.112: Türkentaube

Verbreitung und Lebensraum

Die Türkentaube hat sich von Kleinasien her mittlerweile über ganz Mittel- und Westeuropa ausgebreitet. In Deutschland ist sie seit Mitte des 20. Jahrhunderts heimisch. Sie bevorzugt offene bis halboffene Landschaften und kommt auch häufig in Dörfern und Parks größerer Städte vor. Sie bleibt im Winter bei uns. Sie ist ein Baumbrüter, brütet aber gelegentlich auch an Gebäuden.

Bejagung

Die Türkentaube wird regelmäßig bejagt, ist aber im Gegensatz zur Ringeltaube mehr Zufallsbeute.

Ordnung	Taubenvögel
Familie	Tauben (Columbidae)
Gattung	Turteltauben (Streptopelia)

Turteltaube *(Streptopelia turtur)*

Aussehen

Die Turteltaube erreicht eine Länge von ca. 25–30 cm, hat einen bräunlichen, dunkel geschuppten Rücken und einen langen gerundeten schwarzen Stoß mit weißen Endflecken (auffällig beim Abfliegen) sowie einen schwarzweiß geschuppten Halsseitenfleck. Sie ist mit nur 150 g Gewicht die kleinste Wildtaube.

2.113: Turteltaube

Verbreitung und Lebensraum

Die Turteltaube ist ein Zugvogel, der zum Überwintern bis Zentralafrika zieht. Sie ist eine Art des Offen- und Halboffenlandes und bevorzugt lichte Wälder, Streuobstwiesen oder Parkanlagen und ist in ihrem Vorkommen auf die wärmeren Teile Deutschlands beschränkt. Das Vorkommen der Turteltaube korreliert recht gut mit den Gegenden, in denen Weinbau betrieben wird.

Hege

Die Turteltaube ist ganzjährig geschont. Wo Turteltauben vorkommen, sollte sich der Jäger intensiv für den Schutz der Lebensräume, z.B. Streuobstwiesen, einsetzen.

Fragen

461 Leben Tauben monogam?

Ja, sie leben in Einehe.

462 Wie erkennt man ein Gelege der Ringeltaube?

Das Gelege besteht aus zwei rein weißen, langelliptischen Eiern.

463 Wie oft brüten Tauben im Jahr?

Tauben brüten zwei- bis drei Mal jährlich in der Zeit von März/April bis August/September. Die Bruten sind oft ineinander geschachtelt, d.h., während die Taube das nächste Gelege bebrütet, betreut der Tauber noch die Jungen der vorhergehenden Brut.

464 An welchen Lautäußerungen erkennt man den Ringeltauber?

Am Rucksen. Der Ringeltauber beginnt ab März die Balz mit einer viersilbigen Strophe: „Gruh-ruh, ru ru“, und lässt dann noch etwa drei Mal seine fünfsilbige Strophe „grug-rug ruh, ru ru“ folgen und beschließt sie mit einem kurzen „rug“. Die zweite Silbe ist langgezogen und betont.

465 Welche einheimische Taube ist ein typischer Höhlenbrüter?

Die Hohltaube, sie benötigt daher auch Altbestände mit Totholzanteil und vorhandenen Höhlen der großen Spechte, insbesondere Schwarz- und Grünspecht.

466 Woran erkenne ich junge Ringeltauben?

Am noch fehlenden weißen Halsfleck („Ring“).

467 Welche beiden Taubenarten sind ganzjährig geschont?

Die Hohltaube und die Turteltaube.

468 Welche Krankheit können Tauben auch auf den Menschen übertragen?

Tauben können an der Ornithose (einer Viruskrankheit der Papageien) mit Nasenausfluss und verminderter Flugleistung erkranken und das Virus auf Menschen beim Einatmen von Gefiederstaub übertragen (deshalb *Meldepflicht*).

Entenvögel

Ordnung	Gänsevögel (Anseriformes)
Familie	Entenvögel (Anatidae)
Unterfamilie	Enten (Anatinae)

Allgemeines

Wildenten sind Schwimmvögel, deren Leben sich ganz auf nahrungs- und deckungsreichen Gewässern oder in deren unmittelbarer Nähe abspielt. Die Geschlechter sind im Winter und Frühjahr sehr verschieden gefärbt, im Sommer tragen jedoch auch die Männchen (Erpel) das „Schlichtkleid" wie die Weibchen. Brut und Jungenaufzucht obliegt nur den Weibchen, während sich die Erpel in oft weit entfernten Mausergebieten versammeln. Sie fliegen schnell mit weit ausgestrecktem Hals. Die Ständer sind mit Schwimmhäuten zwischen den Zehen zu „Latschen" (auch „Ruder" genannt) ausgebildet. Typisch ist auch der breite Schnabel.
Nach der Nahrungsökologie unterscheiden wir Gründel- und Tauchenten. Als sog. „Halbenten" werden in der Praxis oft die kleineren Entenarten bezeichnet, welche etwa halb so groß wie beispielsweise die Stockente sind.

Ökologie

Die sog. Schwimmenten, die ökologisch richtig eigentlich „Gründelenten" heißen müssen, besiedeln eher flache Gewässer oder die Uferbereiche tieferer Gewässer, in denen sie, Kopf nach unten, Steiß nach oben, nach Nahrung gründeln (sie tauchen nur bei Gefahr). Sie kommen zum Weiden oft an Land. Schwimmend liegen sie hoch zu Wasser, der Stoß ragt über die Oberfläche. Sie fliegen ohne Anlauf vom Wasser auf (s. Abb. 2.121) Die mittleren Federn der Schwinge bilden den „Spiegel", der bei jeder Art anders gefärbt ist.
Schwimmenten weiden meist bei Nacht und liegen tagsüber auf dem Wasser.
Tauchenten besiedeln meist größere und tiefere Gewässer, in denen sie tauchend nach Nahrung suchen, oft mehrere Meter tief und einige Minuten lang. Sie liegen beim Schwimmen tief im Wasser, das Körperende schließt dabei mit der Wasserfläche ab. Zum Abfliegen benötigen Tauchenten einen kurzen Anlauf und laufen dabei platschend über das Wasser. An Stelle der bunten Flügelspiegel der Schwimmenten zeigen Tauchenten im Flug ausgedehnte, meist weiße Flügelfelder unterschiedlicher Form und Größe.

2.114: Krickente Erpel

2.115: Schnatterente Paar

2.116: Pfeifente, Erpel

2.117: Löffelente, Erpel

469 Warum ist das Weibchen der Enten unscheinbarer gefärbt?

Wie bei vielen Vogelarten fällt den weiblichen Enten die Versorgung des Nachwuchses zu, vom Legen der Eier über Ausbrüten bis zur Führung der Jungen. Durch die unscheinbare Färbung fällt es weniger auf. Dadurch ist es vor Feinden (behaarten und befiederten Beutegreifern) besser geschützt.

470 Wodurch ist das unausgeglichene Geschlechterverhältnis bei Enten zu erklären?

In den meisten Entenbeständen überwiegen die Erpel, weil Weibchen während der Brutzeit in höherem Maße Beutegreifern zum Opfer fallen.

471 Welche Hegemaßnahmen sind bei Wildenten sinnvoll?

Neben einer schonenden Bejagung umfasst Hege der Enten vor allem die Erhaltung und Schaffung von Gewässern und Feuchtbiotopen, die Schaffung natürlicher Nistgelegenheiten und Deckung (Röhricht, Weidendickicht, Kopfweiden, Hecken, Schilf). Es ist sinnvoll, Nisthilfen in Form von Inseln oder natürlich bepflanzten Schwimmflößen zu schaffen, die ebenfalls einigermaßen beutegreifersicher sind und auch anderen Wasservögeln zugute kommen. Weitere erfolgversprechende Hegemaßnahmen sind die Schonung der weiblichen Enten, das Fernhalten von Störungen durch Menschen (Brombeerhecken gegen unerwünschte Badegäste), die

2.118: Spießente, Paar

2.119: Knäkente, Erpel

Reduktion der Beutegreifer (insbesondere Fuchs, Waschbär, Marderhund, Steinmarder, Mink, Wanderratte, Hecht, Aaskrähe und Elster) sowie die Reduktion wildernder Katzen und Hunde (von Bundesland zu Bundesland unterschiedliche gesetzliche Bestimmungen beachten!).

Ordnung	Gänsevögel (Anseriformes)
Familie	Entenvögel (Anatidae)
Unterfamilie	Enten (Anatinae)
Gattungen	Anas, Aythya, Netta, Bucephala, Somateria, Melanitta, Clangula

Stockente *(Anas platyrhynchos)*

Aussehen

2.120: Stockente, Paar

Die Stockente gehört zu den größten einheimischen Enten. Die Ente ist braun „geschuppt" und hat blassrote Latschen. Der Erpel hat einen grünen Kopf, einen weißen Halsring sowie eine rotbraune Brust (Prachtkleid). Der Oberrücken ist dunkelbraun, der Unterrücken schwarz mit grünlichem Schein. Junge Erpel haben zwei, alte Erpel vier Erpelfedern. Im Schlichtkleid ist der Erpel der Ente sehr ähnlich, allerdings sind die Latschen leuchtend orangerot und der Schnabel ist grüngelb (bei der Ente bräunlich). Stockenten haben blaue Spiegel, die (beiderseits auf der Mittelschwinge) weiß gesäumt sind.
Im Schlichtkleid unterscheidet sich der Erpel durch seinen schwarzen Oberkopf von der Ente. Der Schnabel ist beim Erpel olivgrün mit schwarzem Nagel, bei der Ente dagegen orangefarben. Die Stimme des Erpels ist ein leises „räb-räb", die der Ente ein lautes „quaak, quaak, quaak".

Verbreitung und Lebensraum

Die Stockente ist die am weitesten verbreitete Gründelente. Ihr Verbreitungsgebiet erstreckt sich über weite Teile Europas, Asiens, Nordamerikas und den Norden Afrikas. In Australien und Neuseeland wurde sie angesiedelt.
Die Stockente besiedelt eine Vielzahl von Lebensräumen, neben urbanen Lebensräumen, wo teilweise auch futterzahme Bestände vorkommen, werden auch kleine und kleinste Gewässer werden von der Stockente genutzt.

Nahrung

Stockenten haben ein breites Nahrungsspektrum., sie gründeln bis in ca. 50 cm Tiefe und nehmen dabei kleine Tiere, aber auch Pflanzenteile vom Gewässergrund auf. Sie „schlabbern" das schlickreiche Oberflächenwasser auf und seihen Essbares durch den Filter aus Schnabel und Zunge. An Land weiden sie grüne Pflanzenteile, Sämereien und Früchte, suchen aber auch nach Weichtieren und Insekten. Insbesondere zur Mauserzeit, wenn der Eiweißbedarf hoch ist, steigt der Anteil an tierischer Nahrung und selbst kleine Fische werden dann gerne erbeutet.

Fortpflanzung

Eine lockere Verpaarung beginnt schon im Herbst und flaut im Winter wieder ab. Nach einer Verlobungszeit setzt im Januar/Februar erneut eine Partnersuche ein. Jetzt „reihen" sich vor allem allein stehende Erpel, die zahlenmäßig überwiegen, hinter einer Ente. Nach der festen Verpaarung gehen beide Geschlechter auf Brutplatzsuche (meist tiefer Suchflug). Nistgelegenheiten können bis zu zwei oder drei km vom Wasser entfernt u.a. auch auf Bäumen (Kopfweiden) angenommen werden. Der Erpel verlässt die Ente zu Beginn der Brutzeit.
Das Gelege besteht aus sieben bis 16 Eiern, die 24 bis 28 Tage bebrütet werden. Die Eiablage erfolgt bei der Stockente meist im März. Tauchenten brüten dagegen viel später. Täglich kommt ein Ei hinzu. Die ersten vier Eier bleiben offen im Nest liegen (Sicherheitstest!). Dann wird das Gelege abgedeckt, wenn es von der Ente verlassen wird. Geschlüpfte Küken verlassen bereits nach 6 bis 12 Stunden das Nest. Die Mutter führt sie ans Wasser, das sie sofort schwimmend annehmen. Die Schoofe (Familienverbände) der Stockente sind etwa Mitte Juli/Anfang August „beflogen".

Prädatoren

Prädatoren der Stockente oder ihrer Gelege sind sämtliche in Gewässernähe vorkommenden Haarraubwildarten, von den Greifvögeln neben dem Habicht vor allem der Seeadler und die Rohrweihe, größere Raubfische wie Hecht oder Wels. Typische Prädatoren der Gelege sind Aaskrähe, Kolkrabe, Elster und von den Säugetieren Waschbär und Ratten.

Mauser

Die Mauser, d.h. der alljährliche Gefiederwechsel, verläuft in drei Phasen. Ab Ende Mai vertauscht der Erpel sein Prachtkleid gegen das Schlichtkleid. Er sieht dann der Ente recht ähnlich. Im Juni/Juli werden alle Schwungfedern gleichzeitig gewechselt, d.h. Erpel sind dann drei bis vier Wochen lang flugunfähig und dementsprechend leicht von Prädatoren, aber auch vom schlecht beaufsichtigten Jagdhund zu erbeuten. Ab August/September erfolgt dann die Herbstmauser, während der der Erpel wieder das Prachtkleid anlegt. Mausernde Erpel nennt man „Rauerpel". Bei der Ente verläuft die Mauser später und unauffälliger. Die Ente befindet sich Ende Juli, Anfang August in der Vollmauser und ist in dieser Zeit flugbehindert (die Anfang August flugfähigen Enten sind Jungenten oder Erpel nach der Großgefiedermauser).

Altersschätzung

Jungenten haben dunkle Latschen (Ruder) von graugrünlicher Farbe, die mit zunehmendem Alter in ein helles Gelb und vom zweiten Jahr ab in ein Orangerot übergehen (das ist beim Erpel markanter als bei der Ente). Junge Enten haben außerdem einen rötlichhornfarbenen Schnabel.

Bejagung

Verschiedene Entenarten sind ganzjährig geschont, dies ist u.U. auch von Bundesland zu Bundesland unterschiedlich. Daher sind gute Artenkenntnisse wichtig, um diese von den Arten mit Jagdzeit, z.B. der Stockente, zu unterscheiden.
Wenn möglich sollten vor allem Erpel erlegt werden. Zu Beginn der Entenjagd Anfang September sind Schilffelder von der Bejagung auszunehmen, da darin oft noch mausernde Mutterenten liegen. Jagdbedingte Störungen lassen sich erheblich reduzieren, wenn man Ruhezonen einhält und ein Gewässer nur gelegentlich bejagt. Häufige Störungen veranlassen die Enten zum Abwandern. Geflügelte Enten, die vor dem Hunde wegtauchen, lässt man in Ruhe und sucht sie am Morgen des folgenden Tages an Land nach. Erlegte Enten müssen sofort versorgt und luftig aufgehängt werden.

Fragen

472 Welche Jagdarten sind auf Enten üblich?

Die Suche und Pirsch, bei der mit dem Stöberhund Gräben, Tümpel, Wasserlöcher und kleine Gewässer vom Lande aus abgesucht werden, der Anstand und Ansitz beim abendlichen „Strich" (z.B. beim „Enteneinfall" auf Stoppelfeldern) und beim morgendlichen „Strich" (beim Einfall auf dem Wasser), besonders günstig sind Nebel und Schneetreiben (aber nicht bei Wintersnot!), die Lockjagd mit künstlichen Lockenten und die Treibjagd auf Seen unter Benutzung von Kähnen.

Der Schütze sollte bei der Wahl seines Standortes generell berücksichtigen, dass Enten grundsätzlich gegen den Wind einfallen und sich vom Wasser auch nur gegen den Wind erheben.

473 Was ist bei der Wahl der Schrotpatronen zu beachten?

Enten neigen dazu, beim Gründeln und Tauchen Schrote als Magensteinchen oder vermeintliche Nahrungspartikel aufzunehmen. Diese werden im muskulösen Kaumagen zerrieben. Das dadurch pulverisierte Blei wird im Darm absorbiert und führt zu Bleivergiftungen, oft mit tödlichem Ausgang. Daher sollen bei der Jagd an Gewässern keine Bleischrote verwendet werden. In den meisten Ländern ist dies mittlerweile auch gesetzlich vorgeschrieben.

474 Welche Alternativen gibt es zum Bleischrot?

Im Handel sind derzeit Patronen mit Schroten aus Weicheisen, Zink und Molybdänverbindungen. In vielen Bundesländern sind für die Jagd an Gewässern Bleischrote gesetzlich verboten, in einzelnen Ländern (z.B. Sachsen) ist Bleischrot generell verboten.

475 Was versteht man unter „Lockenten"?

Als Lockenten werden heute meist naturgetreue Kunststoffnachbildungen (früher auch aus Holz) benutzt. Zum Anlocken der Enten kann bei dieser Jagdart zusätzlich ein künstliches Lockinstrument, mit der man das Schnattern der Enten nachahmt, dienen. Die Lockjagd hat den Vorteil, dass Enten in gute Schussentfernung kommen und daher die stets problematischen Weitschüsse unterbleiben.

476 Welche weiteren Gründelentenarten kommen bei uns vor?

» Die **Schnatterente** (*Anas strepera*) ist kleiner als die Stockente. Die Geschlechter sind ähnlich gefärbt, beide haben einen weißen Spiegel.

» Bei der **Pfeifente** (*Anas penelope*) ist der Spiegel schwarz und bronzegrün. Der Kopf des Erpels ist braun mit hellbraunem Scheitel, seine Brust ist rostbraun, sein Schnabel grau und kurz. Der Erpel hat ein weißes Schwingenband, die Ente einen blaugrauen Schnabel sowie einen hellen Schwingenstreif.

» Die **Löffelente** (*Anas clypeata*) ist durch einen großen Löffelschnabel gekennzeichnet, der Spiegel ist bronzegrün. Beim Erpel sind Kopf und Hals metallgrün, Oberschwingen himmelblau, die Brust ist weißlich, der Bauch bräunlich. Das Gefieder der Ente ist schlicht braun (ähnlich wie bei der Stockente).

» Die **Spießente** (*Anas acuta*) hat einen langen Hals und spitzen Stoß. Ihr Spiegel ist dunkel bronzefarben sowie weißlich umrandet. Sie brütet in Nordeuropa und überwintert auf größeren Gewässern.

» Die **Krickente** (*Anas crecca*) ist die kleinste europäische Ente. Man ordnet sie daher den sog. Halbenten zu. Ihr Spiegel ist grün und schwarz mit weißer Binde. Der Erpel hat einen dunkelbraunen Kopf mit grüner Augenbinde, sein Körper ist überwiegend grau, am Hinterende befindet sich ein gelber Fleck. Die Ente ist schlicht braun. Krickenten brüten in Nordosteuropa. Im Winter sind sie bei uns nach der Stockente die zweithäufigste Schwimmente.

» Die **Knäkente** (*Anas querquedula*) ist fast ebenso klein wie die Krickente. Ihr Spiegel ist grünlich mit weißer Einfassung. Den Erpel kennzeichnen ein weißer Kopfstreif, bläuliche Schulterflecken sowie Zierfedern an den Schultern. Die Ente hat graue Schwingen. Das Hauptbrutgebiet befindet sich in Osteuropa und Asien. Die Knäckente ist ein Zugvogel, der den Winter in Afrika verbringt. Sie ist also von Oktober bis März bei uns nicht zu sehen.

477 Welche Tauchenten kommen bei uns vor?

» Charakteristisch für die **Tafelente** (*Aythya ferina*) ist die wenig ausgeprägte graue Flügelbinde. Die Tafelente ist Brutvogel und häufiger Wintergast. Der Erpel hat einen schwarzen Schnabel mit hellblauem Sattel. Kopf und Hals sind rotbraun. Die Brust ist schwarz, der Körper grau und der Steiß dunkel. Auch die Ente besitzt einen dunklen Steiß. Außerdem sind Kopf und Brust braun. Der Schnabel ist dunkel mit einem hellen Fleck am Schnabelgrund.

» Die **Reiherente** (*Aythya fuligula*) kennzeichnet ein weißes Flügelband. Sie ist Brutvogel und häufiger Wintergast. Die dunkelbraunen Weibchen werden gelegentlich für Moorenten gehalten. Der Erpel hat eine schwarze Oberseite und einen schwarzen Rücken.

2.121: Schwimmenten (jew. links) und Tauchenten (jew. rechts) lassen sich durch ihre Lage im Wasser bzw. beim Abfliegen unterscheiden.

Bauch und Flanken sind weiß. Der Erpel besitzt einen Federschopf am Hinterkopf, der bei der Ente nur angedeutet ist.

» Die **Bergente** (*Aythya marila*) ist sehr ähnlich gefärbt wie die Reiherente, aber der Erpel hat einen grauen Rücken. Bergenten haben zudem keinen Federschopf. Beim Erpel sind Kopf und Brust schwärzlich, die Flanken weiß und der Schnabel blaugrau. Die Ente ist braun mit einem weißen Recken am Schnabelgrund, Der Flügelstreifen ist schmal und weiß. Bergenten sind Brutvögel in nördlichen Gebieten und bei uns unregelmäßige Wintergäste.

» Die **Moorente** (*Aythya nyroca*) ist ein Brutvogel Südosteuropas, der bei uns nur gelegentlich brütet bzw. durch Mitteleuropa zieht. Der kastanienbraune Erpel hat ein ausgeprägtes weißes Flügelband und weißliche Augen. Die Ente ist wie der Erpel gefärbt, allerdings etwas matter. Ihre Augen sind braun.

2.122: Tafelente, Erpel

2.123: Reiherente, Erpel

2.124: Bergente, Erpel

2.125: Moorente, Erpel

2.126: Kolbenente, Erpel

2.127: Schellenten, Erpel und Ente

» Die **Kolbenente** (*Netta rufina*) ist seltener Brutvogel an nährstoffreichen Gewässern. Sie hat ein breites weißes Flügelband. Der Erpel hat einen kolbenartig verdickten Kopf mit rotem Schnabel. Seine Brust ist schwarz, die Flanken weiß. Die Ente kennzeichnet ebenfalls ein roter Schnabel. Ihr Scheitel ist dunkel, das Gefieder blassgrau, das Flügelband hellgrau. Die Wangen sind grau.

» Die **Schellente** (*Bucephala clangula*) mit großem rechteckigen weißem Flügelfeld ist ein Brutvogel Osteuropas, der sich nach Westen ausbreitet. Sie brütet in Baumhöhlen und künstlichen Nisthilfen. Der Erpel hat einen weißen Backenfleck. Kopf, Stoß und Rücken sind schwarz, Hals und Bauch weiß. Die graue Ente hat einen braunen Kopf sowie ein weißes Halsband.

478 Welche Arten zählen zu den „Meerenten"?

Meerenten sind keine eigene systematische Gruppe. Mann bezeichnet mit diesem Begriff Tauchenten, die einen großen Teil ihres Lebens auf dem Meer verbringen und nur zum Brüten nördliche Binnengewässer aufsuchen. Es sind langlebige Arten mit später Geschlechtsreife, deren Erpel erst nach zwei bis drei Jahren das volle Prachtkleid tragen. An deutschen Küsten und gelegentlich im Binnenland überwintern folgende Arten:

» Die **Eiderente** (*Somateria mollissima*) ist die größte europäische Ente und ein zunehmender Brutvogel und Wintergast in Deutschland. Der Erpel hat einen großen, keilförmig zugespitzten Kopf. Er ist zudem weiß mit schwarzem Scheitel, der Hinterkopf grün, Wangen, Brust und Rücken sind weiß, Schwingen und Bauchseite dunkel. Auch die Ente hat einen großen, keilförmigen Kopf. Ihr Körper ist braun mit schwarzen Bändern gestrichelt und geschuppt.

2.128: Eiderenten

2.129: Eisente

2.130: Samtenten

2.131: Trauerenten

» Die **Samtente** (*Melanitta fusca*) ist Wintergast an den Küsten Nord- und Mitteleuropas. Der Erpel ist schwarz mit weißem Spiegel und Augenfleck, die Ente braun mit zwei hellen Recken am Kopf und weißem Spiegel.
» Auch die **Trauerente** (*Melanitta nigra*) ist Wintergast im Küstengebiet. Der tiefschwarze Erpel hat keinen Spiegel. Auch der Ente fehlt der Spiegel. Sie ist bräunlich, allerdings sind die Wangen grau und der Scheitel schwarz.
» Bei der **Eisente** (*Clangula hyemalis*) variiert die Gefiederzeichnung sehr stark. Beim Erpel sind in der Regel Kopf, Hals und Unterseite weiß, Rücken und Schwingen dunkelbraun. Die Ente hat einen weißen Kopf mit dunklem Scheitel. Brustband und Oberseite sind dunkel. Die kleine Meeresente ist Brutvogel der Hocharktis und Wintergast in der Küstenregion.

Ordnung	Gänsevögel (Anseriformes)
Familie	Entenvögel (Anatidae)
Unterfamilie	Enten (Anatinae)
Gattung	Säger (Mergus)

Säger *(Mergus)*

Säger gehören zu der Familie der Entenvögel und sind eng mit den Enten, Gänsen und den Schwänen verwandt. Ihr schlanker, an den Rändern mit Hornzähnen besetzter Schnabel ähnelt einer Säge und eignet sich gut zum Fischfang. Die hakenförmige Spitze des Schnabels dient dazu, auch unter dem Wasser Fische sicher fangen und halten zu können. Die Säger liegen beim Schwimmen tief im Wasser, sind sehr flink, treiben sich die Fische systematisch zu und fliegen mit ganz waagerecht gehaltenem Schnabel, Kopf, Hals und Körper. Säger ernähren sich beinahe ausschließlich von Fischen, die sie tauchend verfolgen.
Der typische Lebensraum der Säger ist dementsprechend auch die Tiefwasserzone größerer Gewässer, wo sie oft gemeinsam mit Tauchenten anzutreffen sind.

479 Welche Säger kommen bei uns vor?

Die bei uns häufigste Art ist der **Gänsesäger** (*Mergus merganser*), der lokal auch als Brutvogel, im Winter zudem als Wintergast vorkommt. Er ist deutlich größer als die Stockente, hat einen roten Schnabel und rote Ruder. Der Kopf ist dunkel, die Unterseite weiß. Gänsesäger sind Höhlenbrüter. Sie nehmen Nisthilfen an. Der **Mittelsäger** (*Mergus serrator*) ist ein nördlicher Brutvogel, der seltener im Binnenland überwintert. Dies gilt noch mehr für den kleineren **Zwergsäger** (*Mergus albellus*). Der Mittelsäger ist stockentengroß. Schnabel und Ruder sind rot, der Kopf schwarz. Typisch sind der Federschopf im Nacken und die großen weißen Flügeldecken. Der Zwergsäger ist leicht an seinem weißen Kopf zu erkennen.

2.132: Gänsesägerweibchen mit Küken

Ordnung	Gänsevögel (Anseriformes)
Familie	Entenvögel (Anatidae)
Unterfamilie	Gänse und Schwäne (Anserinae)

Echte Gänse *(Anser) und Meergänse (Branta)*

Gänse sind in der Regel größer als Enten und haben einen längeren und dickeren Hals sowie einen stärkeren und höheren Schnabel.

Ökologisch handelt es sich um Arten, die mehr landwärts als die Enten vorkommen. Im Unterschied zu Enten sind Gänse tagsüber auch meist an Land anzutreffen, wo sie Nahrung suchen. Große Wasserflächen sind vor allem zur Rast und zum Übernachten erforderlich. Die Geschlechter sind gleich gefärbt, auch die Männchen beteiligen sich an der Jungenführung. Wie die Schwäne sind Gänse spät geschlechtsreif und leben monogam (die Paare halten manchmal jahrelang zusammen). Gänse zeigen ein ausgeprägtes Sozialverhalten und verfügen über ausdrucksreiche Stimmlaute zur Verständigung. Die meisten Arten brüten in nördlichen Breiten, in Mitteleuropa liegen jedoch wichtige Rast- und Überwinterungsgebiete, vor allem in Küstennähe. Die in der Regel vier bis sechs Jungen sind Nestflüchter. Gänse (und Schwäne) fliegen in charakteristischer Keilformation.

2.133: Graugans

2.134: Saatgans

2.135: Kurzschnabelgans

2.136: Blässgans

Die sog. „Echten Gänse" sind überwiegend graubraun gefärbte Arten, die auf Wiesen und Feldern zur Nahrungssuche einfallen. Sie werden daher auch als „Feldgänse" oder „Graue Gänse" bezeichnet.

Bei den Meergänsen handelt es sich um Arten, die am Meer überwintern und auf küstennahen Wiesen äsen.

2.138: Ringelgans

2.137: Nonnengans

2.139: Kanadagans

Ordnung	Gänsevögel (Anseriformes)
Familie	Entenvögel (Anatidae)
Unterfamilie	Gänse und Schwäne (Anserinae)
Gattung	Echte Gänse (Anser), Meergänse (Branta)

Graugans *(Anser anser)*

Aussehen

Die Graugans ist durch ihr dunkel grau-braunes Gefieder, eine hellgraue Flügeloberseite sowie den hellroten Schnabel und ebensolche Ruder gekennzeichnet. Sie erreicht eine Körperlänge bis zu 90 cm.

Von ihr stammen unsere Hausgänse ab. Die Bestände dieses einheimischen Brutvogels sind zunehmend.

Verbreitung und Lebensraum

Die Graugans ist ein Brutvogel des nördlichen Mitteleuropas, sowie Nord- und Osteuropas. Sie überwintert im Mittelmeerraum, wobei heute in zunehmendem Maße mitteleuropäische Vögel auch den Winter hier verbringen.

Die Graugans benötigt größere Gewässer, hier besiedelt sie den Uferbereich und das angrenzende Grün- und Ackerland.

Nahrung

Die Graugans bevorzugt vegetarische Nahrung, insbesondere grüne Pflanzenteile auf Wiesen sowie auf Wintergetreide- oder Rapssaaten.

Fortpflanzung

Graugänse leben lebenslang monogam und verpaaren sich nur nach dem Tod eines Partners neu. Sie beginnen im März/April mit der Brut, typischerweise in Gewässernähe. Das Gelege besteht meist aus vier bis sechs Eiern, bei Verlust kann es zu einem weniger umfangreichen Nachgelege kommen. Es brütet die Gans, während der Ganter in der Nähe Wache hält.
Die Gössel schlüpfen nach ca. vier Wochen Brutzeit.
Typisch ist für die Graugans das Phänomen der Prägung der Gössel auf die Mutter.

Prädatoren

Die erwachsene Graugans wird z.B. vom Fuchs, Marderhund, Wolf oder Seeadler erbeutet. Die Gössel können auch die Beute kleinerer Haarraubwildarten und größerer Raubfische wie Hecht oder Wels werden. Prädatoren der Gelege sind neben verschiedenen Rabenvogelarten auch Waschbär sowie weitere Haarraubwildarten und Ratten.

Bejagung und Hege

Aktive Hegemaßnahmen sind vor allem die Erhaltung und Schaffung geeigneter Brutbiotope. In der Vergangenheit gab es auch Ansiedlungsprogramme für die Graugans. Derzeit sind die Bestände jedoch in einer stetigen Aufwärtsentwicklung, sodass solche Maßnahmen nicht mehr erforderlich sind. In der Vergangenheit wurden, um Störungen nahrungssuchender Scharen möglichst gering zu halten, Graugänse möglichst nur während des Morgen- und Abendstrichs von und zu den Schlafplätzen (die sich auf dem Wasser befinden) aus guter Deckung („Schirmen") bejagt. Weite Schrotschüsse (über 30 m) sind unbedingt zu vermeiden, da Gänse sehr schusshart sind und die Gefahr, sie nur zu verletzen, bei größeren Entfernungen erheblich steigt. Am besten jagt man bei Nebel oder Regen, da die Gänse dann tiefer streichen.
Heute werden Graugänse aber auch zunehmend auf landwirtschaftlichen Flächen, wo sie in großen Flügen beträchtliche Schäden anrichten können, bejagt. Hier erfolgt die Bejagung entweder mit der Flinte aus guter Deckung beim An- oder Abflug oder aber mit der Büchse, wenn die Gänse zur Weide eingefallen sind. Dabei kann man sich auch den Vergrämungseffekt der Jagd zunutze machen.

Fragen

480 Welche weiteren Feldgänse kommen in Deutschland vor?

» **Saatgans** (*Anser fabalis*), mit etwas dunklerem Gefieder und schwarz-gelb gezeichnetem Schnabel. Die Saatgans kommt im Küstengebiet oft zusammen mit Blässgänsen vor. Als eine Unterart der Saatgans wird die Kurzschnabelgans (*Anser brachyrhynchus* bzw. *Anser fabalis brachyrhynchos*) mit schwarz-rosa gezeichnetem Schnabel, dunklem Hals und rosaroten Rudern, angesehen.

- **Blässgans** (*Anser albifrons*) mit weißer Stirnblässe und schwarzer Querbänderung am Bauch (die den Jungvögeln fehlt). Neben der Graugans häufigste Art der grauen Gänse.

481 Welche Arten zählen zu den „Meeresgänsen"?

- **Ringelgans** (*Branta bernicla*) mit schwarzem Kopf, schwarzer Brust und weißlichem halbmondförmigem Abzeichen am sonst schwarzen Hals; die Brust ist weißlich-braun.
- **Nonnengans** oder **Weißwangengans** (*Branta leucopsis*) mit weißem Gesicht und hellgrauen Ranken. Hals, Brust und Schwanz sind schwarz, der Bürzel weiß. Früher war diese Art nur als Zugvogel aus der Arktis bekannt. Inzwischen brütet sie zunehmend auch bei uns in Küstennähe.
- **Kanadagans** (*Branta canadensis*), größer als alle anderen Gänse. Die Körperoberseite ist graubraun mit hellen Streifen. Hals, Kopf und Schnabel sind schwarz. Kehle und Brust weiß. Diese Art wurde aus Nordamerika in einigen europäischen Ländern angesiedelt und hat sich gut etabliert und auch ins Binnenland ausgebreitet.

Ordnung	Gänsevögel (Anseriformes)
Familie	Entenvögel (Anatidae)
Unterfamilie	Gänse und Schwäne (Anserinae)

Halbgänse *(Gattungen Tadorna und Alopochen)*

Halbgänse sind Arten, die in Erscheinung und Lebensweise zwischen Gänsen und Enten einzuordnen sind. Die einzige mitteleuropäische Art, die Brandgans oder Brandente (*Tadorna tadorna*) ist ein auffälliger und farbenprächtiger Schwimmvogel (fuchsroter Gürtel, roter Schnabel, beim Männchen mit Höcker) an den Küsten, gelegentlich auch an Binnengewässern. Sie ist ein Höhlenbrüter („Höhlengans") und ist gelegentlich sogar in befahrenen Fuchsbauten anzutreffen (wir sprechen vom sog. Burgfrieden).

2.140: Rostgans

2.141: Brandgans

In jüngerer Zeit hat sich die nahe verwandte, aus Südosteuropa stammende Rostgans (*Tadorna ferruginea*) lokal als Brutvogel angesiedelt. Deren Gefieder ist rostrot. Der Kopf ist hell, die Männchen haben einen schwarzen Halsring.
Erstaunlich rasch hat sich in jüngster Zeit auch die aus Nordostafrika stammende Nilgans (*Alopochen aegyptica*) in Norddeutschland ausgebreitet, sodass sie bereits bejagt werden kann und soll.

Ordnung	Gänsevögel (Anseriformes)
Familie	Entenvögel (Anatidae)
Unterfamilie	Gänse und Schwäne (Anserinae)
Gattung	Schwäne (Cygnus)

Bei uns brütet nur der Höckerschwan (*Cygnus olor*). Als Wintergäste aus Nordosteuropa sind Singschwan (*Cygnus cygnus*) und Zwergschwan (*Cygnus columbianus bewickii*) auf größeren Gewässern zu beobachten. Nur der Höckerschwan unterliegt jedoch dem Jagdrecht.

Ordnung	Gänsevögel (Anseriformes)
Familie	Entenvögel (Anatidae)
Unterfamilie	Gänse und Schwäne (Anserinae)
Gattung	Schwäne (Cygnus)

Höckerschwan *(Cygnus olor)*

Aussehen

Der Höckerschwan (schwarzer Höcker auf orangefarbigem Schnabel) unterscheidet sich beim Schwimmen von Sing- und Zwergschwan durch seinen S-förmig gebogenen Hals mit abwärts weisendem Schnabel. Er klaftert 2,35 m und erreicht ein Gewicht zwischen 10 und 20 kg. In ein Bodennest im Schilf legt er fünf bis sieben blassgrüne Eier und verteidigt seine Brut außerordentlich heftig. Die Jungtiere sind in aller Regel bis zu drei Jahren grau. Der männliche Schwan wird größer und hat einen höheren Stirnhöcker als das Weibchen.

Verbreitung und Lebensraum

Ursprünglich sind Höckerschwäne in Nordeuropa (Skandinavien, nördliches Mitteleuropa, Baltikum), im Bereich des Schwarzen Meeres sowie in weiten Teilen Asiens, heute auch in weiten Teilen Mittel- und Westeuropas verbreitet.
Sie bevorzugen große Seen mit breiten, bewachsenen Uferrändern, finden sich aber auch an Flüssen und an der Küste. Ihr eigentlicher Lebensraum ist der Uferbereich und die Flachwasserzone. Als Kulturfolger und teils als futterzahme Bestände sind sie auch an vielen urbanen Gewässern anzutreffen.

Nahrung

Höckerschwäne äsen grüne Pflanzenteile am Ufer und gründeln nach Wasserpflanzen, die sie aufgrund des langen Halses bis in ca. 1,20 m Tiefe abweiden können.

2.142: Singschwäne

Fortpflanzung

Beide Geschlechter zeigen im Spätwinter ein ausgeprägtes Balzspiel (Kopfnicken, Kopfwenden, Schnabeleintauchen) und sind in der Regel jahrelang verpaart. Zur Brutzeit wird das Brut-Territorium vom Männchen teils intensiv auch gegen andere Arten verteidigt. In futterzahmen Beständen können die Brutreviere so klein sein, dass der Eindruck einer Brutkolonie entsteht. Beide Partner sind am Nestbau beteiligt. Das Gelege besteht aus etwa fünf bis acht Eiern, meist brütet das Weibchen. Die Brutdauer beträgt ca. 5–6 Wochen, die Küken sind Nestflüchter. Mit vier bis fünf Monaten werden sie flügge.

Bejagung und Management

Höckerschwäne leben heute häufig an städtischen oder suburbanen Gewässern, was bei der Jagd (Landesgesetzgebung beachten – in einigen Bundesländern ist der Höckerschwan ganzjährig geschont) zu berücksichtigen ist. Der Schwan ist sehr schusshart und sollte daher nur auf kurze Distanz mit nicht zu kleinem Schrot, oder – auf dem Wasser bzw. auf dem Boden – mit einer kleinkalibrigen Kugel, erlegt werden.

2.143: Höckerschwan

Fragen

482 Woran erkennt man den Höckerschwan im Flug?

Nach längerem „Anlauf“ auf dem Wasser erhebt sich der Schwan und fliegt mit ausgestrecktem Hals und laut „singendem“ Fluggeräusch.

483 Woran erkennt man Sing- und Zwergschwan?

Dem Singschwan verhalf sein durchdringender Trompetenton zu seinem Namen. Er hat, wie der etwas kleinere Zwergschwan, einen schwarzen Schnabel. Das spitz nach vorn auslaufende Gelb an der Schnabelwurzel ist ausgedehnter als beim Zwergschwan. Der Hals wird meist gerade und senkrecht getragen.

Lappentaucher

Ordnung	Lappentaucher (Podicipediformes)
Familie	Lappentaucher (Podicipedidae)
Gattung	Taucher (Podiceps)

Taucher sind durch einen dünnen, zugespitzten Schnabel, ihre Spaltschwimmfüße mit den „Lappen“ und ihr „schwanzloses“ Aussehen gekennzeichnet. Sie leben ausschließlich auf dem Wasser, sind schlechte Flieger, aber gute Taucher. Taucher haben keine direkte jagdliche, sondern als Fischfresser gelegentlich fischereiwirtschaftliche Bedeutung.

2.144: Haubentaucher

Bekanntester Taucher ist der Haubentaucher (*Podiceps cristatus*). Er ist (mit etwa 48 cm Gesamtlänge) stockentengroß und leicht an den schwärzlichen Ohrbüscheln und zur Brutzeit an der auffallend rostbraunschwarzen Krause an den Kopfseiten zu erkennen. In der Balz vollführt das Paar eindrucksvolle Schwimmtänze. Während des Winters halten sie sich oft in größeren Gruppen auf offenen Gewässern auf (Strichvogel).
Einheimische Brutvögel sind außerdem Rothalstaucher (*Podiceps grisegena*) und Schwarzhalstaucher (*Podiceps nigricollis*). Der Ohrentaucher (*Podiceps auritus*) ist Brutvogel des hohen Nordens und bei uns seltener Wintergast. Die vorgenannten drei Taucherarten sind selten. Als Brutvogel in Deutschland und in größerer Zahl als Wintergast kommt dagegen der Zwergtaucher (*Podiceps ruficollis*) vor. Er ist etwa drosselgroß.

Kormoranvögel

Ordnung	Ruderfüßler (Pelecaniformes)
Gattung	Kormoran (Phalacrocorax)

Kormoran *(Phalacrocorax carbo)*

Der Kormoran ist ein fast gänsegroßer Vogel. Er brütet kolonieweise in Reisignestern auf Bäumen, die in der Nähe größerer Gewässer stehen. Das Gefieder des Kormorans oder Seeraben ist nicht – wie bei anderen Wasservögeln – wasserabweisend, sodass es beim Tauchen durchnässt wird. Das verringert den Auftrieb unter Wasser. Der Kormoran kann kurzfristig also schneller tauchen. Allerdings muss er

2.145: Kormoran

danach sein Gefieder längere Zeit trocknen. Der Kormoran unterliegt nicht dem Jagdrecht. Bei den in den letzten Jahren verstärkt auftretenden Problemen, die Kormorane den Teichwirten bereiten, ist also die Naturschutzbehörde zuständig. Wenn diese eine Ausnahmegenehmigung zur Erlegung von Kormoranen erteilt hat, wird oftmals der Jäger mit dieser beauftragt. Vorher ist allerdings zusätzlich die Frage der waffenrechtlichen Genehmigung zu klären.

Reiher

Ordnung	Schreitvögel (Ciconiiformes)
Familie	Reiher (Ardeidae)

Reiher sind in der Regel große auffällige Schreitvögel mit langem Schnabel und langen Ständern. Sie ernähren sich vorwiegend von kleinen Wassertieren (Fische, Lurche, Wasserinsekten). Häufig stehen sie in seichtem Wasser oder „pirschen" dort langsam, um die erspähte Beute mit jähem Zustoßen des Schnabels zu packen. Reiher bauen große Reisighorste auf Bäumen oder im Gebüsch. Die meisten Arten – abgesehen von den Dommeln – brüten in Kolonien. Beide Geschlechter sind gleichgefärbt und beteiligen sich an der Brutpflege (Jahresehe). Die Jungen sind Nesthocker und werden von den Eltern aus dem Kropf gefüttert.
Die in Deutschland häufigste Art ist der Graureiher. Viel seltener sind Purpur- (*Ardea purpurea*), Silber- (*Casmerodius albus*), Seiden- (*Egretta gazetta*), Nacht- (*Nycticorax nycticorax*) und Rallenreiher (*Ardeola ralloides*). Ferner gehören Rohr- und Zwergdommel zu den Reihern. Die Rohrdommel ist durch ihre auffällige nächtliche Lautbalz bekannt.

Ordnung	Schreitvögel (Ciconiiformes)
Familie	Reiher (Ardeidae)

Graureiher *(Ardea cinerea)*

Aussehen

Der Graureiher ist ein etwa storchengroßer Vogel, Schwingen und Oberseite sind hellgrau, Kopf und Unterseite weiß. Den Kopf ziert eine lange, strähnige, dunkle Haube, deren Federn meist anliegen. Sein Schnabel ist lang, spitz und gelb. Gelb sind auch die Ständer. Im Unterschied zu Storch und Kranich fliegt der Graureiher mit S-förmig eingezogenem Hals.

Verbreitung und Lebensraum

Der Graureiher ist in weiten Teilen Europas und Asiens sowie Afrikas verbreitet, in Südostasien und im südlichen Afrika als Jahresvogel, in den gemäßigten Breiten Europas und Asiens ursprünglich als Zugvogel, wobei in milden Wintern Graureiher zunehmend auch den Winter in Mitteleuropa verbringen oder lediglich über geringere Entfernungen verstreichen.
Der Graureiher hat sich in Deutschland, nachdem er zwischenzeitlich ausgesprochen selten geworden war, in den letzten Jahrzehnten zusehends in seinem Bestand erholt.

Nahrung

2.146: Graureiher

Der Graureiher steht als Anstandsjäger oft lange bewegungslos am oder im Wasser. Seine Nahrung sind Frösche, Reptilien, Mäuse, Insekten und vor allem Fische. Daher nannte man ihn früher auch Fischreiher. Er bevorzugt Weißfische, die schlank, feinschuppig und zwischen 10 und 15 cm lang sind. Nur etwa jeder zweite Fangversuch ist erfolgreich. Pro Tag benötigt er 100 bis 500 g Nahrung.

Fortpflanzung

Sie leben in Jahresehe und horsten oft kolonieweise. Die Brutzeit ist im März/April. Die meist vier blassblaugrünen Eier werden von beiden Eltern abwechselnd in 25 bis 26 Tagen erbrütet. Den Jungen wird das Futter aus dem Kehlsack vorgewürgt. Sie sind nach neun Wochen gut beflogen.

Bejagung und Management

Zur Abwehr des Graureihers überspannt man die Fischteiche mit Netzen oder zieht am Rand zwei Stolperdrähte aus Nylonschnur. Außerdem versucht man, die Tiere durch repellente Maßnahmen, etwa durch Böllerschüsse oder Klangattrappen von den Fischzuchten fern zu halten. Man ahmt dabei den Schrei des Seeadlers nach oder das arteigene Angstgeschrei. Auch der Fluchtruf der Jungvögel kann im Hochsommer zeitweilig wirken. Steil abfallende Ufer, die mindestens in 60 cm tiefe Teiche führen, verleiden dem Vogel das Fischen. Graureiher unterliegen dem Jagdrecht, sind jedoch heute nicht mehr von der jagdlichen Bedeutung wie früher, als sie etwa im Rahmen der Beizjagd große Bedeutung hatte („Reiherbeize"). Allerdings werden zunehmend, aus Gründen der Schadenabwehr in der Fischerei, einzelne Graureiher oder kleinere Kontingente zur Bejagung freigegeben.

Rohrdommel *(Botaurus stellaris)* und Zwergdommel *(Ixobrychus minutus)*

2.147: Rohrdommel

Dommeln zählen zu den Reihern, brüten jedoch nicht in Kolonien, sondern einzeln in großen Schilfgebieten. Die Rohrdommel hat bräunlich gelb gebändertes Gefieder, lange grüne Ständer. Sie ist ein etwa bussardgroßer Schilfvogel, von geduckter Gestalt, der bei Gefahr den Schnabel hochrichtet (sog. „Pfahlstellung"). Sie ist dämmerungs- und nachtaktiv. Im Frühjahr ist ihr dumpfer, charakteristischer Balzruf in der Dämmerung aus dem Schilf zu hören. Zwergdommeln sind etwa eichelhähergroß und leben im Schilf und dichten Weidengestrüpp. Die Männchen sind kontrastreich schwarz-gelb gefärbt, die Weibchen bräunlich.

Storchenvögel

Ordnung	Schreitvögel (Ciconiiformes)
Familie	Störche (Ciconiidae)

Störche sind langbeinige ‚Schreitvögel'. Sie haben einen langen Schnabel sowie lange breite Schwingen (ausgezeichnete Segelflieger). Die gleich gefärbten Partner betreuen die Brut gemeinsam. In Deutschland kommen zwei Arten vor, der Weiß- oder Hausstorch und der Schwarz- oder Waldstorch. Sie überwintern im tropischen Afrika. Im Volksglauben ist der Storch Glücks- und Kinderbringer; er soll beispielsweise das Haus vor Blitz und Feuer schützen. Störche unterliegen in Deutschland nicht dem Jagd-, sondern dem Naturschutzrecht.

Weißstorch *(Ciconia ciconia)*

Der Weißstorch brütet als Kulturfolger vorwiegend in großen Reisighorsten auf Schornsteinen, Dachgiebeln etc. Er hat ein weißes Gefieder mit schwarzen Schwungfedern; Schnabel und Ständer sind rot. Weißstörche legen im März bis Juni drei bis fünf weißliche Eier. Die Jungen werden mit herausgewürgtem Futter der Eltern versorgt und sind nach 9 Wochen flügge. Weißstörche ernähren sich von Fröschen, Nacktschnecken, Schlangen, Eidechsen, Mäusen, Insekten, aber auch von Gelegen von Bodenbrütern. Auf Grund von intensiver Landnutzung (Trockenlegen von Feuchtwiesen, Mooren etc.) und intensiver Landwirtschaft (Einsatz von Pestiziden) ist der Weißstorch in Deutschland selten geworden, doch nehmen die Bestände langsam wieder zu.

2.148: Weißstorch

Schwarzstorch *(Ciconia nigra)*

Der Kulturflüchter brütet in den Baumkronen ruhiger Wälder. Meist befinden sich Feuchtbiotope in der Nähe. Schwarzstörche sind schwarz-grünschillernd gefiedert, die Bauchseite ist allerdings weiß. Schnabel und Ständer sind rot. Der Schwarzstorch ist stark gefährdet (aufgrund intensiver Forstwirtschaft und großer Beunruhigung der Wälder), doch nimmt auch er langsam wieder im Bestand zu. Ein Problem für den Schwarzstorch könnte in Zukunft die Prädation der Gelege durch Waschbären werden.

2.149: Schwarzstorch

Kranichvögel

Ordnung	Kranichvögel (Gruiformes)
Familie	Kraniche (Gruidae)

Kranich *(Grus grus)*

2.150: Ziehende Kraniche

Der Europäische oder Graue Kranich ist ein etwas mehr als storchengroßer Vogel mit langem Hals und relativ kurzem Schnabel. Die Ständer sind auffallend lang. Die gleich gefärbten Geschlechter haben ein überwiegend graues Gefieder. Kehle, Hals und Oberweile des Kopfes sind schwarz. Am Kopf befindet sich ein roter Scheitel. An der Rückseite des Körpers sind buschige, dunkle Schmuckfedern. Imponierend ist die laut „trompetende" Stimme sowie der auffällige Balztanz.
Er bevorzugt ungestörte Bruchwälder und Moore. Er ernährt sich von Kleintieren, aber auch von Pflanzen. Der paarweise lebende Bodenbrüter füttert seine ein bis zwei Jungen vorwiegend mit Schnecken, Würmern und Insekten. Kraniche sind Zugvögel, die in keilförmiger Formation fliegen, oft in großer Zahl.
In größerer Zahl brüten Kraniche in Nord- und Osteuropa sowie in Deutschland in Mecklenburg-Vorpommern und Brandenburg. Auch in Schleswig-Holstein und Niedersachsen finden wir eine deutliche Zunahme der Kraniche. Kraniche unterliegen in Deutschland dem Naturschutzrecht.

Ordnung	Kranichvögel (Gruiformes)
Familie	Trappen (Otididae)

Trappen sind große und schwere langbeinige Bodenvögel, die in weiten Grassteppen und großen Feldern leben (Vorkommen: Mecklenburg-Vorpommern, Brandenburg, österreichisches Burgenland. Ungarn, Polen und vor allem Spanien). Wir unterscheiden die Großtrappe (*Otis tarda*) und die um die Hälfte kleinere Zwergtrappe (*Tetrax tetrax*), die aber als Standvogel nur in Südeuropa vorkommt.

2.151: Trapphahn

Großtrappe *(Otis tarda)*

Großtrappen sind poly- bzw. agam und leben in kleinen Trupps, in denen die Weibchen überwiegen. In der Brutzeit bleiben die Trapphähne truppweise zusammen. Charakteristisch ist das optisch eindrucksvolle Balzritual des Trapphahns, besonders in der Morgendämmerung. Der Hahn kümmert sich weder um das Gelege (zwei, selten drei Eier) noch um die Aufzucht der Jungen. Die Henne führt die Jungen bis zum Herbst. Die Großtrapphähne erreichen ein Gewicht bis 15 kg. Sie ernähren sich von Sämereien, Pflanzenteilen und Kleintieren. Großtrappen sind in Deutschland vom Aussterben bedroht und daher ganzjährig geschont. Ursachen des Rückganges war in der Vergangenheit teilweise eine Übernutzung der Bestände, heute sind Großtrappen im Wesentlichen durch die industrialisierte Landwirtschaft und den flächigen Insektizideinsatz gefährdet, welcher den Jungvögeln die Nahrungsgrundlage in den ersten Wochen nimmt. Auch die Verdrahtung der Landschaft sowie das Anwachsen von Prädatorenbeständen (z.B. Fuchs, Marderhund) in den letzten Jahrzehnten stellt ein Problem dar.

Ordnung	Kranichvögel (Gruiformes)
Familie	Rallen (Rallidae)

Blässralle *(Fulica atra)*

Aussehen

Blässrallen, auch Blässhühner, Belchen oder Zappen genannt, haben einen vergleichsweise plump wirkenden Körper und einen kleinen Kopf. Auffällig sind die sehr langen Zehen zum Laufen auf Wasserpflanzen. Sie liegen beim Schwimmen hoch im Wasser, schwimmen oft kopfnickend und verlassen nur ungern das Wasser. Beim Auffliegen vom Wasser nehmen sie Anlauf und laufen dabei spritzend und patschend über das Wasser. Die Blässrallen sind schieferschwarz und kenntlich am weißen Schnabel und Stirnschild.

Verbreitung und Lebensraum

Blässrallen sind über weite Teile Europas, Asiens und Nordafrikas verbreitet. Überwinterungsgebiete finden wir auch in Westafrika sowie Australien und Neuseeland. Die mitteleuropäischen Populationsteile bleiben zunehmend den Winter über bei uns oder verstreichen nur über kürzere Entfernungen.

Blässrallen leben gesellig an vegetationsreichen, stehenden oder langsam fließenden Binnengewässern mit flachen Ufern und möglichst Röhrichtzonen. Die Größe des Gewässers selbst ist dabei nicht entscheidend.

2.152: Blässralle

Nahrung

Wesentliche Nahrungsbestandteile sind Pflanzenteile und Algen, aber auch Weichtiere und Insekten. Blässrallen besitzen, ähnlich wie die Stockente, ein breites Nahrungsspektrum. Dadurch profitieren sie auch von der Eutrophierung der Gewässer oder der Fütterung durch die Bevölkerung an urbanen Gewässern.

Fortpflanzung

Blässrallen leben in Jahresehe. Sie verpaaren sich oftmals bereits auf dem Zug, oft aber auch erst im Brutgebiet. Sie balzen nachts und zeigen eine charakteristische Lautbalz. Es finden zwei Jahresbruten zwischen April und August, oft als sog. „Schachtelbrut" (zeitliches Überlappen zweier Brut- und Aufzuchtphasen in ein und demselben Jahr) statt. Das Gelege umfasst etwa fünf bis zehn Eier, die etwa drei Wochen bebrütet werden. Beide Eltern brüten. Die Küken sind Nestflüchter und mit ca. acht Wochen flügge und selbständig.

Bejagung und Management

In der Bejagung der Blässrallen gibt es große regionale Unterschiede. Eine Bejagung ist sinnvoll, da die Art aufgrund ihrer Anpassungsfähigkeit an den Zivilisationsraum zu hohen Populationsdichten und Verdrängung anderer Wasservogelarten neigt. In manchen Gebieten gilt ihr Fleisch als Delikatesse.

Ordnung	Kranichvögel (Gruiformes)
Familie	Rallen (Rallidae)

Teichralle *(Gallinula chloropus)*, Wasserralle *(Rallus aquaticus)* und Wiesenralle *(Crex crex)*

Die Teichralle (auch „grünfüßiges Teichhuhn" genannt) ist kleiner als das Blässralle, hat einen roten Schnabel mit gelber Spitze und grüne Ständer. Sie bevorzugt als Lebensraum ebenfalls die Uferzonen von Binnengewässern. Bei der Wasserralle handelt es sich um einen knapp rebhuhngroßen Vogel. Sie lebt versteckt in der Ufervegetation und ist daher nur selten zu sehen. Auffällig ist dagegen in der Dämmerung ihr mehrsilbiger, in der Lautstärke abfallender Ruf, der an das Quieken eines Ferkels erinnert. . Die Wasserralle besitzt einen bräunlichen Rücken und fällt durch ihren kurzen Stoß und einen etwas nach unten gebogenen, rötlichen Schnabel auf. Kehle, Hals und Brust sind grau gefärbt.

2.153: Teichralle

Die Wiesenralle wird auch Wachtelkönig genannt und lebt nicht am Wasser, sondern sehr versteckt im Bereich der feuchten Wiesen bis zum Übergang zu den Trockenwiesen. Bei Nacht hört man gelegentlich die knarrende Stimme. Sie ist ein Zugvogel und als solcher in seinem Bestand deutlich von der Situation in den Winterquartieren abhängig. Als Brutvogel ist sie in Deutschland durch den Verlust extensiv genutzter Feuchtwiesen sehr selten geworden. Beide Arten unterliegen dem Naturschutzrecht.

Wat- und Möwenvögel

Ordnung	Wat- und Möwenvögel (Charadriiformes)
Familie	Möwen (Laridae)

Möwen sind langflügelige Wasservögel mit rein weißer Unterseite und gräulicher bis schwarzer Rücken- sowie Schwingenfärbung im Alterskleid. Dieses erreichen die größeren Arten jedoch erst nach mehreren Jahren. Im Jugendkleid überwiegt eine einheitlich bräunliche Färbung. Die Zehen sind mit Schwimmhäuten versehen. Schnäbel und Ständer sind rot oder gelb. Alle Arten brüten in Kolonien, die Nester (meist drei Eier) stehen auf dem Boden oder auf einer Unterlage im Wasser. Die Jungen sind Nesthocker. Möwen sind ausgezeichnete Flieger und Segler. Sie sind weitgehend Allesfresser.

Die meisten Arten leben an der Küste, vor allem die großen Arten Silbermöwe (*Larus argentatus*), Heringsmöwe (*Larus fuscus*) und Mantelmöwe (*Larus marinus*).

Im Binnenland kommen vor allem die Lachmöwe (*Larus ridibundus*) und seltener die Sturmmöwe (*Larus canus*) vor. Die Lachmöwe sucht oft weitab von Gewässern nach Nahrung, nämlich auf Wiesen, frisch gepflügten Äckern und Müllhalden.

2.154: Mantelmöwe

2.155: Lachmöwe

2.156: Silbermöwe

2.157: Sturmmöwe

Infolge ihres breiten Nahrungsspektrums haben fast alle Arten von der menschlichen Land- und Fischereiwirtschaft und deren Abfällen profitiert und daher erheblich zugenommen. Vor allem die Großmöwen können durch Eier- und Kükenprädation zum Problem für andere Küstenvögel werden. Die Bedeutung der Lachmöwe in dieser Hinsicht ist noch nicht geklärt. Auf Flugplätzen stellen ihre Schwärme ein Sicherheitsrisiko dar.
Alle Möwenarten unterliegen dem Bundesjagdgesetz. Eine Jagdzeit haben jedoch nur Lach-, Sturm-, Silber-, Mantel- und Heringsmöwe. Die übrigen Arten – Zwerg-, Eis-, Schwarzkopf- sowie Dreizehenmöwe – haben ganzjährige Schonzeit.

» **Mantelmöwe** (*Larus marinus*): ca. 74 cm, schwarze Oberseite der Schwingen; der kräftige Schnabel ist gelb, die Ständer sind fleischfarben.
» **Heringsmöwe** (*Larus fuscus*): ca. 53 cm, die Oberseite ist schwarzgrau, die Ständer sind gelb.
» **Lachmöwe** (*Larus ridibundus*): ca. 38 cm, etwa taubengroß, weiß mit grauen Schwingen und dunklen Enden der Handschwingen; der Kopf ist im Sommer schokoladenbraun, im Winter weiß gefärbt; Schnabel und Ständer sind braunrot, bei Jungvögeln gelbbraun.
» **Silbermöwe** (*Larus argentatus*): ca. 56 cm, etwa bussardgroß, das Gefieder ist weiß; Rücken und Schwingen sind oberseits grau, die Schwingenspitzen schwarz; der Schnabel ist gelblich, die Ständer sind fleischfarben.
» **Sturmmöwe** (*Larus canus*): ca. 40 cm, Schwingen und Rücken sind oberseits blaugrau, der Kopf ist weiß, Schnabel und Ständer sind grüngelb.

Ordnung	Wat- und Möwenvögel (Charadriiformes)
Familie	Schnepfenvögel (Scolopacidae)

Waldschnepfe *(Scolopax rusticola)*

Aussehen

Die Waldschnepfe ist ein knapp taubengroßer Vogel mit hervorragender Tarnfärbung, der fast nur in der Dämmerung fliegend zu beobachten ist. Durch die abgerundeten Schwingenenden und die sog. „Federrami" ist der Flug nahezu lautlos. Im Flug fällt der gedrungene Körper, dicke Kopf und lange Schnabel („Stecher") auf. Der Kopf ist dunkel quergebändert. Die Stoßfedern sind kurz und schwarz mit weißer Spitze. Tagsüber drückt sich die Schnepfe am Waldboden und fliegt erst bei Annäherung auf wenige Meter auf. Schnepfen baumen nicht auf. Beide Geschlechter gleichen sich äußerlich, eine Unterscheidung ist nur durch Untersuchung der inneren Organe (Hoden, Eierstöcke) möglich.

2.158: Waldschnepfe

Verbreitung und Lebensraum

Die Waldschnepfe kommt typischerweise in feuchten Laub- und Laubmischwäldern vor. In Skandinavien finden wir sie allerdings auch in reinen Nadelwäldern. Das Hauptbrutgebiet der Waldschnepfe liegt in Nord- und Osteuropa, in Mitteleuropa brütet sie nur in geringer Dichte und fast alle ziehen im Winter ab. Bedeutend sind dagegen der Frühjahrszug im März/April und der Herbstzug von Mitte Oktober bis Mitte November. Zeit und Verlauf des Zuges variieren stark mit der jeweiligen Witterung.

Nahrung

Würmer und unterirdisch lebende Insektenlarven sind die Hauptnahrung der Schnepfe. Sie geht überwiegend nachts auf Nahrungssuche. Erst wenn sie vom ausgetriebenen Laubdach geschützt ist, wurmt sie auch am Tage. Wurmreiche Stellen findet sie mit großer Sicherheit. Eine nahrungsökologische Besonderheit ist der an der Spitze pinzettenartig zu öffnende Stecher, mit dem sie Würmer auch unterirdisch gut greifen und herausziehen kann.

Fortpflanzung

Während des Frühjahrszuges beginnt der Suchflug der Männchen nach den Weibchen. Hierbei streichen die Schnepfen (besonders bei Westwind, bedecktem Himmel und Regen) in der Abenddämmerung in wankendem Flug in der Nähe feuchter Revierteile an den Altholzrändern entlang. Diesen Suchflug der Männchen zur Fortpflanzungszeit bezeichnen wir als „Schnepfenstrich". In aller Regel streichen nur die Hähne, die dabei ihr „Quorren" und „Puitzen" vernehmen lassen. Der Strich beginnt meist erst, wenn das Abendsingen der Vögel (Amsel, Singdrossel, Rotkehlchen) verstummt ist und der sog. „Schnepfenstern" (der sehr helle Abendstern Venus) am Himmel blinkt. Ein kürzerer Strich findet in der Morgendämmerung statt, und gelegentlich streichen Schnepfen auch während des Herbstzuges, aber dann meist stumm.

Die Waldschnepfe brütet am Boden feuchter Wälder. Hierzu legt sie unter Busch- und Astwerk oder an einem Stamm ein einfaches, mit Laub und Moos ausgelegtes Muldennest an. Die kurzovalen, rötlichgelben braun gefleckten Eier (meist vier) werden 22 Tage bebrütet. Sie brütet gelegentlich zwei Mal im Jahr (April und Juli). Die erste Eiablage erfolgt üblicherweise zwischen dem 5. und 20. April. Die Jungen sind Nestflüchter. Die Schnepfen leben poly- bzw. agam, haben also keine Paarbindung. Das Männchen kümmert sich nicht um das Gelege und die Brut. Nachgelege kommen vor. Vor dem erneuten Brüten wird der Standort gewechselt.

Prädatoren

Wir gehen davon aus, dass die Waldschnepfe vom Haarraubwild eher zufällig erbeutet wird. Altvögel werden gelegentlich Beute der großen Eulen (Uhu, eventuell Waldkauz). Gelege fallen den Marderartigen (insbes. Dachs, Baum- und Steinmarder) sowie Ratten, Rabenvögeln und gelegentlich dem Schwarzwild zum Opfer.

Bejagung

In Deutschland ist derzeit nur noch die Jagd im Herbst möglich, eine Bejagung auf dem Frühjahrsstrich findet in Deutschland nicht mehr statt. Die Waldschnepfe wird daher nur noch auf dem Anstand beim Herbststrich bejagt oder ist Zufallsbeute auf Treibjagden oder beim Stöbern oder Buschieren.

Fragen

484 Wie nennt man den Schnabel der Schnepfe?

Stecher. Die Schnepfe „sticht", wenn sie den Oberboden nach Nahrung untersucht; sie „wurmt", wenn sie mit dem Stecher an feuchten Bruchstellen oder in Kuhfladen nach Würmern sucht.

485 Was versteht man unter „Malerfedern" und „Schnepfenbart"?

Das Malerfederchen (ca. 3 cm lang) ist die äußerste, verkümmerte Handschwinge (entspricht dem Daumen) vor der ersten Schwungfeder der Schnepfe. Sie gilt als Trophäe und wurde von Malern zur Herstellung besonders feiner Striche benutzt. Der Schnepfenbart ist ein kleines, ca. 1,5 cm langes, haarartiges Federbüschel, das sich auf der Fettdrüse (Bürzeldrüse) der Waldschnepfe befindet und getrocknet wie ein winzig kleiner, gefasster Gamsbart aussieht.

486 Zu welcher Jahreszeit sind Schnepfen zu beobachten?

Waldschnepfen treffen im zeitigen Frühjahr bei uns ein und bleiben dann bis in den Herbst. Die sog. „Lagerschnepfen" überwintern bei uns. Gelegentlich finden wir im Winter auch zugezogene Vögel aus nördlicheren Regionen.

487 Woran kann der Jäger die Anwesenheit von Schnepfen im Revier erkennen?

An den Balzrufen, an „Stichstellen" im Boden, und am „Kälken". Unter „Kälken" versteht man das Absetzen der kalkweißen, dünnflüssigen Losung der Schnepfe.

488 Welche weiteren Schnepfenvögel kennen wir in Deutschland?

Neben der Waldschnepfe ist bei uns vor allem die die Bekassine (*Gallinago gallinago*) oder Sumpfschnepfe von Bedeutung. Hinsichtlich Brutverbreitung und Zug ähnelt sie der Waldschnepfe, lebt aber in offenen Sumpf- und Moorgebieten, in nassen Wiesen sowie Uferzonen. Im Unterschied zur Waldschnepfe ist bei der Bekassine der Kopf, aber auch

2.159: Bekassine

2.160: Großer Brachvogel

der Hals längs gestrichelt. Ihr auffälliger Balzflug ist im Frühjahr den ganzen Tag über zu beobachten. Das dabei weithin hörbare „Meckern“ wird durch Vibration der beiden äußersten Stoßfedern im Sturzflug erzeugt („Himmelsziege“). Die Bekassine bebrütet vier birnenförmige Eier 21 Tage in einer tiefen, mit trockenem Gras ausgepolsterten und von Halmen überwölbten Nestmulde. Weitere einheimischen Schnepfenvögel sind

» **Doppelschnepfe** (*Gallinago media*): Etwas größer als Bekassine, sehr selten in Nordostdeutschland brütend.
» **Zwergschnepfe** (*Lymnocryptes minimus*): Nur starengroß, seltener Brutvogel in Sumpfgebieten.
» **Rotschenkel** (*Tringa totanus*): Drosselgroß, seltener Brutvogel in nassen Wiesen.
» **Großer Brachvogel** (*Numenius arquata*): Groß, mit langem Bogenschnabel. Typischer Brutvogel in feuchten Wiesen, in denen im Frühjahr sein lauter, flötenartiger Balztriller zu hören ist.

Nur die Waldschnepfe unterliegt in Deutschland dem Jagdrecht.

Ordnung	Wat- und Möwenvögel (Charadriiformes)
Familie	Regenpfeifer (Charadriidae)

Regenpfeifer sind mittelgroße bis kleine Watvögel von gedrungener Gestalt und kontrastreicher Zeichnung, von denen in Deutschland die folgenden Arten brüten:

» **Kiebitz** (*Vanellus vanellus*): Taubengroß, verbreitet in feuchten Wiesen, gelegentlich auch auf Äckern. Auffallend im Frühjahr ist der schaukelnde Balzflug, begleitet von quiekenden Rufen. Im Sitzen fällt die lange, nach oben gekrümmte Federholle auf.
» **Flussregenpfeifer** (*Charadrius dubius*): Lerchengroßer, lebhafter Watvogel, der auf Kiesbänken im Unterlauf von Flüssen brütet. Wie bei allen Wat- und Schnepfenvögeln enthält das Nest vier Eier.

Beide Arten unterliegen dem Naturschutzrecht.

2.161: Kiebitz

Sperlingsvögel

Ordnung	Sperlingsvögel (Passeriformes)
Familie	Rabenvögel (Corvidae)

In der Unterordnung der Singvögel (Ordnung: Sperlingsvögel) bilden die Rabenvögel eine eigene Familie. Sie stehen somit neben anderen Familien, wie etwa den Schwalben oder Lerchen. In Deutschland finden wir acht Arten:

» **Kolkrabe** (*Corvus corax*): die größte Art, schwarz, deutlich größer als Krähen (etwa bussardgroß), mit klobigen Schnabel. Reiches Repertoire an klangvollen Rufen. Im Flug fällt der keil-

2.162: Kolkrabe

2.163: Rabenkrähe

förmige Stoß auf. Dieser früher seltene Vogel breitet sich nun rasch in der Kulturlandschaft aus. Kolkraben sind Allesfresser, sie leben von Kleinsäugern bis Junghasengröße, von Vögeln, Eiern, Insekten, Obst, Körnern, Mäusen sowie Aas und Abfällen. Kolkrabenpaare bleiben lebenslang zusammen. Die Brut (4 bis 6 schmutzig grünliche mit verschiedenen Brauntönen gefleckte Eier) beginnt schon im Februar/März. Die Brutzeit beträgt 30 Tage, die Nestlingszeit 40 Tage. Der Familienverband bleibt bis in den Spätherbst zusammen. Kolkraben lieben offene Landschaften mit Wäldern und Feldgehölzen, sie brauchen ein großes Revier. Der Kolkrabe unterliegt dem Jagdrecht, ist aber derzeit ganzjährig geschont.

» **Aaskrähe** (*Corvus corone*): Zu dieser Art gehören mehrere Unterarten, von denen in Mitteleuropa zwei vorkommen, die sich nur im Aussehen, nicht aber in ihrer Lebensweise unterscheiden. Im Gegensatz zur Saatkrähe besitzen die Aaskrähen einen dunkel befiederten Schnabelgrund und einen Oberschnabel, der an der Spitze deutlich abwärts gebogen ist. Nach der Gefiederzeichnung lassen sich unterscheiden: Die Rabenkrähe (*Corvus corone corone*), völlig schwarz, jedoch ohne „Federhosen“ an den Beinen. Demgegenüber besitzt die Nebelkrähe (*Corvus c. cornix*) lediglich einen schwarzen Kopf, Vorderbrust, Flügel und Schwanz, der Rest des Gefieders ist hell- bis mittelgrau. Das Vorkommen der Nebelkrähe liegt ostwärts der Elbe, sowie in Ost- und Nordosteuropa. Nur im Winter kommen Nebelkrähen gelegentlich nach Westdeutschland. Aaskrähen sind Allesfresser und anpassungsfähige Kulturfolger. Ihre Balzflüge im März sind recht turbulent. Aaskrähen, die in Dauerehe leben, bebrüten 3 bis 6 den Kolkrabeneiern ähnliche – jedoch etwas hellere und kleinere – Eier 18 bis 20 Tage im März bis Juni. Die Jungen werden von beiden Eltern gefüttert. Die Nestlingszeit beträgt 4 Wochen. Der Familienverband löst sich im Juli auf. Die Krähen bilden dann größere Gesellschaften. Rabenkrähen unterliegen nicht dem Bundesjagdgesetz. In einigen Bundesländern sind sie jedoch jagdbares Wild, in anderen ist die Bejagung auf Antrag teilweise möglich.

» **Saatkrähe** (*Corvus frugilegus*): schwarz, aber stahlblau glänzend, mit schlankerem und spitzerem Schnabel als die Rabenkrähe. Das Gefieder hängt wie Hosen über die Hälfte der Ständer herab. Im Unterschied zur Rabenkrähe brütet sie gesellig in Kolonien. Meist in älteren Laubwaldbeständen in der Nähe von Wasser. In Westdeutschland ist sie seltener Brutvogel, im Winter kommen dagegen große Flüge aus dem Osten. Nur Altvögel haben den unbefiederten Schnabelgrund. Saatkrähen balzen im März (Lebensehe). Das Gelege (3 bis 5 Eier, die denen

2.164: Nebelkrähe

2.165: Saatkrähe

der Rabenkrähe ähnlich, jedoch etwas schlanker sind) wird im März bis Mai 17 bis 20 Tage bebrütet. Junge Saatkrähen sind nach 4 bis 5 Wochen flügge. Sie bleiben anfänglich in der Kolonie. Saatkrähen unterliegen nicht dem Bundesjagdgesetz, sondern stehen unter Naturschutz

» **Dohle** (*Coleus monedula*): kleiner, schwarzer Vogel mit grauer Kopfpartie. Meist in Ortsnähe oder winterlichen Krähenschwärmen. Ihr Ruf „kjack, kjack" ist häufig zu hören. Dohlen brüten (4 bis 6 weiß-grünliche Eier mit dunklen Flecken) an Gebäuden. Die Brut dauert 17 bis 18 Tage im April bis Juni, nachdem die Balz im März/April stattfand. Die Jungen, die von beiden Eltern großgezogen werden, verlassen mit etwa vier Wochen das Nest und sind mit fünf Wochen flügge. Dohlen unterliegen nicht dem Bundesjagdgesetz, sondern stehen unter Naturschutz

» **Elster** (*Pica pica*): kontrastreich schwarz/weiß gezeichnet mit langem Stoß. Sie ruft laut schackernd. Ihr Horst ist kugelförmig, die Unterseite dick mit Lehm sowie Pflanzenteilen ausgekleidet. Elstern brüten 17 bis 18 Tage in der Zeit von März bis Mai. Die 5 bis 8 Eier sind weiß-gelblich mit gleichmäßiger, brauner Sprenkelung. Die von beiden Eltern versorgten Jungen sind mit 4 bis 5 Wochen flügge. Elstern sind Allesfresser (Nesträuber, Insekten, Mäuse, Aas, Abfälle, Sämereien). Die Kulturfolger lieben baumbestandene Landschaften, Gärten, Parks sowie Waldränder. Elstern unterliegen nicht dem Bundesjagdrecht, doch sind sie in einigen Bundesländern jagdbares Wild.

» **Eichelhäher** (*Garrulus glandarius*): braunrosa Grundfärbung mit auffallend weißem Bürzel und hellblau gezeichneter Schmuckfederpartie im Flügel. Die Stimme ist laut rätschend,

2.166: Dohle

2.167: Elster

2.168: Eichelhäher

2.169: Tannenhäher

vor allem bei Annäherung von Beutegreifern oder Menschen („Markwart"). Der Eichelhäher vergräbt Eicheln und Bucheckern (zur Vorratshaltung) und kann somit zur Verbreitung von Mischwäldern beitragen. Eichelhäher bevorzugen Wälder und Gehölze als Lebensraum. Sie balzen im Februar/März und brüten 16 bis 17 Tage im März bis Juni. Das gut versteckte Nest besteht aus Reisig und Halmen, die Nestmulde ist mit Haaren ausgelegt. Die Eier (3 bis 6) sind hellgrau-braun und dunkel gesprenkelt. Die Jungen sind nach 3 Wochen flügge. Eichelhäher unterliegen nicht dem Bundesjagdgesetz, doch sind sie in einigen Bundesländern jagdbares Wild.

2.170: Alpendohle

» **Tannenhäher** (*Nucifraga caryocatactes*): dunkelbraun, weiß getupft, mit längerem Schnabel als der Eichelhäher. Lebt in borealen Nadelwäldern Ost- und Nordosteuropas und Gebirgsregionen. Im Winter kommen gelegentlich Durchzügler aus Osteuropa. Tannenhäher unterliegen nicht dem Bundesjagdgesetz, sondern dem Naturschutzrecht.

» **Alpendohle** (*Pyrrhocorax graculus*): schwarz mit gelbem Schnabel und rotem Ständer. Sie kommt nur in der Felsregion der Alpen, im Winter gelegentlich in Tälern vor. Die Alpenkrähe (*P. pyrrhocorax*) ist dagegen ein Vogel der mediterranen Gebirgsregionen und verfliegt sich nur selten in den deutschen Alpenraum. Die Alpenkrähe ähnelt der Alpendohle, hat allerdings einen längeren, roten, leicht gebogenen Schnabel. Die Alpendohle unterliegt nicht dem Bundesjagdgesetz, sondern dem Naturschutzrecht.

Fragen

489 Welche Probleme können Rabenvögel in der Kulturlandschaft bereiten?

Vor allem Aaskrähen, Elstern und Eichelhäher sind typische Arten der Kulturlandschaft, sie profitieren in vielfältiger Weise von den Folgen der Zivilisation (Müllplätze, landwirtschaftliche Monokulturen, Straßenverkehrsopfer, Gewässereutrophierung etc.). Dadurch können diese „Nahrungsgeneralisten" örtlich unnatürlich hohe Dichten erreichen. Da Eier und Junge von Singvögeln und vielen Federwildarten zu ihrer bevorzugten Nahrung zählen, können sie durch Gelegeprädation zum Problem vor allem für diejenigen Arten werden, die durch die Veränderungen der Kulturlandschaft benachteiligt oder bereits gefährdet sind.

490 Welche natürlichen Feinde haben die Rabenvögel?

Insbesondere Habicht, Wanderfalke und Uhu. Auf den Schlafbäumen sind es auch Marder und Waschbär, die Gelege und Nestlinge erbeuten.

491 Soll man Rabenvögel regulieren?

Wo Rabenkrähen, Elstern sowie Eichelhäher in entsprechender Dichte vorkommen, sind Eingriffe zum Schutz der Vogelwelt zu empfehlen. Hierzu sind dort noch Sondergenehmigungen erforderlich, wo die Rabenvögel noch nicht zum jagdbaren Wild gerechnet werden. Bei geringer Dichte ist eine Bejagung dagegen nicht erforderlich. Rabenvögel haben auch insofern Bedeutung, als ihre Horste später einigen Greifvogel- und Eulenarten als Nistmöglichkeit dienen.

492 Welche jagdliche Bedeutung haben Rabenvögel?

Die Bejagung der schlauen Vögel ist überaus reizvoll und vor allem für den Jungjäger sehr lehrreich. Darüber hinaus sind z.B. Eichelhäher sehr schmackhaft; in vielen Gegenden werden auch junge Krähen gegessen.

493 Wie kann man Rabenvögel bejagen?

Intelligenz und Lebensweise machen besondere Jagdmethoden erforderlich, die je nach örtlicher Situation zum Erfolg führen können:

» Erlegung mit einer weit tragenden kleinkalibrigen Büchse. Das gilt vor allem für Rabenkrähen in der freien Feldflur. Aus Sicherheitsgründen dürfen nur auf dem Boden sitzende Vögel beschossen werden.
» Jagd am Schlafplatz. In den Wintermonaten nächtigen Rabenkrähen und Elstern gesellig in bevorzugten Gehölzen. Dort kann man sie mit gutem Erfolg anpirschen bzw. abpassen. Erfolgreich ist auch das Anwarten in der Nähe von Müllkippen und anderen bevorzugten Nahrungsplätzen (etwa an Aas).
» Jagd mit Lockvögeln (Hüttenjagd). Alle Rabenvögel „hassen" auf Eulen, sie reagieren aber auch auf präparierte Artgenossen. Bei den scharfäugigen Vögeln ist beste Deckung des Jägers jedoch unerlässlich.
» Jagd durch Lockrufe. Krähen, Elstern und Eichelhäher lassen sich durch arteigene Rufe oder durch Imitation von Vogelangstrufen anlocken.

494 Wie ist das Ausschießen von Horsten zu beurteilen?

Diese früher praktizierte Methode ist aus mehreren Gründen abzulehnen:

» Rabenvogelhorste können anderen Arten als Nestunterlage dienen, daher können sie z.B. von Waldohreulen oder Turmfalken besetzt sein, die dann versehentlich getötet würden.
» Wo Rabenvögel dem Jagdrecht unterliegen, genießen sie, wie auch andere Federwildarten, Schonung während der Brut- und Aufzuchtzeit.

Die gewünschte örtliche Dezimierung der Rabenvögel ist darüber hinaus durch intensive Bejagung vor allem im Winter und vor der Brutzeit im zeitigen Frühjahr zu erreichen.

Ordnung	Sperlingsvögel (Passeriformes)
Familie	Drosselvögel (Turdidae)

Alle Drosseln gehörten früher auch in Deutschland zu den jagdbaren Tieren. Heute unterliegen sie nicht mehr dem Jagdrecht, sondern dem Naturschutzrecht. Häufigste einheimische Drossel ist die Schwarzdrossel oder Amsel (*Turdus merula*). Das Amsel-Männchen ist ganz schwarz und hat einen leuchtend orangegelben Schnabel und Augenring. Das Weibchen ist dunkelbraun und hat ein weißliches Kinn sowie einen braunen Schnabel. Daneben gehören die Wacholderdrossel, die Singdrossel und die Misteldrossel zu den bekannteren Drosselvögeln.

2.171: Wacholderdrossel

Ordnung	Sperlingsvögel (Passeriformes)
Familie	Stare (Sturnidae)

Stare (*Sturnus vulgaris*) leben gern gesellig und sind – auch im Flug – sehr „schwatzhaft". Im Sommer und Herbst können sie v.a. in Obst- und Weinanbaugebieten massenweise auftreten und dort Schäden hervorrufen. Der Star unterliegt ebenfalls nicht dem Jagdrecht, sondern dem Naturschutzrecht.

Ordnung	Sperlingsvögel (Passeriformes)
Familie	Sperlinge (Passeridae)

Haussperling (*Passer domesticus*) und Feldsperling (*Passer montanus*) waren früher v.a. in der Nähe landwirtschaftlicher Betriebe mit Viehhaltung und Getreideanbau in großer Zahl vertreten, der Haussperling siedelte aber auch in Städten. Wegen gelegentlicher Schäden im Gartenbau und in Geflügelzuchten (Futterkonkurrent) war der Haussperling früher nicht besonders geschützt. Heute leidet der Haussperling unter dem Rückgang der landwirtschaftlichen Tierhaltung und ist lokal, insbesondere in einigen urbanen Regionen, bereits ausgesprochen selten. Heute bedarf er des Schutzes und der Fürsorge (z.B. Nisthilfen) des Menschen.

2.172: Haussperling

2.173: Feldsperling

Falken, Greifvögel

Ordnungen	Falken (Falconiformes), Greifvögel (Accipitriformes)
Familien	Falken (Falconidae), Habichtartige (Accipitridae)

Bezeichnend für die Greifvögel ist, dass sie sich ausschließlich von Fleisch ernähren, meist von selbst erbeuteten Tieren. Manche Arten verschmähen allerdings auch aufgefundenes Aas nicht oder sind sogar auf solches spezialisiert (Geier, Milane). Sie müssen mit entsprechenden Fang-, Reiß- und Schneidewerkzeugen ausgerüstet sein. Kennzeichnend ist der Hakenschnabel mit deutlich längerem, sehr spitz endendem Oberschnabel und kürzerem Unterschnabel. Die Ränder beider Schnabelhälften sind ziemlich scharf. Die Form des Schnabels ist bei den verschiedenen Arten von der Nahrung abhängig, von welcher sich die Vögel ernähren. Große Greife, also etwa Steinadler, Seeadler oder Geier haben einen klobigen, großen und starken Schnabel, mit dem sie das Fell und die Muskelschichten ihrer Beute zerreißen können. Arten mit nur geringer Nahrungsspezialisierung wie Weihen, Milane, Bussarde, Habicht und kleinere Adler haben Schnäbel mittlerer Größe. Andere Arten, die sich vorrangig von Vögeln ernähren, besitzen einen eher kleinen Schnabel. Die Füße dienen nicht nur der Fortbewegung, sondern auch dazu, die Beute zu greifen. Je nach Nahrungsspezialisierung einer Art sind die Füße verschieden gestaltet. Besteht die Hauptbeute aus Vögeln, dann sind wie z.B. beim Wanderfalken oder Sperber schlanke Zehen mit dünnen, langen Krallen notwendig. Zum Fang von Mäusen sind kurze Zehen mit kurzen Krallen am günstigsten. Mäusebussard und Schreiadler haben solche Fänge. Wenn es um das Töten größerer Beutetiere geht, wie es z.B. Steinadler und Habicht bewerkstelligen, dann sind starke Fänge mit kräftigen Zehen und besonders langen und gekrümmten Krallen optimal. Die zoologische Systematik unterscheidet innerhalb der Ordnung der Falconiformes die beiden Familien Habichtartige und Falken. Bei allen Greifvögeln sind die Männchen kleiner als die Weibchen. Besonders ausgeprägt ist dieser Geschlechtsdimorphismus bei Habicht und Sperber. Greifvögel leben während der Fortpflanzungsperiode monogam. Bei größeren Arten (z.B. Adler) kann die Paarbindung über mehrere Jahre halten.

Fragen

495 Welches sind die spezifischen Kennzeichen und Merkmale der europäischen Greife und welches die der Falken?

» **Milane**: Gegabelter Schwanz (Stoß), kurze und relativ schwache Fänge. Sie sind ausgezeichnete Segelflieger, die stundenlang in der Luft verbleiben können. Häufig suchen sie auf diese Weise nach überfahrenen Tieren oder auf dem Wasser treibenden toten Fischen, die sie verzehren. Sie schmarotzen auch bei anderen Greifvögeln, indem sie ihnen die Beute abjagen. Sind jedoch durchaus fähig, auch selbst Beute zu schlagen.

» **Geier**: Große und sehr große Vögel, die einen kahlen, oder nur mit Daunen bewachsenen Kopf und Hals, sowie einen starken Schnabel besitzen. Typisch sind die sehr langen und breiten Flügel. Die Fänge tragen nur schwache Krallen. Die Hauptnahrung besteht aus Aas. Aktuell werden Bartgeier (*Gypaetus barbatus*) auch in Deutschland in den Berchtesgadener Alpen wieder angesiedelt.

» **Bussarde**: Mittelgroße Vögel mit breiten Flügeln und einem relativ kurzen Stoß. Im Flug wirken sie etwas träge. Die Fänge sind nicht besonders stark. Hauptbeute sind daher Wühlmäuse und andere kleine Nagetiere.

» **Weihen**: Etwa bussardgroße Vögel mit langen, schmalen, jedoch nicht spitz endenden Fügeln, ziemlich langem Stoß und langen Beinen. Charakteristisch ist das Gesicht mit dem die Augen umgebenden, eulenartigen Schleier. Das Federkleid der Männchen ist völlig anders gefärbt als das der Weibchen. Typisch ist der weiche Gaukelflug oft in der Dämmerung mit der charakteristischen „V-Stellung" der Flügel. Sie brüten auf dem Boden.
» **Habicht**: Mittelgroßer Vogel mit relativ kurzen und abgerundeten Flügeln und einem relativ langen Stoß. Die kräftigen Beine mit starken Fängen ermöglichen es ihm, auch größere Beutetiere zu überwältigen.
» **Sperber:** vom Aussehen dem Habicht ähnlich, aber kleiner. Beutespektrum entsprechend auch kleinere Tiere als beim Habicht. Lebensraum ist weniger der Wald, sondern die Halboffenlandschaft mit Hecken und Feldgehölzen.
» **Adler**: Große bis sehr große Vögel mit langen, breiten Flügeln, deren Handschwingen im Flug fingerartig gespreizt sind. Bei den echten Adlern (Steinadler, Kaiseradler, Schreiadler, Zwergadler) sind die Beine bis zu den Zehen befiedert.
» **Falken**: Kleine bis mittelgroße Vögel mit langen und schmalen, spitz endenden Flügeln. Das Gefieder ist hart und kompakt. Bei manchen Arten, wie z.B. Turmfalke, Rotfußfalke und Merlin, unterscheiden sich die Männchen aufgrund des anders gefärbten Federkleides von den Weibchen. Alle Falken sind ausgezeichnete Flieger und schlagen ihre Beute zum Teil im Verfolgungsflug in der Luft.

496 Welche weidmännischen Ausdrücke werden gebraucht, wenn von Greifvögeln die Rede ist?

Absetzen auf einen Baum	Aufbaumen, Einschwingen
aus der Luft oder von einer Warte auf ein Beutetier herabstürzen	Stoßen
Ballen aus unverdaulichen Resten der verzehrten Nahrung (wie Haare, Knochen, Federn), die ausgewürgt werden	Gewölle
Beginn des Jagdfluges	Anjagen
bettelnd schreien	Lahnen
Davonfliegen	Abstreichen
Erfassen der Beute	Binden
fressen, verzehren	Kröpfen
Gebiet, in welchem sich der Horst befindet und in dem während der Brutzeit andere Vögel der gleichen Art nicht geduldet werden	Horstfeld
Gebiet, in dem der Greifvogel jagt	Revier
Greifvogel, männlich (außer Sperber)	Terzel
Greifvogel, weiblich	Weib
im Kreis fliegen (z.B. bei der Beutesuche)	Kreisen
Jungen, kurz vor dem Flüggewerden	Ästlinge
Jungen im Horst	Nestlinge
liegengebliebene Reste eines Beutetieres (z.B. Federn oder Haare)	Rupfung
Losung der Greifvögel, kalkartig und dünnflüssig	Schmelz
Nahrung der Greifvögel	Atzung
Nest eines Greifvogels	Horst

Niederlassen auf einem Pfahl, einem Mast oder einem Felsen	Aufblocken
Paarungsflugspiele	Balzflug
rasches, spezifisches Bewegen der Flügel beim In-der-Luft-stehen, z.B. beim Turmfalken und Mäusebussard	Rütteln
Sperber, männlich	Sprinz
wenn flügge Junge den Altvögeln die Nahrung abbetteln	Bettelflug

2.174: Schwarzmilan

2.175: Rotmilan

497 Was unterscheidet den Rotmilan (*Milvus milvus*) vom Schwarzmilan (*Milvus migrans*)?

Der Rotmilan hat eine rostrote Färbung des Gefieders und einen tief gegabelten, fuchsroten Stoß. Kopf und Hals sind hellgrau. Bei entfalteten Flügeln bilden die teilweise weißen Hand- und Armschwingen große, helle Flecken. Den Rotmilan sieht man häufig an Straßen, wo er nach überfahrenen Tieren sucht. Die volkstümliche Bezeichnung des Rotmilans als „Gabelweihe" ist irreführend, denn diese Art zählt nicht zu den Weihen. Sein Horst ist an eingebauten menschlichen Abfällen, z.B. Plastiktüten, meist gut zu erkennen.
Beim Schwarzmilan ist das Gefieder dunkelbraun und der Stoß nur leicht gegabelt. Im Flug scheint der Vogel beinahe schwarz zu sein. Er lebt mit Vorliebe in der Nähe von Gewässern, aus denen er gerne tote Fische herausfischt. Auch beim Schwarzmilan macht Aas einen Großteil seiner Nahrung aus.

498 Welche Weihenarten gibt es, was unterscheidet sie und was haben sie gemeinsam?

Als Brutvögel kommen in Europa Rohr-, Korn- und Wiesenweihe vor. Alle Arten weisen deutliche Unterschiede in der Gefiederfärbung der Geschlechter auf. Am häufigsten ist die Rohrweihe (*Circus aeruginosus*). Das Federkleid des Männchens ist sehr bunt und kontrastreich, mit Braun in verschiedenen Farbstufen, Hellgrau und Schwarz. Das Weib-

2.176: Rohrweihe

chen ist einheitlich schokoladenbraun gefärbt, Oberkopf und Nacken sind rostgelb oder rahmfarbig.

Bei der etwas kleineren Kornweihe (*Circus cyaneus*) ist das Männchen aschgrau mit blauem Anflug. Brust und Bauch sind weißlich, die Handschwingen schwarz. Das Weibchen ist bräunlich. Bei beiden Geschlechtern ist der Bürzel (obere Schwanzdecken) weiß. Die Wiesenweihe (*Circus pygargus*) ist der Kornweihe sehr ähnlich, insbesondere das Weibchen. Beim Männchen ist der weißliche Bauch mit längeren braunen Flecken versehen. Die hellen Flügel haben, was besonders im Flug gut erkennbar ist, zwei schwarze Querbänder. Bei der männlichen Wiesenweihe fehlt der weiße Bürzel. Die Jungvögel aller Weihenarten sind den weiblichen Altvögeln ähnlich. Alle Weihen sind aufgrund der Lebensraumveränderung in ihrem Bestand gefährdet.

2.177: Kornweihe

Weihen erkennt man typischerweise daran, dass sie dämmerungsaktiv sind und ihr Flug immer wieder Phasen des Segelns beinhaltet, wobei die Schwingen deutlich V-förmig zueinander stehen.

Vom typischen Lebensraum her finden wir die Rohrweihe am weitesten Uferwärts in feuchten Wiesen, die Wiesenweihe weiter landwärts im Übergang zwischen Feucht- und Trockenwiesen und die Kornweihe im Bereich der trockenen Wiesen und des Ackerlandes. Im Einzelfall kommt es allerdings auch zu Abweichungen von diesem ökologischen Gradienten.

2.178: Wiesenweihe

499 Was kennzeichnet den Habicht (*Accipiter gentilis*) und was den Sperber (*Accipiter nisus*)?

Der Habicht hat als Altvogel ein Gefieder mit graubrauner Oberseite und weißlich grauer Unterseite mit dichter, dunklerer Querbänderung. Der Stoß hat vier oder fünf dunkle Querbänder. Im ersten Lebensjahr ist das Federkleid auf der Oberseite braun und unterseits rostgelb mit dunkler Längszeichnung (Rothabicht). Die Iris der Augen ist gelb und im Alter zunehmend orangefarben. Der Sperber ist das verkleinerte Ebenbild des Habichts. Die Unterseite seines Federkleides ist „gesperbert", d.h. dicht quer gebändert. Die Oberseite ist graubraun. Alte Männchen sind etwas bunter. Kopf und Rücken haben eine bläuliche Färbung, auf der Unterseite sieht man eine rötliche Tönung.

500 Wie viele Bussardarten finden sich in Mitteleuropa und wie kann man sie unterscheiden?

In Mitteleuropa kommen zwei Arten der Gattung Buteo vor, der Mäusebussard (*Buteo buteo*) als Brutvogel und der Raufußbussard (*Buteo lagopus*) als Wintergast. Dieser ist von seinem „Vetter“ durch die bis zu den Zehen befiederten Füßen, dem mit einer breiten, dunklen Endbinde versehenen Stoß und den auf der hellen Flügelunterseite kontrastierenden dunklen Flecken zu unterscheiden. Beide Arten haben ein individuell sehr verschieden gefärbtes Federkleid, das in der Gesamtfärbung von dunkelbraun über rostrot und graubraun bis zu rahmfarben, ja sogar weißlich schwankt. Beim Raufußbussard ist der Kopf meistens hell. Außerdem ist noch der zu einer anderen Gattung angehörende Wespenbussard (*Pernis apivorus*) hier zu nennen. Er ist von der Größe des Mäusebussards. Im Flugbild unterscheidet er sich von diesem durch die etwas schmaleren Flügel, den mehr hervorragenden, etwas taubenartigen Kopf und den mit drei breiten dunklen Querstreifen gebänderten Stoß. Es gibt auch bei ihm dunkel und hell gefärbte Exemplare. Der Wespenbussard ernährt sich von Insekten, insbesondere gräbt er Nester von Wespen, Erdhummeln oder -bienen aus. Um den Schnabel herum und an den Fängen finden sich Hornschuppen, welche ihn vor Insektenstichen schützen. Daher ist der Wespenbussard auch ein Zugvogel, der in Zentralafrika überwintert.

501 Welche Adlerarten sollte der Jäger kennen?

Zu den „echten“ Adlern gehören Steinadler (*Aquila chrysaetos*), Kaiseradler (*Aquila heliaca*), Schelladler (*Aquila clanga*), Schreiadler (*Aquila pomarina*) und Zwergadler (*Hieraaëtus pennatus*). Alle diese Arten haben bis zu den Zehen befiederte Füße. In Deutschland kommen von den echten Adlern als Brutvogel nur Steinadler und Schreiadler vor. Dieser ist dunkelbraun gefärbt und nur etwas größer als ein Bussard. Viel größer ist der Steinadler, mit bis zu 220 cm Flügelspannweite und 5 kg Körpermasse.

Genau so groß, teilweise größer, ist auch der Seeadler (*Haliaetus albicilla*), der in Nord- und Ostdeutschland beheimatet ist, aber nicht zu den echten Adlern zählt. Die Altvögel haben einen völlig weißen Stoß und sind auch sonst recht hell gefärbt. Junge Seeadler dagegen sind dunkelbraun. Im Flug ist der Seeadler auch durch den keilförmigen Stoß zu erkennen.

Seeadler haben in den vergangenen Jahren aus verschiedenen Gründen in ihrem Bestand wieder deutlich zugenommen. Gelegentlich kann es bei Seeadlern durch die Aufnahme von Aufbrüchen mit Geschossresten zu einer Bleivergiftung kommen. Daher sollte dort, wo der Seeadler vorkommt, möglichst bleifreie Büchsenmunition verwendet oder die Aufbrüche vergraben werden. Jagdlich spielen auch die Horstschutzzonen für den Seeadler eine Rolle:

2.179: Steinadler

2.180: Fischadler

in einem gewissen Umkreis um den Horst sollte dieser ab dem Spätwinter möglichst nicht mehr gestört werden, da anderenfalls die Gefahr besteht, dass der Horst aufgegeben wird. Auch der Fischadler (*Pandion haliaëtus*) ist kein „echter“ Adler. Er ist größer als der Bussard und ist an der weißen Unterseite zu erkennen, die deutlich von der dunklen Oberseite abgesetzt ist, dem weißen Kopf mit breitem, dunklem Augenstreif und den graublauen Fängen. Die langen Flügel sind im Flug meistens etwas angewinkelt. Zum Lebensraum des Fischadlers gehören klare Gewässer, seine Nahrung besteht fast ausschließlich aus Fischen. Er ist ein Zugvogel, da längere Kältephasen mit zugefrorenen Gewässern keine Nahrungssuche mehr zulassen.

2.181: Seeadler

2.182: Habicht

2.183: Mäusebussard

2.184: Sperber

2.185: Wespenbussard

502 Welche Falkenarten gibt es in Mitteleuropa und wodurch unterscheiden sie sich?

2.186: Turmfalke

In Mitteleuropa kommen als Brutvogel nur drei Falkenarten vor. Am häufigsten ist der Turmfalke (*Falco tinnunculus*). Es ist ein kleiner Falke, der in lichten Wäldern, in der Feldlandschaft, Städten, Industrieanlagen und auf Burgruinen brütet. Sein Federkleid ist oberseits rostrot, auf Brust und Bauch rahmfarben mit länglichen dunklen Flecken. Das Männchen ist etwas bunter gefärbt und hat einen graublauen Kopf und einen ebenso gefärbten Stoß. Der Turmfalke jagt gerne im Rüttelflug. Seine Hauptbeute sind kleine Nager. In seiner Vermehrungsrate ist der Turmfalke daher auch von den „Mäusezyklen" abhängig.

Seltener ist der ebenfalls kleine Baumfalke (*Falco subbuteo*). Am liebsten besiedelt er lichte Wälder, aber auch kleine Waldstücke inmitten der Feldmark. Das Federkleid beider Geschlechter ist einander ähnlich. Die Oberseite des Körpers ist dunkel blaugrau. Die helle Kehle hebt sich gut von dem deutlichen Bartstreif ab. Unterseits ist der Falke weißlich bis rahmfarben und hat eine deutliche Längsstrichelung. Er ist ein sehr schnell fliegender Vogel, der durch die sehr schmalen, langen und spitzen Flügel erkennbar ist. Er ist in der Lage, die ebenfalls sehr schnellen und gewandten Mauersegler zu erbeuten. Der Name „Lerchenfalke" kommt von einer wichtigen Beute im Offenland, der Feldlerche. Der Baumfalke ist ausgesprochener Zugvogel, der in Afrika südlich des Äquators überwintert. Deutlich erholt in seinem Bestand (u.a. durch Wiederansiedlung, aber auch durch die zunehmende Besiedlung der Städte) hat sich erfreulicherweise der Wanderfalke (*Falco peregrinus*), ein mittelgroßer Vogel mit langen und spitze Flügeln und einem kurzen und schmalen Stoß. Der männliche Vogel (Terzel) ist kleiner als das Weibchen. Altvögel sind oberseits stahlblau und haben einen beinahe schwarzen Kopf und Nacken. Die Unterseite ist weißlich bis rahmfarben mit dunkler Querbänderung. Der schwarze Bartstreif hebt sich deutlich von den weißen Wangen ab. Jungvögel sind oberseits schwarzbraun, unterseits gelbbraun mit dunklen Längsstreifen. Der Wanderfalke brütet in den Bergen, in großen Waldkomplexen und auch in Städten („künstliche Felslandschaften"). Neben Brutplätzen bieten Städte auch hinreichend Beute (Tauben, Krähen) und eine günstige Thermik für die Jagd. Auf einen erspähten Beutevogel stößt er im Sturzflug von oben herab, häufig mit angelegten Flügeln (Tropfenform), wobei er Geschwindigkeiten von über 300 km/h erreichen kann.

2.187: Baumfalke

Wanderfalken sind, anders als es der Name vielleicht sugeriert, keine „Wandervögel“, vielmehr handelt es sich um Stand- oder Strichvögel.

2.188: Wanderfalke

503 Wie unterscheidet man Habicht, Mäusebussard und Wanderfalke?

Der Habicht ist ein scheuer und heimlicher Vogel, der schwer zu beobachten ist. Sieht man ihn, dann gewöhnlich nur ganz kurz, etwa wenn er plötzlich in gewandtem Flug erscheint, um ebenso schnell wieder in der nächsten Deckung zu verschwinden. Im Frühjahr verraten ihn seine lauten Rufe im Horstgebiet. Seine Anwesenheit bemerkt man auch an den vorzufindenden Rupfungen. Die Beute schlägt er je nach Situation in der Luft oder auch am Boden. Der Mäusebussard gehört zu den am häufigsten vorkommenden Greifvögeln. Seine hohe Bestandsdichte und seine wenig spezifischen Biotopanforderungen bewirken, dass man diesen Vogel häufig zu Gesicht bekommt. Er ist ein Profiteur der industrialisierten Agrarlandschaft. Im Flug wirkt er etwas schwerfällig. Insbesondere zur Balzzeit im Spätwinter kreist er im gemächlichen Segelflug am Himmel. Dabei lässt seinen lauten, langgezogenen, miauenden Ruf ertönen. Im Winter sieht man ihn eher am Boden oder auf einer Warte sitzend und auf Mäuse lauernd. Den Wanderfalken kann man an seinem charakteristischen Flugbild, d.h. dem ziemlich gedrungenen, kompakten Körper und den langen und spitzen Flügeln erkennen, die schnell und kräftig schlagen und dem Flug große Geschwindigkeit und Dynamik geben.

504 Wo horsten die verschiedenen Greifvögel?

Adler errichten ihre Horste in der Regel in Waldgebieten, meistens in den Wipfelzonen alter Bäume. Steinadler nutzen im Hochgebirge auch Felsnischen und Felsbänke als Horstplatz. Der Fischadler wiederum weicht zunehmend auf Hochspannungsmasten als Bauplatz für seinen Horst aus. Habicht, Mäusebussard, Wespenbussard, beide Milanarten und Sperber bauen ihre Horste auf Bäumen. Alle Weihen legen ihre Horste am Boden im Röhricht oder dichtem Gebüsch an. Lediglich die Falken bauen keinen eigenen Horst. Sie besetzen die Nester anderer Vögel, ohne diese mit neuem Nestmaterial auszubessern. Sie benutzen auch Plattformen in Felsnischen oder auf hohen Gebäuden, sowie künstliche Nisthilfen. Turmfalken besetzen z.B. ebenso Baumhöhlen und vom Menschen aufgehängte Nistkästen. Bisweilen greift auch der Wanderfalke auf vom Menschen angebrachte künstliche Nistplätze zurück. Die nordischen Falken brüten häufig auf dem Erdboden.

505 Woran kann man erkennen, dass ein Greifvogelhorst besetzt ist?

Manche horstbauende Arten „begrünen“ ihren Horst mit frischen Zweigen von Laub- oder Nadelbäumen, so z.B. der Habicht oder der Schreiadler. Rund um einen mit Jungen besetzten Horst ist der Boden mit kalkähnlichen Darmentleerungen bespritzt. Das Betreten eines besetzten Horstfeldes durch den Menschen wird von dem Brutpaar mancher Arten häufig mit lauten Alarmrufen quittiert. Auch sind dort Mauserfedern der Altvögel zu finden oder der Stoß eines brütenden Vogels ragt über den Horstrand hinaus. Ältere Jungvögel im Horst sind manchmal schon von unten zu erblicken.

506 Wie ernähren sich die einzelnen Greifvogelarten?

Greifvögel fangen, töten und/oder fressen andere Tiere. Es gibt dabei allerdings solche, die mehr oder weniger auch auf Aas zurückgreifen. Zu ihnen gehören vor allem die Geier und die Milane, aber auch der Seeadler, Steinadler oder Mäusebussard. Durch Straßenverkehr oder von landwirtschaftlichen Maschinen getötete kleinere Tiere werden mit Vorliebe von Milanen und Bussard aufgenommen. Im Winter finden sich Stein- und Seeadler, Bussarde, und sogar der Habicht an größerem Fallwild ein. Seeadler konnten vermutlich auch durch zunehmende Gesellschaftsjagden und die dabei in großer Zahl anfallenden Aufbrüche oder auch in Folge dieser Jagden vermehrt entstehendes Fallwild (krankgeschossenes, aber nicht gefundenes Wild) in ihrem Bestand deutlich zunehmen.
Insekten sind vor allem Nahrung des Wespenbussards, der Wespen- und Hummelnester aus der Erde scharrt und sich an den fetten Larven gütlich tut.
Kleinere Falken bis zum Baumfalken fangen gerne fliegende Insekten. Auch der Schreiadler und Milane fressen gelegentlich Insekten und andere wirbellose Tiere.
Amphibien werden von Schreiadler, Bussard, Milanen und Weihen gerne erbeutet, Schlangen insbesondere vom Schlangenadler, Eidechsen aber auch vom Schreiadler, den Bussarden, Weihen und dem Turmfalken. Spezialisierter Fischfänger ist natürlich der Fischadler, aber auch der Seeadler erbeutet sie mit Erfolg. Vögel werden praktisch von allen Greifvögeln erbeutet, wobei es unter ihnen hochspezialisierte Vogelfänger gibt, wie Sperber, Baum- und Wanderfalke, während der Mäusebussard eher selten Vögel erbeutet. Beute der Greife sind sowohl Nestjunge und junge Nestflüchter als auch erwachsene Vögel. Erstere fallen vor allem den wenig spezialisierten Greifvogelarten zum Opfer. Unter den kleineren Säugetieren gehören Mäuse, Hamster, Ziesel, Eichhörnchen, Murmeltiere und Wildkaninchen zur Hauptbeute der Greifvögel. Für Arten wie Mäusebussard, Rauhfußbussard und Turmfalke stellen Kleinnager die Nahrungsgrundlage dar. Wildkaninchen werden bevorzugt vom Habicht geschlagen, gelegentlich erbeutet dieser auch erwachsene Feldhasen, halbwüchsige dagegen regelmäßig. Jungfüchse, Reh- und Gamskitze sind nicht selten die Beute des Steinadlers.

507 Welche Jagdmethoden werden von den Greifvögeln angewandt?

Bei den jagenden Arten verläuft das Beutemachen in zwei Phasen – der Beutesuche und das Jagen und Überwältigen der Beute. Gesucht wird während des Spähfluges oder vom Ansitz aus. Die Flüge finden meistens über einem begrenzten Gelände, dem Jagdrevier statt, in welchem Beutetiere zu erwarten sind. Dabei werden auch tote Tiere entdeckt und von den aasfressenden Arten angenommen. Als Ansitz werden typischerweise erhöht gelegene Orte gewählt. Zu solchen zählen Zaunpfähle, Heu- oder Strohmieten, Bäume, Gittermasten, schließlich hohe Gebäude. Von dort aus beginnt der eigentliche Jagdflug. Manche Vögel fliegen während des Angriffes sehr schnell, so beispielsweise Wanderfalke und Habicht. Der Jagdflug der Weihen, Milane, Bussarde und des Schreiadlers ist ein hubschrauberartiges oder während des Gleitfluges ausgeführtes Herabstoßen auf die erspähte Beute. Der Turmfalke und auch der Mäusebussard stoßen aus dem Rüttelflug auf eine erspähte Maus hinab. Steinadler, Habicht und Sperber nutzen häufig den Über-

raschungsmoment, in dem sie eine von weitem erspähte Beute im niedrigen Flug, unter Berücksichtigung aller Geländedeckungen regelrecht „anpirschen". Sperber können durch ihre vergleichsweise langen Ständer auch Singvögel, die sich in vermeintlich schützende Dornsträucher geflüchtet haben, aus diesen „herausgreifen".
Jede mit Vorliebe angewandte Art des Beutemachen ist jedoch nie die alleinige. Alles hängt von der Situation ab, in welcher der Greif jagen muss.

508 Wie fangen und töten Greifvögel ihre Beute?

Mit Ausnahme der aasfressenden Geier sind alle Greifvögel, je nach Nahrungsspezialisierung, mit mehr oder minder kräftigen Fängen (Füße mitsamt Zehen und Krallen) ausgerüstet, die das Ergreifen und Festhalten der Beute ermöglichen. Bei den meisten Arten dienen die Fänge auch als Tötungswerkzeug. Lediglich die Falken töten ihre Beute mit dem Schnabel, d.h. mit Bissen in den Hals und mit Reißbewegungen, die die Schlagader zerreißen oder die Wirbelsäule brechen („Bisstöter"). Behilflich ist ihnen dabei eine scharfe Ausbuchtung an der Schneidekante des Oberschnabels, der sogenannte Falkenzahn. Steinadler, Seeadler und Habicht haben besonders starke Fänge, die es ihnen ermöglichen, auch größere Beutetiere zu greifen. Die langen und starken Klauen der Hinter- sowie der ersten Vorderzehe, auch „Fang- oder Atzklaue" genannt, dringen tief in den Körper der Beute ein und töten sie („Grifftöter"). Die relativ kurzen und auch mit nur kurzen Krallen ausgerüsteten Zehen des Mäusebussards eigen sich dagegen bestens zum Fang von Mäusen. Beim Fischadler sind die Klauen aller Zehen etwa gleich gut entwickelt. Sie sind lang und stark gekrümmt, gespreizt bilden sie einen zum Ergreifen eines glitschigen Fisches geeigneten „Fangquirl".

509 Was ist eine Rupfung?

Erbeutete Vögel werden von den Greifen vor dem Kröpfen gerupft. Ähnlich gehen sie auch mit größeren erbeuteten Säugetieren um, deren Haare sie in kleinen Büscheln ausreißen. Mäuse werden dagegen mit Haut und Haar verschluckt. Die Greife tragen ihre Beute meistens an einen geschützten Platz, um sie dort in aller Ruhe rupfen und kröpfen zu können. Häufig sind diese Rupfplätze ständig benutzte Orte, an denen dann auch die Rupfungen – Federn und Haare der erbeuteten Tiere – zu finden sind. Da aber kleinere Beutetiere meistens direkt am Fangort gekröpft werden, kann man allein aufgrund der gefundenen Rupfungen keine endgültigen Schlüsse über die Nahrungszusammensetzung eines Greifvogels ziehen. Sind ausgerupfte Langfedern (von Flügel oder Stoß) zu finden, dann haben wir es mit der Beute eines Greifvogels, einer Rupfung, zu tun. Sind die Federn abgebissen, dann war der Beutegreifer ein Säugetier. Wir sprechen dann von einem „Riß". Gelegentlich findet man an Rupf- und Kröpfplätzen auch Gewölle aus unverdaulichen Nahrungsresten.

510 Welchen Einfluss haben die Greifvögel auf den Bestand ihrer Beutetiere?

Ein artenreicher und insbesondere zahlenmäßig starker Greifvogelbestand ist einzig aufgrund entsprechend reichhaltiger Beutetierpopulationen möglich. Zahlreiche Untersuchungen haben belegt, dass sowohl der Bestand als auch Brutverhalten und Bruterfolg bei Greifvögeln überwiegend von der entsprechenden Hauptbeute abhängig ist. Die Zahl der vorhandenen Beutetiere beeinflusst zum einen direkt die Größe der Reviere. Darüber hinaus ist die Fortpflanzungsrate dort am höchsten, wo die Nahrungsverhältnisse für sie am besten sind. Die größte diesbezügliche Abhängigkeit ist bei Arten mit enger Nahrungsspezialisierung zu erkennen. Die „Generalisten", wie z.B. der Habicht, haben in unseren Breiten immer die Möglichkeit, sich auf Ersatzbeute umzustellen. Die „Spezialisten" dagegen, wie z.B. der Turmfalke, der sich hauptsächlich von kleinen Nagern ernährt, haben nur dann viel Nachwuchs, wenn es viele Feldmäuse gibt. Der Mäusebussard ist zwar kein echter Spezialist, er ernährt sich jedoch zum überwiegenden Teil von Kleinnagern. Andere Beutetiere, auf die er sich umstellen kann, sind für ihn allerdings schwerer zu greifen. Zusammenfassend ist festzuhalten, dass weniger die Greifvögel ihre Beutetierpopulationen regulieren als umgekehrt – der Greifvogelbestand wird über das Beuteangebot reguliert. Etwas anders liegen die Verhältnisse allerdings in der Kulturlandschaft, wo den Generalisten ein zusätzliches Nahrungsangebot zur Verfügung steht. Hohes Mäusevorkommen in agrarischen Monokulturen und überfahrene Tiere bei hoher Verkehrsdichte können dem Mäusebussard zu unnatürlich hohen Dichten verhelfen. Dasselbe gilt für den Habicht durch das Angebot von Hausgeflügel, vor allem von Haus- und Brieftauben. Da Hühnervögel jedoch zur bevorzugten Beute des Habichts zählen, kann dieser unter solchen Umständen zur existenziellen Gefahr ohnehin benachteiligter Arten werden und zum Erlöschen isolierter Populationen von Auerwild, Birkwild oder Rebhuhn beitragen.

511 Welche Greifvogelarten können Bedeutung für die Jagd haben?

Aufgrund von nur oberflächlichen Beobachtungen und subjektiver Vorurteile ist ein über Generationen weitergeleitetes negatives Bild der Greifvögel geschaffen worden. Dies gründet darin, dass der Mensch die Tierwelt in „nützliche" und „schädliche" Tiere einteilte. Man erklärte die Greifvögel zu überflüssigen Konkurrenten bei der Nutzung bestimmter jagdbarer Tiere. Als schlimme Räuber („Raubvögel") und unrechtmäßige Nutznießer sollten sie vernichtet werden, wo und wie immer möglich. Diese Zeiten gehören der Vergangenheit an. Heute wird glücklicherweise die Rolle der Greifvögel im gesamten Naturgeschehen sehr viel differenzierter betrachtet, auch und vor allem von der Jägerschaft.
Auch wächst die Erkenntnis, dass andere Faktoren in vielfach höherem Maß dazu beitragen, den Zahlenbestand des Niederwildes zu senken, als es die Greifvögel tun können. Mit vollem Recht kann man feststellen, dass lediglich zwei Greifvogelarten überhaupt für die Jagdwirtschaft bedeutsam sein können, nämlich der Habicht und der Mäusebussard. In Spezialfällen, z.B. in Zuchtstätten für Niederwild oder in Regionen, in denen seltene Wildarten erhalten oder wieder angesiedelt werden (Auerwild, Birkwild), kann vor allem der Habicht zum Problem werden.
Hier sollten Sondergenehmigungen zur Reduktion erteilt werden, was über den Fang im Habichtskorb einfach zu realisieren ist. Die gefangenen Habichte können anderenorts auch wieder ausgesetzt werden. Allerdings geschieht es häufig, dass ein guter Lebensraum für den Habicht schnell von Habichten wiederbesiedelt wird. Daher wird das Fangen lediglich einzelner Habichte oft kritisch gesehen. Andererseits wäre eine großflächige, jagdliche Freigabe beider Arten im Rahmen der Niederwildhege derzeit nicht zu vertreten.

512 Welches sind die größten Bedrohungen für die Greifvögel?

Durch eingehende Untersuchungen ist nachgewiesen worden, dass der Bestandsrückgang mancher Greifvogelarten in den letzten Jahrzehnten wesentlich in der seit Mitte des 20. Jahrhunderts in Land- und Forstwirtschaft stattfindenden Massenanwendung von chemischen Pflanzenschutzmitteln aus der Gruppe der chlorierten Kohlenwasserstoffe (DDT) gründete. Diese Gifte sind jedoch heute nicht mehr in Gebrauch.

Welche Rolle in Zukunft die früher z.B. in Kondensatoren und als Weichmacher in Kunststoffen verwendeten Polychlorierten Biphenyle (PCB) spielen werden, ist unklar. Erst seit Anfang der 2000er Jahre sind diese weltweit verboten. Sowohl die eine als auch die andere Gruppe dieser Substanzen kumuliert über die Nahrungsketten in den Organen und dem Fett der Greifvögel und hat eine zerstörende Wirkung auf die Fortpflanzungsprozesse. Besonders davon betroffen waren Wanderfalke, Seeadler und Sperber. Eine größere und auch heute noch anhaltende Gefahr sind die Landschaftsveränderungen. Immer stärker mangelt es an entsprechenden Lebensräumen mit artgerechtem Nahrungsangebot und den notwendigen Nistmöglichkeiten. Biologisch anpassungsfähigere Arten wie der Mäusebussard und der Habicht können als Kulturfolger solchen Veränderungen besser begegnen als andere Arten, wie z.B. die Weihen, die stark im Bestand bedroht sind.

513 Welche Möglichkeiten gibt es für einen praktischen Greifvogelschutz?

Vor allem müssen die Lebensräume der Greifvögel, insbesondere die Brutbiotope geschützt werden. Für seltene Arten wie Seeadler, Fischadler, Wanderfalke oder Uhu ist ein individueller Horstschutz von großer Bedeutung, zu dem in zunehmendem Maß die Abschirmung der Umgebung vor Störungen durch Freizeit- und Erholungssuchende gehört. Wichtig für manche Arten sind Verbesserungen des Horstangebots. Der Mangel an alten und gut exponierten Bäumen in den Wäldern ist eine der Ursachen, weshalb die Zahl der Brutpaare abnimmt. Das gilt besonders für den Fischadler. Künstliche Horstplattformen haben hier gute Resultate gebracht. Künstliche Horstplätze sind auch wichtig für die Förderung des Wanderfalken. Für großflächig praktisch schon ausgestorbene Arten ist die Wiederansiedlung eine bedeutsame Maßnahme, die in Deutschland ausgezeichnete Ergebnisse erbrachte. In verschiedenen Ländern Europas wurden und werden auch Seeadler, Gänsegeier und Bartgeier wieder angesiedelt. Für seltene Arten ist auch die Rettung jedes einzelnen, hilfebedürftigen Exemplars von großem Wert. Nach Verletzungen verschiedener Art, Vergiftungen usw. geraten die Vögel in die hilfreiche Hände der Menschen, werden in speziellen Auffangstationen gesund gepflegt und schließlich wieder in die Natur entlassen.

Eulen

Ordnung	Eulen
Familien	Schleiereulen (Tytonidae), Ohreulen und Käuze (Strigidae)

Die Eulen haben zwar einige Merkmale, die auch für die Greifvögel kennzeichnend sind, es gibt jedoch viele Unterschiede, die dazu führen, dass die Eulen nicht zu den Greifvögeln gerechnet werden. Sie bilden eine eigene systematische Ordnung mit zwei Familien.
Eulen sind durch einen krummen Schnabel mit längerem, hakenförmig gekrümmten Oberschnabel gekennzeichnet. Sie haben befiederte Fänge und starke, sehr spitze Krallen. Ihr Gefieder ist weich und locker. Die großen Augen sind nach vorn gerichtet und im Kopf unbeweglich. Der Hals kann bis zu 270° gewendet werden. Sie haben ein plattes Gesicht, in dem die kranzförmig um die Augen angeordneten Federn einen „Schleier" bilden. Ganz besonders entwickelt ist ihr Gesichts- und Gehörsinn, was mit der Nacht- und Dämmerungsaktivität verbunden ist. Ihre Nahrung besteht zum Großteil aus Wirbeltieren, hauptsächlich Kleinnagern.

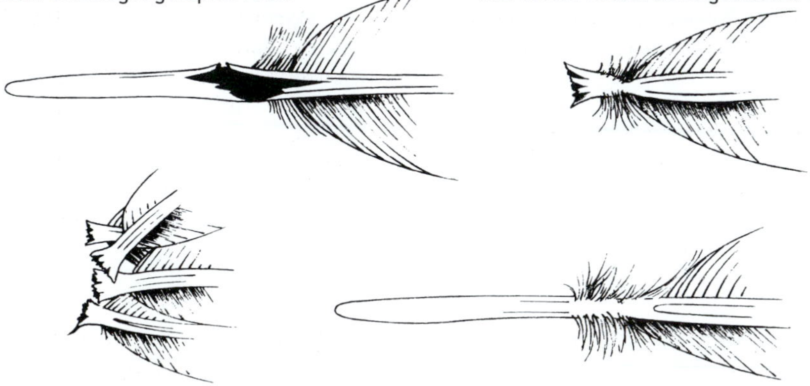

2.189: Vergleich Rupfung und Riss

In Mitteleuropa zählen acht Eulenarten zu den Brutvögeln. Die größte Eule ist der Uhu mit einer Flügelspannweite bis 180 cm und einem Körpergewicht bis zu 3,2 kg, während unsere kleinste Eule – der Sperlingskauz – eine Spannweite von nur 35 cm und ein Gewicht von 70 g aufweist. Einige der acht Arten sind schon sehr selten geworden, so der Sperlingskauz wie auch der Steinkauz und die Sumpfohreule. Am häufigsten sind der Waldkauz und die Waldohreule vertreten. Dann folgt die Schleiereule, die allerdings in manchen Gebieten völlig fehlt. Auch der Raufußkauz kommt nur gebietsweise vor. Aufgrund großer Bemühungen und eines umfangreichen Wiederansiedlungsprojektes in den 1970er und 1980er Jahren scheint sich der Bestand des Uhus langsam wieder etwas zu stabilisieren.

514 Was sind die spezifischen Kennzeichen und Merkmale der mitteleuropäischen Eulen?

2.190: Uhu

» **Uhu** (*Bubo bubo*): Größte Eule mit einer Spannweite bis zu 180 cm. Das Gewicht beträgt bis zu 3,2 kg. Auffällig sind seine bis zu 8 cm langen Federohren. Das Federkleid ist auf der Brust gelbbraun, breit längsgestreift, auf der Oberseite gelbbraun mit dunkelbraunen Flecken. Die großen Augen sind orangerot. Sein Ruf ist ein tiefes, weit hörbares u-ho. Er bewohnt größere Waldgebiete sowohl im Gebirge als auch im Flachland. Wichtig ist ein hinreichendes Beutetierangebot und gute Tagesverstecke. Sein Jagdgebiet erweitert er auch gerne außerhalb des Waldes. Durch die Eigenschaft, im niedrigen Flug auch über Straßen zu jagen, kommt es regelmäßig zu Kollisionen mit Kraftfahrzeugen.

» **Waldohreule** (*Asio otus*): Sie ist viel kleiner als der Uhu, hat eine Spannweite von ca. 95 cm und ein Ge-

2.191: Waldohreule

2.192: Sumpfohreule

wicht von nur etwa 300 g. Gut erkennbar sind die langen Federohren. Die Oberseite ist gelbbraun und graubraun gesprenkelt, die Unterseite ist rostgelb mit kräftigen dunklen Schaftstreifen und feiner dunkler Querbänderung. Die Augen sind leuchtend rot. Der Revierruf des Männchens ist ein leises, aber deutliches huu. Lebt in den Randzonen von Nadel- und Mischwäldern, nicht selten aber auch in Feldgehölzen, Baumgärten und auf Friedhöfen. Sie jagt vorwiegend auf den angrenzenden freien Flächen.

» **Sumpfohreule** (*Asio flammeus*): Die Sumpfohreule ist geringfügig größer als die Waldohreule mit einer Spannweite bis zu 105 cm und einem Gewicht um 400 g. Die Federohren sind klein und kaum zu sehen. Das Gefieder ist rostgelb, oberseits mit breiten, schwarzbraunen Flecken gezeichnet, unterseits mit dunkelbraunen Schaftstrichen. Die Augen sind schwefelgelb. Der Balzruf ist ein dumpfes „bububu". Die Sumpfohreule liebt offene Landschaften wie Moore und sumpfige Niederungen mit geringem Baumbestand. Im Gegensatz zu den meisten anderen Eulen ist sie auch am Tage aktiv.

» **Waldkauz** (*Strix aluco*): Der Waldkauz ist größer und kräftiger als die Waldohreule, wenn die Spannweite mit durchschnittlich 95 cm auch die gleiche ist. Das Gewicht beträgt jedoch bis zu 700 g. Kennzeichnend ist der große runde Kopf, ohne Federohren. Es kommen zwei Farbvarianten vor, eine graue und eine rostbraune Phase, ober- und unterseits mit dunklen Längsflecken.

2.193: Waldkauz

2.194: Steinkauz

2.195: Raufußkauz

Auf den Schultern und Flügeln befinden sich deutliche weiße Tropfenflecke. Die Augen sind braunschwarz. Der Revier- und Balzruf ist ein am Schluss absinkendes „huh-huch“, „huhuhuhu“. Bekannt ist auch das gellende, hohe kuwitt. Der Waldkauz ist in allen Waldungen zu finden. Kommt auch in Ortschaften vor, vor allem in Parkanlagen.

» **Steinkauz** (*Athene noctua*): Eine kleine Eulenart, mit einer Spannweite bis zu 60 cm und einem Gewicht bis zu 200 g. Er nimmt oft eine etwas geduckte Haltung ein und „knixt“ bei Erregung. Kennzeichnend ist der flache Kopf mit den schwefelgelben Augen. Die Oberseite des Gefieders ist erdbraun, die Unterseite gelblichweiß, beides mit reichlicher Fleckung. Der häufig erschallende Balzruf ist ein langgezogenes „guhk“. Außerdem ertönt öfter der Erregungsruf „ku-witt“ oder „kwiu“. Der Steinkauz kommt in der Agrarlandschaft vor, die mit Feldgehölzen, Baumreihen, Kopfweiden und alten Obstbäumen angereichert ist. Auch Dorfgärten mit alten Bäumen, Friedhöfe und Parkanlagen werden besiedelt.

» **Raufußkauz** (*Aegolius funereus*): Er ist etwa so groß wie der Steinkauz, jedoch mit einem größeren Kopf, mit breiteren Augenbrauen und hellerem Gesicht mit kräftig begrenztem Schleier. Die Oberseite ist dunkelbraun, dicht weiß gefleckt und gebändert. Die Unterseite ist hell, breit dunkelbraun gestreift. Die Augen sind gelb. Der Balzruf besteht aus einer lauten, häufig wiederholten u-u-u-u Strophe. Er liebt ausgedehnte Waldungen mit Altholzbeständen, in denen er alte Schwarzspechthöhlen zum Brüten findet. Notwendig sind jedoch auch Fichtendickungen als Tageseinstände.

» **Sperlingskauz** (*Glaucidium passerinum*): Der Sperlingskauz ist die kleinste unserer Eulen. Die Spannweite beträgt nur ca. 35 cm und das Gewicht etwa 70 g. Das Gefieder ist oberseits dunkelbraun, dicht weiß gefleckt, unterseits bräunlichweiß, breit graubraun gestreift. Die Augen sind gelb. Der häufig erschallende, recht weit hörbare Ruf klingt wie „düh“ oder „gühg“. Er ist Bewohner der Gebirgswälder, mit lockeren, hochstämmigen Baumbeständen, wo es nicht an Spechthöhlen mangelt, die ihm Brutgelegenheit bieten.

Auch er ist ein Tagvogel. Gern sitzt er auf exponierten Plätzen, z.B. den Wipfeltrieben von Nadelbäumen.

2.196: Sperlingskauz

» **Schleiereule** (*Tyto alba*): Die Schleiereule hat keine Federohren, dafür aber einen großen Kopf mit dem charakteristischen, herzförmig langen, weißen Gesichtsschleier. Spannweite ca. 95 cm, Gewicht bei 350 g. Die Färbung des Gefieders ist ziemlich hell, oberseits goldgelb, fein gesprenkelt, unterseits rostgelb bis weiß, ohne Fleckung. Die Augen sind dunkelbraun. Der häufigste Ruf ist ein langgezogenes, heiseres chrüüi. Sie ist ausgesprochener Kulturfolger und haust in alten Gehöften, Kirchtürmen, Ruinen etc. Waldgebiete werden gemieden. Sie jagt vornehmlich in der offenen Landschaft.

2.197: Schleiereule

515 Woraus besteht die Nahrung der Eulen?

Alle Eulen ernähren sich mit Vorliebe von Kleinsäugern, Waldohreule und Schleiereule beinahe ausschließlich. Andere Eulen erbeuten auch Kleinvögel, selten Frösche und Kröten. Im Sommer werden auch Großinsekten gefangen. Der Uhu ist in der Lage, auch Igel, Eichhörnchen, Kaninchen, Junghasen, Jungfüchse, Rehkitze, mittelgroße Vögel, darunter auch Greifvögel und andere Eulen zu erbeuten. Neben anderen unverdaulichen Nahrungsresten enthalten die Gewölle der Eulen auch die Knochen der Beutetiere.

516 Was sollte man über die Fortpflanzung der Eulen wissen?

Die Eulen beginnen früh im Jahr mit dem Brutgeschäft – im März, mitunter sogar schon im Februar. Das hängt damit zusammen, dass die ausgeflogenen Jungen erst nach acht bis zehn Wochen selbständig werden, was noch im Sommer stattfinden muss, wenn das Beuteangebot am größten ist.

Die Brut findet teils in Baumhöhlen oder anderen Höhlungen im Fels, im Gemäuer usw. statt, teils in alten Nestern anderer Vögel oder am Erdboden.

Mit Ausnahme der Sumpfohreule werden keine eigenen Nester gebaut. Die Eier liegen auf der vorgefundenen Grundlage. Bei allen Eulen sind die Eier weiß. Die Gelegegröße beträgt, artspezifisch unterschiedlich, insbesondere jedoch vom Nahrungsangebot abhängig, 2 bis 10 Eier, die in Abständen von zwei bis drei Tagen gelegt und meistens schon vom ersten Ei an bebrütet werden. Daher sind dann später in den Nestern auch Junge von verschiedener Größe, da altersmäßig unterschiedlich, vorzufinden. Wenn die Nahrung knapp ist, überleben nur die größeren Jungen.

517 Welche Hilfsmaßnahmen von Seiten des Menschen gibt es für unsere Eulen?

Einigen Arten mangelt es mancherorts an Nistgelegenheiten. Für die Schleiereule sind dann Nistboxen im Gebälk von Kirchtürmen, alten Scheunen und Dachböden sehr hilfreich. Manchmal hilft auch schon das Annageln einiger Brettstücke, wodurch eine Brutnische geschaffen wird. Für den Steinkauz sollte man bei Mangel natürlicher Baumhöhlen in Dorfgärten und dergleichen auf alten Bäumen ein Meter lange Holzröhren von etwa 16 cm Durchmesser waagerecht aufhängen. Eine Öffnung muss fest verschlossen sein, die andere dagegen muss ein Schlupfloch von ca. 7 cm Durchmesser haben. Beim Raufußkauz haben in den ihm zusagenden Waldgebieten ausgehängte Nistkästen von entsprechender Größe, mit einem Schlupfloch von 8,5 cm, gute Erfolge gezeigt. Bei geschlossenen Schneelagen im Winter ist es wichtig, etwa Scheunen und andere Gebäude für Eulen zugänglich zu halten, um die Verluste durch Nahrungsmangel insbesondere der Schleiereule möglichst gering zu halten.

Weiterführende Literatur

Bauer, H.-G., Bezzel, E., Fiedler, W.: Das Kompendium der Vögel Mitteleuropas, 2. Auflage 2005, Aula, Wiebelsheim

Bergmann, H.-H., Helb, H.-W., Baumann, S.: Die Stimmen der Vögel Europas, 1. Auflage 2008, Aula, Wiebelsheim

Briedermann, L.: Schwarzwild, 2009, Kosmos, Stuttgart

Brown, R., Ferguson, J., Lawrence, M., Lees, D.: Federn, Spuren und Zeichen der Vögel Europas, 4. Auflage 2005, Aula, Wiebelsheim

Busching, W.-D.: Einführung in die Gefieder- und Rupfungskunde, 2. Auflage 2005, Aula, Wiebelsheim

Engelmann, F.: Die Raubvögel Europas, Reprint der 1. Auflage 1928, 1997, Aula, Wiebelsheim

Fünfstück, H.-J., Weiss, I., Ebert, A: Taschenlexikon der Vögel Deutschlands, 2010, Quelle & Meyer, Wiebelsheim

Gehle, T.; Herzog, S.: Sinn und Unsinn einer Differenzierung von Wild- und Hauskatze mit Hilfe genetischer Marker. Säugetierkundliche Informationen 8, 329–336, 2012. ISSN 0323-8563.

Glandt, D.: Der Kolkrabe, 2. Auflage 2008, Aula, Wiebelsheim.

Glandt, D.: Taschenlexikon der Amphibien und Reptilien Europas, 1. Auflage 2010, Quelle & Meyer, Wiebelsheim

Glutz von Blotzheim, U.: Handbuch der Vögel Mitteleuropas, 14 Bände, Aula, Wiebelsheim

Griesohn-Pflieger, T., Moning, C.: Grundkurs Vogelbestimmung, 2009, Quelle & Meyer, Wiebelsheim

Harrison, C., Castell, P.: Jungvögel, Eier und Nester der Vögel, 2. Auflage 2004, Aula, Wiebelsheim

Herzog, S.: Für und Wider von Wiederansiedlungsprojekten, dargestellt am Beispiel des Luchses *(Lynx lynx)* und des Auerhuhnes *(Tetrao urogallus)* im Harz. Artenschutzreport 26, 55–57, 2010.

Herzog, S.: Genetische Vielfalt als Schlüssel zum Verständnis der Auswirkungen von Landschaftsfragmentierung auf die biologische Diversität. Naturschutz und Biologische Vielfalt 60, 2008, 49–54.

Herzog, S. Wildtiermanagement. Quelle & Meyer, Wiebelsheim, 2019.

Kalchreuter, H.: Rebhuhn aktuell, 1991, Verlag Dieter Hoffmann, Mainz

Kalchreuter, H.: Die Sache mit der Jagd, 6. Auflage 2009, Kosmos, Stuttgart

Krüger, T., Herzog, S.: Mittelfristige Veränderungen der Lebensräume des Birkhuhns (Tetrao tetrix) im sächsischen Erzgebirge. Birkhuhnschutz heute 2, 25–38, 2004.

Krüger, T., Herzog, S.: Ein Modell zur Entwicklung der Birkhuhnlebensräume im sächsischen Erzgebirge. Birkhuhnschutz heute 2, 69–76, 2004.

März, R.: Gewöll- und Rupfungskunde, Reprint der 3. Auflage 1987, Aula, Wiebelsheim

Meissner, M.; Reinecke, H.; Herzog, S.: Vom Wald ins Offenland: Der Rothirsch auf dem Truppenübungsplatz Grafenwöhr. Verlag Frank Fornaçon, Ahnatal 2012. ISBN 978-3-940232-07-6

Meynhardt, H.: Schwarzwildreport, 8. Auflage 1990, Ulmer, Stuttgart

Okarma, H.; Herzog, S. Handbuch Wolf. Kosmos, 2019.

Schaefer, M.: Brohmer – Fauna von Deutschland, 23. Auflage 2009, Quelle & Meyer, Wiebelsheim

Siano, R., Bairlein, F., Exo, K.-M., Herzog, S. A.: Überlebensdauer, Todesursachen und Raumnutzung gezüchteter Auerhühner (*Tetrao urogallus* L.). Vogelwarte 44, 2006, 145–158.

Siano, R., Herzog, S.; Exo, K.-M.; Bairlein, F.: Nahrungswahl ausgewilderter Auerhühner (*Tetrao urogallus* L.) im Harz. Vogelwarte 49, 137–148, 2011.

Abbildungsverzeichnis

Wildkrankheiten

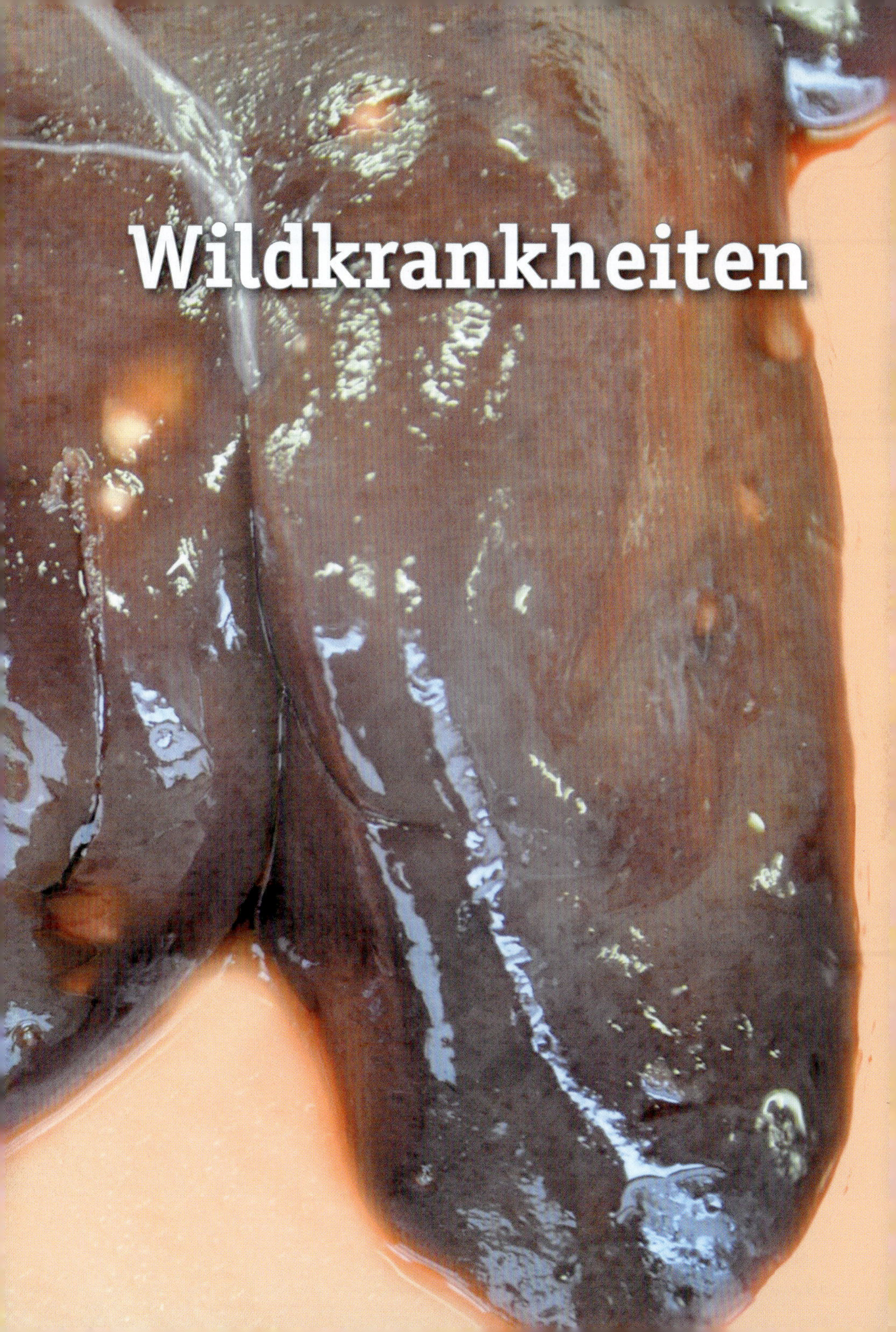

3 Einleitung

Die Definition dessen, was eine „Krankheit" ist, fällt nicht leicht und es gibt dementsprechend in Medizin und Veterinärmedizin zahlreiche unterschiedliche Ansätze.
Die Weltgesundheitsorganisation definiert Krankheit als eine Abweichung von einem „Zustand völligen körperlichen, seelischen und sozialen Wohlbefindens". Ob wir so weit gehen müssen, ist eher fragwürdig. Ein solcher Zustand mag in idealisierenden politischen oder religiösen Vorstellungen seinen Platz haben. In der Natur sind Organismen regelmäßig mit Abweichungen von einem derartigen Idealzustand konfrontiert.
Als Krankheit, gerade auch im Hinblick auf freilebende Organismen, können wir vielleicht besser eine längerfristige Störung der normalen physiologischen Abläufe im Leben eines höheren Organismus, also eines Tieres oder einer Pflanze, bezeichnen. Auch diese Definition hat hier und da das Problem, dass wir erst einmal wissen oder festlegen müssen, was „normal" ist.

Krankheiten kann man nach verschiedenen Kriterien einteilen, so etwa nach dem betroffenen Organ oder Organsystem (etwa Krankheiten der Leber, des Knochengerüstes oder des Herz-Kreislauf-Systems), nach dem Symptom (z.B. Blutungen, Tumorbildung etc.) oder nach der Ursache (Ätiologie). Letztere Einteilung kennt beispielsweise erregerbedingte (ansteckende) Erkrankungen, Vergiftungen, gut- oder bösartige Neubildungen (Tumorerkrankungen), Verletzungen durch äußere Einwirkungen etc.

Ansteckende, erregerbedingte Krankheiten kommen von Natur aus in allen Wildbeständen vor. Oft finden wir die Erreger in geringer Dichte und somit ohne krankmachende Wirkung als ein völlig normales Phänomen in Wildtierbeständen. Unter ungünstigen Umweltbedingungen (ungünstige Biotopverhältnisse, Hunger, hohe Wilddichten, andauernde Störungen, Verletzungen etc.) manifestiert sich die Erkrankung. Auf diese Weise können Krankheiten in der Natur auch als Regulatoren von Wildtierbeständen wirken.
Andererseits können Krankheiten auch Anzeiger für ungünstige Lebensbedingungen unserer Wildtiere sein und erfordern dann entsprechende Abhilfemaßnahmen.

Erregerbedingte Krankheiten werden in Viruskrankheiten, bakteriell bedingte Krankheiten, parasitär bedingte Krankheiten und Pilzkrankheiten eingeteilt, wobei diese Systematik eine veterinärmedizinische, keine ökologische ist. Aus ökologischer Sicht sind beispielsweise biotische Krankheitserreger grundsätzlich parasitär, da sie ihren Wirt schädigen, während in der veterinärmedizinischen Begrifflichkeit als Parasiten lediglich Eukaryonten, also ein- oder mehrzellige Lebewesen mit Zellkern bezeichnet werden, wobei die Pilzerkrankungen wiederum ausgeklammert bleiben.
Pilzkrankheiten sind allerdings für Wildtiere bislang von geringer Bedeutung.

3.1 Allgemeines

Grundbegriffe der Krankheitslehre

Inkubationszeit

Infektionen sind typischerweise durch eine sog. Inkubationszeit gekennzeichnet. Darunter verstehen wir die Zeitspanne zwischen Eindringen des Krankheitserregers in den Körper des Wirtsorganismus und dem Auftreten der ersten Symptome. Je nach Erkrankung kann die Inkubationszeit einige Stunden bis zu mehreren Jahrzehnten betragen.

Übertragung

Virale oder bakterielle Krankheitserreger werden meist durch direkten Kontakt oder Körperausscheidungen übertragen. Parasitäre Erkrankungen bedürfen zur Übertragung von Tier zu Tier einer Entwicklung im Wirt (Präpatenz) bis zur Geschlechtsreife. Danach entwickelt sich der Parasit oftmals in der freien Landschaft – nur bei Feuchtigkeit und Wärme – oder in einem Zwischenwirt bis zur Infektionstüchtigkeit.

Resistenz

Das Entstehen und die Schwere von Erkrankungen hängt davon ab, ob eine Tierart oder ein bestimmtes Individuum überhaupt für die spezielle Krankheit empfänglich ist (Resistenz). So kann eine Krankheit trotz Aufnahme von Krankheitserregern bei bestimmten Individuen gar nicht oder in abgeschwächter Form auftreten. Dabei ist die Menge der aufgenommenen Krankheitserreger, der Kräftezustand des betroffenen Tieres und seine Immunitätslage von Bedeutung.

Zoonosen

Der Begriff der Zoonose ist heute uneinheitlich gebraucht, ursprünglich bedeutete er einmal „Tierkrankheit", heute verstehen wir darunter auch und besonders Krankheiten, die vom Menschen auf das Tier (Antropozoonose) oder vom Tier auf den Menschen (Zooanthroponose) übertragen werden können.

Seuchen

Unter einer Seuche verstehen wir eine sich großräumig verbreitende, ansteckende Erkrankung. Haustier- und Wildseuchen (z.B. Tollwut, Schweinepest, Geflügelpest, Aujeszkysche Krankheit) können wechselweise von Wildtieren auf Haustiere übertragen werden, aber auch der Mensch ist durch einige beim Wild vorkommende Krankheiten gefährdet (z.B. Tollwut, Zeckenencephalitis, Ornithose, Tularämie, Rotlauf, Brucellosen, Fuchsbandwurm, Trichinen u.a.m.).

Um mit Wildseuchen richtig umzugehen, sollte der Jäger Grundsätze des Tiergesundheitsgesetzes kennen. Das Tiergesundheitsgesetz (TierGesG) hat das frühere Tierseuchengesetz abgelöst.

Das Tiergesundheitsgesetz enthält Regelungen zum vorbeugenden Schutz vor Tierseuchen, deren Bekämpfung sowie zur Verbesserung der Überwachung. So wird zum Beispiel der Personenkreis festgelegt, der eine anzeigepflichtige Tierseuche anzeigen muss. Anzeigepflichtig ist nicht nur der Ausbruch (d.h. die amtliche Feststellung) einer Seuche, sondern bereits der Seuchenverdacht.
§ 4 des Tiergesundheitsgesetzes regelt den Kreis der anzeigepflichtigen Personen. Dies sind in erster Linie der Tierhalter bzw. dessen Vertreter, aber auch zahlreiche andere Personen, welche berufsmäßig mit Tieren umgehen. Hier werden auch der Jagdausübungsberechtigte bzw. zur Jagdausübung befugte Personen in Bezug auf Wildseuchen genannt. Das zuständige Bundesministerium ist aufgrund des Tiergesundheitsgesetzes ermächtigt, die anzeigepflichtigen Tierseuchen per Rechtsverordnung festzulegen.
Neben der Tierseuchen- ist besonders die Lebensmittelgesetzgebung für den Umgang mit Wildkrankheiten von Bedeutung.

Für den Jäger ist hierbei die im Januar 2005 in Kraft getretene Basisverordnung (Verordnung (EG) Nr. 178/2002) und das ab dem 1. Januar 2006 geltende „Lebensmittelhygienepaket“ (umfasst die Verordnungen (EG) Nr. 852/2004 bis 854/2004) wichtig. Wild als Lebensmittel hat einen viel weiteren Raum in der Gesetzgebung eingenommen. Für den Jäger ist es dabei wichtig, „gesund“ von „krank“ unterscheiden zu können. Die präzise Krankheitsdiagnosestellung obliegt dann dem (Amts-)Tierarzt.

Grundsätze zur Krankheitserkennung

1. Beim Ansprechen des Stückes:
   Man muss das lebende Tier auf normales Verhalten und Störungen des Allgemeinbefindens ansprechen: Wie ist der Zustand von Decke, Schwarte bzw. Balg? Erfolgte das Verfärben zeitgerecht? Ist die Körperhaltung, der Bewegungsablauf normal? Hustet das Stück? Sind äußere Verletzungen zu erkennen? Zeigt das Stück normale Reaktionen, z.B. Aufmerksamkeit, Flucht, ggf. im Vergleich zu anderen Gruppenmitgliedern?
2. Am erlegten Stück und während des Aufbrechens:
   Beim erlegten Stück ist dieses zunächst äußerlich von allen Seiten auf Auffälligkeiten zu untersuchen, während des Aufbrechens von Wild müssen alle inneren Organe auf ihre Größe, Farbe und Konsistenz sowie auffällige Strukturen hin durchgemustert werden. Beim Aufbrechen ist ferner darauf zu achten, dass für die veterinärmedizinische Diagnostik erforderliche Strukturen (Zwerchfellpfeiler beim Schwarzwild!) nicht versehentlich entfernt werden.
3. Nach dem Aufbrechen:
   Nachdem das Stück aufgebrochen ist, ist der Aufbruch noch einmal separat zu inspizieren. Hier sind die einzelnen Organe durchzugehen und gründlich in Augenschein zu nehmen, wobei z.B. Leber, Lunge, Milz und Herz auch routinemäßig aufzuschneiden und die Schnittflächen zu begutachten sind. Besondere Beachtung ist dabei auch dem sog. lymphatischen System zu widmen. Lymphknoten und Milz sind bei der Krankheitsabwehr ganz wesentlich beteiligt und erscheinen bei Infektionskrankheiten oft vergrößert, blutig infiltriert oder vereitert. Dies muss man erkennen.

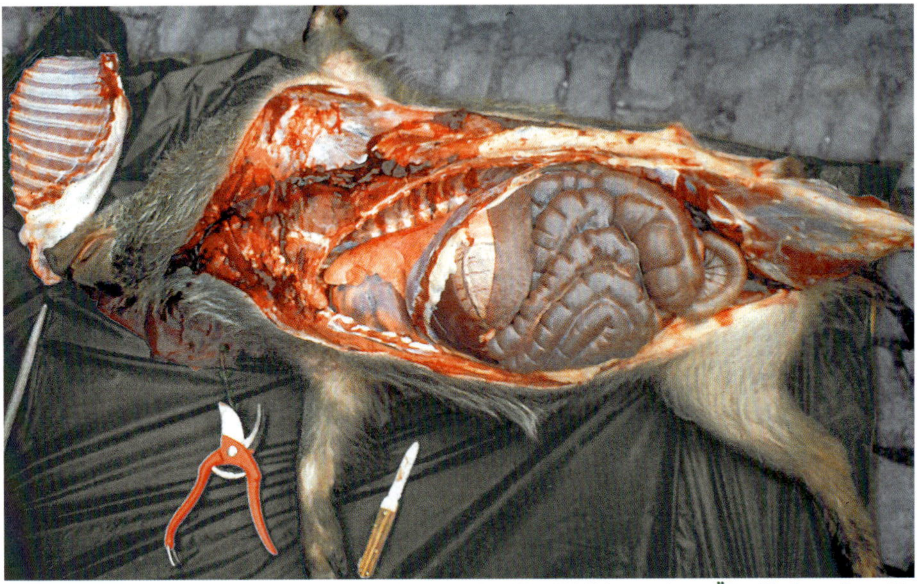

3.1: Stellvertretend auch für andere Wildarten zeigt die Abbildung eines Überläufers, dem die linke Brust- und Bauchwand entfernt wurde, die normale Lage der Organe im Stück. Größe und Farbe der inneren Organe sind normal, abgesehen davon, dass das Stück bei der Tötung stark entblutet wurde und dadurch besonders die Lunge erheblich zu hell erscheint.

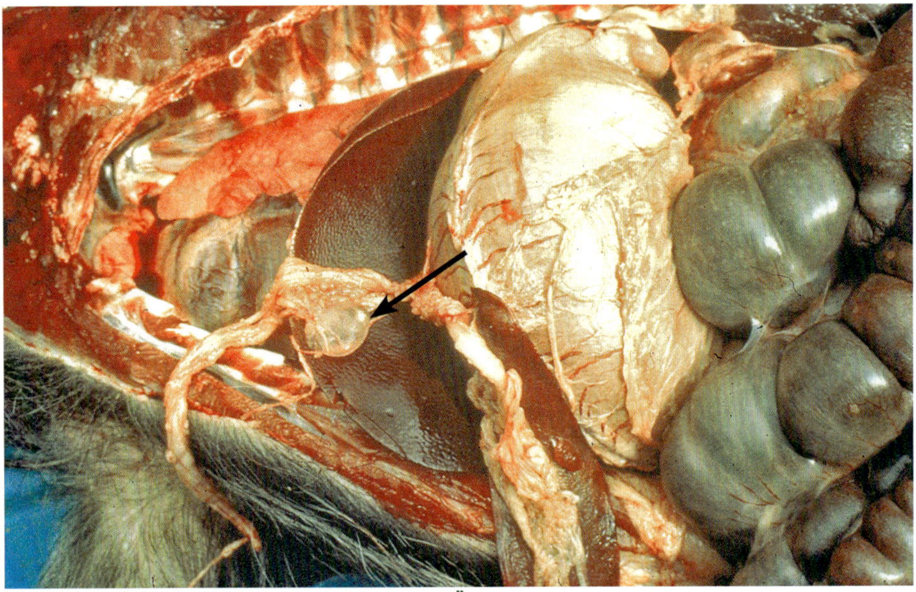

3.2: Brustorgane, Milz, Magen und Leber eines Überläufers. Am Netz ist eine Hundebandwurmfinne (*Cysticercus tenuicollis*) sichtbar (Pfeil). Milz und Leber sind scharfrandig.

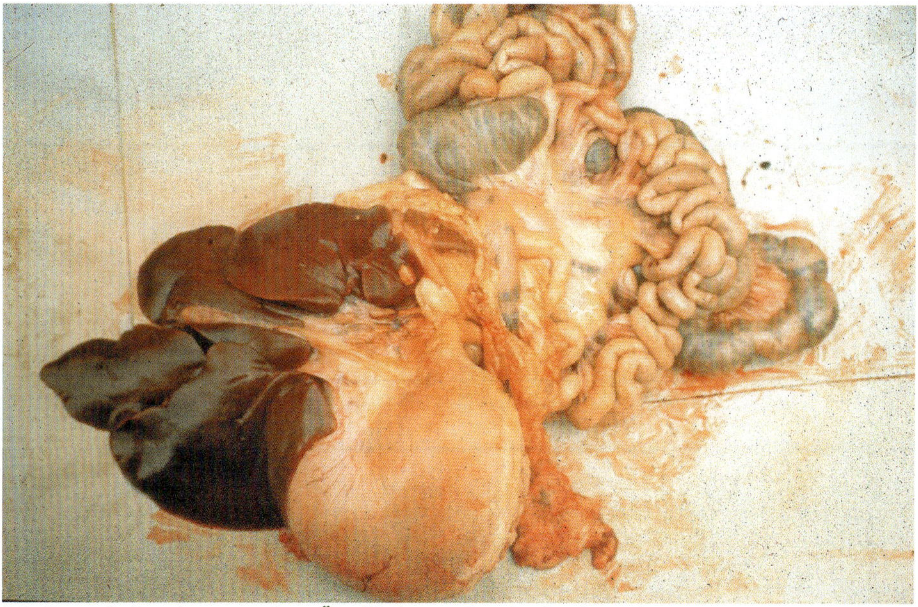

3.3: Normale Bauchorgane eines Überläufers. Leber (und Milz – hier schlecht erkennbar) sind scharfrandig und blutarm. Die Dünndarmlymphknoten sind als gelblicher Strang sichtbar.

Alle Körperteile sind durch Lymphknoten abgesichert. Die Lymphknoten der inneren Organe liegen in den Aufhängebändern, d.h. dort, wo die Organe oder Organteile befestigt sind. Sie lassen sich durch Zug am jeweiligen Organ gut auffinden.
Bestimmte Parasiten, z.B. Leberegel oder Lungenwürmer, lassen sich auch mit bloßem Auge bereits gut erkennen.
Der jeweilige Blutgehalt der Organe bestimmt ganz wesentlich ihre Farbe.
Der Blutverlust bei der Erlegung ist zu berücksichtigen.

3.2 Infektionskrankheiten

Infektionskrankheiten sind durch biotische Krankheitserreger bedingt und breiten sich durch Übertragung von Krankheitserregern oder deren Entwicklungsstadien innerhalb der Populationen einer Art, aber auch über die Artgrenzen hinaus aus. Das Spektrum möglicher Krankheitserreger reicht von Prionen (infektiöse Eiweißkörper) bis hin zu parasitären Erkrankungen und Pilzerkrankungen durch Eukaryonten.

Immunität

Infektionen bewirken bei Wildtieren oftmals eine mehr oder weniger stabile Immunität. Myxomatose, eine akute Viruskrankheit, hat z.B. entweder den Tod eines Kaninchens oder aber eine stabile lebenslange Immunität zur Folge. Magenwurmbefall verursacht dagegen

Parasitäre Krankheiten	Bakterielle Krankheiten	Viruskrankheiten	Pilzkrankheiten
Ektoparasiten *Spinnentiere* Räudemilben; Zecken *Insekten* Haar- und Federlinge; Läuse; Flöhe; Lausfliegen; Hautdassellarven; Rachenbremsenlarven **Endoparasiten** *Einzeller* Kokzidien; Toxoplasmen Sarkosporidien *Rundwürmer* Magen-Darmwürmer; Lungenwürmer; Kreuzlähmewürmer; Rotwurm; Trichinen *Plattwürmer* Bandwürmer; Großer Leberegel; Kleiner Leberegel	Pseudotuberkulose Pasteurellosen Salmonellosen Tularämie Staphylococcose Brucellosen Aktinomykosen Tuberkulosen Papillomatose Rotlauf Milzbrand Moderhinke Borelliose (Mensch/Hund/Zecken) Botulismus (Gift)	Tollwut Schweinepest (2 Arten) Aujeszkysche Erkrankung Myxomatose Hämorrhagische Erkrankung der Kaninchen (RHD) Geflügelpest (Newcastle Disease, Aviäre Influenza) Geflügelpocken Taubenpocken Ornithose (Psittakose) Hasenleberentzündung (EBHS) Staupe (Seehund/Marder/Hund) Zeckenencephalitis (Zecken/Mensch) Maul- und Klauenseuche Sarkome (z.T. virusbedingt)	Glatzflechte Aspergillose

nur eine vorübergehende Immunität, die aber immer wieder durch Neuinfektionen aufgefrischt wird. Denn Magenwurmlarven sind im Gelände so verbreitet, dass praktisch kein Hase oder Reh ohne wiederkehrende Infektion bleibt.

1 Was versteht man unter Wirt und Zwischenwirt im Zusammenhang mit Krankheitserregern?

Ein *Wirt* ist ein geeignetes Tier, in dem sich ein Krankheitserreger entwickeln kann. Das gilt ökologisch gesehen ganz allgemein für alle Krankheitserreger, doch wird der Begriff medizinisch meist auf sogenannte Eukaryonten als Krankheitserreger, also ein- oder mehrzellige Lebewesen, deren Zellen einen Zellkern besitzen, angewandt. Diese stellen die „parasitären Erkrankungen", wie sie auch hier verwendet werden, dar.
Ein *Zwischenwirt* ist ein Tier, in dem sich beispielsweise Parasitenlarven durch mehrere Stadien bis zur Infektionstüchtigkeit entwickeln müssen. Dieser Vorgang ist meist ganz spezifisch an eine bestimmte Tierart oder eine Gruppe nahe verwandter Arten gebunden. So ist etwa der große Leberegel zwischenwirtspezifisch an die Zwergschlammschnecke gebunden.
Die *Infektionstüchtigkeit* erreicht der Parasit erst nach einer obligatorischen Entwicklung außerhalb des Wirtes im Freien bei Feuchtigkeit und Wärme oder in einem Zwischenwirt. Es sind z.B. die ersten Larven der Magenwürmer, die gerade das Ei verlassen haben, nicht in der Lage, eine Infektion zu vermitteln. Dies vermögen erst die fortentwickelten dritten Larven. Deshalb steckt sich ein Tier an ganz frischer Losung (Eier, erste Larven) nicht an. Es fehlt noch die Infektionstüchtigkeit. Daraus folgert, dass bei Hase und Kaninchen (Kotfresser) eine Infektion durch den erneut aufgenommenen Kot nicht stattfinden kann (keine Infektionstüchtigkeit vorhanden). Demgegenüber ist eine Infektion mit Viren oder Bakterien sofort möglich.

2 Wie kann man krankes Wild erkennen?

Krankes Wild kann ungewöhnliches Verhalten, Unsicherheit, Apathie, gestörtes Allgemeinbefinden, verminderte Fluchtdistanz, ungewöhnliche Vertrautheit, Durchfall, Husten, Abmagerung, verzögerten Haarwechsel u.a.m. zeigen. Allerdings kann auch äußerlich völlig normal wirkendes Wild krank sein. Daher ist beim Aufbrechen immer auf Veränderungen an den Organen zu achten. Bei Krankheitsanzeichen ist besonders auf Verdachtsmerkmale von anzeigepflichtigen Seuchen zu achten.

3 Was verstehen Sie unter der Inkubationszeit?

Die Inkubationszeit umfasst den Zeitraum vom Eindringen eines Krankheitserregers in den Tierkörper bis zum Auftreten der ersten Krankheitsanzeichen. Sie ist bei den einzelnen Krankheiten recht unterschiedlich und beträgt z.B. bei Schweinepest nur wenige Tage, bei Tollwut dagegen meist 20 bis 60 Tage, gelegentlich auch länger.

4 Was sind „Wildseuchen"?

Spezielle Seuchen bei Wild gibt es nicht. Es sind Krankheiten, die bei Haustieren und Wildtieren auftreten und sich „seuchenartig", also großräumig und vergleichsweise schnell verbreiten. Bei Auftreten einer anzeigepflichtigen Tierseuche bei Wild ist die Anzeige an die untere Verwaltungsbehörde (Amtstierarzt) zu richten.

5 Welche beim Wild vorkommenden Seuchen kennen Sie?

Wichtige auch beim Wild vorkommende Seuchen sind:

Tollwut, Europäische Schweinepest, aviäre Influenza (Geflügelpest, Vogelgrippe) oder zunehmend die Aujetzkysche Erkrankung. Auch die Afrikanische Schweinepest könnte in Zukunft, durch großräumige internationale Tiertransporte begünstigt, durchaus bei uns häufiger auftreten.

Weniger wichtige Seuchen, die auch beim Wild auftreten, sind:

Brucellose (Rind, Schwein, Hase), Psittakose (Ornithose) oder Milzbrand, Maul- und Klauenseuche, Epizootische Hämorrhagie der Hirsche, Ansteckende Schweinelähme, Rindertuberkulose oder Blauzungenkrankheit, wobei die beiden letztgenannten in jüngerer Zeit durchaus regelmäßig, aber vereinzelt in Deutschland auftraten.

6 Welche Umstände begünstigen die Ausbreitung von Wildkrankheiten?

Sehr hohe Wilddichten, ungenügende Bejagung der schwachen und krank erscheinenden Stücke, sowie ungenügende Äsungsgrundlage, besonders zur Notzeit. Es muss zu jeder Jahreszeit artgerechtes Futter erreichbar sein. Auch darf das Wild, insbesondere in der Notzeit, übermäßig beunruhigt werden. Dezentrale Wildfütterungen halten das Risiko der Krankheitsübertragung gering, große zentrale Winterfütterungen und Wintergatter führen zu einem höheren Übertragungsrisiko.

7 Wie kann man Wildkrankheiten bekämpfen?

Durch Verbesserung der Äsung, Einregulierung der Wilddichte, Ruhe im Revier, Abschuss kranken Wildes, Schaffung von Deckung, Impfungen bei Seuchen (Tollwut, Schweinepest) und vor allem durch Aufklärung und Beseitigung der Krankheitsursachen. Medikamentgaben sind nur begrenzt sinnvoll.

8 Welche Wildkrankheiten sind auf den Menschen übertragbar?

Tollwut, Ornithose, Pseudotuberkulose, Brucellosen, Leptospirose, Rotlauf, Listeriose, Salmonellosen, Milzbrand, Tuberkulose und Tularämie. Auch mehrere Parasitosen sind für den Menschen infektiös: Trichinen, Finnen des kleinen Fuchsbandwurmes. Durch Zecken werden Gehirnhautentzündung (FSME) und Borelliose übertragen. Auch bei der aviären Influenza (Vogelgrippe) sind Subtypen bekannt (A/H5N1 und A/H7N9), welche auf den Menschen übertragbar sind. Wir wissen auch, dass Wildtiere für die Übertragung des SARS-CoV-2 eine wichtige Rolle spielen können. So gehen wir davon aus, dass das Virus von Wildtieren auf die menschliche Population übergegangen ist. Ebenso konnte beobachtet werden, dass in Nordamerika eine bestimmte Virusvariante möglicherweise vom Menschen auf Weißwedelhirsche übertragen wurde und nun im Weißwedelhirschbestand persistiert. Welche Rolle Wildtiere hierzulande für das SARS-CoV-2 spielen können, ist derzeit noch unklar.

3.3 Nicht infektiöse Krankheiten

Bei den nicht infektiösen Krankheiten kennen wir beim Wild unter anderem:

» *Geschwülste* (Tumore): Vorkommen in allen Gewebearten, Kennzeichen: ungeordnetes Wachstum in gutartiger oder bösartiger Form.
» *Missbildungen*: Sie werden embryonal angelegt, sind entweder erblich oder durch Umwelteinwirkungen bedingt und führen zu Körpermissbildungen, die am häufigsten als Doppelbildungen an den Läufen oder Zähnen in Erscheinung treten. Missbildungen an den Geschlechtsorganen bewirken Zwitter, Scheinzwitter, Rosenstockricken u.a.m.
» *Doppelkopfbildung*: bedingt durch hormonelle Störung wird das Geweih nicht zeitgerecht abgeworfen und wird durch ein zweites Geweih auf dem gleichen Rosenstock erweitert. (s. Abb. 3.4)
» *Schalenauswachsen*: Entsteht beim Muffelwild durch ungenügenden Schalenabrieb und bei allen Schalenwildarten nach Laufverletzungen. Schalenauswachsen ist nicht mit Moderhinke der Schafe zu verwechseln.

3.4: Doppelkopfbildung bei einem Rehbock; die Doppelkopfbildung ist doppelseitig, wobei nur die linke Stange bereits abgeworfen ist.

» *Verletzungen* (Gegensatz zu Missbildung): werden in sehr verschiedener Form durch äußere Einwirkungen wie Schusswunden, Kraftfahrzeuge, Landmaschinen, Knochenbrüche und Quetschungen verursacht.
» *Verdorbenes* oder *nicht artgerechtes Futter*: Verursacht schwere Magen- Darmentzündungen oft mit Todesfolge. (z.B. Mais an Wiederkäuer, verschimmeltes Futter).
» *Vergiftungen*: kommen sehr vielgestaltig vor. Hauptursachen sind Mäusegifte, Pflanzenschutzmittel, Insektizide, Bleischrot (typischerweise von Entenvögeln beim Gründeln aufgenommen), Bleireste von Büchsengeschossen (typischerweise bei aasfressenden Greifvögeln, z.B. Seeadler, welche das Blei aus Aufbrüchen aufnehmen), Bakterien, Pflanzengifte (Eibe, Tollkirsche). Giftpflanzen werden von Wild fast durchweg gemieden. Das gilt allerdings nicht unbedingt bei Volierentieren.
» *Botulismus*: ist eine Vergiftungskrankheit. Sie wird allerdings von Giftstoffen verursacht, die von Bakterien erzeugt werden (*Clostridium botulinum*). Vor allem Wasserwild wird von dieser Vergiftung befallen. Die Tiere wirken apathisch und zeigen keine Fluchtreaktionen. Es treten gehäuft Lähmungen auf. Man beobachtet die Vergiftungen an Gewässern, die sich über 20 °C im Sommer erwärmen. Die Tierkadaver sollte man einsammeln (Handschuhe!). Durch Erhitzen wird das Gift zerstört.

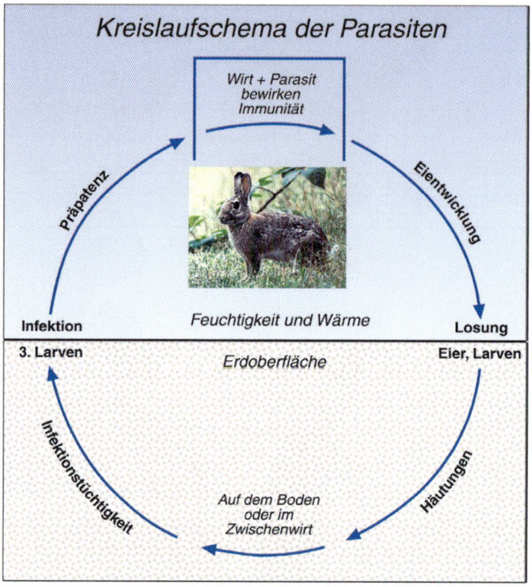

3.5: Im Parasitenkreislaufschema sind die bei fast allen Parasiten auftretenden biologischen Vorgänge erfasst und die hierfür wichtigen Fachausdrücke vermerkt. Diese sind im Text erklärt. Der spezielle Kreislauf für Lungen- und Magenwürmer, den kleinen Fuchsbandwurm und Leberegel ist ebenfalls im Text wiedergegeben.

3.4 Parasitär bedingte Erkrankungen

Parasiten sind Lebewesen, hier mehrzellige Tiere, die vorübergehend oder dauernd auf oder in dem Körper anderer Lebewesen, in diesem Falle höherer Tiere, leben und sich dabei auf Kosten ihrer Wirte ernähren. Normalerweise wird ein Parasit seinen Wirt nicht töten, aber schwächen. Er würde sich durch das Töten des Wirtes seiner eigenen Lebensgrundlage berauben. Das kommt nur in Ausnahmefällen bei Jungtieren oder bei gehäuftem Auftreten der Parasiten vor. Ihrer Lebensweise nach werden Parasiten eingeteilt in Ektoparasiten und Endoparasiten, also in Parasiten, die auf der Körperoberfläche des Wirts bzw. im Wirt leben.

Ektoparasiten

Hirschlausfliege

Sie kommt auf Schalenwild oft in großer Zahl vor, ist etwa 7 mm lang, gelb- bis schwarzbraun gefärbt und hat während des Sommers Flügel, um von einem Wirtstier auf das andere gelangen zu können. Bei diesen Flügen verklettet sie sich auch im menschlichen Haar. Nach der Begattung verliert das Weibchen auf ihrem Wirt die Flügel, während das Männchen die Flügel länger behält. Die vom Weibchen lebend geborenen Larven verpuppen sich zwischen den Haaren.

Dasselfliegen

Die stubenfliegenähnlichen Dasselfliegen leben nur 4 bis 6 Tage. In den Monaten Juni bis August schwärmen sie aus, besonders an heißen Tagen, und kleben ihre Eier an die Haare der Hinterläufe, der Flanken und des Unterbauches des Wildes. Aus den etwa 1 mm großen

Eiern schlüpfen nach 3 bis 4 Tagen Larven. Sie bohren sich in den Körper bis unter die Decke ein und wandern auf einem monatelangen Wanderweg durch den Körper bis unter die Rückendecke. Ab Januar beginnen sie dann, lebhaft zu wachsen. Die „reif" gewordenen Dassellarven bilden unter der Decke des Rückens beulige Auftreibungen. In den Monaten Mai bis Juli wandern sie aus den Beulen aus, fallen zu Boden und verpuppen sich. Nach einer Puppenruhe von 4 bis 5 Wochen schlüpfen die Dasselfliegen aus und beginnen den Kreislauf (s. Abb. 3.7) aufs Neue.

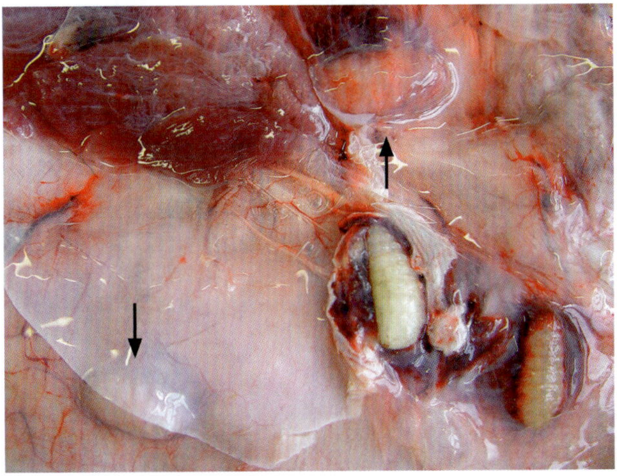

3.6: Reh, Befall mit Hautdasseln (*Hypoderma diana*); eröffnete und geschlossene (Pfeile) Dasselbeulen

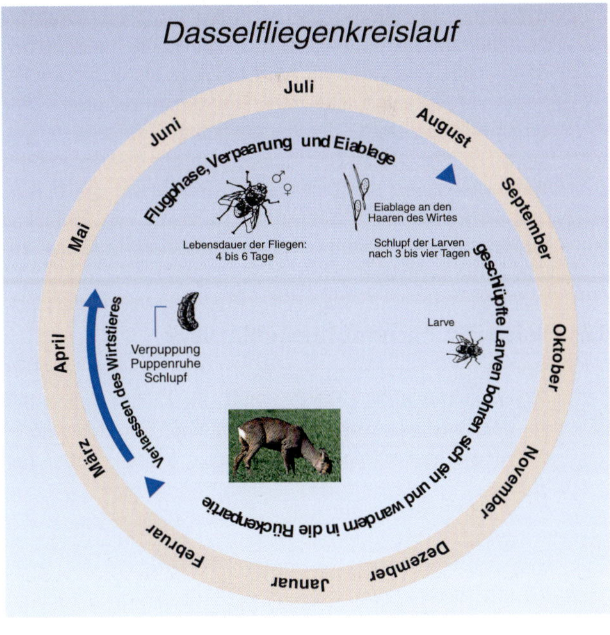

3.7: Dasselfliegenkreislauf

9 Wird das wiederkäuende Schalenwild von den gleichen Hautdassellarven befallen wie das Rind?

Nein. Beim Wild handelt es sich um andere Arten der Dassellarven, so dass wechselseitige Ansteckungen nicht möglich sind (beim Rehwild Gattung *Hypoderma diana*, beim Rotwild *Hypoderma actaeon*). Die Larven sind zwischenwirtsspezifisch.

10 Von welchem Monat ab werden die Larven unter der Decke des Wildes sichtbar und vom Jäger angetroffen?

Ab Januar. Beim „Aus-der-Decke-schlagen" gestreckten Wildes wird das Unterhautbindegewebe der Rückengegend blutig-sulzig und mit zahlreichen, kleinen Larven durchsetzt angetroffen. Bei einem Stück können bis 300 Larven vorkommen. Ihre endgültige Größe und „Reife" erreichen die Larven erst ab April (also außerhalb der Schusszeit). Reife Dassellarven ähneln Engerlingen (Larven des Maikäfers).

11 Wodurch entstehen die Dasselbeulen unter der Decke des Reh- und Rotwildes?

Durch die bis 2 cm langen, walzenförmigen Larven der Dasselfliegen. Von Dassellarven werden Rot- und Rehwild befallen. Sie sind wildartspezifisch.

Rachenbremsen

Die hummelähnliche, braunrot behaarte Rachenbremse schwärmt – je nach Art – von Ende Mai bis Anfang September (Hochzeitsflug). Nach der Begattung lebt das Weibchen noch zwei Wochen. Es ist lebendgebärend und spritzt im Flug, trotz der Abwehrversuche des Wildes, die jungen Larven dem Wild in den Windfang. Die Larven setzen sich in der Schleimhaut fest und wandern in die Nasen- und Rachenhöhle. Im Frühjahr wachsen sie dann schnell und sind ab April bis Juni als vollentwickelte Larven (vergl. Abb. 3.8), von gelblicher Farbe mit schwarzen Punkten, anzutreffen. Durch Borsten an der Oberfläche und einen Haftapparat an der Mundöffnung verankern sie sich derart fest, dass sie weder ausgehustet oder ausgeniest noch durch Kopfbewegungen ausgeschleudert werden können. Wenn die Larven „reif" geworden sind, lassen sie sich aus dem Windfang zur Erde fallen und verpuppen sich. Nach einer Ruhezeit von fünf Wochen schlüpft aus der schwarzen Puppe die etwa 1,5 cm lange geschlechtsreife Fliege, so dass nun der Entwicklungsgang von vorne beginnen kann.

12 Was sind Rachenbremsenlarven?

Sie sind der Larvenzustand der Rachenbremsen (*Cephenomyia stimulator* beim Reh und *Pharyngomyia picta* beim Rotwild). Sie finden sich in der Nasen- und Rachenhöhle sowie am und im Drosselkopf und Schlundkopf des Elch-, Rot- und Rehwildes und verursachen das oft hörbare schnarchende Husten, Niesen (dabei auch Kopfschütteln) der befallenen Stücke.

13 Welche Krankheitserscheinungen rufen die Rachenbremsenlarven hervor?

Sie verursachen, je nach ihrem Sitz, Husten, Niesen oder erschwertes Atmen, das sogenannte „Schnarchen". Am schwersten leidet das Jungwild unter dem Schmarotzerbefall. Bei einem Stück werden häufig bis zu 100 Larven gefunden. Die befallenen Stücke kümmern, verfärben spät, schieben schlecht und bleiben in der Wildbretstärke weit hinter gesunden zurück.

14 Wie kann man die Dassel- und Rachendasselfliege bekämpfen?

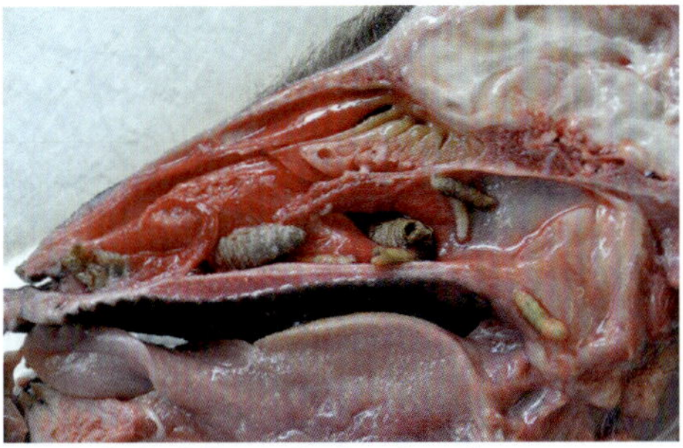

3.8: Reh, Befall mit Rachendasseln

Durch Schutz der larven- und fliegenfressenden Vögel (wie Stare, Fliegenschnäpper, Rotschwänze, Kohl-, Blau- und Tannenmeisen) und durch Anlage von Schutzgehölzen und Anbringen von Nistkästen für sie. Sie fangen die Fliegen während der Schwarmzeit und nehmen – wie Schwarzwild, Dachs, Igel und Fasan – die Larven und Puppen auf. Stare und Meisen werden gelegentlich auf der Decke des mit Dassellarven (und Lausfliegen) befallenen Wildes beobachtet, wo sie nach diesen und anderen Parasiten suchen. Dies wird vom Wild gern geduldet. Kranke Stücke sind nach Absprache mit der Jagdbehörde zu erlegen. Vorgefundene Larven sind sorgsam zu sammeln und unschädlich zu beseitigen (zu verbrennen), damit sie sich nicht verpuppen und zu Fliegen entwickeln können.

Haarlinge und Federlinge

Haarlinge und Federlinge sind flügellose, ca. 1–1,5 mm lange Insekten aus der Ordnung der Tierläuse. Sie kommen bei fast allen Wildarten vor, insbesondere bei geschwächten Tieren. Haar- und Federlinge ernähren sich von Haaren bzw. Federn und Hautschuppen. Sie verursachen Juckreiz.

Flöhe

Flöhe gehören ebenfalls zu den Insekten mit stechend-saugenden Mundwerkzeugen. Sie ernähren sich vom Blut ihrer Wirtstiere und verursachen oft ausgeprägten Juckreiz. Wir kennen eine Vielzahl von Arten, die oft auch eine Vorliebe für bestimmte Wirtstiere zeigen, allerdings nicht streng an diese gebunden sind. Die meisten Arten parasitieren Säugetiere, einige aber auch Vögel.
Für den Jäger ist vor allem der Hundefloh bedeutsam. Dieser ist Zwischenwirt des kürbiskernförmigen Hundebandwurms (*Dipylidium caninum*), des häufigsten Hundebandwurms.

Rote Vogelmilbe

Die wie alle Milben zu den Spinnentieren zählende Rote Vogelmilbe (*Dermanyssus gallinae*) befällt Haus- und Wildgeflügel, spielt aber in freier Wildbahn keine Rolle als Krankheitserreger. Ein Problem kann sie aber beispielsweise in Fasanerien darstellen. Sie saugt Blut und verursacht hochgradige Blutarmut, bei starkem Milbenbefall kommt es auch zu plötzlichen Todesfällen. Tagsüber lebt sie in Nestern und Fugen des Stalls. Eine Bekämpfung ist mit Insektiziden – mit Sanierung des Stalls – möglich.

Räude

Unter Räude verstehen wir eine durch art- oder artengruppenspezifische Milben hervorgerufene Hauterkrankung mit Haarausfall und juckenden, schuppigen oder borkigen Stellen (vergl. Abb. 3.9), die bekratzt werden. Die Räudemilben sind nur im Mikroskop sichtbar. An den erkrankten Hautstellen, hauptsächlich am Haupt (Kopf), den Lauschern (Tellern) und an der Unterbrust, fallen die Haare aus und es kommt zur Bildung von Falten und Borken. Beim Wild sind nur die Sarcoptesmilben von Bedeutung, beim Hund auch Demodexmilben.

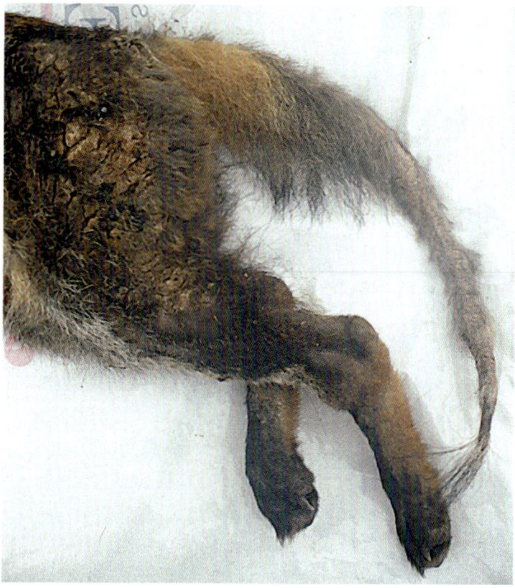

3.9: Sarkoptesräude beim Fuchs; Borkige Auflagerungen auf der Keule und der Lunte, verbunden mit Haarausfall

15 Bei welchem Wild kann die Räude seuchenartig auftreten?

Bei Gams, Fuchs, Wolf, Marderhund, Baum- und Steinmarder, Dachs, Waschbär und Wildschwein. Vorübergehend können Wildmilben auch Menschen und Hunde belästigen. Die Übertragung erfolgt durch direkte Berührung kranker und gesunder Stücke im Rudel, im Bett und während der Brunft. Die Verbreitungsgeschwindigkeit steigt mit zunehmender Wilddichte.

16 Wie wird die Gamsräude bekämpft?

Durch Bejagung der kranken Stücke. Kranke Stücke sind mit guten Jagdgläsern und Spektiven zu erkennen. Die abgekommenen, gefallenen und erlegten Räudegams sollten unschädlich beseitigt werden. Die Abwehrkräfte des Körpers stärkt man durch Vermeidung jeglicher Beunruhigung des Gamswildes (Skiläufer), durch Verbesserung der Äsungsverhältnisse und durch Gaben von Mineralsalzen mit Spurenelementen in Salzleckkästen.

Zecken

Zecken gehören wie die Milben zu den Spinnentieren. Wir kennen unterschiedliche Arten, die, wie etwa der gemeine Holzbock (*Ixodes ricinus*), blutsaugende Parasiten sind. Das mit einem großen Rückenschild versehene Männchen ist dunkelbraun und nur 1,5 mm lang. Das Weibchen erscheint heller und ist nüchtern etwa 4 mm groß. Vollgesogen erreicht es eine Länge bis 12 mm. Sein ovaler bleigrauer Körper ähnelt dann einem Rizinuskern. Zu ihrer Verbreitung klettern die Holzböcke an Grashalmen, Blättern von Sträuchern usw. empor und lassen sich von hier auf die Körperoberfläche vorbeiziehender Wirtstiere fallen. Sie sitzen besonders am Kopf und Hals des Wirtes. Man findet sie bei Elch-, Rot- und Rehwild sowie bei Hasen, Kaninchen, Füchsen, Hunden und allen Warmblütern. Sie benötigen drei Wirtstiere zur Entwicklung von der Larve über Nymphe bis zum Geschlechtstier.

3.10: Saugende Zecke an einem Hund

17 Was verstehen wir unter einer Zeckenencephalitis?

Durch Zeckenbisse kann eine Gehirnhautentzündung (Zeckenencephalitis) auf den Menschen übertragen werden. Die Viruskrankheit fordert Todesopfer. Zuerst erinnert ein Erkranken an eine Sommergrippe. Nach schweren Kopfschmerzen und Brechreiz treten Lähmungen auf. Das Fieber steigt über 40 °C. Innerhalb 96 Stunden nach Infektion muss geimpft werden. Empfehlenswert ist eine prophylaktische Impfung bei Risikogruppen (Förster, Jäger).

18 Welche Krankheit wird ebenfalls durch Zeckenbisse übertragen?

Eine bakterielle Erkrankung, die Borelliose, wird durch Zecken auf den Menschen übertragen. Sie verläuft in drei Stadien mit Intervallen. Auf jeden Fall muss man sich – möglichst bereits im ersten Stadium (Rötung um die Stichstelle) – mit Antibiotika behandeln lassen. Sonst verlaufen das zweite und dritte Stadium mit sehr vielseitigen Gesundheitsschäden für den Betroffenen. In Borelliosegebieten sollten die Holzböcke sofort und fachgerecht entfernt werden, um das Risiko einer bakteriellen Infektion zu mindern.

Endoparasiten – Einzellige Parasiten

Toxoplasmen (Toxoplasmose)

Die Toxoplasmose wird durch einen Einzeller (*Toxoplasma gondii*) verursacht, welcher vor allem Katzen als Hauptwirt befällt. Als Zwischenwirte fungieren der Mensch und viele Tiere, z.B. Hasen, Kaninchen und Federwild (Auerwild, Fasan und Rebhuhn). Es dürfen keinesfalls Milz, Leber oder Gescheide an Katzen verfüttert werden, da diese der Hauptwirt sind und durch ihren Kot zur Ansteckungsquelle für Menschen werden können. Bei erstmals mit Toxoplasmose infizierten schwangeren Frauen kommt es zu Missbildungen des ungeborenen Kindes oder zu Tot- bzw. Frühgeburten. Darum Vorsicht: Katzen lieben Kinder-Sandkästen zum Kotabsatz!

Kokzidiose

Kokzidiose wird durch Einzeller, die Kokzidien aus der Klasse der Sporozoen, verursacht. An Kokzidiose erkranken sehr viele Tierarten, z.B. Fasanen, Rehe, Hasen und Kaninchen. Sie scheiden mit der Losung große Mengen der mikroskopisch kleinen Krankheitserreger (Oocysten) aus. Werden diese mit der Äsung von bisher gesunden und noch nicht immunen Stücken aufgenommen, so erkranken sie an Kokzidiose. Besonders gefährdet sind Jungtiere. Es gibt sehr viele Kokzidioseerreger, die für einzelne Tierarten spezifisch sind. Es ist wichtig zu wissen, dass die vielen Arten von Kokzidiosen ausgesprochene Jungtierkrankheiten mit hohen Verlusten durch Darmentzündungen sind. Eine überstandene Kokzidiose bewirkt Immunität.

Die Kokzidiose verläuft, z.B. beim Kaninchen, in zwei Abschnitten:

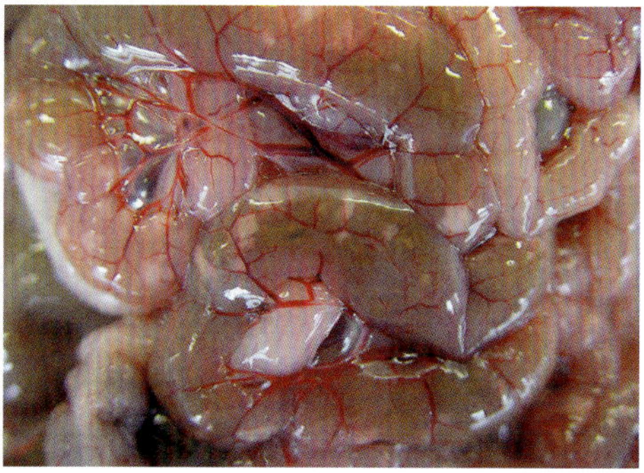

3.11: Dünndarm eines Kaninchens mit weißlichen Herden (Ansammlung von Kokzidienstadien)

» 1. Abschnitt – Entwicklung im Tierkörper:
  Die mit der Äsung aufgenommenen Sporen vermehren sich in den Epithelzellen der Gallengangs- oder Darmschleimhaut zunächst ungeschlechtlich und bilden sichelförmige Keime, die neue Schleimhautzellen befallen (Schizogenie). Aus den sichelförmigen Keimen entwickeln sich männliche und weibliche Geschlechtszellen. Sie befruchten sich und bilden Oocysten. Diese mischen sich dem Darminhalt bei und werden mit der Losung ausgeschieden (Gametogonie).

» 2. Abschnitt – Entwicklung im Freien (Sporogonie):
  Die Oocysten werden mit der Losung ausgeschieden und entwickeln sich im Freien in 4 bis 10 Tagen bei Feuchtigkeit und Wärme zu reifen Sporen. Werden sie mit der Äsung aufgenommen, dringen sie als sichelförmige Keime in die Epithelzellen der Gallengangs- oder Darmschleimhaut ein, und der Kreislauf beginnt aufs Neue. Durch Kälte und Frost wird die Sporenbildung stark gebremst. Die Kokzidiose tritt deshalb seuchenartig besonders vom August bis zum Frosteinbruch auf.

Kokzidien verursachen eine Gallengangs- (bei Kaninchen) oder Darmentzündung (bei anderen Tieren) mit Aufblähen und starkem Durchfall. Die Darmwand erscheint bei Betrachtung glasig und durchsichtig und zeigt zahlreiche grauweißliche Herde (vergl. Abb. 3.11). Das Weidloch und die Hinterläufe sind mit dünnflüssiger Losung beschmutzt. Der mit dem Durchfall verbundene Wasserentzug führt zu Abmagerung und bei Junghasen mit massiver Erstinfektion zum Tod. Wiederholte schwache Infektionen bewirken Immunität. Diese Tiere verenden also nicht, bleiben aber Parasitenausscheider und sind die ständige Ansteckungsquelle für gesunde Tiere, insbesondere für Jungtiere. Anhaltende Niederschläge und Wärme von September bis November begünstigen die Sporenentwicklung, so dass dann massive Infektionen mit schweren Verlusten unter den Junghasen und Kaninchen u.a.m. auftreten. Das Vorliegen der Kokzidiose kann mit einem starken Befall mit Magen- und Darmwürmern vergesellschaftet sein und kann durch Gescheideuntersuchungen in einem Veterinäruntersuchungsamt festgestellt werden. Es äußert sich dadurch, dass von den vielen Junghasen, die man im Sommer antrifft, im Herbst fast keine mehr leben. Eine medikamentöse Behandlung von Hasenbeständen gegen Kokzidiose hat sich nicht bewährt.

19 Welches Federwild ist für Kokzidiose empfänglich?

Alle Hühnervögel, besonders die in Fasanerien gehaltenen Jungfasanen (wegen der Massierung) sowie Gänse und Tauben. Die Kokzidiose befällt hauptsächlich Jungtiere und äußert sich durch Durchfall. Die Sterblichkeit kann sehr hoch sein. Eine besondere Art ist die rote

Kükenruhr mit blutigem Durchfall. Die Behandlung der Roten Ruhr erfolgt mit tierärztlich zu verordnenden Medikamenten.

Sarkosporidien

Sarkosporidien haben vor allem fleischbeschauliche Bedeutung. Sie kommen bei mehreren Wildtieren (Reh, Muffel, Wildschwein) vor. Diese Tiere fungieren als Zwischenwirte für artspezifische Kokzidienarten von Fleisch- oder Allesfressern. Man kann die Sarkosporidien als ca. 1,5 mm lange und 0,7 mm breite, weißliche Herde in der gesamten Muskulatur finden. Sie sind in der Längsrichtung der Muskelfasern angeordnet (vergl. Abb. 3.12). Dies erleichtert das Erkennen. Verfüttern von Fleisch, das mit Sarkosporidien befallen ist, vermittelt bei geeigneten Fleisch- oder Allesfressern eine Darmkokzidiose. Starker Befall bewirkt Genussuntauglichkeit.

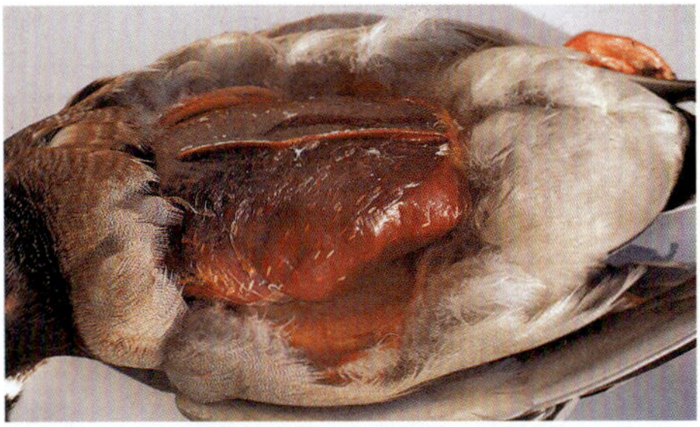

3.12: Sarkosporidien (Coccidien-Zwischenstadium im Zwischenwirt) in der Muskulatur eines Stockerpels; man beachte die in Muskelfaserrichtung angeordneten hellen Herde.

Endoparasiten – Mehrzellige Parasiten

Plattwürmer

Großer und Kleiner Leberegel sowie Großer Amerikanischer Leberegel

Erreger

Leberegel sind blattförmige Würmer, die bei Hauswiederkäuern, Schalenwild, Hasen und Wildkaninchen in den Gallengängen der Leber schmarotzen. Es gibt drei Arten bei uns. Der bis 3 cm große Leberegel (*Fasciola hepatica*) kommt, aufgrund seines Zwischenwirtes – der Zwergschlammschnecke (*Lymnaea truncula*ta) – vor allem in feuchten Niederungen bis maximal etwa 400 m Höhenlage vor. Der bis ca. 1,5 cm lange Kleine Leberegel (*Dicrocoelium lanceolatum*) findet sich auf kalkreichen trockenen Böden. Beide Arten lassen sich mit bloßem Auge gut feststellen. In den letzten Jahren erlangte insbesondere im östlichen Bayern (Oberpfalz, Oberfranken, Bayerischer Wald) sowie in Böhmen der Große Amerikanische Leberegel (*Fascioloides magna*) beim Rot- und seltener Rehwild eine zunehmende Bedeutung. Diese Leberegelart wurde Ende des 19. Jahrhunderts aus Nordamerika nach Europa eingeschleppt und spielte bislang in Deutschland kaum eine Rolle.

Wirt

Leberegel kommen bei Schalenwild, Kaninchen und Hasen vor.

Infektion

Die Infektion erfolgt durch Pflanzen, an denen sich die infektiöse Form des Großen Leberegels, die Metazercarie, festgesetzt hat. Diese ist an das Vorkommen der Zwergschlammschnecke und an saisonale Überflutung der Äsungspflanzen gebunden.

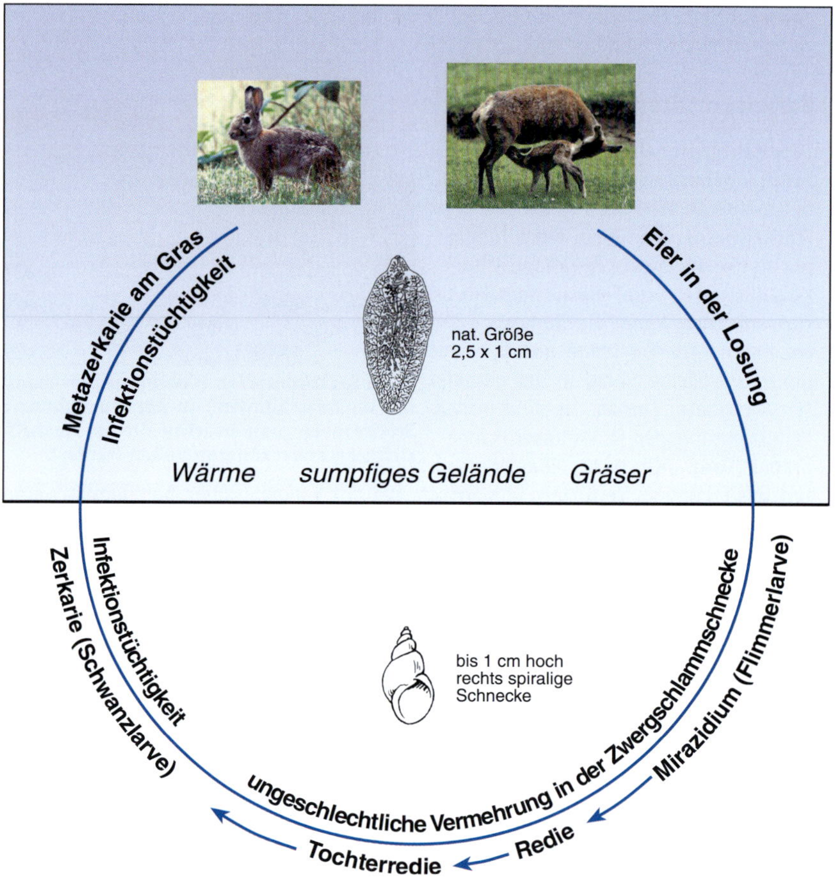

3.13: Leberegelkreislauf des großen Leberegels (*Fasciola hepatica*); der Zwischenwirt, die Zergschlammschnecke, ist spezifisch, die Wirte können sehr verschieden sein. Die Leberegel sind Saugwürmer, die in den Lebergallengängen schmarotzen. Ihre Eier gelangen mit der Losung ins Nasse. Aus ihnen entwickeln sich bei Feuchtigkeit und Wärme Flimmerlarven, die sich in Zwergschlammschnecken ansiedeln und sich dort ungeschlechtlich vermehren. Als geschwänzte Larven verlassen sie ihren Zwischenwirt und setzen sich an Grashalmen fest. Sie werden mit der Äsung aufgenommen. Die im Darm freiwerdenden Larven durchbohren die Darmwand und wandern über die Bauchhöhle in die Leber ein, wo sie nach 2 bis 3 Monaten geschlechtsreif werden.

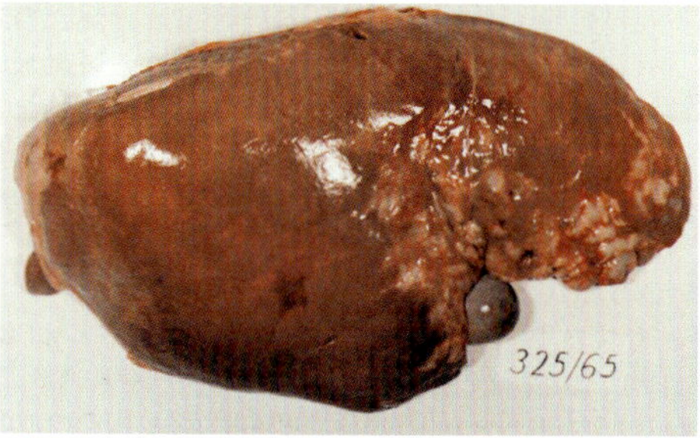

3.14: Leberegelbefall einer Muffelleber (Vorderseite) durch großen Leberegel (*Fasciola hepatica*). Die Gallengänge sind stark verdickt und vereitert.

Symptome
Leberegel verursachen oft schwere Lebererkrankungen und damit Verdauungsstörungen, Gelbsucht, Wassersucht, Blutarmut und allgemeines Siechtum als Folge. Mit Leberegeln durchsetzte Lebern lassen sich durch Anschneiden und Ausdrücken der Gallengänge feststellen. Sie sind genussuntauglich.
Infolge des Parasitenbefalls entstehen bei Reh- und Rotwild häufig typische, meist asymmetrische Geweihformen (sog. Knopfböcke, Korkenzieher, Widder).

Bekämpfung
Die Bekämpfung erfolgt durch Erlegen allen sichtbar kranken Wildes. Das früher übliche Beseitigen der als Zwischenwirt dienenden Zwergschlammschnecken (*Galba truncatula*) durch Trockenlegen feuchter Stellen, Reinigen feuchter Gräben oder Ausstreuen von Chemikalien (Natriumpentachlorphenolat) in Gräben und Tümpel ist heute aus ökologischen Gründen in der Regel nicht mehr angebracht und meist auch nicht zulässig.
Eine Bekämpfung des Kleinen Leberegels ist in der Regel nicht erforderlich.

20 Wie entwickelt sich der Große Leberegel?

Der Leberegel legt seine Eier in die Gallengänge des Wirtes, sie gelangen mit der Losung in die Umwelt. Dort entwickeln sie sich unter günstigen Bedingungen, d.h. insbesondere ab einer bestimmten Mindesttemperatur, zu sog. Miracidien (Wimpernlarven), diese befallen die amphibisch lebende Zwergschlammschnecke, wo sich die Miracidie zur Sporocyste entwickelt. In der Sporocyste bilden sich mehrere Redien (Larvenstadien im Generationswechsel), diese bilden weitere Redien, aus denen sich dann Zercarien (Schwanzlarven) bilden. Diese verlassen die Schnecke und heften sich im Wasser an Pflanzen, wo sie als sog. Metazercarien je nach Temperatur bis zu mehreren Monaten überleben können. Wenn sie nach Rückgang des Wassers von weidenden Tieren aufgenommen werden, werden diese infiziert, die Metazercarien wandern durch Dünndarmwand und Bauchhöhle zur Leber und infizieren diese. Hier reift der bis zu 3 cm lange Leberegel heran und der Kreislauf kann aufs Neue beginnen (vergl. Abb. 3.13 und 3.14).

21 Wie unterscheidet sich davon die Entwicklung des Kleinen Leberegels?

Beim kleinen oder Lanzettegel erfolgt die Entwicklung über zwei Zwischenwirte, Landschnecken und Ameisen. Die Larven gelangen in eine Landschnecke. In deren Darm vermehren sich die Larven ungeschlechtlich und verlassen den Zwischenwirt über die Atemwege. Dabei schleimt die Schnecke die Larven ein und stößt sie aus. Ameisen schätzen diese Schleimballen und treten als zweiter Zwischenwirt auf. In ihnen erfolgt eine weitere ungeschlechtliche Vermehrung bis zur Metazercarie. Ein Teil der Zercarien dringt zuvor in das zentrale Nervensystem der Ameise ein und bewirkt dadurch ein abnormes Verhalten der Ameise, das zum Hochklettern an Grashalmen führt. Dadurch werden infizierte Ameisen leicht gefressen. Die kleinen Leberegel findet man aufgrund des Vorkommens der Schnecken vorwiegend in Gegenden mit trockenen, kalkhaltigen Böden.

Bandwürmer

Die Bandwürmer gehören zu den Plattwürmern und haben einen bandförmigen, gegliederten Körper von gelblichweißer Farbe. Er besteht aus einem kleinen, kaum stecknadelgroßen Kopf und einer bis zu mehreren Metern langen Kette von Bandwurmgliedern.

Am Hinterende des Kopfes werden fortwährend neue Glieder gebildet, so dass sich also die jüngsten und kleinsten Glieder hinter dem Kopf, die größten Glieder am Ende der Kette befinden. Die Bandwürmer sind mund- und darmlos. Sie ernähren sich vom Speisebrei ihrer Wirte, aus dem sie die zum Leben notwendigen Stoffe durch ihre Körperoberfläche aufnehmen. Jedes Glied enthält je eine männliche und weibliche Geschlechtsanlage (Zwitter), die sich mit zunehmendem Wachstum der Glieder zur vollen Geschlechtsreife entwickeln. Die mit Eiern gefüllten letzten Glieder lösen sich von Zeit zu Zeit von der Kette ab und werden mit dem Kot ausgeschieden. Die beweglichen Bandwurmglieder können von der Losung fortwandern und sich z.B. an Pflanzen festsetzen. Durch Zerfall der Glieder werden die Eier frei und in der Umgebung verstreut.

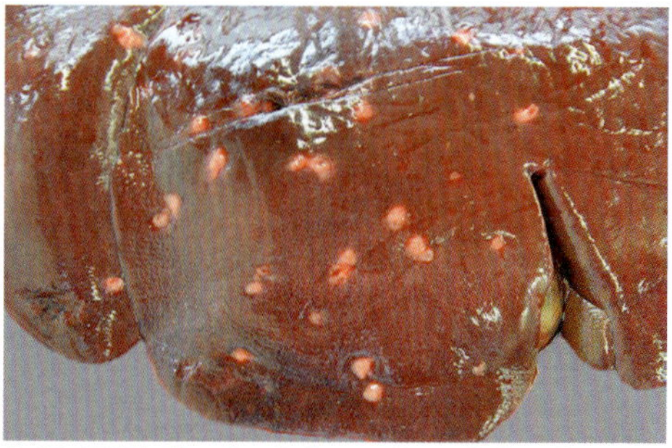

3.15: Wildschwein, Leber mit Fuchsbandwurmfinnen (*Echinococcus multilocularis*); auf der Schnittfläche ist die Kammerung der Blasen zu erkennen

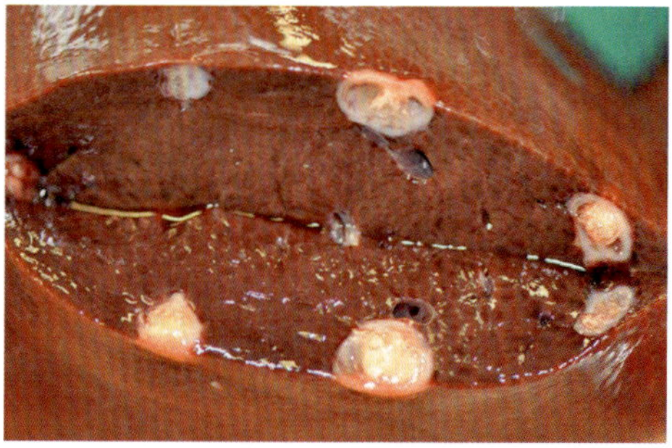

3.16: Detailaufnahme Fuchsbandwurmfinnen

Die geschlechtslosen Entwicklungsstufen (Jugendformen) von Bandwürmern in geeigneten Zwischenwirten nennen wir **Finnen**. Sie besiedeln artspezifisch bestimmte Organe im Zwischenwirt, sind typischerweise blasenförmig und haben einzelne oder zahlreiche Bandwurmkopfanlagen in ihrem Inneren. Beim Menschen sind es die Finnen bestimmter Bandwurmarten, welche lebensgefährliche Erkrankungen verursachen.

Gelangen die Bandwurmeier mit der Äsung in den Darm eines geeigneten Zwischenwirtes, dann schlüpfen die Hakenlarven aus den Eiern. Sie dringen in die Darmwand ein und wandern im Körper zu bestimmten Organen, in denen sie sich in eine Finne umwandeln. Werden diese Finnen dann mit der Nahrung von einem geeigneten Wirt verzehrt, entsteht aus ihnen im Darm ein Bandwurm oder viele Bandwürmer (z. B. Echinokokken).

22 Welche drei wichtigen Entwicklungsstufen lassen sich bei den Bandwürmern unterscheiden?

1. das Bandwurmei,
2. die Finne im geeigneten Zwischenwirt (Larve in einer Blase) und
3. der Bandwurm (das Geschlechtstier) im geeigneten Wirt.

Die Entwicklung ist dabei stets an zwei verschiedene Tiere gebunden, den Wirt oder Bandwurmträger und den Zwischenwirt oder Finnenträger.

23 Kann Wild Wirt von Bandwürmern sein?

Ja. Es gibt bei fast allen Tieren Bandwurmbefall. Der häufigste Bandwurm des Wildes ist der bei wiederkäuenden Schalenwild vorkommende Wiederkäuerbandwurm (*Moniezia expansa*). Er wird bis 10 Meter lang. Seine Zwischenwirte sind verschiedene Moosmilben. Eine Therapie ist nur in Gehegen sinnvoll. Im Wildkaninchen kommt häufig der etwa 80 cm lange und 10 mm breite Kaninchenbandwurm vor. Im Hasen, Kaninchen und Federwild gibt es mehrere Bandwurmarten.

Fuchsbandwurm (*Echinococcus multilocularis*)

Der Fuchsbandwurm ist hierzulande von besonderer Bedeutung, da der Mensch als Fehlwirt durch die Zweitlarven (Bandwurmfinnen) in der Leber schwer erkranken kann, wobei der Verlauf in der Regel tödlich endet. Jährlich finden sich etwa 50 bis 60 solcher

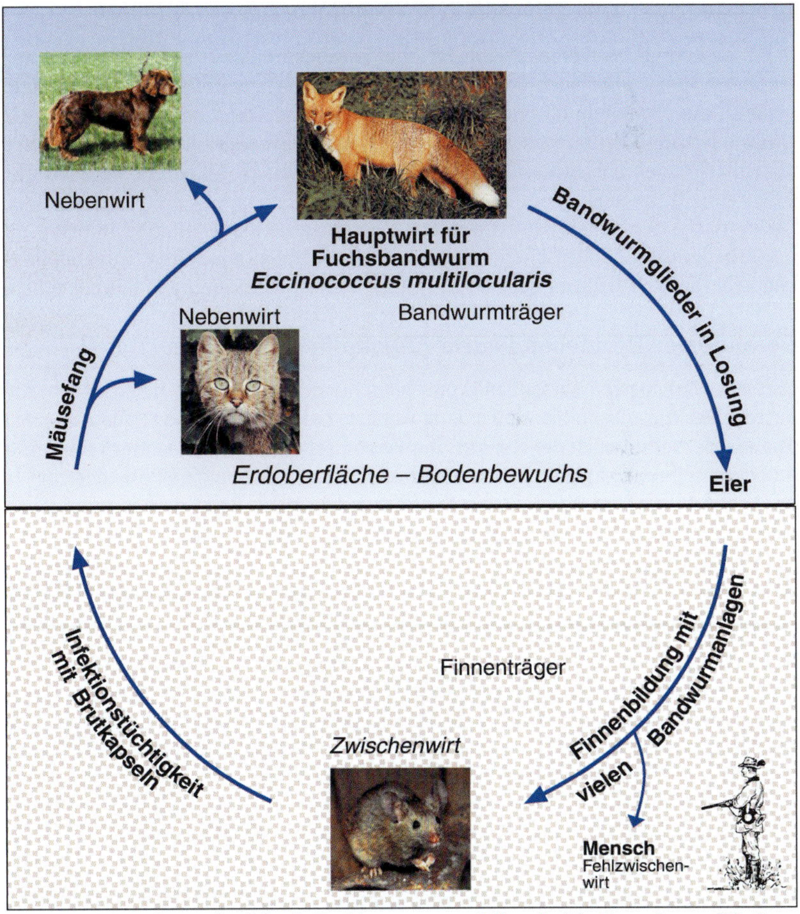

3.17: Fuchsbandwurmkreislauf (*Ecchinococcus multilocularis*): Menschengefährdung durch Bandwurmeier aus Hunde-, Katzen- und Fuchskot

Krankheitsfälle in Deutschland. Der letale Ausgang der Krankheit und die vergleichsweise hohe Zahl an Infektionen (etwa verglichen mit der Tollwut) macht die Infektion mit dem Fuchsbandwurm zu einer der aktuell bedrohlichsten Zoonosen. Die Infektion erfolgt typischerweise über mit der Losung ausgeschiedene und an der Vegetation (Pilze, Beeren, Gemüse) haftende Bandwurmeier, aber auch eine Infektion über befallene Haustiere oder beim Abbalgen des Fuchses ist möglich.
Der Bandwurm lebt im Darm des Fuchses oder des Marderhundes, doch auch Katzen und Hunde können Bandwurmträger sein. Zwischenwirt sind Nager, etwa Mäuse oder Bisamratten, in deren Leber sich die Finnen entwickeln. Diese Nager werden von Fuchs oder Katze gefressen und infizieren diese, womit sich der Infektionskreislauf schließt (Abb. 3.17). Der Mensch ist ein sog. Fehlwirt, in dessen Leber zahlreiche Finnen zu einer langsamen, aber stetigen nekrotischen Zerstörung des Lebergewebes führen.

Dreigliedriger Hundebandwurm (*Echinococcus granulosus*)

Der Dreigliedrige Hundebandwurm ist eher in Südeuropa verbreitet und kommt vor allem beim Hund, aber auch bei Fuchs, Marderhund, Schakal oder Wolf vor. Beim Endwirt verläuft die Krankheit oft ohne sichtbare Symptome. Zwischenwirt sind vor allem die Wildwiederkäuer, wobei sich die Larvenstadien insbesondere in der Leber, aber auch in anderen Organen ansiedeln. Der Mensch kann in seltenen Fällen ebenfalls als Zwischen- bzw. Fehlwirt dienen.
Die zystische Echinokokkose ist das damit verbundene Krankheitsbild, welches ebenfalls lebensbedrohlich ist. Menschen infizieren sich in Mitteleuropa selten. Infektionen erfolgen eher während des Urlaubs oder durch Hunde, welche aus Südeuropa mitgebracht wurden.

Geränderter Hundebandwurm (*Taenia hydatigena*)

Wirt des Geränderten Hundebandwurm sind Hunde und Füchse, gelegentlich aber auch Katzen. Der Wurm kann bis 2,50 m lang werden. Zwischenwirt sind Wiederkäuer, Schweine und Pferde, selten auch der Mensch. Die Finnen (sog. langhalsige Finne) erkennt man als halbdurchsichtige haselnuss- bis faustgroße Blasen an Netz, Gekröse oder am Überzug der Leber. Durch ihre Wand ist der Kopf des zukünftigen Bandwurmes als ein weißliches senfkorngroßes Gebilde deutlich zu erkennen.

24 Wie kann sich der Jäger vor dem Fuchsbandwurm oder dem Dreigliedrigen Hundebandwurm schützen?

Da mittlerweile ein Großteil der Füchse in Deutschland Träger des Fuchsbandwurms ist, sollten Waldfrüchte (insbesondere Preisel- und Heidelbeeren oder Pilze) vor dem Verzehr gut gewaschen werden. Kritisch sind beispielsweise auch Felder mit „Erdbeeren zum Selberpflücken". Hier sollten keine ungewaschenen Erdbeeren gegessen werden. Die Erdbeeren sind auch bei Füchsen beliebt, so dass Verunreinigungen mit Fuchslosung nicht selten sind. Das Abbalgen der Füchse oder Marderhunde muss mit Handschuhen und Mundschutz (die leichten Bandwurmeier können aus dem Balg auch über die Atemluft übertragen werden) erfolgen.
Vor dem Dreigliedrigen Hundebandwurm schützt die regelmäßige Entwurmung des Jagdhundes. Innereien des erlegten Wildes sollten nicht roh an den Hund verfüttert werden.

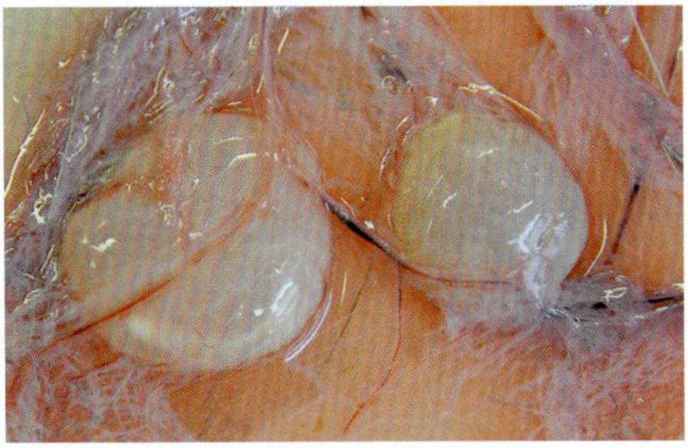

3.18: Damwild, langhalsige Finnen des Geränderten Hundebandwurms im Gekröse

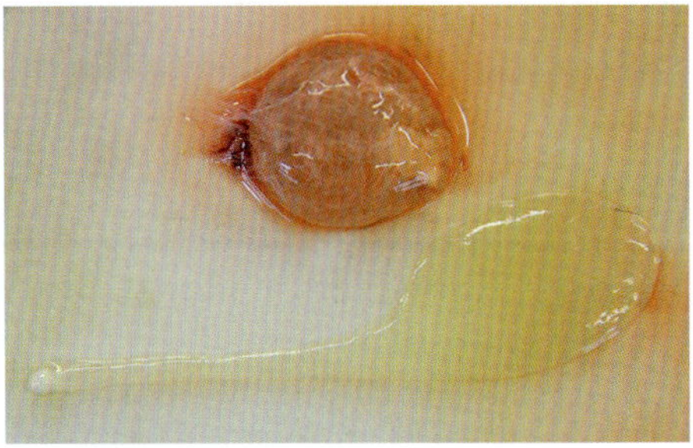

3.19: Herauspräparierte Finne, an der der „lange Hals" zu erkennen ist

25 Wo wird die langhalsige Finne angetroffen?

Bei Schalenwild. Diese Finnen dürfen keinesfalls an Hunde verfüttert oder auf den Luderplatz verbracht werden.

Gezähnter Bandwurm (*Taenia pisiformis*)

Wirt des Gezähnten Bandwurms sind vor allem Hundeartige, seltener auch Katzen. Der Bandwurm wird bis zu 2 m lang. Zwischenwirte sind Nagetiere und Hasenartige (erbsenförmige Kaninchen- oder Hasenfinne). Sie wird als eiförmige erbsengroße Finne oft massenhaft am Magen, Netz und am Überzug der Leber angetroffen und kann in Gegenden mit hohem Befall auf Jahre hinaus den Hasen- und Kaninchenbesatz schwer schädigen.

26 Wie verläuft der Bandwurm-Kreislauf vom Hund zu Hase und Kaninchen?

Bandwurmbefallene Hunde scheiden mit ihrem Kot reife Bandwurmglieder aus, die mikroskopisch kleine Bandwurmeier enthalten. Werden die Bandwurmeier von Hasen oder Kaninchen mit der Äsung aufgenommen, dann entwickeln sich daraus erbsengroße Finnen, die besonders am Überzug des Magens und der Leber und am Netz- und Gekrösefett gefunden werden. Sie enthalten im wässrigen Blaseninhalt die Kopfanlage des zukünftigen Bandwurms und sind eine Entwicklungsstufe des Bandwurms. Werden die mit Finnenblasen besetzten Teile nach dem Ausnehmen der Hasen und Kaninchen an Hunde oder Füchse verfüttert, so entwickeln sich daraus im Darmkanal der Hunde Bandwürmer. In diesem Fall ist der Hund Wirt des Bandwurms. Hase, Stall- und Wildkaninchen sind Zwischenwirte. Darum: Mit erbsengroßen Finnen durchsetzte Organe oder Organteile keinesfalls achtlos wegwerfen oder Hunden geben, sondern unschädlich beseitigen und Hunde regelmäßig gegen Bandwürmer behandeln.

Quesenbandwurm (*Taenia multiceps*)

Der Quesenbandwurm wird 40 bis 60 cm lang und schmarotzt beim Hund, Zwischenwirt sind Pferde, Haus- und Wildwiederkäuer, Nagetiere, Kaninchen und auch der Mensch. Die Finne nennt man auch „Gehirnfinne". Sie ist eine walnuss- bis hühnereigroße, schwappende, dünnwandige, kugelige oder eiförmige Blase, die im Innern zahlreiche hirsekorngroße

Kopfanlagen des zukünftigen Bandwurms enthält. Sie schmarotzt in der Schädelhöhle, bei Nagetieren und Kaninchen auch in der Unterhaut oder im Bindegewebe der Muskulatur. Durch Druck auf das Gehirn verursacht die Finne die Drehkrankheit beim Schaf oder Hirsch.

Rehfinnenbandwurm oder Katzenbandwurm (*Taenia cervi*)

Taenia cervi, möglicherweise die gleiche Art wie *Taenia ovis*, ist ein Bandwurm, der bei Fleischfressern, etwa dem Hund, schmarotzt. Die Muskelfinne, ein etwa erbsengroßes Bläschen mit durchscheinender Wandung und wässrigem Inhalt, finden wir bei Rot- und Rehwild. Sie enthält ein senfkorngroßes Gebilde – die Kopfanlage des zukünftigen Bandwurms. Sie ist für Menschen unschädlich. Ausgeprägter Befall mit diesen Finnen macht das Wildbret genussuntauglich.

Einsiedlerbandwurm (*Taeina solium*)

Der Einsiedlerbandwurm des Menschen entwickelt sich als Finne im Haus- und Wildschwein. Da in Mitteleuropa, nicht zuletzt aufgrund guter hygienischer Verhältnisse, heute kaum noch Menschen Bandwurmträger sind, spielt hier auch die Finne, die sich im Muskelfleisch des Schweines ansiedelt, praktisch keine Rolle mehr.

Rundwürmer

Spulwürmer (*Ascaris lumbricoides*)

Die Spulwürmer schmarotzen im Dünndarm von Schwarzwild, Fuchs, Waschbär, Katze, Hund und Federwild (Fasan, Rebhuhn, Auerwild). Sie hemmen die Entwicklung der Jungtiere. Bei Massenbefall können sie besonders schwer schaden. Erkrankte Tiere zeigen blasse Schleimhäute, Abmagerung und Mattigkeit. Sie können an Durchfall und Entkräftung verenden. Die Spulwürmer sind bis zu 40 cm lange Rundwürmer mit sehr widerstandsfähigen Eiern. Diese führen ohne Zwischenwirt zu Neuinfektionen.

Magen- und Darmwürmer

Bei wiederkäuendem Schalenwild im Labmagen und vorderen Dünndarm, bei Schwarzwild, Hase und Kaninchen im Magen, Dünn- und Dickdarm finden sich der bis 30 mm lange gedrehte oder große Magenwurm sowie mehrere 3,5 bis 6 mm lange Magen-Darmwürmer. Ihnen nahe verwandt sind die Magenwürmer der Hasen und Kaninchen. Sie sind häufig und verursachen große Verluste.

Die Hakenwürmer schmarotzen hauptsächlich bei Wiederkäuern im mittleren Dünndarm, wo sie sich mit der Mundkapsel an der Schleimhaut festsaugen. Der Palisadenwurm kommt im oberen Grimmdarm (Dickdarm) von Reh-, Muffel-, Gams- und Rotwild vor. Er heftet sich ebenfalls mit seiner Mundkapsel an der Schleimhaut fest. Die Peitschenwürmer finden sich im Blinddarm von Schalenwild, Hase und Kaninchen. Sie sind durch ein langes fadenförmiges Vorderende gekennzeichnet. Die feinen Haarwürmer finden sich bei vielen Säugetieren und Vögeln im Dünndarm, beim Fuchs auch in der Blase und Lunge.

27 Wie erfolgt die Ansteckung mit Magen- und Darmwürmern?

Kranke Stücke scheiden mit der Losung Wurmeier aus. Aus ihnen entwickeln sich bei Feuchtigkeit und Wärme in wenigen Tagen ansteckungsfähige Larven. Sie klettern in der Dämmerung bei fallendem Tau an den Futterpflanzen empor und werden von äsendem Wild aufgenommen, in dessen Magen und Darm sie meist nach 20 bis 25 Tagen zu geschlechtsreifen Magen-Darm-Würmern heranwachsen. Feuchtigkeit und Wärme begünstigen die Ausbreitung der Wurmkrankheiten.

Trichinen (*Trichinella spiralis*)

Trichinen sind mikroskopisch kleine Fadenwürmer, die in der Muskulatur von Säugetieren und Vögeln parasitisch leben. Die Übertragung erfolgt über die Aufnahme der befallenen Muskulatur durch Fleisch- oder Allesfresser oder den Menschen.

So werden erkrankte Tiere beispielsweise vom Allesfresser Wildschwein (oder Hausschwein) aufgenommen. Über den Genuss von Mett, Rohwurst, rohen Schinken werden die Trichinen auf den Menschen übertragen, wenn das rohe Fleisch mit Trichinenlarven befallen war.

Wird rohes oder nicht durchgebratenes Fleisch mit Muskeltrichinenlarven von Menschen oder Tieren verzehrt, so löst der Magensaft die Trichinenlarvenkapsel auf, ohne die Trichinenlarven selbst anzugreifen. Fuchskadaver sind für Tiere oft die Infektionsquelle. Die freigewordenen Trichinenlarven gelangen mit dem Speisebrei in den Dünndarm und bohren sich in die Schleimhaut ein. Hier wachsen sie in etwa zwei Tagen durch vier rasch aufeinanderfolgende Häutungen zu den männlichen und weiblichen Darmtrichinen heran, die sich alsbald begatten. Etwa 5 bis 6 Tage nach der Aufnahme des trichinösen Fleisches gebären die Weibchen die ersten Larven. Jedes der vielen Weibchen lebt etwa 6 Wochen und setzt in dieser Zeit schubweise insgesamt 1.200 Larven ab. Die 1/10 mm großen Larven dringen in die Lymphgefäße des Darmes

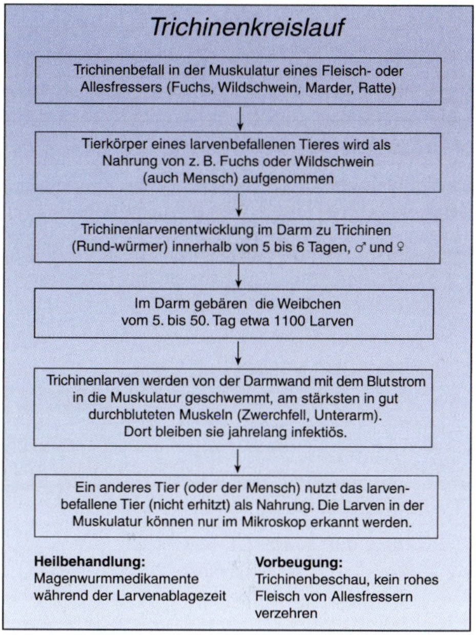

3.20: Kreislaufschema für Trichinen. Der Infektionsweg verläuft vom fleischfressenden Tier zum fleischfressenden Tier ohne Wirtsspezifität.

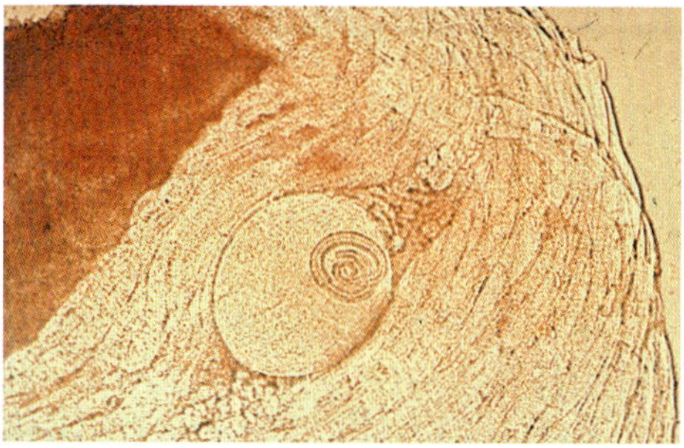

3.21: Trichinenlarve in der Muskulatur einer Wildkatze; mikroskopische Aufnahme

ein und gelangen dann über den Blutstrom in den großen Blutkreislauf, der sie in alle Teile der Muskulatur verschleppt. Eine Weiterentwicklung der Trichinenlarven ist nur in der quergestreiften Muskulatur möglich. Die mit dem Blut in die Muskulatur eingeschwemmten Larven dringen nach Durchbohrung der zarten Muskelhaut in die quergestreifte Muskelfaser ein. Sie rollen sich dort spiralig ein und buchten dabei den Muskelschlauch spindelförmig aus. Etwa 5 bis 6 Wochen nach Aufnahme des trichinösen Fleisches bildet sich um die aufgerollte Trichinenlarve eine zitronenförmige bindegewebsartige Kapsel. Etwa ein halbes Jahr nach Einwanderung der Trichinenlarven erfolgt deren Verkalkung. Die Trichinenlarven bleiben dann jahrelang infektiös in der Muskulatur. Gelangt mit Trichinenlarven durchsetztes Fleisch nach dem Tod des Wirtes in den Magendarmkanal eines Menschen oder Tieres, so beginnt die eben geschilderte Entwicklung aufs Neue. Trichinoseverdacht bei Menschen besteht, wenn gleichzeitig mehrere Menschen an Übelkeit, Erbrechen, Darmschmerzen und rheumatischen Schmerzen (durch Einwanderung der Trichinenlarven in die Muskulatur) erkranken. Zur Behandlung der Trichinose haben sich Magenwurmmittel bewährt, solange die Trichinen im Darm Larven produzieren.

28 Welche Tiere unterliegen der Trichinenschau?

Schweine, Wildschweine, Hunde, Bären, Katzen, Füchse, Dachse und andere fleischfressende Tiere und Allesfresser, die Träger von Trichinen sein können, wenn deren Fleisch zum Genuss für Menschen verwendet werden soll. Das ist erforderlich, weil z.B. trichinöse Füchse oder Ratten die Trichinose auf Haus- und Wildschweine und diese wieder die Trichinose durch Genuss von Rohwurst oder rohen Schinken auf Menschen übertragen können.

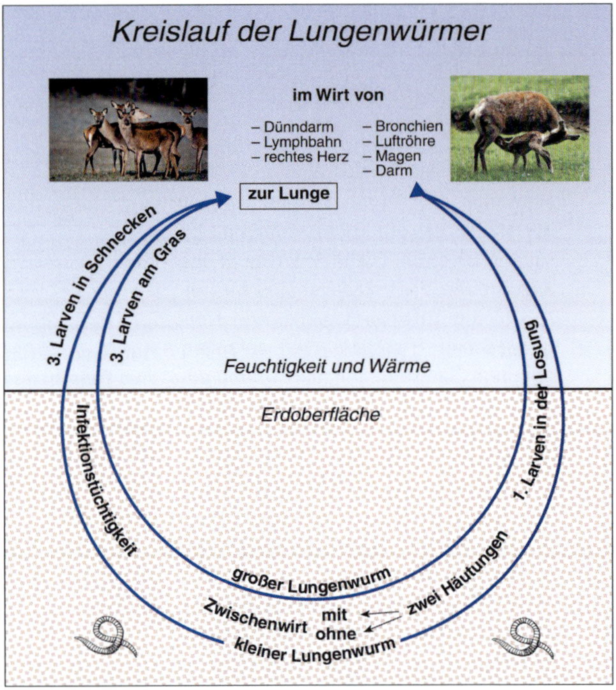

3.22: Schema für die Kreisläufe großer und kleiner Lungenwurm. Die Zwischenwirte der kleinen Lungenwürmer sind in der Nahrung der jeweiligen Tierart zu finden.

Lungenwürmer

Unter dem Begriff „Lungenwürmer" werden mehrere Arten von Parasiten zusammengefasst, deren Gemeinsamkeit vor allem in dem befallenen Organ, des Respirationstraktes, besteht.
Sie kommen bei Hase, Fuchs und Dachs vor. Das mit Lungenwür-

mern befallene Wild hustet deren Larven oder Eier in die Rachenhöhle hoch. Von hier werden sie abgeschluckt und gelangen so mit der Losung nach außen. Die Lungenwürmer des Schwarzwildes benötigen Regenwürmer, die kleinen Lungenwürmer des Hasen Landschnecken als Zwischenwirte. Die großen Lungenwürmer der Wildwiederkäuer benötigen keinen Zwischenwirt. Den Kreislauf verschiedener Lungenwurmarten zeigt schematisch Abb. 3.22.

Kreuzlähme des Rotwildes

Die Kreuzlähme des Rotwildes ist eine bisher wenig erforschte Erkrankung. Neben Rundwürmern (Nematoden – Verwandte der Lungenwürmer) werden auch Viren und gelegentlich sogar Prionen als Ursache diskutiert. Die Erkrankung des Zentralen Nervensystems verläuft chronisch und beginnt mit Schwanken in der Nachhand (Sägebockstellung); dann folgen Nachhandlähmungen. Zu ihrer Bekämpfung sind alle erkrankten Stücke möglichst frühzeitig zu erlegen.

29 Wodurch und bei welcher Gelegenheit lassen sich Wurmkrankheiten bekämpfen?

Durch verschiedene Hegemaßnahmen. Hierher gehören: Wilddichte regulieren, Äsung schaffen, Bejagen der kranken Stücke und der Stücke mit besudeltem Spiegel. Weiter lassen sich durch Verabreichen von Magenwurmmitteln alle Arten von Lungen-, Magen- und Darmwürmern sowie deren Larven bekämpfen. Die Mittel sind geruch- und geschmacksarm und auch bei Überdosierung unschädlich. Sie sind verschreibungspflichtig und können über Tierärzte bezogen werden. Man darf allerdings keine allzu großen Erfolge bei Wurmkuren in freier Wildbahn erwarten. In Gehegen sind Wurmkuren notwendig. Auch bei Rotwurmbefall der Fasanen haben sich Magenwurmmittel bewährt.

Luftröhren- oder Rotwurm (*Syngamus tracheae*)

Die dunkelroten Luftröhrenwürmer werden besonders bei vier bis acht Wochen alten Hühnervögelküken (wie auch bei Puten) angetroffen. Sie verursachen besonders bei den in Fasanerien aufwachsenden Küken Husten, Krächzen und Niesen. Die erkrankten Jungfasanen stehen mit zurückgezogenem Kopf und geschlossenen Augen herum und zeigen Atemnot (Japsen), unnatürlich aufgesperrten Schnabel, Abmagerung und struppiges Gefieder. Zur Behandlung des Rotwurms haben sich Magenwurmmittel gut bewährt. Die als Sammelwirt dienenden Regenwürmer vermitteln massive Infektionen. Die Therapie muss alle 14 Tage wiederholt werden.

Bakteriell bedingte Krankheiten

Bakterien haben keinen erkennbaren Zellkern und vermehren sich bei geeigneter Temperatur sehr schnell durch Querteilung. Sie haben Stäbchen-, Schrauben- oder Kugelform und sind bei 1000-facher Vergrößerung sichtbar zu machen. Bei der Organuntersuchung fällt vor allem eine vergrößerte Milz auf.

30 Welche bakteriell bedingten Krankheiten können bei Wild vorkommen?

Die Pseudotuberkulose ist mit weitem Abstand die wichtigste durch Bakterien verursachte Krankheit. Sie tritt bei vielen Tierarten auf, besonders bei Hasen, Nagetieren, Kaninchen, aber auch bei Rehen und Vögeln. Pasteurellose, Salmonellosen, Tularämie, Rotlauf, Staphylococcose und Moderhinke sind weniger von Bedeutung. Milzbrand und Tuberkulosen werden nur noch ganz selten beobachtet. Daneben gibt es noch viele andere Bakterien, die Einzelerkrankungen hervorrufen. Hierher gehören die Eitererreger.

Pseudotuberkulose und Tularämie

Die Pseudotuberkulose (vergl. Abb. 3.23) und die Tularämie kommen bei Hasen, Kaninchen und Nagetieren (Mäuse, Hamster, Ratten) vor, zudem auch bei Vögeln und vielen anderen Tieren. Auch der Mensch kann betroffen sein.

3.24: Pseudotuberkulose: Eitrige Entzündungsherde in der Lunge

31 Wie unterscheiden sich Pseudotuberkulose und Tularämie?

Die Unterscheidung kann schwierig sein. Bei der Pseudotuberkulose werden in Leber, Milz und Lunge zahlreiche kleine gelbe Abszesse gefunden. Die Milz ist vergrößert. Diese Krankheit spielt im Gegensatz zur Tuberkulose in der Natur eine große Rolle, da sie besonders im Winter alleine etwa 15 % der gesamten Hasenverluste bewirkt. Bei der Tularämie, die weniger häufig ist, kommt es zu einer ungewöhnlich starken Milzvergrößerung mit Verkäsung, Lymphknotenschwellung und feinsten kleinen gelben Herden vornehmlich in der Leber. Zugvögel spielen bei der Verbreitung eine Rolle. Sie ist von Nagetieren, Hasen und Vögeln leicht auf den Menschen übertragbar und verläuft bei ihm mit Fieber, Milzschwellung und Schwellung der Lymphknoten, die zum Teil vereitern. Es ist eine recht langwierige Krankheit mit entsprechender Erholungszeit.

Tuberkulosen

Es handelt sich um drei verschiedene Krankheiten verursacht durch verwandte Bakterien, die vornehmlich beim Rind, beim Menschen und beim Geflügel Tuberkuloseinfektionen hervorrufen. Alle drei Arten sind aber nicht auf ihren Hauptwirt beschränkt. Rinder- und Menschentuberkulose spielen bei Wild eine geringe bzw. keine Rolle. Dagegen sind besonders Wildhühnervögel in Fasanerien gefährdet, die mit über 2 Jahre altem Hausgeflügel Kontakt haben. Auch das Wildschwein steckt sich an achtlos weggeworfenen Kadavern von Hühnervögeln an.

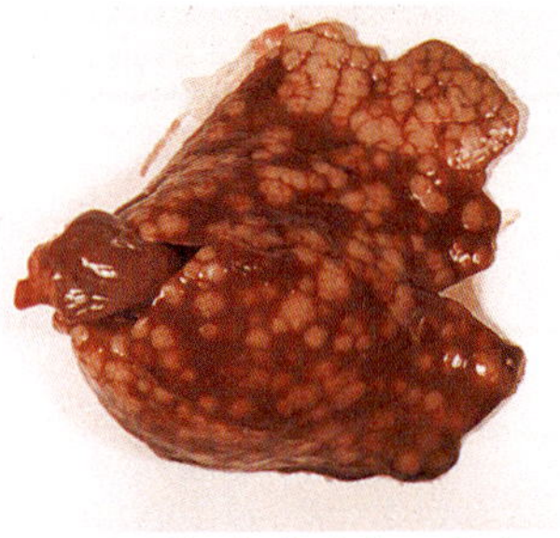

3.23: Geflügeltubekulose beim Fasan; Leber und Herz sind abgebildet. Die Leber ist total durchsetzt von Eiterherden.

Inwieweit die in den vergangenen Jahren im Alpenraum beobachteten Rindertuberkulosefälle in kausalem Zusammenhang mit in Deutschland vereinzelt, in Österreich aber doch häufiger auftretenden Tuberkulosefällen beim Rotwild stehen, ist bislang unklar. Grundsätzlich gilt es, sowohl den Eintrag infektiösen Materials aus Ställen in die freie Wildbahn (z.B. über Gülleausbringung auf Almen), als auch Massierungen von Rotwild (etwa an großen zentralen Fütterungen oder in Wintergattern) zu vermeiden.

Pasteurellose

Pasteurellose ist eine durch schlechte Lebensbedingungen ausgesprochen begünstigte Bestandserkrankung bei Hasen und Kaninchen. Darum gilt für die Bekämpfung insbesondere, dass bessere Äsung und Deckung geschaffen sowie eine Bestandsregulierung durchgeführt werden muss. Anzeichen für die Pasteurellose sind Magen- Darmentzündungen, Lungenentzündung, Rötung der Luftröhre, leichte Milzvergrößerung, bei chronischem Verlauf Eiterung in der Lunge und Abmagerung.

Die Geflügelcholera, auch als Pasteurellose des Geflügels bekannt, befällt Tauben, aber auch anderes Federwild, besonders Fasanen und Wildenten. Die Geflügelcholera macht sich durch plötzlich auftretende Todesfälle bemerkbar. Die Sterblichkeit kann bis zu 90 % betragen. Bei guter Allgemeinsituation ist Geflügelcholera selten geworden.

Staphylokokkeninfektion

Die Staphylococcose ist häufig beim Hasen. Die Infektion erfolgt meist über Wunden oder über das Futter. Sie führt zu Vereiterung von Lymphknoten, die das Wundgebiet abfiltern und dann zu Milzvergrößerung und weiterer Bakterienstreuung im ganzen Körper mit Eiterungen, die schließlich zum Tode führen. Der Erreger ist ein Kugelbakterium (Coccen).

Brucellosen

Brucellosen sind Seuchen (drei Arten) mit Anzeigepflicht und durch im Jahr 1887 vom Engländer Bruce entdeckte Brucella-Bakterien hervorgerufene Krankheiten der Rinder, Schweine, Schafe und Feldhasen, bei denen Erkrankungen der Genitalien, des Gesäuges, des Tragsackes und der Milz sowie seuchenhafte Fehlgeburten (Aborte) auftreten. Die Infektion der Hasen erfolgt mit der Äsung und beim Rammeln. Durch direkte Berührung kranker Tiere kann auch der Mensch an Brucellose erkranken (zur Untersuchung Schutzhandschuhe verwenden). Erkrankte Hasen sind genussuntauglich. Der infizierte Mensch leidet an Fieberanfällen. Seine Leber und Milz schwellen an. Brucellosefälle treten – wegen der Tilgung bei Haustieren – nur noch selten beim Wild auf.

Die Hasenbrucellose geht mit schweren Genitalerkrankungen einher. Bei Rammlern erkranken hauptsächlich die Hoden und Nebenhoden, bei Häsinnen der Tragsack, bei beiden außerdem stets auch die Milz und daneben Leber und Lunge. Die erkrankten Organe sind stark vergrößert und zeigen Abszesse mit käsigem oder zähflüssigem Eiter. Es besteht auch Infektionsgefahr für Menschen und andere Tiere.

32 Woran ist das Auftreten von Hasenkrankheiten zu erkennen?

Besonders im Herbst (Kokzidiose) und Frühjahr (Pseudotuberkulose) sieht man weniger Hasen oder findet erkrankte Hasen. Erkrankte Hasen sind meist stark geschwächt und

bewegen sich auffallend langsam. Sie drücken sich gern und werden von Hunden leicht gegriffen.
Die Feststellung der jeweils vorliegenden Krankheit ist nur durch die Untersuchung in einem Staatlichen Veterinäruntersuchungsamt möglich. Kranke Hasen dürfen nicht zum Genuss für Menschen verwendet werden. Eine Bekämpfung der Hasenkrankheiten ist kaum möglich.

Salmonellosen

Es sind mehrere hundert Arten krankheitserregender Bakterien der Typhus-, Paratyphus- und Enteritisgruppe bekannt. Beim Menschen rufen diese oft typhusähnliche Erkrankungen mit Erbrechen, Magen-Darm-Entzündung, Milzschwellung, Durchfall hervor. Der Verzehr von rohen (Enten-)Eiern, die häufig Salmonellen enthalten, bedeutet eine Gefahr für den Menschen. Milzschwellung plus Darmentzündung sind warnende Krankheitsanzeichen.
Eine spezielle Salmonellose ist die weiße Kükenruhr, die in Fasanerien sehr gefürchtet ist.

Aktinomykose

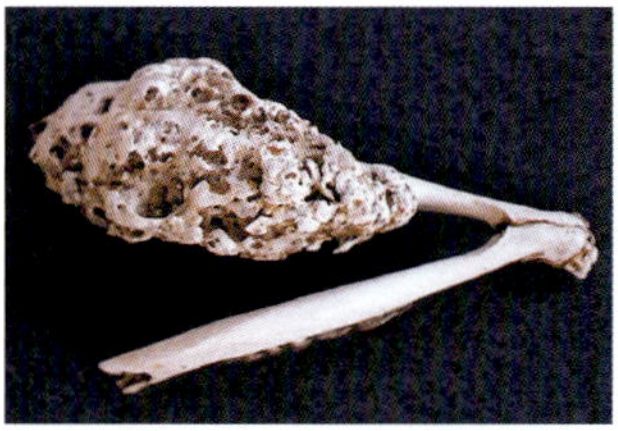

3.25: Aktinomykose (Strahlenpilz) in einem Rehwildunterkiefer; typisch ist die stark gekammerte Knochenauftreibung.

Als Aktinomyceten bezeichnet man eine Gruppe von Bakterien, zu denen auch der Erreger der Knochenaktinomykose, das *Corynebacterium israeli*, oder der Erreger der Haut- und Weichteilaktinomykose, der *Aktinobazillus lignièresi* gehören. Daneben sind bei der Aktinomykoseerkrankung sekundär noch Eiterbakterien (besonders Mikrokokken) beteiligt. Die *Knochenaktinomykose* (vergl. Abb. 3.25) wird hauptsächlich beim Rehwild, seltener beim Rot- und Schwarzwild sowie bei Hase und Dachs festgestellt. Das Eindringen der Bakterien erfolgt meist nach Verletzungen des Zahnfleisches. Die Krankheit geht mit Knochenauftreibung einher. Nach einigen Monaten nimmt die Schwellung am Kiefer zu und führt zu einer sichtbaren Auftreibung des schwammartig durchlöcherten Kieferknochens. Erkrankte Stücke sind zu erlegen. Bei der *Weichteilaktinomykose* des Schwarzwildes finden sich Knoten und kalte Abszesse am Gesäuge. Die „Strahlenpilzknoten" entwickeln sich vorwiegend im Anschluss an Hautverletzungen (z.B. am Gesäuge nach Verletzungen durch Bisse der Frischlinge, durch die die Erreger eindringen). Sofern befallene Tiere nicht zu sehr abgemagert sind, gilt ihr Wildbret als genießbar. Die erkrankten Organteile sind zu entfernen. Die Aktinomykose ist nicht von Tier zu Tier übertragbar. Der Mensch ist gefährdet, wenn er Grashalme kaut.

Rotlauf

Rotlaufbakterien kommen überall im Erdreich vor. Wildschweine erkranken öfter. Auch viele andere Tiere und Vögel können betroffen sein. Ebenso kann der Mensch erkranken, wenn er mit rotlaufkranken Tieren Umgang hatte. Um Riss- oder Schnittwunden an den Händen entsteht dann Schmerz, und man sieht eine starke Rötung. Durch Antibiotikatherapie ist die Krankheit beim Menschen gut zu behandeln.

Ornithose (Psittakose oder Papageienkrankheit)

Die Ornithose wird durch *Chlamydophilia psittaci* verursacht. Die Krankheit ist für Mensch und Tier bedeutend. Nahezu alle Vogelarten, insbesondere Tauben, sind für die Ornithose anfällig. Die erkrankten Vögel zeigen gesträubtes Gefieder, verklebte Nasenlöcher, Durchfall und Fieber. Die Milz ist vergrößert, die Leber lässt Nekrosen erkennen. Psittakose ist anzeigepflichtig.

Moderhinke

Die Moderhinke ist eine bakteriell verursachte Erkrankung der Klauen, insbesondere von Schafen. Die beiden Bakterienarten *Fusobacterium necrophorum* und *Dichelobacter nodosus* wirken bei der Entstehung der eitrigen Entzündung der Schalen zusammen. Feuchter Untergrund begünstigt die Erkrankung. Die Übertragung erfolgt indirekt über die Weideflächen, die zuvor von erkrankten Tieren genutzt wurden.
Durch infizierte Hausschafe wird die Moderhinke regelmäßig auch auf Muffelwild übertragen.

33 Wie unterscheidet sich die Moderhinke beim Muffelwild vom Schalenauswachsen?

Das Schalenauswachsen beim Muffelwild hat mit der bakteriell bedingten Moderhinke nichts zu tun. Bei Moderhinke kommt es zu übelriechenden Eiterungen im Zwischenklauenspalt. Es ist eine Krankheit, die auf morastigen Böden gehäuft auftritt. Vom Wild ist nur das Muffelwild betroffen. Beim Schalenauswachsen bleibt dagegen der Zwischenklauenspalt trocken. Schalenauswachsen ist eine nicht übertragbare Krankheit, welche durch falsche Herkunftswahl bei der Ansiedlung des Muffelwildes (Tiere aus Karstregionen des Mittelmeerraumes werden in Regionen mit weichen Böden verfrachtet) verursacht wird. Daher besitzt das Schalenauswachsen mit hoher Wahrscheinlichkeit auch eine genetische Komponente. Diese wird vermutlich durch die bevorzugte Erlegung von Widdern mit geringem Schneckenwachstum noch verstärkt, da das Schneckenwachstum ebenso wie das Hornwachstum an den Schalen teilweise durch die gleichen Gene mitbestimmt wird.

Gamsblindheit

Die Gamsblindheit ist eine durch *Mykoplasma conjunctivae* (Mykoplasmen sind Mikroorganismen, die zwischen Bakterien und Viren einzuordnen sind) hervorgerufene Infektionskrankheit, welche Schafe, Ziegen, Stein- und Gamswild befällt.
Eine Infektionsmöglichkeit des Menschen ist derzeit noch unklar, allerdings auch nicht ganz auszuschließen.
Das Erregerreservoir stellen Schafe dar. So können sich Wildtiere durch Schafherden infizieren. Die weitere Ansteckung erfolgt durch gegenseitige Berührung im Rudel oder bei der Brunft. Auch Fliegen werden als Überträger diskutiert. Die Krankheit kann seuchenartig auftreten.
Bei der Gamsblindheit entsteht eine Bindehautentzündung mit starkem Tränenfluss, der eine Tränenrinne vom Licht bis zum Äser verursacht. Später kommt es zur Entzündung und Trübung der Hornhaut mit Abszessbildung und zur Erblindung. Die Krankheit erreicht

im August und September ihren Höhepunkt. Die erkrankten Stücke bewegen sich unsicher tappend. Es kann zu Selbstheilungen kommen.

Zur Bekämpfung sind sichtbar kranke Stücke mit dem Fernglas oder Spektiv zu ermitteln und auf der Einzeljagd zu erlegen.

Viruskrankheiten

Viren sind große Moleküle mit absolutem Zellparasitismus. Die Vermehrung erfolgt nur in der lebenden Zelle. Sie sind spezifisch für eine Tierart (z.B. Schweinepest) und/oder spezifisch für bestimmte Zellen (z.B. Nervenzellen bei der Tollwut). Sie sind typischerweise sehr klein. Der Nachweis erfolgt entweder mittels Elektronenmikroskop oder aber (meist) durch immunologische oder molekularbiologische Tests.

Zu den Viruskrankheiten gehören: Tollwut, Klassische und Afrikanische Schweinepest, verschiedene Staupearten, Myxomatose, Hämorrhagische Erkrankung der Kaninchen (RHD), Ansteckende Leberentzündung der Hasen (EBHS), Ornithose, Geflügelpest (aviäre Influenza), Geflügelpocken, Papillomatose, Pockendiphtherie, Aujeszkysche Erkrankung, Maul- und Klauenseuche, Blauzungenkrankheit.

Tollwut

Die Tollwut wird durch das Tollwutvirus verbreitet. Es ist besonders im Speichel und im Gehirn zu finden. Das Virus ist gegen Kälte widerstandsfähig und kann bis zwei Jahre ansteckungsfähig bleiben. Desinfektionsmittel töten es ab, ebenso ein zweiminütiges Erhitzen über 80 °C.

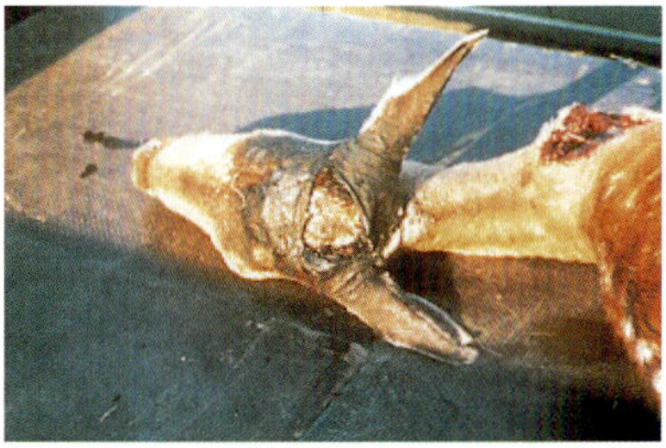

3.26: Tollwut bei einem Damtier; die Scheuerstelle auf der Stirn muss Tollwutverdacht erwecken.

Überträger

Die Tollwut ist eine Viruskrankheit aller Säugetiere. Hauptverbreiter der Tollwut sind in Europa Hundeartige. Dabei unterscheiden wir die sylvatische (Wildtier-) und urbane Tollwut. Letztere existierte in Mitteleuropa bis in die beginnende Neuzeit und ist in vielen Metropolen etwa Lateinamerikas, Asiens oder Afrikas noch bis heute verbreitet. Reservoir und Überträger sind vor allem streunende Hunde und Katzen. Die sylvatische Tollwut (Reservoir: Fuchs und, wo vorhanden, Wolf) war in Mitteleuropa bis etwa Mitte/Ende des 20. Jahrhunderts präsent. Mit dem Verschwinden des Wolfes war Hauptüberträger der Fuchs. In Nordosteuropa ist bis heute der Wolf Hauptüberträger der Tollwut. Auch Ratten und Fledermäuse können an Toll-

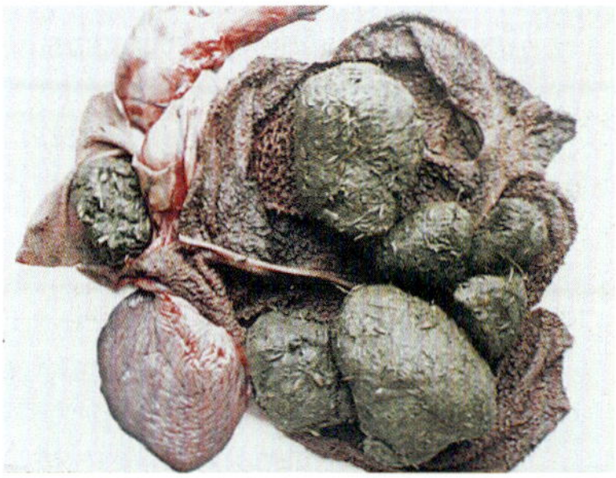

3.27: Tollwut bei einer Ricke; die auffallend trockenen Äsungsballen im Pansen weisen auf Schluckbeschwerden und eine Störung der Magenmotorik hin.

wut erkranken. Auch die Wildtiertollwut wird regelmäßig auf Haustiere übertragen (Hunde, Katzen, Wiederkäuer und andere Wirbeltiere).
Im langjährigen Durchschnitt entfielen in der Vergangenheit ca. 20 % der Tollwutfälle auf Haustiere (Hunde, Katzen, Rinder und sonstige Haustiere). Auf das Wild entfielen ca. 80 %. Den Fuchs betrafen dabei ca. 65 % aller Tollwutfälle oder ca. 80 % der Wildtollwutfälle.

Infektion

Die Infektion erfolgt fast ausschließlich durch den Biss eines tollwutkranken Tieres (mit dem Speichel). Auch über Hautwunden und Schleimhautverletzungen, durch die das Virus (wie beim Biss) in die Blutbahn gelangen kann, ist die Infektion möglich. Infektionen durch die unverletzte Haut oder durch Aufnahme virushaltigen Speichels mit dem Futter (Weidetiere) oder mit der Äsung sind nicht nachgewiesen worden. Wildtiere mit unnormalem Verhalten sollte man nicht berühren. Auch tote Tiere soll man nur mit Schutzhandschuhen, die man immer im Rucksack haben sollte, anfassen. Die Inkubationszeit ist eher lang und kann zwischen einer Woche und etwa einem halben Jahr betragen.

Verlauf

Die Tollwut ist eine so gut wie immer tödlich verlaufende Gehirn-Rückenmarks-Entzündung. Es zeigen sich bei Hundeartigen typischerweise drei Stadien, die allerdings teilweise fehlen oder abgewandelt sein können:
Im *melancholischen Stadium* (Dauer 1 bis 3 Tage) tritt ein verändertes Benehmen auf. Hunde werden launenhaft und schreckhaft, schnappen oft zwecklos in die Luft (Fliegenschnappen) und zeigen schlechten Appetit. Im *Beißstadium* nehmen Unruhe und Aufregung zu und steigern sich zur Raserei. Die Tiere haben Angstzustände, suchen jede Möglichkeit zu entweichen und zeigen dabei eine ausgesprochene Neigung zum Beißen. Besonders werden Tiere und Menschen gebissen, die das wutkranke Tier berühren wollen. Die Tollwut kann auch als *stille Wut* verlaufen. Zuletzt treten *Lähmungserscheinungen* auf (Unterkiefer-, Schlundkopf-, Kehlkopf- und Gehirnlähmungen). Der Fang ist dabei geöffnet. Es besteht Speichelfluss. Der Gesichtsausdruck ist lauernd und verstört. Aufgrund einer Stimmbandlähmung haben die Tiere eine heisere Stimme (wichtig). Nach wenigen Tagen tritt der Tod ein.

Bekämpfung

Die orale Immunisierung der Füchse durch Verfüttern von Ködern (Schluckimpfung) hat dazu geführt, dass in Deutschland die Wildtollwut nahezu erloschen ist. Dies setzt allerdings voraus, dass regelmäßig geimpft wird und möglichst 70 % und mehr der Fuchspopulation immunisiert wird. Die Infektionskette sollte dann abreißen. Seit 2008 gilt Deutschland als tollwutfrei. Allerdings werden derzeit in einigen Bundesländern die Immunisierungen eingestellt. Dadurch kann in wenigen Jahren die Tollwut wieder auftreten, insbesondere da neue potentielle Überträger in Deutschland einwandern (Wolf, Marderhund). Fledermäuse spielen ebenfalls eine Rolle im Tollwutgeschehen, sie besitzen jedoch einen eigenem Tollwutkreislauf, der nur selten durchbrochen wird.
Rechtsgrundlage ist in Deutschland die VO zum Schutz gegen die Tollwut vom 23. Mai 1991, Änderung v. 11.4.2001 (BGBl. I S. 598). Sie bringt Erleichterungen in der Haltung von geimpften Hunden und Katzen in tollwutgefährdeten Bezirken. Nach § 11 der VO ist die Wildtollwut von den Jagdausübungsberechtigten durch verstärkte Bejagung der Füchse

zu bekämpfen. Jagdausübungsberechtigte müssen tollwutkrankem und -verdächtigem Wild sofort nachstellen und es töten sowie unschädlich beseitigen. Die Immunisierung von Füchsen wird durch die zuständigen Behörden geregelt. Ist Tollwut oder -verdacht, insbesondere bei einem Fuchs, festgestellt worden, so hat die Untere Jagdbehörde (meist das Landratsamt oder die kreisfreie Stadt) die Umgebung der Tötungs- oder Fundstelle im Umkreis von mindestens 5.000 km^2 oder einem Radius von mind. 40 km zum „gefährdeten Bezirk" zu erklären und mit Schildern „Tollwutgefährdeter Bezirk" gut sichtbar zu kennzeichnen und kann das Bejagen von Füchsen anordnen.

34 Welche Krankheitsstadien zeigen sich beim Ausbruch der Tollwut des Hundes?

Das melancholische, das Beiß- und das Lähmungsstadium.

Im *melancholischen Stadium* (Dauer 1 bis 3 Tage) tritt ein verändertes Benehmen auf. Die Hunde werden launenhaft und schreckhaft, schnappen oft zwecklos in die Luft (Fliegenschnappen) und zeigen schlechten Appetit. Im *Beißstadium* nehmen Unruhe und Aufregung zu und steigern sich zur Raserei. Die Hunde suchen jede Möglichkeit zu entweichen und zeigen eine ausgesprochene Neigung zum Beißen. Besonders werden Tiere und Menschen gebissen, die das wutkranke Tier berühren wollen. Die Tollwut kann auch als *stille Wut* verlaufen. Zuletzt treten *Lähmungserscheinungen* auf (Unterkiefer-, Schlundkopf-, Kehlkopf- und Gehirnlähmungen). Der Fang ist dabei geöffnet. Es besteht Speichelfluss. Der Gesichtsausdruck ist lauernd und verstört. Aufgrund einer Stimmbandlähmung haben die Tiere eine heisere Stimme (wichtig). Nach wenigen Tagen führt die Erkrankung zum Tod.

35 Wie äußert sich die Tollwut beim Rehwild?

An Tollwut erkranktes Rehwild speichelt, hat stieren Blick, ist schreckhaft und verliert schnell an Wildbretgewicht. Es zieht oft laut klagend durch die Bestände und nimmt gern Bäume an, die es mit dem Haupt bearbeitet. Dadurch wird die Decke an der Stirn abgescheuert und schweißig (vergl. Abb. 3.26). Auf der Höhe der Erkrankung nimmt Rehwild auch Menschen an.

36 Wie äußert sich die Tollwut beim Fuchs?

Füchse verlieren ihre natürliche Scheu vor Menschen und dringen vertraut in Gehöfte, Stallungen und auch Hundehütten ein. Im Beißstadium greifen sie Tiere und Menschen an und beißen sie. Zu Beginn des Lähmungsstadiums taumeln sie wie betrunken umher.

37 Wie kommt es, dass Rinder und Rehwild an Tollwut erkranken?

Weil sie bei Auseinandersetzungen mit Füchsen gebissen werden. Besonders gefährdet sind Ricken, die ihre Kitze verteidigen.

38 Wie kann Tollwut mit Sicherheit festgestellt werden?

Durch die Untersuchung des Gehirns in einem Staatlichen Veterinäruntersuchungsamt. Bei tollwutverdächtigem Wild, das untersucht werden soll, darf daher das Gehirn nicht durch Schlag oder Schuss verletzt werden. Den Untersuchungsstellen ist stets das ganze Haupt

(Kopf) auf schnellstem Wege auf Anordnung des Amtstierarztes zu übersenden. Dieses Kopfabtrennen gilt nicht als Zerlegen, es ist daher nicht verboten. In Tollwutrevieren ist das Abtrennen des Kopfes zu Untersuchungszwecken nur mit Gummi- oder Plastikhandschuhen vorzunehmen, die nach Gebrauch unschädlich zu beseitigen sind.

39 Wie kann man Tollwut bei Menschen nach Bissverletzungen oder Kontakt mit wutkranken Tieren verhindern?

Durch Auswaschen der Wunde und Vornahme der hochwirksamen, gut verträglichen Tollwutschutzimpfung.

40 Wird eine vorsorgliche Impfung gegen Tollwut empfohlen?

Eine vorsorgliche Impfung empfiehlt sich für Personen mit einem erhöhten Risiko des Kontaktes mit tollwutkranken Tieren, also durchaus für Jäger und Forstleute.

41 Wie kann man Haustiere vor Tollwut schützen?

Indem man gesunde Tiere ab 12. Lebenswoche schutzimpfen lässt. Impfungen tollwutkranker oder ansteckungsverdächtiger Tiere gegen Tollwut sind jedoch verboten. Zur Aufrechterhaltung des Schutzes ist die Impfung regelmäßig zu wiederholen. Durch sie wird auch der Tierhalter indirekt laufend vor Tollwut geschützt.

Aujeszkysche Krankheit

Hauptträger sind Hausschweine. In freier Wildbahn wurde diese Erkrankung insbesondere bei Wildschweinen, ferner bei Rehwild, Beutegreifern sowie Ratten nachgewiesen. Wildschweine erkranken selbst nicht, scheiden aber das Virus aus. Auch Hunde und Katzen können erkranken, der Verlauf ist bei diesen regelmäßig tödlich. Menschen hingegen sind für die Aujeszkysche Krankheit nicht empfänglich.

Infektion

Die Infektion erfolgt Mund- und Nasenschleimhäute, somit auch über die Nahrung, indem beispielsweise Fleisch erkrankter Tiere aufgenommen wird.

Symptome und Verlauf

Die Krankheitsanzeichen können tollwutähnlich sein. (Ruhelosigkeit, Angst, Speichelfluss, taumelnder Gang). Hinzu kommt allerdings starker Juckreiz, so dass erkrankte Tiere sich durch intensives Kratzen Verletzungen zufügen. Der Tod tritt nach rapidem Kräfteverfall in der Regel sehr rasch ein (2 Tage).

Bekämpfung

An Hunde und Katzen soll grundsätzlich kein rohes Schweinefleisch verfüttert werden. Auch soll der Kontakt zwischen Jagdhund und erlegtem Schwarzwild so gering wie möglich gehalten werden. Unkontrollierte Arbeit des Hundes am Schwarzwild ist zu vermeiden.

Die Aujeszkysche Krankheit ist anzeigepflichtig.

42 Warum nennt man die Aujeszkysche Krankheit auch „Pseudowut"?

Die Krankheitszeichen (Ruhelosigkeit, Angst, Speichelfluss, unkoordinierte Bewegungen) können denjenigen der Tollwut ähneln. An diese muss bei solchen Symptomen auch immer gedacht werden. Bei der Aujeszkyschen Krankheit tritt zusätzlich hochgradiger Juckreiz auf.

Maul- und Klauenseuche (MKS)

Überträger der Maul- und Klauenseuche sind typischerweise paarhufige Haustiere, Wildtiere sind in das Infektionsgeschehen nur in geringem Umfang eingebunden, wenngleich gelegentlich auch Wildtiere in größerem Umfang erkranken.
Menschen können ebenfalls erkranken, der Verlauf ähnelt der einer leichten Herpes-Infektion.

Infektion

Das Virus wird typischerweise durch Kontakt- und Schmierinfektion, etwa über kontaminiertes Futter oder kontaminierte Weiden oder Pferche übertragen.

Symptome und Verlauf

Das erkrankte Schalenwild zeigt Speicheln. Am Lecker, dem Äser (bzw. Wurf) und in der Umgebung der Schalen, besonders am Kronsaum, bilden sich Blasen, die mit einer wasserhellen, gelblichen Flüssigkeit gefüllt sind, die das Virus enthält. Nach zwei bis drei Tagen platzen die Blasen und hinterlassen schmerzhafte, hochrote, von der Oberhaut entblößte Stellen (Erosionen), die nach und nach abheilen. Bei Erkrankung der Schalen kommt es häufig durch nachträgliche Wundinfektion zum „Ausschuhen", d.h. zum Verlust der Schalen. Dadurch tritt schweres Lahmen auf.

Bekämpfung

Schalenwild ist für Maul- und Klauenseuche wenig empfänglich, deshalb ist die Krankheit für Wildtiere kaum bedeutend. Die Krankheit ist nach dem Tierseuchengesetz anzeigepflichtig. Beim Auftreten in landwirtschaftlichen Betrieben treten weitgehende Sperr- und Quarantänemaßnahmen in Kraft, betroffene und Nachbarbestände werden getötet und unschädlich beseitigt.

43 Welches ist der Erreger der Maul- und Klauenseuche?

Der Erreger der Maul- und Klauenseuche ist ein Herpes-ähnliches Virus (*Aphtovirus*).

Klassische Schweinepest und Afrikanische Schweinepest

Die Schweinepest befällt bei uns ausschließlich Haus- und Wildschweine, andere Tierarten sind für die Krankheit nicht anfällig. Wir unterscheiden die Klassische Schweinepest, die in Mitteleuropa en-

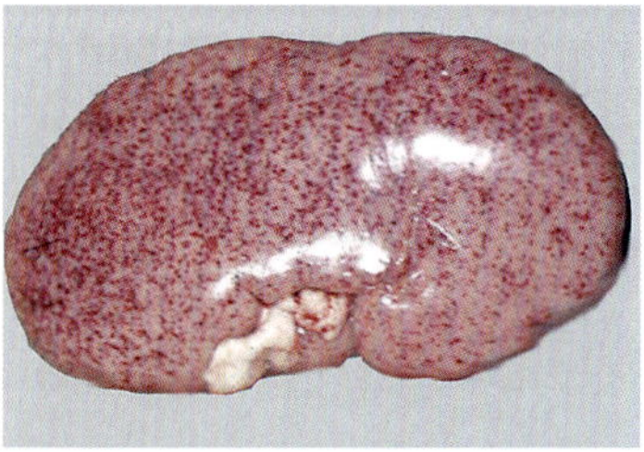

3.28: Hausschwein, Niere mit Blutungen bei Vorliegen Europäischer (= klassischer) Schweinepest (Archivfoto LGL Erlangen)

demisch vorkommt und die Afrikanische Schweinepest. In den vergangenen Jahren war es vor allem die Afrikanische Schweinepest, welche von sich reden machte. Sie stammt ursprünglich aus dem südlichen Afrika und wurde durch den Menschen nach Europa eingeschleppt. Ein aktueller Seuchenzug bewegt sich von Osteuropa kommend nach Westen und hat Mitteldeutschland erreicht.

Infektion

Das Virus ist sehr infektiös und wird direkt von Schwein zu Schwein durch engen Kontakt übertragen, aber auch über sog. Vektoren, etwa über die Kleidung von Personen, die unterschiedliche Schweineställe nacheinander besuchen. Über unsachgemäß in die Landschaft ausgebrachte kontaminierte Abfälle (z.B. Fleischreste) von erkrankten Tieren können sich auch Wildschweine infizieren und die Krankheit weitertragen. Im Vergleich zur Klassischen Schweinepest scheint die afrikanische Schweinepest mit einer deutlich höheren Sterblichkeit der erkrankten Tiere einherzugehen.

Symptome und Verlauf

Wir unterscheiden bei der Klassischen Schweinepest eine akute und eine chronische Verlaufsform. Die Afrikanische Schweinepest zeigt typischerweise eine akute, sehr fulminant verlaufende Form.

Letztere ist durch Fieber, zerebrale Störungen, etwa des Gleichgewichtssinnes und Einblutungen in unterschiedliche Gewebe, gekennzeichnet. Beim Aufbrechen kranker Stücke findet der Jäger entsprechende Einblutungen („Petechien", vgl. Abb. 3.28), etwa in den Nieren.

Später kommt es zur Mitbeteiligung der Lunge und des Magen-Darm-Traktes sowie der Blutgefäße. Auch Krämpfe und Schwächeerscheinungen gehören zum Krankheitsbild. Der Tod tritt nach spätestens vier bis fünf Tagen durch Kreislaufversagen ein, oder durch sekundäre bakterielle Infektionen.

Bei chronischem Verlauf finden sich Husten, Durchfall und Kümmern und beim Aufbrechen geschwürartige Veränderungen im Darmkanal.

Bekämpfung

Der Jäger muss beim Auftreten von Schweinepest dafür Sorge tragen, dass die Schwarzwilddichten lokal und regional deutlich abgesenkt werden. Dies muss fachgerecht geschehen, so dass die Ausbreitung des Schwarzwildes nicht noch zusätzlich stimuliert wird. Insbesondere müssen Drück-Stöber- oder Treibjagden vermieden werden.

Da die Ansteckung durch direkten Kontakt, aber auch indirekt durch Aufnahme infizierter Futterteile erfolgt, ist das Vergraben pestverdächtigen Schwarzwildes oder dessen Verbringen auf Luderplätze nicht sachgerecht und daher unbedingt zu vermeiden. Man muss verhindern, dass Wild an Küchenabfälle gelangt, und darf im Revier keine Rohwurst wegwerfen. Zu bedenken ist, dass das Virus der Schweinepest auf Hausschweine leicht, auf Menschen jedoch nicht übertragbar ist. Das Virus bleibt in der Kälte monatelang ansteckungsfähig, wird aber durch Wärme (Kochen oder Braten des Wildbrets) und Sonnenbestrahlung sicher vernichtet.

Der Jagdausübungsberechtigte muss jeden Verdacht auf Schweinepest umgehend der Behörde anzeigen.

Der Amtstierarzt hat festzustellen, ob Schweinepest vorliegt. Er führt hierzu die Untersuchung kostenlos durch. Im positiven Fall erlässt die untere Verwaltungsbehörde eine örtliche Verordnung zur Schweinepestbekämpfung.
In diesem Falle muss sich der Jäger genau informieren, welche konkreten Maßnahmen ergriffen wurden, auf welchen Flächen die jagd zu ruhen hat, und wie mit erlegtem Schwarzwild zu verfahren ist.

44 Welche Kennzeichen zeigt Schwarzwild bei der Schweinepest?

Bei der Afrikanischen Schweinepest oder der akuten Form der Klassischen Schweinepest zeigt das betroffene Stück verlangsamte Bewegungen, auffällige Schwäche und ein oft Schwanken in der Nachhand. Die erkrankten Stücke trennen sich oftmals von den Rotten und suchen wegen bestehenden Fiebers Wasserstellen zum Kühlen und Schöpfen auf. Sie zeigen Appetitlosigkeit, Krämpfe und zunehmende Schwächeerscheinungen. Nach vier bis fünf Tagen verenden die Tiere (bei der Afrikanischen Schweinepest verenden nahezu alle erkrankten Tiere, also deutlich über 90%). Stellt man beim Aufbrechen am Deckel des aufgeschärften Drosselkopfes punktförmige Blutungen fest, besteht begründeter Verdacht auf Schweinepest. Solche Blutungen finden sich auch in der Schleimhaut der Drossel, des Magen-Darm- Kanals, der Harnblase und in den Nieren. Sie sind für die große Verluste bringende Schweinepest typisch. Auffallend sind zudem blutige Infiltrate in allen Lymphknoten. Bei chronischer Pest finden sich Husten, Durchfall und Kümmern und beim Aufbrechen geschwürartige Veränderungen im Darmkanal, besonders am Übergang des Blinddarms in den Hüftdarm.

45 Welche Maßnahmen muss der Jäger treffen, wenn Schweinepest in Schwarzwildbeständen festgestellt wird?

Tritt die Klassische oder Afrikanische Schweinepest in Schwarzwildbeständen auf, so sollten die betroffenen Bestände einerseits zahlenmäßig reduziert werden. Andererseits wird meist im unmittelbaren Umfeld eines Fundes ein Jagdverbot und weitere einschränkende Maßnahmen verhängt. Wo genau wie gejagt werden darf, regeln veterinärbehördliche Verordnungen, die in den einzelnen Bundesländern auch unterschiedlich aussehen können. Wenn Bejagung zulässig ist, sind Leitbachen zu schonen, um zu verhindern, dass sich die Rottenstrukturen auflösen. Treib- und Stöberjagden, durch die Rotten gesprengt werden, Rottenmitglieder über größere Strecken wechseln und so u. U. die Krankheit weiter verbreiten, sind möglichst zu vermeiden. Die Kirrjagd sollte ebenfalls unterbleiben, da sich an Kirrungen Schwarzwildrotten gegenseitig anstecken können.

46 Welche Besonderheiten zeigt die Afrikanische Schweinepest?

Es handelt sich dabei um eine Viruserkrankung, welche wie auch die Klassische Schweinepest, Schweine (Wild- und Hausschwein) befällt. Die Krankheit stammt ursprünglich aus Afrika und wird unter den dortigen Busch- und Warzenschweinen über Zecken verbreitet. In Europa fanden sich in der Vergangenheit immer wieder einzelne Ausbrüche, die lokal blieben. Derzeit findet sich ein Seuchenzug, der von Osteuropa ausgehend, Deutschland erreicht hat und sich hier weiter ausbreitet. Sie ist hoch ansteckend und hat eine ähnliche, aber heftigere Verlaufsform wie die Klassische Schweinepest. Die Ausbreitung über große Distanzen erfolgt durch den Menschen (Fleischabfälle und mangelnde Hygienemaßnehmen), die kleinflächige Ausbreitung erfolgt zusätzlich durch direkten oder indirekten Kontakt unter Wildschweinen. Die Sterblichkeit der befallenen Tiere ist extrem hoch. Eine Impfung ist derzeit nicht verfügbar.

Myxomatose

Die Myxomatose befällt fast ausschließlich Haus- und Wildkaninchen. Hasen werden nicht oder nur ausnahmsweise befallen.

Infektion

Diese Krankheit wird nicht nur von Tier zu Tier, sondern auch durch den Kaninchenfloh und durch stechende Insekten (Fliegen und Mücken) übertragen.

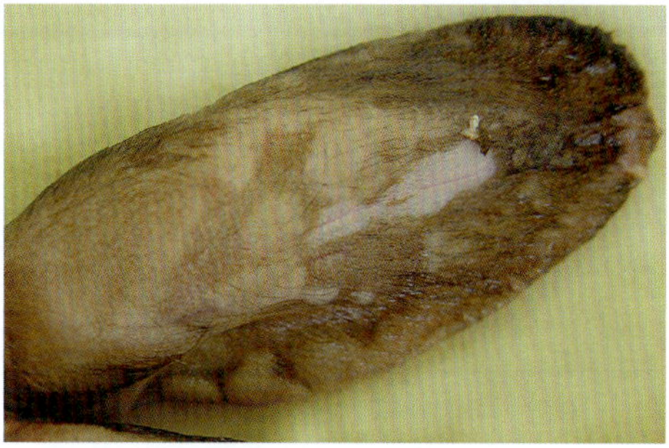

3.29: Ohr eines Kaninchens mit teigigen Schwellungen bei Vorliegen von Myxomatose

Symptome und Verlauf

Die Inkubationszeit beträgt zwei bis neun Tage. Die Tiere wirken apathisch, äsen und trinken weniger. Wir kennen einen akuten und (seltener) einen chronischen Verlauf.

Beim akuten Verlauf treten alsbald entzündliche Schwellungen um Augen und alle Körperöffnungen auf (vergl. Abb. 3.29). Die akute Form endet nach etwa ein bis zwei Wochen typischerweise tödlich.

Die chronische Verlaufsform geht typischerweise mit Bildung von Pusteln einher, es kommt gelegentlich zur Spontanheilung, oft bleibt das Tier aber dauerhaft erkrankt und geschwächt.

Heute scheint die Sterblichkeit an der Myxomatose geringer als früher zu sein.

Bekämpfung

Eine Behandlung der Wildkaninchen ist nicht möglich. Daher müssen myxomatosebefallene Kaninchenbestände intensiv bejagt werden, um die Bestandesdichte und damit das Infektions- und Verbreitungsrisiko abzusenken.

47 Welche Tiere erkranken an Myxomatose?

Wildkaninchen und Hauskaninchen. Hasen werden nur ausnahmsweise von der Myxomatose befallen.

Hämorrhagische Erkrankung der Kaninchen (RHD oder RCD)

Die Hämorrhagische Erkrankung der Kaninchen (Rabbit Haemorrhagic Disease, RHD oder Rabbit Calicivirus Disease, RCD) ist eine Krankheit des Kaninchens, die erstmals in den 1980er Jahren in China beim Hauskaninchen nachgewiesen wurde und seit 1988 auch in Deutschland auftritt.

Infektion

Diese Krankheit ist hochgradig ansteckend und wird nicht nur von Tier zu Tier, sondern auch durch stechende Insekten oder virusverseuchtes Futter übertragen.

Symptome und Verlauf

Die Inkubationszeit beträgt ein bis drei Tage. Es kommt beim befallenen Tier zu Gerinnungsstörungen und erhöhter Gefäßdurchlässigkeit, so dass die Tiere innerlich verbluten. Bereits einen Tag nach der Infektion erfolgt eine Virusausscheidung über alle Körperflüssigkeiten. Die Erkrankung tritt, ähnlich wie die Myxomatose, in Seuchenzügen mit einer hohen Zahl erkrankter Individuen auf.

Bekämpfung

Für Hauskaninchen existiert die Möglichkeit der Impfung, so dass die RHD derzeit nicht mehr anzeigepflichtig ist. Nur Kaninchen können an RHD erkranken, eine Übertragung auf andere Tierarten oder Menschen ist nicht möglich.

Nekrotisierende Leberentzündung des Hasen

Wirt

Die Nekrotisierende Leberentzündung des Feldhasen („European Brown Hare Syndrome", EBHS) befällt ausschließlich Hasen.

Symptome und Verlauf

Die Krankheit hat in der Regel einen akuten Verlauf, Symptome sind Schwäche und Bewegungsstörungen, Apathie, Orientierungslosigkeit und Verlust der Scheu. Histologisch finden wir vor allem Lebernekrosen und herdförmige Einblutungen in die Lunge. Die definitive Diagnose wird durch den Nachweis von Caliciviren gestellt.

48 Welche Auswirkungen hat die Nekrotisierende Leberentzündung des Hasen auf die Feldhasenbestände?

Die Auswirkungen auf die Feldhasenbestände sind schwer vorherzusagen. Die Angaben in der Literatur schwanken zwischen Verlusten zwischen vier und über 50% des Bestandes.

49 Besteht für die Nekrotisierende Leberentzündung des Hasen eine Anzeigepflicht?

Nein, die Krankheit ist nicht anzeigepflichtig.

Blauzungenkrankheit

Hauptträger sind Hauswiederkäuer, doch auch Wildwiederkäuer sind gelegentlich betroffen.

Infektion

Die Infektion erfolgt über Mücken (*Culicoides*, sog. Gnitzen), in denen sich nach der Aufnahme des Blutes eines infizierten Tieres das Virus vermehrt, wird aber auch durch andere blutsaugende Insekten übertragen. Der Vermehrungszyklus innerhalb der Mücke dauert etwa 10 bis 15 Tage, dann wird das Virus wiederum beim Blutsaugen auf ein anderes Tier übertragen. Die Mücke bleibt weiterhin infektiös.

Symptome und Verlauf

Symptomatik und Verlauf unterscheiden sich von Art zu Art. Die Inkubationszeit beträgt zwischen zwei und 15 Tagen, danach treten typischerweise Fieber und eine vermehrte Durchblutung (Hyperämie) der Schleimhäute im Kopfbereich sowie Ödeme und Schleimhauterosionen sowie vermehrter Speichelfluss auf. Die blaurote Zunge gab der Krankheit den Namen. Muskel- und Schalensaumentzündungen führen zu Bewegungseinschränkungen und -störungen. Fehlgeburten sind häufig.

Bekämpfung

Die wichtigste Maßnahme ist die Impfung der Haustierbestände.

Papillomatose

Die Papillomatose wird durch sog. Papovaviren verursacht und wurde besonders beim Gams- und Steinwild nachgewiesen, seltener bei Rot-, Dam- und Rehwild sowie bei Hase und Wildkaninchen.

Infektion

Die Infektion erfolgt über den direkten Kontakt, insbesondere über kleine Hautwunden, aber auch durch Insektenstiche oder an gemeinsam genutzten Salzlecken oder Futterstellen.

Symptome und Verlauf

Es bilden sich vornehmlich am Windfang, am Äser, dem Lecker, seltener auf der Decke der Läufe und zwischen den Schalen warzenförmige, später blumenkohlartige Wucherungen. Sie treten vorwiegend im Spätherbst und Winter auf und behindern das Äsen und die Fortbewegung. Im Frühjahr heilen die Läsionen in den meisten Fällen wieder ab.

Bekämpfung

Wichtig ist es, Massierungen von Tieren, etwa an Fütterungen, zu vermeiden.

Geflügelpocken des Federwildes (Pockendiphterie)

Birkwild, Fasanen oder Rebhühner werden von Hühnerpocken, Tauben von Taubenpocken, Wachteln von Wachtelpocken befallen. Alle genannten und weitere Geflügelpockenviren sind nahe miteinander verwandt, doch wirtsspezifisch für bestimmte Vogelarten bzw. Artengruppen. Geflügelpocken sind ursprünglich Krankheiten des Hausgeflügels und haben von dort auf Wildarten übergegriffen.

Infektion

Das Virus wird über den Hautausschlag, mit Nasen- und Augensekret sowie über den Kot ausgeschieden und über Schleimhäute oder kleine Hautläsionen vom gesunden Tier aufgenommen. Mücken und Fliegen können die Infektion passiv verbreiten.

Symptome und Verlauf

Wir kennen eine Hautform, eine Schleimhautform und eine gemischte Form.

Nach einer Inkubationszeit von vier bis etwa 20 Tagen geschieht folgendes: Bei der Hautform (den Pocken) bilden sich bis erbsengroße, schorfbedeckte Herde an der unbefiederten Kopfhaut, an der Unterfläche der Schwingen und den Ständern. Bei der Schleimhautform (der Diphtherie) entstehen in der Schnabelhöhle gelbkäsige, festsitzende Beläge, die Atemnot erzeugen. Bei der gemischten Form erkranken Haut und Schleimhäute gleichzeitig mit Beteiligung der Augenlider.

In freier Wildbahn sind die Verlaufsformen eher mild, die Verluste eher gering.

Bekämpfung

In der Hausgeflügelhaltung stehen Impfstoffe zur Verfügung. In freier Wildbahn sind die als krank erkannten Tiere zu erlegen.

Aviäre Influenza (Geflügelpest/Newcastle Disease/Vogelgrippe/HPAI)

Die aviäre Influenza ist unter verschiedenen Namen bekannt, so etwa Geflügelpest, Vogelgrippe, aviäre Influenza oder „Highly Pathogenic Avian Influenza", HPIA). Sie befällt Hausgeflügel wie Hühner, Puten, Gänse und Enten, aber auch Wasserwild und andere Vogelarten. Bestimmte Virusstämme, etwa der Subtyp A/H5N1, können in Einzelfällen auch Säugetiere einschließlich des Menschen befallen.

Infektion

Das Virus ist, wie menschliche Grippeviren auch, leicht übertragbar, wobei die Infektion sowohl durch direkten Kontakt, aber auch indirekt etwa über Fäkalien, auch in Gewässern übertragen werden kann.

Symptome und Verlauf

Die Inkubationszeit beträgt zwischen etwa zwei und acht Tagen, es sind aber auch längere Zeiten bis zu 17 Tagen beschrieben. Die kranken Tiere zeigen Schlafsucht, röchelndes Atmen bei geöffnetem Schnabel, grünlichen Durchfall, Fressunlust und schlagartiges Aufhören des Eierlegens. Gegen Ende der Krankheit zeigen sie Lähmungserscheinungen. Im Drüsenmagen, im Dünndarm und den Eingängen zum Blinddarm finden sich in der Schleimhaut punktförmige Blutungen, die für die Geflügelpest charakteristisch sind. Die Geflügelpest ist sehr ansteckend. Es kommt deshalb zu Massenerkrankungen. Die Sterblichkeit ist hoch, Infektionen mit den aggressiveren Virusstämmen führen meist zum Tod.

Bekämpfung

Die aviäre Influenza ist eine anzeigepflichtige Tierseuche.

Beim Zukauf von Hühnervögeln, etwa Fasanen oder Rebhühnern, zwecks Auswilderung ist deshalb größte Vorsicht geboten. Es sind zweckmäßig nur solche Tiere zu kaufen, die wie Hausgeflügel schutzgeimpft worden sind. Bei einer Vorimmunisierung im Alter von drei bis vier Wochen mit Geflügelpest-Trinkwasser-Vaccinen entsteht ein Impfschutz von drei bis vier Monaten. Andernfalls sind sie beim Zukauf der Schutzimpfung zu unterziehen und vor dem Freilassen für 14 Tage in Quarantäne (Beobachtung) zu nehmen, da der Impfschutz erst 14 Tage nach der Impfung eintritt. Die Schutzimpfung hat sich hervorragend bewährt. Zum Schutz vor Geflügelpest ist die Einfuhr von Wildgeflügel aus dem Ausland verboten.

Erkrankungen durch Prionen

Prionen sind infektiöse Eiweißpartikel ohne DNS, also ohne eigene Nukleinsäure und ohne eigenen Stoffwechsel. Daher fällt es auch schwer, Prionen den Lebewesen zuzurechnen. Sie nutzen die DNS des Wirtsorganismus, um körpereigene Proteine zu verändern.
Einige seit langem bekannte Erkrankungen (Scrapie bei Schafen oder die Creutzfeldt-Jacob-Erkrankung beim Menschen) werden heute auf Prionen zurückgeführt. Die DNS des infizierten Organismus ist – vereinfacht gesagt – ausschlaggebend dafür, ob die Krankheit letztlich ausbricht oder nicht. Sog. „Transmissible Spongioforme Enzephalopathien", etwa BSE, die Bovine Spongiforme Enzephalopathie, oder die „Chronic Wasting Disease" der Cerviden werden auf Prionen zurückgeführt.
Der Krankheitsverlauf ist durch Apathie, fehlende Reaktion auf Umwelteinflüsse, zunehmende Lähmungserscheinungen aufgrund einer „schwammartigen" Umwandlung der Gehirnsubstanz und insbesondere bei der Chronic Wasting Disease durch körperlichen Verfall gekennzeichnet, und führt letztlich zum Tode. Es sind aus den letzten Jahren Fälle berichtet, in denen die Prionen die Artschranke überwunden haben und auch Menschen durch Prionen aus Haustieren infiziert wurden und erkrankten. Das Risiko für den Jäger, sich anzustecken, scheint allerdings nach derzeitigem Wissensstand gering zu sein.
Wildtiere, insbesondere Wildwiederkäuer, sind grundsätzlich anfällig für Prionenerkrankungen. Allerdings scheint die geringe Infektiosität von Tier zu Tier die Ausbreitung in freier Wildbahn zu verhindern. Prionen sind allerdings deutlich stabiler als Bakterien oder Viren und auch außerhalb des Körpers für lange Zeit infektiös. Wichtig ist, dass Wildwiederkäuer kein Futter mit tierischen Eiweißbestandteilen erhalten dürfen.

50 Was verstehen wir unter der „Chronic Wasting Disease?

Es handelt sich um eine durch Prionen ausgelöste Erkrankung des Zentralnervensystems der Hirsche, welche derzeit in Nordamerika verbreitet ist. Allerdings sind in den vergangenen Jahren auch einzelne Fälle in Europa (z.B. Norwegen) bekannt geworden. Die Tiere fallen durch drastischen Gewichtsverlust und zunehmende Apathie auf, reagieren nicht mehr auf Umweltreize und sterben schließlich an der Krankheit. Die Symptome mit zentralnervösen Ausfallerscheinungen führen dazu, dass die Krankheit leicht mit der Tollwut oder mit einem Gehirnbefall durch die Finne des Hunde- oder Fuchsbandwurms („Drehwurmkrankheit") verwechselt werden kann.

51 Was sollte der Jäger wissen, um die Verbreitung der „Chronic Wasting Disease" nach Deutschland zu verhindern?

Grundsätzlich gilt, wie bei der Afrikanischen Schweinepest, dass der Mensch als Vektor eine wichtige Rolle spielt! Daher muss bei der Rückkehr von Jagdreisen aus Gebieten mit Chronic Wasting Disease-Fällen (Nordamerika!) peinlich auf Hygiene geachtet und die Schuhe und Kleidung vor Verwendung im heimischen Revier desinfiziert werden. Auch auf die Einfuhr roher, unbehandelter Tierprodukte aus solchen Gegenden (Häute, Trophäen)

sollte verzichtet werden. Auch sollten keine Lockstoffe für Wild, die in betroffenen Ländern gewonnen wurden, verwendet werden.
Beobachtet der Jäger ein krankheitsverdächtiges Stück Schalenwild, sollte dieses, wenn möglich, erlegt und unter strengen Hygienevorkehrungen (vergleichbar denjenigen der Afrikanischen Schweinepest) in Absprache mit dem Amtstierarzt (Krankheit ist anzeigepflichtig!) einem Staatlichen Veterinäruntersuchungsamt zugeführt werden. Ist eine Erlegung nicht möglich, sollte ggf. ein Video aufgenommen und der Verdacht an den zuständigen Amtstierarzt gemeldet werden.
Sicher ist die Wahrscheinlichkeit, dass ein Jäger in Deutschland überhaupt in seinem Leben einmal ein erkranktes Tier zu Gesicht bekommt, extrem gering. Sollte dieser Fall dennoch eintreten, muss korrekt gehandelt werden, damit großer Schaden verhindert wird.

3.5 Wildseuchen und Anzeigepflicht

52 Welche Pflichten hat der Jäger beim Auftreten von Wildseuchen nach §4 Tiergesundheitsgesetz und der VO über anzeigepflichtige Seuchen?

Der Jäger, wenn er Jagdausübungsberechtigter ist oder im betreffenden Revier zur Jagdausübung befugt ist, hat alle beim Wild auftretenden Tierseuchen und deren Verdacht unverzüglich (d.h. „ohne schuldhaftes Verzögern") der nach Landesrecht zuständigen Behörde (i.d.R. dem Amtstierarzt bzw. der unteren Veterinärbehörde) anzuzeigen. Die Behörde erlässt eine Verordnung zur Seuchenbekämpfung nach der Feststellung der Seuche. Der Jagdausübungsberechtigte hat der Behörde auf Verlangen Fallwild oder seuchenverdächtiges erlegtes Wild zur Verfügung zu stellen. Durch die Anzeige soll eine wirksame Ermittlung und Bekämpfung der Wildseuchen ermöglicht und die Allgemeinheit vor Gesundheitsschädigungen geschützt werden.

53 An wen können sich die Anweisungen der Behörde zur Seuchenbekämpfung richten?

An die Jagdausübungsberechtigten, die Gemeinde und an sonstige Personen. Hierbei kann z.B. die Einrichtung eines Sperrbezirkes, die Beseitigung von Fallwild, die Bejagung seuchenverdächtigen Wildes unter Aufhebung der Schonzeit und das Verbot des Weideganges angeordnet werden.

54 Wie wird die Unterlassung der Seuchenanzeige oder das Nichtbefolgen von Anweisungen zur Wildseuchenbekämpfung geahndet?

Als Ordnungswidrigkeit mit einer Geldbuße.

55 Was versteht man unter „unschädlicher Beseitigung"?

1. Eine Beseitigung in Tierkörperbeseitigungsanstalten, durch die die Erreger übertragbare Krankheiten sicher abgetötet werden, so dass kein Schaden mehr entstehen kann (Tierkörperbeseitigungsgesetz vom 11. April 2001 BGBl. I S. 523).
4. Das Vergraben. Die Gruben sind in diesem Falle so tief anzulegen, dass die Oberfläche des Wildes mit einer mindestens 50 cm starken Erdschicht bedeckt ist (Tierkörperbeseitigungsgesetz § 5 Nr. 2). Das Vergraben darf nicht in der Nähe öffentlicher Wege und Plätze und nicht in Wasserschutzgebieten erfolgen.

56 Wie kann man das Vorliegen von Wildseuchen feststellen?

Durch Untersuchung von Fallwild oder erlegten Wildes. Die Feststellung ist Sache des beamteten Tierarztes. Der Jäger muss nur den Seuchenverdacht anzeigen.

57 Wo finden Sie die Veterinärämter?

Sie finden sich üblicherweise in den Landratsämtern der Kreise.

Weiterführende Literatur

Geisel, O.; Wildkrankheiten erkennen und beurteilen, BLV München 2007.

Bosch, J.; Schneidawind, H. Krankheiten des jagdbaren Wildes. Paul Parey, Hamburg und Berlin 1988

Abbildungsnachweis

Bayerisches Landesamt für Gesundheit und Lebensmittelsicherheit: Deckblatt, 3.6, 3.8, 3.11, 3.15, 3.16, 3.18, 3.19, 3.23, 3.28, 3.29

Braunschweig, A. von: 3.1–3.5, 3.7, 3.9, 3.12–14, 3.17, 3.20–22, 3.24–27,

Herzog, S.: 3.10

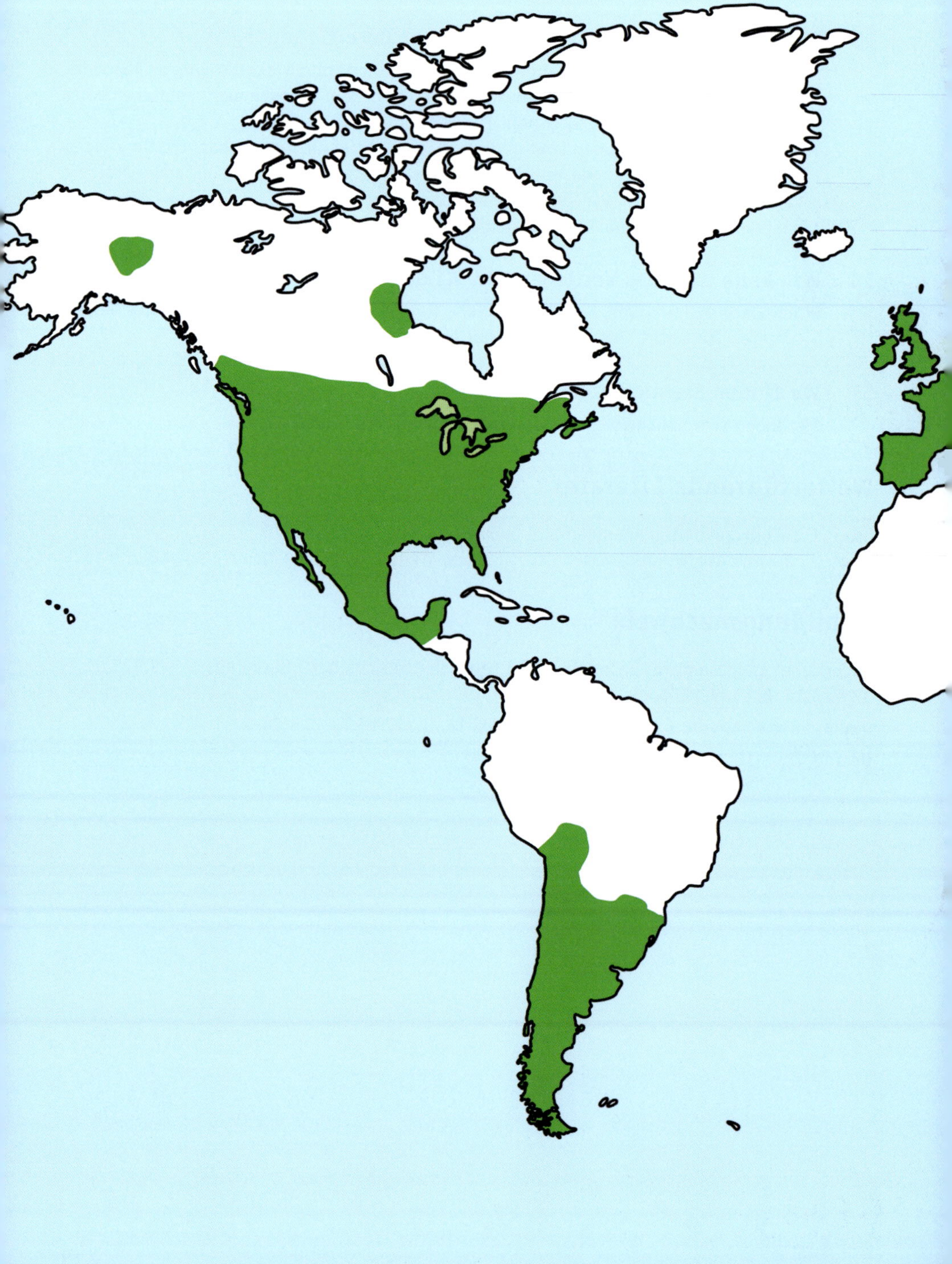

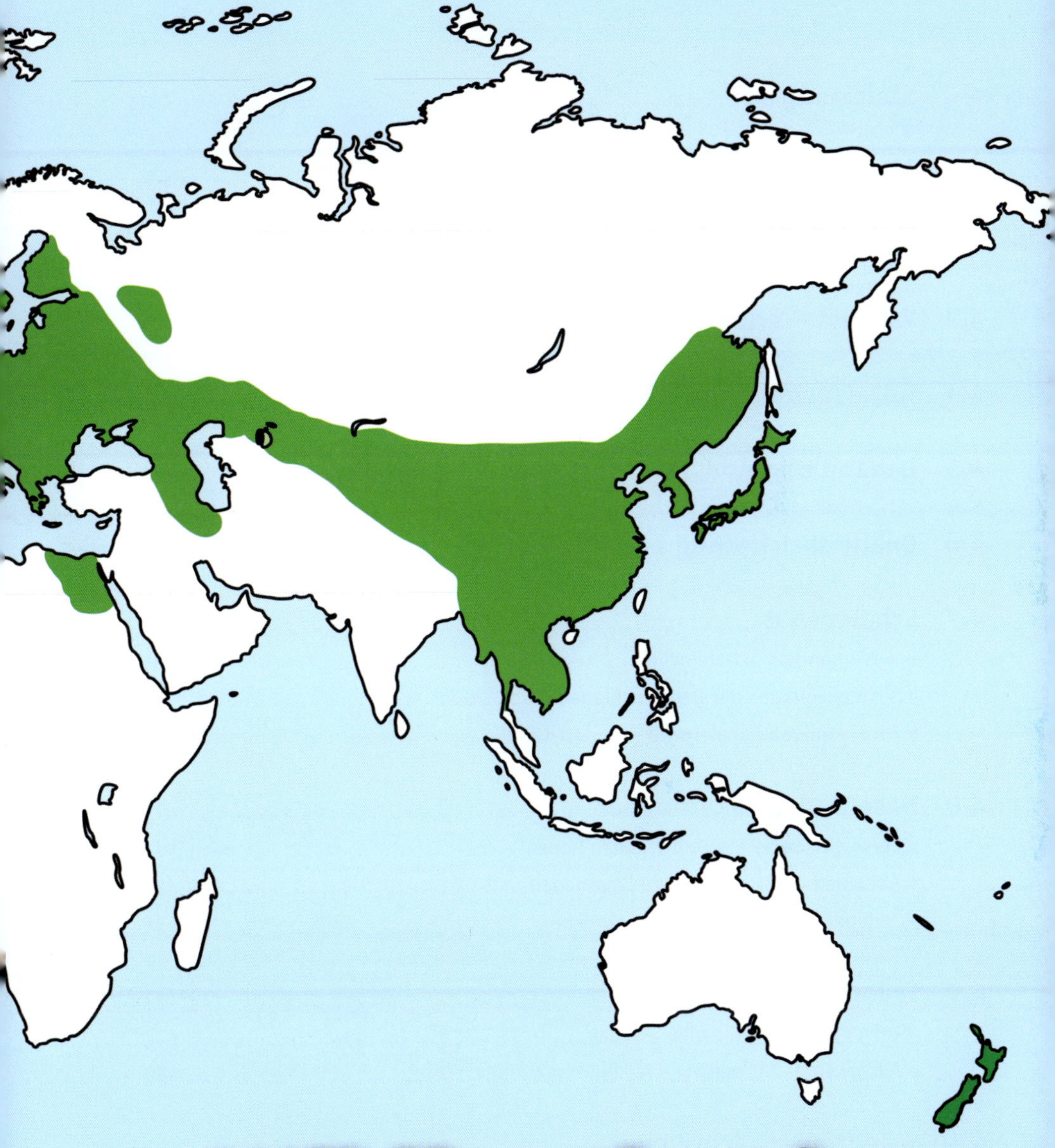

Wildbrethygiene und Wildverwertung

Einführungsbild: Verbreitung von Trichinella spiralis

4 Einleitung

Zu jenen wertvollen Lebensmitteln, die natürlichen Ursprungs sind, zählt das Fleisch (Wildbret) von Tieren, die in freier Wildbahn nach jagdrechtlichen Vorschriften erlegt und dem menschlichen Verzehr zugeführt werden. Jährlich werden in der Bundesrepublik Deutschland etwa 30.000 to Wildfleisch verzehrt, was einen Pro-Kopf-Verbrauch von durchschnittlich 400 g ergibt. Dementsprechend sollte der Jäger nicht nur stolz auf das Erlegen des richtigen Stückes mit dem perfekten Schuss sein, sondern genauso stolz darauf, dass der Endverbraucher die besondere Qualität des Wildbrets lobt und zu schätzen weiß. Damit kommt auf den Jäger gleichzeitig aber auch eine große Verantwortung zu, da es gilt, die dem Wildbret eigene, naturgegebene hohe Qualität zu erhalten. Auf diese wichtige Aufgabe wird in der jagdlichen Ausbildung vorbereitet und der Jagdscheinanwärter wird dabei unter anderem mit den folgenden, wesentlichen Bereichen konfrontiert:

» Bedeutung und Durchführung der Trichinen- und Fleischuntersuchung
» Praktische Aspekte der Behandlung von Fallwild und erlegtem Wild
» Untersuchung der inneren Organe auf Krankheitsmerkmale
» Behandlung nach dem Versorgen und die Bedeutung der Kühlung
» Aspekte der Qualitätssicherung im Hinblick auf die Verzehrfähigkeit des Wildbrets
» Lagerung und Verwertung von Wildbret

Die genannten Aspekte sind eingebettet in die vom Gesetzgeber zum Schutze des Verbrauchers für die Gewinnung von Wildfleisch erlassenen Gesetze und Verordnungen, deren Kenntnis und Beachtung eine Voraussetzung für den Jäger darstellen und demzufolge ebenfalls Gegenstand der Prüfung sind. Zu nennen sind hier neben dem Bundesjagdgesetz das Lebensmittel- und Futtermittelgesetz, die Lebensmittelhygieneverordnungen sowie die EU-Verordnungen zur Lebensmittelsicherheit, zu den Hygienevorschriften für Lebensmittel tierischen Ursprungs und zur Lebensmittelüberwachung. Um sich eine Vorstellung davon machen zu können, wie man hygienisch einwandfrei und effizient Wild aufbricht und Wildbret bearbeitet, sollte jeder Jagdscheinanwärter am besten schon vor seiner Jägerprüfung einmal einen Schlachtbetrieb in seiner Umgebung besuchen und nach Absprache mit den Verantwortlichen den Schlacht- und Zerlegevorgang beobachten. Man wird in der Jagdpraxis nicht alles perfekt nachahmen können. Wenn man jedoch die Prinzipien verinnerlicht hat, wird man bestrebt sein, möglichst im Hängen unter guter Beleuchtung aufzubrechen. Stets sollte hygienische Schutzkleidung, wie Stiefel und Einmalhandschuhe, getragen werden und es sollten hygienische Gerätschaften wie Aufbruchmesser, Sägen und Behältnisse greifbar sein. Wasser in Lebensmittelqualität ist unumgänglich zum Beseitigen von Verschmutzungen am Wildkörper sowie zur Reinigung von Gerätschaften und Schutzkleidung. Letztlich ist der Jäger auch Lebensmittelunternehmer und die Gewinnung von Wildbret als hochwertigem, der freien Natur entstammendem Lebensmittel tierischer Herkunft stellt nicht nur eine verantwortungsvolle Aufgabe dar, sondern liefert auch ein überzeugendes Argument für die Ausübung der Jagd.

4.1 Allgemeines

1 Wieviel Wildbret wird pro Jahr in der Bundesrepublik verzehrt?

Jährlich ca. 30.000 to – das sind pro Person ca. 400 g. 22.000 to davon stammen aus heimischen Revieren, der Rest wird importiert. Zu nahezu 100 Prozent decken die heimischen Reviere die Nachfrage nach Reh- und Schwarzwild ab. Daneben sind für den deutschen Markt die wichtigsten Exportländer von Wild und Wildteilen: Neuseeland (gefarmtes Rotwild), Australien (Wildbret von verwildertem Hausschwein), Argentinien (europäischer Feldhase), Südafrika und Namibia (Oryx, Kudu, Springbock, Strauß), Spanien und Schottland (Rotwild) sowie die osteuropäischen Staaten (Rot-, Schwarz-, Reh-, Muffelwild, in geringen Mengen Elch-, Dam- und Sikawild).

2 Weshalb ist Wild nach dem Erlegen sachgemäß zu versorgen?

Wild bietet mit seinem Fleisch (Wildbret) ein hochwertiges Lebensmittel, dessen Qualität bei unsachgemäßer Behandlung des Wildes nach dem Erlegen bis zur Nichtverzehrfähigkeit gemindert werden kann.

3 Welche Gesetze und Verordnungen verpflichten den Jäger zur sorgfältigen Behandlung erlegten Wildes?

Das Bundesjagdgesetz (BJG), die EU-Verordnungen (EG) Nr. 178/2002, (EG) Nr. 852/2004, (EG) Nr. 853/2004, (EG) Nr. 854/2004, das nationale Lebensmittel- und Futtermittelgesetzbuch (LFGB), die nationale Lebensmittelhygiene-Verordnung (LMHV) und die nationale Lebensmittel-Hygiene-Verordnung – Lebensmittel tierischer Herkunft (LMHV-Tier). Die EU-Verordnungen sind unmittelbar wirkendes Recht in allen zur Europäischen Union gehörenden Staaten. Dies seit dem 1. Januar 2005 (178/2002) und dem 1. Januar 2006. Das LFGB ist seit dem 1. September 2005 in Kraft.

4 Welche Bedeutung haben LMHV und LMHV-Tier?

Sie regeln in Ergänzung der EU-Verordnungen (EG) Nr. 852/2004 und (EG) Nr. 853/2004 jene Bereiche, die von diesen Verordnungen ausgenommen sind. Hierzu zählen die Abgabe von Primärerzeugnissen und Wildeinzelteilen in kleinen Mengen an örtliche Betriebe des Einzelhandels (z.B. Gastronomie) und an den Endverbraucher.

5 Was versteht der Verordnungsgeber unter „Primärerzeugnis“ und „Kleine Menge“?

Primärerzeugnis im Bereich Jagd ist Wild im Haar- oder Federkleid, ausgeweidet. Als „kleine Menge“ gilt die Strecke eines Jagdtages.

6 Welche Verpflichtungen ergeben sich für den Jäger aus dem Bundesjagdgesetz?

Das Bundesjagdgesetz bestimmt in seinem § 15 Abs. 5, dass der Jäger „ausreichende Kenntnisse in der Behandlung erlegten Wildes unter besonderer Berücksichtigung der hygienisch erforderlichen Maßnahmen, in der Beurteilung der gesundheitlich unbedenklichen Beschaffenheit des Wildbrets, insbesondere auch hinsichtlich seiner Verwendung als Lebensmittel" nachzuweisen (und damit zu besitzen!) hat.

7 Welche Bedeutung hat die EU-Verordnung (EG) Nr. 178/2002 für den Jäger?

Die seit dem 1. Januar 2005 geltende Verordnung bestimmt, dass alle, die ein Lebensmittel gewinnen – hierzu zählen auch die Bereiche Jagen und Fischen – im Sinne der Verordnung Lebensmittelunternehmer sind. Damit ist auch der Revierinhaber nach der Verordnung ein Lebensmittelunternehmen. Ebenso muss sowohl Kühlkammer, als auch Zerlegeraum vom zuständigen Veterinäramt genehmigt werden.

8 Worauf hat der Revierpächter als Lebensmittelunternehmer zu achten?

Er hat dafür Sorge zu tragen, dass alle, die in seinem Lebensmittelunternehmen Revier mit der Gewinnung des Lebensmittels Wild befasst sind, die hierzu erforderlichen Kenntnisse besitzen und diese auch umsetzen. Insbesondere hat er eine hygienisch einwandfreie Behandlung erlegten Wildes sicherzustellen.

9 Was beinhaltet die EU-Verordnung (EG) Nr. 852/2004?

Sie beinhaltet die der Lebensmittelhygiene dienenden Vorschriften bei der Gewinnung und Weiterbehandlung von Lebensmitteln unterschiedlichster Art.

10 Welche Bedeutung hat die EU-Verordnung (EG) Nr. 853/2004?

In ihr sind die Hygieneregeln und die Voraussetzungen für den Umgang mit Lebensmitteln tierischen Ursprungs festgelegt. Im Anhang III Abschnitt IV (Fleisch von frei lebendem Wild) wird in Kapitel I die Ausbildung von Jägern in Gesundheits- und Hygienefragen und ihre Anerkennung als in diesen Dingen kundige Person geregelt.

11 Was gilt nach der EU-Verordung (EG) Nr. 853/2004 als frei lebendes Wild?

Hierzu zählen frei lebende Huf- und Hasentiere sowie andere Landsäugetiere, die für den menschlichen Verzehr gejagt werden und nach dem geltenden Recht des betreffenden Mitgliedsstaats als Wild gelten, einschließlich Säugetiere, die in einem geschlossenen Gehege unter ähnlichen Bedingungen leben wie frei lebendes Wild und frei lebende Vogelarten, die für den menschlichen Verzehr gejagt werden.

12 In welche Kategorien unterteilt die EU-Verordnung (EG) Nr. 853/2004 frei lebendes Wild?

In Großwild und in Kleinwild. Zum Großwild zählen frei lebende Landsäugetiere (z.B. alles Schalenwild), die nicht unter die Begriffsbestimmung für Kleinwild fallen. Kleinwild ist frei lebendes Federwild und frei lebende Hasentiere.

13 Welche Kenntnisse hat der Jäger als „kundige Person" zu besitzen?

Er muss Kenntnisse besitzen

» in normaler Anatomie (Körperbau), Physiologie (Lehre von allgemeinen Lebensvorgängen und Funktionen des Organismus) und Verhaltensweisen von frei lebendem Wild,

» über abnorme Verhaltensweisen und pathologische (krankhafte) Veränderungen beim Wild infolge von Krankheiten, Umweltverschmutzung (Belastung mit Radio-Cäsium 137, Dioxine, TCB, Pflanzenschutzmittel) oder sonstigen Faktoren, die die menschliche Gesundheit bei Verzehr von Wildbret schädigen können,
» über Hygiene- und Verfahrensvorschriften für den Umgang mit Wildkörpern nach dem Erlegen, ihr Befördern, ausweiden usw. und
» über die Rechts- und Verfahrensvorschriften auf dem Gebiet der Gesundheit von Mensch und Tier und auf hygienerechtlichem Gebiet, die für das Inverkehrbringen von Wildbret von Belang sind.

14 Wer zertifiziert den Jäger als kundige Person?

Es ist die für das Revier, in dem der Jäger tätig ist, im Bereich Lebensmittelhygiene zuständige amtliche Behörde (Veterinäramt). Dazu heißt es in der Verordnung: **„Die zuständige Behörde muss sich davon überzeugen, dass Jäger ausreichend geschult sind, um als kundige Person gelten zu können".**

15 Wer gilt als „kundige Person" im Sinne der Verordnungen?

Alle Jagdscheininhaber, die ihre Jägerprüfung nach dem 1. Februar 1987 abgelegt haben. Jäger, die vor diesem Termin die Jägerprüfung abgelegt haben, müssen zum Erwerb des Status einer kundigen Person sich einer qualifizierenden Ausbildung oder Nachschulung unterziehen.

16 Wie sind diejenigen Jagscheininhaber im Hinblick auf eine „kundige Person" zu bewerten, die nach dem 1. Februar 1987 ihre Jägerprüfung abgelegt haben?

Bei ihnen wird vermutet, dass sie über die notwendigen Kenntnisse verfügen. Da allerdings auch die jüngsten Hygieneverordnungen auf EU-Ebene und auf nationaler Ebene zum Wissensstand einer im Sinne der Verordnungen kundigen Person gehören, werden auch sie sich entsprechend weiterbilden und dies gegenüber der zuständigen Behörde (Veterinäramt) nachweisen müssen.

17 Welche Aufgabe hat der Jäger als „kundige Person"?

Er hat bei Abgabe von Wild aus dem Revier an einen zugelassenen Wildbearbeitungsbetrieb das erlegte Wild und bei Großwild dessen Eingeweide (Organe der Brust, des Bauches und der Beckenhöhle – von der Luft- und Speiseröhre über Herz, Lunge, und Leber bis zu Milz und Nieren und bei männlichen Stücken auch die Hoden) auf Merkmale zu überprüfen, die dessen Fleisch als bedenklich für den menschlichen Verzehr erscheinen lassen. Finden sich derartige Merkmale nicht, hat die kundige Person dieses für jedes einzelne Stück Großwild auf einem Formblatt (Wildursprungsschein, Wildbegleitschein) unter Beifügung einer amtlichen Wildursprungsmarke schriftlich zu bestätigen.

18 Was ist zu beachten, wenn eine kundige Person nicht zur Verfügung steht?

In diesem Falle sind jedem Wildkörper von Großwild die ihm zugehörigen Eingeweide für eine amtliche Fleischuntersuchung beizufügen.

19 Wann haben die Untersuchungen durch die kundige Person zu erfolgen?

Ohne vermeidbare Zeitverzögerung unmittelbar nach dem Erlegen.

20 Was beinhaltet die EU-Verordnung (EG) 854/2004?

Sie beschreibt die bei Tieren im Allgemeinen und die bei Wild im Besonderen durch den amtlichen Tierarzt vorzunehmenden Untersuchungen und die auf Grund des Untersuchungsergebnisses zu treffenden Feststellungen und Entscheidungen. Für den Jäger als kundige Person ist es wichtig zu wissen, wann Wild als nicht verzehrfähig beurteilt wird.

21 Wer darf Wild an Wildbearbeitungsbetriebe veräußern?

Der als Lebensmittelunternehmer handelnde Revierinhaber, aber auch die in seinem Auftrag tätigen kundigen Personen. Über die Abgabe des Wildes sind Aufzeichnungen zu führen und zwei Jahre lang aufzubewahren.

22 Wer darf Wild an den örtlichen Einzelhandel/Gastronomie abgeben?

Dies dürfen nur Personen, die Lebensmittelunternehmer sind und die zugleich die Anforderungen an eine ausreichende Schulung entsprechend den Anforderungen der EU-Verordnung an eine kundige Person erfüllen.

23 Dürfen außer Wild im Haar- oder Federkleid auch Einzelteile von Wild an den örtlichen Einzelhandel/Gastronomie abgegeben werden?

Dies ist zulässig. Es setzt allerdings voraus, dass von der kundigen Person keine für den Verzehr des Fleisches bedenklichen Merkmale festgestellt wurden. Außerdem muss das Fleisch in Räumlichkeiten und unter Bedingungen gewonnen werden, die den hygienischen Anforderungen der Anlage 3 Kapitel I und II der Lebensmittelhygiene-Verordnung – Tierische Lebensmittel (LMHV-Tier) entsprechen. Gleiches gilt für die Abgabe von Einzelteilen an Endverbraucher.

Abgabemöglichkeiten des Jägers als Lebensmittelunternehmer		
1. Abgabe in der Decke		
An Endverbraucher	An Einzelhändler (auch Gastronomie)	An zugelassene Wildbearbeitungsbetriebe
2. Abgabe des zerwirkten Wildbrets		
Nur an:		
Endverbraucher	Einzelhändler (auch Gastronomie)	
3. Abgabe von Erzeugnissen aus Wildfleisch		
Nur an:		
Endverbraucher		

24 Was fordert das Lebensmittel- und Futtermittel-Gesetzbuch vom Jäger?

Er darf Wild (Haar- und Federwild und Teile von diesen), das zum Verzehr nicht geeignet ist bzw. die Gesundheit von Menschen gefährden kann, als Lebensmittel nicht in den Verkehr bringen (veräußern oder verschenken). Dies bestimmt § 5 LFGB in Verbindung mit Artikel 14 Abs. 2 Buchstabe a sowie Artikel 14 Abs. 1 der Verordnung (EG) Nr. 178/2002. Verstöße hiergegen stellen einen Straftatbestand dar. Er kann in schweren Fällen mit einer Freiheitsstrafe bis zu fünf Jahren geahndet werden (§ 58 Absatz 2 Nr. 1 LFGB). Außerdem verpflichtet das LFGB den Jäger, die einschlägigen Hygiene- und Handelsbestimmungen der Verordnungen (EG) Nr. 178/2002, (EG) Nr. 852/2004 und (EG) 853/2004 einzuhalten.

25 Nach welchen Gesetzen hat sich der Jäger bei der Beurteilung von Wild als verzehrfähigem Lebensmittel zu richten?

Nach der EU-Verordnung (G) 854/2004 Anhang 1 Buchstabe A Ziffer 3 Buchstabe e) und nach der LMHV-Tier Anlage 4. Sie verpflichten den Jäger vor dem Versorgen und nach dem Ausweiden des Wildes bestimmte Untersuchungen am Wildkörper, an seinen Eingeweiden (innere Organe) sowie am Gescheide durchzuführen. Sie sollen ihm Erkenntnisse über die Verzehrfähigkeit bzw. Nichtverzehrfähigkeit des Wildbrets liefern.

26 Für welche Bereiche gelten die EU-Verordnungen und die Lebensmittelhygiene-Verordnungen (LMHV und LMHV-Tier)?

Sie gelten für alle Bereiche, in denen Wild oder Teile von diesem nicht ausschließlich für den eigenen privaten Haushalt gewonnen, sondern zum menschlichen Verzehr bestimmt an Dritte abgegeben werden.

27 Welchen Status hat der Jäger nach der EU-Verordnung (EG) 853/2004 und der LMHV-Tier?

Er ist beim Haar- und Federwild in der gleichen rechtlichen Position wie der amtliche Fachassistent (alt: Fleischkontrolleur) beim Schlachtvieh. Als solcher ist er in besonderer Weise verpflichtet, sich die hierfür erforderlichen Kenntnisse anzueignen und die gesetzlichen Bestimmungen exakt zu beachten. Dies erfordert von ihm auch nach der Jägerprüfung eine ständige Weiterbildung in diesem Bereich.

28 Was hat der Jäger als „kundige Person in Sachen Wild“ besonders zu beachten?

Er hat dafür zu sorgen, dass der amtlichen Untersuchung auf Trichinen unterliegendes und zum Verzehr durch den Menschen bestimmtes Haarwild, insbesondere Schwarzwild, der amtlichen Untersuchung auf Trichinen zugeführt wird. Des weiteren hat er Haarwild der amtlichen Fleischuntersuchung zuzuführen, wenn er an diesem Merkmale feststellt, die dessen Wildbret für den menschlichen Genuss bedenklich erscheinen lassen. Hierbei hat er sich an den gesetzlichen Festlegungen hinsichtlich der „bedenklichen Merkmale“ zu orientieren.

29 Wer ist neben dem Jagdscheininhaber in besonderer Weise zur Einhaltung der Bestimmungen der EU-Verordnungen und Lebensmittelhygiene-Verordnungen (LMHV und LMHV-Tier) verpflichtet?

Der Revierinhaber als Aneignungs- und Verfügungsberechtigter des Wildes, sodann der von diesem mit der Erlegung und der Verwertung von Wild beauftragte Berufsjäger, Jagdaufseher oder Jagdgast. Darüber hinaus auch der Aufkäufer von Wild, sofern er es gewerblich (Kantine, Gasthof, Restaurant, Wildhandel) verwerten will.

4.2 Trichinen- und Fleischuntersuchung

30 Welche Wildtiere müssen auf Befall mit Trichinen (Trichinellen) untersucht werden?

Alle Fleisch fressenden Wildtiere, deren Wildbret dem menschlichen Verzehr zugeführt werden soll. Zu ihnen gehören Wildschweine, Dachse und Nutria (Sumpfbiber).

31 Welche Arten von Trichinen gibt es?

Einmal den Typ Trichinella spiralis, zum anderen den Typ Trichinella pseudospiralis. Während sich die Trichinella spiralis in der Muskulatur des Wirttieres einkapselt, geschieht dies bei der Trichinella pseudospiralis nicht. In Deutschland konnte bei Wildschweinen eine Mischinfektion mit beiden Trichinentypen nachgewiesen werden. Während Tiere mit Trichinenbefall keine Krankheitssymptome zeigen, können beide Typen von Trichinen beim Menschen schwere Erkrankungen, selten mit Todesfolge hervorrufen.

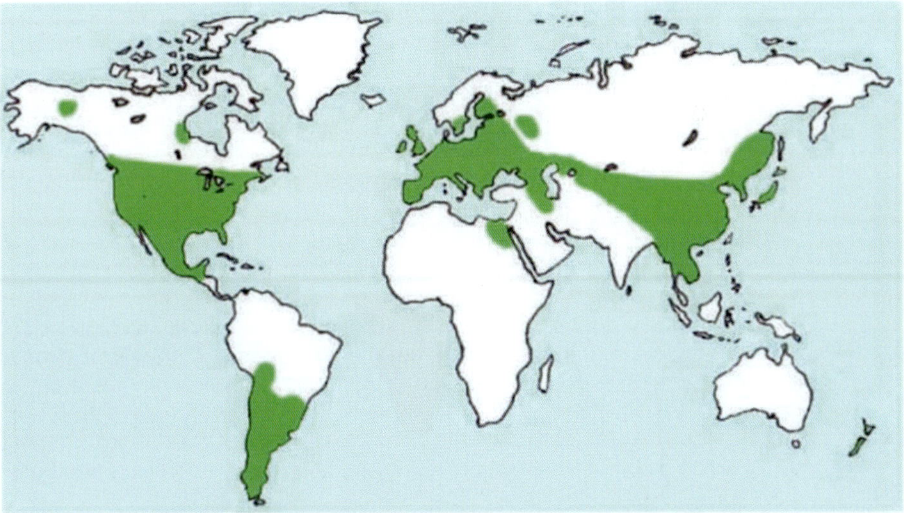

Weltweite Verbreitung von *Trichinella spiralis*

Quelle: LMU München, Tierärztliche Fakultät, Institut für Hygiene undTechnologie der Lebensmittel tierischen Ursprungs

32 Wie infiziert sich Schwarzwild an Trichinen?

Schwarzwild infiziert sich durch die Aufnahme von trichinösen Beutetieren und trichinösen Tierkadavern, insbesondere an Fuchskadavern.

33 Infektion des Menschen an Trichine?

Der Mensch infiziert sich durch den Genuss von trichinösen Fleisch, das nicht genügend durchgebraten oder gekocht ist. Deswegen ist in Deutschland auch die Trichinenuntersuchung für Wildbret von Schwarzwild, Bär, Dachs und Nutria seit 1937 gesetzlich vorgeschrieben, wen es für den menschlichen Verzehr bestimmt ist.

34 Wie vermehren sich Trichine und breiten sich im Körper aus?

Nach der Aufnahme von Muskeltrichinen (Erstlarve) lösen sich die Kapseln im Dünndarm auf. Die so freigesetzten Larven wachsen in der Darmwand nach vier Häutungen zu geschlechtsreifen Würmern heran.
Die kleineren Männchen sterben bald nach der Begattung ab. Die Weibchen leben ca. 4–6 Wochen im Darm und gebähren 1.000–1.500 Jungtrichinellen.
Die Jungrichinellen (Erstlarven ca. 0,1 mm) bohren sich durch die Darmwand und gelangen so über das Blut- und Lymphsystem in die quergestreifte Muskulatur und siedeln sich vorwiegend am Übergang zum sehnigen Teil an. Bevorzugt wird die gut durchblutete Muskulatur, wie Zwerchfellpfeler, Zischenrippenmuskulatur, Kehlkopf, Zungen-, und Augenmuskeln, Unterarm und Unterbeinmuskulatur bei Lauftieren.
17–18 Tage nach der Infektion sind die jungen Larven bereits als langgestreckte Musketrichinen ansteckungsfähig. Sie sind dann 0,8–1,0 mm lang und 0,03 mm dick.
4–6 Wochen nach der Infektion rollen sich die Larven auf und verkapseln sich. Die eingekapselte Trichinenlarve bleibt über Jahrzehnte infektiös.

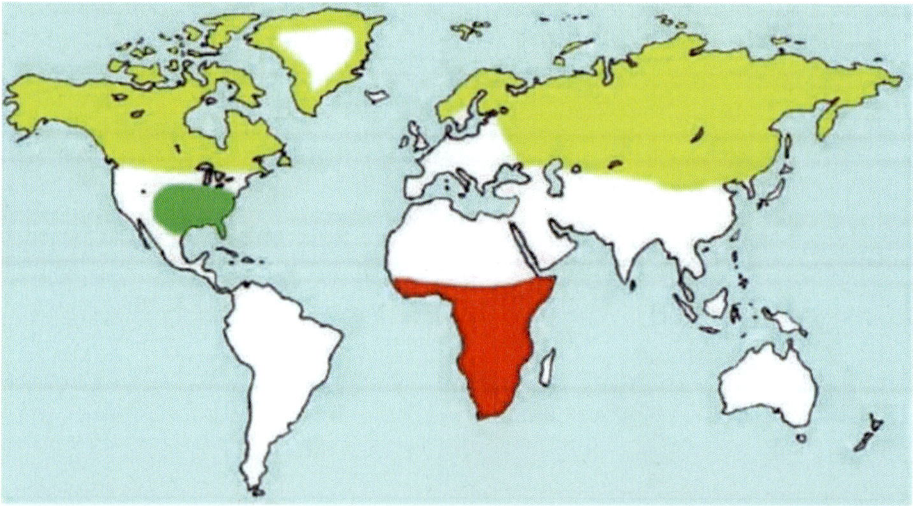

Weltweite Verbreitung von Trichinella nativa, nelsoni und murelli

Quelle: LMU München, Tierärztliche Fakultät, Institut für Hygiene undTechnologie der Lebensmittel tierischen Ursprungs

35 Überlebensfähigkeit der Trichine?

Eine Inaktivierung der Trichine erreicht man durch Tiefgefrieren, bei –29 °C über 12 Tage. Bei –15 °C in 30 Tagen. Oder durch Erhitzen mind. 75 °C über 30 min.
Räuchern, Trocknen oder die Fleischreifung überleben sie.

36 Welche Krankheitssymptome zeigen sich beim Menschen?

Nach Aufnahme der Larven (mind. 70 Stück) kann es am 3. bis 5. Tag nach der Infektion zu Schweren Krankheitsgefühl mit Mattigkeit, Schlaflosigkeit, Schübe mit hohem Fieber kommen. Auch Magen- Darmsymptome, wie Bauchschmerzen, Erbrechen, Durchfall und starkes Durstgefühl treten auf.
Eventuell kommt es zu punktförmigen Blutungen in der Haut und unter den Nägeln.
Ab dem 9. Tag bis zu 3–4 Wochen nach der Infektion treten Rheumaähnliche Muskelschmerzen und auf, Heiserkeit oder Beschwerden beim Schlucken ode Atmen. Durch das Eindringen der Larven in Muskelfasern kann es auch zu Gesichtsschwellungen, Sehstörungen, erhöhter Herzfrequenz und zu zentralnervösen Störungen kommen.
Bei schweren Verläufe kann es zu Herzmuskelentzündungen, Lähmung der Atemmuskulatur Gehirnentzündungen kommen (ca. 5 % Todesfälle).

Übermittelte Trichinellose-Fälle pro 100.000 Einwohner nach Bundesland (Wohn-/Aufenthaltsort des Falles) und Meldejahr, Deutschland, Fälle entsprechend der Referenzdefinition des RKI; Datenstand: 24.10.2012, Quelle: Robert-Koch-Institut: SurvStat

Bundesland	2001	2002	2003	2004	2005	2006	2007	2008	2009	2010	2011	2012
Baden-Württemberg	0,00	0,02	0,03	0,00	0,00	0,00	0,00	0,00	0,00	0,00	0,00	0,00
Bayern	0,00	0,01	0,00	0,00	0,00	0,01	0,02	0,01	0,00	0,00	0,00	0,00
Berlin	0,03	0,06	0,00	0,03	0,00	0,06	0,00	0,00	0,00	0,00	0,00	0,00
Brandenburg	0,00	0,00	0,00	0,00	0,00	0,00	0,00	0,00	0,00	0,00	0,00	0,00
Bremen	0,00	0,00	0,00	0,00	0,00	0,00	0,00	0,00	0,00	0,00	0,00	0,00
Hamburg	0,06	0,00	0,00	0,00	0,00	0,00	0,23	0,00	0,00	0,00	0,00	0,00
Hessen	0,00	0,05	0,00	0,00	0,00	0,03	0,02	0,00	0,00	0,02	0,00	0,00
Mecklenburg-Vorpommern	0,00	0,00	0,00	0,00	0,00	0,94	0,00	0,00	0,00	0,00	0,00	0,00
Niedersachsen	0,03	0,00	0,00	0,00	0,00	0,00	0,01	0,00	0,00	0,00	0,00	0,00
Nordrhein-Westfalen	0,01	0,01	0,00	0,02	0,00	0,00	0,01	0,00	0,00	0,00	0,02	0,00
Rheinland-Pfalz	0,00	0,00	0,00	0,00	0,00	0,00	0,00	0,00	0,00	0,02	0,00	0,00
Saarland	0,00	0,00	0,00	0,00	0,00	0,00	0,00	0,00	0,00	0,00	0,00	0,00
Sachsen	0,00	0,00	0,00	0,00	0,00	0,02	0,00	0,00	0,02	0,02	0,00	0,02
Sachsen-Anhalt	0,00	0,00	0,00	0,00	0,00	0,00	0,00	0,00	0,00	0,00	0,00	0,00
Schleswig-Holstein	0,00	0,00	0,00	0,00	0,00	0,00	0,00	0,00	0,00	0,00	0,00	0,00
Thüringen	0,00	0,00	0,00	0,00	0,00	0,00	0,00	0,00	0,00	0,00	0,00	0,00

37 Auf welche Weise erfolgt die Untersuchung auf Trichinen?

Dem Tier werden walnussgroße Fleischproben aus der Muskulatur jedes Zwerchfellpfeilers sowie aus der Muskulatur eines Vorderlaufes (ca. 30 g) entnommen.
Als Ersatzprobe kann, wenn das Zwerchfell versehentlich entfernt wurde, der Rest des Zwerchfellpfeilers an den Brustorganen (im Mittelfeld der Lunge zwischen den Lungenflügeln), sowie die Zwischenrippenmuskulatur und Zungenmuskulatur im Notfall genommen werden.

38 Wie verfährt man mit der entnommenen Probe?

Die entnommene Probe wird in ein Probengefäß oder in einen Probenbeutel (Plastikbeutel) gelegt, dabei sind Verunreinigungen unbedingt zu vermeiden.
Die Wildmarke muss sicher am Tierkörper angebracht werden (z.B. Brust oder Bauchbereich. Der Abbruchteil der Wildmarke wird zusammen mit den Probe in das Probengefäß gelegt, um so eine sichere Zuordnung der Probe zum Tierkörper zu gewährleisten. Wird die Probe nicht sofort zur Untersuchung gebracht, muss sie unbedingt kühl gelagert werden.

Kennzeichnung der des Probenbeutels mit der Nummer der Wildmarke
Verunreinigungen sind unbedingt zu vermeiden.

Abgegeben Proben ohne Begleitdokument, mit fehlerhafter Kennzeichnung, mit starker Verunreinigung oder mit unvollständig ausgefüllten Begleitdokument werden nicht mehr untersucht. Bei wiederholt unkorrektem Verhalten kann die Beauftragung entzogen werden.

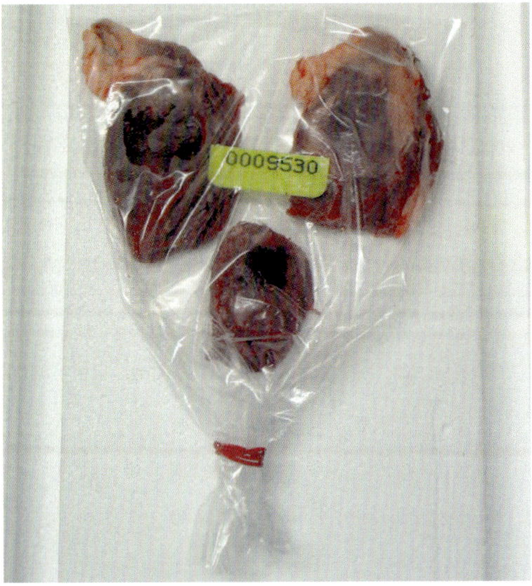

4.1: Eingeschweißtes Fleisch

39 Was ist ein Wildursprungsschein?

Der obere Teil des Scheines ist durch den Jagdausübungsberechtigten auszufüllen.
Der untere Teil des Scheines ist durch das Untersuchungslabor auszufüllen.

Das Original des Wildursprungsscheins (weiß) verbleibt bei dem beauftragten Jagdausübungsberechtigten und muss zwei Jahre lang aufbewahrt werden.
Die 1. Durchschrift (grün) muss mit der Probe abgegeben werden und verbleibt im Veterinäramt.
Die 2. Durchschrift (gelb) wird dem endgültigen Besitzer des Tieres mitgegeben. Sie dient als Nachweis für die durchgeführte Untersuchung und somit für die Unbedenklichkeit des Tieres

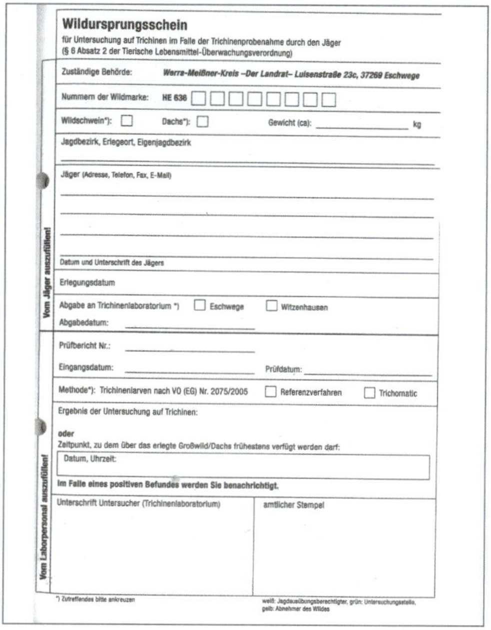

Wildursprungsschein
für Untersuchung auf Trichinen im Falle der Trichinenprobenahme durch den Jäger
(§ 6 Absatz 2 der Tierische Lebensmittel-Überwachungsverordnung)

Vom Jäger auszufüllen!

Zuständige Behörde: *Werra-Meißner-Kreis –Der Landrat– Luisenstraße 23c, 37269 Eschwege*

Nummern der Wildmarke: HE 636 ☐☐☐☐☐☐☐☐

Wildschwein*): ☐ Dachs*): ☐ Gewicht (ca): ____ kg

Jagdbezirk, Erlegeort, Eigenjagdbezirk

Jäger (Adresse, Telefon, Fax, E-Mail)

Datum und Unterschrift des Jägers

Erlegungsdatum

Abgabe an Trichinenlaboratorium *) ☐ Eschwege ☐ Witzenhausen

Abgabedatum: ____

Vom Laborpersonal auszufüllen!

Prüfbericht Nr.: ____

Eingangsdatum: ____ Prüfdatum: ____

Methode*): Trichinenlarven nach VO (EG) Nr. 2075/2005 ☐ Referenzverfahren ☐ Trichomatic

Ergebnis der Untersuchung auf Trichinen:

oder
Zeitpunkt, zu dem über das erlegte Großwild/Dachs frühestens verfügt werden darf:

Datum, Uhrzeit:

Im Falle eines positiven Befundes werden Sie benachrichtigt.

Unterschrift Untersucher (Trichinenlaboratorium) | amtlicher Stempel

*) Zutreffendes bitte ankreuzen

weiß: Jagdausübungsberechtigter, grün: Untersuchungsstelle, gelb: Abnehmer des Wildes

4.2: Wildursprungsschein

40 Was kostet die Untersuchung der Fleischprobe?

Der Antragsteller ist der Gebührenschuldner und bezahlt z.B. im Werra-Meißner Kreis in Hessen 7,80 Euro pro Tier. Jungtiere unter 20 kg (aufgebrochen) bleiben gebührenfrei.

41 Was sind die Konsequenzen bei Verstoß gegen die Vorschriften?

Nach § 28 des Fleischhygienegesetzes wird mit Freiheitsstrafe bis zu drei Jahren oder mit Geldstrafe bestraft, wer Fleisch, das der Untersuchung auf Trichinen unterliegt, zum Genuss für Menschen zubereitet oder in den Verkehr bringt, bevor die vorgeschriebene Untersuchung durchgeführt worden ist.

42 Wie werden die Fleischproben untersucht?

Nach der Verdauungsmethode (Digestionsmethode) werden die Fleischproben in einem Mixer zerkleinert. Der Fleischbrei kommt dann in ein temperiertes Gefäß, wo er nach der Zugabe von Pepsin, Wasser und Salzsäure unter ständigem Umrühren künstlich verdaut. Die sich nach dem Umfüllen am Boden des Gefäßes absetzende Masse wird mit einem Trichinoskop (Projektor mit aufgesetztem Mikroskop) oder unter einem normalen Mikroskop auf das Vorhandensein von Trichinen untersucht.
Gesetzlich nicht mehr zugelassen ist eine Untersuchung auf Trichinen nach der alten Quetschmethode, da sie nur eine ca. 60 %ige Sicherheit im Auffinden vorhandener Trichinen bietet.

Tabelle: Ergebnisse der Trichinenuntersuchung bei Wildschweinen;
Quelle: Statistisches Bundesamt, Fachserie 4.3

Jahr	untersucht	davon positiv	Land (Anzahl der Fälle)
1996	251.656	10	NRW 4, BW 4, HS 1, RP 1
1997	215.926	14	BW 1, BAY 3, BB 2, HS 4, NRW 3, TH 1
1998	192.764	12	BW 4, BAY 2, BB 1 NRW 2, SA 1, TH 2
1999	292.460	9	BW 5, BAY 3, NRW 1
2000	265.417	8	BW 3, BAY 4, HS 1
2001	389.008	4	BAY 4
2001	397.425	12	BW 1, BAY 1, BB 1, HS 4, TH 5
2003	370.187	10	BW 7, BAY 1, BB 2
2004	390.570	11	BW 5, BAY 1, NS 1, NRW 2, RP 1, TH 1
2005	402.996	11	BW 1, BAY 2, MV 6, NRW 2

43 Wer darf die Proben für die Untersuchung auf Trichinen dem Wildtier entnehmen?

Der amtliche Tierarzt oder der von ihm hierzu beauftragte amtliche Fachassistent. In Einzelfällen auch in der Sache kundige Jäger, der von der zuständigen Behörde (Veterinäramt) darin geschult und mit der Entnahme der Proben betraut worden sind. Er gibt die Proben an die Untersuchungsstelle (Veterinäruntersuchungsamt, Schlachthof oder an einen mit den entsprechenden Gerätschaften ausgestattete und als amtlicher Tierarzt tätigen Veterinärmediziner). Erst wenn ein negatives Untersuchungsergebnis vorliegt und anderweitige Bedenken gegen den Verzehr des Wildbrets nicht vorliegen, darf das Stück Wild weiterverwertet werden.

44 Wer hat ein der Untersuchung auf Trichinen unterliegendes Stück Wild beim amtlichen Tierarzt anzumelden?

Der Revierinhaber als Verfügungsberechtigter, der mit der Verwertung beauftragte Berufsjäger oder Jagdaufseher oder der das Wild erwerbende Jagdscheininhaber. Auf sonstige Käufer des Wildes (Gastronom, Wildhändler – nicht jedoch Privatpersonen) kann der Revierinhaber die Anmeldung zur amtlichen Trichinenuntersuchung übertragen, in dem er diese hierzu (schriftlich) verpflichtet. Er muss die Trichinenbeschau durch Vorlage des Gebührenzettels belegen.

45 Wo erfährt der Jäger oder der Käufer den Namen und die Anschrift des für sein Revier, seinen Wohnort zuständigen amtlichen Tierarztes oder amtlichen Fachassistenten?

Bei der Gemeinde- oder Stadtverwaltung, bei der Kreisveterinärbehörde, beim nächstgelegenen Schlachthof, aber auch bei jedem Metzger (Fleischer) mit eigener Schlachtung.

46 Woran erkennt der Käufer, ob eine amtliche Untersuchung auf Trichinen ordnungsgemäß durchgeführt wurde?

An dem zugehörigen Wildursprungsschein, welcher mit dem Tierkörper an den Käufer übergeben wurde.

47 Ist die Untersuchung auf Trichinen gleichbedeutend mit der amtlichen Fleischuntersuchung?

Nein. Die Untersuchung auf Trichinen ermittelt nur, ob ein dieser Untersuchungspflicht unterliegendes Stück Haarwild mit Trichinen befallen ist oder nicht.
Die Fleischuntersuchung geht darüber hinaus und beurteilt anhand des Wildkörpers und seiner Organe, ob das Wild von einer die Gesundheit des Menschen gefährdenden Krankheit befallen ist. Außerdem, ob sein Wildbret sonstige Merkmale aufweist, die dessen Verzehrfähigkeit bedenklich erscheinen lassen. In Zweifelsfällen wird eine bakteriologische Untersuchung der Organe und des Wildbrets veranlasst.

48 Wer darf die amtliche Fleischuntersuchung bei Haarwild durchführen?

Nur der zur Fleischuntersuchung zugelassene amtliche Tierarzt. In Ausnahmefällen auch der unter seiner direkten Aufsicht arbeitende amtliche Fachassistent (z.B. in Wildbearbeitungsbetrieben).

49 Welche Vorbereitungen hat der Jäger oder Wildkäufer für die Durchführung einer amtlichen Fleischuntersuchung bei Haarwild zu treffen?

Er hat auf Anforderung des Untersuchers das Wild aus der Decke zu schlagen bzw. abzubalgen und bei größeren Stücken (Schalenwild) den Tierkörper einschließlich Haupt (ausgenommen Trophäenträger) entlang der Wirbelsäule der Länge nach zu spalten. Außerdem hat er Zunge (Lecker), Speiseröhre (Schlund), Lunge, einschließlich Luftröhre und Kehlkopf (Drossel und Drosselknopf), Herz, Leber, Milz und Nieren samt Nierenfett sowie sonstige ihm verdächtig erscheinende Teile (Därme, Blase, Hoden) des Stückes zur Untersuchung verfügbar zu halten.

50 In welchem Zeitraum hat die Anmeldung zur amtlichen Fleischuntersuchung zu erfolgen?

Grundsätzlich so schnell wie möglich, spätestens innerhalb von 48 Stunden nach dem Erlegen des Wildes bzw. dessen Inbesitznahme. Bis zur Durchführung der amtlichen Fleischuntersuchung muss das Wild mit dem übrigen Untersuchungsgut in einer Kühlkammer bei Temperaturen um + 3 °C aufbewahrt werden. Merke: Je schneller die Anmeldung zur amtlichen Fleischuntersuchung erfolgt, desto günstiger kann das Untersuchungsergebnis ausfallen. Hintergrund: Sind die zu untersuchenden Organe noch frisch, dann lassen sich krankheitsbedingte Veränderungen besser beurteilen. Im gegenteiligen Fall wird der amtliche Tierarzt immer eine bakteriologische Untersuchung anordnen und bis zum Vorliegen des Ergebnisses das Wild beschlagnahmen. Dies kann mehrere Tage dauern.

51 Welche Zielsetzungen hat eine amtliche Fleischuntersuchung bei Haar- und Federwild?

Die Fleischuntersuchung soll sicherstellen, dass sich der Verbraucher beim Verzehr von Wildbret nicht an einer von Wildtieren auf den Menschen übertragbaren Krankheit (Zoonosen) oder an während der Gewinnung des Wildbrets auf dieses übertragenen Erregern infiziert. Sodann, dass der Verbraucher nur Wildfleisch erwirbt, das nach lebensmittelhygienischen Bedingungen gewonnen wurde, frei von Verschmutzungen ist und appetitlich aussieht. *Hinweis:* Das Tückische an von Wildtieren (und anderen Tieren) auf den Menschen übertragbaren Krankheiten ist, dass diese beim Menschen oft erst nach Tagen oder Wochen und meist unter den Zeichen einer Grippe oder Angina ausbrechen und sehr langwierig sind.

52 Warum Fleischuntersuchung auf Radioaktivität?

In Baden-Württemberg, Bayern und im südlichen Thüringen (seit Sept. 2012) muss erlegtes Wildfleisch auch auf Radioaktivität untersucht werden, wenn es an Dritte zum menschlichen Verzehr abgegeben werden soll. Betroffen davon ist hauptsächlich Schwarzwild. Die Radioaktivität wird über die Äsung aufgenommen. Ursächlich für die Radioaktivität ist der von den Schwarzkitteln begehrte Hirschtrüffel und der Maronenröhrling, die ca. 15 cm unter der Erde wachsen. Die Pilze sind noch sehr mit Cäsium belastet.
Durch ihre Ernährungsweise sind Reh- und Rotwild praktisch unbelastet.
Die Untersuchung erfolgt an fettfreiem Muskelfleisch.
Der Cäsiumgrenzwert darf 600 Bq/kg nicht überschreiten. Wird dieser Grenzwert überschritten muss das Fleisch vernichtet werden. Der Jäger bekommt dann eine Ausgleichszahlung vom Bundesverwaltungsamt. Schuldhaftes Handeln stellt einen Straftatbestand dar.

4.3 Fallwild – erlegtes Wild

53 Worauf hat der Jäger vor dem Erlegen des Wildes zu achten?

Er muss das Verhalten des Wildes und sein Erscheinungsbild auf von der Norm abweichende Merkmale kontrollieren (nach § 4 Tier-LMHV), also eine der bei Schlachttieren vergleichbare Lebendbeschau durchführen. Als von der Norm abweichend gelten: Lahmheit, übermäßige Vertrautheit, ungewöhnliche Lautäußerungen, ein wegen Durchfall verschmutzter Spiegel, Abmagerung (im Gewicht schwaches, unter dem Durchschnitt vergleichbarer Stücke Wild im Revier liegend) oder sonstige Störungen des Allgemeinbefindens. Beim Vorliegen eines dieser Anzeichen ist das Stück Wild nach dem Erlegen ohne Ausnahme zur amtlichen Fleischuntersuchung anzumelden bzw. für die Umwelt unschädlich zu entsorgen.

54 Was versteht man unter Fallwild?

Wild, das ohne äußere Gewalteinwirkung zu Tode gekommen ist und verendet aufgefunden wird. Hierzu zählen auch jene Stücke, die ohne sichtbare äußere Verletzung beim Verenden angetroffen und durch einen Fangschuss von ihren Leiden erlöst werden. Fallwild ist grundsätzlich nicht zum Verzehr geeignet.

Fallwild ist eindeutig von verunfalltem Wild zu unterscheiden. Zum verunfallten Wild zählen jene Stücke, die aufgrund äußerer Gewalteinwirkung, z.B. durch den Zusammenstoß mit einem Kraftfahrzeug, beim Anrennen gegen einen Zaun oder durch Riss von einem Hund zu Tode gekommen sind. Unfallwild ist der vollständigen amtlichen Fleischuntersuchung zuzuführen (Vorlage des Wildkörpers und der Organe beim amtlichen Tierarzt), weil eine Beurteilung des Verhaltens und des Erscheinungsbildes zu Lebzeiten nicht möglich war. Unfallwild darf verwertet, aber nicht veräußert werden.

55 Wie hat der Jäger bei Fallwild zu verfahren?

Er hat das Wild unschädlich zu beseitigen, d.h. es entweder einer Tierkörperbeseitigungsanstalt zuzuführen oder es mindestens 50 cm tief zu vergraben (Bestimmungen des Tierische Nebenprodukte-Beseitigungsgesetz, TierNebG, und der Verordnung (EG) 1774/2002). Keinesfalls darf er es als Luder auf den Luderplatz verbringen. Liegt der Verdacht einer seuchenartigen Erkrankung (z.B. Schweinepest) vor, muss er das Stück Wild dem Veterinäruntersuchungsamt zur Ermittlung der Todesursache zuleiten (Tiergesundheitsgesetz).

56 Welche Vorteile hat der Revierinhaber, wenn er die Untersuchung von Fallwild veranlasst?

Er erfährt die genaue Todesursache und kann bei gehäuft auftretenden gleichartigen Fällen seine Hegemaßnahmen hierauf entsprechend abstimmen. Bei der Versorgung erlegten Wildes wissen er und seine Mitjäger darüber hinaus, auf welche Krankheitsmerkmale sie zusätzlich besonders achten müssen.

57 Welche Untersuchung hat der Jäger nach der Inbesitznahme erlegten Haarwildes durchzuführen?

Noch vor dem Aufbrechen und Ausweiden hat er die Oberfläche des Wildkörpers sorgfältig in Augenschein zu nehmen und einschließlich der Läufe abzutasten. Nur so kann er unter der Decke (Schwarte, Balg) sich befindende Geschwülste, Schwellungen der Gelenke oder sonstige vom Normalzustand abweichende Dinge feststellen. Werden für den Verzehr des Wildbrets als bedenklich zu wertende Feststellungen getroffen, ist das Wild zur amtlichen Fleischuntersuchung anzumelden.

58 Was versteht man unter „sachgemäßem Versorgen"?

Bei Schalenwild das Aufbrechen und Ausweiden, bei Federwild das Entfernen des Kropfes und das Ausweiden mittels Bauchhöhlenschnitt. Nicht zulässig ist das bei Federwild früher übliche Aushakeln.

59 Wann ist erlegtes Haarwild sachgemäß zu versorgen?

Schalenwild unmittelbar nach dem Erlegen, Hasen und Wildkaninchen spätestens bei der Anlieferung an einen Wildbearbeitungsbetrieb oder an den örtlichen Einzelhandel/Gastronomie. Bei Lieferung an den örtlichen Einzelhandel darf es sich nicht um mehr als die Strecke eines Jagdtages handeln (kleine Menge). Die Anlieferung sollte innerhalb von zwölf Stunden erfolgen. In der Zwischenzeit ist Großwild auf eine Kerntemperatur von +7 °C, Kleinwild auf eine Kerntemperatur von +4 °C zu kühlen.

4.3: Moderner Zerwirkraum für eine Hegegemeinschaft

60 Was ist unter örtlicher Einzelhandel zu verstehen?

Das sind Betriebe, die sich im Bereich des Wohnortes der Jägerin/des Jägers oder im Bereich des Erlegeortes befinden und das Lebensmittel Wild direkt an den Endverbraucher abgeben. Entweder zur Zubereitung im eigenen Haushalt oder zum Verzehr an Ort und Stelle.

61 Warum ist ein Ausweiden von Wild unmittelbar nach der Inbesitznahme erforderlich?

Weil 30–40 Minuten nach Eintritt des Todes die so genannte Magen-Darm-Barriere zusammenbricht. Dies hat zur Folge, dass sich im Magen und Darm befindende Keime (Bakterien, Erreger) am Wildbret ansiedeln, in dieses eindringen und sich dort vermehren (dies noch Stunden nach dem Verenden). Dies führt im Verlauf mehrerer Stunden zur Vergrünung des Bauch- und Brustfells und kann letztlich die Genussuntauglichkeit des Wildbrets zur Folge haben. Vergrünung des Bauch- und Brustfells erfordert immer eine amtliche

Fleischuntersuchung des Wildes. Wissenswert: Im Schlachtviehbereich werden Tiere, die nicht spätestens eine Stunde nach der Tötung ausgeweidet sind, grundsätzlich von einer Verwertung durch den Menschen ausgeschlossen. Bei Drückjagden und Bewegungsjagden müssen unbedingt Aufbruch- bzw. Lüftungspausen eingelegt werden.

62 Wie ist ein Stück Schalenwild zu beurteilen, das auf der Nachsuche durch Fangschuss zur Strecke kommt ?

Es ist ohne Ausnahme zur amtlichen Fleischuntersuchung anzumelden, da es Verletzungen (z.B. offene Knochenbrüche) aufweist, die nicht in unmittelbarem Zusammenhang mit dem Erlegen (Fangschuss) stehen. Diese Verletzungen gelten nach Gesetz als für den Verzehr des Wildbrets bedenkliche Merkmale. Auch dann, wenn sie nur wenige Minuten oder Stunden alt sind.

63 Warum sind derartige Verletzungen ein „gesundheitlich bedenkliches Merkmal"?

Durch Bodenkontakt (Wundbett) werden die sich auf der Bodenoberfläche befindenden Bakterien (aber auch Pilzsporen) über die offene Wunde in die Blutbahn gebracht und im gesamten Körper umverteilt. Im warmen Wildkörper vermehren sich die Bakterien explosionsartig. Unter ihnen befinden sich praktisch immer auch für den Menschen gefährliche Krankheitserreger. Außerdem enthalten die Stoffwechselprodukte einzelner Erregertypen Gifte, die für den Menschen ebenfalls gefährlich werden können (z.B. Clostridien).

64 Wozu ist der Jäger verpflichtet, wenn er ein beschossenes Stück Schalenwild auf der Nachsuche verendet auffindet?

Er hat bei der Inbesitznahme und dem Versorgen des Stückes auf für die Genusstauglichkeit des Wildbrets bedenkliche Merkmale zu achten. Zu ihnen zählen insbesondere erhebliche Gasbildung im Magen- und Darmkanal (aufgeblähter Bauch) mit gleichzeitiger Verfärbung der inneren Organe, insbesondere der Leber, aber auch der Milz und der Nieren. Diese sind stets dann anzutreffen, wenn das Stück wesentlich später als eine Stunde nach dem Verenden aufgefunden wird. Die Außentemperatur ist dabei unwesentlich. Entscheidend ist die körpereigene Temperatur (37 °C bis 40 °C), die die Vermehrung der im Wildkörper vorhandenen Keime fördert und eine stickige Reifung des Wildbrets begünstigt. Derartige Stücke sind zur amtlichen Fleischuntersuchung anzumelden oder zu entsorgen.

65 Wie ist das Wildbret eines weidwund geschossenen und nach einer Fluchtdistanz von 50 m und mehr verendend zusammenbrechenden Stückes Schalenwild zu bewerten?

Das Wildbret ist als minderwertig zu bewerten. Während der Flucht wurde ein hoher Anteil des für die Fleischreifung wichtigen Glykogen (muskeleigene Energiereserve) abgebaut. Außerdem ist davon auszugehen, dass durch den Schuss Magen- und Darmbakterien in die Blutbahn gelangten und während der Flucht in der Muskulatur umverteilt wurden. Dort vermehren sie sich, bis das Wildbret auf + 7 °C abgekühlt ist. Sie mindern die Lagerfähigkeit des Wildbrets. Ihre Stoffwechselprodukte beeinträchtigen zudem den Wildbretgeschmack (unangenehmer, leberartiger Nachgeschmack).

66 Ist ein weidwund geschossenes und alsbald auf der Nachsuche verendet aufgefundenes Stück Wild zur amtlichen Fleischuntersuchung anzumelden?

Nur dann, wenn sich Brust- und Bauchfell bereits verfärbt haben. In Verbindung mit Magen- und Darminhalt in der Körperhöhle (was bei weidwund geschossenen Stücken in der Regel gegeben ist) gilt dies nach Gesetz als ein für die Verwertung und den Verzehr des Wildbrets bedenkliches Merkmal. Nach der EU-Verordnung (EG) 854/2004 werden diese Stücke vom amtlichen Tierarzt als nicht verzehrfähig beurteilt.

67 Welche Maßnahmen hat der Jäger bei der Versorgung eines weidwund geschossenen Stückes Schalenwild zu treffen?

Er hat es unverzüglich aufzubrechen und auszuweiden. Dabei muss er darauf achten, dass er Brust- und Bauchhöhle nicht zusätzlich mit Magen- und Darminhalt verunreinigt. Nach dem Verbringen in die Wildkammer, was möglichst schnell erfolgen soll, hat er die Bauchhöhle durch Ausspülen mit Wasser (Trinkwasserqualität) von noch anhaftendem Magen- und Darminhalt zu reinigen. Das Auswischen mit einem Tuch, einem feuchten Lappen oder einem Schwamm ist nach Gesetz verboten. Ein- und Ausschuss sowie Teile des Wildkörpers, die mit Magen- und Darminhalt verschmutzt sind, sind großzügig auszuschneiden.

68 Ist es zweckmäßig, noch am Ort des Aufbrechens die Bauchhöhle des Wildes durch Auswischen mit Gras, Moos oder Reisern von anhaftendem Magen- und Darminhalt zu säubern?

Nein! Diese früher oft gelehrte Verfahrensweise ist unhygienisch und führt mehr zum Verschmieren des Magen- und Darminhalts und damit der sich darin befindenden Bakterien als zu deren Entfernung. Außerdem wird das Wildbret durch ein Auswischen mit Gras, Moos und Reisern zusätzlich mit Keimen und Pilzsporen verschmutzt.

4.4 Untersuchung auf Krankheitsmerkmale

69 Welche Teile des Wildes hat der Jäger nach dem Aufbrechen und dem Ausweiden eines Stückes Haarwild zu untersuchen?

Zu untersuchen sind: das Herz, die Lunge, die Leber, die Milz, die Nieren, das Gescheide und – soweit vorhanden – die Brunftkugeln (Hoden), außerdem die Bauch- und Brusthöhlenlymphknoten und der Träger (insbesondere bei Wildschweinen und Rotwild).

70 Worauf hat der Jäger bei der Untersuchung generell zu achten?

Auf das Vorhandensein von Geschwülsten und Abszessen an den inneren Organen und der Muskulatur. Geschwülste und Abszesse gelten nach Gesetz als für die Verzehrfähigkeit des Wildbrets bedenkliche Merkmale und bedingen die Anmeldung des Wildes zur amtlichen Fleischuntersuchung – insbesondere dann, wenn sie zahlreich angetroffen werden oder ungewöhnlich groß sind.

4.4: Innere Organe.
1-Weidsack (Pansen)
2-Drüsenmagen (Labmagen)
3-Kleines Gescheide
4-Leber
5-Milz
6-Nieren
7-Lunge mit Drossel, Schlund und Lecker
8-Herz
9-Zwerchfell

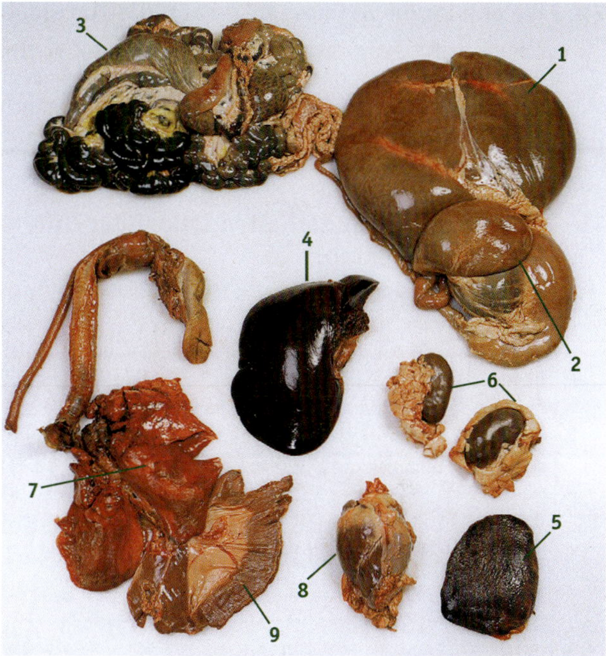

71 Was ist ein Geschwulst?

Bei einer Geschwulst handelt es sich um einen Tumor, meist eine knotenförmige Gewebewucherung von unterschiedlicher Größe. Der Tumor – er kann sowohl gut-, als auch bösartig sein – ist entweder als beulenartige Verdickung der Oberfläche deutlich sichtbar oder als Verdickung im Inneren des betroffenen Organs tastbar. In der Farbe entspricht eine Geschwulst meist dem Gewebe des von ihr befallenen Organs oder Muskels.

72 Was ist ein Abszess?

Unter einem Abszess versteht man eine eitrige, rahmartige Einschmelzung im Gewebe, die oftmals kapselartig von einer Bindegewebehaut umschlossen ist. Abszesse weisen in der Regel eine grünliche bis weißlich-gelbe Färbung auf.

73 Warum soll der Jäger bei männlichen Stücken die Brunftkugeln (Hoden) untersuchen?

Die Untersuchung dient der Feststellung, ob sie vom normalen Erscheinungsbild abweichen. Als Abweichungen gelten ungewöhnliche Schwellungen der Hoden. Darüber hinaus hat er festzustellen, ob die Hoden vereitert sind. Hierzu muss er sie auslösen und der Länge nach aufschärfen. Schwellungen und Vereiterungen sind das Ergebnis einer durch Bakterien hervorgerufenen Infektion. Finden sich Schwellungen oder Vereiterungen, dann sind die betreffenden Stücke ohne Ausnahme zur amtlichen Fleischuntersuchung anzumelden. Neben den anderen Organen sind die Brunftkugeln mit vorzulegen.

74 Welche Verdachtsmomente kann die Untersuchung des Herzens liefern?

Zeigt sich das Herz über Gebühr vergrößert und ist es darüber hinaus im Muskel weich und lappig, dann ist der Verdacht auf eine bestehende oder gerade überstandene Infektionskrankheit gegeben. Finden sich weitere ungewöhnliche Veränderungen an den übrigen Organen, insbesondere an der Leber und an der Milz, dann ist das Wild zur amtlichen Fleischuntersuchung anzumelden.

75 Auf welche Besonderheiten ist bei der Untersuchung der Leber und der Milz zu achten?

Auf Schwellungen von Leber und Milz, auf eine fleckenartige Verfärbung ihrer Oberfläche, auf eine ungewöhnliche Vergrößerung des sich an der Leberunterseite befindenden Lymphknotens sowie auf nicht glatte Ränder bei Leber und Milz. Werden derartige Veränderungen bemerkt oder sonstige ungewöhnliche Feststellungen (z.B. weißlich gelbe Punkte) getroffen, ist das Wild zur amtlichen Fleischuntersuchung anzumelden. *Hinweis:* Im Zweifelsfalle immer einen in der Unterscheidung zwischen normalen und anormalen Erscheinungsbild von Leber und Milz erfahrenen Jäger fragen (kundige Person).

76 Gilt das Vorhandensein von Leberegeln in der Leber als ein für den Verzehr des Wildbrets bedenkliches Merkmal?

Nein, sie finden sich in den Gallengängen der Leber und stellen für sich alleine kein derartiges Merkmal dar. Die Leber selbst ist jedoch nicht verzehrfähig.

77 Warum ist das Gescheide zu untersuchen?

Das Gescheide (insbesondere der Darm) gibt wesentliche Aufschlüsse über den Gesundheitszustand des Wildes. So ist z.B. eine Darmentzündung ein Hinweis auf eine bakterielle Infektion des Tieres. Erkennbar ist die Darmentzündung am glasigen Aussehen der Darmwände bei zugleich meist dünnflüssigem Darminhalt, insbesondere im Weiddarm. Finden sich darüber hinaus weißlich-gelbe Punkte auf den Darmwänden sind dies Hinweise auf eine Kokzidiose (Hasen und Wildkaninchen) oder eine Pseudotuberkulose (Schalenwild, Federwild). Wildtiere, bei denen eine Darmentzündung festgestellt wird, sind zur amtlichen Fleischuntersuchung anzumelden. Das Gescheide ist zur Untersuchung mitzuliefern.

78 Wie ist die Untersuchung des Netzes durchzuführen und worauf ist dabei zu achten?

Das Pansen und Darm umschließende Netz wird vorsichtig abgelöst, mit den Händen auseinandergespannt und gegen das Licht gehalten. Die Kontrolle gilt dem Vorhandensein von wasserblasen- bzw. wassertropfenähnlichen Einschlüssen von unterschiedlicher Größe. Bei ihnen handelt es sich um Finnenblasen des Fuchs- oder Hundebandwurms. Werden sie gefunden, sind auch die Bauch- und Brusthöhle auf das Vorhandensein derartiger Finnenblasen zu untersuchen. Sind es nur wenige, werden sie vorsichtig herausgeschnitten. Bei starkem Befall ist das Wildbret nicht verwertbar.

79 Wie ist ein Stück Haarwild zu beurteilen, das stark abgemagert erscheint?

Erhebliche Abmagerung, aber auch der Schwund einzelner Muskelpartien gelten nach Gesetz als für die Verzehrfähigkeit des Wildbrets bedenkliche Merkmale. Da die Abmagerung zumeist das Ergebnis einer vorausgegangenen oder noch laufenden Infektionskrankheit sein kann, ist die amtliche Fleischuntersuchung unabdingbar. Auch dann, wenn die Abmagerung vorrangig auf starken Parasitenbefall zurückgeführt wird. Starker Parasitenbefall ist Wegbereiter für eine Infektionskrankheit, deren Vorhandensein letztlich erst durch eine bakteriologische Fleischuntersuchung abgeklärt werden kann.

80 Worauf deuten frische Verklebungen oder Verwachsungen von Organen mit dem Brust- oder Bauchfell hin?

Sie zeigen an, dass es in diesen Bereichen zu Entzündungen des Gewebes als Folge einer Infektion gekommen ist. Ursache kann ein starker Lungenwurm oder Leberegelbefall ebenso sein wie die Verletzung durch einen Geschosssplitter, einen Forkelstich oder durch den Zusammenprall mit einem Kraftfahrzeug oder einem sonstigen Hindernis (Gatterzaun). Beim Vorhandensein derartiger Verklebungen oder Verwachsungen hat die Anmeldung des Wildes zur amtlichen Fleischuntersuchung zu erfolgen.

81 Wie ist es zu werten, wenn statt eines Jagdscheininhabers ein Treiber oder Jagdhelfer ein Stück Wild versorgt?

Das Aufbrechen und Ausweiden von Wild durch eine Person, die kein Jagdscheininhaber ist, ist unzulässig. Nach Gesetz besitzt sie in der Regel nicht die hierfür erforderliche Qualifikation als „kundige Person“. Erfolgt das Aufbrechen und Ausweiden im Beisein eines Jagdscheininhabers, der anschließend als kundige Person die notwendigen Untersuchungen vornimmt, ist gegen den Vollzug dieser Arbeit durch einen Nichtjäger nichts einzuwenden.

82 Welche Maßnahmen hat ein Jäger zu treffen, der beim Versorgen eines Stückes Wild feststellt, dass das Wildbret eine ungewöhnliche Farbe aufweist, wässerig ist und unangenehm riecht?

Er hat seine Feststellungen dem Revierinhaber, dem Berufsjäger oder Jagdaufseher zu melden und die Innereien einschließlich des Gescheides für eine nachfolgende amtliche Fleischuntersuchung sicherzustellen.

83 Wie kann sich der Jäger selbst gegen eine Infektion durch ein Stück Wild schützen?

Indem er das Aufbrechen und Ausweiden grundsätzlich nur mit Einweg-Handschuhen durchführt. Außerdem muss er darauf achten, dass er sich weder mit dem Messer noch an einem Knochen verletzt. Ein weiterer Vorteil des Tragens von Handschuhen besteht darin, dass keine Keime von der Hand des Jägers (z.B. aus einer eiternden Schnittwunde am Finger) auf das Wildbret übertragen werden.

84 Ist es richtig, wenn beim Aufbrechen und Ausweiden die inneren Organe neben dem Wild auf den blanken Boden gelegt werden?

Aus lebensmittelhygienischer Sicht sollte dies grundsätzlich nicht geschehen, da hierbei Bodenkeime auf die Innereien übertragen werden. Diese wiederum wirken sich bei einer eventuell erforderlich werdenden bakteriologischen Untersuchung ungünstig auf das Untersuchungsergebnis aus. Ein Stück saubere Plastikfolie als Unterlage sind hier sinnvoll eingesetzt. *Empfehlung:* Stets saubere Plastikbeutel zur Aufbewahrung der Innereien und ein Stück Küchenkrepppapier zur vorläufigen Reinigung des Messers und der Aufbrechzange mit sich führen.

4.5 Behandlung und Transport nach dem Versorgen

85 Ist es sinnvoll, Stücke mit schlechten Schüssen baldmöglichst in eine Kühlkammer zu bringen?

Der Gesetzgeber schreibt vor, dass erlegtes und ausgeweidetes Wild baldmöglichst auf eine Kerntemperatur von + 7 °C (gemessen im Zentrum der Keule) herunterkühlen muss. Ist dies aufgrund der Umgebungstemperatur nicht möglich, ist das Wild in eine Kühlkammer zu verbringen. Bei Stücken mit schlechten Schüssen (weidwund u.ä.) ist es geradezu eine Notwendigkeit, da ein schnelles Herunterkühlen des Wildes die Vermehrung von Bakterien verlangsamt und damit die Qualität des Wildbrets positiv beeinflusst.

86 Wie lange dürfen Wild oder Wildteile ohne Kühlung transportiert werden?

Der Transport sollte eine Fahrzeit von zwei Stunden nicht überschreiten. Dies gilt auch für den Transport von Wild, das zuvor auf eine Kerntemperatur von +7 °C heruntergekühlt wurde. Über zwei Stunden Fahrzeit darf Wild nur in speziellen Kühlwagen befördert werden. Grundsäztlich muss während der Beförderung das Übereinanderliegen von Wildkörpern vermieden werden. Ein Unsachgemäßer Transport kann zum Verhitzen des Stückes führen. Groß- und Kleinwild ist daher grundsätzlich nur so einzeln liegend oder besser hängend zu transportieren, dass eine ausreichende Auskühlung unter Luftzirkulation gewährleistet ist. Groß -und Kleinwild ist unmittelbar nach dem Aufbrechen und Ausweiden so aufzubewahren, dass es gründlich auskühlen kann.
Großwild muss alsbald nach dem Erlegen auf eine Innentemperatur von höchstens +7 °C, Kleinwild auf eine Innentemperatur von höchstens +4 °C abgekühlt sein, erforderlichenfalls ist das erlegte Wild dazu in eine geeignete Kühleinrichtung zu verbringen (Anl. 4 Nr. 1. 2 Tier-LMHV).

87 Wie lange dauert es, bis ein ordentlich versorgtes Stück Schalenwild im Kern (Keulenmitte) auf eine Temperatur von +7 °C herabgekühlt ist?

Bei einer stillen Kühlung, d.h. in einer Kühlkammer ohne ausreichende Luftzirkulation (Luftstrom unter 0,2 m/Sek., Kühlschrankeffekt), rund 24 Stunden! Eine Umluftkühlung ist effektiver.

Wichtig: Wildkörper müssen frei hängen, damit die gekühlte Luft zirkulieren kann. Es sollte zu keiner gegenseitigen Berührung kommen. Grundsätzlich soll keine gleichzeitig Lagerung von enthäutetem Wild und Wild in der Decke in einer Kühlzelle erfolgen, es besteht die Gefahr der nachteiligen Beeinflussung des ungeschützten Fleisches.
Wild in der Decke/Schwarte sollte abhängig von der hygienischen Qualität und der Lagertemperatur nicht länger als 7 Tage in der Kühlung verbleiben.

4.5: Kühlkammer für erlegtes und ausgeweidetes Wild

88 Ist es erforderlich, im Revier über einen Kühlraum oder eine Kühlkammer zu verfügen?

Nach den Vorschriften für die Gewinnung von Wildbret als Lebensmittel ist die Verfügbarkeit eines Kühlraumes oder einer Kühlkammer unabdingbar. Weniger kostenintensiv ist es, wenn sich mehrere benachbarte Reviere zusammen eine Gemeinschaftskühlung für Wild einrichten.

89 Welches Ereignis sollte abgewartet werden, ehe Wild in eine Kühlung erbracht wird?

Der Beginn der Totenstarre. Bis zu diesem Zeitpunkt sollte das Wild an schattigem und luftigem Ort bei Temperaturen über +10 °C auskühlen. Wird es vor dem Beginn der Totenstarre in eine Kühlung gehängt, findet keine oder nur eine mangelhafte Fleischreifung statt. Eine gute Fleischreifung ist wesentlich für die spätere Zartheit des Wildbrets.

90 Was bedeutet die Totenstarre?

Sie ist Begleiterscheinung der Fleischreifung. Diese beginnt unmittelbar nach Eintritt des Todes durch Umwandlung des in den Muskeln als Energiereserve gespeicherten Glykogen in Milchsäure. Gleichzeitig sinkt der pH-Wert des Wildbrets. Es säuert, wie der Fachmann sagt. Die Säuerung hemmt kurzfristig das Wachstum von Bakterien und begünstigt die Tätigkeit von Enzymen. Ist das Glykogen zu 80 Prozent abgebaut, verhärtet der Muskel. Während der Totenstarre verändert sich die Muskulatur. Die Milchsäure befördert enzymatische Prozesse, die zur Zerlegung großer Eiweißmoleküle (Myofibrillen) und des Kollagen (Bindegewebe) führen und damit das Fleisch reifen und zart werden lassen. Mit Ablauf der Fleischreifung steigt der pH-Wert wieder an und die Totenstarre beginnt sich aufzulösen.

91 Wie lange dauert die Fleischreifung?

Fleischreifung tritt nach dem Erlegen durch Abbau des körpereigenen Glykogens zu Milchsäure ein. Der Vorgang ist erwünscht, da die entstehende Säuerung (ph-Wert Senkung) einen konservierenden Effekt hat und eine frühzeitige Verkeimung des Fleisches verhindert.

Tierart	Reifezeit in Stunden
Hase, Kaninchen, Federwild	24–36
Rehwild, Frischlinge	24–36
Muffel, Gams	36–48
Rot-, Dam-, Sika-, Schwarzwild (mit mehr als 50 kg Aufbruchgewicht)	72–96

Ein darüber hinaus gehendes Abhängen fördert nur noch bedingt die Zartheit des Wildbrets, dafür jedoch mehr den so genannten „Hautgout", eine durch Fäulnisbakterien verursachte Geruchs- und Geschmacksveränderung. Oftmals fälschlich als „typischer Wildgeschmack" bezeichnet.

92 Woran ist der Beginn der Totenstarre zu erkennen?

An der Verhärtung der Muskeln im Haupt- und Trägerbereich. Die Erstarrung setzt sich über die Brust- und vordere Laufmuskulatur, den Rückenmuskel bis zu den Keulen fort. Die Auflösung der Totenstarre erfolgt in gleicher Reihenfolge.

93 Welche Faktoren beeinflussen die Fleischreifung?

Stress beim Wildtier, der zum rapiden Abbau der in den Muskeln als Glykogen gespeicherten Energie führt. Gegeben ist dies bei auf der Treibjagd erlegten Hasen und Wildkaninchen, bei auf der Drückjagd vor Treibern und Hunden panikartig flüchtendem Schalenwild, bei angeschweißtem und wegflüchtenden Wild, bei auf der Nachsuche zur Strecke gekommenen sowie bei krankem Wild.

94 Darf Wild in der Decke oder im Balg gefrostet werden?

Nein! Es darf lediglich auf eine Oberflächentemperatur von −1 °C heruntergekühlt werden. Dies gilt nach Gesetz noch nicht als gefrostet.

4.6 Qualitätssicherung bei Wildbret

95 Was versteht man unter „Lüften der Blätter"?

Das teilweise Abtrennen der Blätter vom Wildkörper. Hierfür wird der Vorderlauf gefasst, vom Körper seitlich weggedrückt und die Decke einschließlich des darunter liegenden Muskelgewebes im Bereich der Achselhöhlen parallel zum Wildkörper aufgeschärft. Anschließend spreizt man die Blätter vom Wildkörper mit einem sauberen Holz ab (besser: Kunststoffkeile), so dass die Luft zwischen Blättern und Brustkorb zirkulieren kann. Das „Lüften" verhindert ein Verhitzen des Wildbrets im Bereich der Schulter. Gelüftet wird Schwarzwild von über 35 kg und Hirschwild von über 40 kg Aufbrechgewicht.

96 Was ist unter verhitztem Fleisch zu verstehen?

Das Vehitzen (oder auch stickige Reifung) ist das Ergebnis eines mangelnden Fleischreifungsprozesses in Folge unzureichender Kühlung und Lüftung des erlegten Wildes. Besonders gefährdet sind Stücke mit starker Feistschicht, schwülwarme Wetterlagen, Hetzen (Drückjagden, Nachsuchen und verspätetes Ausweiden, Transport im Rucksack, gestapelte Tierkörper, z.B. bei Transport im Kofferraum).
Statt der gewünschten Milchsäure werden u.a. Buttersäure und Schwefelwasserstoffe als Abbaustoffe gebildet, der pH-Wert wird nur unzureichend gesenkt.
Ein Merkmal dafür ist häufig die bräunlich-gelbe bis kupferrote Verfärbung des Wildbrets und säurlich-süßer, leichenartiger Geruch. Die elastische Konsistenz geht verloren und die Muskulatur ist brüchig und weich. Betroffene Stücke sind nicht mehr zu verwerten.

97 Kann durch den Straßenverkehr getötetes Wild verwertet werden?

Es darf verwertet, aber nicht veräußert werden, d.h. nur für den eigenen Haushalt. Die Abgabe an Dritte, ob ganz oder in Teilen, ist rechtlich verboten, da nur Wild verwertet werden darf, das nach jagdrechtlichen Vorschriften erlegt wurde.

98 Darf man verhitztes oder angegammeltes Wildbret zum Erreichen der Verzehrfähigkeit mit chemischen Mitteln behandeln?

Nein! Dies ist nach dem Lebensmittel- und Futtermittel-Gesetzbuch unzulässig. Dies gilt auch dann, wenn das Wildbret im eigenen Haushalt verwendet werden soll.

99 Wie ist die Verzehrfähigkeit des Wildbrets von brunftigem Hirschwild zu beurteilen?

Das Wildbret von in der Brunft erlegtem männlichen Hirschwild weist einen starken geschlechtsspezifischen, urinösen Geruch und Geschmack auf. Es gilt als minderwertig und kann nur nach entsprechender Brauchbarmachung durch Tiefgefrosten über mehrere Wochen und Monate verzehrfähig gemacht werden.

100 Wie verhält es sich mit der Verzehrfähigkeit des Wildbrets brunftiger Widder, Gams- und Steinböcke?

Hier gilt das gleiche wie beim brunftigen männlichen Hirschwild. Erst nach einer längeren Tieffrostung ist das Wildbret verzehrfähig.

101 Kann das Wildbret rauschiger Keiler verzehrfähig gemacht werden?

Nach dem derzeitigen Stand wissenschaftlicher Erkenntnisse ist das Wildbret rauschiger Keiler nicht verzehrfähig. Hieran vermag auch – im Gegensatz zum brunftigen Wildbret von Cerviden und Boviden – eine längere Tiefgefrostung nichts zu ändern. Wird es dennoch zum Verzehr angeboten, führt es zum Erbrechen und bei empfindlichen Personen zu schweren Gesundheitsstörungen durch allergische Reaktionen. Um sich abzusichern, sollte jeder Keiler mit äußerster Hygiene aufgebrochen werden und der amtlichen Fleischuntersuchung zugeführt werden. *Merke:* Wer rauschige Keiler oder Bachen an Gastronomie oder Handel abgibt oder Teile hiervon Dritten überlässt, der verstößt gegen EU-Verordnungen, gegen das Lebensmittel- und Futtermittel-Gesetzbuch und gegen die Lebensmittelhygiene-Verordnung Tierische Lebensmittel.

102 Kann der Käufer von Wildbret feststellen, ob er Teile von einem brunftigen oder rauschigen Stück erworben hat?

Ja, durch die so genannte „Brat- oder Kochprobe". Hierbei wird ein Stück Wildbret entweder angebraten oder in kaltem Wasser angesetzt und zum Kochen gebracht. Riecht es dabei urinös oder schmeckt es dementsprechend, stammt es mit hoher Wahrscheinlichkeit von brunftigem oder rauschigem Schalenwild. Das gleiche Ergebnis wird erzielt, wenn das Stück Wild, von dem die Brat- oder Kochprobe stammt, beim Erlegen krank war. Hier sind es die im Wildbret vorhandenen Stoffwechselprodukte der Bakterien, die den urinösen Geruch und Geschmack hervorrufen. Auch dieses Wildbret ist nicht verzehrfähig.

103 Vermag eine Beize oder Marinade mit Fäulnisgeruch und -geschmack behaftetes Wildbret qualitativ zu verbessern?

Nein. Weder Buttermilch-, Rotwein- noch Essigbeize vermögen die Wildbretqualität zu verbessern. Verändert wird lediglich der Geschmack.

4.7 Schalenwild

Versorgen von Schalenwild

104 Was versteht man unter Versorgen von Wild?

Zum Versorgen zählt das unmittelbar nach der Inbesitznahme erfolgende Aufbrechen (Eröffnen der Körperhöhlen) und Ausweiden des Wildkörpers (Herausnahme der Eingeweide, des Pansens/Magens und des Gescheides). Darüber hinaus gehört zum Versorgen das Auskühlenlassen des Wildes und sein Verbringen in eine Wildkammer bzw. in eine Kühlung.

105 Wer hat die Versorgung des Wildes durchzuführen?

Im Normalfall der Erleger des Wildes, insbesondere dann, wenn es sich um ein Stück Schalenwild handelt. Wird der Jäger durch einen Berufsjäger geführt, übernimmt dieser im Regelfall die Versorgung des Wildes. Es ist keine Schande und verstößt auch nicht gegen den Ehrenkodex der Jäger, wenn man sich in der ordentlichen Versorgung von Wild nicht sicher fühlt (z.B. als Jungjäger) und einen in diesen Dingen erfahrenen Jäger bittet, einem hierbei zu helfen. Schon mancher hat durch unsachgemäßes Versorgen das Lebensmittel Wild verschmutzt und damit dem Revierinhaber hinsichtlich der Verwertung des Wildes unnötigen Ärger bereitet, statt ihm zu helfen.

106 Wie sollte die persönliche Hygiene beim Umgang mit Wild sein?

Beim Behandeln von erlegtem Wild sollten immer Einmalhandschuhe getragen werden, insbesondere, wenn keine Möglichkeit zur Handreinigung besteht.
Besonders stark verunreinigte Stücke müssen vor dem Ausweiden ausreichend gereinigt werden. Beim Übergang von „unreinen Tätigkeiten" (Ausweiden, aus der Decke schlagen, Rupfen usw.) zu „reinen Tätigkeiten" (Zerwirken, Zerlegen) ist die Arbeitskleidung zu wechseln (sauberer Kittel, bwz. Schürze, neue Handschuhe).

Außerdem sind angemessene Maßnahmen zu treffen, um sicherzustellen, dass

» das für die Behandlung von Primärerzeugnissen eingesetzte Personal gesund und in Bezug auf Gesundheitsrisiken und in Fragen der Lebensmittelhygiene geschult ist,
» Personen, die mit Primärerzeugnissen umgehen, ein hohes Maß an persönlicher Hygiene halten, sowie geeignete und saubere Arbeitskleidung und erforderlichenfalls Schutzkleidung tragen,
» Personen mit infizierten Wunden, Hautinfektionen oder Geschwüren nicht mit Primärerzeugnissen umgehen, wenn nicht ausgeschlossen werden kann, dass Primärerzeugnisse direkt oder indirekt kontaminiert werden können. (Anl 2 Nr. 3 Lebensmittelhyg.-Verordnung)

107 Wo ist das Wild zu versorgen?

Sofern es die örtlichen Gegebenheiten erlauben, wird es am Erlegungsort aufgebrochen und ausgeweidet. Ist es bis zur Wildkammer nicht weit, dann sollte das Wild unaufgebrochen dorthin verbracht und hier unter günstigen Bedingungen (Licht und Wasser) versorgt werden.

108 Soll Schalenwild liegend oder hängend ausgeweidet werden?

Schalenwild sollte wenn möglich immer hängend ausgeweidet werden, und zwar mit dem Kopf nach unten. Auf diese Weise werden die wertvollsten Wildteile, wie Keulen, Rücken und Lenden, am besten vor Verschmutzung verschont. Würde das Stück Wild am Haupt aufgehängt, so wäre nicht zu vermeiden, dass Inhalte aus Speiseröhre und Kehlbereich in den Tierkörper gelangen.

109 Welche Bedingungen hat eine Wildkammer zu erfüllen, in der Wild versorgt, aus der Decke geschlagen und zerwirkt wird?

Der Boden und die Wände müssen aus leicht zu reinigendem und zu desinfizierendem, Wasser abstoßendem, abriebfestem und hellem Material sein.

Außerdem müssen ein Abfluss, ein Waschbecken mit Warmwasserzufluss zur Händereinigung, ein weiteres Warmwasserwaschbecken zur Reinigung der Aufbruchsutensilien, ein Wasserschlauch und ausreichend Licht vorhanden sein. Die Arbeitsplatte hat aus pflegeleichtem Material (Kunststoff, kein Holz) zu sein. Alle sonstigen Hilfsgeräte (Aufhängevorrichtung u. a.) haben den Bestimmungen der Lebensmittelhygiene-Verordnung Tier zu entsprechen (Anlage 3 Kapitel I und II). Fenster und Türen müssen gegen das Eindringen von Insekten abgesichert sein.

110 Welche Arten des Versorgens von Schalenwild gibt es?

1. Die konventionelle Methode, bei der der Schlund verknotet, das Schloss entlang der Naht (Verbindungsstück zwischen den Schlossknochen, Beckenknochen) und die Bauchdecke bis zum Brustbein geöffnet werden.
2. Die skandinavische/osteuropäische Methode (auch in Österreich gebräuchlich). Sie unterscheidet sich von der konventionellen Methode durch das Nichtöffnen des Schlosses, das Auslösen des Weiddarmes am Weidloch mit Rundumschnitt im Schloss und Hineinziehen des Weiddarmes in den Bauchraum.

3. Die moderne Methode, bei der das Stück Wild vom Kinnwinkel bis vor die Keulen durchgehend aufgeschärft und der Weiddarm wie bei der skandinavischen/ osteuropäischen Methode durch Rundschnitt im Schloss ausgelöst wird. Als Variante, die insbesondere beim Vorliegen eines Weidwundschusses anzuwenden ist, wird auch bei der modernen Methode das Schloss geöffnet.

111 Welche Methode ist beim Versorgen von Schalenwild in schwierigem Gelände anzuwenden?

Im Berg, im sumpfigen Gelände und überall dort, wo schweres Wild über längere Strecken über den Boden gezogen werden muss, ist das Wild nach der skandinavischen/osteuropäischen Methode zu versorgen. Da hierbei Brustraum und Schloss geschlossen bleiben, ist einer Verschmutzung von Brust- und Bauchraum durch das Eindringen von Fremdkörpern (Blätter, Äste, Erde) beim Transport weitestgehend vorgebeugt.

112 Warum ist die moderne Methode des Versorgens sinnvoll?

Der Jäger kann in besonderer Weise seiner Aufgabe als kundige Person entsprechen. Er kann Lecker, Lunge, Herz, Leber, Milz und Nieren lebensmittelhygienisch sauber gewinnen. Außerdem lassen sich Brust- und Bauchraum auf das Vorhandensein von Geschwülsten, Abszessen, Bandwurmfinnen, Verletzungen und Verwachsungen optimal kontrollieren. Der nicht erfolgte Trennschnitt zwischen den Keulen verhindert ein Austrocknen wertvollen Wildbrets an dieser Stelle.

113 Wie ist beim Versorgen nach der konventionellen Methode zu verfahren?

Aus- und Ablösen des Schlundes: Die Decke unterhalb des Kinnwinkels in Trägermitte (Halsmitte) entlang des Trägers bis zum Brustkorb aufschärfen. Die Drossel (Luftröhre) mit anhängendem Schlund (Speiseröhre) zuerst mit dem Messer, dann mit den Händen vom Träger lösen und unterhalb des Drosselknopfes (Kehlkopfes) abschärfen. Den Schlund (er liegt unterhalb der Drossel und ist nicht mit einem der neben der Drossel sich befindenden Muskelstränge zu verwechseln!) von der Drossel abziehen und im oberen Drittel auf ca. 10 cm Länge durch Schaben mit dem Messer von anhaftendem Wildbret rundum freilegen. Den Schlund an dieser Stelle zweimal verknoten und die Knoten festziehen. Sie verhindern, dass sich aus dem Pansen hochdrückender Panseninhalt das Wildbret im Trägerbereich verschmutzt. Anschließend am Brustkorb die Eingangsöffnung für Drossel und Schlund durch Rundschnitt vorsichtig erweitern. Die Drossel und den Schlund so weit wie möglich in den Brustkorb schieben.

Öffnen der Bauchhöhle: Den Wildkörper auf den Rücken legen, zwischen die gespreizten Hinterläufe treten und diese mit den Fußspitzen am Boden festhalten. Mit der Messerspitze die Decke oberhalb der Keulen in der Längsachse des Wildes mit der Messerspitze auf ca. 10 cm Länge aufritzen. Die darunter liegende Bauchhaut auf gleiche Weise öffnen. Dabei darauf achten, dass das nach oben drückende Gescheide (Därme) nicht verletzt wird. Den Zeige- und Mittelfinger einer Hand in die Bauchhöhle stecken und die Bauchdecke vorne anheben. Zwischen den Fingern das Messer mit der Schneide nach oben bis zum Brustkern führen. Dabei die Bauchhaut und Decke in einem Zuge aufschärfen. Das nach oben drückende Gescheide, insbesondere den Pansen (Magen), gleichzeitig mit dem Handrücken niederhalten, damit es nicht verletzt wird. *Hinweis:* Bei der Verwendung einer speziellen

Aufbruchklinge wird eine Verletzung des Gescheides und damit eine Verschmutzung der Bauchhöhle mit Magen-/Darminhalt sicher vermieden.
Öffnen des Schlosses: In Fortsetzung des Bauchschnittes nach rückwärts die Decke zwischen den Keulen bist zum Weidloch aufschärfen. Entlang der zwischen den Keulen sichtbaren, bläulich schimmernden Linie das Wildbret bis auf die Schlossnaht (Verbindung zwischen den Schlossknochen) durchschärfen. Mit dem Mittelfinger einer Hand von oben unter das Schloss greifen und die Knochennaht ertasten. Die Messerschneide oben auf der Knochennaht im 30° Winkel aufsetzen und in die Naht drücken. Den Messergriff mit einer Hand fassen und durch leichte Schläge mit der zur Faust geballten anderen Hand auf den Messerrücken die Schlossnaht spalten. Nach Durchtrennen der Naht einen Fuß unter das Becken schieben, mit den Händen von oben in das Schloss greifen und durch Anheben das Schloss vollends aufbrechen. *Hinweis:* Bei starkem oder altem Wild, bei dem die Schlossnaht verknöchert ist, wird sie mit einer Knochensäge aufgetrennt bzw. mit dem Waidblatt oder mit einem kleinen Beil aufgeschlagen.
Ausweiden: Mit vorsichtig geführten Messerschnitten den Weiddarm und die Blase aus dem Schloss auslösen und seitwärts neben den Wildkörper legen. Mit der Hand zuerst das kleine Gescheide und dann den Pansen (Magen) soweit wie möglich aus dem Wildkörper heben. Am Pansen (Magen) den Schlundanfang ertasten. Den Schlund bis zum Zwerchfell mit den Fingern freilegen, hier stumpf von der Muskulatur lösen, zwischen Zeige- und Mittelfinger klemmen und aus dem Brustraum herausziehen. Die Leber und die Nieren aus dem Wildkörper lösen und auf einer sauberen Unterlage neben dem Wildkörper ablegen. Anschließend die seitlich oberhalb der Beckenknochen im Bauchraum sichtbaren Brandadern aufschärfen. Danach das Zwerchfell links und rechts mit 2 cm Abstand zu den Rippenbögen durchschärfen. Mit der Hand in den Brustkorb greifen, die Drossel oberhalb der Lunge fassen, mit kräftigem Zug Lunge und Herz aus dem Brustkorb ziehen und zu der Leber und den Nieren legen. Zum Schluss den Wildkörper an den Vorderläufen anheben und den Schweiß durch das Schloss ablaufen lassen.
Schlussarbeiten: Den Wildkörper an kühlem schattigen Platz mit nach oben offener Bauchhöhle (Bauchdecke mit einem Holz spreizen) ablegen oder am Träger aufhängen, damit er weiter ausschweißen und ordentlich auskühlen kann. Anschließend die Innereien und das Gescheide auf für den Verzehr des Geräuschs und des Wildbrets bedenkliche Merkmale untersuchen.

114 Wie ist beim Versorgen nach der skandinavischen/osteuropäischen Methode zu verfahren?

Aus- und Ablösen des Schlundes: Die Arbeitsschritte entsprechen denen der konventionellen Methode.
Eröffnen der Bauchhöhle: Die Arbeitsschritte entsprechen denen der konventionellen Methode. Vorher wird jedoch der Weiddarm ausgelöst.
Auslösen des Weiddarmes: Mit der Messerspitze zwischen Weidloch und Schloss einstechen, die das Weidloch umgebende Haut mit einer Hand fassen und durch Rundschnitt das den Weiddarm mit dem Knochen verbindende Gewebe durchschärfen. Dabei mit der Messerklinge tief genug ins Schloss hineingehen und den Schnitt so ausführen, dass die Schneide stets gegen den Knochen gerichtet ist.
Ausweiden: Die Arbeitsschritte entsprechen der konventionellen Methode. Vor dem Hineinziehen des Weiddarmes und der darüber liegenden Blase in die Bauchhöhle den Weiddarm im

4.6: Aufbrechen von Schalenwild (hier: Rehwild)

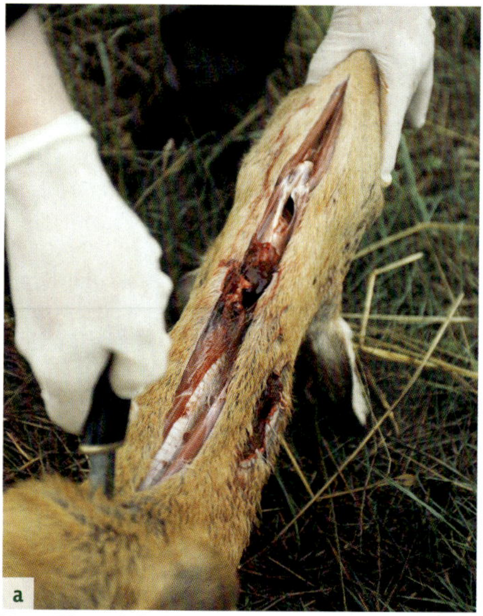

a

Vom Kinnwinkel bis zum Brustbein die Decke aufschärfen, Drossel und Schlund freilegen.

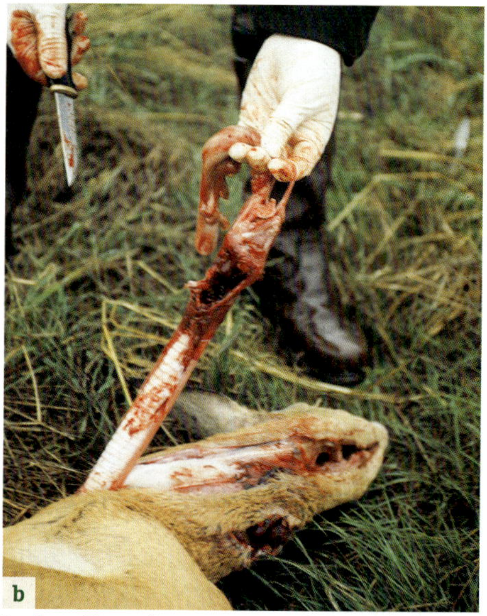

b

Lecker (Zunge) zusammen mit Drosselknopf, Drossel und Schlund fassen und ablösen.

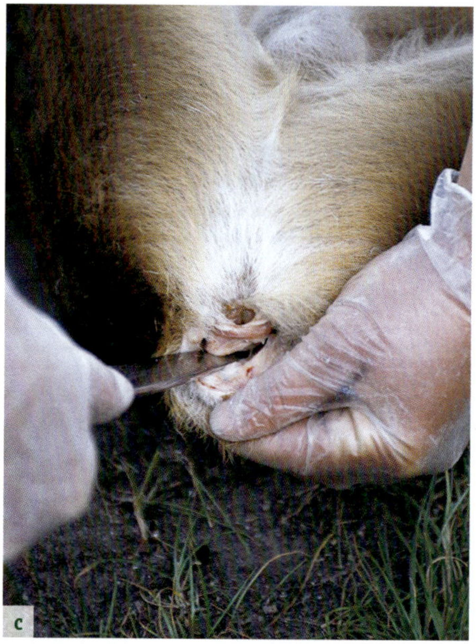

c

Zwischen Wedel und Weidloch und quer zu diesen die Decke aufschärfen.

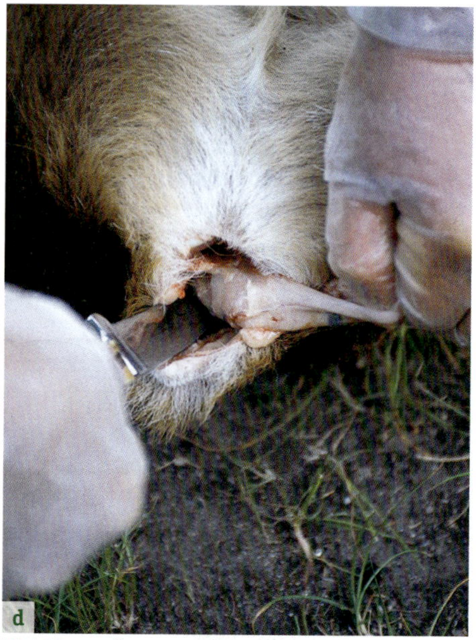

d

Weiddarm fassen und im Schloss durch Umschneiden mit dem Messer lösen.

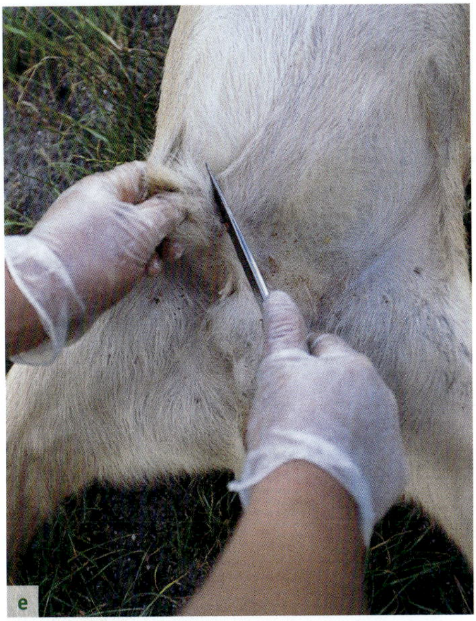

Pinsel von der Decke abheben; Decke von oben halbkreisförmig aufschärfen (Bauchhaut bleibt noch unverletzt).

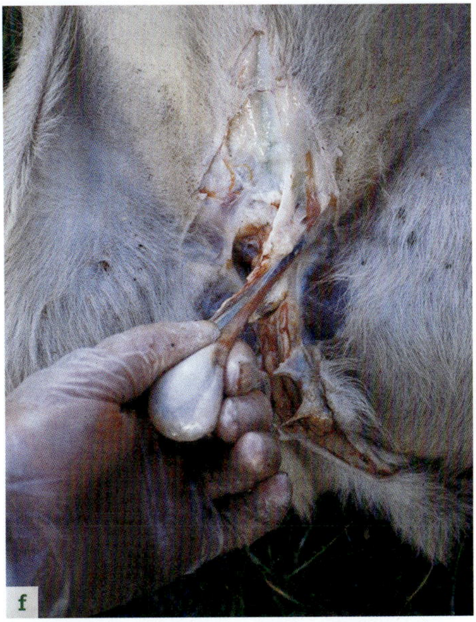

Brunftkugeln (Steine) aus dem Hodensack lösen und mitsamt dem Samenstrang abziehen.

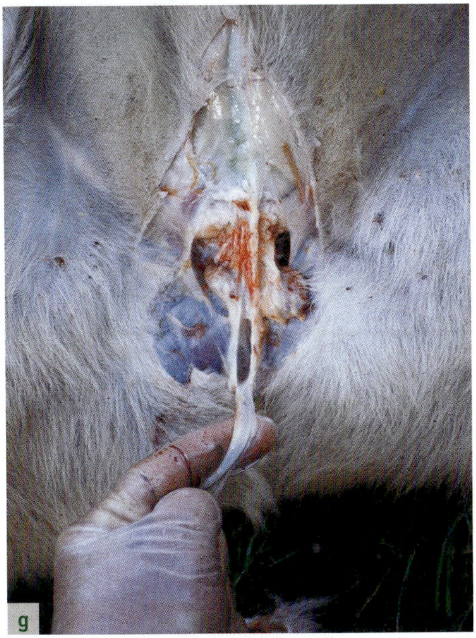

Pinsel (Brunftrute) nach rückwärts weiter ablösen ohne abzuschärfen.

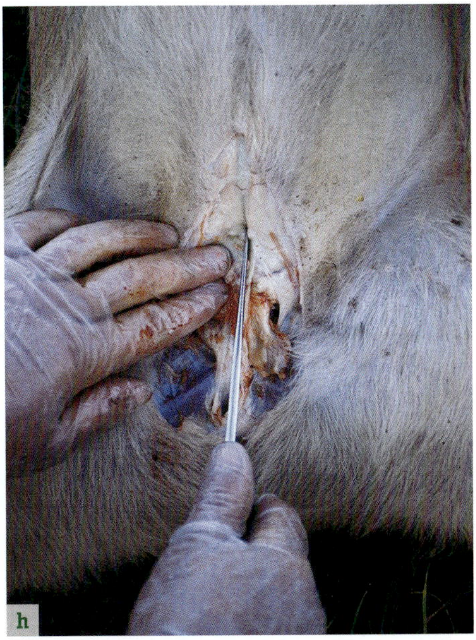

Oberhalb der Keulen Bauchhaut für den Aufbrechschnitt aufschärfen.

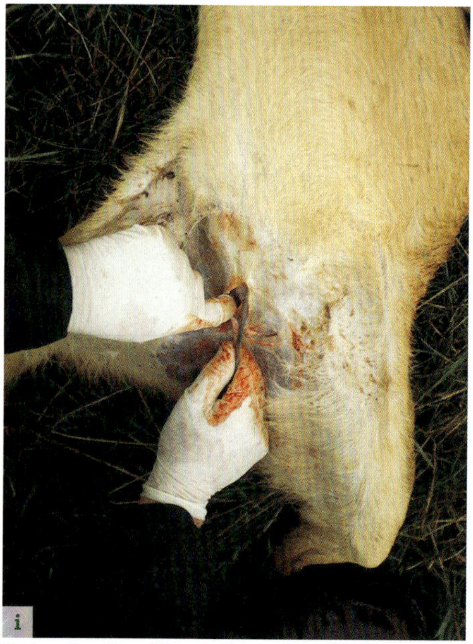

i Unter der Bauchhaut die Aufbrechklinge mit der Schneide nach oben ansetzen.

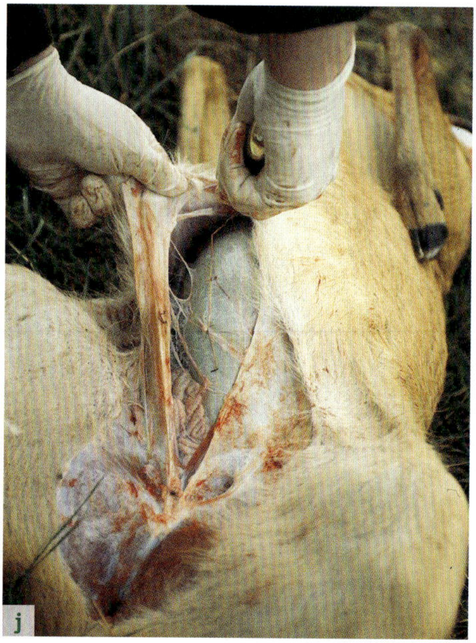

j Die Decke und die Bauchhaut in einem Zug bis in Höhe des Brustbein aufschärfen.

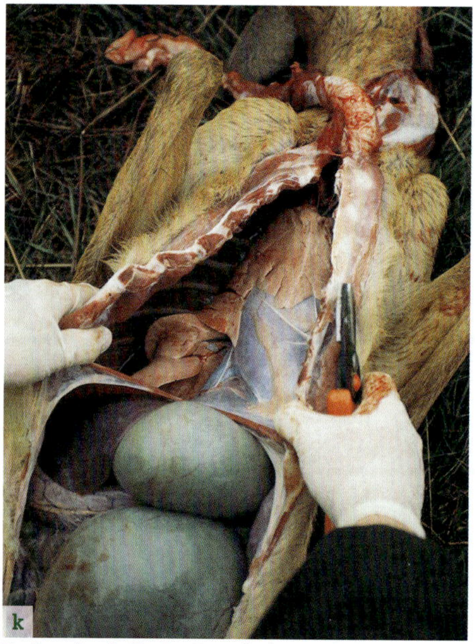

k Decke oberhalb des Brustbeins aufschärfen, das Brustbein mit Messer oder Säge auftrennen.

l Von der Bauchhöhle in das Schloss greifen, Blase und Weiddarm herausziehen.

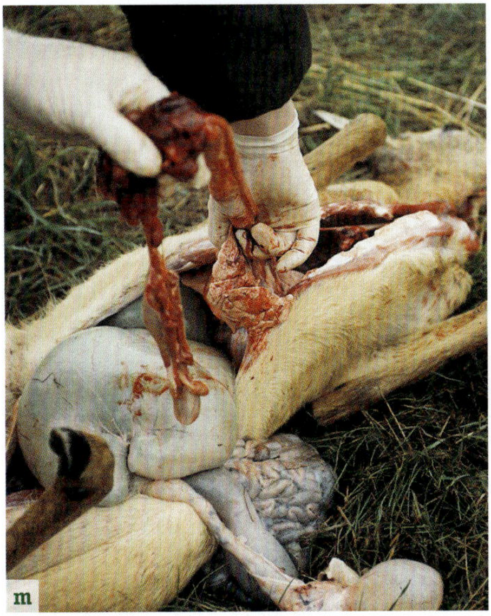

In einem Zug Lecker mit Drossel, Schlund und Geräusch aus dem Körper heben.

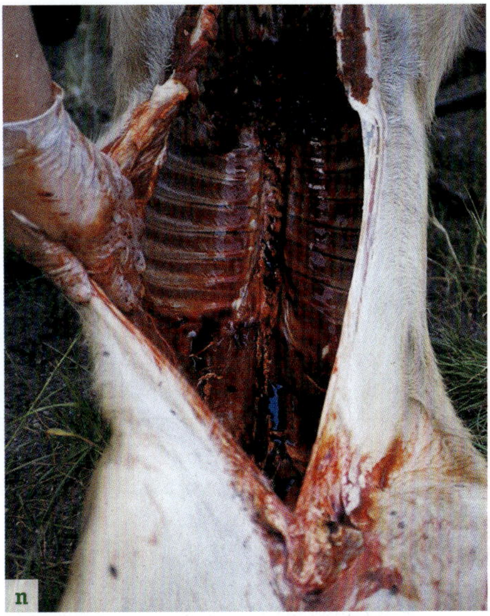

Ein nach der neuen Aufbrechmethode hygienisch einwandfrei versorgtes Stück.

Zum vorläufigen Auskühlen wird das Stück an einen trockenen, luftigen Platz oder in die Kühlkammer gehängt.

Die Kontrolle des Netzes dient der Feststellung von tropfenförmig eingeschlossenen Bandwurmfinnen.

unteren Teil ausdrücken. Dies verhindert beim Herausziehen die Verschmutzung der Bauchhöhle mit Darminhalt. Beim Herausziehen der Blase den Blasenausgang mit den Fingern abklemmen, damit das Wildbret nicht durch auslaufenden Urin verschmutzt wird. Alternativ kann (insbesondere bei schwerem Wild) im Gegensatz zum zuvor beschriebenen Auslösen des Weiddarmes das letzte Stück des Weiddarmes im Wildkörper verbleiben. In diesem Falle den Weiddarm im unteren Bereich ausdrücken, durchschärfen und verknoten. Dann die Blase fassen, am Blasenausgang mit den Fingern abklemmen und herausziehen. Nach dem Verbringen in die Wildkammer das im Wildkörper verbliebene Ende des Weiddarmes auslösen.

115 Wie ist beim Versorgen nach der modernen Methode zu verfahren?

Auslösen von Lecker, Schlund und Drossel: Die Decke an der Unterseite des Trägers von der Kinnspitze bis zur Brustspitze mittig aufschärfen. Den Lecker durch Schnitte entlang der Unterkieferknochen zusammen mit den anhängenden Schlund und Drossel auslösen. Die Drossel und den Schlund stumpf vom Träger lösen. Ein Durchschärfen von Schlund und Drossel unterbleibt.
Auslösen des Weiddarmes: Die Arbeitsschritte sind die gleichen wie bei der skandinavischen/osteuropäischen Methode.
Eröffnen der Bauch- und Brusthöhle: Bis auf eine Ausnahme sind die Arbeitsschritte die gleichen wie bei der konventionellen Methode. Die Ausnahme: Das Aufschärfen der Decke über das Brustbein bis zum Trägeransatz fortsetzen. Anschließend das Brustbein mit dem Messer, einer Aufbrechzange oder einer Knochensäge der Länge nach auftrennen.
Ausweiden: Das große und kleine Gescheide aus dem Wildkörper heben. Den Weiddarm und die Blase in die Bauchhöhle ziehen und herausheben. Die Brandadern aufschärfen. Das Zwerchfell links und rechts mit 2 cm Abstand zu den Rippenbögen durchschärfen. Den Lecker mit Drosselknopf, Drossel und Schlund fassen und mit dem anhängenden Geräusch in einem Zuge aus dem Brustkorb und der Bauchhöhle ziehen. Die anhaftende Bauchhaut oberhalb der Keulen abschärfen. Das Geräusch auf einer sauberen Unterlage neben dem Wildkörper ablegen. Das Wild an den Vorderläufen anheben und den Schweiß durch das Schloss abfließen lassen.

116 Wodurch unterscheidet sich das Versorgen männlichen Schalenwildes vom Versorgen weiblichen Schalenwildes?

Vor dem Eröffnen der Bauchhöhle sind die Brunftrute (Pinsel) und die Brunftkugeln (Steine, Hoden) zu entfernen.

117 Welche zwei Verfahrensweisen sind hierbei gebräuchlich?

Die klassische und die moderne Methode:
Die klassische Methode: Zwischen die Hinterläufe treten, mit einer Hand die Bauchdecke in Höhe der Brunftkugeln in Spannung halten und mit der Messerspitze die Decke zwischen den Brunftkugeln (Steinen, Hoden) entlang der Brunftrute (Pinsel) bis zur Spitze aufschärfen. Die Brunftkugeln einzeln mit der Hand auslösen und mit den anhängenden Samensträngen vom Wildkörper abziehen. Anschließend die Brunftrute fassen und mit kleinen Trennschnitten von der Bauchdecke nach rückwärts bis zum Weidloch lösen. Die Brunftrute erst nach dem Entfernen der Blase vom Wildkörper abschärfen.
Die moderne Methode: Zwischen die Hinterläufe treten. Mit einer Hand die Brunftrute (Pinsel) vorne fassen und so anheben, dass die Decke unter Spannung steht. Mit zügig

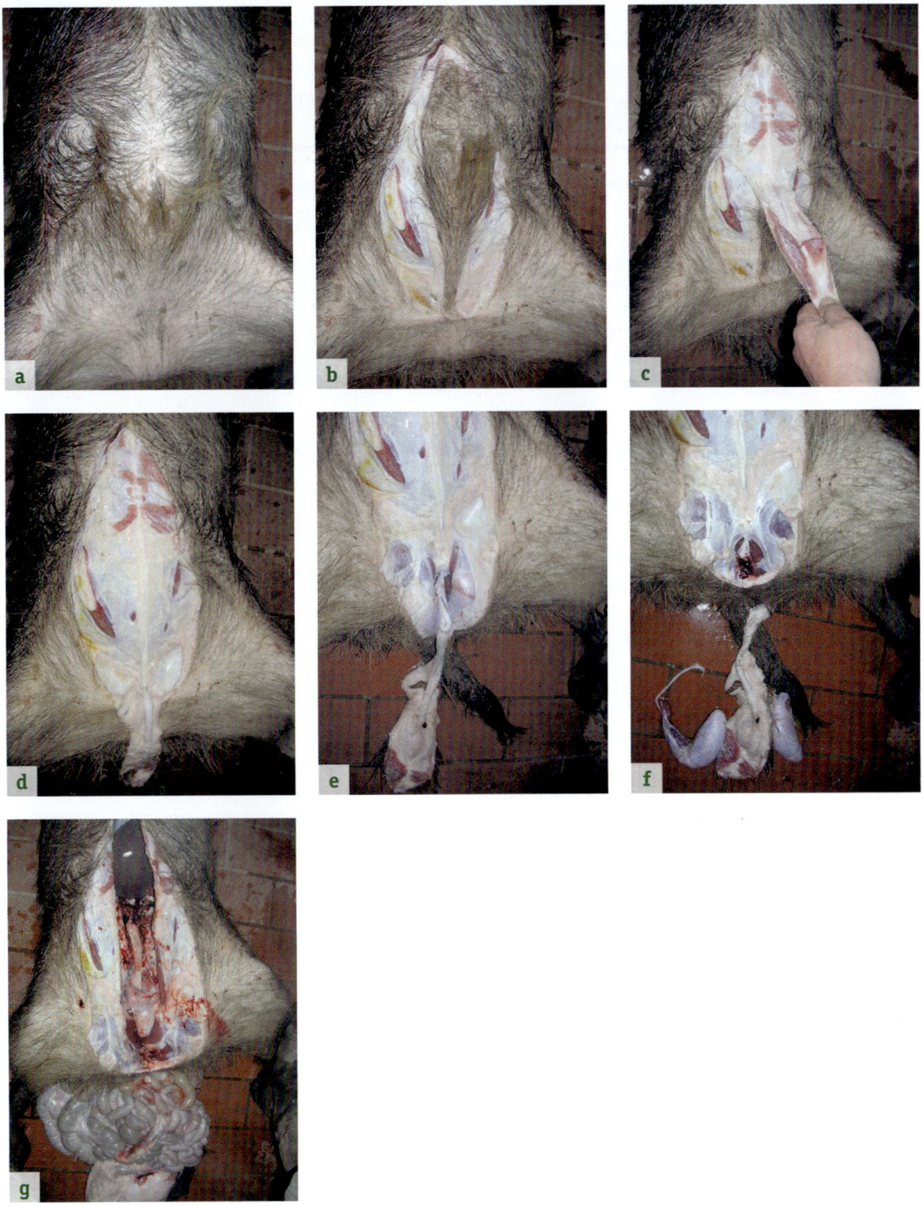

4.7: Entfernen der Brunftrute

ausgeführten Schnitten die Brunftrute mit anhängender Deckenpartie großflächig soweit abschärfen, dass die Brunftkugeln freiliegen. Die Brunftkugeln, wie bei der klassischen Methode beschrieben, auslösen. Anschließend die Brunftrute mit anhängender Decke bis zum Weidloch vom Wildkörper ablösen. Die Brunftrute erst nach dem Entfernen der Blase vom Wildkörper abschärfen.

118 Worauf ist bei männlichem Schwarzwild zu achten?

Dass der Vorhautbeutel oder Nabelbeutel (diverticulum praeputiale) sauber abgelöst und nicht angeschnitten wird. Zu finden ist er beim männlichen Wildschwein in unmittelbarer Nähe der Pinselspitze unter der Schwarte und eng am Harnleiter anliegend. Wird der Beutel angeschnitten, dann entquillt ihm ein stinkendes schmieriges Sekret, dessen „Duft" so intensiv an den ungeschützten Händen haftet, dass er selbst nach zehnmaligem Händewaschen noch eindeutig identifizierbar ist. Geraten Teile des aus Talg, Harnzellen und Restharn bestehenden Sekrets ans Wildbret, dann ist dieses nicht verzehrfähig.

119 Wann und warum wird der Brunftfleck entfernt?

Das Entfernen des Brunftfleckes (sich vor und neben der Brunftrute befindende, im Haar dunkel und glänzend erscheinende Deckenpartien) erfolgt nach dem Ablösen des Kurzwildbrets (Brunftrute und Brunftkugeln) und vor dem Eröffnen der Bauchhöhle. Je sorgfältiger der Brunftfleck entfernt wird, desto geringer ist die Gefahr, dass die ihm anhaftenden unangenehmen Aromastoffe auf das Wildbret übertragen werden und dessen Geruch und Geschmack ungünstig beeinflussen.

120 Welche Besonderheit ist beim Versorgen von Schwarzwild möglich?

Bei Schwarzwild kann bei Anwendung der konventionellen Methode das Auslösen und Verknoten des Schlundes unterbleiben, da das Schwarzwild kein Wiederkäuer ist. Bei ihm genügt ein quer zum Träger geführter Schnitt durch Drossel und Schlund.

121 Bei welchem Schalenwild ist nach der Untersuchung der Innereien die Gallenblase zu entfernen?

Beim Schwarzwild und allem Horn tragenden Schalenwild (Gams- und Steinwild, Wildziegen und Wildrindern). Cerviden haben keine Gallenblase.

122 Wie lässt sich ein weidwund geschossenes Stück Schalenwild optimal versorgen?

Indem es nach der modernen Methode aufgebrochen und das Schloss zusätzlich eröffnet wird: Nach dem Ausweiden des Gescheides (Magen und Därme) das Zwerchfell am Brustbein abschärfen, es mit beiden Händen fassen und in einem Zug mit der anhängenden Bauchhaut bis zum Schloss herausziehen. Dann den Ein- und Ausschuss großzügig ausschneiden.

123 Welche Teile des Wildes darf sich der Erleger als „kleines Jägerrecht" aneignen?

Sofern er das Stück Wild selbst versorgt hat, stehen ihm nach alter Sitte der Lecker, die Lunge und das Herz, die Leber, die Milz und die Nieren sowie beim Schwarzwild das

Bauchfett (Flomen) zu. Der Flomen von nicht rauschigen Stücken ergibt ein vorzügliches Schmalz.
Hinweis: Werden Merkmale festgestellt, die eine amtliche Fleischuntersuchung des Wildes bedingen, hat der Jäger auf das Jägerrecht zu verzichten. Es wird für die amtliche Fleischuntersuchung benötigt. Gleiches gilt, wenn das Wild in größerer Menge (mehr als die Strecke eines Jagdtages) an zugelassene Wildbearbeitungsbetriebe oder an den Einzelhandel/Gastronomie abgegeben werden soll (in diesem Falle ist die amtliche Fleischuntersuchung vorgeschrieben).

Schalenwild aus der Decke schlagen

124 Wann wird Schalenwild aus der Decke geschlagen bzw. abgeschwartet?

Das Entfernen der Decke (Vlies) bzw. der Schwarte erfolgt nach Beendigung der Fleischreifung, also 36 bis 92 Stunden nach Eintritt des Todes. *Hinweis:* Würde Schalenwild im warmen Zustand aus der Decke geschlagen, dann käme es bei der nachfolgenden Auskühlung und Fleischreifung zu einer Austrocknung des Wildbrets und zu einer Verlederung der Haut. Außerdem wird das Wildbret auf der Oberfläche durch Reaktion mit dem Luftsauerstoff farblich dunkler.

125 Welche Verfahrensweisen gibt es für das Aus-der-Decke-Schlagen bzw. das Abschwarten?

Einmal das Aus-der-Decke-Schlagen im hängenden Zustand des Wildes, dann das Aus-der-Decke-Schlagen beim liegenden Wild. Im letzteren Fall liegt das Wild entweder auf einem Tisch oder auf einem muldenförmigen Gestell aus Holz oder Stahl (Schragen).

126 Spielt es eine Rolle, ob das Wild im hängenden oder im liegenden Zustand aus der Decke geschlagen wird?

Nein! Entscheidend ist letztlich, dass die Decke (Vlies, Schwarte) ohne Verschmutzung des Wildbrets durch ihr anhaftende Verunreinigungen (Schmutz und Haare) entfernt wird. Deshalb ist es letztlich auch unwesentlich, ob das Wild am Haupt oder an den Hinterläufen aufgehängt wird.

127 Wie verfährt man beim Aus-der-Decke-schlagen?

Zuerst wird die Decke im Bereich der Läufe, Blätter, Keulen und des Brustkorbs (soweit hier noch erforderlich) aufgeschärft. Dann wird sie vom Wildkörper abgelöst. Die einzelnen Arbeitsschritte:
Aufschärfen der Decke (Vlies, Schwarte): Die Decke an der Innenseite der Hinterläufe vom Mittelfußknochen in Richtung Schloss aufschärfen. Sofern die Decke über dem Brustbein noch geschlossen ist, sie von der Bauchhöhle entlang des Brustbeins bis zum Träger aufschärfen. Dann die Decke auf der Innenseite der Vorderläufe vom Mittelhandknochen bis zum Brustbein auftrennen. Bei der Schnittführung generell darauf achten, dass das unter der Decke liegende Wildbret (Keulen, Blätter) möglichst nicht verletzt wird.
Ablösen der Decke beim liegenden Stück: Grundsätzlich erst die eine, dann die andere Körperseite von der Decke befreien. Am Träger beginnen. Mit einer Hand die Decke fassen,

4.8: Aus-der-Decke-Schlagen von Schalenwild (hier: Rehwild)

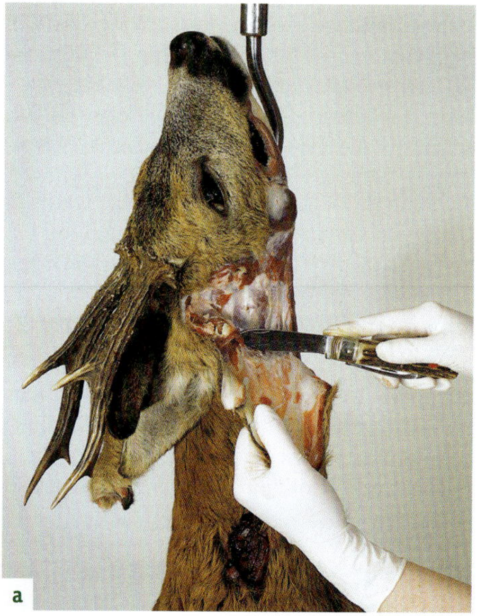

a
Mit Rundschnitt Decke durchschärfen und vom Träger ablösen.

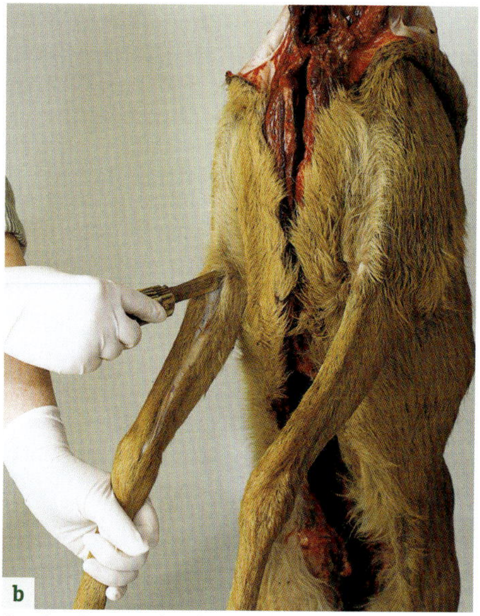

b
An der Innenseite der Vorderläufe Decke zum Brustbein aufschärfen.

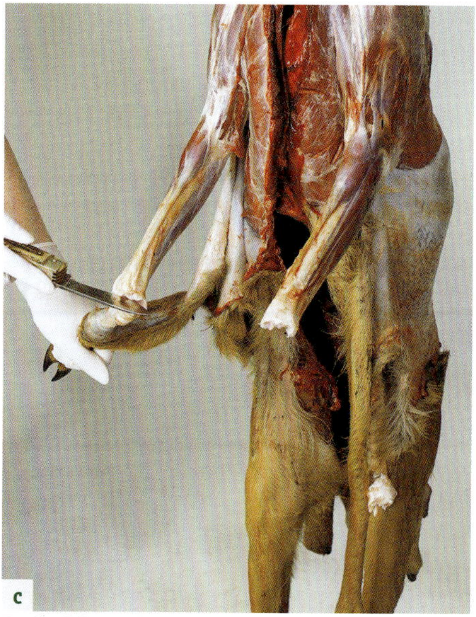

c
Decke bis zu den Vorderläufen abziehen, Läufe im Gelenk abtrennen.

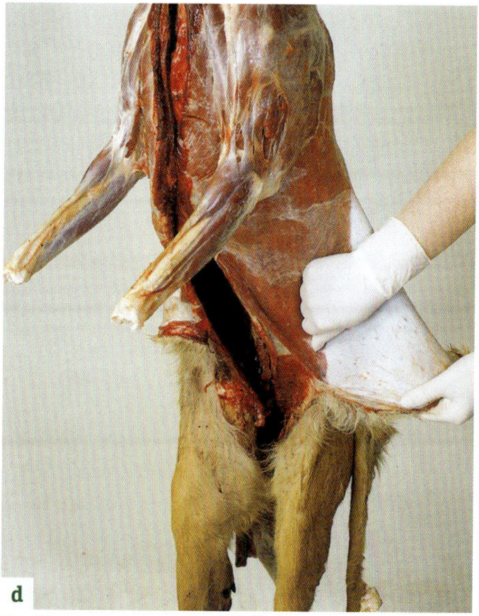

d
Decke spannen, vom Wildkörper mit Daumen und Faust abdrücken.

leicht vom Körper abziehen und das die Decke mit dem Wildbret verbindende Gewebe durchschärfen. Wann immer möglich, das Wildbret mit dem Daumen oder der Faust von der gespannt gehaltenen Decke in Richtung Wildkörper abdrücken, um eine Verletzung des Wildbrets durch Messerschnitte weitestgehend auszuschließen. Nach dem Ablösen der Decke im Bereich des Blattes und der Keule die Läufe im Handwurzelgelenk/Sprunggelenk abschärfen. Dazu mit Rundumschnitt die Sehnen im Gelenk durchtrennen, Mittelhandknochen/Mittelfußknochen fassen und durch Drehung unter Druck aus dem Gelenk hebeln. Die Decke bis zur Rückenmitte ablösen.
Ablösen der Decke bei einem am Haupt aufgehängten Stück: Die Decke am Übergang vom Träger zum Haupt rundum abschärfen. Die Decke am Träger mit einer Hand fassen, vom Wildbret abziehen und die Verbindungshäute mit parallel zum Wildkörper geführten Schnitten durchschärfen. Auf der anderen Seite des Trägers auf gleiche Weise verfahren. Ist der Träger freigelegt, die Decke mit einer Hand unter Spannung halten und von der Rückenmitte zu den Rippenbögen und Bauchlappen das Wildbret mit dem Daumen oder der Faust von der Decke schieben. Im Bereich des Brustbeins die Decke zuerst mit dem Messer, dann mit dem Daumen ablösen. Nach dem Freilegen der Blätter und des Unterarmbeins den Vorderlauf im Handwurzelgelenk abtrennen. Decke von der Rückenseite her bis über die Keulen ablösen und zum Schluss über die Hinterläufe herunterziehen. Die Hinterläufe im Sprunggelenk abschärfen.
Ablösen der Decke bei einem an den Hinterläufen aufgehängten Stück: Die Decke an der Innenseite der Keulen fassen, vom Wildbret abziehen und die Verbindungshaut mit dem Messer durchschärfen. Die Keulen rundum freilegen, dann nach oben bis zum Sprunggelenk arbeiten und hier die Decke abschärfen. Von der Rückenmitte zu den Bauchlappen und Rippenbögen arbeiten. Dabei die Decke stets unter Spannung halten und das Wildbret mit dem Daumen oder der Faust von der Decke abdrücken. Wo erforderlich das Messer einsetzen. Immer darauf achten, dass das Wildbret nicht durch Messerschnitte verletzt wird. Nach dem Freilegen der Blätter und des Unterarmbeins die Vorderläufe im Handwurzelgelenk abschärfen. Zum Schluss die Decke wie einen Strumpf über den Träger nach unten ziehen und mit vorsichtig gesetzten Messerschnitten vom Haupt lösen. Dabei die Schnitte immer gegen den Knochen richten. *Hinweis:* Beim Abschwarten eines Stückes Schwarzwild lässt sich die Schwarte mit dem Daumen oder der Faust nicht vom Wildbret lösen. Hier sind stets Trennschnitte erforderlich, die entweder im Bindegewebe oder im Fettgewebe geführt werden. Soll die Schwarte später gegerbt werden, ist unbedingt darauf zu achten, dass sie durch Schnitte nicht verletzt wird. Dies erfolgt besonders leicht beim Auslösen der Vorder- und Hinterlaufknochen sowie im Bereich des Hauptes.

Zerwirken von Schalenwild

128 Was ist unter „Zerwirken" zu verstehen?

Beim Zerwirken wird das Stück Wild in seine Einzelteile, nämlich Blätter, Keulen, Rippenbögen mit Bauchlappen, Träger und Rücken zerlegt.

129 Was zählt zum Kochwildbret?

Ursprünglich zählten zum Kochwildbret das Haupt, der Träger und die Rippenbögen mit Bauchlappen. Heute werden der Träger und die Rippen mit Bauchlappen auch zu Rollbraten oder Ragout und damit zu Bratfleisch verarbeitet.

130 Welches sind die edelsten Wildbretstücke?

Als Edelwildbret und deshalb preislich höherwertig gelten der Rücken, dann die Keulen und schließlich noch die Blätter. Zum Rücken gehören auch die kleinen Filets im Lendenbereich.

131 Welche Arbeitsschritte fallen beim Zerwirken an?

Das Abtrennen der Blätter: Das Blatt am Unterarmbein fassen, vom Wildkörper abspreizen und durch die Achselhöhle mit dem Messer in Richtung des Rückens mit großen Schnitten abschärfen. Dabei darauf achten, dass im Rückenbereich die Muskulatur nicht verletzt wird.

Das Trennen der Keulen: Zwischen den Keulen das sie verbindende Kreuzbein mit einer Säge oder einem Beil durchtrennen.

Das Abtrennen der Rippenbögen und Bauchlappen: Sofern noch nicht geschehen zuerst das Brustbein der Länge nach mit einer Aufbrechzange oder einer Knochensäge auftrennen. Die Bauchlappen mit einer Hand fassen und unterhalb der Rückenmuskulatur mit einem Messerschnitt bis auf die Rippe vom Wildkörper abschärfen. Mit dem Messer die Sägelinie für das Abtrennen der Rippen unterhalb der Rückenmuskulatur bis zum Brustkern auf den Rippen vorschneiden. Rippen entlang der vorgegebenen Schnittlinie mit einer Aufbrechzange oder einer Knochensäge vom Wildkörper abschärfen. *Hinweis:* Im vorderen Bereich verläuft diese Linie bogenförmig zum Brustkern. Um zu vermeiden, dass wertvolles Rückenfilet beim Abtrennen der Rippen verschnitten wird, die Rippen lieber etwas länger am Rücken belassen.

Das Abtrennen des Rückens: Die an der Unterseite des Rückens im Lendenbereich sitzenden kleinen Filets von der Keulenseite her anlösen und zur Rückenmitte klappen. Unmittelbar vor den Keulen den Rücken zwischen den Wirbeln mit dem Messer oder einer Säge durchtrennen und abdrehen.

Das Abtrennen des Trägers: Am Trägeransatz von oben zwischen zwei Wirbeln das Wildbret bis auf den Knochen durchschärfen. Den Knochen mit einer Säge durchtrennen. Hinweis: Bei schwachem Rehwild kann dies auch von der Unterseite des Rückens durch Durchtrennen des Wirbels mit dem Messer und Abdrehen des Trägers erfolgen.

Das Abtrennen des Hauptes: An der Trägerinnenseite und unmittelbar am Übergang zum Haupt das Wildbret bis auf den Knochen durchschärfen. Die Verbindungsstelle zwischen Hinterhauptbein und Halswirbel mit dem Messer durchschärfen und das Haupt durch kräftige Drehung vom Träger lösen.

132 Gehört das Zurichten des Wildbrets für die Küche noch zum jagdlichen Handwerk?

Mit dem Zerwirken des Wildes ist die Arbeit des Jägers normalerweise abgeschlossen. Für die Zurichtung des Wildbrets und seine Verarbeitung in der Küche gibt es eigene Fachliteratur (siehe „Weiterführende Literatur“).

4.9: Zerwirken von Rehwild

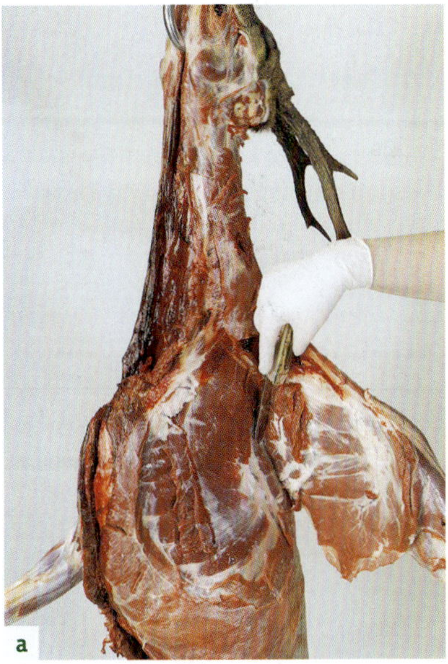

a
Abtrennen der Blätter

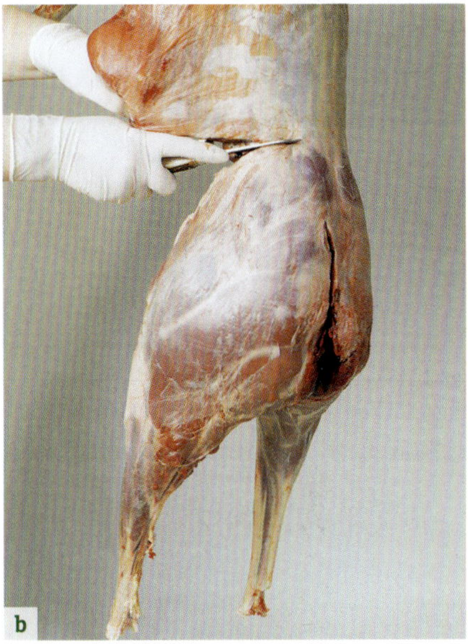

b
Trennen der Keule

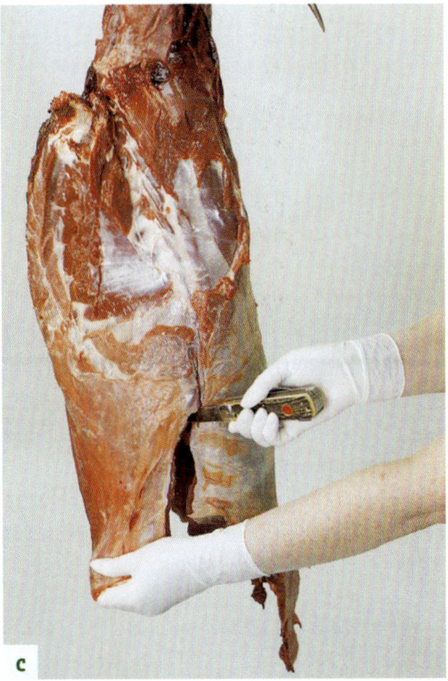

c
Abtrennen von Bauchlappen und Rippen

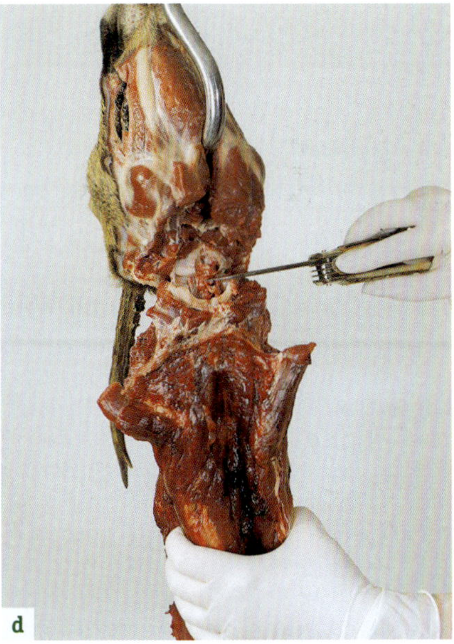

d
Abtrennen des Hauptes

4.8 Hase und Wildkaninchen

Versorgen von Hase und Wildkaninchen

133 Sind Hase und Wildkaninchen hinsichtlich ihrer Versorgung dem Schalenwild gleichgestellt?

Da Hase und Wildkaninchen zum Haarwild zählen und Kleinwild sind, gelten für sie die Bestimmungen der EU-Verordnungen und der Lebensmittelhygiene-Verordnung Tierische Lebensmittel (LMHV-Tier) für Kleinwild. Das bedeutet, sie dürfen bis zur Abgabe an einen Wildbearbeitungsbetrieb unausgeweidet bleiben, müssen aber unmittelbar nach dem Erlegen auf +4 °C Kerntemperatur gekühlt werden (Großwild: +7 °C).

134 Wann sind Hase und Wildkaninchen zu versorgen?

Unmittelbar nach dem Erlegen, spätestens nach der Anlieferung an einen Wildbearbeitungsbetrieb. Dabei handelt es sich um einen Betrieb, in dem erlegtes Wild und Wildbret für das Inverkehrbringen zugerichtet werden. An einen Wildbearbeitungsbetrieb geliefertes frei lebendes Kleinwild muss der zuständigen Behörde (Veterinäramt) zur Inspektion vorgeführt werden. Dies gilt auch für den örtlichen Einzelhandel/Gaststätte, bei dem Wild und Wildeinzelteile direkt an den Verbraucher abgegeben werden. *Hinweis:* die Anlieferung hat innerhalb 12 Stunden nach dem Erlegen zu erfolgen!

135 Welche Maßnahme ist bei Hase und Wildkaninchen zuerst zu treffen?

Nach dem Aufnehmen des Wildes ist die Blase auszudrücken. Hierzu das Wild an den Vorderläufen fassen, mit dem Rücken an den Oberschenkel anlegen und mit der freien Hand vom Brustkorb in Richtung der Keulen zwei- bis dreimal kräftig gegen den Bauch streichen. Dabei entleert sich die Blase.

136 Sind Hase und Wildkaninchen sachgemäß versorgt, wenn ihnen lediglich die Blase ausgedrückt wird?

Nein! Das Ausdrücken der Blase reicht unter wildbrethygienischen Aspekten zur Gewinnung eines einwandfreien Lebensmittels nicht aus. Es ist eine vorläufige Maßnahme, der nach Beendigung des Treibens das Ausweiden des Wildes folgen muss.

137 Wie werden erlegte Hasen und Wildkaninchen transportiert?

Sie werden an den Hinterläufen mit dem Kopf nach unten getragen. Für das Tragen an einem Stock oder das Aufhängen auf die Stangen eines Wildwagens bindet man die Hinterläufe im Bereich des Sprunggelenkes mit einem Stück Schnur zusammen und schiebt den Stock zwischen den Läufen durch. *Hinweis:* Das früher übliche Hessen der Hinterläufe, bei der oberhalb des Sprunggelenkes ein Schnitt zwischen Knochen und Sehne gemacht und durch die Öffnung der andere Lauf durchgezogen wurde, ist heute verpönt. Das Wildbret trocknet an dieser Stelle aus und mindert die Qualität des Keulenfleisches.

138 Wie erfolgt das Versorgen von Hase und Wildkaninchen?

Durch das Ausweiden, das entweder unmittelbar nach dem Erlegen, aus lebensmittelhygienischen Gründen jedoch spätestens nach der Beendigung eines Treibens erfolgt. Hierfür gibt es zwei Verfahrensweisen:

Ausweiden mit Längsschnitt: Den Hasen oder das Wildkaninchen auf den Rücken legen und die Hinterläufe spreizen. Oberhalb der Keulen in Körpermitte mit der Messerspitze eine kleine Öffnung in die Balg- und Bauchhaut ritzen, mit zwei Fingern hineingreifen und den Balg bis zum Brustbein aufschärfen. Mit den Fingern den Schlund oberhalb des Magens greifen, abklemmen, aus dem Brustkorb ziehen und abreißen. Magen und Därme aus dem Wildkörper nehmen. Inhalt des Weiddarmes nach hinten ausdrücken, Weiddarm abschärfen und verknoten. Links und rechts das Zwerchfell durchschärfen, mit der Hand in den Brustraum greifen und mit kräftigem Zug Lunge und Herz herauslösen. Wild herumdrehen und aus der Bauchöffnung ausschweißen lassen. Anschließend den Wildkörper, die Innereien und das Gescheide auf krankheitsbedingte Merkmale untersuchen. *Hinweis:* Alternativ können auch bei Hase und Wildkaninchen, wie bei der konventionellen Methode bei Schalenwild dargestellt, nach dem Eröffnen der Bauchhöhle das Schloss aufgetrennt, Weiddarm und Blase herausgelöst werden.
Ausweiden mit Querschnitt: Oberhalb der Keulen den Balg anheben und die Balghaut (nicht die Bauchhaut!) durch Schnitt quer zum Wildkörper aufschärfen. Den Balg mit einer Hand am Bauch bis zum Brustbein hochschieben, so dass die Bauchhaut frei liegt. Die Bauchhaut mit Längsschnitt eröffnen und den Hasen wie zuvor beschrieben ausweiden. Anschließend die Bauchhöhle durch Herunterziehen des Balges wieder verschließen. Damit der Balg nicht wieder hoch rutscht, in die Balghaut ein Loch schärfen und die Blume als Verschluss durchziehen.

139 Wie lange sollten Hase und Wildkaninchen vor dem Abbalgen abhängen?

In einem Kühlraum können sie bis zu acht Tagen verbleiben, an kühlem luftigen Ort nicht länger als drei Tage, damit das Wildbret nicht in Fäulnis übergeht. Durchgereift ist das Wildbret, wenn die auch bei Hase und Wildkaninchen stattfindende Totenstarre durchlaufen ist.

4.10: Ausweiden von Hase oder Kanin

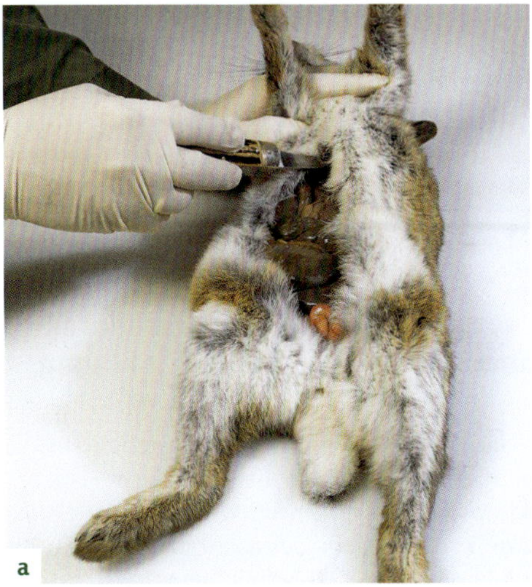

a
Balg und Bauchhaut von den Keulen bis zum Brustbein aufschärfen.

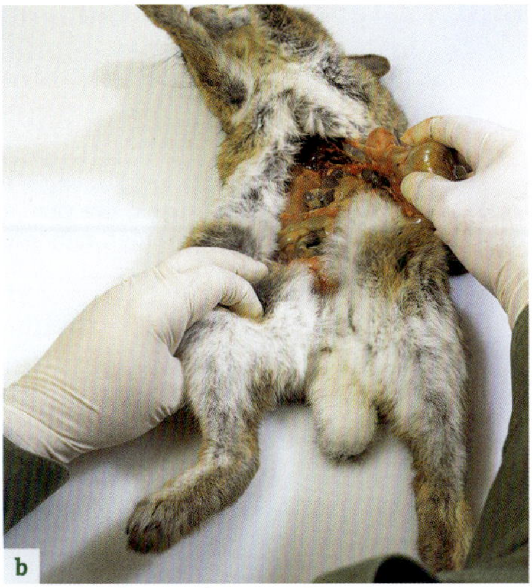

b
Magen und Darm herausnehmen

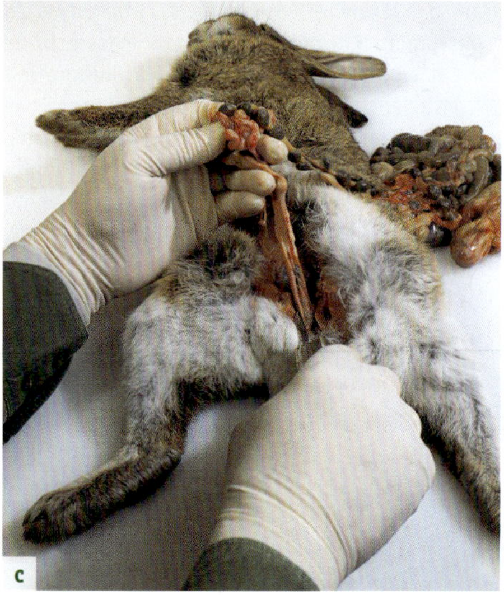

c

Bauchdecke spreizen, dann Balg über dem Schloss aufschärfen, Schloss aufschärfen, Weiddarm auslösen.

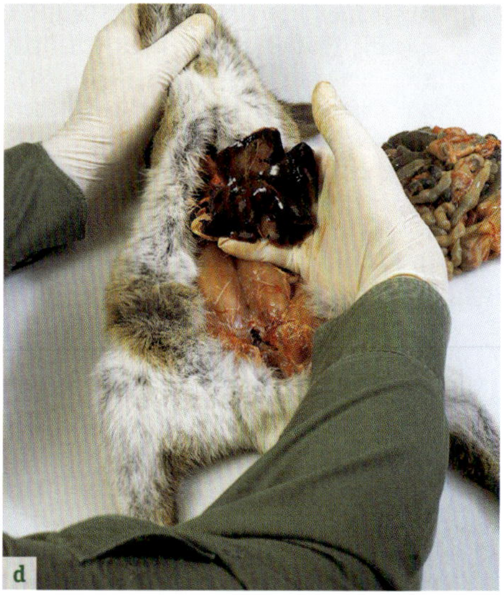

d

In die Brusthöhle greifen, Herz und Lunge fassen und herausziehen.

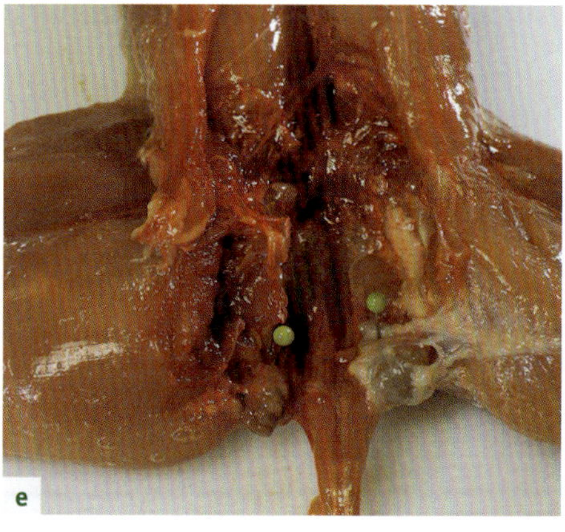

e

Rechts und links der Blumenwurzel sitzen Drüsen, die vorsichtig entfernt werden müssen.

140 Was geschieht, wenn an frostigen, sonnigen Wintertagen Hasen und Wildkaninchen über längere Zeit unausgeweidet auf dem Wildwagen hängen?

Die auf den Balg scheinende Sonne heizt das Innere des Wildkörpers zusätzlich auf, so dass eine verstärkte Vermehrung der Magen-/Darmbakterien mit Gasbildung im Magen-/Darmkanal erfolgt. Es ist der gleiche Effekt, wie er bei einem im Winter in der Sonne stehenden Auto feststellbar ist. Beim Strecke legen am Ende des Jagdtages sind die bis Mittag geschossenen Hasen und Wildkaninchen durch ihre „Rundheit" von ihren erst am Nachmittag erlegten Artgenossen deutlich zu unterscheiden.

141 Dürfen Hasen und Wildkaninchen unausgeweidet an Personen abgegeben werden, die keine Jagdscheininhaber sind?

Nein! Dies verstößt gegen die vom Gesetz dem Revierinhaber auferlegte Sorgfaltspflicht. Er hat sich vor der Abgabe von jeglichem Haarwild an Privatpersonen und den lokalen Einzelhandel davon zu überzeugen, ob das Wildbret für den menschlichen Verzehr unbedenklich ist. Feststellungen hierüber kann er jedoch nur treffen, wenn er das Wild ordnungsgemäß ausweidet und die inneren Organe sowie das Gescheide auf krankheitsbedingte Merkmale untersucht.

Abbalgen von Hase und Wildkaninchen

142 Welche zwei Methoden gibt es, um den Balg bei Hase und Wildkaninchen zu entfernen?

Einmal die konventionelle Methode, bei der das Wild im hängenden Zustand von den Hinterläufen bis über den Kopf gebalgt wird. Sodann die moderne Schnellmethode, bei der der Balg von der Rückenmitte in Richtung Keulen und Haupt gleichzeitig abgezogen wird.

143 Wie wird bei der konventionellen Methode verfahren?

Das Wild an den gespreizten Hinterläufen aufhängen. Vom Sprunggelenk der Hinterläufe entlang der Keulen den Balg an der Übergangslinie vom Rückenhaar zum Bauchhaar (Wolle) bis zur Blume aufschärfen. Dann die Blume am Wurzelansatz abschärfen. Den Balg an den Sprunggelenken abtrennen, ihn mit beiden Händen fassen und mit kräftigem Zug über den Rücken und den Bauch in Richtung Kopf abziehen. Wo die Gefahr des Einreißens von Wildbret besteht, den Balg mit den Fingern oder dem Messer von den Verbindungshäuten trennen. Die Vorderläufe einzeln in Richtung Rücken aus dem Balg drücken, den Balg an den Läufen bis zum Handwurzelgelenk herunter schieben und die Läufe im Gelenk abschärfen. Anschließend den Balg über den Hals und den Kopf ziehen (hier mit dem Messer den Ansatz der Löffel am Haupt sowie das Bindegewebe durchschärfen) und vom Wildkörper ablösen.

144 Wie funktioniert die Schnellmethode beim Abbalgen?

Das Wild mit dem Rücken nach oben auf eine ebene Unterlage legen. Den Balg in der Mitte des Rückens fassen und vom Rücken etwas abziehen. Mit dem Messer quer zum Rücken den Balg aufschärfen. Mit beiden Händen in die Öffnung greifen, das Wild anheben und den Balg mit kräftigem Ruck gleichzeitig in Richtung der Keulen und des Kopfes auseinander reißen. Den Wildkörper anschließend mit einer Hand in der Körpermitte festhalten und mit der anderen Hand den Balg über die Keulen bis zum Sprunggelenk bzw. über die Blätter bis zum Kopf abziehen. Balg an den Sprunggelenken abschärfen. Die Vorderläufe aus dem Balg herausdrücken und im Handwurzelgelenk abschärfen. Da der Kopf bei der Schnellmethode meist im Balg verbleibt, ihn vom Hals abschärfen oder mit einer Aufbrechzange abtrennen.

145 Was ist beim Abbalgen von Hase und Wildkaninchen besonders zu beachten?

Es sind die unterhalb der Schwanzwurzel links und rechts vom Schloss sitzenden Drüsen, beim Hasen gelblich-grau, beim Wildkaninchen grünlich-gelb, sorgfältig herauszuschärfen.

4.11: Balgen von Kanin

a

Bei diesem Kanin kommt die Schnellmethode zur Anwendung.

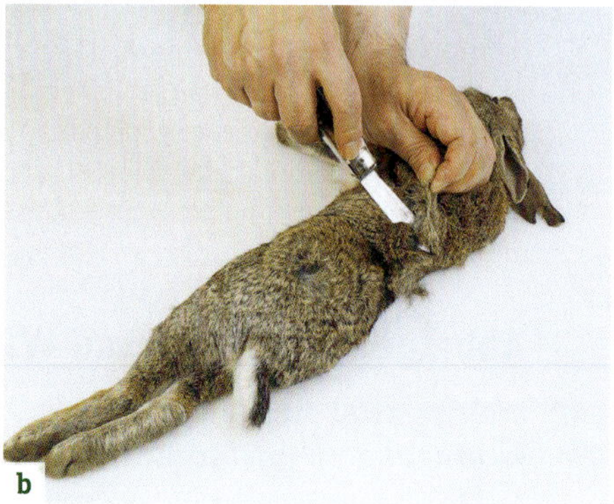

b

In der Mitte des Rückens Balg hochziehen und quer durchschneiden.

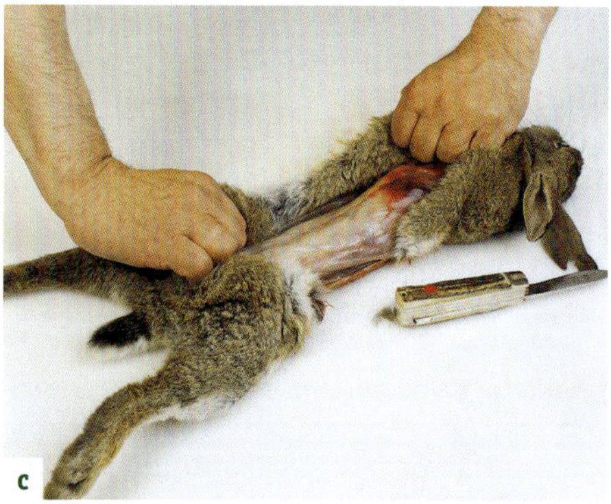

c

Mit den Händen Balg nach beiden Seiten auseinanderreißen.

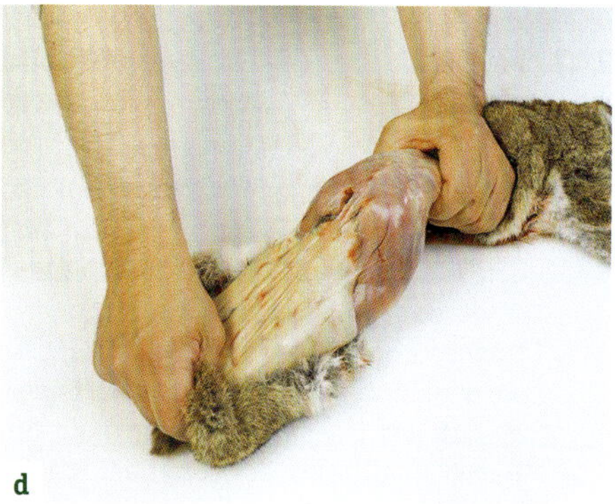

d

Wildkörper festhalten, Balg rückwärts über die Keulen ziehen.

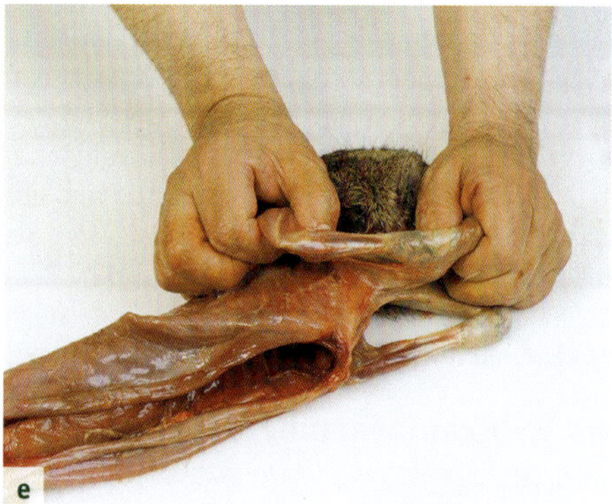

e

Vorderläufe nach oben aus dem Balg drücken, diesen abschneiden.

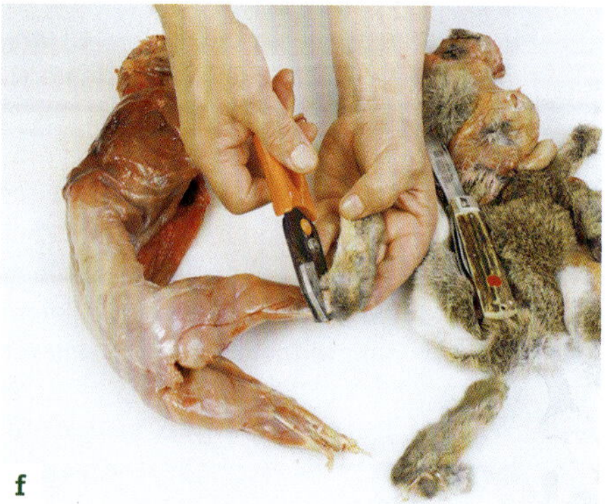

f

Läufe im Fußgelenk vom Wildkörper mit der Wildzange abtrennen.

Dabei ist darauf zu achten, dass kein Drüsensekret mit den Händen oder der Messerschneide auf das Wildbret übertragen wird. Das Sekret verändert das Wildbret geschmacklich so stark, dass es z.B. beim Kaninchen nicht mehr verzehrfähig ist.

Zerlegen von Hase und Wildkaninchen

146 In welche Teile werden Hase und Wildkaninchen zerlegt?

In Blätter (Vorderläufe), Rippen mit Bauchlappen, Hals, Rücken und Keulen.

147 Was zählt zum „Hasenklein"?

Zum „Hasenklein" gehören Blätter (Vorderläufe), Hals sowie Rippen mit den Bauchlappen.

148 Wie werden die Einzelteile von Hase und Wildkaninchen gewonnen?

Das gebalgte Wild auf den Rücken legen. Den Vorderlauf fassen und mit Schnitt durch die Achselhöhle zum Rücken hin vom Wildkörper abschärfen. Mit einer Geflügelschere oder Aufbrechzange das Brustbein durchtrennen und die Rippenbögen mit anhängendem Bauchlappen unterhalb der Rückenfilets abschneiden. Den Hals vom Rücken abschneiden und den Rücken oberhalb der Keulen von diesen trennen. Zum Schluss das die Keulen verbindende Kreuzbein durchschneiden.

149 Welche Hasen und Wildkaninchen liefern das beste Wildbret?

Hasen und Wildkaninchen, die gesund sind, am Ansitz mit einem Schuss auf den Kopf erlegt und unmittelbar danach ordentlich versorgt werden.

150 Wie hoch ist die Keimbelastung beim Hasen?

Untersuchungen im Institut von Prof. Dr. R. M. Hadlok (Gießen) haben ergeben, dass sich im Balg des Hasen pro Gramm Wolle bis zu einer Million Keime, in Magen und Darm pro Gramm Inhalt zwischen 1000 und einer Milliarde Keime und dort, wo von Wolle ummanteltes Schrot ins Wildbret eingedrungen ist, zwischen 10.000 und 10 Millionen Keime pro Gramm Muskelfleisch nachweisen lassen.

4.9 Federwild

Versorgen von Federwild

151 Gelten für Federwild die gleichen lebensmittelrechtlichen Bestimmungen wie für Hase und Kanin?

Ja, Federwild zählt zum Kleinwild und ist entsprechend zu Versorgen und auf für den Verzehr bedenkliche Merkmale zu untersuchen.

152 Ist erlegtes Federwild, das für den menschlichen Verzehr bestimmt ist, zur amtlichen Geflügelfleischuntersuchung anzumelden?

Grundsätzlich ja.

153 Gibt es Ausnahmen von dieser Anmeldungspflicht?

Unterbleiben kann die Anmeldung zur amtlichen Fleischuntersuchung, wenn beim Federwild vom sachkundigen Jäger keine für dessen Verzehr bedenklichen Merkmale festgestellt wurden und das Federwild zur Verarbeitung im eigenen Haushalt oder zur Abgabe in kleinen Mengen an den örtlichen Einzelhandel oder an Endverbraucher bestimmt ist.

154 Auf was hat der Jäger beim Erlegen und bei der Inbesitznahme von Federwild zu achten?

Er hat auf Merkmale zu achten, die das Fleisch des Federwildes als bedenklich zum Verzehr für Menschen erscheinen lassen.

155 Welches sind diese „bedenklichen Merkmale"?

Dabei handelt es sich um:

» abnorme Verhaltensweisen und Störungen des Allgemeinbefindens – dies können u.a. Lahmheit und Flugunfähigkeit sein;
» das Fehlen von Anzeichen äußerer Gewalteinwirkung als Todesursache – dies erfordert die sorgfältige Kontrolle jedes aufgefundenen oder vom Hund apportierten Stückes Federwild auf Schussverletzungen;
» Geschwülste und Abszesse in den inneren Organen und in der Muskulatur – oft anzutreffen bei Federwild, das durch Schrote verletzt wurde, jedoch an diesen nicht verendet ist;
» erhebliche Abweichungen in Farbe, Konsistenz und Geruch bei Muskulatur und Organen – immer gegeben, wenn eine alte, eiternde Schussverletzung vorliegt, wenn das Wild verspätet aufgefunden wird oder wenn es vor dem Verenden starkem Stress ausgesetzt war (geflügeltes, vor dem Hunde flüchtendes Federwild);
» stickige Reifung und Fäulnis – immer zu erwarten, wenn Federwild Stunden später auf der Nachsuche aufgefunden wird;
» Geschwülste und Wucherungen im Kopfbereich oder an den Ständern (Rudern) – oft durch Entzündungen oder infektiöse Verletzungen verursacht;
» verklebte Augenlider, Anzeichen von Durchfall (insbesondere im Bereich der Kloake) sowie Verklebungen und sonstige Veränderungen der Befiederung, der Haut- und Kopfanhänge sowie der Ständer – alles Krankheitsmerkmale, die unterschiedlichste Ursachen haben und die vermuten lassen, dass das Fleisch des hiervon betroffenen Federwildes für den menschlichen Verzehr nicht geeignet ist;
» Schwellungen der Leber oder der Milz, Entzündung des Herzens, des Darms, des Drüsen- und Muskelmagens – alles Zeichen einer bakteriellen Erkrankung. Sie zu erkennen, erfordert gute Kenntnisse des Jägers hinsichtlich auffälligem und unauffälligem Erscheinungsbild bei Organen und Gescheide von Federwild;
» Schwellungen der Gelenke, erhebliche Abmagerung oder Schwund einzelner Muskelpartien – meist Folgen einer vorausgegangenen oder bestehenden Erkrankung oder einer alten Schussverletzung.

156 Was ist zu veranlassen, wenn bei erlegtem Federwild ein oder mehrere für den menschlichen Verzehr bedenkliche Merkmale festgestellt werden?

Es ist, wenn es dem menschlichen Verzehr zugeführt werden soll, zur amtlichen Fleischuntersuchung beim amtlichen Tierarzt anzumelden. *Hinweis:* Da jede Untersuchung gebührenpflichtig ist, kann die Untersuchungsgebühr den Wert des Wildbrets übersteigen.

Empfehlung: Federwild mit einem oder mehreren bedenklichen Merkmalen nach dem TierNebG entsorgen oder als Untersuchungsgut einem tiermedizinischen Institut zur Verfügung stellen.

4.12: Versorgen von Federwild (hier Stockente)

a

Kloake rundum frei rupfen.

b

Kloake umschneiden.

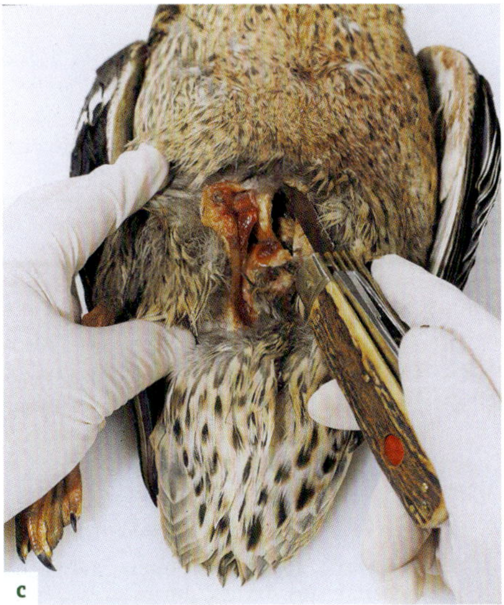

c

Bauchhöhle eröffnen.

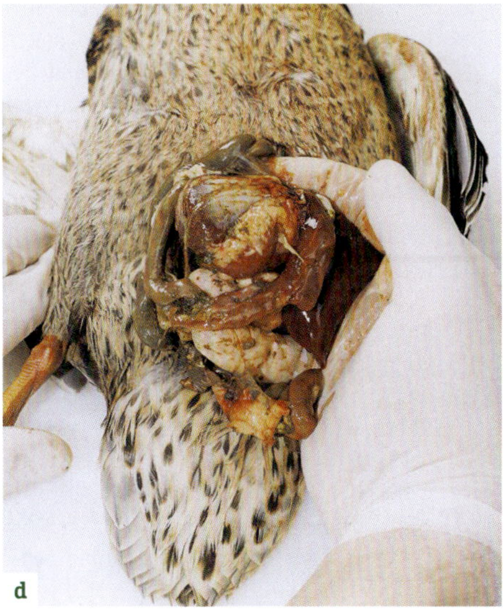

d

Gescheide, Magen und Innereien entnehmen.

157 Darf der Revierinhaber erlegtes Federwild unausgeweidet an Privatpersonen, Gastronomie oder Wildeinzelhandel abgeben?

Nein. Die Abgabe darf nur erfolgen, wenn er sich zuvor davon überzeugt hat, dass das Federwild keine für den Verzehr seines Wildbrets bedenklichen Merkmale aufweist. Dies wiederum erfordert, dass er die Organe und das Gescheide auf krankhafte Veränderungen überprüft. Möglich ist dies nur, wenn das Federwild ordnungsgemäß versorgt und wie Schlachtgeflügel ausgenommen wird.

158 Wie ist Federwild nach dem Erlegen und Versorgen zu behandeln?

Es ist alsbald nach dem Erlegen in eine Kühlung zu verbringen, in der es (wie Hase und Kanin) auf eine Kerntemperatur von +4 °C abkühlen kann.

159 Warum ist die schnelle Kühlung bei Federwild erforderlich?

Die schnelle Kühlung verhindert eine Vermehrung von Bakterien im Wildbret. Diese gelangen einmal mit Schroten und von diesen mitgerissenen Federn ins Wildbret, zum anderen stammen sie aus dem durch Schrote verletzten Magen-/ Darmbereich.

160 Gibt es Unterschiede bei der Versorgung von Federwild?

Ja. Unterschiede bestehen zwischen der Versorgung von Hühnervögeln und Wildtauben einerseits und der Versorgung von Wasserwild andererseits. Bei Hühnervögeln und Tauben ist der Kropf möglichst bald nach dem Erlegen zu entfernen, beim Wasserwild nach dem Rupfen.

161 Wann und wie sind Hühnervögel zu versorgen?

Das Versorgen der Hühnervögel erfolgt nach der Inbesitznahme des Wildes. Als erstes wird der Kropf (beutelartige, unmittelbar vor dem Brustbein sitzende Erweiterung der Speiseröhre) entfernt: Oberhalb des Kropfes die Federn rupfen, dann die darüber liegende Haut vorsichtig aufschärfen und den Kropf mitsamt Inhalt stumpf ablösen und herausreißen. Anschließend den Vogel ausweiden: Über der Kloake (Darmausgang) die Bauchhaut etwas frei rupfen. Die Kloake mit kleinem scharfen Messer umschneiden. Dann die Bauchhaut Richtung Brustkern 3–4 cm mit dem Messer aufschneiden. Mit zwei Fingern in die Bauchhöhle greifen und das Gescheide mit dem Magen und den Innereien (Herz, Lunge, Leber) herausziehen. Das Gescheide und die Innereien auf Krankheitsmerkmale untersuchen. Soll die Leber verwertet werden, ist die Gallenblase abzulösen.

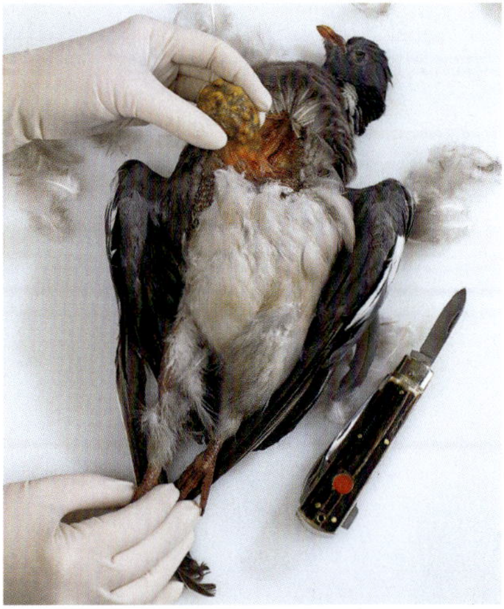

4.13: Kropf entfernen bei einer Taube: Kropfpartie frei rupfen, darunter liegende Haut aufschärfen, Kropf auslösen.

162 Wie wird Wassergeflügel versorgt?

Es wird nach der Inbesitznahme lediglich ausgeweidet. Dies geschieht auf die gleiche Art wie bei den Hühnervögeln.

163 Warum ist es wichtig, den Kropf bei Hühnervögeln und Wildtauben möglichst schnell zu entfernen?

Im Kropf wird die gesammelte Nahrung (Käfer, Larven, Würmer, Sämereien) vorverdaut. Dadurch säuert der Inhalt sehr stark. Verbleibt der Kropf am Wild, dringt die Säure ins Wildbret ein und beeinflusst dessen Geschmack. Außerdem können nach dem Ausweiden und damit Abriss des Schlundes (Speiseröhre) oberhalb des Magens frisch abgeschluckte Käfer, Larven und Würmer in die Bauchhöhle gelangen und diese verschmutzen.

Aushakeln – Ausweiden – Ausfahren.

164 Was ist unter „Aushakeln" zu verstehen?

Das Entfernen des Gescheides über die Kloake (Darmausgang) mittels eines kleinen metallenen oder hölzernen Hakens. Diese früher übliche Methode ist aus lebensmittelhygienischen Gründen heute verboten, da hierdurch der Darm mehrfach verletzt und zerrissen wird und Erreger aus dem Gescheide in den Bauchraum gelangen. Sie zersetzen das Wildbret und lassen es schnell faulig werden. Es entsteht der fälschlicherweise als „wildtypisch" bezeichnete Hautgout. *Hinweis:* Der Ausziehhaken am Jagdmesser ist ein Werkzeug, dessen Verwendung bei der Versorgung von Federwild innerhalb der EU rechtlich unzulässig ist.

165 Was versteht man unter „Ausfahren" bei Federwild?

„Ausfahren" ist ein Begriff der Jägersprache für das Ausweiden (auch Aufbrechen) von starkem Federwild, insbesondere Auerwild und Trappen.

4.14: Häuten einer Stockente

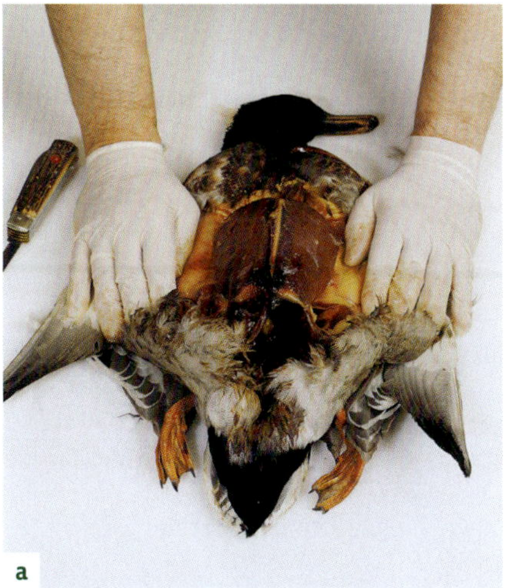

a **Federkleid entlang des Brustbeins aufschärfen und zur Seite drücken.**

b **Anschließend den Federbalg rundum ablösen, Hals, Flügel und Keulen im zweiten Gelenk abtrennen.**

166 Muss Federwild für die Fleischreifung abhängen?

Obwohl Federwild aufgrund der geringen Körpermasse nur wenig Zeit für die Fleischreifung benötigt (4–5 Stunden), dient es seinem Wohlgeschmack, wenn man es ungerupft an kühlem Ort abhängen lässt (bei einer Kerntemperatur von +4 °C bis zu drei Tage) bzw. gerupft in einer mit einem Tuch abgedeckten Schüssel kühl aufbewahrt (Kühlschrank bis zu zwei Tage).

167 Wann wird Federwild gerupft?

Hier gilt: je eher desto besser. Im köperwarmen Zustand lassen sich (insbesondere bei Tauben) die Federn leicht entfernen. Das Rupfen selbst sollte in einem separatem Raum oder im Freien erfolgen. Anderes Wildbret darf mit ungerupftem Wildgeflügel und seinen Federn nicht in Berührung kommen (Gefahr der Übertragung von Parasiten und Bakterien).

168 Weshalb werden heute Wildenten und Wildgänse eher gehäutet als gerupft?

Aufgrund der Verschmutzung zahlreicher Gewässer durch Industrie- und Haushaltsabwässer ist die Haut von Wassergeflügel oft mit Chemikalien belastet. Verbleibt sie am Wildvogel, dringen deren Aromastoffe bei der Zubereitung ins Wildbret und verändern dessen Geschmack bis zur Ungenießbarkeit.

4.10 Wildbretverwertung

169 Welche besonderen Vorzüge hat das Lebensmittel Wildbret?

Es hat einen gegenüber dem Fleisch von Haustieren geringeren Fettgehalt (ausgenommen Schwarzwild), ist reich an Eiweiß und Mineralien. Das Wildbret ist von fester Struktur und bei jungen Stücken relativ kurzfaserig. Besonders geschätzt ist das Wildbret junger Stücke. Älteres Wild hat einen geringeren Purinanteil. Purine steigern den Harnsäurespiegel. Wird gesundes und lebensmittelhygienisch einwandfreies Wildbret gewonnen, ist es eines der besten Lebensmittel, die die Natur zu bieten hat.

170 Welche Teile vom Wild lassen sich küchenmäßig verwerten?

1. Das Hirn (verarbeitet zu Hirnklößchen als Suppeneinlage, separat gebraten oder mit Rührei zubereitet).
2. Der Lecker (als Ragout, gepökelt und gekocht als Vorspeise).
3. Die Lunge (als Beuscherl, Lüngli).
4. Das Herz (als Ragout, gefüllt und geschmort).
5. Die Leber (gebraten, geschnetzelt, als Bestandteil einer Wildleberwurst, einer Terrine oder Pastete).
6. Die Nieren (gebraten, geschnetzelt, als Einlage für Terrinen und Pasteten).
7. Die Milz (für Terrinen und Wildleberwurst).
8. Der Träger (als Ragout oder Rollbraten).
9. Die Rippen (als Ragout, Rollbraten, Spearribs).
10. Die Bauchlappen (als Ragout oder Rollbraten).

11. Die Blätter (als Schmorbraten, als Rollbraten, als Bestandteil einer Wildsalami)
12. Die Keulen (als Braten, als Kurzbratstücke, als Schinken).
13. Der Rücken (als Braten, als Kurzbratstücke, als Schinken).
14. Die Knochen (für Fond, Suppen und Saucen).

Hinweis: Wertvolle Informationen zur Wildküche, Zubereitungshinweise und Rezepte finden sich in den Büchern der Literaturliste am Kapitelende.

171 Wie soll Wildbret für die Tiefkühltruhe beschaffen sein?

Es muss sauber und trocken sein. Außerdem sollte alles sichtbare Fett entfernt sein, da es in der Truhe relativ schnell ranzig wird.

172 Wie lange kann Wildbret in der Tiefkühltruhe lagern?

Vorausgesetzt, dass es weitestgehend ohne Lufteinschluss in haushaltsüblichen Gefrierbeuteln verpackt und eine stetige Kühltemperatur von mindestens –18 °C gewährleistet ist, gelten folgende durchschnittliche Lagerzeiten:

» Mageres Wildbret von Reh- und Hirschwild: 12 bis 24 Monate;
» Wildbret von Gams-, Muffel- und Steinwild: 9 bis 12 Monate;
» Wildbret von Schwarzwild: 6 Monate;
» Hase und Wildkaninchen: bis zu 8 Monate;
» Rebhühner und Tauben: bis zu 8 Monate;
» Fasane: bis zu 4 Monate;
» Wildenten und Wildgänse: bis zu 6 Monate

Werden die vorgenannten Lagerzeiten überschritten, kann es zu den Wildbretgenuss schmälernden geschmacklichen Veränderungen kommen (Ranzigwerden der sich im Wildbret befindenden Fettzellen).

173 Kann einmal aufgetautes Wildbret nochmals roh eingefrostet werden?

Dies ist ohne Minderung in Geschmack und Qualität bei Wildbret von Großwild möglich. Allerdings sollte zum zweiten Male eingefrorenes Wildbret innerhalb der nächsten 30 Tage verwertet werden. Nicht zu empfehlen ist aus verschiedenen Gründen das erneute Einfrosten einmal aufgetauten Federwildes.

174 Darf Wildbret roh, z.B. als Tartar, Met oder Carpaccio zum Verzehr angeboten werden?

Hierauf sollte aus gesundheitlichen und hygienischen Gründen generell verzichtet werden. Einzige Ausnahme: Die Herstellung von Wildsalami, die durch das eingebrachte Pökelsalz nach Durchreifung relativ keimfrei ist. Zur Sicherheit des Verbrauchers vor einer möglichen Übertragung von Krankheiten vom Wild auf den Menschen empfehlen die Bundesanstalt für Verbraucherschutz und Lebensmittel tierischer Herkunft sowie das Bundesministerium für Ernährung und Landwirtschaft Wildbret nur durchgegart oder durchgekocht zu verzehren. Der Garzustand ist erreicht, wenn eine Kerntemperatur von 80 °C über mindestens 5–10 Minuten gegeben war.

175 Stimmt es, dass das Einlegen von Wildbret in eine Marinade, eine Beize oder in Buttermilch dieses zarter macht (insbesondere, wenn es von alten Stücken stammt)?

Diese Annahmen und Aussagen, die immer wieder zu hören sind, sind nach wissenschaftlicher Erkenntnis falsch. Eine Beize oder Marinade macht das Wildbret nicht zarter und nur bedingt saftiger. Sie verändert dagegen durch Austausch der Aromastoffe den wildtypischen, feinen Eigengeschmack und verfälscht damit den Wildgenuss.

176 Lässt sich bei zubereitetem Wild nachträglich feststellen, von welcher Wildart es stammt?

Dies ist in vielen Fällen durch aufwendige Untersuchungen möglich. Am einfachsten ist eine Qualifizierung noch bei rohem Wildbret möglich. Derartige Untersuchungen haben in der Vergangenheit zur Aufdeckung von Lebensmittelskandalen im Wildbrethandel geführt (Springbock als Rehwild, Känguruh als Hirsch deklariert).

177 Wo kann man sich im Detail über die die Jagd betreffenden Passagen der verschiedenen EU-Verordnungen informieren?

Einmal im Werk Wildbrethygiene (blv-Verlag), zum anderen im Internet auf folgenden Webseiten:
Verordnung (EG) 178/2002:
http://eur-lex.europa.eu/LexUriServ/LexUriServ.do?uri=OJ:L:2002:031:0001: 0024:DE:pdf
Verordnung (EG) 852/2004:
http://eur-lex.europa.eu/LexUriServ/LexUriServ.do?uri=OJ:L:2004:226:0003:0021:DE:pdf
Verordnung (EG) 853/2004:
http://eur-lex.europa.eu/LexUriServ/LexUriServ.do?uri=OJ:L:2004:139:0055:0205:dE:pdf
Verordnung (EG) 854/2004:
http://eur-lex.europa.eu/LexUriServ/LexUriServ.do?uri=OJ:L:2004:226:0083:0127:dE:pdf

Weiterführende Literatur

Kujawski, O. E.J.: Wildbrethygiene, Wild versorgen und verwerten; 2. Auflage 2007, BLV, München

Kujawski, O. E.J.: Das große Buch vom Wild, 5. Auflage 2005, Teubner-Edition bei Gräfe und Unzer, München

Kujawski, O. E.J.: Die neue Wildküche, 4. Auflage 2007, Stocker-Verlag, Graz

Winkelmayer, R., Lebersorger, P.; Zedka, H.-F.: Wildbret-Hygiene. Das Buch zur Wildbretverwertung, 2. Auflage 2008, Zentralstelle Österreichischer Landesjagdverbände, Wien

Abbildungsnachweis

Kalden, E.-W.: 4.1, 4.2, 4.7

Kujawski, O.E.J.: 4.4, 4.6, 4.8–14

Landig + Lava GmbH & Co. KG: 4.5

LMU München, Tierärztliches Institut: Deckblatt

Reddemann, J.: 4.3

LANDIG
LANDIG
LANDIG
#fürechtejäger

Feld- und Waldbau

5 Einleitung

Die Landschaften in Europa, und ganz besonders im dicht besiedelten Deutschland, stellen schon lange keine ursprüngliche Naturlandschaft mehr dar, sondern sind das Ergebnis einer Jahrhunderte, wenn nicht Jahrtausende andauernden Nutzung, die wir als „Kulturlandschaft" bezeichnen. Dabei war und ist die Landschaft immer auch ein Spiegelbild der jeweiligen Gesellschaft, die in ihr und von ihr lebt. Heute ist sie geprägt von erheblichen Flächenverlusten für Siedlung, Verkehr und Gewerbe einerseits und von moderner, rationeller Landwirtschaft, wirtschaftlich orientiertem Waldbau und einem zunehmenden Freizeit- und Erholungsdruck auf den verbleibenden Freiflächen andererseits.
Der Lebensraum unseres Wildes und damit auch die bejagbaren Flächen bestehen in den wenigsten Fällen aus ungenutzten Freiflächen. Vielmehr ist unsere Kulturlandschaft nach wie vor ganz überwiegend geprägt von vielfältiger Nutzung durch den Menschen. Die Ausübung des Jagdrechts erfolgt also in aller Regel auf Grundflächen, die land-, forst- oder in geringerem Umfang auch fischereiwirtschaftlich genutzt werden. Hier werden Lebens- und Futtermittel wie Getreide, Raps und Zuckerrüben produziert oder nachwachsende Rohstoffe aus Feld und Wald für eine stoffliche oder energetische Verwertung generiert.

Der Wald sichert als Produzent des nachwachsenden Rohstoffes Holz sowie als Wasserspeicher und Wasserlieferant eine wichtige Lebensgrundlage des Menschen. Darüber hinaus leistet er Schutz vor Wind und Immissionen und dient dem Bürger als Erholungsraum. Um diese Nutz-, Schutz- und Erholungsfunktion des Waldes zu sichern, ist es das Ziel der multifunktionalen Forstwirtschaft, einen standortgerechten, stabilen und naturnahen Mischwald aufzubauen. Dem Jäger kommt dabei die wichtige Aufgabe zu, den Schalenwildbestand durch Bejagung zu regulieren, denn bei hohem Wilddruck werden seltenere Laubbaumarten selektiv verbissen, während die kaum verbissgefährdeten Nadelbaumarten übrig bleiben. Das würde langfristig zu labilen Waldbeständen führen.
Schon bei der Jagdgesetzgebung wird deutlich, wie sehr die Belange der Land- und Forstwirtschaft die Jagdausübung beeinflussen und mitgestalten. Der Jäger muss in seinem Bemühen um das ihm anvertraute Wild daher neben den eigenen Interessen immer auch die Nutzungsbedingungen des Waldbesitzers und des Landwirtes im Blick haben, um einerseits durch effektive Bejagungsmethoden angepasste Wildbestände mit tolerierbaren Wildschäden in Feld und Wald, andererseits aber auch erfolgreich Biotopschutzmaßnahmen für die dem Jagdrecht unterliegenden, zum Teil gleichfalls bedrohten Tierarten, mithin also seine gesetzliche Verpflichtung der Hege gewährleisten zu können.
Im gesellschaftlichen Kontext der Erhaltung dieser Kulturlandschaft kommt daher dem gedeihlichen Zusammenspiel der verschiedenen Nutzungsarten einschließlich der Jagd erhebliche Bedeutung zu, was für den Jäger in Anbetracht der zunehmenden Spezialisierung der verschiedenen Produktionsverfahren und Märkte und den verschiedensten individuellen Interessen der Bevölkerung bei Freizeit und Erholung eine immer größere Herausforderung darstellt.
So muss der Jäger neben den wesentlichen fachlichen Grundlagen des Wald- und Feldbaus auch die gesellschaftlichen und politischen Rahmenbedingungen der Urproduktion kennen, um einerseits seinem gesetzlichen Auftrag nachkommen, andererseits aber auch seinen eigenen Interessen entsprechenden Raum verschaffen zu können. Im nachfolgenden Kapitel werden daher neben den Grundlagen des Feld- und Waldbaus auch wichtige Hinweise gegeben, welche

Möglichkeiten der Jäger in der modernen Kulturlandschaft hat, effektiv und erfolgreich zu jagen und seinem Wild den notwendigen Lebensraum zu erhalten bzw. zu verbessern.
Im praktischen Revierbetrieb sind für den Jäger, insbesondere aber für Jagdpächter, Eigenjagdbesitzer, Forstbeamte, Berufsjäger und Jagdaufseher Kenntnisse im Feld- und Waldbau unerlässlich bei

» der Anlage und Pflege von Wildwiesen, Wildäckern, Verbissgehölzen, Ackerschonstreifen sowie der Begrünung von Brachflächen
» Wildschadensfragen
» Fragen der Entschädigung bei Eingriffen und Nutzungsänderungen im Jagdrevier
» der Beurteilung eines zu pachtenden Jagdreviers
» der Beurteilung der Besatzdichte des Wildes in einem Jagdrevier
» dem Umgang mit den Verpächtern des Jagdrechtes und den örtlichen Land- und
» Forstwirten.

In besonders schwierigen oder strittigen Fragen kann man sich der Hilfe eines vereidigten, landwirtschaftlichen Sachverständigen bedienen. Adressen sind bei den landwirtschaftlichen Dienststellen, beim *Bauernverband* sowie den *Jagdverbänden* erhältlich (siehe hierzu auch den Teil „wichtige Adressen" im Anhang des Buches).

5.1: Typische Kulturlandschaft im Mittelgebirge

5.1 Allgemeines

1 Wie verteilt sich die Gesamtfläche der Bundesrepublik Deutschland auf landwirtschaftlich genutzte Flächen, Wald und sonstige Nutzungen?

Von den rund 35,7 Mio. Hektar der Bundesrepublik Deutschland sind ca. 51 % landwirtschaftliche Flächen, ca. 31 % Wald und 2,3 % sind Wasserflächen. Die Restfläche entfällt auf sonstige Nutzungen (Angaben: Statist. Bundesamt, Stand: 2016).

In der Bundesrepublik werden derzeit täglich ca. 56 ha für die Bebauung, den Straßenbau usw. verbraucht. Die Auswirkungen dieser Inanspruchnahmen auf den Natur-, Arten- und Ressourcenschutz gehen über diese Flächenverluste infolge z.B. Schadstoff-, Lärm- und Lichtemissionen weit hinaus. Im Rahmen der Nachhaltigkeitsstrategie der Bundesregierung soll der Flächenverbrauch auf 30 ha pro Tag und im Rahmen der Kimaschutzziele bis 2050 auf null reduziert werden. Ca. 3,6 % der Gesamtfläche sind als Naturschutzgebiete und im Rahmen des europäischen Schutzgebietsnetzes „Natura 2000“ noch einmal ca. 20 % als FFH-Gebiete oder Vogelschutzgebiete ausgewiesen, auf denen die land- und forstwirtschaftliche und auch die jagdliche Bewirtschaftung in Einklang zu bringen ist mit den vielfältigen, teils auch gegenläufigen Strategien des hoheitlichen und ehrenamtlichen Naturschutzes in deren Bemühungen um den Biotop- und Artenschutz.

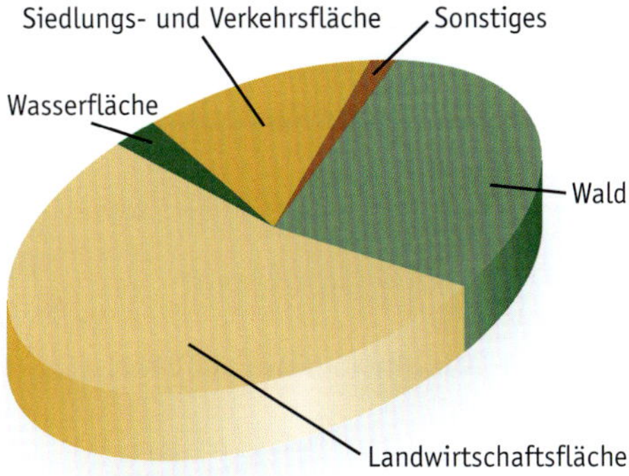

5.2: Flächennutzung in Deutschland

2 Wie setzt sich die Jagdfläche im Bundesgebiet zusammen?

Die bejagbare Fläche beträgt ca. 31,9 Mio. Hektar. Davon entfallen auf Staatsjagden (Bund, Länder) ca. 3,8 Mio. Hektar; Gemeinschaftliche und Eigenjagdbezirke ca. 28,3 Mio. Hektar. In der Bundesrepublik gibt es ca. 70.000 Jagdreviere.

3 Welche Auswirkungen hat der Strukturwandel in der Landwirtschaft?

Während im Jahre 1960 ein deutscher Landwirt 17 Mitbürger ernährt hat, sind es heute 137 Mitbürger. Hinter diesen einfachen Zahlen steckt einerseits eine enorme Produktivitätssteigerung. Diese ging einher mit einer starken Technisierung und Mechanisierung, Verbesserung der Anbaumethoden, Ertragssteigerungen sowie Verbesserungen der Erntesicherung. Allerdings ist damit ein drastischer Strukturwandel verbunden. Gab es 1949 allein in den alten Bundesländern noch über 1,6 Mio. landwirtschaftliche Betriebe, so sind es heute (2020) in ganz Deutschland nur noch rund 262.800 bei weiter abnehmender Tendenz. In gleichem Maße vergrößerte sich die Fläche, die ein Landwirt insgesamt bewirtschaften muss, um den gleichen Ertrag zu erwirtschaften – und die Größe der Einheiten, die er jeweils „unter dem Pflug“ hat. Die Bedeutung der Landwirtschaft liegt daher nicht nur in der Produktion von Rohstoffen, Lebens- und Futtermitteln, sondern

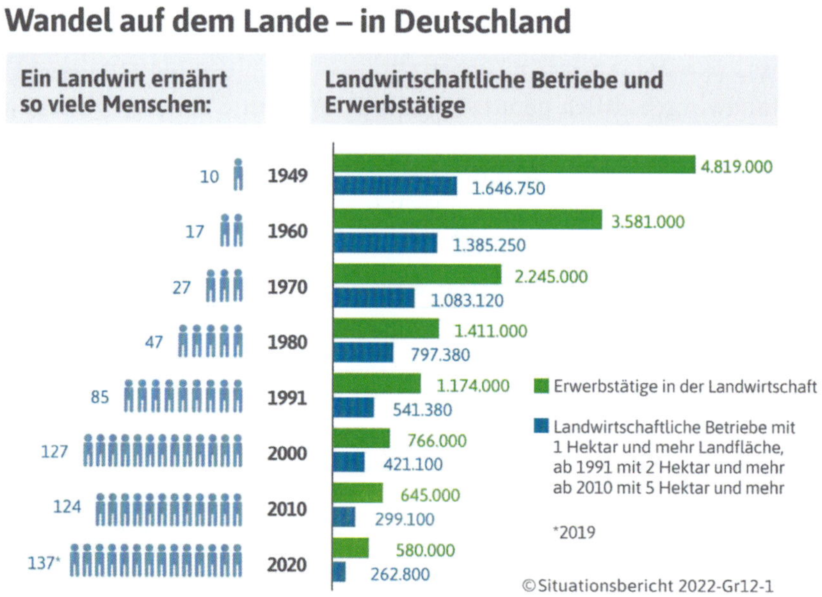

5.3: DBV Situationsbericht 2022

bestimmt in besonderen Maß auch die Gestaltung und Erhaltung unserer Kulturlandschaft. Die Erzeugung von am globalen Markt nachgefragten Rohstoffen für Lebensmittel und Tierfutter sowie die Nachfrage nach nachwachsenden Rohstoffen für die Industrie sowie die Gewinnung von Bioenergie bestimmt dabei die Anbauentscheidungen des Landwirts. Eine Vielzahl von europarechtlichen und nationalen Vorschriften regeln unter Beachtung des biologisch-technischen Fortschritts Maß und Inhalt einer ordnungsgemäßen und nachhaltigen Landwirtschaft, um den gesellschaftlichen Anforderungen an den Ressourcenschutz von Boden und Wasser sowie den Biotop- und Artenschutz Rechnung zu tragen. Wirtschaftliche und existentielle Zwänge können dabei nicht in allen Belangen mit einer aus Sicht des Naturschutzes, der Landschaftspflege und schließlich der Jagd wünschenswerten Gestaltung der Flächennutzung vereinbart werden.

4 Welche neuen Technologien werden im Feldbau Einzug halten?

Unsere Landwirtschaft steht im internationalen Wettbewerb. Bio- und Gentechnologie können ihr neue Entwicklungs- und Verdienstmöglichkeiten erschließen. Mit Hilfe dieser Techniken sollen beispielsweise neue Einkommensmöglichkeiten erschlossen, die Ernteerträge gesichert und gesteigert, die Qualität und Verarbeitung der Produkte verbessert und die Umwelt geschont werden. Für die Einführung dieser neuen Techniken wird die Akzeptanz in der Öffentlichkeit entscheidend sein.
Erhöhte Anforderungen und Restriktionen beim Einsatz von Betriebsmitteln wie Dünge- und Pflanzenschutzmittel mit dem Ziel der mengenmäßigen Beschränkung befördern in

besonderem Maß die fortschreitende Digitalisierung in landwirtschaftlichen Produktionsverfahren, was unter dem Begriff „smart farming" zusammengefasst wird.
Die Endlichkeit unserer wichtigsten, fossilen Energiequellen wie z.B. Erdöl, Erdgas oder Kohle sowie deren ständige Verteuerung lassen die Erzeugung nachwachsender Energie- und Rohstoffe bei den gegebenen politischen Rahmenbedingungen wirtschaftlicher und damit auch für immer mehr Landwirte attraktiver werden. Biogasanlagen, Biokraftstoffe sowie die Möglichkeiten einer stofflichen Verwertung von landwirtschaftlichen nachwachsenden Rohstoffen sind technisch bereits ausgereift und werden in Zukunft den Anbau auf den Feldern ebenfalls weiter verändern.

5 Was wird auf den landwirtschaftlich genutzten Flächen (LF) in Deutschland angebaut?

Die ca. 16,6 Mio. ha LF werden zu 70 % als Acker (AF) genutzt, die übrige Fläche als Grünland (28 %) und Dauerkulturen (1 %). Unter Dauerkulturen versteht man Baum- und Beerenobst, Baumschulen, Rebflächen, Weihnachtsbaumkulturen und Kurzumtriebsplantagen für Energieholz aus Pappeln oder Weiden. Der Grünlandanteil kann regional stark schwanken und standortbedingt in Mittelgebirgen bis zu 100 % betragen. Vorherrschende Kulturgruppe im Ackerbau ist mit 6,5 Mio. ha das Getreide zur Körnergewinnung (55 % der AF) und hier vor allem der Weizen (26 % der AF). Den übrigen Getreideanteil stellen Gerste (14 %), Roggen (9 %), Körnermais (4 %), Triticale (4 %) und Hafer (1 %). Ca. 3 % der AF sind auf Grund politischer Vorgaben aus der Produktion genommen (Bracheflächen).

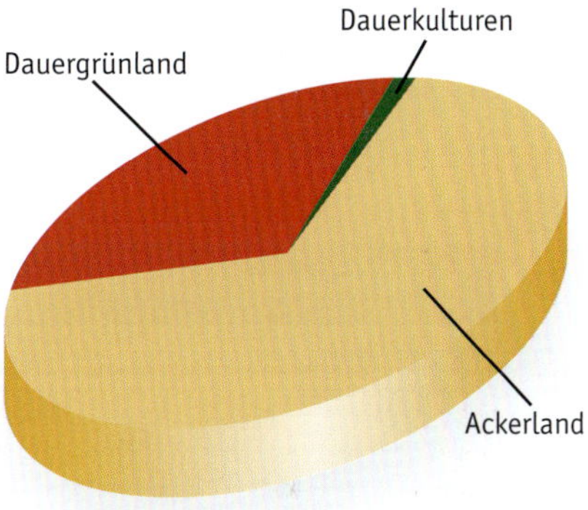

5.4: Landwirtschaftliche Flächen

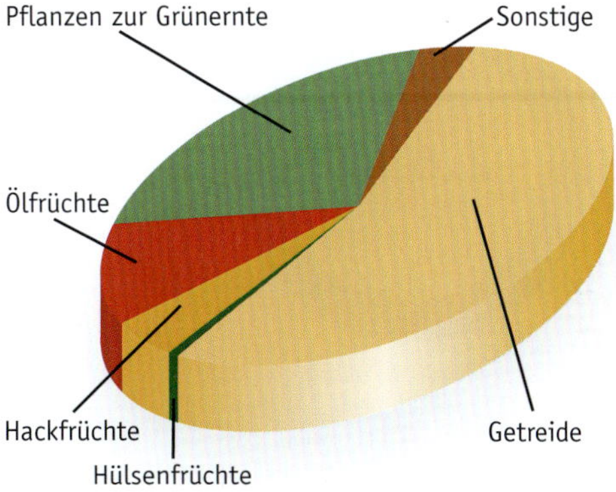

5.5: Ackerland

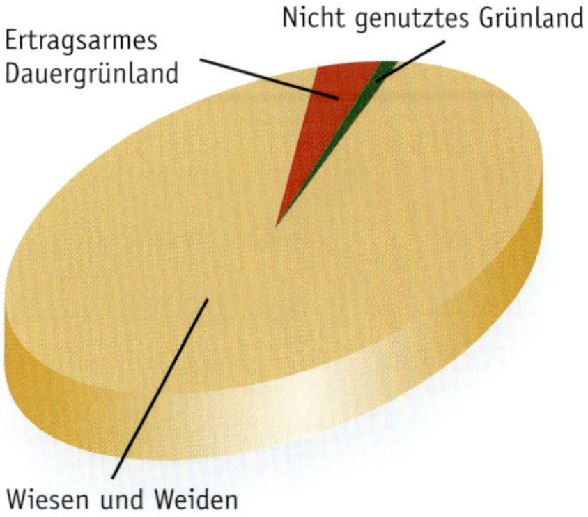

5.6: Grünland

Hülsenfrüchte als heimische Eiweißlieferanten in der Tierfütterung wie Erbsen, Ackerbohnen und Lupinen werden auf 0,7 % der AF angebaut, Ölfrüchte wie Raps auf 11 %, Pflanzen zur Grünernte wie Silomais, Ganzpflanzensilage und Feldfutterbau auf 24 %.

6 Welche Bedeutung hat der Energiepflanzenanbau?

Finden pflanzliche Rohstoffe nicht in der Lebensmittel- und Tierfutterherstellung Verwendung, sondern werden stofflich oder energetisch verwertet, spricht man von nachwachsenden Rohstoffen.

Ca. 22 % der Ackerfläche (AF) in Deutschland werden derzeit für diesen Bereich verwendet, wobei der Großteil der Erzeugnisse für energetische Zwecke eingesetzt wird (ca. 18 % der AF). Der weit überwiegende Teil des Energiepflanzenanbaus liefert Gärsubstrat für Biogasanlagen, wobei der Anbau von Silomais auf Grund seines Ertragspotenzials eine herausragende Bedeutung gewonnen hat. Knapp ein Drittel des gesamten Maisanbausfindet als Silomais in Biogasanlagen als Gärsubstrat Verwendung.

Neben der Silage aus Silomais und landwirtschaftlichen Reststoffen wie Gülle und Festmist kommen in Biogasanlagen in geringeren Mengen noch weitere Silagen aus Gras, Sudangras (Hirse) und Getreideganzpflanzen (GPS) zum Einsatz. Zurzeit wird intensiv auch an weiteren Anbausystemen alternativer Energiepflanzen zur Gasgewinnung geforscht wie zum Beispiel Durchwachsende Silphie, Sarvazi-Gras oder Wildpflanzengemenge.

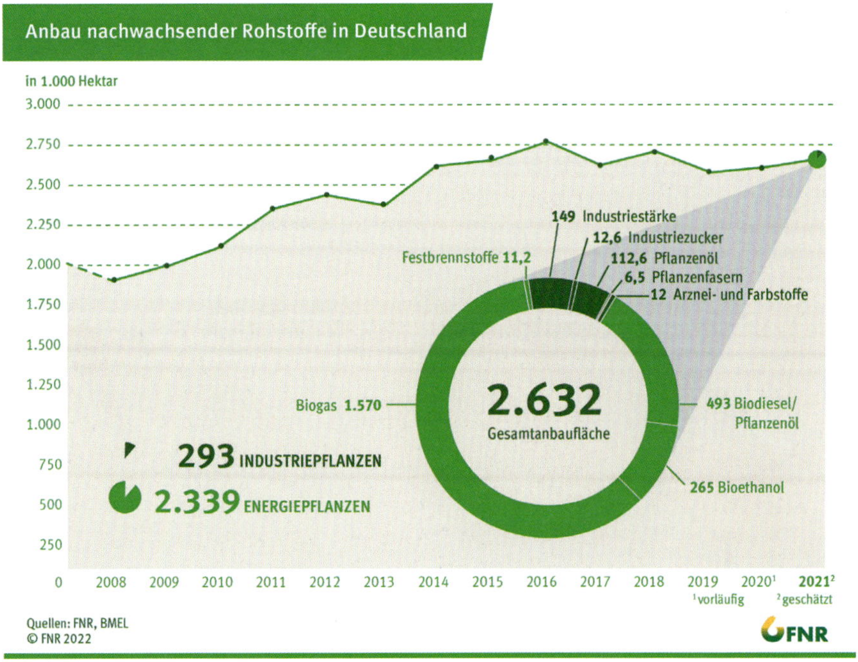

5.7: Anbau nachwachsender Rohstoffe in Deutschland

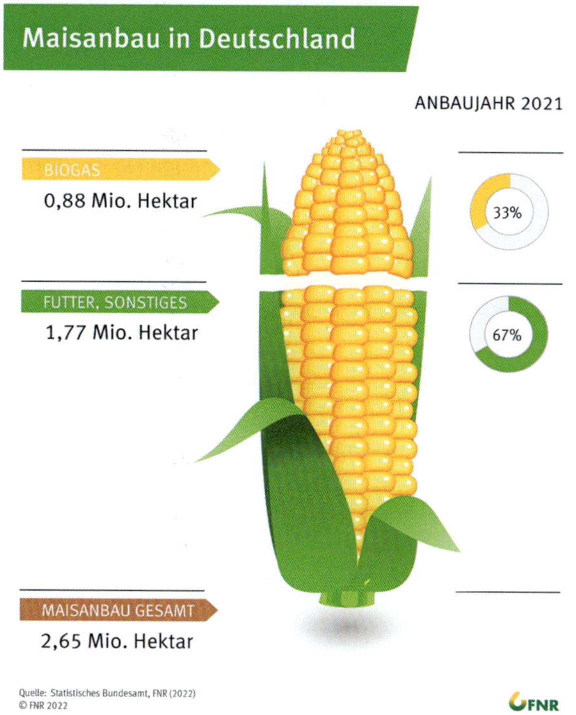

5.8: Maisanbau in Deutschland

5.2 Grundlagen des Feldbaus

Böden

7 Was ist die Grundlage des Feld- und Waldbaues?

Der Boden. Ausgehend von dem anorganischen Ausgangsmaterial (Minerale und Gesteine) und dessen Körnung (Bodenart) entstehen durch komplizierte und langwierige physikalische und chemische Verwitterungsprozesse, unter Einbeziehung der Faktoren Klima, Relief, Wasser, Fauna/Flora sowie durch menschliche Einflussnahme, die verschiedenen Böden. In unterschiedlicher Tiefe wirken diese Faktoren unterschiedlich zusammen, es entstehen verschiedene Schichten (sog. *Horizonte*), die in ihrer Abfolge charakteristisch sind. Die Abfolge dieser Schichten und ihre Mächtigkeit bestimmen den sog. *Bodentyp*. Gräbt man in einen beliebigen Boden ein tiefes Loch, kann man an der geraden Wand diese Abfolge der Horizonte erkennen. Bodenart und Bodentyp geben erste Auskunft über die land- oder forstwirtschaftliche Nutzungsmöglichkeit. Genauere Angaben erhält man durch spezielle Bodenproben. Wichtig ist der Säuregrad des Bodens. Er wird mit dem pH-Wert angegeben.

8 Was sind Bodenarten und welche gibt es?

Jeder Boden besteht aus einem Gemisch aus verschiedenen anorganischen (Ton-) Mineralen, die aus der Verwitterung des Ausgangsmaterials entstanden sind, und einem mehr oder weniger großen Anteil an Humus. Die Minerale weisen eine unterschiedliche Korngröße auf. Je nach der vorherrschenden Korngrößenfraktion teilt man die Böden ein in die verschiedenen Bodenarten: Sand (S), Schluff (U), Lehm (L) und Ton (T). Die Körnchengröße ist dabei beim Sand am größten, beim Ton am kleinsten. Übergänge bezeichnet man mit den Buchstabenkombinationen, wie z.B. sL (sandiger Lehm) oder lT (lehmiger Ton). Die Angabe der Bodenart ist ein wichtiger Hinweis auf die physikalischen Eigenschaften (Wasserdurchlässigkeit, Bearbeitbarkeit, Durchlüftung) und damit für die Ertragsfähigkeit des jeweiligen Bodens. Danach lassen sich folgende Hauptgruppen unterscheiden:

» **Tonböden:** Die einzelnen Körnchen sind sehr klein und dicht gelagert. Sie sind schwer zu bearbeiten und zeigen oft Staunässe, da die Wasserleitfähigkeit sehr schlecht ist. Da sie sich schwer erwärmen, spricht man von „kalten Böden". Tonböden haben einen reichen Nährstoffvorrat und können in ihrer Struktur durch Stallmist, Ernterückstände sowie Gründüngung (Unterpflügen grüner Pflanzen) verbessert werden.

» **Schluffböden:** Die vorherrschende Korngröße liegt über der des Tonbodens. Dadurch enthält der Schluffboden mehr Luft und größere Poren. Zusammen mit einem relativ hohen Nährstoffgehalt bietet er fast so gute Anbaubedingungen wie die

» **Lehmböden:** Es sind die idealen Ackerbauböden, auf denen fast alle Kulturpflanzen angebaut werden können.

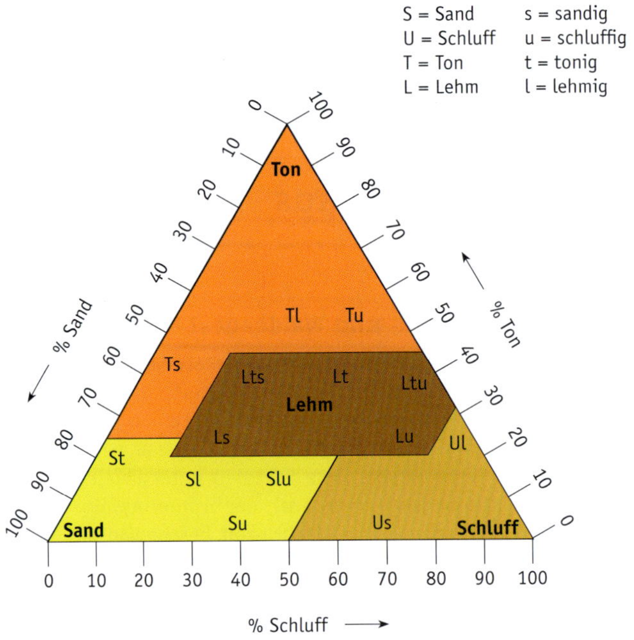

5.9: Körnungsklassen in Böden

» **Sandböden:** Sie sind sehr wasserdurchlässig und daher recht trocken. Sandböden erwärmen sich rasch und durchlüften gut. Allerdings sind sie sehr nährstoffarm. Ihre Bearbeitung ist leicht. Es können nur wenige Kulturpflanzen (z.B. Roggen und Kartoffeln) erfolgreich angebaut werden.

9 Welche Bedeutung hat der Humusgehalt?

Der Humusgehalt wird in Prozent des Kohlenstoffanteils (C) in Böden angegeben und beträgt zwischen 1 % in Sandböden und über 10 % in anmoorigen, stark humosen Böden. Humus ist in Zersetzungsprozessen durch Mikroorganismen (Kleinlebewesen, Pilze, Bakterien) aus abgestorbenem organischem Material entstanden. Ein Teil der in den abgestorbenen Resten enthaltenen Nährstoffe wird bei dem Zersetzungsprozess freigesetzt (mineralisiert) und kann von den Pflanzen wieder aufgenommen werden. Nicht weiter zersetzbares organisches Material (Huminstoffe) wird als Dauerhumus bezeichnet und bildet mit den Tonmineralen so genannte Ton-Humus-Komplexe, die beispielsweise bei der Verdauung von Regenwürmern ausgeschieden werden und die physikalischen und chemischen Eigenschaften deutlich verbessern können (Bodengare). Wichtiges Ziel im Ackerbau ist es, den Humusanteil in Böden zu erhalten.
In der organischen Substanz des Bodens werden große Mengen des klimaschädlichen Gases CO_2 gespeichert, insbesondere im Grünland und in Moorböden. Unter Ackernutzung werden größere Anteile des Humus durch verstärkte mikrobielle Tätigkeit mineralisiert und dadurch CO_2 freigesetzt. Der Umbruch von Grünland und die ackerbauliche Nutzung von Moorböden ist daher auch aus Gründen des Klimaschutzes gesetzlich reglementiert.

10 Wie werden landwirtschaftliche Nutzflächen nach ihrer Bodenart in Deutschland gekennzeichnet?

Ein Maß für die Ertragsfähigkeit und Güte von Acker und Grünland ist die Ertragsmesszahl (EMZ). Ausgehend von der *Bodenzahl* nach der Reichsbodenschätzung, die die Böden je nach Bodenart und Ertragsfähigkeit relativ als Wert zwischen 1 und 100 bewertet, wird nach Zu- oder Abschlägen für klimatische und topographische Verhältnisse die *Ackerzahl* bzw. *Grünlandzahl* gebildet. Jede Fläche wird im Liegenschaftskataster mit ihrer Ertragsmesszahl nach der Formel „Fläche in qm x Acker-/Grünlandzahl / 100“ auf 1 ar (100 qm) bezogen ausgewiesen. Durchschnittliche Ertragsmesszahlen einer Gemarkung oder Gemeinde liefern wertvolle Hinweise beispielsweise bei der Schätzung von Erträgen in Wildschadensfällen.

11 Welche Bodentypen unterscheidet man?

Physikalische und chemische Prozesse bestimmen die Bildung des Bodens in seiner gesamten Tiefe. Jedoch wirken sie sich in unterschiedlichen Tiefen auch unterschiedlich aus. Im Laufe der Zeit lassen sich daher in einem Boden Schichten (Horizonte) unterscheiden, die durch solche Prozesse geprägt sind. Sie werden durch Buchstaben gekennzeichnet, so z.B. der

» **A-Horizont:** der als oberster Horizont sehr viel Humus enthält und vergleichsweise viele Bodenorganismen, die an der Humusumsetzung beteiligt sind.

» **B-Horizont:** Hier ist der meiste Humus bereits mineralisiert und kann durch chemische Prozesse den Pflanzen zur Verfügung gestellt werden.
» **C-Horizont:** Als C-Horizont wird das Ausgangsgestein bezeichnet, aus dem der aufliegende Boden entstand.

Dazu kommen viele verschiedene Zwischen- und Sonderstadien. Die Abfolge dieser verschiedenen Horizonte und die Horizontmächtigkeit bestimmen den Bodentyp. Die Bezeichnung der Bodentypen erfolgt unsystematisch nach verschiedenen Eigenschaften (Farbe), Landschaften (Moor) oder ausländischen Namen (Rendzina – poln.). Nachfolgend eine kleine Auswahl verschiedener Bodentypen:

» **Rendzina:** Hier handelt es sich um einen flachgründigen, humusreichen Boden mit gutem Krümelgefüge, aber geringer Wasserspeicherfähigkeit. Er kommt in der Regel auf Kalkgestein vor.
» **Schwarzerde:** Sie ist der ideale Boden für landwirtschaftliche Nutzung. Sie ist humusreich (schwarze Farbe), hat ein günstiges Bodengefüge, eine große Wasserspeicherfähigkeit und deshalb ein besonders reiches und aktives Bodenleben.
» **Braunerde:** Sie kommt vor allem auf silikat- und quarzreichem Gestein vor und ist meist flachgründig und von geringem Wasserhaltevermögen.
» **Parabraunerde:** Sie ist auf kalkhaltigem Lockergestein zu finden. Ist sie auf Löss entstanden, so ist sie einer der fruchtbarsten Böden.
» **Podsol:** Dieser Boden kommt auf Sandschichten vor. Er ist sauer, nährstoffarm, verfügt nur über eine geringe Wasserspeicherfähigkeit und weist wenig Bodenleben auf.

Nährstoffe

12 Welche Pflanzennährstoffe gibt es?

Pflanzen benötigen für ihr Wachstum folgende Nährstoffgruppen:

» Nährelemente, die Hauptbestandteile einer Pflanze sind und vorwiegend aus der Luft (als CO2) aufgenommen werden. Es sind dies Kohlenstoff (C), Wasserstoff (H) und Sauerstoff (O). Diese Elemente sind für die Pflanzen unentbehrlich und sind Ausgangsstoffe für die Photosynthese.
» Nährelemente, die in größerer Menge von den Wurzeln aus dem Bodenwasser auf- oder direkt von den Bodenteilchen abgenommen werden und im Bedarfsfall durch Düngung zugeführt werden müssen. Dies sind Stickstoff (N), Phosphor (P), Kalium (K), Calcium (Ca) und Magnesium (Mg). Schwefel (S) und Eisen (Fe), Natrium (Na), Chlor (CI) und Silicium (Si) sind meist in ausreichendem Maß im Boden verfügbar, so dass eine Düngung nicht nötig ist.
» Nährelemente, die nur in Spuren benötigt werden und deshalb auch Spurenelemente oder Mikronährstoffe genannt werden. Es sind dies Bor (B), Mangan (Mn), Kupfer (Cu), Zink (Zn), Molybdän (Mo) und Kobalt (Co).

Nur auf wenigen Standorten müssen Spurenelemente durch Düngung zugeführt werden.

13 Warum ist eine ausgewogene und ausreichende Nährstoffversorgung wichtig?

Das Wachstum der Pflanzen richtet sich nach der Verfügbarkeit der einzelnen Nährstoffe und an Wasser. Ist nur ein Nährstoff nicht genügend vorhanden, so bestimmt er die Grenze des Wachstums und damit einen geringeren Ertrag. Durch die Aberntung und das Abweiden der Pflanzen werden dem Boden Nährstoffe entzogen. Diese müssen dem Boden durch eine Düngung wieder zugeführt werden.

5.10: „Minimumtonne", Gesetz vom Minimum (Justus von Liebig): Der Ertrag ist abhängig von dem im Minimum befindlichen Nährstoff.

14 Warum sollte man Bodenproben entnehmen und untersuchen lassen?

Je nach Bodenart und -nutzung sind im Boden unterschiedliche Mengen an Nährstoffen enthalten, die für die Pflanzen verfügbar sind. Nur eine Bodenprobe kann aufzeigen, welchen Nährstoffgehalt der Boden eines bestimmten Grundstückes hat und gibt Auskunft über den pH-Wert. Mit Hilfe des Untersuchungsergebnisses kann man gezielt den Dünger ausbringen, der für den Anbau bestimmter Kulturen nötig ist. So spart man Geld und vermeidet eine Überdüngung.

Auskunft, wie die Bodenprobe zu entnehmen ist, erteilen die in jedem Bundesland vorhandenen Landwirtschaftlichen Untersuchungsämter, die auch die Untersuchungen durchführen. Entsprechend dem jeweiligen Untersuchungsbefund werden für verschiedene Kulturen Düngeempfehlungen gegeben.

15 Welche Düngerarten gibt es?

Im Sinne einer weitgehenden Kreislaufwirtschaft hat die *organische Düngung* große Bedeutung. Zu ihr zählen Stallmist und Gülle der verschiedenen Tierarten, Ernterückstände der Feldfrüchte, Gründüngung mit speziell hierfür angebauten Gründüngungspflanzen, Kompost (auch Klärschlamm), Düngetorf, Hornmehl und -späne, Blut- und Knochenmehle und Gärreste aus der Biogasanlage. Der Nährstoffgehalt ist sehr unterschiedlich. Organische Dünger fördern vor allem das Bodenleben, erhalten oder erhöhen den Humusgehalt und verbessern damit auch die Bodenstruktur.

Daneben gibt es die *Mineral- oder Handelsdünger*. Sie können in verschiedenen Formen und Gebinden beim Landhandel bezogen werden. Es gibt „Einnährstoffdünger", die nur einen der Hauptnährstoffe enthalten, z.B. Stickstoff (N), Phosphat (P2O5), Kali (K2O), Magnesium (MgO) oder Kalk (CaO). Die „Mehrnährstoffdünger" enthalten zwei oder mehr der hauptsächlich benötigten Nährelemente sowie zum Teil auch Spurenelemente. Mit diesen Düngern kann jede Fläche gezielt gedüngt werden. In der Landwirtschaft werden zunehmend auch „Flüssigdünger" eingesetzt, die für die Düngung von Wildäckern und Wildwiesen keine Bedeutung haben.

16 Wie wirken die wichtigsten Pflanzennährstoffe?

» **Kalk** bindet Bodensäuren, hebt den pH-Wert an und verbessert damit versauerte Flächen. Wichtige Wirkung einer Kalkung als „Bodendüngung" ist auch die stabilisierende Wirkung auf das Bodengefüge, indem er Bodenteilchen zusammenhält und Böden nicht „verschlämmen" lässt. Er regt die Arbeit der Mikroorganismen an, insbesondere aktiviert er die Bodenbakterien. Er löst zudem in der Erde vorhandene Nährstoffe, so dass diese den Pflanzen schneller zur Verfügung stehen. Von den Pflanzen wird Kalk nur in geringen Mengen in die Zellwände eingebaut und macht sie stabiler. Er fördert vor allem das Wurzel- und Längenwachstum, da er die Zellvermehrung intensiviert. Eine rasche Wirkung zeigen Brannt- und Löschkalk. Hüttenkalk und Kohlensaurer Kalk wirken langsamer, dafür aber nachhaltiger. Besonders Weizen, Zucker- und Futterrüben, Bohnen, Rotklee, Kohl und Mais sind für eine Kalkung dankbar. Am besten bringt man Kalk im Herbst und Frühwinter aus.

» **Stickstoff** ist „Motor des Wachstums" und ein zentraler Baustein der Eiweißstoffe. Außerdem ist er an der Gestaltung der Fermente und Enzyme beteiligt, die den pflanzlichen Stoffwechsel steuern. Er fördert vor allem das Pflanzenwachstum. Bei Überdüngung werden die Pflanzen dunkelgrün und wirken fett. Die Pflanzen verlieren später ihre Standfestigkeit, sie knicken um. Stickstoffmangel zeigt sich in einer Aufhellung der Blätter und in geringerem Wachstum. Schmetterlingsblütler (z.B. Kleearten, Bohnen, Erbsen und Wicken) sammeln in Symbiose mit so genannten Knöllchenbakterien an ihren Wurzeln den Luftstickstoff. Bei ihnen verzichtet man daher auf eine Stickstoffdüngung. Ein rasch wirkender Stickstoffdünger ist der Kalksalpeter, Kalkammonsalpeter wirkt dagegen schnell und nachhaltig.

» **Phosphor** wird als Zellbaustein und zur Photosynthese gebraucht. Es fördert die Kern- und Samenausreifung sowie die allgemeine Qualität der Früchte. Phosphor schützt vor Schädlingen und macht die Pflanzen gegen den Frost widerstandsfähiger. Phosphormangel zeigt sich in schmutzig grünen Blättern, kümmernden Pflanzen mit einer eigentümlich starren Haltung. Blüte und Früchte bilden sich nur schwach aus. Wasserlösliches Superphosphat wirkt reifebeschleunigend. Langsamer wirkendes Thomasmehl enthält zusätzlich viel Kalk. Es wird gern im Frühjahr auf Wildwiesen oder im Herbst auf abgeerntete Wildäcker gegeben. Phosphor kann unbedenklich als Vorratsdünger gegeben werden, da ihn die Pflanze nur nach und nach aufnimmt.

» **Kali** fördert das Wachstum der Pflanzenstiele und die Standfestigkeit der Pflanze und ist an der Bildung des pflanzlichen Zuckers beteiligt. Kali löst sich gut in Wasser und wirkt daher schnell. Gebräuchliche Sorten sind Kalimagnesia, Kainit, 40er und 50er Kali. Man bringt Kali im Herbst und im zeitigen Frühjahr aus.

» **Magnesium** ist Baustein des Chlorophylls und somit für den pflanzlichen Stoffwechsel unentbehrlich. Magnesiummangel erkennt man an Aufhellungen zwischen den Blattadern. Magnesium ist in verschiedenen Mehrnährstoff-, Kali- und Kalkdüngern enthalten und verbessert als Kalimagnesia die Schmackhaftigkeit von Futterpflanzen für Wiederkäuer.

17 Was sollte bei der Düngung von Wildwiesen und -äckern beachtet werden?

Zunächst sollte eine Bodenprobe genommen und untersucht werden. So erfährt man die aktuelle Nährstoffversorgung des Bodens und die Menge eines fehlenden Elements. Die weitere Düngung richtet sich dann nach den anzubauenden Pflanzen. Ratschläge hierfür erteilen die landwirtschaftlichen Beratungsstellen sowie der Landhandel.
Auf Wildwiesen und Wildäckern werden keine Maximalerträge erwartet. Deshalb sollte man vor allem mit Stickstoff, wenn überhaupt, nur verhalten düngen. Dies fördert bei Wildwiesen die Ausbreitung der Schmetterlingsblütler (vor allem Klee- und Wickenarten) sowie der für das Wild besonders wertvollen zahlreichen, gegenüber den klassischen, stickstoffliebenden Futterpflanzen eher konkurrenzschwächeren Kräuter.
Auf Wildäckern bietet sich vor einer Neuansaat die Gründüngung mit Winterzwischenfrüchten an wie z. B. Raps, Lupine, Luzerne und Stoppelrübe. Im Winter hat man so Deckung und Äsung. Im Frühjahr werden die Pflanzen in den Boden eingearbeitet und verbessern so das Bodenleben sowie den Humusgehalt des Bodens. Leguminosen reichern darüber hinaus den Boden mit Stickstoff an, den sie in Symbiose mit Knöllchenbakterien aus der Atmosphäre in größeren Mengen binden können.

Bodenbearbeitung

18 Warum ist Bodenbearbeitung notwendig?

Wichtigstes Ziel der Bodenbearbeitung ist die Schaffung optimaler Voraussetzungen für die Aussaat und das Wachstum der Pflanzen. Dazu gehören die Lockerung der Bodenstruktur, das Einarbeiten von Ernterückständen und organischem Dünger wie beispielsweise Stallmist oder Gründüngung sowie die Bekämpfung von Konkurrenzflora, Schädlingen und Pflanzenkrankheiten.

19 Was sind die wichtigsten Bodenbearbeitungsgeräte?

» **Pflug:** Er ist eines der ältesten Bodenbearbeitungsgeräte. Mit ihm wendet und lockert man den Boden, pflügt Unkraut und organischen Dünger unter und vermischt diese mit dem Boden.

» **Fräse:** Mit ihr erzielt man in einem Arbeitsgang einen feinkrümeligen, gut durchmischten und saatfertigen Boden.

» **Egge:** Sie dient zur Zerkleinerung der Schollen und zur Erzielung eines feinkrümeligen Saatbettes. Eine besondere Form ist die Kreiselegge mit zapfwellen-betriebenen, rotierenden Zinken, die häufig in Kombination mit der Sämaschine eingesetzt wird. Der Unkrautstriegel wird im Frühjahr zur Bekämpfung von Wildkräutern auf dem Getreide- und dem Kartoffelacker eingesetzt und ist Standard zur Unkrautbekämpfung im ökologischen Landbau. Die Wiesenegge oder auch Wiesenschleppe dient im Frühjahr dazu, auf Wiesen und Weiden den Boden einzuebnen (Maulwurfshügel) und Stallmist zu zerkleinern sowie gleichmäßig zu verteilen. Mit ihr kann auch Mooswuchs beseitigt oder leichter Wühlschaden von Schwarzwild eingeebnet werden. Die Scheibenegge hilft, stark verdichtete und verschlämmte Böden zu lockern, Ernterückstände zu zerkleinern und einzuarbeiten sowie nach der Getreideernte anstelle des Pflügens die Oberschicht des Bodens aufzulockern.

» **Grubber:** Er dient dazu, stark verdichtete Böden zu lockern.

» **Walze:** Auf dem Acker wird die Cambridgewalze zur Verfeinerung des Bodens wie zur Verfestigung der Bodenoberfläche eingesetzt. Ein Anwalzen ist immer angeraten direkt nach der Saat zur Rückverfestigung des Saatbettes, um den Samen den Anschluss an die zur Keimung erforderlichen Bodenfeuchte zu gewährleisten. Die Wiesenwalze dient im Frühjahr auch zur Verfestigung und Einebnung des Bodens auf Wiesen und Weiden, besonders nach einer Neu- oder Reparatursaat.

20 Wie funktioniert eine Bodenbearbeitung auf dem Wildacker?

Sie unterscheidet sich in nichts von der Bodenbearbeitung in der normalen Landwirtschaft. Je sorgfältiger sie durchgeführt wird, desto nützlicher ist dies für die neu eingesäten Pflanzen. Auf dem Wildacker sollten stark verfestigte und verunkrautete Böden gepflügt werden. Zur Saatbettvorbereitung werden sie dann fein geeggt.
Lockere sandige und humose Böden können vor der Saat gefräst werden, meist reicht auch ein Grubbern mit anschließendem Einsatz der Egge. Die Fräse ist ebenfalls bei der Neuansaat von Grünland einzusetzen. In einem ersten Arbeitsgang wird flach (5 bis 10 cm tief) gefräst, um die alte Narbe zu zerstören. In einem zweiten Arbeitsgang wird dann tiefer gefräst, um die Pflanzenrückstände in die tieferen Bodenschichten einzumischen. Sobald sich der Boden abgesetzt hat, kann dann die Neueinsaat erfolgen.
Da die ortsansässigen Landwirte über die nötigen Maschinen und Geräte verfügen und auch die besten Kenntnisse hinsichtlich der notwendigen Bodenbearbeitung haben, sollte man sie bei diesen Arbeiten mit einbinden. Dies trifft auch für Aussaat, Pflege und Aberntung von Wildackerfrüchten zu.

Saat- und Pflanzgut

21 Welches Saat- und Pflanzgut ist zu verwenden?

Hochwertiges Saat- und Pflanzgut garantiert hohe Keimfähigkeit, Sortenreinheit, geringe Krankheitsanfälligkeit und gute Erträge. In der Regel ist es auch gegen tierische Schädlinge gebeizt. Nach dem Saatgut-Verkehrsgesetz werden an zertifiziertes Saat- und Pflanzgut besonders hohe Anforderungen hinsichtlich der Mindestkeimfähigkeit, der Mindestreinheit, des Besatzes an Beikrautsamen usw. gestellt. Daher empfiehlt es sich auch auf Wildäckern nur zertifiziertes Saat- und Pflanzgut zu verwenden.
Naturschutzrechtliche Vorschriften verlangen seit 2020 die Verwendung von Saat- und Pflanzgut aus regionalen Herkünften, so genanntes „Regio-Saatgut", auf nicht von der Landwirtschaft genutzten Flächen. Im Zweifel geben die örtlichen Naturschutzbehörden weitere Auskünfte.

22 Was ist unter Impfung des Saatgutes zu verstehen?

Pflanzen aus der Familie der Leguminosen sind mit Hilfe der an ihren Wurzeln in Symbiose siedelnden „Knöllchenbakterien" in der Lage, aus der Luft Stickstoff zu sammeln. Dieser Stickstoff steht dann für die Leguminose, aber auch für nachfolgende Kulturen zur Verfügung. Werden Leguminosen erstmals auf einem Grundstück ausgesät oder ist die betreffende Leguminose schon mehr als 5 Jahre nicht mehr auf dem Stück angebaut worden, so muss das Leguminosensaatgut mit im Landhandel erhältlichen Bakterienkulturen geimpft werden. Die Impfung erfolgt kurz vor der Aussaat, indem die Knöllchenbakterien mit dem Saatgut vermischt werden. Zu achten ist darauf, dass die für die jeweilige Leguminosenart spezifische Bakterienkultur angewandt wird.

23 Nennen Sie Saatmengen und Saatzeitpunkt der wichtigsten Feldfrüchte!

Erträge, Saatzeiten und Saatmengen der wichtigsten Feldfrüchte*

Frucht	Ertrag Körner, Knollen oder Wurzeln [dt/ha]	Ertrag Stroh und/oder Blätter [dt/ha]	Saatzeit [Monat]	Saatmenge [kg/ha]	Übliche Bestandesdichte [Pflanzen je m²]
Winterweizen	60 – 100	50 – 90	Sep	140-230	450-650 1
Sommerweizen	35 – 70	40 – 80	Feb	150-270	400-550 1
Winterroggen	40 – 70	50 – 90	Sep–Nov	90-160	450-600 1
Sommerroggen	30 – 50	40 – 70	Mrz	100-170	450-600 1
Wintergerste	40 – 80	50 – 90	Sep	110-200	350-450 1
Sommergerste	35 – 60	40 – 70	Mrz	120-200	350-400 1
Hafer	35 – 70	40 – 80	Mrz	100-190	300-450 1
Körnermais	50 – 100		Apr–Mai	15-35	8-10
Kartoffel	250 – 500		Apr–Mai	2.000-3.000	3-5 2
Zuckerrübe	360 – 700	300 – 600	Mrz–Apr	8	10-18
Futterrübe			Mrz–Apr	14	10-18
Massenrübe	600 – 1200	100 – 300	Mrz–Apr	12	10-18
Gehaltsrübe	500 – 1000	150 – 400	Mrz–Apr	10	10-18
Kohlrübe als Hauptfrucht	500 – 1000	100 – 170	Apr	3-5	5-10
Als Zwischenfrucht	400 – 800	100 – 170			
Stoppelrübe	170 – 400	30 – 90	Jul	1,5 - 4	5-10
Erbse	20 – 40		Feb–Mrz	160-220	50-80
Ackerbohne	20 – 50		Feb–Mrz	160-320	35-60
Zottelwicke	8 – 20		Feb–Mrz	5-20	110-150
Saatwicke	15 – 30		Feb–Mrz	5-20	110-150
Gelbe Lupine	15 – 30		Mrz–Apr	120-170	90-130
Blaue Lupine	15 – 30		Mrz–Apr	130-200	80-110
Weiße Lupine	20 – 40		Mrz–Apr	180-240	40-55
Sojabohne	10 – 30		Apr–Mai	100-200	60-70
Winterraps	20 – 40		Aug	2-8	20-40
Sommerraps	10 – 30		Mrz	4-10	15-30
Weißer Senf	12 – 20		Mrz–Apr	11-15	180-230
Sonnenblume	20 – 35		Mrz–Apr	7-10	6-8
Futterpflanzen:					
Grünland	–	60-80 (Heu)	–	30	–
Silomais	–	450-600 (Silage)	wie Körnermais	wie Körnermais	wie Körnermais
Ganzpflanzensilage	–	300-350 (Silage)	wie Roggen	wie Roggen	wie Roggen
Futterraps	–	220-300 (grün)	Aug–Sep	8-10	60-100
Markstammkohl		550	Apr–Jun	4-5	50-60

[1] Ähren tragende Halme je m²

[2] Knollen je m²

24 Welche Saatverfahren sind üblich?

In der Landwirtschaft wird nur noch die Drillsaat mit Maschinen angewandt. Die Sämaschine lässt sich exakt auf Saatmenge, -tiefe und -breite einstellen. Ebenso verhält es sich bei der Auspflanzung von Kartoffeln, Topinambur oder auch Kohlpflanzen. Auf größeren Wildäckern sollten diese Verfahren angewandt werden. Auf kleineren Wildackerflächen und Wildwiesen bietet sich die Handsaat im Breitwurf an, die allerdings gekonnt sein will, um einen gleichmäßigen Pflanzenbestand zu erzielen. Zu dichte Saat begünstigt Pflanzenkrankheiten, zu dünne Saat den Wuchs von teilweise unerwünschter Konkurrenzflora, die verdämmend wirken kann. Auf Wildäckern ist jedoch zu beachten, dass es dort nicht auf höchste Erträge und auch nicht auf eine größtmögliche Wildkrautfreiheit ankommt.

25 Warum ist eine Fruchtfolge notwendig?

Während beim Grünland, das aus verschiedenen Pflanzenarten besteht, eine Neuansaat nur dann erfolgt, wenn die alte Grasnarbe stark geschädigt wurde (Schwarzwild!) oder unerwünschte Pflanzen überhandgenommen haben, findet auf dem Acker ein ständiger Wechsel der angebauten Feldfrüchte statt, eine sogenannte Fruchtfolge. Der Grund hierfür liegt darin, dass der mehrjährige Anbau der gleichen Feldfrucht oder verwandter Feldfrüchte (z.B. Leguminosen, Kreuzblüter) zu einer gefährlichen Anhäufung von Schädlingen, Pilzen, Nematoden und sonstigen Krankheitserregern führt. Eine richtig geplante Fruchtfolge kann derartige Nachteile verhindern.

26 Was versteht man unter „Selbstverträglichkeit"?

Von „Selbstverträglichkeit" spricht man, wenn eine Feldfrucht zweimal oder mehrfach hintereinander angebaut werden kann, ohne dass es zu Ertragseinbußen kommt.

27 Was ist eine „gute Vorfruchtwirkung"?

Von einer „guten Vorfruchtwirkung" spricht man, wenn diese für die nachfolgende Feldfrucht eine gute Wirkung auf deren Gesundheit, Wachstum und damit auch auf deren Ertrag ausübt. Aus diesen Gründen soll beispielsweise Getreide nicht nach Getreide und Rüben nicht nach Rüben angebaut werden. Ideal ist es, wenn Halm- und Hackfrüchte einander abwechseln. In der Landwirtschaft gibt es deshalb die unterschiedlichsten Fruchtfolgesysteme, die natürlich auch von betriebswirtschaftlichen Überlegungen und vor allem von der Marktnachfrage beeinflusst werden.

Landwirtschaftliche Kulturpflanzen

28 Wie werden die Kulturpflanzen des Ackerbaus eingeteilt?

Die Einteilung von Kulturpflanzen erfolgt traditionell sowohl nach botanischen und ackerbaulichen Gesichtspunkten als auch nach deren Verwendungszweck:

» **Getreide:** Weizen, Gerste, Hafer, Roggen, Triticale, (Körner-) Mais. Die Getreidearten benötigen außer dem aus den Tropen stammenden Mais zur Ausbildung ihrer Fruchtstände (Ähren, Rispen) eine unterschiedliche Anzahl an Tagen mit niedrigen Temperaturen. Diesen Vorgang nenn man Vernalisation. Je nach dem erforderlichen Kältereiz spricht man daher von Winter- und Sommergetreide.

- » **Hackfrüchte:** Kartoffeln, Zucker- und Futterrüben, verschiedene Feldgemüsearten. Als Hackfrüchte werden Pflanzenarten bezeichnet, deren Anbau durch mehrmalige Bodenbearbeitung in und zwischen den Reihen gekennzeichnet ist (meist in Handarbeit mit der Feldhacke), um die Pflanzen zu „vereinzeln" oder auflaufendes Unkraut zu beseitigen. Heute ermöglichen zusammen mit selektiv wirkenden Pflanzenschutzmitteln monogermes („einsamiges") Saatgut und moderne Sätechnik die Einzelkornablage, sodass auf diesen arbeitsintensiven Bearbeitungsgang verzichtet werden kann. Früher wurde auch der Mais zum Vereinzeln gehackt, weswegen er auch heute manchmal noch zu den Hackfrüchten gerechnet wird.
- » **Hülsenfrüchte:** Erbsen, Ackerbohnen, Lupinen zur Körnergewinnung. Diese Arten aus der Familie der Leguminosen (Lippenblüter) zeichnen sich durch ihren hohen Proteingehalt aus und werden daher auch als „Eiweißfrüchte" bezeichnet.
- » **Handelsgewächse:** Ölfrüchte zur Körnergewinnung wie Raps, Rübsen, Ölrettich, Senf, Lein, Sonnenblumen und alle Faserpflanzen wie Lein und Hanf. Zu dieser Gruppe gehören auch Arznei- und Gewürzpflanzen, Hopfen und Tabak, die wegen hoher Rohstoffpreise und wertiger Verarbeitungsprodukte als „hochwertige Handelsgewächse" bezeichnet werden.
- » **Pflanzen zur Grünernte:** Getreide zur Ganzpflanzenernte (Ganzpflanzensilage – GPS), Silomais/Grünmais, Feldgras, Kleegras-Gemenge, sowie Leguminosen wie Wicken, Kleearten, Luzerne zur Ganzpflanzenernte. Zu dieser Gruppe kann auch der Anbau von verschiedenen Pflanzenarten als **Zwischenfrucht** zwischen zwei Hauptkulturarten gerechnet werden. Der Zwischenfruchtanbau vor allem in den Herbst- und Wintermonaten dient in erster Linie der Versorgung des Bodens mit Humus und Nährstoffen, zur Pflanzenhygiene und gelegentlich auch zur Futternutzung.

29 Welche Bedeutung besitzt der Weizen (*Triticum aestivum*)?

Er ist ernährungswirtschaftlich die wichtigste Getreideart in Europa und gedeiht in den verschiedensten Klimazonen. In Deutschland wird vor allem Winter-, weniger noch Sommerweizen, Hartweizen sowie Dinkel angebaut. Alle Weizenarten dienen überwiegend der Erzeugung von Brotgetreide. Wachsende Bedeutung hat er aber auch für die Gewinnung von Bioenergie. Ungeeignet für den Weizenanbau sind alle sauren, humosen und leicht austrocknenden Böden sowie Moorböden. Weizen stellt hohe Ansprüche an die Vorfrucht und ist mit sich selbst unverträglich. Auf dem Wildacker spielt Weizen allenfalls als Stützfrucht und Körnerlieferant in einem Wildackergemenge im Niederwildrevier eine Rolle.

5.11: Weizen

30 Welche Wuchsbedingungen benötigt der Roggen (Secale cereale)?

Er ist im kühlen und feuchten Klima Nordeuropas die wichtigste Getreideart und gedeiht nur auf nassen, undrainierten Böden nicht. Roggen ist die kälteresistenteste Getreideart und auf Neuland die Pionierpflanze. Angebaut werden Winter- und Sommerroggen vor allem zur Gewinnung von Brotgetreide. Sehr oft wird Roggen auch als Futterpflanze angebaut, die im zeitigen Frühjahr bereits hohe Erträge bringt. An die Vorfrucht stellt er keine großen Ansprüche und ist mit sich selbst verträglich. Auf Wildäckern wird gerne Johannisroggen und der mehrjährige Wald-Staudenroggen allein oder im Gemenge angebaut. Auch im Wald auf Kahlschlägen kann Roggen angebaut werden. Er ist eine hervorragende Äsungspflanze, vor allem für das Schalenwild.

5.12: Roggen

Dem Roggen im äußeren Erscheinungsbild sehr ähnlich ist der Triticale, eine neuere Kreuzung aus Weizen und Roggen. Triticale ist ein Futtergetreide, das in der Tierfütterung Verwendung findet.

Eine weitere, schon sehr lange bekannte Roggenvarietät ist der Waldstaudenroggen (*Secale multicaule*), der zwar keine Rolle in der Landwirtschaft spielt, aber als Wildäsungspflanze besonders auf ungünstigen Standorten und zur „Urbarmachung" bislang nicht als Wildacker genutzter Flächen sehr gut geeignet ist. Er ist zweijährig, sehr anspruchslos und äußerst winterhart. Im ersten Jahr bildet er Horste zur Grünäsung und im zweiten Jahr Ähren tragende Halme, die vom Wild gern geäst werden.

31 Wozu benötigt man die Gerste (*Hordeum vulgare*)?

Sie wird als Winter- und Sommergerste angebaut und ist die älteste angebaute Getreideart. Gerste wird als Braugerste sowie als Futtergetreide angebaut und verwertet. Sie hat die kürzeste Vegetationszeit der Getreidearten, das geringste Wurzelsystem und den geringsten Wasserverbrauch. Sie ist außerdem unempfindlich gegen Kälte und Nässe. Empfindlich ist sie jedoch gegen saure Böden und saure Düngemittel. Von allen Feldfrüchten stellt sie die höchsten Ansprüche an die Vorfrucht. Für den Wildacker spielt Gerste allenfalls als Stützfrucht und Körnerlieferant im Gemenge eine Rolle.

5.13: Gerste

32 Woran erkennt man den Hafer (*Avena sativa*)?

Hafer hat keine Ähre, sondern eine Rispe. Er wird als Körnerfrucht für die Gewinnung von Haferflocken für die menschliche Ernährung sowie vor allem als Futterhafer angebaut. Weniger bedeutend ist der Anbau als Grünfutter und zur Heugewinnung. Hafer ist die unsicherste Getreideart, da der Ertrag sehr stark von Niederschlägen sowie der Wasserhaltefähigkeit des Bodens abhängt. Nur trockene Sandböden sind nicht „haferfähig". An Vorfrüchte stellt er keine Ansprüche. Er kann auch nach allen Getreidearten angebaut werden. Hafer nach Hafer ist nicht empfehlenswert, da dann verstärkt Hafernematoden als Krankheitserreger auftreten können. Hafer ist eine hervorragende Wildackerpflanze, die Grünäsung und Körner bietet. Auch als Pionierpflanze auf frisch gerodeten Flächen ist er sehr gut geeignet.

5.14: Hafer

33 Woher stammt der Mais (*Zea mays*)?

Er stammt aus Amerika und wurde dort bereits lange vor unserer Zeitrechnung angebaut. Er dient der Körnergewinnung sowohl für die menschliche als auch die tierische Ernährung, wird als Grünpflanze siliert und kann auch als Grünmais verfüttert werden. Mais bringt auf die Fläche bezogen die reichsten Erträge. Deshalb hat er weltweit in der modernen Landwirtschaft einen Siegeszug angetreten. Hinzu kommt, dass sein Anbau sowie seine Ernte, aber auch die Wildkraut- und Schädlingsbekämpfung voll mechanisiert werden können. Die Züchtung von Sorten mit immer kürzerer Vegetationszeit haben zu seiner Ausbreitung nach Norden und in höhere Lagen beigetragen. Seine Verwendung dient der menschlichen Ernährung, als Futtermittel sowie der Gewinnung von Bioenergie. Mais ist hinsichtlich des Bodens wie der Niederschläge außerordentlich anpassungsfähig. Am besten sagen ihm tiefgründige, gut durchlüftete Lehmböden zu. Auch in der Fruchtfolge ist Mais nicht wählerisch. Er ist selbstverträglich. Bei mehrmaligem Maisanbau ist allerdings auf Krankheiten zu achten. Problematisch wird ein gehäufter Maisanbau in Gegenden mit hohen Schwarzwildbeständen. Hier können erhebliche Wildschäden auftreten. Mais ist vor allem im Gemenge eine her-

5.15: Mais

vorragende Wildackerfrucht und sollte vor allem in Fasanen- und Schwarzwildrevieren nicht fehlen. Der Mais bietet Deckung sowie Grün- und Körneräsung.

34 Wozu dient Hirse (Rispenhirse [*Panicum miliaceum*] bzw. Kolbenhirse [*Setaria italica*])?

Als Kulturpflanze war Hirse in China schon vor Jahrtausenden bekannt. Beide Hirsearten wurden auch bereits im alten Griechenland sowie von den Römern angebaut. In Mitteleuropa spielt Hirse kaum eine Rolle. Die Hirsekörner dienen der menschlichen Ernährung sowie als Futtermittel. In der Industrie werden sie vor allem zur Herstellung von Traubenzucker, Stärke, Speiseöl und Eiweißpräparaten verwandt. Hirse hat hohe Wärme-, aber geringe Feuchtigkeitsansprüche. Hinsichtlich des Bodens werden keine besonderen Ansprüche gestellt. In unseren Breitengraden gedeiht Hirse besonders gut auf Sandböden, da diese sich rasch erwärmen. Auch hinsichtlich der Vorfrucht ist Hirse nicht wählerisch. In Rebhuhnrevieren ist Hirse eine bevorzugte Wildackerpflanze, die dem Wildgeflügel bis weit in den Winter hinein Deckung und Äsung bietet. Sie kann in Reinkultur, aber auch im Gemenge angebaut werden.

35 Woher stammt die Kartoffel (*Solanum tuberosum*)?

Sie stammt aus Südamerika, wo sie bereits zu Beginn unserer Zeitrechnung angebaut wurde. Die Kartoffelknolle dient der menschlichen Ernährung, als Futterkartoffel und kann darüber hinaus vielfältig verarbeitet werden (Pommes frites, Chips, Knödel, Stärke sowie Alkohol). Kartoffeln gedeihen auf fast allen Böden. Nicht angebaut werden sollte sie auf tonigen oder besonders trockenen Sandböden. Die Kartoffel stellt an die Vorfrucht keine Ansprüche und ist mit sich selbst verträglich. Allerdings muss bei mehrfachem Kartoffelanbau auf Krankheiten und den Kartoffelkäfer geachtet werden. In Hochwildrevieren, besonders in Schwarzwildrevieren, ist die Kartoffel eine hervorragende Wildackerpflanze. Auf dem Wildacker angebaut, kann sie zur Ablenkung von Wildschäden an landwirtschaftlichen Kulturpflanzen dienen.

5.16: Kartoffel

36 Woher kommen die Beta-Rüben (*Beta vulgaris*)?

Sie dürften aus dem Mittelmeerraum zu uns gelangt sein. Seit dem Mittelalter ist ihr Anbau in Mitteleuropa nachgewiesen. Die Zuckerrübe wurde im 18. Jahrhundert aus der Runkelrübe gezüchtet und dient seither der Zuckergewinnung. Aber auch die Gewinnung von Bioenergie hat eine immer größer werdende Bedeutung.

» **Zuckerrübe:** Am günstigsten sind für sie tiefgründige, humose Lehm- und Lehmmergelböden. An Vorfrüchte werden kaum Ansprüche gestellt. Allerdings ist sie selbst unverträglich und darf frühestens nach vier Jahren wieder auf demselben Schlag angebaut werden. Zuckerrüben spielen vor allem als gehaltvolles Saftfutter im Schalenwildrevier eine hervorragende Rolle. Auch die Zuckerrübenblätter können dort als Futtermittel eingesetzt werden.

» **Futterrüben:** Unterschieden werden Massen- und Gehaltsrüben. Hinsichtlich Boden und Fruchtfolge gilt dasselbe wie bei Zuckerrüben. Beide Arten stellen ein hervorragendes Saftfuttermittel für alle Schalenwildarten, aber auch für Hasen, Kaninchen und Fasanen dar.

5.17: Futterrüben

37 Sind Brassica-Rüben (Kohl- oder Steckrübe [*Brassica napus*], Wasser- oder Stoppelrübe [*Brassica rapa*]) gute Wildäsungspflanzen?

Sie stammen ebenfalls aus dem Mittelmeerraum. Hinsichtlich des Bodens stellen sie noch weniger Ansprüche als die Beta-Rüben. Sie werden in der Landwirtschaft vor allem als Zwischen- und Stoppelfrüchte zur Futtergewinnung angebaut. Die Stoppelrübe ist eine sehr gute Wildäsungspflanze, die Temperaturen bis –10 °C aushält.

5.18: Sonnenblumen als Zwischenfrucht

38 Welche Ansprüche an den Boden stellt die Mohrrübe oder Möhre (*Daucus carota*)?

Sie stammt aus Kleinasien. Die Möhre ist gegen Nässe und Trockenheit empfindlich. Hinsichtlich des Bodens und der Vorfrucht stellt sie keine besonderen Ansprüche. Allerdings ist auf Wildkrautfreiheit besonders zu achten, da sie leicht überwuchert werden kann. Im Niederwildrevier sollten Futtermöhren im Wildackergemenge als diätetische Wildfutterpflanze angebaut werden. Für alle Wildarten kann sie als vitaminreiches Zusatzfuttermittel dienen.

39 Was muss man über die Erbse (*Pisum sativum* und *Pisum arvense*) wissen?

Sie ist eine der ältesten Kulturpflanzen der Menschheit. Die verschiedenen Formen stammen aus dem südlichen Westasien. Es werden Speise- und Futtererbsen unterschieden. Am besten gedeihen sie auf Kalk- und Mergelböden. Erbsen können frühestens nach vier Jahren wieder auf der gleichen Fläche angebaut werden. Ungeeignete Vorfrüchte sind alle Leguminosenarten. Für den Wildacker sind die Futtererbsen in Saatmischungen nicht uninteressant. Sie dient der Grün- und Körneräsung. Die „Peluschken" können auch in Reinsaat auf dem Wildacker angebaut werden.

40 Woher stammt die Ackerbohne (*Vicia faba*)?

Ihre Formen stammen aus dem Mittelmeerraum und Südwestasien. Geerntet werden vor allem die eiweißreichen Körner. Kleinkörnige Sorten eignen sich auch zur Grünfütterung und zur Gründüngung. Am besten gedeihen sie auf schweren, kalkreichen und wasserhaltigen Böden ohne Staunässe. Die Ackerbohne ist im Anbau mit sich selbst unverträglich. Auch andere Leguminosenarten sind als Vorfrucht ungeeignet. Am besten wird sie nach Getreide angebaut. Auf dem Wildacker sind Ackerbohnen als Grünfutterpflanzen, aber auch als Körnerlieferanten interessant.

41 Welche Wicken (*Vicia* spec.) unterscheidet man?

Unterschieden werden Winter- und Sommerwicken. Zu ersteren gehört die „Zottelwicke" und zur letzteren die „Saatwicke". Für die menschliche Ernährung spielen sie keine Rolle. Auch als Körnerlieferanten sind sie weniger interessant denn als Futterpflanzen.
Die Bodenansprüche sind geringer als bei der Erbse. Sie können auch noch in raueren Lagen angebaut werden. Als Leguminosenart muss bei der Fruchtfolge darauf geachtet werden, dass sie im Anbau mit sich selbst unverträglich sind. Wicken können auf dem Wildacker im Gemenge mit Roggen oder dem Welschen Weidelgras angebaut werden.

42 Wo gedeihen Lupinen (*Lupinus* spec.) am besten?

Die Heimat der Lupinenarten ist der Mittelmeerraum. Landwirtschaftliche Bedeutung haben die gelbe Lupine, die schmalblättrige Lupine und die

5.19: Lupinen

weiße Lupine. Genutzt werden sie vor allem zur Grünfutter-, aber auch zur Körnerernte. Lupinen gedeihen am besten auf warmen, nicht zu schweren Böden. Als Vorfrüchte sind andere Leguminosenarten zu meiden. In der Fruchtfolge stehen sie am besten nach Getreide. Für den Wildacker kommen vor allem die gelbe Süßlupine und die perennierende (ausläufertreibende und mehrjährige) Bitterlupine in Betracht.

43 Was muss man über die Sojabohne (*Glycine max*) wissen?

Ihre Heimat ist Südostasien. Von den Chinesen wurde sie schon 2.700 Jahre v. Chr. angebaut. Die Sojabohne dient als Grünfutter-, Körner- und Gemüselieferant. Die Körner haben den höchsten Nährstoffgehalt aller Kulturpflanzen. Sie lassen sich zu den unterschiedlichsten Nahrungsmitteln verarbeiten. Aufgrund der hohen Wärmeansprüche spielt der Sojabohnenanbau in Mitteleuropa keine Rolle. In Zeiten des Klimawandels arbeitet die Pflanzenzüchtung intensiv an der Entwicklung von geeigneten Sorten, die auch in unseren Breitengraden angebaut werden können. Soja benötigt warme, tiefgründige lockere und lehmige Böden. Dort kann sie auch als Grünäsungspflanze auf dem Wildacker angebaut werden.

44 Welcher Raps (*Brassica napus*) wird bevorzugt angebaut?

5.20: Raps

In der Hauptsache wird Winterraps, in geringem Umfange auch Sommerraps angebaut. Genutzt werden vornehmlich die Körner für die Ölgewinnung, die einen Ölgehalt von über 40 % haben können. Zunehmend ist seine Bedeutung als Bioenergiepflanze zur Herstellung von Treibstoff (Biodiesel). Raps spielt aber auch als Grünfutterpflanze, vor allem im Zwischenfruchtanbau, eine Rolle. Am besten gedeiht er auf tiefgründigen Lehmböden. Raps hat eine sehr schlechte Selbstverträglichkeit. Raps ist auf dem Wildacker die wichtigste Anbaupflanze. Spezielle Futter-Sorten („Akela“) können in Reinsaat, aber auch im Gemenge mit anderen Pflanzen angebaut werden. Je nach Aussaattermin kann Raps das ganze Jahr über dem Wild als Äsungspflanze sowie als Deckung für das Niederwild zur Verfügung stehen.

45 Welche Rolle spielen Rübsen (*Brassica rapa* subsp. *oleifera*) in der modernen Landwirtschaft?

Er spielt im Anbau eine untergeordnete Rolle. Seine Bedeutung liegt darin, dass er noch in raueren Lagen und auf ärmeren Standorten als der Raps angebaut werden kann. Auch bei ihm gibt es Winter- und Sommerarten. Beide werden auf dem Wildacker in Reinsaat oder im Gemenge angebaut.

46 Wozu dient Senf (*Sinapis alba L.*)?

Er ist eine alte Gewürz- und Heilpflanze und hat auch als Sommerölpflanze geringe Bedeutung. Die Ansprüche sind ähnlich denen der Rübsen. Auf dem Wildacker kann die kurzlebige Futterpflanze im Sommer angebaut werden. Senf wird häufig als Zwischenfrucht angebaut.

5.21: Senf

47 Was ist Ölrettich (*Raphanus sativus*)?

Er ist eine der ältesten Ölpflanzen und wird in Mitteleuropa hauptsächlich als Futterpflanze auf leichten und mittleren Böden angebaut. Ölrettich kann wiederholt auf derselben Fläche angebaut werden. Auf dem Wildacker wird er als wichtige Äsungs- und Deckungspflanze allein oder im Gemenge angebaut.

48 Woher stammt die Sonnenblume (*Helianthus annuus*)?

Sie stammt aus der „neuen Welt". Heute ist sie eine der wichtigsten Speiseöllieferanten. Auch für Mitteleuropa sind geeignete Sorten gezüchtet worden. Die Sonnenblume wird auch als Futterpflanze, vor allem im Zwischenfruchtanbau auf fast allen Böden angebaut. Die Sonnenblume ist nicht frosthart. Auf dem Wildacker spielt sie als Deckungspflanze sowie als Stützfrucht im Gemenge eine Rolle.

49 Wie kann Luzerne (*Medicago sativa*) genutzt werden?

Sie ist eine der leistungsfähigsten Futterpflanzen hinsichtlich Ertrag, Nährstoffgehalt und Ertragssicherheit. Luzerne kann mehrjährig genutzt werden. Angebaut wird sie in Reinsaat, aber auch im Gemenge mit Gräsern auf nicht zu sauren, durchlässigen Böden. Für den Wildacker ist sie nach der Süßlupine die eiweißreichste Futterpflanze. Neben der Grünäsung kann sie auch zur Heu- und Silagegewinnung dienen.

50 Wo gedeiht Rot-Klee (*Trifolium pratense* var. *Sativum*)?

Er gedeiht besonders gut auf mittelschweren und schweren Böden. Rotklee wird in Reinsaat sowie im Gemenge mit Gräsern angebaut. Auch er kann mehrjährig genutzt werden. Auf dem Wildacker wird er gerne als wertvolle Äsungspflanze im Gemenge angebaut. Auch auf der Wildwiese sollte er in großer Menge vertreten sein.

5.22: Rot-Klee

51 Welche weiteren Kleearten sind von Bedeutung?

Bedeutung in Saatmischungen für den Wildacker und die Wildwiese haben noch folgende Kleearten: Schwedenklee, Inkarnatklee, Weißklee, Gelbklee, Alexandrinerklee (nicht winterhart), Hornklee und Wundklee.

52 Was ist die Esparsette (*Onobrychis viciifolia*)?

Sie ist die Futterpflanze auf ausgesprochen trockenen, flachgründigen und kalkhaltigen Böden in rauheren und höheren Lagen. Esparsette kann bis zu zehn Jahren genutzt werden. Die Erträge sind allerdings nicht hoch. In entsprechenden Revieren ist die Esparsette eine vorzügliche Wildäsungspflanze sowohl für den Wildacker als auch für die Wildwiese.

53 Wozu wird die Serradella (*Ornithopus sativus*) genutzt?

Sie stellt sehr hohe Feuchtigkeitsansprüche und gedeiht deshalb besonders gut auf frischen, humosen Böden. In der Landwirtschaft wird sie vor allem als Zwischenfrucht für die Futtergewinnung angebaut. Auf dem Wildacker ist sie in Reinsaat sowie im Gemenge ein hervorragender Eiweißlieferant.

54 Wo wird der Feld-Spark (*Spergula arvensis*) angebaut?

Er wird auf leichten Böden, vor allem als Zwischenfrucht, angebaut. Auf diesen Standorten wird er auch gerne als Wildackerpflanze gesät.

55 Woher stammt Phacelia oder Büschelkraut (*Phacelia tanacetifolia*)?

Sie stammt aus Kalifornien und wird als Zwischenfrucht vor allem für die Gründüngung angebaut. Der Futterwert ist gering. In Niederwildrevieren kann sie als Deckungspflanze angebaut werden.

56 Was ist Futterkohl (*Brassica oleracea*)?

Hierzu zählen Markstammkohl, Blattstammkohl sowie Westfälischer Furchenkohl. In der Landwirtschaft spielt Futterkohl im Zwischenfruchtanbau eine sehr große Rolle. Er dient hier als Futter- sowie als Gründüngungspflanze. Auch auf dem Wildacker sind die verschiedenen Futterkohlarten in Reinkultur, aber auch im Gemenge sowohl als Äsungspflanzen für alle Wildarten wie auch als Deckungspflanzen im Niederwildrevier hervorragend geeignet.

5.23: Buchweizen

57 Welche Bedeutung kommt dem Buchweizen (*Fagopyrum esculentum*) zu?

Die Buchweizenkörner dienten früher auch der menschlichen Ernährung. Später wurde Buchweizen in der Landwirtschaft hauptsächlich als Zwischenfrucht zur Futtergewinnung angebaut. Heute spielt er in Wildackermischungen noch eine Rolle. Er ist sehr schnellwüchsig und blattreich. Buchweizen ist frostempfindlich, kann aber auf fast allen Böden angebaut werden. Als Wildackerpflanze ist Buchweizen deshalb besonders interessant, weil er auf allen geringen Böden, wie Heide-, Wald- und Moorböden, ohne Düngung angebaut werden kann. Er dient als Grünäsung und für das Wildgeflügel als Körneräsung.

58 Welche Gräser werden im Feldfutteranbau verwendet?

Wichtige Grasarten, die allein, vor allem aber auch in Klee-Grasmischungen angebaut werden, sind: Deutsches und Welsches Weidelgras, Wiesenschwingel, Wiesenlieschgras, Knaulgras und Glatthafer.

59 Wo kann man Topinambur (*Helianthus tuberosus*) anbauen?

Er stammt aus Amerika und kann je nach Sorte auf fast allen Böden angebaut werden. Hinsichtlich der Vorfrucht stellt er keine Ansprüche. In der Landwirtschaft spielt der Topinambur in Mitteleuropa keine Rolle. Für den Wildacker ist der Topinambur sehr wertvoll. Die bis zu 2 m hohen Pflanzen bieten Deckung und Äsung. Von ihm kann Laubheu gewonnen und vor allem können die Knollen im Winter frei gegrubbert oder gepflügt werden und stehen so dem Wild als Äsung zur Verfügung. In nicht zu schweren Böden kann sich das Wild die Knolle selbst aus dem Boden brechen oder frei schlagen. Die im Boden verbliebenen Knollen reichen für die nächstjährige Bestandsneubegründung aus. Bis zu 20 Jahren kann so ein Topinamburacker genutzt werden.

60 Welche Bedeutung hat der Feldfutterbau heute?

5.24: Feldfutterbau („Landsberger Gemenge")

Der Feldfutterbau mit Reinsaaten oder Mischungen von verschiedensten Gras-, Klee- und anderen Kulturpflanzenarten, der in früheren Zeiten hauptsächlich dem täglichen Futterholen diente, ist trotz seiner pflanzenbaulichen Vorteile zugunsten des rationellen Anbaus weniger Futterpflanzenarten wie Mais und Ganzpflanzensilage in den Hintergrund getreten.
Dabei stellt gerade der klassische Feldfutterbau eine hervorragende Möglichkeit zur Anlage von Wildäckern in Feld und Wald dar, der dem Wild zusätzliche Deckung und Äsung bieten kann. Typische Mischungen für den Feldfutterbau sind Kleegras (Weidelgras/Rotklee, Schwedenklee, Luzerne), oder das „Landsberger Gemenge" (Hafer/Winterwicken/Weidelgras). Die Nutzung bzw. Standzeit kann je nach Mischung bis zu 5 Jahre dauern.
Die heute im Handel erhältlichen, verschiedenen Wildackermischungen sind aus dem klassischen Feldfutterbau entwickelt worden.

61 Was versteht man unter Grünland?

Grünland unterliegt keiner Fruchtfolge („Dauergrünland") und stellt neben dem Ackerfutterbau allgemein die Futtergrundlage für die meisten Tierhaltungen dar. Es sind meist landwirtschaftliche Flächen, die aufgrund spezifischer Standortbedingungen nicht als Ackerland zu nutzen sind. Gründe hierfür können sein: Zu schwere oder sehr flachgründige Böden oder Böden mit felsigem Untergrund, Erosionsgefahr, hoher Grundwasserstand, Überschwemmungsgefahr, hohe Niederschläge, unebenes Gelände, etc. Absolute Grünlandstandorte befinden sich häufig in Mittelgebirgslagen und sind klassischerweise Heimat der Nutztierhaltung.

62 Welche Bedeutung hat Grünland in der Kulturlandschaft?

Grünland strukturiert das Offenland und ist wesentlicher Bestandteil einer vielgestaltigen Kulturlandschaft. Je nach den Standort- und Nutzungsbedingungen bilden sich unterschiedliche Grünlandgesellschaften aus. Man unterscheidet botanisch u.a. Wirtschaftsgrünland, Feucht- und Nasswiesen, Trockenrasen, Bergmähwiesen, magere Flachlandmähwiesen und zahlreiche Untergliederungen.
Je extensiver Grünland genutzt wird, d.h. je weniger Dünger, vornehmlich der „Wachstumsmotor" Stickstoff, eingesetzt wird und je geringer die Anzahl der jährlichen Nutzungstermine ist, umso höher ist der Anteil an Kräutern und den selteneren, konkurrenzschwächeren Pflanzenarten in der Grünlandnarbe. Einige Grünlandgesellschaften sind auf Grund seltener Artenzusammensetzung und der auf den jeweiligen Lebensraum spezialisierten Fauna (v.a. Insekten) naturschutzrechtlich streng geschützt. Generell ist der Umbruch und gegebenenfalls auch die Nutzungsintensivierung von Grünland streng reglementiert. Dies schränkt im Einzelfall die Nutzungswürdigkeit seitens der Landwirtschaft deutlich ein, da hier der Energieertrag für die Tierfütterung im Vordergrund steht. Ohne eine regelmäßige Nutzung durch Mahd oder Beweidung unterliegt Grünland aber über verschiedene Stadien der Verbuschung der Bewaldung und verschwindet allmählich. Zum Erhalt von seltenen Grünlandgesellschaften halten die Bundesländer daher detaillierte Vertragsnaturschutzprogramme zur extensiven Nutzung bereit.

5.25: Magere Flachlandmähwiese (Glatthaferwiese)

63 Welche Grünlandnutzung gibt es?

Am bekanntesten sind die Nutzungen als Wiese und Weide. Üblich ist ferner auch die Mähweide, bei der der erste Aufwuchs Mitte Mai als Silage oder Mitte Juni als Heuschnitt genutzt wird und der kommende Aufwuchs bis in den Herbst hinein beweidet wird. Je nach den Standortverhältnissen sowie den Anforderungen des landwirtschaftlichen Betriebes kann Grünland extensiver (extensive Standweide, Hutung, Alm) oder intensiver (Umtriebsweide, Portionsweide, Wechselweide) genutzt werden. Entsprechend wird der Aufwuchs nur einmal oder bis zu vier Mal im Jahr genutzt (ein-, zwei-, drei- oder mehrschürige Nutzung). Für die Neuansaat oder erforderliche Nachsaaten von Wirtschaftsgrünland, zum Beispiel nach Schwarzwildschäden, stehen auf die jeweiligen Nutzungs- und Standortbedingungen angepasste Saatgutmischungen zur Verfügung. Über die verfügbaren Qualitäts-Standard-Mischungen geben die stattlichen Beratungsstellen der Bundesländer Auskunft.

64 Was sind landwirtschaftliche Sonderkulturen?

Zu den Sonderkulturen zählen der Obst-, Wein-, Gemüse-, Hopfen-, Gewürz-, Heilpflanzen-, Zierpflanzen- und Tabakanbau.
Der Anbau von Sonderkulturen hat Folgen hinsichtlich der Ersatzpflicht von Wildschäden. Die Einteilung kann länderweise unterschiedlich sein, so gehören Weinberge in Rheinland Pfalz zu den Sonderkulturen, in Baden-Württemberg dagegen nicht.

Pflanzenschutz

65 Warum Pflanzenschutz?

Schädlinge, Beikräuter und Pflanzenkrankheiten mindern die Ernte. Weltweit gehen hierdurch zwischen 20 bis 30 % der potenziellen Produktion verloren. In einigen osteuropäischen Ländern sowie Entwicklungsländern wird dieser Prozentsatz noch erheblich übertroffen. Angesichts einer rasant wachsenden Weltbevölkerung sowie nur noch geringen Steigerung der Ernteerträge kommt dem Pflanzenschutz eine immer wichtigere Bedeutung zu.

66 Welche Pflanzenschutzverfahren gibt es?

» **Resistenzzüchtung:** Es werden vermehrt Pflanzensorten gezüchtet, die teilweise oder vollständig gegen bestimmte Pflanzenkrankheiten und Schädlinge widerstandsfähig sind.

» **Pflanzenhygiene:** Hierzu sind Maßnahmen zu verstehen wie Auswahl standortgerechter Pflanzenarten und -sorten, gesundes Saat- und Pflanzgut, Bodenpflege, richtige Wasser- und Nährstoffversorgung und eine passende Fruchtfolge.

» **Biologische Schädlingsbekämpfung:** Hierunter versteht man den Einsatz von Gegenspielern der Schädlinge sowie biotechnische Verfahren. Zur ersten Gruppe gehört beispielsweise das Aussetzen von Parasiten, zur zweiten Gruppe das Ausbringen sterilisierter Männchen, um so die Population zu mindern.

» **Integrierter Pflanzenschutz:** Er hat zum Ziel, die Population von Schadorganismen unter der wirtschaftlichen Schadensschwelle zu halten nach dem Motto „so viel wie nötig, so wenig wie möglich". Voraussetzung hierfür ist die ständige Beobachtung der Pflanzenbestände. Pflanzenschutz wird nur dann gezielt eingesetzt, wenn die Schadensschwelle überschritten worden ist. Damit wird bewirkt, dass der Lebensraum nicht mehr als unumgänglich notwendig gestört wird. Hierzu gehört aber auch der Einsatz weniger giftiger und schnell abbaubarer Mittel.

» **Physikalische Pflanzenschutzverfahren:** Hierzu zählen z.B. die Bodenentseuchung durch Dämpfung, Warmwasserbehandlung von Saat- oder Pflanzgut zur Abtötung von Bakterien, Pilzen und Schädlingen, Inaktivierung von Viren durch Wärmebehandlung sowie Schädlingsbekämpfung durch radioaktive Strahlen und Ultraschall.

» **Chemische Pflanzenschutzmaßnahmen:** Sie sollten nur dann angewandt werden, wenn andere Maßnahmen nicht mehr den gleichen Erfolg versprechen. Es dürfen nur amtlich geprüfte und zugelassene Mittel vertrieben und angewandt werden. Auskunft über diese Mittel sowie über amtlich geprüfte und anerkannte Pflanzenschutzgeräte erteilen die Pflanzenschutzdienststellen der Bundesländer. Amtlich zugelassene Mittel und Geräte sind mit einer Zulassungsnummer versehen.

» **Pflanzenbeschau:** Die amtliche Pflanzenbeschau, die vor allem bei der Ein- und Ausfuhr von Pflanzen und Pflanzenerzeugnissen eine Rolle spielt, verhindert die Verschleppung von Pflanzenkrankheiten, Schädlingen und Unkräutern.

67 Welche Pflanzenschutzmittelgruppen gibt es?

Im Handel gibt es folgende Gruppen von chemischen Mitteln
» *Beizmittel* (zum Schutz der Saat)
» *Herbizide* (gegen Gräser, Kräuter und Gehölze)
» *Rodentizide* (gegen Nagetiere)
» *Fungizide* (gegen Pilzkrankheiten)
» *Akarizide* (gegen Milben)
» *Nematizide* (gegen Fadenwürmer und zur Bodenentseuchung)
» *Molluskizide* (gegen Schnecken)
» *Wachstumsregler* (zur Festigung des Getreidehalms, Minderung des Fruchtfalls, Reifeverfrühung und Keimhemmungsmittel bei Kartoffeln)

68 Was ist bei der Ausbringung von Pflanzenschutzmitteln unbedingt zu beachten?

Es dürfen nur amtlich zugelassene Pflanzenschutzmittel, erkennbar an der Zulassungsnummer, und strikt nur nach der Gebrauchsanweisung angewandt werden. Die Gebrauchsanweisung enthält verbindliche Angaben zur Aufwandmenge, zum Anwendungsgebiet (Indikation) und den Kulturen, in denen das Mittel ausschließlich angewandt werden darf. Grundsätzlich dürfen Pflanzenschutzmittel nur auf landwirtschaftlich, forstlich und gartenbaulich genutzten Flächen ausgebracht werden; auf allen anderen Flächen, auch auf Wegrändern, ist die Anwendung grundsätzlich verboten und nur unter bestimmten Voraussetzung im Rahmen einer behördlichen Ausnahmegenehmigung zulässig.

69 Wer darf Pflanzenschutzmittel anwenden?

Das Pflanzenschutzgesetz schreibt vor, dass Pflanzenschutzmittel nur von sachkundigen Personen angewandt werden dürfen; ausgenommen hiervon sind nur ausdrücklich für den Haus- und Kleingartenbereich zugelassene Mittel für nicht berufliche Anwender und solche zur nichtberuflichen Anwendung zur Wildschadensabwehr. Zu Letzterem zählt aber beispielsweise nicht die Anwendung eines Totalherbizids oder eines Elektrozauns zur Wildschadensabwehr. Freigestellt ist in diesem Zusammenhang lediglich der Einsatz von Vergrämungs- und Verbissschutzmitteln. In allen anderen Fällen ist die Anwendung ausschließlich sachkundigen Personen vorbehalten. Nähere Auskunft hierzu erteilen die Pflanzenschutzdienste der Bundesländer.

Wildschäden

70 Welche Wildschäden an landwirtschaftlich genutzten Grundstücken sind ersatzpflichtig?

Nach dem Bundesjagdgesetz ist der Wildschaden zu ersetzen, der durch Schalenwild, Wildkaninchen und Fasanen auf bejagbaren Grundstücken an landwirtschaftlichen Kulturen angerichtet wird. Die Länder können diese Ersatzpflicht auf weitere Wildarten ausdehnen. Auch im Jagdpachtvertrag kann dies geschehen, sofern beide Vertragsseiten damit einverstanden sind. Die Ersatzpflicht besteht solange, bis die Feldfrüchte geerntet sind. Bei Sonderkulturen ist eine Ersatzpflicht nur dann gegeben, wenn trotz vorgeschriebener, ordnungsgemäß angebrachter Schutzvorrichtungen Wildschaden entstanden ist. Auch hier gibt es spezielle Regelungen in den einzelnen Bundesländern.

5.26: Wildschäden im Grünland durch Schwarzwild

71 Wer hat für den Wildschaden aufzukommen (Ersatzpflicht)?

Im gemeinschaftlichen Jagdbezirk ist die Jagdgenossenschaft für den gesetzlichen Wildschaden ersatzpflichtig. In der Regel gibt diese die Ersatzpflicht im Jagdpachtvertrag an den Jagdpächter weiter. Die inhaltliche Gestaltung der Wildschadensersatzregelungen zwischen Verpächter und Jagdpächter im Jagdpachtvertrag liegt bei den Vertragsparteien, die neben einer „Übernahme der gesetzlichen Wildschadensersatzpflicht" auch eine Deckelung des jährlichen Schadenaufkommens, eine Beschränkung (oder auch Erweiterung!) auf Schäden durch bestimmte Wildarten oder Pflanzenkulturen oder auch Maßnahmen zur Wildschadensminimierung vorsehen können. Unzulässig sind grundsätzlich Regelungen, die in die Rechte Dritter eingreifen, z.B. die Pflicht eines Landwirts zur Anlage von Bejagungsschneisen. Einige Landesjagdverbände (Hessen, Baden-Württemberg, Bayern) und auch Organisationen der Jagdrechtsinhaber der Länder haben Musterpachtverträge mit entsprechenden Regelungsoptionen entwickelt und stellen diese Interessierten zur Verfügung. Im Falle der Zahlungsunfähigkeit des Jagdpächters fällt die Verpflichtung zur Ersatzpflicht an die Jagdgenossenschaft zurück. In verpachteten Eigenjagdbezirken regelt der Jagdpachtvertrag, ob der Jagdpächter Wildschaden auf Flächen, die zum Eigenjagdbezirk gehören, zu ersetzen hat und wenn ja, in welchem Umfang. Bestehen keine vertraglichen Regelungen, ist der Wildschaden nur insoweit zu ersetzen, als der Schaden nachweislich durch eine unzureichende Jagdausübung verschuldet wurde.
Für Wildschaden an Grundstücken, die einem Eigenjagdbezirk angegliedert sind, ist der Eigenjagdbesitzer oder der Nutznießer ersatzpflichtig. Diese können die Ersatzpflicht im Jagdpachtvertrag an den Jagdpächter übertragen. Der Geschädigte muss, um den Rechtsanspruch auf Wildschadenersatz nicht zu verlieren, den Wildschaden auf landwirtschaftlichen Flächen innerhalb einer Woche nach Kenntnisnahme des Schadens bei der zuständigen Behörde anmelden. Wildschäden an forstlich genutzten Grundstücken sind spätestens bis zum 1. Mai oder zum 1. Oktober für das zurückliegende Halbjahr anzumelden. Einige Bundesländer haben davon Gebrauch gemacht, dass vor Beschreitung des ordentlichen Rechtsweges ein behördliches „Vorverfahren" zum Beispiel durch die Gemeindebehörde durchgeführt werden muss. In diesem Vorverfahren können auch Wildschadensschätzer zur Schätzung des Schadens eingesetzt werden. Der von der Behörde aufgrund der Schätzung des Wildschadensschätzers zu ergehende Vorbescheid ist vollstreckbar. Gegen ihn kann von jeder beteiligten Seite beim zuständigen Amtsgericht innerhalb der im Vorbescheid

angegebenen Frist geklagt werden. Zu jedem Zeitpunkt des Wildschadenentschädigungsverfahrens (Vorverfahren) ist eine gütliche Einigung der beiden betroffenen Parteien möglich und deshalb auch – wo immer es geht – ratsam.
Das Bundesjagdgesetz erlaubt den Ländern auch, Wildschadensausgleichskassen für die Entschädigung der Wildschäden bestimmter Wildarten einzurichten. In diesem Falle wird die Ersatzpflicht auf eine größere Anzahl von Beteiligten verteilt.

72 Wie wird der Wildschaden berechnet (Wildschadensberechnung)?

Auszugehen ist bei der Berechnung des Wildschadens vom Normalertrag, der auf dem geschädigten Grundstück je nach Bodengüte, Witterung während der Vegetation und Anbauintensität zu erzielen gewesen wäre. Der Schadensumfang wird je nach Situation an Hand des Schadbildes geschätzt und kann durch Messen, Wiegen, Zählen oder durch Übertragen von Ernteergebnissen vergleichbarer Flächen genauer ermittelt werden. Aufwendungen, die der Geschädigte einsparen kann (beispielsweise die Erntekosten, wenn beim Totalschaden der Acker nicht mehr abgeerntet werden muss), sind abzuziehen, während Kosten, die dem Geschädigten zusätzlich entstehen (z.B. zusätzliche Düngung, Pflege, Pflanzenschutz und Erntekosten), hinzu gerechnet werden müssen. Als Preis ist der Preis zugrunde zu legen, den der Geschädigte bei der Vermarktung der geschädigten Frucht zur Ernte erzielt hätte. Muss er aufgrund des Ernteausfalles Ersatzfrüchte einkaufen, damit er seinen landwirtschaftlichen Betrieb ordnungsgemäß weiterführen kann, so ist der Preis der zugekauften Feldfrüchte zugrunde zu legen. Anstelle des finanziellen Ausgleiches kann der Geschädigte auch Naturalersatz verlangen. Dies setzt aber voraus, dass dieser gleichwertig ist. In regelmäßig aktualisierten Übersichten bieten die Landwirtschaftskammern und staatlichen Beratungsstellen einiger Bundesländer (z.B. Hessen, Rheinland-Pfalz) Richtwerte zur Entschädigung von Aufwuchsschäden aller gängigen Kulturen und Nutzungen an, die die Schadensschätzung erheblich erleichtern können. Gegebenenfalls ist zusätzlich zum Ertragsausfall auch der Aufwand zu ersetzen, der beispielsweise nach Wühlschäden durch Schwarzwild zur Wiederherstellung der Grünlandnarbe oder des Einebnens von Ackerflächen erforderlich ist.
Sehr schwierig und häufig Anlass zu Streitigkeiten ist die Berechnung des Wildschadens im Wald. Hier kann eine Ernte nicht schon im gleichen Jahr eingefahren werden, sondern meist erlebt derjenige, der einen Bestand begründet hat, nicht dessen reguläre Ernte. Auch führen die Schäden, die durch Verbiss, Fegen oder späteres Schälen entstehen, nicht immer zum Totalausfall einer Pflanze, sondern zu Wuchsverzögerungen oder Verkrüppelung von Bäumen. Durch Schälwunden können Pilze angreifen, die das Holz entwerten. All diese Schäden werden auch erst nach vergleichsweise langer Zeit sichtbar und können nur schwer vorausberechnet werden.

73 Wie kann Wildschaden gemindert werden?

Sind Feldfrüchte unmittelbar nach der Aussaat bzw. Anpflanzung stark geschädigt worden, so kann unter bestimmten Umständen durch eine Nachsaat bzw. Nachpflanzung derselben Feldfrucht der Schaden erheblich gemindert werden. Kann diese Feldfrucht nicht mehr angebaut werden, so ist zu überlegen, ob nicht durch den Anbau einer anderen Feldfrucht der Schaden gemindert werden kann. Bei geringeren Schäden ist zu bedenken, dass eventuell durch Düngungs- und Pflegemaßnahmen ein Auswachsen des Schadens bewirkt werden kann. Es besteht die gesetzliche Verpflichtung, die jeweils günstigste, d.h. schadenmindernde Alternative zu wählen bzw. für die Ermittlung des eingetretenen Schadens zu Grund zu legen.

74 Hat der Landwirt eine Schadensminderungspflicht?

Die Wildschadensersatzpflicht nach dem Jagdrecht ist als verschuldensunabhängige Haftung eine Sonderform der gesetzlichen Schadensersatzpflicht nach dem Bürgerlichen Gesetzbuch. Der Anspruch auf Wildschadenersatz ist aber dann verwirkt, wenn der Geschädigte Schutzmaßnahmen des Jagdausübungsberechtigten zur Abwehr von Wildschaden unwirksam gemacht hat. Es gilt für den Geschädigten darüber hinaus auch die Pflicht, sowohl vor als auch nach einem Schadenseintritt das Ausmaß des Schadens so gering wie möglich zu halten. Zu beachten ist dabei, dass eine Minderungspflicht nur insoweit besteht, als ihm die hierfür erforderlichen Maßnahmen zumutbar sind. Zumutbar sind Maßnahmen immer dann, wenn und soweit die damit verbundenen Aufwendungen und Ertragsverluste finanziell ausgeglichen werden und im Rahmen einer ordnungsgemäßen und sinnvollen Bewirtschaftung möglich sind. Beispielsweise muss der Landwirt am Rand einer Maisfläche durch Weglassen einer oder mehrerer Reihen Mais die Möglichkeit zur Einzäunung mittels Elektrozaun einräumen, wenn ihm für den entgangenen Ertrag auf diesem Streifen eine angemessene Entschädigung gewährt wird. Das Gleiche gilt für die Anlage von Bejagungsschneisen.

Ebenfalls kann ein Mitverschulden des Landwirts vorliegen, wenn eine nicht ordnungsgemäße Bewirtschaftung mit ursächlich für den eingetretenen Wildschaden ist, z.B. eine schuldhaft verspätete Ernte.

Kommt der Landwirt seiner Minderungspflicht nicht nach und trifft ihn danach ein Mitverschulden, muss er den Schaden im jeweiligen Umfang gegebenenfalls selbst tragen.

75 Durch welche Maßnahmen kann Wildschaden im Feldrevier vermieden werden?

Bereits in § 1 des Bundesjagdgesetzes wird bestimmt, dass die Hege des Wildes so durchzuführen ist, dass Beeinträchtigungen einer ordnungsgemäßen land-, forst- und fischereiwirtschaftlichen Nutzung, insbesondere Wildschaden, möglichst vermieden werden. Im Fall hoher Wildbestände ist dies in erster Linie die Hege mit der Büchse. Damit wird verständlich, warum der Jagdrechtsinhaber, also die Jagdgenossenschaft oder der Eigenjagdbesitzer, bei der Verpachtung des Jagdausübungsrechts im Jagdpachtvertrag die ihm obliegende Wildschadensersatzpflicht entsprechend auf den Jagdpächter überträgt. Um dieser gesetzlichen

5.27: Ernte von Wintergerste in Maisschlag als Bejagungsschneise

Verpflichtung nachkommen zu können, muss der Jagdausübungsberechtigte andererseits aber auch die notwendigen Voraussetzungen vorfinden, die Jagd auf schadensträchtige Wildarten, insbesondere auf Schwarzwild, effektiv und zielgerichtet ausüben zu können. Neben einer ausreichenden Anzahl von festen und flexiblen Ansitzeinrichtungen ist hierfür auch entsprechendes Schussfeld unabdingbar, was bei den immer größer werdenden Ackerschlägen und in kritischen Kulturpflanzenbeständen wie Raps und Mais in der Zeit bis zur Ernte in manchen Revieren kaum vorhanden ist. Hier kann die Anlage von Bejagungsschneisen in größeren Ackerschlägen ab ca. 5 ha zusammenhängender Größe eine höchst sinnvolle und effektive Möglichkeit darstellen, die Bejagung von Schwarzwild zu erweitern und den Jagderfolg entscheidend zu verbessern und damit hohe Wilddichten zu verringern. In einem Modellvorhaben hat der DJV zusammen mit dem Deutschen Bauernverband die Anlage solcher Schneisen unter verschiedenen Bedingungen getestet und die Ergebnisse in einer Broschüre veröffentlicht.
Im Übrigen stellen die fachgerechte Einzäunung gefährdeter Flächen mit flexiblen Elektrozaun, das Absammeln von Maiskolben nach Wildschaden vor Aussaat der nachfolgenden Kultur, die Anlage von geeigneten Wildäsungsflächen im Wald oder hin und wieder auch Methoden zur Vergrämung des Wildes weitere Möglichkeiten der Vermeidung von Wildschaden dar.

76 Was ist Jagdschaden?

Jagdschaden ist der Schaden an Feldfrüchten, der durch den Jagdausübungsberechtigten, seine Gäste und Helfer, den Jagdaufseher oder Berufsjäger sowie die Jagdhunde während der fahrlässigen Jagdausübung angerichtet wird. Hier haftet für diese Schäden allein der Jagdausübungsberechtigte. Auch dieser Schaden ist vom Geschädigten innerhalb einer Woche nach Kenntnisnahme bei dem für das Grundstück zuständigen Gemeindevorstand anzumelden. Treibjagden auf Feldern mit reifenden Halm- oder Samenfrüchten sowie mit Tabakpflanzen sind verboten. Ansonsten hat der Jäger auf die Interessen der Grundstücksbewirtschafter bei der Ausübung der Jagd Rücksicht zu nehmen und sollte alles tun, um Jagdschäden zu vermeiden.

Reviergestaltung und Hegemaßnahmen in Feldrevieren

77 Welche Bedeutung hat der Feldbau im Hinblick auf die biologische Vielfalt und als Lebensraum für die Arten des Offenlands?

Ein großer Teil unserer Landschaft wird als Kulturlandschaft vom Feldbau geprägt, der seit Jahrhunderten den Lebensraum für eine große Vielzahl von Tier- und Pflanzenarten durch unterschiedliche Nutzungsbiotope erst ermöglicht hat. Damit kommt der landwirtschaftlichen Nutzung auch eine hohe Verantwortung im Hinblick auf die Erhaltung der Artenvielfalt zu.
Auch wenn nicht in allen Belangen dabei wirtschaftliche und existentielle Zwänge mit den Notwendigkeiten des Naturschutzes vereinbart werden können, sollte jeder Landwirt dort, wo ohne größere finanzielle Investitionen und Einbußen Maßnahmen zum Schutz von Tieren und Pflanzen getroffen werden können, diese dem Jäger ermöglichen oder besser noch mit ihm zusammen realisieren, damit dieser seiner gesetzlichen Hegeverpflichtung nachkommen kann.

78 Welche Elemente sind wichtige Lebensräume in der Feldflur?

Neben den ökonomisch intensiv genutzten Anbauflächen, die für sich selbst bereits wichtige Lebensräume darstellen, kommt weiteren landschaftsgestaltenden Elementen wie Wegrändern, Graswegen, Gräben, Gewässern, Feldrainen, Hecken, Feldgehölzen, Streuobstwiesen, Solitärbäumen („Hutebäume"), Brach- und vegetationsfreien Flächen, Lesesteinhaufen und sogar Feldscheunen ebenfalls große Bedeutung als Lebensraum zu. Inselartige Biotope erfüllen dabei als „Trittsteine" neben den linienförmigen Vernetzungselementen wichtige Funktionen im Biotopverbundsystem.

Je vielgestaltiger und enger das Netz an solchen Verbundelementen ist, umso größer und stabiler können die Populationen einzelner Arten sein.

5.28: ausgeräumte Ackerbaulandschaft kurz nach der Saat der Hauptfrüchte

5.29: Hecke in der Feldflur (N. Stöveken/LJV Hessen)

5.30: Wegsaum mit wilder Möhre (N. Stöveken/LJV Hessen)

79 Welche Beeinträchtigungen ergeben sich durch die modernen Landbaumethoden für das Niederwild und andere Arten des Offenlands sowie für die Jagdausübung?

Agrar- und marktpolitische Rahmenbedingungen eines globalen Marktes beeinflussen in erheblichen Umfang die Wirtschaftlichkeit im Anbau verschiedener Kulturpflanzen und entscheiden über deren Anbauwürdigkeit. Zusammen mit dem Zwang zur Rationalisierung im Einsatz von Maschinen und Betriebsmitteln führen diese zu einseitigen Fruchtfolgen und

5.31: Intensiver Maschineneinsatz in der Landwirtschaft (Amt für den ländlichen Raum/Hochtaunuskreis)

immer größer werdenden Flächeneinheiten (Ackerschläge) auf Kosten der Vielgestaltigkeit. Große Schläge, insbesondere aus Raps- und Maisbeständen, können darüber hinaus die Bejagung bestimmter wildschadensträchtiger Wildarten wie dem Schwarzwild erheblich erschweren.
Auch verkürzt enorm hohe Schlagkraft im Maschineneinsatz die Zeitspannen, die für Bodenbearbeitung und Ernte benötigt werden. Damit können sich zu bestimmten Zeiten die Lebensräume schlagartig ändern, sodass bei Mangel an anderen Landschaftselementen wichtige Rückzugsareale zur Ernte („Ernteschock") und in der Folge auch im Winter fehlen. Frühe Erntezeitpunkte bei Pflanzen zur Silagenutzung (Wiese, Ganzpflanzensilage) Mitte/Ende Mai fallen in die Setz-, Brut- und Aufzuchtzeit, sodass es zu hohen Verlusten insbesondere bei Hase, Rehwild und vielen Bodenbrütern kommen kann.

80 Welche Möglichkeiten gibt es, die Lebensraumsituation für Tierarten des Offenlands im Rahmen der landwirtschaftlichen Nutzung zu verbessern?

Grundsätzlich kann jede Maßnahme, die zum Erhalt und zur Erweiterung einer vielgestaltigen Kulturlandschaft beiträgt, auch die biologische Vielfalt fördern und festigen. In einigen Bundesländern ist in den Landesjagdgesetzen vorgegeben, dass ein angemessener Anteil der bejagbaren Fläche zur Anlage qualifizierter Äsungsflächen zur Verfügung gestellt wird, die dem Wild Äsung und im Feld auch Deckung bieten (z.B. § 1 Abs. 2 Hessisches Jagdgesetz: 0,5 %). Hierzu gehört neben einer schonenden Pflege vorhandener und der Einrichtung zusätzlicher Landschaftselemente auch die innovative Erweiterung von möglichen Anbaustrukturen in der Landwirtschaft. Stoppelbrachen, Kleeuntersaaten zu Getreide und Zwischenfruchtanbau beispielsweise sind hervorragende Möglichkeiten zur Verbesserung des Lebensraums für unser Niederwild.
Die zum Teil erhebliche Zunahme des Maisanbaus in direktem Umfeld von Biogasanlagen bei ohnehin schon recht engen Fruchtfolgen hat demgegenüber regional zu einer weiteren Abnahme an Vielfalt geführt, die nicht nur im Bereich der Wildschadensabwehr und des Wildschadensrisikos den Jägern zunehmend Sorge bereitet.
Gerade im Sektor Energiepflanzenanbau beschäftigen sich aktuell eine ganze Reihe neuer Forschungs- und Praxisansätze mit der Suche nach Möglichkeiten der Fruchtfolgeerweiterung und alternativen Energiepflanzen zum Mais, der jedoch auf Grund seiner enormen Biomasseleistung und Energieeffizienz je Flächeneinheit auch im Hinblick auf die zum Teil sehr emotional geführte „Teller-Tank"-Diskussion wirtschaftlich gesehen nahezu konkurrenzlos ist.

5.32: vielgestaltige Kulturlandschaft

5.33: Blühschneise

5.34: begrünte Stilllegungsfläche (N. Stöveken/ LJV Hessen)

5.35: Wildacker im Wald

Das „Netzwerk Lebensraum Feldflur" (www.lebensraum-feldflur.de) unter Federführung des DJV, des CIC, der Deutschen Wildtierstiftung und Beteiligung vieler weiterer Projektpartner hat sein aktuelles Projekt der Einführung eines Anbausystems für „Energie aus Wildpflanzen (EaW)" ins Leben gerufen, um zusammen mit Jägern Land- und Energiewirten, Imkern, Jagdgenossen und Naturschützern vor Ort eine einerseits ökonomisch hinreichend tragfähige, und unter hegerischen Gesichtspunkten sinnvolle Ergänzung zum Mais unter Praxisbedingungen zu testen und einzuführen. Neben pflanzenbaulichen Vorzügen und positiven Wirkungen im Ressourcenschutz kann mit derartigen Anbausystemen das ganze Jahr hindurch ein wertvoller Beitrag zum Erhalt der biologischen Vielfalt geleistet werden.

81 Wie kann in Regionen mit einer hohen Dichte an Biogasanlagen und hohem Maisanteil die Lebensraumsituation für Offenlandarten verbessert werden?

Die zum Teil erhebliche Zunahme des Maisanbaus in direktem Umfeld von Biogasanlagen bei ohnehin schon recht engen Fruchtfolgen hat regional zu einer weiteren Abnahme an Vielfalt geführt, die der Jägerschaft nicht nur im Bereich der Wildschadensabwehr und des Wildschadensrisikos, sondern insbesondere auch bei der Hege des Niederwildes zunehmend Sorge bereitet.

Gerade im Sektor Energiepflanzenanbau beschäftigen sich aktuell eine ganze Reihe neuer Forschungs- und Praxisansätze mit der Suche nach Möglichkeiten der Fruchtfolgeerweiterung und alternativen Energiepflanzen zum Mais, der jedoch auf Grund seiner enormen Biomasseleistung und Energieeffizienz je Flächeneinheit auch im Hinblick auf die zum Teil sehr emotional geführte „Teller-Tank"-Diskussion wirtschaftlich gesehen nahezu konkurrenzlos ist.

5.36: „Bunte Biomasse" – Energie aus Wildpflanzen

Das „Netzwerk Lebensraum Feldflur" (www.lebensraum-feldflur.de) unter Federführung des DJV, des CIC, der Deutschen Wildtierstiftung und Beteiligung vieler weiterer Projektpartner hat sein aktuelles Projekt "Bunte Biomasse" ins Leben gerufen, um zusammen mit Jägern Land- und Energiewirten, Imkern, Jagdgenossen und Naturschützern vor Ort eine einerseits ökonomisch hinreichend tragfähige, und unter hegerischen Gesichtspunkten sinnvolle Ergänzung zum Mais unter Praxisbedingungen zu etablieren. Neben pflanzenbaulichen Vorzügen und positiven Wirkungen im Ressourcenschutz kann mit derartigen Anbausystemen das ganze Jahr hindurch ein wertvoller Beitrag zum Erhalt der biologischen Vielfalt geleistet werden.

82 Welche Rolle spielt die EU-Agrarpolitik bei der Gestaltung der Feldreviere?

Die Ausgestaltung der Agrarpolitik hat wesentliche Auswirkungen auf die Möglichkeiten der Lebensraumverbesserung in der Agrarlandschaft, da hier den landwirtschaftlichen Betrieben umfangreiche Vorgaben zur Bewirtschaftung gemacht werden, die einerseits für die Hegebemühungen der Jägerschaft genutzt werden sollten, andererseits den Spielraum des Landwirts bei der Maßnahmenumsetzung im Einzelfall auch einengen können. Trotz des biologisch-technischen Fortschritts und Rationalisierung ist die Landwirtschaft auf Grund der wirtschaftlichen Rahmenbedingungen zur Existenzsicherung auf Subventionen der Europäischen Union angewiesen. Die Zahlung von direkten Einkommensbeihilfen hat die EU an hochkomplexe Kontrollsysteme und an die Einhaltung bestimmter Verpflichtungen geknüpft, die im Rahmen der „gemeinsamen Agrarpolitik (GAP)" ca. alle sieben Jahre neu ausgerichtet und festgelegt werden. Für die nächste Geltungsdauer ab 2023 sind wesentliche Änderungen zum bisherigen System vorgesehen. So muss sich jeder Landwirt, der direkte Einkommensbeihilfen beantragt, grundsätzlich verpflichten, dezidierte „Grundanforderungen an die Betriebsführung (GAB)" sowie Anforderungen an den „guten landwirtschaftlichen und ökologischen Zustand (GLÖZ) einzuhalten (sogenannte „Konditionalitäten"). Darüber hinaus werden Höhe und Umfang der Einkommensbeihilfen an bestimmte Umweltleistungen des einzelnen Betriebes in Bezug auf Klimaschutz und Erhaltung bzw. Förderung der biologischen Vielfalt geknüpft (so genannte „Ökoregelungen"). Die Vorgaben aus den bereits verabschiedeten einschlägigen EU-Verordnungen sind von den Mitgliedsstaaten unter eigener Ausgestaltung in nationales Recht umzusetzen. Die nationalen Regelungen zur neuen GAP sind in Deutschland im „Konditionalitäten-Gesetz" sowie im „Direktzahlungen-Gesetz" und den zugehörigen Verordnungen festgeschrieben und beinhalten u.a. die Mindeststillegung von Ackerflächen und deren Handhabung sowie den Katalog der festgelegten Ökoregelungen (z.B. Blühflächen).

Daneben eröffnet die EU über spezielle Förderprogramme der Mitgliedssaaten den Landwirten zusätzlich die Möglichkeit, freiwillig an so genannten „Agrarumweltmaßnahmen" im Rahmen des Vertragsnaturschutzes gegen Erstattung von Einkommenseinbußen teilzunehmen, die die Maßnahmen der Einkommensstützung ergänzen sollen. Hierzu gehören neben einer naturschutzfachlich gewünschten, extensiven Grünlandnutzung auch die Förderung des ökologischen Landbaus sowie weitere Maßnahmen. Für die nach der Reform erforderliche Neufassung dieser Agrarumweltprogramme sind in Deutschland jeweils die Bundesländer verantwortlich, über die weitere Details erfragt werden können.

83 Was sollte der Jäger über Brachflächen, Flächenstilllegungen und Schonstreifenprogramme wissen?

In den meisten landwirtschaftlichen Betrieben gibt es Flächen, die für eine freiwillige, auch im Rahmen der EU-Agrarförderung zulässige Stilllegung in Frage kommen. Solche Brachen bieten sich zur Anlage von Äsungs- und Deckungsflächen für das Wild an. Für das Wild und die Jagd stellen diese Flächen eine hervorragende Möglichkeit dar, zusätzliche, vielseitige Äsung und Deckung im Jagdrevier zu schaffen. Von einigen Saatgutfirmen sind für diesen Zweck spezielle Saatgutmischungen entwickelt worden, die auch von dort bezogen werden können. Spezielle Blühmischungen weisen einen hohen Anteil an Blütenpflanzen auf, die Wild- und Honigbienen über die gesamte Vegetation entsprechend Nektar bieten und daher auch von Imkern unterstützt werden. Jagdausübungsberechtigte sollten sich deshalb mit den Landwirten und gegebenenfalls auch mit den Imkern zusammentun, um gemeinsam geeignete Flächen auszuwählen und entsprechend herzurichten. Mit speziellen Schonstreifen, auf denen weder Pflanzenschutz- noch Düngemaßnahmen vorgenommen werden, kann auf geeigneten Standorten auch zur Erhaltung von Ackerwildkräutern beigetragen werden. Bei Beachtung der jeweiligen Förderrichtlinien der Bundesländer können derartige Hegemaßnahmen auch mit öffentlichen Mitteln gefördert werden.

84 Was ist bei Anlage von „Blühflächen" und anderen Flächenbegrünungen zu beachten?

Der Begriff Blühflächen beschreibt zunächst die gezielte Begrünung von Ackerflächen mit dem Ziel der Förderung von bestäubenden Insekten wie Wild- und Honigbienen. Aber auch der Lebensraum für viele weitere Arten, auch für solche, die dem Jagdrecht und damit der jagdlichen Hegepflicht unterliegen, kann so nachhaltig gefördert werden. Solche „Hegeflächen" werden in der Regel mit geeigneten Saatgutmischungen begründet, die sowohl Wildkräuter als auch Kulturpflanzenanteile in unterschiedlichster Zusammensetzung oder auch nur Kulturpflanzen enthalten können. Hierzu gehören auch die im Handel erhältlichen Wildackermischungen sowie landwirtschaftsübliche Ansaatmischungen zu Futterzwecken.

5.37: Verschiedene Wildacker- und Blühmischungen mit ergänzender Rebhuhnfütterung (N. Stöveken/LJV Hessen)

Die Mischungen können je nach Mischungspartner einjährig (Aussaat im Frühjahr mit Nachfolgefrucht im Herbst des gleichen Jahres), überjährig (Aussaat im Herbst nach Ernte der Vorfrucht und Folgefrucht im Herbst des folgenden Jahres) oder mehrjährig ausgelegt sein. Mehrjährige Mischungen enthalten in der Regel sowohl einjährige, zweijährige und mehrjährige Arten und halten je nach Standortbedingungen bis zu 5 Jahre durch. Mehrjährige Mischungen bieten den Vorteil, sowohl in der Paarungs-, Setz-, Brut- und Aufzuchtzeit, zur Ernte der Hauptfrüchte zwecks Vermeidung des „Ernteschocks" geeigneten Lebensraum sowie Überwinterungsbereiche vorzuhalten.

Nach Ende der Standzeit sollte die Fläche im Rahmen der landwirtschaftlichen Fruchtfolge gewechselt werden oder zumindest eine andersartige Mischung auf der gleichen Fläche folgen.

85 Wie lässt sich die Anlage von Blühflächen, Wildäckern und Wildwiesen begründen?

5.38: Vielfalt im Ackerbau durch die gezielte Anlage von Blühflächen

Das Bundesjagdgesetz verpflichtet den Jagdrechtsinhaber zur Hege des Wildes (§ 1, 1 und 2). Inhalt des Jagdschutzes (§ 23) ist nach diesem Gesetz auch der Schutz des Wildes vor Futternot. Wildäcker und -wiesen können zur Verringerung von Wildschäden und – richtig angelegt – zur Minderung von Verkehrsschäden beitragen. Eine weitere Funktion von Wildäckern liegt in der Schaffung auch von Deckungsflächen, insbesondere in Feldrevieren. Ein gutes Einvernehmen mit den örtlichen Landwirten und Grundeigentümern trägt dazu bei, dass genügend Flächen bereit gestellt und diese auch günstig bewirtschaftet werden. Die von der Agrarpolitik der EU sanktionslos zugelassenen Brachflächen können hervorragend als „Wildackerersatz" wildfreundlich eingesät werden. Dabei sind viele kleine über das ganze Revier verstreute Wildäcker und -wiesen günstiger als eine einzige große Fläche. Die Ausführungsgesetze der Bundesländer zum Bundesjagdgesetz können allerdings die Anlage sowie die Bestellung von Wildäsungsflächen im Wald einschränken.

86 Welche Vorteile bietet der Wildacker?

Er kann ganz gezielt mit einer oder mehreren Früchten entsprechend den vorkommenden Wildarten eingesät werden, um über das gesamte Jahr hinweg Äsung und Deckung, aber auch beruhigte Bereiche in der Setz-, Brut- und Aufzuchtzeit zu bieten. Mit ihm lassen sich Äsungsengpässe im Revier überbrücken und damit Wildschäden an Forst- und Agrarflächen mindernund zum Beispiel auch bei geschickter Anlage Verkehrsunfallschwerpunkte entschärfen. Gegenüber der Wildwiese hat er den Vorteil, dass das Pflanzenangebot jährlich überprüft und in seiner Zusammensetzung verändert werden kann.

87 Welche Vorteile bietet die Wildwiese?

Sie ist Dauergrünland und muss nicht jährlich neu bestellt werden. Der Arbeitsaufwand ist bis auf eine jährliche Pflegemahd oder Mulchen eher gering. Dem Wild bietet sie ganzjährig Äsung, sieht man von hoher Schneelage oder Vereisung ab. Die Äsung ist vielseitig, denn sie bietet die verschiedensten Gras-, Kräuter- und Kleearten.

88 Welche Saatmischungen für Wildäcker und Wildwiesen gibt es?

Einzelne Firmen haben Saatmischungen zusammengestellt, die beispielsweise einjährig (nicht winterhart), zwei- oder mehrjährig genutzt werden können. Andere Mischungen enthalten wertvolle (Wild-) Kräuter, die das Wild auf den intensiv genutzten landwirtschaftlichen Flächen nicht finden kann. Wieder andere sind speziell für einzelne Wildarten zusammengestellt. Dies trifft auch für die Saatmischungen für Wildwiesen zu. Grundsätzlich gilt: Je größer der Anteil in Wildackermischungen an Wildkräutern gegenüber Kulturarten ist, umso länger ist die Standzeit der Mischung, bevor neu angesät werden muss. Die Hinweise der Verkaufsfirma sollten bei der Aussaat entsprechend genau beachtet werden.

89 Ist Pflanzenschutz auf Wildwiesen, Wildäckern und Stilllegungsflächen nötig?

Da hier eine Hochleistungsproduktion nicht angestrebt ist, können aufkommende Wildpflanzen, sofern sie nicht sowieso schon in der Mischung vorhanden und solange einige wenige Arten nicht verdrängend oder bestandsbildend wirken, das Äsungsangebot für das Wild, die Blütentracht für Wild- und Honigbienen und als Habitatpflanzen für viele weitere Arten durchaus bereichern. Daher kann auf den Einsatz von Herbiziden zur Beikrautregulierung in aller Regel verzichtet werden. Allerdings ist darauf hinzuweisen, dass je nach bisheriger Bewirtschaftung der Fläche die Gefahr einer Verunkrautung mit Problemunkräutern wie Disteln, Ampfer oder Quecke durchaus gegeben ist, weswegen bei der Anlage von Blühflächen und Wildäckern wie bei allen anderen Kulturen besondere Sorgfalt bei der Bodenbearbeitung, der Saatbettvorbereitung und der Aussaat geboten ist. Sollten im Ausnahmefall Pflanzenschutzmaßnahmen unumgänglich sein, zum Beispiel vor einer Einsaat gegen Problemunkräuter, sind die Vorschriften des Pflanzenschutzrechts zwingend zu beachten.

5.3 Waldbau

Woher kommt unser Wald?

Wer mit offenen Augen durch unsere Wälder geht, der kann in ihm lesen wie in einem offenen Buch: Mächtige Eichen erzählen von der Schweinemast im Mittelalter, Nadelbaumreinbestände von den großen Wiederbewaldungsmaßnahmen des 19. und 20. Jahrhunderts und kahle Rücken von folgenschweren Stürmen wie „Vivian und Wiebke" aus dem Jahr 1990, „Lothar" vom 2. Weihnachtstag 1999 und „Kyrill" aus dem Jahr 2007. Sowohl der Mensch als auch die Natur selbst haben seit dem Ende der Eiszeiten vor etwa 16.000 Jahren unserer Landschaft ihr heutiges Gesicht gegeben. Damals gab es bei uns keinen Wald und die Baumarten mussten erst langsam aus ihren Rückzugsgebieten aus Süd-Ost- und Süd-West-Europa zurückwandern. Vor rund 14.000 Jahren war es in Mitteleuropa unwirtlich kalt und nur anspruchslose Pflanzen wie Zwerg- und Strauch-Birke trotzten dem Wetter. Erst um 8.000 v. Chr. siedelte sich auch die Hänge-Birke wieder an, die sich während der Eiszeiten in wärmere Refugien zurückgezogen hatte. In der folgenden Frühen Wärmezeit (ca. 6.600 bis 5.400 v. Chr.) kehrte die Hasel zurück. In der sich anschließenden Eichenmischwaldzeit (5.400 bis 2.500 v. Chr.) war es dann so warm (sogar wärmer als heute!), dass auch Eichen, Linden, Ulmen, Eschen, Ahorne und Elsbeeren aus ihren Exilen im Süden Europas zurückkehrten. Erst um 2.500 v. Chr. wanderten auch Rot-Buche und Weiß-Tanne ein. Um 700 v. Chr. jedoch kam es zu einem Temperatursturz, der nachhaltig die Baumartenzusammensetzung der Wälder beeinflusste. Die Rot-Buche, die besser mit den kalten Temperaturen zurechtkam, war von nun an den Eichen überlegen und dominierte immer mehr die Fläche. Da das Klima zu dieser Zeit vergleichbar mit den heutigen Zuständen war und der Einfluss des Menschen auf den Wald noch relativ gering, ist diese Zeitspanne von 700 v. Chr. bis 800 n. Chr. eine wichtige Referenzzeit für den heutigen Waldbau. Aufgrund von Pollenanalysen weiß man, dass die Baumartenzusammensetzung um 700 v. Chr. völlig anders war als heutzutage. Die damalige Baumartenzusammensetzung wird als **Regionalwald** bezeichnet. Nadelbäume waren seinerzeit weitaus seltener. Die Wald-Kiefer kam v.a. in warm-trockenen Tieflagen vor, Fichte und Weiß-Tanne eher im montanen bis subalpinen Bereich. In den Mittelgebirgen und Tieflagen dominierte mit großem Abstand die Rot-Buche, gefolgt von Stiel- und Trauben-Eichen. Bis auf extreme Standorte wie Moore, Binnendünen, gewässernahe Bereiche und felsige Steillagen war **Mitteleuropa fast vollständig bewaldet**. Seit der Keltenzeit bis Ende des 18. Jahrhunderts ging die Waldfläche durch Rodungen ständig zurück mit Schwerpunkten während der großen Rodungswellen im 7./8. und 12./13. Jahrhundert. Eine große Rolle spielte die **Waldweide**. In die Wälder wurden regelmäßig Schweine, aber auch Rinder und Ziegen getrieben, die die Mast (= Eicheln und Bucheckern) und Bodenvegetation aufnahmen. Diese Form der Bewirtschaftung führte zu einer extremen Nährstoffverarmung. Die Streu auf dem Waldboden nämlich wurde zusammengerecht (oder sogar von den Bäumen geschnitten) und anschließend als Einstreu oder Viehfutter in die Ställe gebracht. Damit wurde ein wichtiger Kreislauf unterbrochen und dem Wald mit den Blättern wichtige Nährstofflieferanten entzogen. Denn nur wenn die Blätter auf dem Waldboden liegen bleiben und von Mikroorganismen zersetzt werden können, stehen die in ihnen gespeicherten Nährstoffe den Bäumen auch wieder zur Verfügung. Mit Einführung der Stallhaltung wurde die Waldweide in den meisten Gebieten spätestens Anfang des 20. Jahrhunderts aufgegeben.

Der Wiederaufbau im 19. Jahrhundert

Nach intensiver Ausbeutung der Wälder durch Streunutzung, Waldweide, Brenn- und Bauholzernte war der Wald Ende des 18. Jahrhunderts stark verarmt. Die Böden waren ausgelaugt, die Nährstoffe ausgetragen und die Wälder ähnelten immer mehr Parks, denn die Bäume standen sehr licht, Gras und Heidekraut wuchsen üppig auf den Flächen dazwischen. Zu Beginn des 19. Jahrhunderts begann der **Wiederaufbau der Wälder**. Man säte großflächig Fichten- und Kiefernsamen. Die Voraussetzungen für ein Aufgehen der Saat waren gut, denn auf den nährstoffarmen Böden war die Konkurrenzvegetation nur sehr schwach vorhanden. Auch der Äsungsdruck durch das Wild war ab Mitte bis Ende des 19. Jahrhunderts gering, denn das Jagdregal, das die höfische Jagd ausschließlich den Adligen erlaubt hatte, war mit der Revolution 1848 in vielen Landesteilen abgeschafft worden und nun durften auch die Bauern jagen, was sie dann auch eifrig taten. Die heimischen Laubbaumarten kamen zu den gesäten Nadelhölzern durch Naturverjüngung von selbst hinzu. Die Pflanzung gewann erst Mitte des 19. Jahrhunderts an Bedeutung. Mit Beginn der 20er Jahre des 20. Jahrhunderts änderte sich die Forst- und Jagdpolitik wieder mehr in

Richtung der Hege hoher Wildbestände, oft unter Vernachlässigung waldbaulicher Ziele. Die Jagd auf Rotwild hatte selbst im Staatswald oft einen höheren Stellenwert als der Waldbau, was zu verheerenden Schäden führte, die Jahrzehnte lang nachwirken, da durch Schälwunden Pilze in das Holz eindringen, die zur Holzfäule und damit Entwertung führen. Die hohen Schalenwildbestände gingen zu Lasten der verbissgefährdeten Baumarten wie Weiß-Tanne, Ahorn, Eiche und Esche, denn Rehe äsen selektiv und am liebsten das, was selten ist. Deshalb mussten die Bestände nun häufig eingezäunt werden. Natürliche Feinde wie Wolf, Bär und Luchs waren fast überall ausgerottet und wandern erst in jüngerer Zeit hier und dort wieder ein.

Stürmische Zeiten und ihre Folgen

Schadereignisse von bisher unbekanntem Maße waren die **Sturmtiefs „Vivian"** und **„Wiebke"** vom 28. Februar und 1. März 1990, **„Lothar"** vom 26. Dezember 1999 sowie **„Kyrill"** vom 18./19. Januar 2007, die zu riesigen Kahlflächen führten. Warum traf es gerade die Nadelbäume? Die immergrünen Fichtenbestände boten den Sturmböen (mit ihren niemals zuvor gemessenen Werten) eine weitaus größere Angriffsfläche als die winterkahlen Laubholzbestände. Außerdem wurzelt die Fichte auf den oft sauerstoffarmen Böden mit hoch anstehendem Grundwasser nur flach und ist daher sehr labil. Hinzu kam, dass die **Borkenkäfergefahr** aufgrund des hohen Anteils brutfähigen Holzes stieg. Verschärft wird diese Situation durch die heißen, trockenen Sommer 2003, 2018 bis 2020. Nie zuvor wurden heißere und trockenere Sommer gemessen. Bei der Wiederbewaldung der Sturmwurfflächen wird heutzutage die Stabilität der Baumarten auf Grundlage der Standortskartierung berücksichtigt; außerdem werden viele Flächen nicht mehr bepflanzt, sondern der natürlichen Wiederbewaldung (Sukzession) überlassen, was ökologisch und ökonomisch in vielen Fällen sinnvoller ist. Es kommt nun in besonderem Maße darauf an, dass der Schalenwildbestand durch engagierte Bejagung niedrig gehalten wird, denn bei hohem Wilddruck werden die Laubbaumarten sowie die stabile und bodenpflegliche Weiß-Tanne selektiv verbissen, während die kaum verbissgefährdeten Kiefern und Fichten übrig bleiben. Das würde langfristig wieder zu labilen Fichten- und Kiefernbeständen führen. Ziel der naturnahen, multifunktionalen Forstwirtschaft ist es jedoch, einen standortgerechten, stabilen und naturnahen Mischwald aufzubauen. Denn nur so ist gewährleistet, dass auch künftige Generationen von „ihrem Wald" als Wind-, Lärm und Immissionsschutzwald profitieren, ihn als Erholungsraum nutzen und den nachwachsenden Rohstoff Holz ernten können sowie der Wald als Wasserspeicher und Wasserlieferant helfen kann, unsere Lebensgrundlagen langfristig zu sichern. Das heutige Waldbild, der heutige Waldzustand und die Baumartenverteilung sind Ergebnis jahrtausendelanger intensiver Nutzung durch Menschen. Nur noch, oder je nach Betrachtungsweise immer noch, 32 % unserer Landesfläche sind bewaldet mit leicht steigender Tendenz. Durch eine Klimaveränderung wird es zu weiteren, gravierenden Veränderungen in unseren Wäldern kommen.

Betriebsarten, Waldformen, Waldfunktionen

90 Wie hoch ist das Bewaldungsprozent in der Bundesrepublik Deutschland und wem gehört der Wald?

Der Anteil beträgt rd. 31 % (ca. 11,1 Mio. Hektar). Auf jeden Einwohner entfallen somit 0,13 Hektar Wald. 59 % sind Nadel-, 41 % Laubholz. Die Besitzverteilung ist in Deutschland wie folgt: 44 % Privatwald, 33 % Staatswald, 20 % Körperschaftswald und 3 % Treuhandwald (Zahlen gem. Bundeswaldinventur 2004).

91 Was versteht man unter dem Begriff „Nachhaltigkeit"?

Dieser Begriff entstand aus der Holznot. Schon im 16. Jahrhundert erkannte man, dass Holz nicht unbegrenzt zur Verfügung steht und durch die intensive Übernutzung knapp wurde. Im Jahr 1713 schrieb der Bergbauingenieur Hannß Carl von Carlowitz von der „nachhaltenden Nutzung". Er war verantwortlich für die Versorgung von Bergwerken mit Holz und erkannte, dass dieses immer knapper wurde. Damals bedeutete Nachhaltigkeit, dass in einem bestimmten Waldstück nur maximal so viel Holz genutzt wird, wie im selben Zeitraum nachwächst. Heute wird der Begriff im Wald weiter gefasst und bedeutet, dass die Vielfachfunktionen – also neben der Nutzfunktion auch die Erholungsfunktion und die verschiedenen Schutzfunktionen, wie Lärm-, Wind-, Sicht-, Gewässer-, Erosions-, Lawinen- und Naturschutz auf Dauer, das heißt für künftige Generationen, in mindestens gleichbleibendem Umfang gewährleistet werden. Mittlerweile wurde der Begriff auf viele weitere gesellschaftliche und wirtschaftliche Bereiche ausgedehnt und bedeutet, dass immer etwas zum Wohle künftiger Generationen bewahrt werden soll.

92 Was versteht man unter Zertifizierung in der Waldwirtschaft?

Im Zuge einer Zertifizierung werden von unabhängigen Gesellschaften Gütesiegel für Waldprodukte vergeben, die wirtschaftlich, sozial und ökologisch nachhaltig erzeugt werden. Die bekanntesten Zertifizierer sind FSC (Forest Stewardship Council) und PEFC (Programme for Endorsement of Forest Certification Schemes). Im weiteren Verlauf werden auch der Transport und die Bearbeitung der Waldprodukte bis zum Endverbraucher zertifiziert, so dass der Kunde sicher sein kann, dass ein Holzprodukt mit einem dieser Gütesiegel aus nachhaltiger, pfleglicher Forstwirtschaft stammt. Mittlerweile ist ein Großteil unserer Wälder zertifiziert.

93 Welche Betriebsarten gibt es in Deutschland?

Außer dem **Hochwaldbetrieb**, bei dem Bestände oder Einzelbäume aus Samen und Früchten hervorgehen (Kernwuchs), gab es im Mittelalter bis zu Beginn des 20. Jahrhunderts noch den Nieder- und Mittelwaldbetrieb. Im **Niederwaldbetrieb** wurde die flächenhafte Nutzung junger Laubbäume planmäßig durch „auf den Stock setzen" vollzogen. In Umtrieben von ca. 10 bis 40 Jahren wurden ausschlagfähige Laubbaumarten kleinflächig geschlagen. Der Wald wurde in eine der Umtriebszeit entsprechende Zahl von Schlägen eingeteilt – beispielsweise 20 Schläge à 1 Hektar, von denen jährlich ein Hektar genutzt wurde. Damit wurde bereits im 12. Jh. das Prinzip der Nachhaltigkeit praktiziert. Dabei machte man sich die Fähigkeit vieler Laubbaumarten zunutze, sich vegetativ über Stockausschläge zu vermehren; dies sind v.a. Stiel- und Trauben-Eiche, Hainbuche, Hänge-Birke, Hasel und Linden, aber auch seltenere Baumarten wie Feld-Ahorn, Elsbeere und Mehlbeere. Unter einem **Mittelwald** versteht man die kombinierte Nutzung von Laub-Schwachholz aus Stockausschlägen und Starkholz aus Kernwüchsen. Dabei wurde auf bestimmten Flächen in kurzfristigem Wechsel (ca. 10 bis 30 Jahre) schwaches Gerten- und Stangenholz, sog. „Unterhölzer" wie im Niederwald (s.o.) genutzt, d.h. auf den Stock gesetzt. Dabei wurden auch einzelne nutzbare Starkhölzer, die „Oberhölzer" gehauen. Schwächere Kernwüchse wurden vom Einschlag verschont und konnten als sog. „Lassreiser" durchwachsen. Beide heute unbedeutenden Betriebsarten dienten früher u.a. der Gewinnung von Brennholz, Holzkohle (Kohlenmeiler), Zaun- und Weinbergspfählen, Bindematerial und von Eichenrinde als Mittel zur Gerbung des Leders (Eichenschälwald). Das Eichenstarkholz aus dem Mittelwald wurde als Bauholz, v.a. für Fachwerke genutzt, die Bäume gaben eine hervorragende Mast für Schweine, die in den Wald getrieben wurden. Das Ende für beide Betriebsarten kam Anfang des 20. Jahrhunderts mit dem zunehmenden Ersatz durch fossile Brennstoffe, imprägniertem Fichtenholz als Bau- und Zaunholz und von synthetischen Gerbstoffen. Derzeit erlebt der Brennholzmarkt wegen der knapper und teurer werdenden fossilen Brennstoffe wieder einen Aufschwung.

94 Was war die ursprüngliche Funktion des Waldes für den Menschen?

Ursprünglich hatte der Wald eine Nutzfunktion. Seit jeher ist der Forst Rohstofflieferant. Er liefert auch heute noch rd. 50 % des in Deutschland benötigten Holzes. Für den Waldbesitzer sichert er oft die wirtschaftliche Existenz. Die Forstwirtschaft gibt nicht nur Waldarbeitern und Forstleuten Arbeit. Etwa 1,1 Mio. Beschäftigte sind in der deutschen Forst- und Holzwirtschaft und Papierindustrie beschäftigt. Sie erarbeiten einen Jahresumsatz von rd. 100 Mrd. €. Neben dem Holz liefert der Wald Wildbret, Heilpflanzen, Pilze, Beeren, Honig sowie Schmuckreisig, die sogenannten Nebennutzungen. Heute sind die Nutz-, Schutz- und Erholungsfunktion gleichrangig im Bundeswaldgesetz und in den Landeswaldgesetzen verankert. Je nach Ansprüchen an den Wald können einzelne der genannten Funktionen Vorrang haben.

95 Worin zeigen sich die Schutzfunktionen?

Wald gleicht klimatische Extreme aus. Er bremst den Wind und lässt Temperaturen nicht so schnell fallen. Er reinigt die Luft, sammelt Oberflächenwasser und gibt es lang andauernd an Untergrund, Seen und Flüsse ab. Er verhindert Bodenerosionen und Bodenverwehungen. Er schützt vor Lärm, unterbindet das Entstehen von Lawinen und bremst kleinere Lawinen. Wald schützt vor Schneeverwehungen, Steinschlag und Seitenwind. Außerdem ist er in der Lage, Immissionen teilweise auszufiltern, was der Luftqualität zu Gute kommt, allerdings den Waldboden mit Schadstoffen zusätzlich belastet.

96 Warum hat der Wald einen hohen Stellenwert in der Erholungsfunktion?

Die ausgeglichene Temperatur, die vergleichsweise hohe Luftfeuchtigkeit, die Sauberkeit der Luft und die Stille fördern die Gesundheit. Gestresste Menschen können Ablenkung und Erholung im Naturerlebnis, beim Pilze- oder Beerensammeln oder beim Beobachten von Tieren finden. In den letzten Jahrzehnten werden die Waldwege zunehmend zum Joggen, Reiten, Skilanglauf, Walken und Mountainbiking genutzt, woraus sich häufig Konflikte ergeben. Vor allem in der Nähe von Ballungszentren sollte diesen Konflikten durch ein umfassendes Konzept der Besucherlenkung vorgebeugt werden. Wichtig ist, dass an dieser Stelle die Jäger mit den zuständigen Forst- und Naturschutzbehörden gemeinsam vorgehen. Erfolge solcher Konzepte zeigen sich z.B. im Schönbuch, dem Naherholungsgebiet vor den Toren von Stuttgart, wo trotz eines Ansturms von teilweise über 10.000 Besuchern täglich Wild – auch Rotwild – am Tage zu beobachten ist.

97 Was meint man mit der Behauptung, der Wald sei Lebens- und Strukturraum?

Der Wald beherbergt als Ökosystem viele Pflanzen- und Tierarten, die in einer Symbiose zu gegenseitigem Nutzen zusammenleben oder auf Kosten eines anderen Organismus schmarotzen. Die Konsumenten nehmen vom Überfluss, Zersetzer verwandeln abgestorbenes Holz und Laub wieder in Kohlendioxyd und Mineralstoffe. Der Wald strukturiert die Landschaft, macht sie abwechslungsreich, bestimmt den Charakter ganzer Gebiete, z.B. der Mittelgebirge. Durch Rekultivierung von Kiesgruben und Müllhalden mit Wald lassen sich Wunden in der Landschaft schließen.

5.39: Wo vom Standort her möglich, versucht man, Nadelholz-Reinbestände mit Laubholz zu unterbauen, um eine Verbesserung der Bodenstruktur zu erreichen.

98 Was unterscheidet einen Urwald vom Forst?

Urwälder sind Wälder, die durch den Menschen völlig unbeeinflusst sind. Solche Wälder findet man in Deutschland nicht mehr. Erst nach mehreren Waldgenerationen werden in Gebieten, in denen der Wald überhaupt nicht mehr genutzt wird, wie z.B. im Nationalpark Bayerischer Wald, urwaldähnliche Formen entstehen; ursprüngliche Urwälder können nicht mehr entstehen, da der menschliche Einfluss, beispielsweise auch durch Klimaveränderung und Immissionen, allgegenwärtig ist. Der heutige Wald, auch als Forst bezeichnet, wurde zumeist vom Menschen gepflanzt oder gesät. Er besteht in vielen Gegenden aus ehemals dicht gepflanzten Nadelbaumbeständen. Solche Wälder lassen häufig wenig Licht auf den Boden. Eine Krautschicht ist daher nicht oder nur gering vorhanden, das Tierleben sehr arm. Kiefernwälder stocken überwiegend auf ärmeren Standorten, wie z.B. auf Sandböden in Nordwest- und Nordostdeutschland, im Pfälzerwald und in Nordostbayern. Die Kiefer wurde – wie die Fichte – seit Beginn des 19. Jahrhunderts durch künstliche Begründung weit verbreitet, da die ursprünglichen Laubmischwälder entweder gerodet oder stark übernutzt waren. Die abfallenden Nadeln der Kiefer und Fichten zersetzen sich nur langsam und führen oft zu mächtigen (sauren) Rohhumusdecken. Eine stabile Waldform ist ein stufig aufgebauter Mischwald aus standortsgerechten Baumarten. Die in Süddeutschland vorkommenden **Bergmischwälder** beispielsweise setzen sich überwiegend aus Fichte, Weiß-Tanne, Rot-Buche und Berg-Ahorn zusammen. Von Natur aus wären Buchenmischwälder bei uns am weitesten verbreitet. Sie wachsen in ihrer ursprünglichen Form auf großer Fläche im mittleren Bergland (z.B. Spessart, Steigerwald, Rhön, Vogelsberg, Thüringer Wald, Rheinisches Schiefergebirge), aber auch im Flachland (Holstein, Mecklenburg). Auf Böden, die der Rot-Buche qualitativ nicht ausreichen, finden wir unter natürlichen Verhältnissen vor allem Birken- und Eichenwälder. Besonders wertvolle Eichen wachsen im Pfälzerwald und im Spessart. An Flüssen und Bächen entlang ziehen sich die Restbestände der Auewälder. Die **Weichholzaue**, die jährlich von Hochwassern überschwemmt wird, besteht aus Weidengebüschen, Schwarz-Pappeln oder Erlen. Flatter- und Feld-Ulme, Esche, Stiel-Eiche, Traubenkirsche, Walnuss, Schwarznuss, Wild-Apfel

5.40: Im Plenterwald findet man verschiedene Baumarten aller Altersstufen nebeneinander.

und Wild-Birne besiedeln die höhergelegene **Hartholzaue**. Viele Tier- und Pflanzenarten finden hier ihren Lebensraum. Durch die Fluss- und Bachbegradigungen, Ausdeichung, Besiedlung, Verkehrsflächen, Industrialisierung, intensive landwirtschaftliche Nutzung und Entwässerung sind fast alle Auewälder verschwunden.

99 Was ist Ziel des Bundeswaldgesetzes (vom 02.05.1975, zuletzt geändert durch Artikel 1 des Gesetzes vom 31. Juli 2010)?

„Zweck dieses Gesetzes ist insbesondere,

» den Wald wegen seines wirtschaftlichen Nutzens (Nutzfunktion) und wegen seiner Bedeutung für die Umwelt, insbesondere für die dauernde Leistungsfähigkeit des Naturhaushaltes, das Klima, den Wasserhaushalt, die Reinhaltung der Luft, die Bodenfruchtbarkeit, das Landschaftsbild, die Agrar- und Infrastruktur und die Erholung der Bevölkerung (Schutz- und Erholungsfunktion) zu erhalten, erforderlichenfalls zu mehren und seine ordnungsgemäße Bewirtschaftung nachhaltig zu sichern,

» die Forstwirtschaft zu fördern und

» einen Ausgleich zwischen dem Interesse der Allgemeinheit und den Belangen der Waldbesitzer herbeizuführen“

Es regelt auch in § 14 (1), dass das Betreten des Waldes zur Erholung und auf eigene Gefahr gestattet ist. Die Länder regeln die Einzelheiten.

100 Wie wird der Begriff Wald im Bundeswaldgesetz definiert?

Nach § 2 (1) dieses Gesetzes ist jede mit Forstpflanzen bestockte Grundfläche Wald. Als Wald gelten auch kahlgeschlagene oder verlichtete Grundflächen, Waldwege, Waldeinteilungs- und Sicherungsstreifen, Waldblößen und Lichtungen, Waldwiesen, Wildäsungsplätze, Holzlagerplätze sowie weitere mit dem Wald verbundene und ihm dienende Flächen.“

Waldbewirtschaftung

101 Was sind Ziele des modernen Waldbaus?

Auf Grundlage der Erfahrungen, die insbesondere in den letzten Jahrzehnten gemacht wurden, vermeidet man heute Kahlschläge, ebenso gleichaltrige Reinbestände. Der Wald soll mit standortsgemäßen Baum- und Straucharten möglichst artenreich und stufig aufgebaut sein, der Holzvorrat sich in qualitativ bester Verfassung und auf optimaler Höhe befinden. Ziel ist also eine Dauerbestockung von gesundem, stabilem Mischwald, die erreicht wird, indem junge Bäume im Schutz der alten allmählich nachwachsen. Zusätzlich soll in begrenztem Umfang stehendes und liegendes Totholz im Wald verbleiben. Dieses bietet einer Vielzahl von spezialisierten Tier-, Pflanzen- und Pilzarten Lebensraum. Zugleich werden dem Boden durch die Verrottungsprozesse wichtige Nährstoffe wieder zugeführt.

102 Welche Methoden der Waldbehandlung und Waldverjüngung unterscheidet man?

Die **naturgemäße Waldwirtschaft** bedeutet die Abkehr vom Altersklassenwald, in dem jeweils auf einer Fläche gleichaltrige Bäume, meist nicht in Mischung mit anderen Baumarten, bewirtschaftet werden. Sie wendet die einzelstammweise Pflege und Nutzung konsequent an und hat je nach Standortskraft gemischte, ungleichaltrige, standortsgerechte, stabile Dauerbestockungen – **Dauerwald** – auf ein und derselben Fläche zum Ziel anstelle von gleichaltrigen Reinbeständen auf verschiedenen Flächen. Wo immer möglich, werden die Bäume natürlich verjüngt, d.h. aus herabfallenden Samen und Früchten.

In den höheren Lagen des Schwarzwaldes und im Alpenraum wird seit vielen Jahrhunderten der **Plenterwaldbetrieb** praktiziert, in dem Schatten ertragende Nadel- und Laubbäume, v.a. Weiß-Tannen, Fichten und Rot-Buchen aller Altersstufen gemischt wachsen. Hier wird nicht flächenweise genutzt, sondern man entnimmt überwiegend einzelne starke Bäume, was man Plenterhieb nennt. An den Hiebstellen stellt sich Naturverjüngung ein. Das Schwachholz wird als Industrie- und Brennholz verwendet, das Starkholz als Bauholz. Es handelt sich um eine pflegliche, nachhaltige, kahlschlagsfreie Nutzung, die durch den stufigen Aufbau zu sehr stabilen Wäldern führt. Das Auerwild findet in Plenterwäldern teils sehr gute Lebensbedingungen, denn hier gibt es Schlafbäume, Deckung und Nahrung in Form von Beeren und Nadeln.

Werden dem Altholzbestand nicht nur einzelne Bäume entnommen, sondern kleine Gruppen in unregelmäßiger Verteilung, spricht man vom **Femelschlagbetrieb**, in dem die sich einfindende Naturverjüngung in den Femellöchern mit fortschreitenden Hiebseingriffen in langen Zeiträumen ineinander übergeht.

Im **Schirmschlagbetrieb** – früher das Hauptverjüngungsverfahren bei der Rot-Buche – werden alte Bäume gleichmäßig über die Fläche verteilt entnommen, um das Kronendach aufzulichten. Mittels dieser Vorbereitungshiebe wird der Boden für das Keimen der Samen und Früchte vorbereitet. Es folgen dann weitere Hiebe, bis nach etwa 20 bis 40 Jahren die neue Waldgeneration die alte abgelöst hat. Dieser Betrieb führt allerdings wiederum zu nahezu einschichtigen Beständen und wird daher heute nur noch selten angewendet.

Im **Saumschlagbetrieb** schreiten die Hiebe auf schmalen Streifen, am besten aus nord-östlicher Richtung, stetig fort, wobei sich an den Altholzrändern Naturverjüngung einfindet.

Im **Kahlschlagbetrieb** wird der Waldbestand auf einer bestimmten Fläche auf einmal eingeschlagen. Arbeitstechnisch ist der Kahlhieb sehr günstig, da jeweils große Holzmengen anfallen und mit entsprechendem Maschineneinsatz vorgegangen werden kann. Nach der Wiederaufforstung leiden die Jungpflanzen oft unter Trockenheit und Frost, Schäden durch Mäuse, Käfer und Pilze, zudem unter Wildverbiss, meist viel mehr als im Halbschatten wachsende Pflanzen. Zudem stellt sich eine sehr konkurrenzstarke Kahlschlagsvegetation ein, es kommt zu einem Versauerungsschub der Böden und an Hängen kann es zu Erosionsschäden kommen. Für benachbarte Bestände besteht hohe Windwurfgefahr, da von heute auf morgen der schützende Nachbarbestand fehlt. Aus diesen Gründen wird der Kahlschlagbetrieb kaum noch angewendet.

5.41: Auf manchen Kulturen werden die gepflanzten Bäume mit Wuchshüllen vor Verbiss, Fegeschäden und Auskühlung geschützt.

103 Wie wird ein Bestand künstlich begründet?

Unter einer künstlichen Bestandsbegründung versteht man **Pflanzung** oder **Saat** auf Kahlflächen oder unter Schirm. Die Pflanzenverbände sind bei Kiefer am engsten, z.B. 2 m von Reihe zu Reihe, 1 m in der Reihe (5.000 Pflanzen je ha). Bei der Fichte, die früher oft im 1 m x 1 m-Verband gepflanzt wurde, ist man längst zu weiteren Verbänden übergegangen, z.B. 3 m x 2 m, das sind rd. 1.670 Pflanzen je ha. Bei Laubbäumen werden heute i.d.R. 3.000 bis 8.000 Pflanzen je ha gepflanzt. Die Pflanzen werden zumeist von Forstbaumschulen bezogen und im Alter von zwei bis vier Jahren gesetzt. Bei der Eichen-Truppflanzung werden an ca. 60 Stellen pro ha je 20 Eichen und 10 Hainbuchen sowie Winter-Linden gepflanzt; diese sorgen durch ihre Beschattung für eine natürliche Astreinigung der Eichen – und damit Wertsteigerung – und verhindern den Austrieb von Sekundärästen, sogenannten Wassereisern. Zugleich werden Gräser, Brombeeren und Adlerfarn ausgedunkelt, die sonst eine Naturverjüngung unmöglich machen würden. Die Räume zwischen den Trupps bleiben sich selbst überlassen; dadurch werden die Kosten gesenkt und die natürliche Waldentwicklung (Sukzession) mit großer Artenvielfalt gefördert. Die Saat spielt heutzutage eine untergeordnete Rolle. Die Eichen-Arten werden auf nährstoffreichen Standorten gesät, was den Vorteil einer ungestörten Wurzelentwicklung hat. Allerdings ist die frost- und verbissgefährdete Phase länger.

104 Wie nennt man die einzelnen Entwicklungsphasen im Altersklassenwald?

1. **Kultur oder Schonung:** Eine junge Anpflanzung oder Saat bis zur gesicherten Phase, in der keine Ausfälle mehr zu erwarten sind, Höhe etwa 2 m.
2. **Jungwuchs:** Von der gesicherten Kultur bis zum Kronenschluss.
3. **Dickung:** Ab der Jungwuchsphase bis zur beginnenden Astreinigung und einer Höhe von etwa 10 m.
4. **Stangenholz:** Höhe 10 bis 15 m, hier liegt der Schwerpunkt der natürlichen Astreinigung.
5. **Baumholz:** Angehendes Baumholz reicht von 20 bis 35 cm, starkes Baumholz von 36 bis 50 cm Stammdurchmesser in Brusthöhe.
6. **Altholz:** Ab einem Durchmesser von über 50 cm redet man vom Altholz. Hier werden erste Maßnahmen zur Bestandesverjüngung eingeleitet.

105 Welche Stadien der Bestandspflege gibt es?

Die **Kulturpflege** besteht in der Hauptsache im Freihalten der Pflanzungen oder Saaten von Konkurrenzflora durch Freischneiden. Dieses wird heutzutage sehr extensiv durchgeführt, um die Artenvielfalt zwischen den Reihen zu erhalten und um die Kosten zu senken. Hinzu kommt der Schutz gegen tierische Schädlinge und Pilzkrankheiten. Sehr seltene Baumarten, wie z.B. Eibe, Wild-Birne, Wild-Apfel, Elsbeere oder Speierling können durch Wuchshüllen oder Drahthosen einzeln geschützt werden.
Die Pflege in Naturverjüngung unter einem Altholzschirm wird **Schlagpflege** genannt. Hierbei werden durch den Verjüngungshieb beschädigte und angeschobene Jungpflanzen entnommen. Nach Abschluss der Kultur- und Schlagpflege, der **Etablierungsphase**, bis zur Ernte unterscheidet man folgende Pflegemaßnahmen:
Jungwuchspflege: Von der gesicherten Verjüngung bis Kronenschluss, Oberhöhe ca. 2 m.
Jungbestandspflege: Vom Bestandesschluss und beginnender Differenzierung bis zum Abschluss der natürlichen Astreinigung – **der Qualifizierungsphase** – bis zu einer Oberhöhe von ca. 12 bis 15 m. In dieser Phase erfolgt eine Negativ-Auslese, d.h. es werden extensiv Beschädigte, Protze und Zwiesel entnommen.
Durchforstung: Nach Erreichen der angestrebten astfreien Stammlänge – das ist bei Laubbäumen i.d.R. 25 % der zu erreichenden Endhöhe, also z. B. bei 40 m Endhöhe 10 m astfreie Schaftlänge – werden die Bedränger der 60 bis 200 Zukunftsbäume/Hektar in mehreren Eingriffen entnommen; damit soll den verbleibenden Bäumen mehr Standraum (mehr Licht, Wasser und Nährstoffe) gegeben, der Bestand stabilisiert werden. Nadelbäume werden i.d.R. künstlich geästet. Man spricht von der **Dimensionierungsphase**.
Vorratspflege: Diese fällt in die **Reifephase**. Hier erfolgt die Ernte einzelstammweise vom starken Ende her, hiebsreife Exemplare von Mischbaumarten sowie evtl. geschwächte oder vorgeschädigte Bäume werden entnommen und zugleich wird die Verjüngung eingeleitet.

106 Was ist ein Waldrevier?

Im jagdlichen Sinne besteht ein Waldrevier im Unterschied zum Feldrevier zum größten Teil aus Wald. In der Forstorganisation versteht man unter einem Revier eine Außenstelle eines Forstamtes. Ein solches Revier umfasst meist zwischen 1.500 und 2.000 Hektar. Die Forstbetriebsflächen sind dauerhaft in Abteilungen (20 bis 30 Hektar) gegliedert, die häufig von Schneisen, Wegen oder Wasserläufen voneinander getrennt und mit nummerierten Steinen oder mit Tafeln gekennzeichnet sind. Die Abteilungen wiederum werden in Bestände unterteilt.

107 Nach welchem Grundsatz plant man waldbauliche Aktivitäten?

Oberstes Gebot der Forstwirtschaft ist die **Nachhaltigkeit**. Das bedeutet, dass die Nutz-, Schutz- und Erholungsfunktionen auf Dauer in mindestens gleichbleibendem Umfang gewährleistet werden. In einer bestimmten zeitlichen Periode und in einem bestimmten Waldgebiet wird nur höchstens so viel Holz eingeschlagen wie nachwächst und die Schutz- und Erholungsfunktion auf Dauer nicht beeinträchtigt. Die **Forsteinrichtung** erarbeitet einen Plan für 10 Jahre, aus dem die jährlichen Wirtschaftspläne abgeleitet werden. Sie ermittelt den Holzvorrat sowie den Zuwachs und errechnet daraus den Hiebssatz. Sie plant die Pflege-, Ernte- und Verjüngungsmaßnahmen und berücksichtigt die Schutz- und Erholungsfunktion des Waldes sowie Belange des Naturschutzes. Zugleich hat die Forsteinrichtung eine Kontrollfunktion über den Vollzug des letzten 10-Jahreszeitraumes.

108 Was versteht man unter der Umtriebszeit, was unter Zieldurchmesser?

Unter Umtriebszeit versteht man eine rechnerische mittlere Produktionszeit einer Baumart von der Verjüngung bis zur Ernte. Sie variiert nach Baumart, Standort, Klima und dem angestrebten Wirtschaftsziel von ca. 40 bis 250 Jahren. Im naturgemäßen Waldbau hat sie keine Bedeutung; hier werden Einzelbäume nach Erreichen eines Zieldurchmessers von beispielsweise 60 bis 80 cm geerntet und nicht nach Alter.

109 Wie hoch liegt die Umtriebszeit einzelner Baumarten?

Sie schwankt z.B. bei den folgenden Baumarten in den angeführten Bereichen: Eiche (160 bis 250 Jahre), Rot-Buche (120 bis 160 Jahre), Fichte (80 bis 140 Jahre), Douglasie (80 bis 140 Jahre), Lärche (80 bis 160 Jahre), Kiefer (80 bis 180 Jahre). Bei Pappeln und Baumweiden ist die Umtriebszeit mit 40 bis 60 Jahren kurz.

110 Kann der innerdeutsche Holzbedarf aus unseren Wäldern gedeckt werden?

Nein. Der innerdeutsche Holzverbrauch (rd. 108 Mio. m3 im Jahr 2010) kann nur zur Hälfte aus dem eigenen Einschlag (rd. 54 Mio. m3 im Jahr 2010) gedeckt werden. Der Rest wird durch Holz-Einfuhren, Altholz- und Altpapiereinsatz abgedeckt. Hauptabnehmer der Holzproduktion sind die Bauwirtschaft, die holzbe- und verarbeitende Industrie sowie die Zellstoff- und Papierindustrie. Der Energieholzsektor (Holzhackschnitzel, Holzpellets und Festholz) gewinnt derzeit stark an Bedeutung.

Laub- und Nadelbäume

Grundsätzlich sollte bei Neuanlage von Kulturflächen wie auch von Heckenstreifen darauf geachtet werden, dass überwiegend heimische Baumarten und ausschließlich heimische Straucharten angepasster Herkünfte verwendet werden, die aus der näheren Umgebung stammen. Diese haben sich über viele Generationen durch Selektion und Isolation an die jeweiligen Klima- und Bodenverhältnisse angepasst und erfüllen dadurch optimal ihre Schutzfunktion.

111 Seit wann gibt es Bäume?

Vor rund 380 Millionen Jahren, im Übergang vom Devon zum Karbon, bildeten bei uns Bärlapp-, Schachtelhalm- und Farnbäume die ersten riesigen Wälder in einem feucht-warmen, subtropischen Klima. Vor rund 225 Millionen Jahren, im Trias, traten die ersten Nadelbäume auf, vor rund 140 Millionen Jahren, in der Kreidezeit, die ersten Laubbäume.

112 Was versteht man unter einem Baum?

Eine verholzte, mehrjährige Pflanze mit Förderung der Gipfeltriebe. Er besteht aus den drei **Grundorganen Wurzel, Sprossachse (Stamm)** und **Blättern/Nadeln.** Im Gegensatz dazu bilden Sträucher keinen durchgehenden Stamm, sondern verzweigen sich dicht über dem Boden.

113 Welche Aufgaben haben diese drei Grundorgane?

» Der **Spross** trägt die Blätter bzw. Nadeln, leitet Wasser und Nährstoffe von den Wurzeln zu den Blättern und Zucker von der Krone über den Stamm in die Wurzel, speichert Reservestoffe und erfüllt eine Stützfunktion.
» Die **Blätter** sind die Orte der Fotosynthese und der Transpiration (= Wasserdampfabgabe).
» **Wurzeln** verankern die Bäume im Boden, nehmen Wasser und darin gelöste Nährstoffe auf und speichern Stärke.

Man unterscheidet 3 Grundtypen von Wurzelsystemen:

» **Pfahlwurzelsystem:** Die Hauptwurzel wächst senkrecht nach unten. Ihr bleiben alle Seitenwurzeln in Länge und Dicke untergeordnet.
Beispiele: Eichen, Wald-Kiefer, Ulmen, Weiß-Tanne (bis etwa Stangenholzalter).
» **Horizontalwurzel- oder Senkerwurzelsystem:** Die Hauptwurzel dominiert nur kurze Zeit. Dann übernehmen mehrere, von horizontal streichenden Seitenwurzeln nach unten wachsende Seitenwurzeln die Führung, die sich ihrerseits wieder stark verzweigen.
Beispiele: Fichte, Strobe, Esche, viele Pappelarten, Aspe.
» **Herzwurzelsystem:** Stark entwickelte Flachwurzeln und eine führende Pfahlwurzel fehlen. Dafür ziehen mehrere etwa gleich starke Wurzeln bogenförmig in den Boden hinein.
Beispiele: Douglasie, Lärchen, Erlen, Hainbuche, Rot-Buche, Linden, Birken.

114 Wie ist ein älterer Spross im Querschnitt von außen nach innen aufgebaut, welche Aufgaben haben diese Schichten?

Die **Borke** liegt ganz außen, ist tot und hat eine Schutzfunktion. Es folgt der **Bast**, der lebend ist und Assimilate (zuckrige Stoffe) leitet. Im darunter liegenden, lebenden **Kambium** findet intensive Zellteilung und das Dickenwachstum statt. Im nach innen folgenden, teils lebenden, teils toten **Splintholz** wird Wasser transportiert, Reservestärke eingespeichert und ein Beitrag zur Festigung des Sprosses geleistet. Das noch weiter innen liegende **Kernholz** ist vollständig tot und hat ausschließlich eine Stützfunktion. Bei vielen Baumarten, den **Kernhölzern**, ist es farblich abgesetzt, z.B. bei Eiche, Kiefer, Lärche, Douglasie und Robinie. Bei den **Splinthölzern** wie Rot-Buche, Ahornen, Weiden, Linden, Erlen, Pappeln besteht i.d.R. kein Farbunterschied zwischen Splint und Kern, nur gelegentlich im Alter, z.B. bei der rotkernigen Buche. Bei den **Reifhölzern**, Fichte und

Tanne, besteht ebenfalls kein Farbunterschied, jedoch ist das Splintholz hier feuchter als das Kernholz. Im Zentrum der Sprossachse liegt das **Mark**, das nur in der Jugend eine Versorgungsfunktion hat.

115 Welche Stoffe werden im Spross von der Wurzel zu den Blättern transportiert, welche von den Blättern zur Wurzel? In welchen Zellen finden diese Transporte statt?

Im Splintholz wird in einem System aus toten, röhrenartigen Zellen (den Tracheiden bei Nadelbäumen, den Tracheen bei Laubbäumen) Wasser mit den gelösten Nährstoffen von unten nach oben transportiert. Die Saugkraft wird in den Blättern durch Wasserdampfabgabe an die Atmosphäre und die daraus resultierende Osmose aufgebaut. Im Bast werden die bei der Fotosynthese hergestellten Zucker (Assimilate) von oben nach unten in lebenden Zellen, den Siebröhren, transportiert. Diese Zucker werden teilweise zur Energiegewinnung veratmet, teilweise über den Winter eingespeichert und teilweise zu Cellulose umgebaut.

116 Was versteht man unter Fotosynthese?

Die Fotosynthese ist der wichtigste biologische Vorgang auf Erden, ohne die ein Leben nicht denkbar wäre. Dabei werden aus **Sonnenlicht** als Energiequelle, aus **Kohlendioxid** (CO_2) aus der Atmosphäre und aus **Wasser (H_2O)**, das aus dem Boden stammt, energiereiche Kohlenhydrate (Zucker) hergestellt. Diese werden teils eingespeichert, teils abtransportiert und weiter verwendet (s.o.). Langfristig stehen Fotosynthese und Veratmung in einem Gleichgewicht, so dass der CO_2-Anteil in der Atmosphäre konstant bleibt. Dadurch, dass in den letzten 1½ Jahrhunderten wesentlich mehr fossile Brennstoffe verbrannt werden, als gleichzeitig durch Fotosynthese gebunden werden konnten, sowie viele Tropenwälder gerodet wurden, steigt der CO_2-Anteil in der Atmosphäre ständig. Kohlendioxid ist neben anderen Treibhausgasen, wie Methan, an der gegenwärtigen Klimaerwärmung beteiligt.

117 Welchen Baum nennt man die „Mutter des Waldes“?

Die **Rot-Buche** (*Fagus sylvatica*); sie wächst fast überall von tiefen Lagen bis hinauf in hochmontanen, nicht jedoch in alpinen Lagen. Sie bevorzugt frische, mittelgründige, mäßig saure bis basenreiche Böden. Ihre Laubstreu wirkt Boden verbessernd. Wo sie vorkommt, drängt sie meist andere Baumarten zurück. Unter dem Schutz ihrer Kronen entsteht ein günstiges Kleinklima, in dem die Jungpflanzen der eigenen Art und anderer schattenertragender Arten gut hochkommen. Nach etwa einem halben Jahrhundert blühen die Bäume zum ersten Mal und dann in Abständen von 3 bis 7 Jahren. Die männlichen Blütenkätzchen hängen und sind langstielig. Aus den aufrechten, kurzstieligen weiblichen Blüten entwickeln sich dreikantige, rostfarbige Nussfrüchte, die Bucheckern, die von einem weichstacheligen Fruchtbecher umgeben sind. Dieser öffnet sich zur Reife vierklappig. Je nach der Ergiebigkeit der Samenjahre spricht man von Spreng-, Halb- oder Vollmast. Schwaches Buchenholz wird zu Brennholz, zur Spanplatten- oder Zelluloseherstellung verwendet. Aus Stammholz fertigt man u.a. Stühle, Küchenschränke, Parkett, Treppen und Spielzeug. Jungpflanzen sind durch Wildverbiss und Spätfrost bedroht, ältere durch die nur sehr dünne Rinde sehr sonnenbrand- und schälgefährdet.

5.42: An ihrer grünen, auch im hohen Alter noch glatten Rinde ist die Buche leicht erkennbar. Die Blätter sind elliptisch, ganzrandig bis wellig und am Rand leicht bewimpert.

5.43: Die Blätter der Hainbuche ähneln denen der Buche, sind jedoch am Rand doppelt gesägt. Die Stammoberfläche der Hainbuche zeigt einen unruhigen, welligen Verlauf (sog. Spannrückigkeit).

5.44: Die stark gebuchteten Blätter der Eiche sind unverwechselbar. Bei der Stiel-Eiche sind die Eicheln lang gestielt, bei der Trauben-Eiche hängen sie „traubig" an kurzen Stielen.

118 Sind Hainbuche und Rot-Buche miteinander verwandt?

Nein! Die **Hainbuche** (*Carpinus betulus*) hat einen silbergrauen, borkenlosen Stamm, der spannrückig ist. Das heißt, der Stamm weist Längswülste auf, die zu einer Abweichung des Stammquerschnitts von der Kreisform zu einer Sternform führen. An dem nur mittelgroßen Baum bleiben die Blätter vertrocknet oft über den Winter an den Ästen hängen. Die männlichen Blüten gleichen den Haselnusskätzchen. Aus den ebenfalls hängenden Fruchtständen entwickeln sich dreilappige Samen mit einem Nüsschen. Die Hainbuche wächst nicht mehr in hohen Gebirgslagen. Sie passt sehr gut zu den Eichen, deren Schaft sie beschattet und damit astreinigt und den Boden beschattet, was eine Vergrasung unterbindet. Sie liefert eines der härtesten heimischen Hölzer, aus dem man Werkzeuge wie Hobel oder Holzhämmer, Metzgerbretter und Schuhleisten fertigt. Sie ist sehr stockausschlagfähig und kann insofern Verbiss gut ausgleichen, verliert dadurch aber an Qualität.

119 Welche Eichenarten sind bei uns zu Hause?

Die **Trauben-Eiche** (*Quercus petraea*) mit den meist mehreren ungestielten, eiförmigen Früchten und die **Stiel-Eiche** (*Quercus robur*) mit den langgestielten Fruchtbechern und den längs gestreiften Früchten. Bei den Blättern ist es umgekehrt. Bei der Stiel-Eiche sind diese kurz- bis ungestielt und an der Basis geöhrt. Die Blätter der Trauben-Eiche haben einen 1 bis 2 cm langen Stiel und sind an der Basis keilförmig. Zwischen beiden Baumarten gibt es viele Übergangsformen. Die Trauben-Eiche ist wärmeliebend, siedelt sich bis in etwa 1.000 m ü. NN an und verträgt auch sandige Böden; die Stiel-Eiche hält sich mehr in Tallagen (Auewälder), in der Ebene und vernässenden Lagen. Die Eichen gehören zu den Lichtbaumarten. Sie können 600 bis 700 (max. 1.000) Jahre alt werden. Aufgrund ihrer kräftigen Pfahlwurzeln sind Eichen im Winterhalbjahr sehr sturmfest. Bei gleichmäßigem und engem Aufbau der Jahresringe und astreinem Schaft liefern Trauben-Eichen im Alter von etwa 240 bis 300 Jahren wertvolles Furnierholz. Jungpflanzen werden vom Reh- und Rotwild bevorzugt verbissen. Alle 2 bis 5 Jahre liefern Voll- und Halbmasten üppige Äsung in Form der abgeworfenen Eicheln. Dazwischen liegen die sparsameren Sprengmastjahre oder Jahre ohne Mast.

Die seltene **Flaum-Eiche** (*Quercus pubescens*) kommt auf warmen, trockenen kalkigen Standorten vor und könnte im Klimawandel zunehmen. Sie ist v.a. unter Naturschutzaspekten von Bedeutung.

120 Warum gelten die Birken als Pionierbäume?

Selbst nährstoffärmster Boden wird in kurzer Zeit von Birken besiedelt, deren leichte kleine Früchte oft von weither anfliegen. Der zählebige Baum ist darüber hinaus frostresistent, lichtbedürftig und schießt in der Jugend rasch in die Höhe. Mit langen elastischen Ästen wirkt die Birke im Wind als Reiber und Peitscher auf die Nachbarbäume ein und schafft sich Raum. Der Wuchs nimmt im Alter von etwa 20 Jahren ab. Die Birken werden selten über 120 Jahre alt. Man unterscheidet die feingliedrige **Hänge-** oder **Sand-Birke** (*Betula pendula*) von der eher zerzaust wirkenden **Moor-Birke** (*Betula pubescens*). Die jungen Zweige der Moor-Birke sind samtig behaart. Sie gedeiht sogar auf saurem nassem Untergrund an Moorrändern. Die Sand-Birke hat kahle, warzige junge Zweige und ist auf sehr trockenen, sauren Standorten fast konkurrenzlos. Die Birke ist in ländlichen Gegenden als Maibaum begehrt; ihr Holz findet heute fast nur noch als Brennholz Verwendung, bei sehr gutem,

5.45: Die Sand-Birke ist schnell an ihrer weißen Rinde zu erkennen. Bei den Blättern fällt die dreieckige Form auf.

5.46: Vogelbeerblätter ähneln denen der Esche, sind jedoch deutlich kleiner und die Blättchen sind nicht so zugespitzt. Die Vitamin-C-reichen Früchte der Eberesche dienen Vögeln als Nahrung.

5.47: Das Berg-Ahornblatt ist etwa handgroß und 5-lappig (2 kleine, 3 große). Die Spaltfrüchte sind Schraubenflieger.

geradem Wuchs aber auch als Furnierholz. Birken werden vom Wild nur dann verbissen, wenn der Wildstand deutlich überhöht ist und keine anderen Laubhölzer vorhanden sind.

121 Welche Rolle spielt die Vogelbeere für das Wild im Wald?

Die bis zu 25 m hoch werdende, zu den Rosengewächsen zählende **Vogelbeere** oder **Eberesche** (*Sorbus aucuparia*) wird vom Schalenwild bevorzugt geäst. Für Rehböcke ist sie ein beliebter Fegebaum. Auch Hasel-, Auer- und Birkwild schätzen den Vogelbeerbaum. Sie wird ihrem Namen voll gerecht, da ihre roten, Vitamin-C-reichen Balgfrüchte von insgesamt 63 verschiedenen heimischen Vögeln als Nahrung angenommen werden. Man kann mit ihnen vortrefflich Verbissgehölze anlegen oder Waldränder gestalten.

122 Was haben die heimischen Ahorn-Arten gemeinsam?

Die handförmigen, gelappten Blätter und die paarweise angeordneten Spaltfrüchte. An jedem der einsamigen Teilfrüchtchen hängt ein Flügel. Wie Propeller fallen im Herbst oder Frühsommer die Früchte zu Boden oder schrauben sich im Wind über weite Strecken fort. Sie werden durch Insekten bestäubt und sind insofern ökologisch besonders wertvoll. Der **Berg-Ahorn** (*Acer pseudoplatanus*) blüht *nach* dem Laubausbruch. Die Flügel der Teilfrüchtchen bilden einen spitzen Winkel zueinander. Im Gebirge steigt der Berg-Ahorn bis fast zur Baumgrenze und bevorzugt nährstoffreiche, aber auch steinige Böden. Seine graurötliche Borke fällt im Alter in Schuppen ab. Das harte Ahornholz findet in der Möbelindustrie, als Parkett, für Küchengräte, beim Drechseln, zum Schnitzen und als Klangholz für Instrumente (Geigen) Verwendung. Reh- und Rotwild schätzen die Knospen, Jungtriebe und die Rinde. Der **Spitz-Ahorn** (*Acer platanoides*) hat weinrote Knospen. Die Blüten erscheinen *vor* oder *mit* dem Laubausbruch, seine Blätter sind zugespitzt. Die Blattstiele führen einen milchigen Saft (Knickprobe). Die Fruchtflügel stehen in stumpfem Winkel zueinander. Der Spitz-Ahorn liebt wärmere und trockenere Standorte und wird daher und wegen seiner wunderbaren Herbstfärbung sehr gerne als Allee- und Parkbaum gepflanzt. Seine Borke ist eher grauschwärzlich und rissig. Der **Feld-Ahorn** (*Acer campestre*) erreicht nur max. 25 m Höhe und hat häufig auffallende Korkleisten auf den Zweigen. Er eignet sich hervorragend als Heckenpflanze und für die Gestaltung von Waldrändern. Waldrandgestaltung erläutern

123 Welche heimischen Baumarten reichern im Boden Stickstoff an?

Die **Erlen**. Dazu werden sie durch Wurzelknöllchen (Symbiose mit Strahlenpilzen) an ihren Wurzeln befähigt. Die Pionierbäume stellen nicht zuletzt aus diesem Grund geringe Ansprüche an den Boden. Sie vertragen auch Überschwemmungen und werden gern entlang von Bach- und Flussläufen ausgebracht. Dort ist auch ihr natürlicher Verbreitungsschwerpunkt. Die langen, männlichen Kätzchen entwickeln gelbe Staubbeutel. Die weiblichen Fruchtzapfen werden dunkelbraun und bleiben während der kalten Monate am Baum. Erlen leiden vergleichsweise wenig unter Wildverbiss. Die **Schwarz-** oder **Rot-Erle** (*Alnus glutinosa*) bekommt im Alter einen schwarzbraunen, borkigen Stamm. Ihre dunkelgrünen Blätter sind verkehrt eiförmig und an der Spitze eingebuchtet. Ihr rötliches Holz findet in der Möbelindustrie, Wasserwirtschaft und beim Drechseln Verwendung. Die Borke der **Grau- oder Weiß-Erle** (*Alnus incana*) glänzt silbergrau. Ihre Blätter sind zugespitzt. Sie liebt kalkhaltige Böden und kommt eher in höheren Lagen vor. Die **Grün-Erle** (*Alnus*

5.48: Schwarz-Erlen findet man vorrangig an nassen Standorten. Die Blätter sind vorne abgerundet bis eingekerbt und die Rinde wird schwarz und rissig.

5.49: An den herzförmigen Blättern mit langer Spitze erkennt man Linden schnell. Sie können im Alter stark ausladend werden und waren früher oft Dorfmittelpunkt.

5.50: Eschenblätter sind gefiedert, d.h. mehrere Blättchen bilden zusammen ein Blatt. Im Winter ist der Baum leicht an den dicken, schwarzen Knospen erkennbar.

viridis) wächst strauchförmig (Laublatsche) und ist im Gebirge, auch über der Waldgrenze anzutreffen. Dort schützt sie vor Bodenerosion.

124 Wie unterscheidet man Winter- und Sommer-Linde?

Die bei beiden Arten herzförmigen Blätter sind bei der **Winter-Linde** (*Tilia cordata*) kleiner, oberseits dunkelgrün glänzend, unterseits bläulichgrün und in den Nervenwinkeln rostrot behaart. Die **Sommer-Linde** (*Tilia platyphyllos*) hat größere, beiderseits gleichfarbig grüne, weich behaarte Blätter. Sie ist in den Nervenwinkeln der Unterseite weißlich behaart. Sie blüht ein paar Wochen vor der Winter-Linde. Ihre runden Nuss-Früchte sind sehr hart, die der Winter-Linde lassen sich leicht zerdrücken. Die Linden sind Halbschatten ertragende Bäume. Sie brauchen lockeren, lehmigen und tiefen Boden und lieben Wärme. Beide Arten blühen in jedem Jahr, werden durch Insekten bestäubt (Honigspender, schweißtreibender Tee gegen Erkältungen). Das helle und weiche Holz ist als Schnitz-, Drechsler und Modellholz begehrt. Die sehr ausschlagfähigen Linden werden vom Rehbock gefegt, jedoch nur gering verbissen.

125 Welche Holzart nennt man Rüster?

Das Holz der **Ulmen**. Die Blätter der drei heimischen Ulmen-Arten fühlen sich rau an und sind am Blattrand gesägt. Die unscheinbaren Blüten und auch die Früchte erscheinen noch vor dem Laubausbruch. Alle Arten brauchen gute Böden. Die **Berg-Ulme** (*Ulmus glabra*) kommt bevorzugt auf Hangschutt, gut wasser- und nährstoffversorgten Standorten vor. Die **Flatter-Ulme** (*Ulmus laevis*) ist eine typische Vertreterin der Hartholzauen unserer großen Flüsse. Die **Feld-Ulme** (*Ulmus minor*) hat ihr Vorkommen sowohl in der Hartholzaue als auch in wärmeliebenden Eichen-Mischwäldern und an Waldrändern. Eine Variation hat Korkleisten auf den Zweigen. Das Holz der Berg- und Feld-Ulme ist besonders wertvoll und gefragt für Furnier, Täfelungen und Küchengeräte. Seit den 20er Jahren des 20. Jh. leiden alle europäischen und amerikanischen Ulmen-Arten unter dem Ulmensterben, einer Pilzkrankheit, die aus Süd-Ost-Asien eingeschleppt wurde. Die dortigen Ulmen-Arten sind resistent. Die Pilzsporen werden durch Ulmensplintkäfer übertragen und führen zu einer Unterbrechung der Wasserleitungsbahnen der Bäume, so dass die Bäume vertrocknen. Das Ulmensterben ist bis heute nicht zu bekämpfen.

126 Welcher Laubbaum stellt die höchsten Bodenansprüche?

Die **Esche** (*Fraxinus excelsior*). Ihr genügen nur nährstoffreiche Böden. Sie verträgt keine stehende Nässe, sondern bevorzugt quellige, sickerfrische Böden, kommt aber auch auf trockeneren Kalkhängen vor. Aus den dicken schwarzen Knospen brechen die violetten Blütenbüschel hervor. Nach der Bestäubung durch den Wind treibt das Laub aus. Die einsamigen Nüsse haben Flügel und bleiben bis in den Winter am Baum. Das Eschenblatt besteht aus 9 bis 13 gesägten Fiedern. Aus dem Holz stellt man Furniere, Werkzeugstiele und Sportgeräte her. Die Esche wird vom Rot- und Damwild besonders gern geschält, die Knospen bevorzugt vom Rehwild verbissen.

Seit 2007 tritt bei uns das **Eschentriebsterben** auf mit folgenden Symptomen: Welkeerscheinungen, vorzeitiger Blattfall, Triebsterben, Holzverfärbung, blass ockergelbe bis rötliche Rindenverfärbungen bis zum raschen Absterben von Alteschen. Befallen werden auch gesunde Eschen aller Altersklassen, vorrangig aber jüngere. Beteiligt ist ein aus Asien eingeschleppter Pilz (*Chalara fraxinea*), der das Wasserleitsystem im Splintholz beeinträchtigt und bis zum Absterben führen kann.

5.51: Pappeln sind bereits von weitem gut zu erkennen, da sie stets schlank und schmal in die Höhe wachsen. Bei der Zitter-Pappel „zittern“ die Blätter schon bei wenig Wind.

5.52: Fichtenzweige sind rotbraun und haben stechende Nadeln. Die Rinde ist zunächst ebenfalls rotbraun, später grau.

5.53: Tannennadeln haben auf der Unterseite zwei dicke, weiße Striche und stechen nicht. Die Weiß-Tanne ist die durch Wildverbiss am meisten gefährdete Nadelbaumart.

127 Welche Baumarten zählen zu den Weidengewächsen?

Die **Weiden** und die **Pappeln**. Diese Gewächse sind zweihäusig, d.h., männliche und weibliche Blüten befinden sich auf verschiedenen Bäumen. Die Bestäubung übernehmen bei Weiden Insekten, bei Pappeln der Wind. Die Samen haben Wattehärchen und treten massenhaft auf. Der Wind sorgt für ihre Verbreitung. Pappelarten und Baumweiden gehören zu den in der Jugend am schnellsten wachsenden Bäumen, lassen aber früh im Wachstum nach. Es gibt eine große Zahl von Schwarz-Pappelhybriden, meist Kreuzungen von europäischen mit nordamerikanischen Arten, während die einheimische **Schwarz-Pappel** (*Populus nigra*), die von Natur aus in den Weichholzauen vorkommt, fast vom Aussterben bedroht ist. Die **Aspe** oder **Zitter-Pappel** (*Populus tremula*) gehört zu den anspruchslosen Pionier-Baumarten. Ihre Blätter sind im Wind stetig in Bewegung. Die **Silber-Pappel** (*Populus alba*) hat ahornähnliche, unterseits weißfilzige Blätter und kommt in Auewäldern vor. **Balsampappeln** wurden aus Amerika und Asien eingeführt; aus natürlichen und künstlichen Kreuzungen sind ertragreiche Sorten entstanden. Aus dem weichen Pappelholz stellt man Zündhölzer, Sperrholz, Paletten, Kisten und Obststeigen her. Alle **Weiden** (wie auch die meisten Pappeln) lassen sich leicht aus Stecklingen vermehren. Diese Pioniergehölze sind ideale Prosshölzer (Verbisshölzer). Sie werden vom Wild viel lieber angenommen als viele unserer Hauptbaumarten. Die **Silber-Weide** (*Salix alba*), verbreitet an Flussläufen, und die **Sal-Weide** (*Salix caprea*) zählen zu den Baumweiden. Unter den 300 Weiden-Arten gibt es überwiegend Strauchweiden. Man kann für fast jeden Boden eine passende Art finden. So wächst beispielsweise die **Ohr-Weide** (*Salix aurita*) auf saurem und staunassem Grund. Weiden finden als Flechtmaterial Verwendung. Die Holzverwendung ist unbedeutend, dagegen sind Weiden besonders im zeitigen Frühjahr eine Augen- und eine wichtige Bienenweide.

128 Welche Wildobstarten trifft man in unseren Wäldern?

Die **Vogel-Kirsche** (*Prunus avium*), auch **Wild-Kirsche** genannt. Vor allem im April/ Mai, wenn sie in Blüte steht, wird deutlich, was sie landschaftsästhetisch zu leisten vermag. Der wärmeliebende Baum schätzt nährstoffreiche und frische Böden. Das hellgelbbraune Holz ist hart. Es ist zu Furnierzwecken sehr begehrt und wird in guter Qualität teuer bezahlt. Die Vogel-Kirsche wird gern verbissen und ist ein beliebter Fegebaum. Die schwarzrötlich schimmernde quergestreifte Borke, die sich vor allem im Alter in horizontalen Bändern abziehen lässt, wird jedoch vom Rotwild kaum geschält. **Wild-Apfel** (*Malus sylvestris*) und **Wild-Birne** (*Pyrus pyraster*) findet man leider nur noch selten. Weitere Wildobstarten sind die **Elsbeere** (*Sorbus torminalis*), der **Speierling** (*Sorbus domestica*) und die **Mehlbeere** (*Sorbus aria*). Alle Wildobstarten werden als Minderheiten sehr stark verbissen und bedürfen daher eines intensiven Einzelschutzes und einer konsequenten Bejagung des Schalenwildes. Sie sollten in geeignetem Klima aus artenschutz- und landespflegerischen Gründen wieder vermehrt angebaut werden.

129 Welche eingebürgerten Laubbaumarten gibt es in unseren Wäldern?

Häufig angebaut sind die **Rot-Eiche** (*Quercus rubra*) und die **Robinie** (*Robinia pseudoacacia*). Die nordamerikanische Rot-Eiche zeichnet sich durch die Schmuckwirkung ihrer leuchtend rot gefärbten Herbstblätter aus. Sie wächst in der Jugend rascher als unsere einheimischen Eichen und produziert dabei wertvolles Holz. Der Robinie kommt wie den

5.54: Kiefernnadeln sind deutlich länger als bei anderen Nadelbäumen und wachsen zu mehreren aus einer Scheide. Ältere Wald-Kiefern zeigen die typische, kupferfarbene Spiegelrinde.

5.55: Lärchen verlieren als einziger heimischer Nadelbaum im Winter ihre Nadeln und zeigen auch Herbstfärbung. Sie sitzen in Büscheln auf dem Zweig.

Erlen die Fähigkeit zugute, durch ihre Wurzelknöllchen Luftstickstoff zu binden. Der spät austreibende Baum braucht mildes Klima und hat geringe Ansprüche an den Boden. Wenn man ihn zurückschneidet, schlägt er kräftig wieder aus. Der Schmetterlingsblütler hat gefiederte Blätter, an deren Basis zwei stechende Dornen sitzen. Die Blüten werden gern von Bienen aufgesucht und ergeben einen ausgezeichneten Honig. Das extrem harte und witterungsbeständige Holz wird gerne als Tropenholzersatz für Gartenmöbel verwendet.

130 Welche Baumart gilt als Brotbaum der deutschen Forstwirtschaft?

Die **Fichte** (*Picea abies*). Sie hat einen Anteil von rd. 24 % der Waldfläche in Deutschland. Sie besitzt ein typisches Senkerwurzelsystem, das sie jedoch auf flachgründigen, verdichteten und staunassen Standorten nicht ausbilden kann und so sehr flach wird. Sie wurde in der Vergangenheit häufig zu eng und auf falschen Standorten gepflanzt sowie zu schwach durchforstet. Das macht sie gegen Naturgewalten sehr anfällig. Solche Bestände werden häufig von verheerenden Windwürfen und Schneebrüchen heimgesucht. Die Nadeln sind einzeln stehend und spitz. Sie sitzen auf stark vorspringenden Nadelkissen, die bewirken, dass vertrocknete Zweige nach dem Abfall der Nadeln rau sind. Die hängenden Zapfen fallen als Ganzes ab, nachdem im Oktober bei trockenem Wetter die Samen ausgeflogen sind. Die Fichte stellt geringe Ansprüche an den Nährstoffhaushalt, dagegen benötigt sie eine gleichmäßige Wasserversorgung über die ganze Vegetationsperiode hinweg. Sie kommt mit wenig Wärme aus und ist eine Halbschattbaumart. Die Fichte ist wenig verbissgefährdet. Wird sie dennoch verbissen, so ist dies ein Zeichen für stark überhöhte Schalenwildbestände. Vor allem die zarten Maitriebe werden gerne geäst. Rotwild schält Fichten wegen ihrer dünnen Rinde über Jahrzehnte im Winter und im Sommer. Fichtenholz hat ein weites Verwendungsspektrum, v.a. als Bauholz und in der Papierindustrie. Es lassen sich Furniere aus ihm schälen und Musikinstrumente daraus anfertigen, sofern die Jahrringe besonders eng und gleichmäßig aufgebaut sind.

131 Welcher Nadelbaum hat stehende Zapfen?

Die heimische **Weiß-Tanne** (*Abies alba*) sowie ausländische Tannen-Arten. Ab etwa dem vierzigsten Lebensjahr blüht die Weiß-Tanne zum ersten Mal und dann im Abstand von etwa zwei bis vier Jahren. Die weiblichen Zapfen reifen im Spätherbst, dann fallen die Deckschuppen ab, die Spindel bleibt am Baum (es gibt also selten „Tannenzapfen" auf dem Boden!). Neben den Zapfen erkennt man die Weiß-Tanne an ihren flachen, breiten und gekerbten Nadeln, die an der Unterseite zwei weiße Längsstreifen haben und im Alter an ihrer storchennestartig abgeflachten Krone. Die Weiß-Tanne ist eine Schattbaumart, hat eine silbergraue Borke (bei der Fichte mehr rötlich), eine tiefreichende Pfahlwurzel und ist recht sturmfest. Ihr Verbreitungsschwerpunkt liegt in der montanen bis subalpinen Höhenstufe, d.h. etwa zwischen 800 bis 1.500, selten bis 2.000 m ü. NN. Da die Knospen und Nadeln der Weiß-Tanne viel Stickstoff und Kalk enthalten, wird der Baum vom Schalenwild bevorzugt verbissen. Weil die Weiß-Tanne für die Bodenqualität, die Stabilität und Vielfalt der Wälder besonders wichtig ist, ist ihr Schutz durch Wildstandsregulierung unerlässlich.

5.56: Brombeere (li.) und Himbeere (re.) stellen für das Rehwild eine beliebte Winteräsung dar.

132 Welches ist die wichtigste eingeführte Nadelbaumart?

Die **Douglasie** (*Pseudotsuga menziesii*). Der aus dem westlichen Nordamerika stammende und erst im 19. Jh. bei uns eingeführte Baum bringt auf warmen und niederschlagsarmen Standorten höhere Erträge als die Fichte. Die höchsten Bäume Deutschlands sind Douglasien mit 67 m Höhe! Sie ist nassschneegefährdet, sonst aber wenigen Gefahren ausgesetzt. Schalenwild fegt sehr gern an jungen Douglasien, was wegen des hohen Harzgehaltes der Rinde zu der typischen Dunkelfärbung der Geweihe führt. Ihr rötliches Holz ist wegen seiner natürlichen Imprägnierung und dekorativen Farbe sehr geschätzt und wird v.a. für den Holzbau sehr stark nachgefragt.

133 Welcher Nadelbaum gedeiht auch auf trockenen und sandigen Böden?

Die **Wald-Kiefer** – auch **Forche**, **Forle** oder **Föhre** (*Pinus sylvestris*) – genannt. Sie hat einen Flächenanteil von rd. 22 % in Deutschland. Die weiblichen Blütenstände entwickeln sich nach der Windbestäubung und Befruchtung erst in zwei Jahren zu Zapfen. Aus ihnen fallen die geflügelten Samen. Die paarigen Nadeln sind spitz, ca. 4 bis 7 cm lang, steif und deutlich gedreht. Die Kiefer ist eine Lichtbaumart. Da sie meist auf trockenem Boden stockt (Pionierbaumart), sind Kiefernwälder brandgefährdet. Kiefernreinbestände sind sehr gefährdet durch schädliche Insekten, Pilze und Schneebruch. Aus dem Kiefernholz stellt man Bau- und Konstruktionsholz her und verkleidet mit ihren Brettern Wände und Decken. Als Fensterholz ist sie sehr gefragt. Aus minderem Holz werden Spanplatten gefertigt. Die Kiefer ist sehr gering verbissgefährdet. Das Rotwild schält gern die Spiegelrinde. In Hochgebirgslagen findet man die **Berg-Kiefer** (*Pinus mugo*) mit deren Unterarten **Spirke**, **Moor-Berg-Kiefer** und **Latsche** (Legföhre). In den kontinental getönten Zentralalpen finden wir die **Zirbel-Kiefer** oder **Arve** (*Pinus cembra*). Sie ist bestens an extreme Hochgebirgsbedingungen angepasst. Von den ausländischen Kiefern, die bei uns angebaut werden, seien die **Schwarz-Kiefer** (*Pinus nigra*) und die aus Nordostamerika stammende **Weymouths-Kiefer** oder **Strobe** (*Pinus strobus*) genannt. Die Strobe fällt durch ihre dünnen, langen Nadeln auf, die zu fünft in einem Kurztrieb stehen. Durch den Strobenrost – eine Pilzkrankheit – kommt ihr Anbau praktisch nicht mehr in Frage.

134 Welche Nadelbaumarten werfen in jedem Herbst ihre Nadeln ab?

Die **Lärchen**. Bei uns wird die aus den Alpen, Sudeten und Tatra stammende **Europäische Lärche** (*Larix decidua*) und die von der Insel Hondo stammende **Japanische Lärche** (*Larix kaempferi*) angebaut. Lärchen brauchen immer Kronenfreiheit. Sie sind sehr lichtbedürftige Bäume und eignen sich vorzüglich als Mischbaumarten. Sie schätzen lockeren, gut durchlüfteten Boden, der nicht besonders nährstoffreich zu sein braucht. Die Europäische Lärche braucht trockene Luft, da sie sonst sehr anfällig gegen den Lärchenkrebs ist, die Japanische Lärche dagegen schätzt besonders luftfeuchte Lagen. Mittlerweile gibt es viele Hybriden der beiden Arten. Die weiblichen Blütenstände werden zu eiförmigen Zapfen, die erst nach Jahren abfallen. Die Zapfenschuppen der Japanischen Lärche sind im Unterschied zur Europäischen Lärche rosenblattartig zurückgeschlagen. Das hochwertige Lärchenholz wird für Böden, Decken, Fenster, Türen, Vertäfelungen, Möbel und im Außenbau verwendet. Rehwild verbeißt die Lärche gern, und Rehböcke verletzen die weiche Rinde der Jungpflanzen beim Fegen oft schwer.

135 Welche Wurzelsysteme werden bei unseren Waldbäumen unterschieden?

Wir unterscheiden drei Wurzelsysteme: **Herz-, Pfahl-** und **Horizontal-** oder **Senkerwurzler.**

» **Herzwurzler**, bei denen alle Wurzeln in etwa gleich gefördert werden. Beispiele: Rot-Buche, Douglasie, Lärchen, Erlen, Linden;

» **Pfahlwurzler** mit einer dominierenden, rübenartigen Hauptwurzel und davon abgehenden Seitenwurzeln. Beispiele: Stiel- und Trauben-Eiche, Wald-Kiefer, Weiß-Tanne;

» **Senkerwurzler** mit im Oberboden horizontal streichenden Wurzeln und davon nach unten abzweigenden Senkern. Beispiele: Fichte, Esche, Strobe, Aspe.

Sträucher

136 Welcher Strauch gilt als bevorzugte Hasenäsung?

Der **Besenginster** (*Sarothamnus scoparius*). Der Schmetterlingsblütler behält während des ganzen Jahres seine Blätter und wird auch vom Reh- und Rotwild gerne verbissen. Er ist als Bienenweide begehrt. Der Ginster mag kalkarme Böden und mildes atlantisches bis subatlantisches Klima. Er verdämmt oft junge Bäumchen.

137 Welche besondere Art der Fortpflanzung weist der Sanddorn auf?

Der **Sanddorn** (*Hippophae rhamnoides*) ist eine zweihäusige Pflanze, d.h. es gibt Individuen mit nur weiblichen und solche mit nur männlichen Blüten. Damit die Sträucher fruchten, bringt man mehrere weibliche Pflanzen gemeinsam mit einer männlichen aus. Die Gewächse werden übermannshoch und haben lanzettförmige Blätter, die unterseits silbrig schimmern. Der Sanddorn wächst auch in Sand- und Kiesgruben. Wegen seiner Dornen pflanzte man ihn als natürlichen Stachelzaun. Die orangen, sehr Vitamin-C-reichen Früchte des Deckungsstrauches werden u.a. zur Bereitung von Marmelade und als Fasanenfutter genutzt.

138 Welche Holunder-Arten gibt es bei uns?

Den **Schwarzen Holunder** (*Sambucus nigra*) und den **Roten Traubenholunder = Hirschholunder** (*S. racemosa*). Beide Arten brauchen einen frischen, nährstoff- und v.a. stickstoffreichen Boden. Man findet die Sträucher an Wald- und Wegrändern, unter lichtem Schirm sowie auf Lichtungen. Schwarzer Holunder wird gern verbissen, seine Beeren werden von 62 verschiedenen Vögeln und sogar vom Reh aufgenommen. Seine Blüten bieten wichtige Insektennahrung, sein Laub wird sehr rasch abgebaut. Er ist dadurch ökologisch sehr wertvoll. Der Schwarze Holunder ist seit jeher dem Menschen als Heilpflanze bei Schnupfen und Husten bekannt.

139 Welche Bedeutung haben Brombeere, Himbeere und Heidelbeere im Waldrevier?

Die **Brombeere** (*Rubus fruticosus*) ist ein lebender Stacheldraht, der sich schnell zu einem flächigen Deckungsstrauch ausbreitet. Sie kommt auf fast allen Böden vor und wächst auch gern im Halbschatten. Sie festigt Böschungen. Ihre Früchte sind vitaminreich. Ihr Laub wird gerne geäst und bietet weit in den Winter hinein noch einen beachtlichen Nahrungsvorrat für das Wild. Oft nimmt die Brombeere auf Freiflächen überhand und kann in Kulturen und Naturverjüngungen verdämmend wirken. Sie bietet Schwarzwild beste Deckungs- und Vermehrungsmöglichkeiten, was die Bejagung erheblich erschwert. Auch die **Himbeere** (*Rubus idaeus*) wird von allem Schalenwild aufgenommen. Vor allem auf Kahlschlagflächen wachsen diese Sträucher nach kurzer Zeit und bilden paradiesische Wildeinstände. **Heidelbeeren** (*Vaccinium myrtillus*) bereichern die Krautschicht eines Waldes und stellen auf sauren Böden ein unerschöpfliches Nahrungsreservoir dar; vor allem die selten gewordenen Raufußhuhnarten sind darauf angewiesen.

140 Welche Deckungsstraucharten werden allgemein gerne verbissen?

Der **Gemeine** und der **Wollige Schneeball** (*Viburnum opulus* und *V. lantana*). Diese Sträucher werden bis zu fünf Meter hoch und haben eine starke Ausschlagkraft. Beide schätzen nährstoff- und basenreiche Standorte. Der Gemeine Schneeball verträgt nässere Böden. Man nimmt die Sträucher auch gern zur Gestaltung von Waldrändern. Ihre Blüten bieten wichtige Insektennahrung, ihre Früchte werden durch Vögel verbreitet.

141 Wer ist der früheste Blüher unter den Sträuchern?

Die **Kornelkirsche = Gelber Hartriegel** (*Cornus mas*). Die kleinen gelben Doldenblüten erfreuen schon oft im Februar unser Auge. Der Strauch wächst auf basenreichen Böden und braucht warmes Klima. Man sollte ihn möglichst früh auf den Stock setzen, damit er strauchförmig bleibt und nicht zum Baum aufschießt. Seine Früchte werden von Flug- und Schalenwild genommen. Man pflanzt die Kornelkirsche u.a. auch in Fasanenremisen.

142 Welcher Strauch verträgt viel Schatten und auch nasse Böden?

Der **Rote Hartriegel** (*Cornus sanguinea*). Er blüht weiß. Seine Früchte, die in Dolden zusammenstehen, sind schwarzblau und werden von vielen Vögeln genommen. Die Winteräste des im äußersten Fall 4 m hoch werdenden Strauches schimmern blutrot. Man pflanzt den Hartriegel gern ins schattige Zentrum einer Remise.

143 Welche Sträucher sind vorzügliche Vogelschutzgehölze?

Die **Weißdorn-Arten** (*Crataegus monogyna* und *C. laevigata*), die **Schlehe** oder **Schwarzdorn** (*Prunus spinosa*), der **Kreuzdorn** (*Rhamnus cathartica*) und die **Berberitze** (*Berberis vulgaris*). Ihre Früchte werden von fast allen Vögeln gerne genommen. Insbesondere profitieren Rebhühner und Fasanen von ihnen. Zugleich sind die sperrigen Büsche mit ihren dornigen Zweigen ideale Schutz- und Deckungssträucher und deshalb als Remise oder als Hecke in der freien Landschaft besonders wertvoll, v.a. für Heckenbrüter wie den Neuntöter, Goldammer und Heckenbraunelle.

5.57: Auch die Hunds- oder Hecken-Rose dient mit ihren weißen Blüten und den roten Früchten dem Vogelschutz.

144 Die Früchte welcher Straucharten sind für den Menschen giftig?

Die Früchte des **Seidelbastes** (*Daphne mezereum*), der nur 0,30 bis 1,20 m hoch wird, und die des **Pfaffenhütchens** (*Euonymus europaeus*) mit den grünen, durch Korkleisten vierkantigen jungen Zweigen. Der Seidelbast oder Kellerhals ist einer unserer schönsten und giftigsten Sträucher. Er blüht im zeitigen Frühjahr vor dem Laubaustrieb rosa. Das Pfaffenhütchen, vom Rehwild viel verbissen, trägt angeblich zur Gesunderhaltung unseres Wildes bei. Giftig sind auch die Samen und Zweige der **Eiben** (*Taxus baccata*). Es gibt noch weitere giftige Waldpflanzen: **Tollkirsche**, **Fingerhut**, **Schierling**.

5.58: Den großen Stürmen 1990 und 1999 fielen Bäume aller Altersklassen und aller Baumarten zum Opfer.

145 Die Früchte welcher Sträucher heißen Hagebutten?

Die der **Wild-Rosen**, z.B. der **Hunds-Rose** = **Hecken-Rose** (*Rosa canina*). Im Winter sind die **Hagebutten** begehrte vitaminreiche Zusatzfrüchte. Der wunderschön blühende Strauch hilft bei der Gliederung und Gestaltung der Landschaft. Er liebt sonnige Standorte und kalkhaltige Böden. Der sehr stachelige Strauch bildet aus Wurzelhals und Seitenwurzeln Schößlinge und oft dichte Bestände.

Gefahren für den Wald

146 Welchen Gefahren ist der Wald ständig ausgesetzt?

Man unterscheidet abiotische (unbelebte) und biotische (belebte) Schadfaktoren. Zu den **abiotischen** zählen: Wind, Schnee, Hagel, Eis, Feuer und Immissionen. Vor allem in gleichaltrigen Reinbeständen aus nicht standortsgerechten Baumarten können **Windwürfe** in verheerendem Ausmaß auftreten. Gerade unsere am weitesten verbreitete Baumart, die Fichte, wurzelt auf staunassen und verdichteten Böden sehr flach und ist darum besonders windwurfgefährdet. Deshalb werden heute stabile Mischwälder auf standortsökologischer Grundlage begründet und gepflegt. Besonders zu erwähnen sind die Orkane **Vivian** und **Wiebke**, die vom 25.2.1990 bis 1.3.1990 rd. 60 bis 70 Millionen Kubikmeter Windwurfholz in Mitteleuropa verursachten, weiter der Orkan **Lothar** vom 26.12.1999 mit rd. 200 Millionen Kubikmetern Sturmholz europaweit und der Orkan **Kyrill** vom 18./19.1.2007 mit rd. 37 Millionen Kubikmetern Sturmholz allein in Deutschland. In der Folge traten oft Borkenkäferkalamitäten auf, da es reichlich Brutmaterial vor allem für den Buchdrucker gab sowie Folgewürfe in angerissenen Beständen, so dass die Schäden insgesamt noch deutlich höher waren. Eine weitere Folge ist ein Preisverfall für Holz. Die riesigen Freiflächen werden überwiegend durch Naturverjüngung wieder verjüngt, in geringerem Umfang wird gepflanzt. Diese Flächen schließen sich nach wenigen Jahren zu großen Dickungen, die ideale Einstände und Äsungsmöglichkeiten für Wild bieten. Eine intensive Bejagung ist hier von besonderer Bedeutung, damit auch seltenere, verbissgefährdete Baumarten eine Chance haben, den künftigen Wald zu bilden. **Nasser Schnee**, der etwa um 4 °C in dichten schweren Flocken fällt, bleibt auf den Ästen geradezu kleben. Es bilden sich oft mehrere dezimeterdicke Auflagen, bis einzelne Äste oder ganze Kronen abbrechen. Solche Schneebrüche treffen vor allem Jungbestände aus Fichte und Kiefer. Verzicht auf Kahlschläge, eine frühe und beherzte Jungdurchforstung sowie die richtige Herkunfts- und Standortswahl können solchen Naturgewalten in gewissem Maße vorbeugen. Eis kann vor allem bei Fichten und Wald-Kiefern zu Kronen- und Stammbrüchen führen. Ein besonders gravierendes Problem stellen **Schadstoffe aus der Luft** dar, die unseren Wäldern zusetzen. Sie schwächen unsere Bäume oft so sehr, dass Sekundärschädlinge, v.a. Borkenkäfer, die Bäume häufig vollständig zum Absterben bringen.

147 Welche biotischen Gefahren drohen unseren Waldbäumen?

Im Ökosystem Wald gehören Pilze, Insekten, Vögel und Säugetiere zur natürlichen Lebensgemeinschaft und spielen eine wichtige Rolle im Nahrungsnetz. Erst im Wirtschaftswald, der wie die Landwirtschaft auf (finanzielle) Erträge hin ausgerichtet ist, können sie als Schädlinge betrachtet werden, da sie für den Ausfall einzelner Bäume oder ganzer Bestände ursächlich sein können. **Pilze** ernähren sich u.a. von lebenden Bäumen. Die **Rotfäule** beispielsweise entwertet die Stämme; sie dringt über Wurzeln oder durch Stammverletzungen, z.B. durch Rotwildschälschäden sowie Rücke- und Fällungsschäden in das Holz ein. Der **Hallimasch** tötet das lebenswichtige Kambium zwischen Rinde und Holz. Die **Kiefernschütte** ist eine Nadelkrankheit an der Wald-Kiefer in luftfeuchten Lagen. Der **Stroben-Blasenrost** befällt zunächst die Blätter von Johannis- und Stachelbeeren. Von dort gelangen seine Sporen auf die Rinde der Weymouths-Kiefer. Die Bäume reagieren mit starkem Harzfluss sowie roten Nadeln und sterben ab. Aus der unübersehbar großen Gruppe der **Insekten** sind vor allem einige Käferarten sowie verschiedene Schmetterlinge für teilweise gravierende Schäden verantwortlich. Insbesondere die Borkenkäfer finden in Nadelholzreinbeständen ideale Verbreitungsmöglichkeiten. Die teilweise sehr kleinen Käfer (0,8 bis 9 mm) bohren sich unter die Rinde in die Bastschicht oder ins Holz (je nach Art). Dort legen sie ihre Eier und die Larven fressen während ihrer Entwicklung regelrechte Larvengänge, bevor sie nach ihrer Verpuppung durch ein Bohrloch nach außen gelangen. Forstlich bedeutende Arten sind u.a. der **Buchdrucker** (*Ips typographus*), der **Große Waldgärtner** (*Tomicus piniperda*), der **Kleine Waldgärtner** (*Tomicus minor*) und der **Kupferstecher** (*Pityogenes chalcographus*). Die Weibchen des Buchdruckers legen ihre Eier unter die Rinde geschwächter und umgestürzter Fichten. Vor allem nach Schneebruch und Windwurf oder nach Dürre kann dieser Borkenkäfer massenhaft auftreten und auch gesunde Bäume befallen und zum Absterben bringen. Man erkennt seine Fraßgänge unter der Rinde. Befallenes Holz muss schnell entrindet werden. Früher bekämpfte man den Buchdrucker mit Fangbäumen, die mit Kontaktgift bespritzt wurden. Seit längerer Zeit werden zur Schadensüberwachung künstliche Duftstofffallen verwendet. Wenn das Thermometer über 16 °C steigt und der Buchdrucker zu schwärmen beginnt, verströmen an Pfählen befestigte Kunststoffkästen den Geruch von Lockstoffen (Pheromone). Die Käfer fliegen in die Einflugschlitze der Kästen und können nicht mehr entweichen. Man stellt die Geräte auf Schneisen und Lichtungen auf. Zur Schadensbekämpfung eignen sie sich allerdings nur eingeschränkt. Ein weiterer wichtiger Käfer, der große Schäden im Wald anrichten kann, ist der **Wald-Maikäfer** (*Melolontha hippocastani*). Seine Engerlinge können ganze Laub- und Nadelbaumbestände durch Wurzelfraß vernichten. Dieser ist daher für Forstleute gravierender als der Kahlfraß der Bäume, der durch die Käfer selbst verursacht wird. Auch die Raupen einiger Schmetterlingsarten sind arge Forstschädlinge. Die **Nonne** (*Lymantria monacha*) gefährdet Kiefern und Fichten und frisst auch die Nadeln und Blätter anderer Baumarten. Die Kiefer leidet ebenfalls durch den Fraß des **Kiefernspanners** (*Bupalus piniarius*) und der **Kieferneule** oder **Forleule** (*Panolis flammea*). **Säugetiere:** In Laubholzkulturen und Verjüngungen können Mäuse erhebliche Schäden anrichten. **Erdmaus** (*Microtus agrestis*) und **Rötelmaus** (*Clethrinomys glareolus*) benagen die Rinde, die **Schermaus** (*Arvicola terrestris*) die Wurzeln von Laubholzpflanzen und führen dadurch zum teilweise erheblichen Ausfall. Unsere Wildarten gehören, abgesehen von den Vögeln, ebenfalls zu den Säugetieren, auch sie können große, teilweise sehr große Schäden im Wald verursachen. Werden Wildschäden – meist Verbiss-, Fege- oder Schälschäden – festgestellt, müssen sich das zuständige Forstpersonal, Waldbesitzer und private Jäger über geeignete Abwehrmaßnahmen und Vermeidungsstrategien verständigen.

148 Wie wirkt sich der Klimawandel auf unsere Wälder aus, welche Konsequenzen könnte dieser für die künftige Baumartenzusammensetzung unserer Wälder haben?

Die globale Durchschnittstemperatur hat sich von 1906 bis 2005 um rd. 0,8 °C erhöht, verursacht durch Treibhausgase wie CO_2 durch Verbrennung fossiler Brennstoffe oder Methan aus der Landwirtschaft. Auf den ersten Blick nicht viel, jedoch hat dies erhebliche Auswirkungen auf unsere Wälder. Durch erhöhte Thermik gibt es mehr und stärkere Stürme als in der Vergangenheit, Pilze und Insekten können sich besser vermehren. Vor allem der Buchdrucker, der geschwächte Fichten befällt, hat in den vergangenen rd. 20 Jahren erheblich zugenommen und große Schäden verursacht (s. Ziff. 57). Die Prognosen für

den Zeitraum von 1990 bis 2100 gehen von einer Klimaerwärmung um 1,2 °C bis 5,8 °C aus. Die Niederschläge werden im Winterhalbjahr zu-, im Sommerhalbjahr abnehmen. Es wird deutlich mehr Sommertage (> 25 °C) und mehr heiße Tage (> 30 °C) geben, Klimaextreme werden zunehmen. Tendenziell wird es also in der Vegetationszeit wärmer und trockener werden. Bei einer geringfügigen Erwärmung von bis zu 2 °C wird es eine Baumartenverschiebung geben. Verlierer werden sein: Fichte, Wald-Kiefer und Europäische Lärche. Gewinner könnten wärmeliebende Arten wie Trauben-, Stiel-, Flaum- und Rot-Eichen, Elsbeere, Feld- und Spitz-Ahorn, Sommer- und Winter-Linde, Vogel-Kirsche sowie die eingeführten Douglasien, Esskastanien und Robinien sein. Baumarten wie Rot-Buche, Berg-Ahorn, Weiß-Tanne und Esche könnten Arealverschiebungen von tieferen in höhere Lagen und von südlichen in nördlichere Regionen erleben. Probleme dabei sind, dass sich das Klima schneller erwärmt als die langlebigen Bäume folgen können, und dass es trotz durchschnittlicher Klimaerwärmung immer wieder Jahre mit sehr tiefen Temperaturen gibt, durch die die Baumarten der Zukunft hindurch müssen.
Steigt die Durchschnittstemperatur um mehr als 2 °C bis zu 5,8 °C, wird es Wälder in der heutigen Baumartenzusammensetzung nicht mehr geben. Wir hätten dann im Extremfall bei uns ein Mittelmeerklima, wie es heute beispielsweise in Neapel herrscht.

149 Wie reagiert die Forstwirtschaft auf den Klimawandel?

Wichtig ist die konsequente Berücksichtigung der Standortskartierung und der Prinzipien des Naturgemäßen Waldbaus. Es sollen stabile Mischbestände mit stärkerer Beteiligung der möglichen Klima-Gewinner etabliert werden. Bei deren Auswahl sind bewährte Herkünfte und Baumarten mit hoher Toleranz gegenüber Trockenphasen zu berücksichtigen.

5.59: Hordengatter in einem Rotwildrevier. Der Rohstoff Holz wird an seinem Entstehungsort wieder eingesetzt.

Unterschiedliche Herkünfte derselben Baumart sollen gemischt werden, z.B. Anbau von Rot-Buche in 600 m ü. NN mit Herkünften aus 300 m ü. NN. Eine möglichst große genetische Vielfalt muss gewährleistet werden, z.B. durch individuenreiche Naturverjüngung anstatt stammzahlarmer Pflanzungen. Dadurch werden die Risiken gestreut und bei Ausfall einzelner Bäume bleiben noch genügend andere übrig.

Ein begrenzter Anbau bewährter Gastbaumarten, v.a. Douglasie, Rot-Eiche, Ess-Kastanie, Robinie und Schwarz-Nuss können die heimische Baumartenpallette erweitern.

150 Welche Rolle spielt die Bejagung der Schalenwildarten bei der Anpassung des Waldbaus an die Klimaerwärmung?

Schalenwild, vor allem Rehwild, verbeißt und fegt bestimmte Baumarten, bevorzugt Minderheiten, dagegen bleiben andere Baumarten wie Fichte, Wald-Kiefer und Birke, weniger behelligt. Dadurch kommt es zu Entmischungen und geringerer Artenvielfalt und es bleiben die eher klimalabilen Baumarten erhalten. Da aber artenreiche, standortsgerechte Mischbestände die Risiken durch Klimaerwärmung und nachfolgende Insekten besser abpuffern können, kommt es in besonderem Maße darauf an, dass sich die klimastabilen Baumarten auch etablieren und durchsetzen können. Der Abschuss von Schalenwild soll sich also auch unter dem Aspekt der Klimaerwärmung an dem Verbissgutachten orientieren, um unsere Wälder für die nächsten Jahrzehnte fit zu machen. Besonders seltene, verbissgefährdete Baumarten müssen einzeln geschützt werden.

151 Warum treten verantwortungsbewusste Jäger, sowohl Forstleute als auch private, für eine waldfreundliche Bejagung unserer Schalenwildarten ein?

Jungpflanzen werden von Reh-, Rot-, Dam- und auch Muffelwild verbissen. Vor allem im Winter äst das Wild die Spitzen- und Seitentriebe sowie die Knospen. Laubbäume und Weiß-Tannen sind in ihrem Wuchs behindert. Fichten werden bei extrem überhöhten Schalenwildbeständen buschig und verkrüppeln. In ungünstigen Situationen (starke Beunruhigung, geringe Biotopqualität, überhöhte Wildbestände, unzureichende oder falsche Fütterung) schält Rotwild die Rinde von Stämmen. Ist das Kambium (= die Wuchsschicht) verletzt, beginnt das Holz, an diesen Stellen zu faulen (Kernfäule). Oft dauert es Jahre, bis die Verletzungen von der Rinde überwuchert werden. Dennoch wird das untere Stammholz wertlos. Dam-, Sika- und Muffelwild schälen Stämme weniger als Rotwild. Rot-, Dam- und Rehwild fegen sich an kleineren Bäumen und Sträuchern den Bast vom Geweih. Bevorzugt dabei werden seltene Arten, die dann ganz zerfetzt sind. Der Rehbock verletzt Jungpflanzen auch bei Einstandsmarkierung. Das Brechen der Sauen sehen Forstleute im Wald dagegen gern, sofern nicht die zur Naturverjüngung ausgesäten Eicheln oder Bucheckern aufgenommen werden. Bei extrem hohen Schwarzwildbeständen können aber auch junge Eichen stark geschädigt werden. Durch eine Kombination aus Lebensraumgestaltung, Schaffung von Ruhezonen und -phasen sowie geeigneter Bejagungsstrategien muss den Verbiss- und Schälschäden durch die vorhandenen Schalenwildarten begegnet werden. Fütterungen sind auf absolute Notzeiten zu beschränken.

152 Warum schält und verbeißt Schalenwild?

Rinden- und Knospenäsung gehört bei den wiederkäuenden Schalenwildarten zum natürlichen Nahrungsspektrum. Überhöhte Schäden haben jedoch darüber hinaus weitere Ursachen. Der traditionelle Wirtschaftswald ist von seiner Anlage her oft äsungsarm, und die Naturverjüngungen, die einigermaßen wildfreundlich wären, müssen bei überhöhten Schalenwildbeständen gezäunt werden, damit die Bäumchen hochkommen. Oft findet Rotwild daher selbst im Sommer zu wenig Nahrung. Beunruhigung durch Erholungssuchende, aber auch durch jagdliche Aktivitäten bringen immer mehr Stress in die Rotwildbestände. Das Rotwild steht in seinen Einständen, kann zur Äsung nicht umherziehen und beginnt, wegen des fehlenden Alternativangebots dort zu schälen. Dazu kommt, dass z.B. im Gebirge häufig die Wanderwege von den Wintereinständen zu den tiefer gelegenen Sommereinständen abgeschnitten sind, so dass das Rotwild gezwungen ist, in höheren, im Winter äsungsärmeren Lagen zu bleiben. Dort ist eine zielgerichtete Fütterung auch waldbaulich sinnvoll.

Waldschutzmaßnahmen

153 Wie lässt sich das Verbeißen, Fegen und Schälen des Schalenwildes durch Maßnahmen des Einzelschutzes eindämmen?

Die wichtigste Maßnahme ist, das Schalenwild so zu bejagen, dass keine nennenswerten Schäden auftreten. Beim Schutz von Einzelpflanzen gibt es mechanische und chemische Mittel. Mechanische Mittel sind **Wuchshüllen**, die an Robinienpfählen befestigt werden und bis zu einer gewissen Höhe vor Verbiss und Fegen schützen; sie wirken zugleich als Minigewächshäuser und gewährleisten rascheres Jugendwachstum, verursachen aber Plastikmüll im Wald und werden daher heute weniger verwendet. **Pfisterpfähle** bestehen aus witterungsbeständigen Pfählen, an denen Drähte befestigt sind, die um die zu schützenden Bäumchen gebogen werden. **Drahthosen** bieten ebenfalls guten Schutz, sind aber aufwändig im Anbringen und müssen nach ein paar Jahren wieder entfernt werden, da sie andernfalls einwachsen. Beim Rauschutz wird mit Rindenhobeln bzw. Rindenkratzern die Rinde von Fichten- und Douglasienstämmen verletzt, so dass Harzfluss auftritt und Wundkork entsteht, was das Schälen des Rotwildes verhindert. Auf chemischen Schutz sollte in aller Regel verzichtet werden. Falls dennoch die Notwendigkeit, z.B. zum Schutz von Minderheiten, besteht, kann auf von vielen Firmen angebotene und zugelassene Handelsmittel zurückgegriffen werden. Zur Information wende man sich an das nächste Forstamt oder an das Bundesforschungsinstitut für Kulturpflanzen (Julius-Kühn-Institut) in Braunschweig.

154 Welche Formen von Zäunen gibt es?

Feste Zäune (Spannzäune), **Scherenzäune** und **Gatterzäune** (Hordengatter). Sie sollen im Waldrevier Schalenwild davon abhalten, Kulturen zu verbeißen bzw. im Stangenholz zu schälen. Flächige Einzäunungen durch Spann- und Scherenzäune sind abzulehnen, da sie das Wild von einem Teil des Lebensraumes ausgrenzen, sehr schwierig und aufwändig dicht zu halten sind und bei Drückjagden eine erhebliche Gefahr für flüchtendes Wild darstellen. Auf-, Abbau und Entsorgung sind sehr teuer und bei intensiver Bejagung für die meisten

Baumarten auch nicht notwendig. Die Natur kennt keine Zäune! Dagegen können seltene und besonders verbissgefährdete Baumarten auch durch intensive Bejagung nicht völlig vor Verbiss geschützt werden. Hier bietet sich das **Hordengatter** an, das sich aus 3 bis 4 Meter langen Einzelstücken zusammensetzt, die aus witterungsbeständigen Latten oder aufgetrennten Stangen zusammengenagelt und beidseitig durch Stützen oder Haltedrähte befestigt sind. Die Horden lassen sich leicht auf- und abbauen, versetzen und notfalls reparieren. Zudem sind sie im Abbau und vor allem in ihrer Entsorgung problemlos; werden sie nicht mehr benötigt, kann man sie einfach am Boden verwittern lassen. Draht dagegen muss mit hohem Aufwand entsorgt werden. Die Höhe der Hordengatter ist davon abhängig, welche Wildarten man von der zu schützenden Fläche abhalten will. Schutz vor Rot- und Damwild ist ab 2 m Mindesthöhe sichergestellt. Reh- und Schwarzwild braucht mindestens 1,50 m, Muffelwild gar 2,50 m. Kaninchendicht wird ein Zaun von 1 m Höhe und einer Maschenweite von höchstens 40 mm, wenn man ihn mindestens 20 cm in die Erde eingräbt.

Weiterführende Literatur

Böhlmann, D.: Gehölzbiologie, 2. Auflage 2013, Quelle & Meyer, Wiebelsheim.

Burschel, P.; Huss, J.: Grundriss des Waldbaus, Ein Leitfaden für Studium und Praxis, 3. Auflage 2003, Ulmer: Stuttgart.

Düll, R.; Kutzelnigg, H.: Die Wild- und Nutzpflanzen Deutschlands, 9. Auflage 2022, Quelle & Meyer, Wiebelsheim.

Erlbeck, R.; Haseder, I.; Stingelwagner, G.: Das Kosmos Wald- und Forstlexikon, 4. Auflage 2009, Kosmos, Stuttgart.

Flade, M.; Plachter, H.; Henne, E.; Anders, K. (Hg.): Naturschutz in der Agrarlandschaft, 1. Auflage 2003, Quelle & Meyer, Wiebelsheim.

Halla, H.: Waldgänge eines passionierten Forstmannes, Persönliches und Hintergründiges über Bäume und Sträucher unserer Heimat, 2. Auflage 2001, DRW-Verlag, Leinfelden-Echterdingen.

Hecker, U.: Einheimische Laubgehölze, 2. Auflage 2008, Quelle & Meyer, Wiebelsheim.

Lüder, R.: Grundkurs Pflanzenbestimmung, Eine Praxisanleitung für Anfänger und Fortgeschrittene. 8., korr. u. aktual. Aufl. 2017, Quelle & Meyer, Wiebelsheim.

Lüder, R.: Grundkurs Gehölzbestimmung, Eine Praxisanleitung für Anfänger und Fortgeschrittene. 4. Aufl. 2021, Quelle & Meyer, Wiebelsheim.

Röhrig, E.; Bartsch, N.; Lüpke, B.: Waldbau auf ökologischer Grundlage, 7. Auflage 2006, Ulmer, Suttgart.

Rittershofer, F.: Waldpflege und Waldbau, 1. unveränderter Nachdruck der 2. Auflage 2004, Rittershofer Verlag, Freising.

Schmeil-Fitschen *flora mobil* DVD, 1. Auflage 2008, Quelle & Meyer, Wiebelsheim.

Schmidt, P. A.; Hecker, U.: Die wildwachsenden und kultivierten Laub- und Nadelgehölze Mitteleuropas, 1. Auflage 2020, Quelle & Meyer, Wiebelsheim.

Schmidt, P. A.; Schulz, B. (Hgg.): Fitschen – Gehölzflora. Ein Buch zum Bestimmen der in Mitteleuropa wild wachsenden und angepflanzten Bäume und Sträucher. 13., vollst. neu bearb. u. erw. Aufl. 2017, Quelle & Meyer, Wiebelsheim.

Schulte, J.: Wald- und Landbau, 2. Auflage 2008, Neumann-Neudamm, Melsungen.

Weis, G. B.: Anlage und Pflege von Wildäsungsflächen, 1997, Nimrod, Suderburg und Hanstedt.

Abbildungsnachweis

Archiv HS Rottenburg: 5.33 (Rinde), 5.44 (Himbeere)

Fachagentur Nachwachsende Rohstoffe e.V.: 5.5, 5.6

Beimgraben, T.: 5.28

Bretschneider-Herrmann: 5.21–5.24

Fotolia/sharplaninac: 5.39 (Pappeln)

Gohde, F.: 5.34 (Vogelbeeren)

Haack, H.: 5.47

Hein, S.: 5.29

iStock/JamesBrey: 5.12

iStock/lightpix: 5.17

iStock/LuVo: 5.43 (Herbstfärbung)

iStock/Whiteway: 5.39 (Blätter)

Knittel, C.: Deckblatt

Kuhn, Werner: 5.26

Reddemann, J.: 5.15, 5.27, 5.46

Saaten-Union GmbH, Isernhagen: 5.10, 5.13, 5.14, 5.16, 5.18–20

Statistisches Bundesamt: 5.6

Tubes, G.: 5.8, 5.11, 5.30–5.33 (Blatt), 5.34 (Blatt), 5.35–5.38, 5.40 (Nadeln), 5.43 (Zweig)

Wikimedia Commons (Lizenz CC BY-SA 3.0); Crusier: 5.40 (Wald), 5.41 (Baum), Pastilletes: 5.41 (Nadeln)

Willner, Wolfgang: 5.42 (Bäume), 5.44 (Brombeere), 5.45

Zeller, Stefan: 5.25

Jagdhundehaltung und -führung

6 Einleitung

„Der gute, brauchbare Jagdgebrauchshund ist für eine weid- und tierschutzgerechte sowie effektive Jagdausübung ebenso unverzichtbar wie das Gewehr mit einer wildartgerechten Kalibrierung und Laborierung“ (B. Krewer, 2004). In Deutschland gibt es mehr als 50 anerkannte Jagdgebrauchshundrassen, vom großrahmigen Deutsch-Kurzhaar bis zum Zwergteckel. Durch züchterische Selektion entstanden unterschiedliche Rassen mit bestimmten jagdlichen Anlagen und einem entsprechenden Einsatzspektrum. So gibt es ausgesprochene Spezialisten, wie z.B. den Hannoverschen Schweißhund zum Arbeiten der Hochwildwundfährte und „Allrounder“, deren prominenteste Vertreter zweifellos die Deutschen Vorstehhunde sind, die man außer im Bau fast bei jeder Jagdart einsetzen kann. Die Kenntnis der verschiedenen Jagdgebrauchshundrassen und ihrer jagdlichen Einsatzmöglichkeiten ist unverzichtbar für jeden Jäger, auch wenn er sich keinen eigenen Jagdhund anschaffen will. So sollte man z.B. wissen, dass der Pointer eines Jagdfreundes nicht unbedingt der Hund der Wahl zur Nachsuche einer Sau ist. Es geht aber auch darum, dass man einen Jagdhund im Einsatz als solchen erkennt, auch wenn er keine Signalhalsung oder Ähnliches trägt.

Für all diejenigen, die sich mit dem Gedanken tragen, einen eigenen Jagdhund anzuschaffen, ist es von Bedeutung, über Einsatzmöglichkeiten, Haltung und Gesundheitsvorsorge informiert zu sein. Dazu geben die Fragen im Jagdhundeteil umfangreiche Antworten und vermitteln einen sehr guten Überblick über das Deutsche Jagdgebrauchshundwesen. Die hier erworbene Fachkompetenz bewahrt auch davor, sich einen „jagdlichen Exoten“ anzuschaffen, der entweder nicht zu den bei uns üblichen Jagdarten und -gewohnheiten passt oder wegen gravierender Mängel (mangelnde Wildschärfe und/oder Laut) jagdlich unbrauchbar ist. Schließlich sollte man auch über die Bedeutung von Jagdgebrauchshundprüfungen informiert sein, stellen sie doch eine weitestgehend objektive Beurteilung der Anlagen und des Könnens eines Jagdhundes dar. Wer mit seinem Hund an Prüfungen des Jagdgebrauchshundverband (JGHV) teilnimmt, erstrebt bestimmte, weltweit anerkannte Standards. Die Arbeit auf solche Ziele hin stärkt die Bindung zwischen Hund und Führer und bildet die Grundlage für erfolgreiche Hundearbeit im Revier. Sicher gibt es auch ungeprüfte Jagdhunde, die in der Praxis gute Leistungen erbringen, aber Prüfungsergebnisse geben unverzichtbare Grundinformationen beim Kauf eines ausgebildeten Hundes, aber auch beim Kauf eines Welpen. Wer hat schon die Möglichkeit, beide Elterntiere eines Welpen in der Praxis beobachten zu können? Vergessen sollte man auch nicht, dass ein Jagdhund mit jeder bestandenen Prüfung seinen Wert steigert. Gutachten in Versicherungsfällen beziehen sich zu einem hohen Grad auf Prüfungsergebnisse.

6.1 Grundsätzliches zu den Jagdhunden

1 Kann den Jagdausübungsberechtigten die Verpflichtung zum Einsatz brauchbarer Jagdhunde auferlegt werden?

Ja, die meisten Landesjagdgesetze fordern, dass bei der Such-, Drück-, Riegel- und Treibjagd sowie der Jagd auf Wasserwild und bei jeder Nachsuche brauchbare Jagdhunde einzusetzen sind. In den meisten Bundesländern muss der Jagdausübungsberechtigte nicht unbedingt einen eigenen Hund nachweisen, es genügt, wenn brauchbare Jagdhunde anderer Jäger regelmäßig zur Verfügung stehen.

2 Welche Gründe bestimmen die Pflicht zur Haltung „brauchbarer" Jagdhunde?

Jagdethische und wirtschaftliche Gründe: Unser Verständnis von der „Weidgerechtigkeit" fordert, dass krank geschossenes oder angefahrenes Wild schnellstmöglich von seinen Leiden erlöst werden muss. Hierzu ist der brauchbare Jagdhund unabdingbare Grundvoraussetzung. Daneben bestimmen auch wirtschaftliche Gründe den Zwang zur Jagdhundhaltung. Der Wert des durch unsere Jagdhunde geretteten und dadurch einer sinnvollen Verwertung zugeführten Wildbrets ist beträchtlich.

3 Für welche Jagdhundrasse sollte sich der Jäger entscheiden?

Bevor sich der Jäger dazu entscheidet, einen Jagdhund anzuschaffen, muss er sich darüber im Klaren sein, dass sich vieles ändern wird, weil ein Lebewesen mit all seinen Ansprüchen in sein Leben tritt. Ein Hund muss gut untergebracht werden, und er nimmt sehr viel Zeit in Anspruch, die man vorher anders verbringen konnte. Es wird schwieriger, seinen Urlaub zu planen, man muss sich vielleicht Gedanken über die Anschaffung eines neuen KFZ (Kombis) machen usw. Wichtig ist auch das private „Umfeld", in dem der Hund leben soll. Ist der Bau eines ausreichend großen Zwingers – auch unter Berücksichtigung der möglichen Lärmbelästigung der Nachbarn – möglich, oder soll der Hund im Haus gehalten werden? Kann man dem Hund den für ein Lauftier unbedingt nötigen täglichen Auslauf zukommen lassen – eine, nicht nur für Jäger, die eine Etagenwohnung in einer Stadt bewohnen, sehr wichtige Frage. Wenn man einem Jagdhund aufgrund der eigenen Situation kein artgerechtes Umfeld und keine artgerechte Haltung bieten kann, dann sollte man auf den Erwerb besser völlig verzichten. Insbesondere trifft dies auf solche Jäger zu, die unter Zeitmangel leiden und/oder keine besondere Beziehung zu Hunden haben. Ist die Entscheidung für den Hund gefallen, dann muss der Jäger zunächst einmal seine eigenen jagdlichen Möglichkeiten bzw. die Einsatzmöglichkeiten für einen Jagdhund in dem von ihm bejagten Revier analysieren. Wenn die möglichen Einsatzgebiete eines Jagdhundes klar definiert sind, steht auch bereits die „Gruppe" (siehe dort) fest, aus der die Rasse ausgesucht werden sollte. Innerhalb der Gruppe kann dann der persönliche Geschmack des Jägers bzw. seine Vorliebe für eine bestimmte Haarform, Farbe oder Größe einfließen. Für den Durchschnittsjäger (der sich zum Beispiel nicht auf Nachsuchen spezialisieren will) bieten sich in erster Linie die Rassen an, die vielseitig jagdlich einsetzbar sind.

4 Was sollte man beim Kauf eines Jagdhundes beachten?

Zunächst muss man sich darüber im Klaren sein, ob man einen fertig abgerichteten Hund oder einen Welpen erwerben will, den man dann selbst ausbildet. Hat man als Jäger die notwendige Zeit und den Ehrgeiz, seinen Hund selbst auszubilden, dann sollte man einen Welpen erwerben. Herr und Hund wachsen allmählich zusammen, lernen gemeinsam und haben ihre gemeinsamen Erfolgserlebnisse. Wenn der Führer keine gravierenden Fehler macht und die Veranlagung des Hundes stimmt, dann entsteht ein gutes Gespann, das die vielfältigen Herausforderungen der Jagdpraxis zu meistern in der Lage ist. Die von vielen Kreisgruppen der Landesjagdverbände angebotenen Hundeführerlehrgänge kann man u.a. Erstlingsführern nur empfehlen. Der Preis für einen Jagdhundwelpen aus guter Leistungszucht sollte über den jeweiligen Zuchtverein erfragt werden. Einige verantwortungsvolle Jagdhundzuchtvereine setzen einen Preis bzw. Preisrahmen für Welpen fest. Allgemein kann gesagt werden, dass Welpen seltener Rassen in der Regel teurer sind als Welpen häufiger geführter und gezüchteter Rassen. Wichtiger als der Preis eines Welpen ist für den Jäger die Gewissheit, dass der zu erwerbende Welpe nach Kriterien gezüchtet wurde, die den Erhalt und die Verbesserung der rassespezifischen Qualitäten dieser Rasse sicherstellen. Dies ist in jedem Fall bedeutender als Schönheitschampionate der Eltern des zu erwerbenden Welpen. Über die zu erwartende Leistungsfähigkeit geben die Leistungszeichen der Ahnen des zu erwerbenden Welpen in der Ahnentafel Aufschluss. Im Zweifelsfall gibt auch der Zuchtverein Auskunft. Beim Erwerb älterer, bereits (fertig) abgerichteter Hunde ist besonders auf die Gesundheit des Tieres, abgelegte Prüfungen und Formwertnoten auf Zuchtschauen zu achten. Will man mit dem Hund züchten, dann ist darauf zu achten, ob er vom Zuchtverein als zuchttauglich eingestuft worden ist. Auch sollte man sich den Hund im Revier vorführen lassen und dabei ganz besonders auf das Wesen des Hundes achten und darauf, ob er freudig arbeitet, gehorsam ist und ein offensichtlich gutes Verhältnis zu seinem Führer hat. Fertig abgerichtete Hunde sind natürlich sehr viel teurer als Welpen. Einen preislichen Orientierungsrahmen bieten hier die Anzeigen in den Jagdzeitschriften.

5 Welche Fachausdrücke benutzt man, wenn vom Hund die Rede ist?

After:	Weidloch
Augen:	Augen
Beine:	Läufe
Blut (wenn es den Körper verlassen hat):	Schweiß
Eckzähne:	Fänge
Erhöhung des Rückens in der Schultergegend:	Widerrist
Erhöhung des Rückens über dem Becken:	Kruppe
Lange Haare an der Rute:	Fahne
Haustierwerdung:	Domestikation
Haut:	Decke
Hoden:	Geschröte, Kurzwildbret
Hundeartige:	Caniden
Lippen:	Lefzen
Ohren:	Behänge (beim Terrier: Ohren)
Männliches Glied:	Feuchtrute

Maul:	Fang
Milchdrüsen:	Gesäuge
Nase (Geruchssinn):	Nase
Schwanz:	Rute
Weibliche Geschlechtsteile:	Schnalle
Wissenschaft vom Hund:	Kynologie
Zähne:	Gebiss

Der Hund

hat *Appell,* wenn er gut gehorcht,
apportiert, wenn er seinem Führer erlegtes Wild bringt,
buschiert, wenn er in übersichtlichem Gelände unter der Flinte sucht,
faselt, wenn er eine Fährte verlässt und mit hoher Nase planlos umhersucht,
wird geschnallt, wenn er frei suchen oder ein aufgemüdetes krankes Stück frei verfolgen soll und ihm dabei die Halsung abgenommen wird,
gibt Laut, wenn er bellt,
hat einen *lockeren Hals*, wenn er gern und viel Laut gibt,
mehrere zusammen jagende Hunde bilden eine *Meute*, ihr Laut ist das *Geläut,*
ist *hasenrein* oder *hasengehorsam,* wenn er aufstehenden Hasen nicht nachgeht bzw. sich vom Führer durch Befehl oder Trillerpfiff von der Verfolgung abhalten lässt,
hetzt, wenn er flüchtiges Wild verfolgt,
löst sich, wenn er Kot absetzt,
markiert, wenn er durch sein Verhalten Wild anzeigt,
hat eine *gute Nase*, wenn er seinen Geruchssinn sinnvoll einzusetzen vermag,
nässt, wenn er Harn absetzt,
prellt nach, wenn er aufstehendem Wild nach dem Vorstehen nachsetzt,
ist *wildscharf,* wenn er gegenüber gehetztem oder gestelltem Wild keine Scheu, sondern Angriffslust zeigt,
ist *mannscharf,* wenn er seinen Herrn auch gegen Menschen verteidigt oder auf Befehl Menschen angreift,
ist *wesensfest,* wenn außergewöhnliche Umwelteindrücke ihn nicht oder nur sehr kurzfristig aus dem seelischen Gleichgewicht bringen,
ist *wesensschwach*, wenn außergewöhnliche Umwelteinwirkungen ihn nachhaltig beeindrucken,
ist *schussscheu,* wenn der Knall eines Schusses Ängstlichkeit oder gar Fluchtverhalten auslöst,
ist *schussfest*, wenn der Knall des Schusses ihn in keiner Weise beeindruckt,
ist *schusshitzig*, wenn der Knall des Schusses (aufgrund gemachter positiver Erfahrungen) unkontrollierte Überreaktionen auslöst (Kläffen, planloses Umherrennen usw.),
springt ein, wenn er Niederwild aufjagt, ohne zuvor vorgestanden zu haben bzw. beim Vorstehen das Herankommen des Jägers nicht abgewartet hat,
stöbert, wenn er eine Deckung weiträumig nach Wild absucht,

brackiert, wenn er einen Hasen auf seiner Spur so lange jagt, bis dieser in die Nähe seiner Sasse zurückkommt,

ist *spurlaut*, wenn der Geruch des flüchtigen Hasen den Laut beim Verfolgen der Spur auslöst,

ist *sichtlaut*, wenn er den sichtigen Hasen laut hetzt,

ist *fährtenlaut*, wenn der beim Verfolgen von Schalenwild auf dessen Fährte (ohne das Wild eräugt zu haben) Laut gibt,

streunt, wenn er auf eigene Faust jagt,

hat eine *planvolle Suche*, wenn er gründlich und mit System Felder absucht.

Die fortlaufenden Tritte des Hundes heißen *Spur*.

Der männliche Hund heißt *Rüde*, der weibliche *Hündin*.

Zweimal im Jahr wird die Hündin *heiß* (oder läufig), sie wird *belegt* (oder gedeckt), hat *aufgenommen* und ist *tragend*. Die Hündin *wölft* oder *wirft* nach etwa 63 Tagen ihre Welpen, diese bilden zusammen den *„Wurf"*. Werden die Welpen nicht mehr gesäugt (nach etwa 8 bis 10 Wochen), so sind sie *Junghunde*.

Bei Schweißhunden und Bracken gibt es darüber hinaus noch eigene Fachausdrücke.

6 Auf welche Fehler im Körperbau ist zu achten?

Es ist zu unterscheiden zwischen Typfehlern, die die Leistungsfähigkeit nicht beeinträchtigen (z.B. geringelte Rute, gedrehte Behänge, Farbfehler) und die jagdliche Einsatzfähigkeit beeinträchtigende Formfehler (wie Fassbeinigkeit und Kuhhessigkeit – also

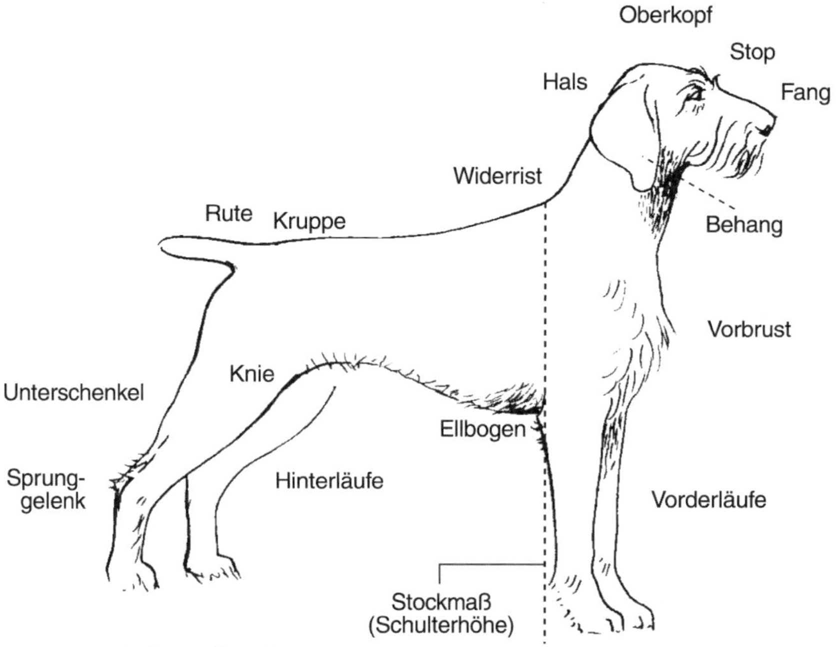

6.1: Anatomie des Jagdhundes

O- und X-Beine – offene Pfoten, Gebissfehler u.a.). Zuchtausschließende Fehler sind bei fast allen Rassen Hodenfehler (einer oder beide Hoden sind entweder nicht vorhanden oder im Leistenkanal stecken geblieben), Fehlen von 2 Prämolaren, Fehlen von Molaren, Rück- oder Vorbeißer (zu kurzer oder zu langer Unterkiefer), Augenlidfehler (eingerolltes Augenlid = Entropium, offenes Augenlid = Ektropium).

7 Welche Eigenschaften im Wesen eines Hundes sind erwünscht?

Er soll seinem Rassestandard möglichst vollkommen entsprechen, intelligent, anhänglich, ausdauernd, hart und furchtlos sowie vollkommen wesensfest sein. Sein Beutetrieb soll ausgeprägt sein, und er soll seine Nase einzusetzen verstehen.

8 Wie viele Zähne hat der erwachsene Hund?

42 Zähne, davon 20 im Ober- und 22 im Unterkiefer. In jeder Kopfhälfte sind oben und unten vorhanden: 3 Schneidezähne, 1 Fangzahn, 4 vordere Backenzähne (Prämolaren), oben 2, unten 3 hintere Backenzähne (Molaren).

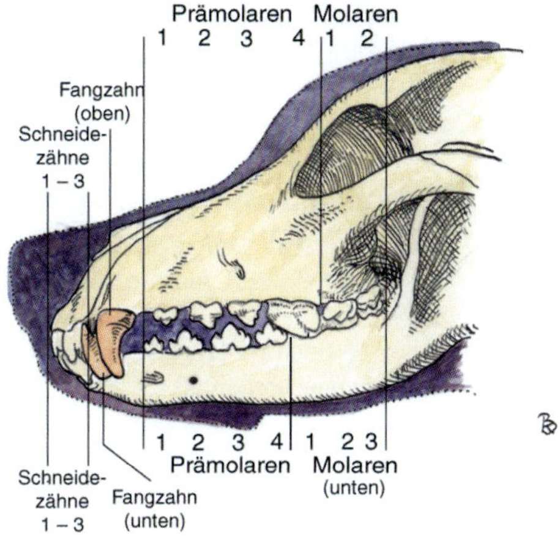

6.2: Das Gebiss des Hundes

9 Welche Abweichungen in der Stellung der Schneidezähne bzw. in der Stellung von Ober- zu Unterkiefer kommen vor?

Der Vor- und der Rückbeißer: Beim Vorbeißer ist der Unterkiefer im Verhältnis zum Oberkiefer zu lang, beim Rückbeißer zu kurz. Beide Fehler haben immer und bei allen Zuchtvereinen von Jagdgebrauchshunden den Zuchtausschluss zur Folge, da sie hocherblich sind. Bei einigen Nicht-Jagdhunden sind solche Fehler allerdings Rassestandard (z.B. Vorbiss beim Boxer).

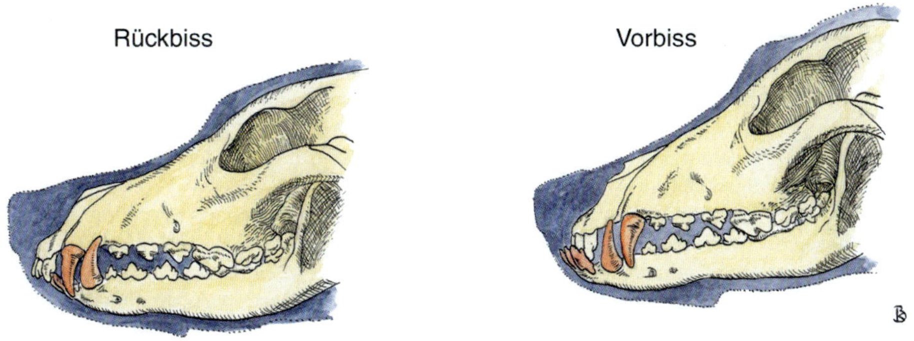

6.3: Gebissfehler

10 Wie kann man das Alter eines Hundes bestimmen?

» Anhand des Gebisses: Im Alter von etwa sechs Wochen hat der Welpe sein erstes Gebiss ausgebildet. Beim Junghund ist der Zahnwechsel vom Milch zum Dauergebiss im Alter von etwa sieben bis acht, ausnahmsweise neun Monaten abgeschlossen. Bei ausgewachsenen Hunden liefert die Abnutzung der Schneidezähne relativ verlässliche Informationen über das Alter.

» Anhand anderer Merkmale: Bei Hunderassen, die keine weiße Farbe am Kopf haben, kann man aus der allmählich zunehmenden Weißfärbung am Kopf (beginnend ab etwa acht bis zehn Jahren) auf ein höheres Alter schließen. Dies ist bei Rassen mit rassetypischer Weißfärbung am Kopf – z.B. Deutsche Bracke und Westfälische Dachsbracke, Beagle und Foxterrier – kaum möglich. Diese „Altersfärbung" unterliegt von Hund zu Hund jedoch so starken individuellen Schwankungen, dass sie nur einen äußerst ungenauen Rückschluss auf das Alter zulässt. Wird die Augenlinse trüb, dann ist der Hund im Regelfall schon sehr betagt, also sicher zehn Jahre oder älter. Ein normal gearbeiteter Jagdhund kann etwa 10 bis 14 Jahre alt werden. Die Lebenserwartung schwankt allerdings zwischen den und innerhalb der Rassen oft erheblich.

11 Wie benennt man das Alter der Jagdhunde?

» Bei den Vorstehhunden: nach der Zahl der Jahre, die der Hund im Feld gearbeitet hat. Ein Vorstehhund im fünften Lebensjahr steht im vierten Feld.

» Bei Schweißhunden: nach der Zahl der „Behängezeiten", die der Schweißhund auf kalter, gesunder Hochwildfährte gearbeitet hat. „Behängezeit" ist die Zeit ab dem Frühjahrsverfärben des Rotwildes bis nach der Feistzeit. Ein Schweißhund im fünften Lebensjahr steht also im vierten Behang.

» Bei den übrigen Rassehunden: nach Jahren, ein Terrier beispielsweise ist eben drei oder fünf Jahre alt.

6.2 Jagdhunderassen

12 Welche Voraussetzungen sind notwendig, damit eine Hunderasse als „Jagdhunderasse" anerkannt wird?

Der die jeweilige(n) Rasse(n) betreuende Zuchtverein muss Mitglied im *Jagdgebrauchshundverband* e.V. (JGHV) sein, der 1899 gegründet wurde. Dieser nimmt nur Zuchtvereine auf, die Hunderassen züchterisch betreuen, welche nach Herkunft und Eignung weidgerechtem Jagen in Deutschland dienen können und für die es einen international anerkannten Rassestandard gibt. Der JGHV hat es sich zur Aufgabe gemacht, alle Vereine und Verbände zusammenzuschließen, die sich der Zucht und Prüfung brauchbarer Jagdhunde widmen. Mitglied im JGHV können also nur Vereine oder Verbände (also juristische Personen) sein, keine Einzelpersonen. Zuchtvereine können nur dann eine Mitgliedschaft erwerben (und behalten), wenn sie Rassen betreuen, die weidgerechtem Jagen unter deutschen Jagdverhältnissen dienen können. Für die betreute(n) Rasse(n) muss bei der FCI (Internationale Dachorganisation für das Hundewesen) ein Rassestandard hinterlegt sein. Ferner müssen diejenigen Zuchtvereine, die neben der jagdlichen Zucht auch noch eine Formzucht (also Zucht auf Schönheit) betreiben, eine klare Trennung der Zuchtrichtungen haben oder herbeiführen. Seit 1995 fordert der JGHV von seinen Mitglieds-Zuchtvereinen, dass nur mit Hunden gezüchtet werden darf, die ihre rassetypischen jagdlichen Anlagen auf JGHV-anerkannten Prüfungen nachgewiesen haben.

13 In welche Gruppen werden die Mitglieder des Jagdgebrauchshund-verbands (JGHV) eingeteilt?

» Zuchtvereine für Jagdgebrauchshunde
» Jagdgebrauchshundvereine (JGV), Vereine also, die nur und ausschließlich Prüfungen nach den Prüfungsordnungen des JGHV durchführen.
» Landesjagdverbände und deren Untergliederungen, die sowohl als Jagdgebrauchshundvereine tätig sind, aber auch durch ihre Mitgliedschaft im JGHV dessen Ziele unterstützen wollen.
» Assoziierte Vereine des Auslandes, die infolge mangelnder eigener Dachorganisation im eigenen Lande sich dem JGHV angeschlossen haben (z.B. die „Centrale du Chien de Chasse de Grand Duché de Luxembourg“).

14 Was ist das Deutsche Gebrauchshund-Stammbuch (DGStB)?

Ein vom JGHV geführtes, in der Welt einmaliges Zucht- und Leistungs-Stammbuch, in das alle Hunde eingetragen werden, die Prüfungen nach den Prüfungsordnungen des JGHV oder der einzelnen Zuchtvereine erfolgreich abgelegt haben. Der JGHV unterhält hierfür ein eigenes „Stammbuchamt“. Dieses DGStB ist für alle Zuchtvereine eine äußerst wertvolle Hilfe für die Zucht auf jagdliche Anlagen (Zuchtprüfungen) und Leistungen (Gebrauchsprüfungen).

15 Worin bestehen die Aufgaben der einzelnen Zuchtvereine?

Unsere Jagdhund-Zuchtvereine haben die Aufgabe, durch zuchtlenkende Maßnahmen eine stetige Verbesserung oder zumindest Erhaltung der rassespezifischen jagdlichen Anlagen und damit der Leistungsfähigkeit der von ihnen betreuten Rassen sicherzustellen. Daneben bemühen sie sich um die Gesundheit ihrer Rasse und um ein dem jeweiligen Rassestandard entsprechendes Aussehen ihrer Hunde.

16 Welche Aufgaben hat der „Verband für das Deutsche Hundewesen“ (VDH)?

Der VDH ist die Dachorganisation aller Rassehund-Zuchtvereine in Deutschland. Seine wichtigste Aufgabe ist es, die Zuchttätigkeit seiner Mitgliedsvereine auf Gesundheit und rassetypisches Aussehen der jeweiligen Rassen hin zu überwachen. Durch die Mitgliedschaft der Zuchtvereine im VDH ist die internationale Anerkennung der gezüchteten Hunde durch die mittelbare Mitgliedschaft in der FCI gewährleistet.

17 Was ist ein vielseitig einsetzbarer Gebrauchshund und was versteht man unter einem Spezialisten?

Vielseitig einsetzbare Gebrauchshunde sind Jagdhunde, die bei den unterschiedlichsten Jagdarten eingesetzt werden können. Dabei liegt ihre Stärke eben in diesem breiten Spektrum, bei dem sie je nach Größe und Veranlagung die Arbeiten vor und nach dem Schuss bewältigen können. Zu ihnen gehören v.a. die Kontinentalen Vorstehhunde, aber auch die Wachtelhunde können hier genannt werden und selbst Teckel oder Terrier sind, unter Berücksichtigung ihrer Größe, sehr vielseitig verwendbar. Demgegenüber sind Spezialisten Jagdhunde, die eine Disziplin besonders gut beherrschen und darin dem Durchschnitt der „Generalisten" i.d.R. überlegen sind. Diese Fähigkeit kann rassebedingt herangezüchtet oder bis zu einem gewissen Grad durch Ausbildungsspezialisierung erreicht werden. Spezialisten sind z.B. die Schweißhunde oder die Englischen Vorstehhunde.

18 Wie werden die in Deutschland geführten und anerkannten Jagdhunderassen nach Eignung und Verwendungszweck eingeteilt?

Wir teilen die Jagdhunderassen in folgende Gruppen ein, wobei die Reihenfolge sich nicht an qualitativen Kriterien orientiert: Kontinentale Vorstehhunde, Stöberhunde, Erdhunde, Bracken, Schweißhunde, Apportierhunde, Englische Vorstehhunde (als Vorstehspezialisten), Nordische Hunde (Elchhunde).

Kontinentale Vorstehhunde

19 Welche Rassen gehören zu den Kontinentalen Vorstehhunden?

a) Deutsche Vorstehhunde
- » **Drahthaariger deutscher Vorstehhund** (DD): (rauhaarig, kupiert, braun, braunschimmel, schwarzschimmel)
- » **Stichelhaariger deutscher Vorstehhund** (DST): (rauhaarig, kupiert, braun, braunschimmel)
- » **Pudelpointer** (PP): (rauhaarig, kupiert, braun oder schwarz)
- » **Griffon** (Gr): (rauhhaarig, kupiert, braun-grau-schimmel)
- » **Kurzhaariger deutscher Vorstehhund** (DK): (kurzhaarig, kupiert, braun, braunschimmel, schwarzschimmel)
- » **Weimaraner**: Kurzhaar (WK): (kurzhaarig, kupiert, silbergrau) Langhaar (WL): (langhaarig, unkupiert, silbergrau)
- » **Großer Münsterländer** (GM): (langhaarig, unkupiert, schwarz-weiß)
- » **Kleiner Münsterländer** (KlM): (langhaarig, unkupiert, braun-weiß)
- » **Langhaariger deutscher Vorstehhund** (DL): (langhaarig, unkupiert, braun, braunschimmel)

b) Ungarische Vorstehhunde (Magyar Vizsla)
- » **Kurzhaariger Vizsla** (UK): (kurzhaarig, kupiert, rehbraun)
- » **Drahthaariger Vizsla** (UD): (rauhaarig, kupiert, rehbraun)

c) Französische Vorstehhunde
- » **Bretonischer Vorstehhund** (EB): (langhaarig, kupiert, oft mit Stummelrute gewölft, braun-weiß oder schwarz-weiß)
- » andere französische Vorstehhunde (lang- und kurzhaarig)

Die *Deutschen Vorstehhunde* sind äußerst vielseitig einsetzbare Gebrauchshunde, die neben dem eigentlichen Vorstehen zum Apportieren, zum Stöbern, zur Wasser- und zur Schweißarbeit eingesetzt werden. Gleiches gilt auch für die ungarischen und die französischen Vorstehhunde. Sie werden zwar selten in ihrer Leistung die auf die jeweiligen Einsatzgebiete spezialisierten Rassen erreichen können, decken aber mit ihrem Können die

6.4: Deutsch-Drahthaar

6.5: Deutsch-Stichelhaar

6.6: Pudelpointer

6.7: Griffon

6.8: Deutsch-Kurzhaar

6.9: Weimaraner Kurzhaar

6.10: Weimaraner Langhaar

6.11: Großer Münsterländer

6.12: Kleiner Münsterländer

6.13: Deutsch-Langhaar

6.14: Ungarischer Vorstehhund (Kurzhaar)

6.15: Ungarischer Vorstehhund (Drahthaar)

6.16: Bretonischer Vorstehhund (Epagneul Breton)

gesamte Palette dessen ab, was ein großer Hund im normalen Jagdbetrieb leisten muss. Es sind „Mädchen für alles". Die deutschen, die ungarischen und die französischen Vorstehhunde werden nach jagdlichen Kriterien gezüchtet. Dies heißt im Regelfall, dass nur Hunde in die Zucht kommen, die zumindest ihre jagdlichen Anlagen auf Zuchtprüfungen des Jagdgebrauchshundverbandes nachgewiesen haben.

Stöberhunde

20 Worin bestehen die jagdlichen Aufgaben eines Stöberhundes?

Sie suchen Wild, machen es hoch und jagen es den Schützen zu. Wichtig ist, dass als Stöberhunde eingesetzte Jagdhunde (egal welcher Rasse) spur- und fährtenlaut jagen. Sie werden überwiegend bei der Jagd auf Schalenwild – insbesondere an Sauen – eingesetzt, weshalb auch eine gewisse Härte bei Auseinandersetzungen mit wehrhaftem Wild unerlässlich ist.

21 Sind nur Stöberhunderassen zum Stöbern geeignet?

Wie schon vorher angedeutet ist der jagdliche Einsatz als Stöberhund nicht gleichbedeutend mit der Zugehörigkeit zur *Gruppe der Stöberhunde* (vgl. 6.2.11), so wie z.B. ein gut auf Schweiß arbeitender Wachtel nicht zur Gruppe der Schweißhunde gehört. Bei uns gibt es einige Rassen (Wachtel, Jagdterrier, Bracken, Teckel) die eine besondere Veranlagung für diese Arbeit mitbringen, die sie hauptsächlich im Wald verrichten. Auch ein speziell eingearbeiteter und in dieser Richtung veranlagter Deutscher Vorstehhund kann gute Stöberarbeiten leisten.

22 Welche Stöberhundrassen werden bei uns geführt und wie sind sie einsetzbar?

Der **Deutsche Wachtelhund (DW)** ist die einzige autochthone Stöberhundrasse, die seit langer Zeit ausschließlich auf jagdliche Qualitäten gezüchtet wird. Große Verdienste um diese Rasse erwarb sich der „Wachtelvater" Rudolf Friess, ohne den der Wachtel in der ersten Hälfte des 20. Jahrhunderts wohl kaum einen solchen Aufschwung unter den deutschen Jägern genommen hätte. Der typische Wachtel ist locker spurlaut, spursicher, wild- und raubzeugscharf. Er ist der Gebrauchshund des Waldjägers.
Der aus England stammende **Cockerspaniel** ist wesentlich kleiner als der Wachtel. Der lockere Spurlaut ist durch entsprechende Zuchtmaßnahmen mittlerweile genetisch weitestgehend fixiert. Er sucht und jagt in aller Regel kürzer „unter der Flinte" als der Wachtel. Im Rahmen seiner körperlichen Möglichkeiten leistet er auch auf der Wundfährte oft Erstaunliches.
Die sinnvollen Einsatzmöglichkeiten des größeren **Springerspaniels** sind durch seinen häufig fehlenden Spurlaut stark begrenzt. Ein stumm jagender Stöberhund erschwert es dem Wild, seine nötige Fluchtdistanz richtig einzuschätzen. Vor dem spurlauten Hund, dessen Aufenthaltsort das Wild recht genau orten kann, kommt das Wild oft relativ langsam und kann somit besser angesprochen und gegebenenfalls erlegt werden. Beide Spanielrassen werden bei uns im großen Stil auf Schönheit gezüchtet („Formzucht"). Die jagdliche Zucht spielt gegenüber der Formzucht eine eher untergeordnete Rolle. Der Jäger, der einen Jagdspaniel sucht, ist daher gut beraten, über die Zuchtvereine nach jagdlichen Linien Ausschau zu halten, die es in den meisten Zuchtvereinen neben der Formzucht natürlich auch noch gibt.

Rasse	Einsatzgebiete (Reihenfolge = Rangfolge)
Deutscher Wachtel (DW)	Stöbern, Schweißarbeit, Wasserarbeit
Cockerspaniel (CSp)	Stöbern, Buschieren, Schweißarbeit, Wasserarbeit
Springerspaniel (SpSp)	Stöbern, Buschieren, Wasserarbeit

6.17: Deutscher Wachtelhund

6.18: Springerspaniel

6.19: Cockerspaniel

Erdhunde

23 Welche Hunderassen zählen zu den „Erdhunden" und wie werden sie jagdlich eingesetzt?

» Die Teckel gehören entwicklungsgeschichtlich eigentlich zu den Bracken, sie sind Zwergbracken. Neben der „Normalform" gibt es noch den kleineren Kaninchenteckel und den noch kleineren Zwergteckel. Allen gemeinsam sind die typischen Brackeneigenschaften Spurlaut und enormer Spurwille, gepaart mit bester Nase. Leider werden zahlenmäßig weitaus mehr Teckel nach Form als nach jagdlicher Leistung gezüchtet.

» Letzteres gilt noch mehr für den Foxterrier. Die Schönheitszucht dominiert bei weitem und hat die jagdliche Zucht an den Rand gedrängt. Sein Ursprungsland ist England.

» Der Jagdterrier hingegen stammt aus Deutschland. Er ist ein lupenreiner Jagdhund geblieben, der sicher nicht immer leicht zu führen ist. Zucht auf Schönheit gibt es beim Jagdterrier nicht.

» Der Jack-Russel-Terrier stammt – wie der Foxterrier – aus England und hatte dort mit dem Foxterrier eine gemeinsame „Wurzel". Er diente in seiner Heimat in erster Linie dazu, den von den Foxhounds zu Bau gejagten Fuchs zu sprengen, damit die Meute diesen weiter jagen konnte. Hierzulande wird er im gleichen Spektrum wie seine „Vettern" eingesetzt. Spurlautes Jagen ist bei ihm eher selten, der Sichtlaut wird mittlerweile züchterisch gefestigt.

Rasse	Einsatzgebiete (Reihenfolge = Rangfolge)
Teckel (Kurz-: KT, Rau-: RT, Langhaar-: LT)	Bauarbeit, Schweißarbeit, Stöbern
Foxterrier (FT)	Bauarbeit, Arbeit in der Saumeute, Stöbern, (Schweißarbeit)
Deutscher Jagdterrier (DJT)	Bauarbeit, Arbeit in der Saumeute, Stöbern, Schweißarbeit, Wasserarbeit
Jack-Russell-Terrier (JRT)	Bauarbeit, Arbeit in der Saumeute, (Stöbern, Schweißarbeit)

6.20: Rauhaar-Teckel

6.21: Kurzhaar-Teckel

6.22: Langhaar-Teckel

6.23: Foxterrier

6.24: Deutscher Jagd-Terrier

6.25: Parson Russell Terrier

24 Was versteht man unter Bauarbeit?

Die Arbeit von Teckeln oder Terriern unter der Erde, d.h. in Fuchs- und/oder Dachsbauten. Sie besteht darin, in den Bau einzuschliefen (ohne Halsung!), die Beutegreifer zu finden und sie zu sprengen (aus dem Bau zu treiben). Dies gelingt beim Fuchs recht häufig, beim Dachs jedoch ist das Sprengen eher die Ausnahme.

25 Welche Anforderungen werden an die Härte und Schärfe des Bauhundes gestellt?

Er muss sehr viel Härte mitbringen, da er sich in einer ihm ungewohnten Umwelt zurechtfinden und unempfindlich gegen die Attacken des wehrhaften Wildes sein muss. Die Schärfe sollte kontrolliert sein, da überscharfe Hunde vor allem beim Zusammentreffen mit dem Dachs oft schwerste Verletzungen erleiden. Häufig ist festzustellen, dass Fuchs und sogar oft auch Dachs vor zurückhaltenderen Hunden eher springen als vor rücksichtslosen Draufgängern.

26 Wann spricht man vom Vorliegen?

Wenn der Erdhund im Bau vor Fuchs oder Dachs Standlaut gibt (nicht zu verwechseln mit „baulaut“).

27 Was tut der erfahrene und nicht überscharfe Hund nach einer Zeit des Vorliegens?

Er verlässt den gestellten Fuchs, schlieft in eine andere Röhre ein und bringt dadurch den Fuchs in Bewegung und eventuell zum Springen.

28 Wann spricht man von „Überrollen"?

Wenn Fuchs oder Dachs über den Hund hinweg oder an ihm vorbei den Bau verlassen oder eine andere Röhre annehmen.

29 Was versteht man unter „Verklüften"?

Werden Fuchs oder Dachs stark von einem Hund bedrängt, dann scharren sie oft die Röhre zwischen sich und dem Hund zu. Auch Erdhunde können sich verklüften, wenn sie sich selbst den Rückweg aus dem Bau versperren.

30 Durch welche Maßnahme kann man einen verklüfteten Bauhund befreien?

Durch einen Bodeneinschlag. Man versucht, nachdem man den ungefähren Standort des Hundes durch Abhorchen ermittelt hat, durch eine Grabung zu dem Hund zu gelangen und ihn aus seiner misslichen Lage zu befreien. Dies ist allerdings bei Felsbauten nahezu unmöglich.

31 Bei welchen anderen Gelegenheiten macht man noch einen Einschlag?

Wenn keine Aussicht besteht, dass ein Dachs springt, oder wenn man im Frühjahr Jungfüchse bejagt.

32 Wann ist die Baujagd besonders erfolgversprechend?

Während der Ranzzeit der Füchse (Ende Januar/Anfang Februar), da sich dann meist zwei oder noch mehr Füchse in einem Bau aufhalten. Weiterhin ist es zur Regulierung der Fuchsbestände sehr sinnvoll, die Jungfüchse, solange sie sich noch hauptsächlich im und am Bau aufhalten, streng mit dem Bauhund zu bejagen.

Bracken

33 Welche Rassen zählen zu den Bracken und wie werden sie heute jagdlich eingesetzt?

Bracken sind die ältesten Jagdhunde überhaupt, aus ihnen sind nahezu alle übrigen Jagdhunderassen durch Selektion entstanden. Typisch für alle Bracken sind feinste Nase und lockerer Spurlaut sowie ausgeprägter Spurwille. Sie werden heute hauptsächlich zum Stöbern auf Bewegungsjagden und bei der Nachsuche kranken Schalenwilds eingesetzt.

» **Deutsche Bracke** (DBr): (auch Olper Bracke), dreifarbig rot- bis hellbraun mit schwarzem Sattel und den weißen „Brackenabzeichen": weiße Blässe, weißer Fang mit Halsring, weiße Pfoten, weiße Rutenspitze, Nasenspiegel mit fleischfarbigem Längsstreifen

» **Westfälische Dachsbracke** (WDbr): Sie ist die „Niederlaufform" der Deutschen Bracke, der sie in der Farbe gleicht; Ursprungsland ebenfalls Deutschland

» **Alpenländische (– Erzgebirgler) Dachsbracke** (ADbr): in zwei Farbvariationen: (dunkel-)hirschrot oder schwarz mit rotem „Brand" (sog. „Vieräugl")

» **Brandlbracke** (BrBr): schwarz, mit rötlichem „Brand" an Fang, Pfoten und über den Augen; sie kommt aus Österreich, ebenso wie die

» **Steirische Rauhaarbracke** (SBr): einzige rauhaarige Bracke, Farbe rot bis fahlgelb, selten
» **Tirolerbracke** (TBr): ebenfalls in zwei Farbvariationen rot oder rotgelb einfarbig oder dreifarbig schwarz mit roten/gelbbraunen Abzeichen an Läufen, Brust und Kopf sowie geringen weißen Abzeichen
» **Schwarzwildbracke** (SB): sie stammt aus der ehemaligen Tschechoslowakei (Slovensky Kopov – tschechischer Nationalhund) und wird seit Anfang der 60er Jahre, erst in der ehemaligen DDR und nach der Wiedervereinigung in ganz Deutschland, rein gezüchtet. Im Aussehen gleicht sie stark der Brandlbracke, mit der sie eng verwandt ist.
» **Beagle** (Bea) und **Foxhound** (reiner Meutehund): Sie sind auf den Britischen Inseln zu Hause und jagten ursprünglich nur in der Meute. Jagdlich eingesetzt werden die Bracken (abgesehen vom Foxhound) hauptsächlich zum Stöbern in Waldrevieren und auf der Schweißfährte. Dabei sind sie in aller Regel Solojäger.

Bracken und ihr jagdlicher Einsatzbereich

Rasse	Einsatzgebiete (Reihenfolge = Rangfolge)
Deutsche Bracke	Brackieren, Stöbern, Schweißarbeit
Westfälische Dachsbracke	Stöbern, Schweißarbeit, Brackieren
Alpenländische Dachsbracke	Schweißarbeit, Stöbern
Brandlbracke	Schweißarbeit, Stöbern
Steirische Rauhaarbracke	Schweißarbeit, Stöbern
Tirolerbracke	Stöbern, Schweißarbeit, Brackieren
Schwarzwildbracke (Kopov)	Stöbern (insbes. an Sauen), Schweißarbeit
Beagle	Stöbern, Schweißarbeit, Brackieren
Foxhound	Meutejagd auf künstlicher Duftschleppe

6.26: Deutsche Bracke

6.27: Westfälische Dachsbracke

6.28: Alpenländische Dachsbracke

6.29: Brandlbracke

6.30: Steirische Rauhaar-Bracke

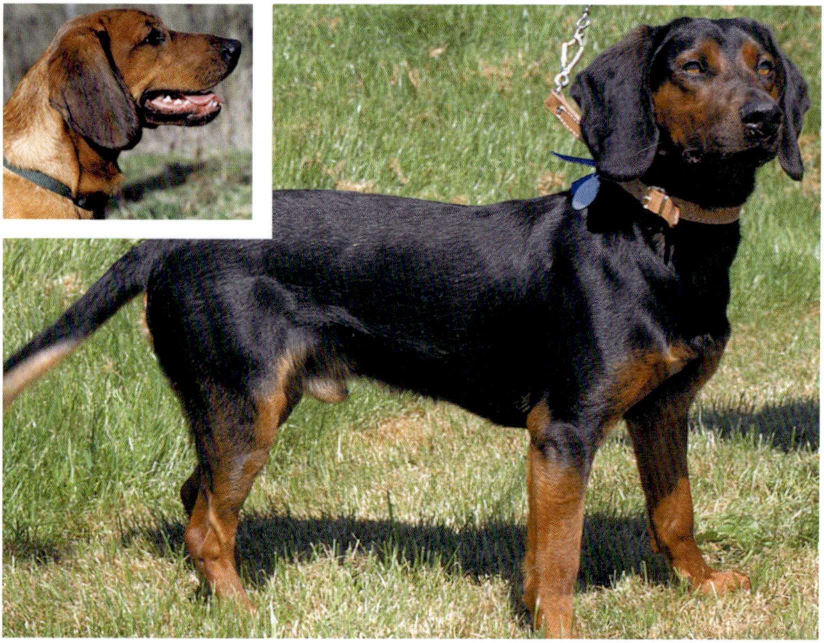

6.31: Tirolerbracke

6.32: Beagle

6.33: Foxhound

6.34: Schwarzwildbracke (Kopov)

34 Was versteht man unter dem Begriff „Brackieren“ bzw. der „Brackenjagd“?

Die Weitjagd mit der Bracke ohne Sichtverbindung mit dem Jäger. Das Brackieren beruht auf der Verhaltensweise des Hasen, in seinem Einstand feste Pässe zu halten. Die Bracken sollen einen einzelnen Hasen auf der Nachtspur finden und so lange fährtentreu und laut jagend verfolgen (nicht sichtig hetzen), bis er in weitem Bogen zur ursprünglichen Sasse zurückkehrt. Dort erwartet ihn der Jäger.

35 Was ist bei dieser Jagdart zu beachten?

Der Gesetzgeber schreibt für die Brackenjagd (Brackieren) eine Mindestfläche von 1000 ha vor (§ 19 Abs. 1 Nr. 16 BJagdG). Dazu können sich aber z.B. mehrere Reviere zusammentun Dies bedeutet auch nicht, dass es verboten ist, mit Bracken in kleineren Revieren oder auf anderes Wild zu jagen.

Schweißhunde

36 Welche Schweißhundrassen gibt es und wie werden sie eingesetzt?

» **Hannoverscher Schweißhund** (HS): nur auf der Wundfährte kranken Hochwildes, selten und nur ausnahmsweise auf der Wundfährte von krankem Rehwild.
» **Bayerischer Gebirgsschweißhund** (BGS): überwiegend auch auf der Hochwildwundfährte, häufiger als der Hannoversche Schweißhund jedoch auch auf der Rehwildwundfährte.

Die Schweißhunde sind reine und unmittelbare Brackenabkömmlinge. Ihre Stärken sind feinste Nase, Fährtenwille, Laut und Hetzpassion, verbunden mit der für beide Rassen typischen „Bierruhe“ bei der Riemenarbeit. Eine Sonderrolle nimmt die Alpenländische Dachsbracke ein, die offiziell als dritte Schweißhunderasse anerkannt ist, obwohl sie von ihrer Herkunft her zu den Bracken zählt.

37 Wird der Schweißhund abgerichtet?

Nein, er wird „eingearbeitet“.

38 Wie wird der Schweißhund eingearbeitet?

Der Hannoversche Schweißhund wird auf der gesunden, beobachteten Fährte einzeln gezogenen Hochwildes eingearbeitet. Der junge Schweißhund lernt also bereits in seiner Jugend, sich an der individuellen Witterung des Stückes zu orientieren, das diese Fährte hinterlassen hat, zudem noch an der Bodenverwundung, die jedes ziehende Stück verursacht. Man nennt diese Form der Einarbeitung „Hirschmannschule“ oder „Jägerhofmethode“, weil sie am Jägerhof zu Hannover bei der Umformung des Leithundes zum Schweißhund zu einer hohen Kunst verfeinert wurde. In den „echten“ Wundfährten kann Schweiß durchaus einmal völlig fehlen. Der so eingearbeitete Schweißhund wird sich jedoch nicht am Schweiß allein orientieren, sondern an den Bestandteilen der Fährtenwitterung, die auch in der gesunden Fährte vorhanden sind. Er wird also auch dann die Fährte voranbringen, wenn der Schweiß einmal fehlen sollte. Im Hochgebirge, der eigentlichen Heimat des Bayerischen Gebirgsschweißhundes, stößt die Einarbeitung nach der Jägerhofmethode geländebedingt auf Schwierigkeiten. Daher wird der „Bayer“ dort, aber auch im Flachland, vorzugsweise mit dem Fährtenschuh eingearbeitet. Diese Einarbeitungsmethode kommt von allen „Kunstfährten“ der echten Gesundfährte am nächsten, denn auch hier wird der

Hund insbesondere durch die Bodenverwundung geleitet. Gleiches gilt für die Einarbeitung der Alpenländischen Dachsbracke und anderer Bracken.

39 Welche Abrichtfächer muss der Schweißhund neben der Einarbeitung auf die Fährtenarbeit beherrschen?

Allgemeinen Gehorsam, Riemenführigkeit und Ablegen.

6.35: Hannoverscher Schweißhund

6.36: Bayerischer Gebirgsschweißhund

Apportierhunde

40 Was sind Apportierhunde und wie können sie unter unseren Jagdverhältnissen eingesetzt werden?

Zu den Apportierhunden gehören folgende Rassen:
» **Labrador Retriever:** (stockhaarig, unkupiert, cremefarben, schwarz oder leberbraun)
» **Golden Retriever:** (langhaarig, unkupiert, cremefarben)
» **Flat-Coated Retriever:** (stockhaarig, möglichst glatt, unkupiert, schwarz oder leberbraun)
Die Retriever stammen aus England und werden dort nur und ausschließlich zum Apportieren erlegten Federwildes eingesetzt. Unschlagbar sind die Retriever bei der Nachsuche auf Enten, also bei der Wasserjagd. Sie sind über weite Strecken sehr gut lenkbar und gewährleisten so ein schnelles und effektives Zutragen der Beute. Die Retriever sind aggressionsarme Hunde, denen meist auch die oft nötige Wildschärfe fehlt.

41 Kann ein Retriever auch außerhalb seines Spezialgebietes eingesetzt werden?

Seine Nasengüte, sein Finderwille und seine Ruhe lassen ihn auch für die Schweißarbeit geeignet erscheinen. Seine meist fehlende Wildschärfe und der mangelnde Laut beschränken die Arbeit hier jedoch auf Nachsuchen, bei denen der Anschuss einwandfrei erkennen lässt, dass das beschossene Stück bereits verendet ist. Gleiches gilt für Nachsuchen mit Hunden anderer Rassen, die keine Wildschärfe besitzen oder einer Hetze körperlich nicht gewachsen sind.

6.37: Labrador Retriever

6.38: Golden Retriever

Englische Vorstehhunde

42 Welche Rassen zählen zu den Englischen Vorstehhunden und was bedeutet Vorstehen?

Zu den englischen Vorstehhunden gehören folgende Rassen:
» **Pointer** (P): (kurzhaarig, unkupiert)
» **Englischer Setter** (ES): (langhaarig, weißbunt, unkupiert)
» **Irischer Setter** (IS): (rot, auch rot-weiß, langhaarig, unkupiert)
» **Gordon (Schottischer) Setter** (GS): (schwarzrot, langhaarig, unkupiert)
„Vorstehen" ist eine angeborene Verhaltensweise der Caniden, die durch Zuchtauswahl genetisch verstärkt wurde. Sie bewirkt, dass der Vorstehhund in dem Moment, in dem er Witterung von Niederwild in die Nase bekommt, (oft ruckartig) verharrt (vorsteht/vorliegt) und es so dem Jäger ermöglicht, heranzukommen und das vor dem Hund aufstehende Wild (Flugwild, Hase, Kanin) zu erlegen.

43 Welche Arbeit verrichtet der „reine" Vorstehhund?

Englische Vorstehhunde (Pointer und Setter) werden in ihrer Heimat fast ausschließlich zur Arbeit vor dem Schuss eingesetzt. Sie suchen weiträumig das Gelände ab, z.B. Hochmoorgebiete, um Flugwild zu finden, vorzustehen und die Schützen zum Schuss kommen zu lassen. Bei diesen Hunden werden sehr hohe Anforderungen an die Suche, ihre Weiträumigkeit, Schnelligkeit, Planmäßigkeit und Ausdauer gestellt.

44 Welche besonderen Anlagen bringen diese Hunde mit?

Englische Vorstehhunde sind mit einer sehr starken Beutegreifhemmung ausgestattet, so dass sie sehr fest vorstehen und es selten zum Einspringen kommt. Bei uns in Deutschland ist wegen der stark zurückgegangenen Federwildbestände die Jagd mit solchen Hunden leider nicht mehr weit verbreitet. Die langhaarigen „Engländer", die Setter also, werden hierzulande überwiegend auf Schönheit gezüchtet und nur in wenigen Zwingern steht die jagdliche Leistung im Vordergrund (diese Zwinger kann man über die Zuchtvereine erfragen).

Nordische Hunde

45 Was sind Nordische Hunde und wie können sie unter deutschen Jagdverhältnissen eingesetzt werden?

Zu den Nordischen Hunden gehören:
» die **Russisch-Europäische Laika**
» die **Westsibirische Laika**
» die **Ostsibirische Laika**
Typisch für die Laiki sind die Stehohren und die über den Rücken geringelte Rute. Die Laiki jagen immer stumm und geben lediglich Standlaut. Das schränkt ihre Einsatzmöglichkeit unter unseren „normalen" Jagdverhältnissen erheblich ein.

6.39: Pointer

6.40: Englischer Setter

6.41: Irish Red Setter

6.42: Irish Red and White Setter

6.43: Gordon (Schottischer) Setter

6.3 Jagdhundehaltung und Zucht

Haltung, Fütterung und Pflege

46 Wie soll ein Jagdhund artgerecht untergebracht werden?

Ohne Frage ist ein Jagdhund in einem ausreichend großen Zwinger mit entsprechendem Auslauf und regelmäßiger, ausgiebiger Familienanbindung gut untergebracht. Das Tierschutzgesetz und die Hundehaltungsverordnung beschreiben ausführlich die Haltungsbedingungen. So richtet sich die notwendige begehbare Mindestfläche des Zwingers nach der Widerristhöhe des zu haltenden Hundes. Bis 50 cm Höhe sind dabei 6 qm, zwischen 50 und 60 cm 8 qm und bei mehr als 65 cm Höhe sogar 10 qm notwendig. Die kürzeste Seite des Zwingers muss mindestens die doppelte Länge des Hundes aufweisen. Ideal ist ein Zwinger mit zusammenhängendem, möglichst großem, fest eingezäuntem Auslauf, der sowohl besonnte als auch schattige Flächen aufweisen sollte. Der Zwinger sollte zumindest teilweise naturbelassenen Boden aufweisen, damit der Hund auch „buddeln" und z.B. auch Knochen vergraben kann. Ebenso wichtig ist die Position der Zwingeranlage – der Hund sollte den Wohn- u. Aufenthaltsbereich seiner menschlichen Familienmitglieder einsehen können. Diese sozialen Kontaktmöglichkeiten sind nur annähernd Ersatz für Artgenossen. Der Bereich der möglichst doppelwandigen und gut isolierten Schutzhütte (keine Holzimprägnierung) sollte zudem überdacht sein. Die Hütte sollte so groß sein, dass der Hund sich bequem darin ausstrecken und liegen kann, andererseits aber auch nicht zu groß, da er sie dann nicht mehr durch seine eigene Körperwärme aufwärmen kann. Sie sollte im windgeschützten Eingangsbereich einen Vorraum haben, der den dahinter liegenden Schlafraum zugfrei hält. Unsere Jagdhunde bevorzugen i.d.R. einen gut isolierten Bretterboden, in der kalten und feuchten Jahreszeit ist die Einstreu mit Farnkraut sinnvoll, es hält zudem Ungeziefer fern. Beim Bau der Hütte und der Zwingeranlage ist darauf zu achten, dass eine regelmäßige Reinigung problemlos möglich ist. Desinfektionsmittel werden bei Ungezieferbefall (Läuse, Flöhe) eingesetzt.

6.44: Zwingeranlage mit Auslauf

47 Was ist zu raten, wenn der Hund in der Wohnung gehalten werden muss?

Der Hund muss beizeiten an einen bestimmten Platz gewöhnt werden – am besten in einer zugfreien Zimmerecke, jedoch nicht in unmittelbarer Nähe einer Wärmequelle (Ofen, Heizung). In der Wohnung gehaltene Hunde benötigen täglich regelmäßigen Auslauf, ein „Gassi-Gehen" an der Leine genügt für einen Jagdhund, der eine seinem natürlichen Bewegungsdrang angepasste körperliche Konstitution und Kondition entwickeln und bewahren muss, keineswegs.

48 Wie oft soll der Hund gefüttert werden?

Welpen nach der 3. Lebenswoche 3- bis 4-mal, Junghunde bis zum Alter von einem Jahr 2- bis 3-mal täglich. Ab dem 1. Lebensjahr reicht eine einmalige Fütterung (möglichst abends). Trächtige Hündinnen sollten in den letzten Wochen vor dem Werfen 2- bis 3-mal täglich mit jeweils geringeren Mengen Futter versorgt werden. Frisches Wasser muss immer zur Verfügung stehen.

49 Welche Futtermittel sind geeignet?

Dem Ernährungsbedarf eines Jagdhundes kommt rohes, unzerkleinertes Muskelfleisch am nächsten. Rinderpansen sowie Blättermagen (ungereinigt und nicht gekocht) gelten als sehr nährstoffreich. Der erwachsene Hund verträgt einen Fasten- oder (Kalbs-) Knochentag sehr gut. Die Ernährung muss dem Alter und der körperlichen Belastung des Hundes angepasst sein, dies ist insbesondere bei der Verfütterung von Fertigfuttermitteln zu beachten. Hochwertige Fertigfuttermittel sind in ihrer Zusammensetzung sicherlich gut abgestimmt und decken den Bedarf des Hundeorganismus ab. Falsche Fütterung, insbesondere in der Jugend, kann zu Wachstumsstörungen führen, die nicht mehr behebbar sind.

50 Welche Futtermittel sind völlig ungeeignet?

Gewürzte Küchenabfälle, Kartoffeln, Geflügel- u. Röhrenknochen. Schweinefleisch sollte grundsätzlich nicht verfüttert werden. Der Verzehr von rohem Schweinefleisch kann zu einer Infektion mit der Aujeszkyschen Krankheit führen. Dies ist eine Viruserkrankung, die ähnliche Symptome wie die Tollwut zeigt.

51 Welcher Körperpflege bedarf der Hund?

Das Haarkleid des Hundes ist mit Kamm und Bürste des öfteren von Schmutz, Grannen und Kletten zu reinigen. Langhaarige Hunde benötigen naturgemäß häufigere Pflege als kurz- oder rauhaarige Rassen. Das Baden mit Waschmittel oder Seife zerstört den natürlichen Fettschutz des Haarkleides und sollte unterlassen werden. Häufiges Schwimmen ist ausreichende Reinigung bei normaler Verschmutzung. Die Behänge des Hundes sind regelmäßig mit speziellen Ohrreinigungsmitteln zu säubern, bei Unterlassen kann sich der sehr schmerzhafte Ohrenzwang einstellen, der dann tierärztlicher Behandlung bedarf. Das Gebiss sollte regelmäßig kontrolliert, die jährlichen Schutzimpfungen vorgenommen werden (s. Hundekrankheiten). Bei Augenentzündungen sollte der Tierarzt aufgesucht werden.

Hundezucht

52 Was ist bei der Zucht grundsätzlich zu beachten?

Der verantwortungsbewusste Jagdhundzüchter ist Mitglied in einem Zuchtverein, der vom Jagdgebrauchshundverband e.V. (JGHV) anerkannt ist. Der zur Zucht einzusetzende Hund – egal ob Rüde oder Hündin – muss in höchstmöglicher Weise über all die rassespezifischen Eigenschaften verfügen, die für den jagdlichen Einsatz dieser Rasse unabdingbar sind. Diese Anforderungen sind von Rasse zu Rasse verschieden und in den Zuchtordnungen der Zuchtvereine festgeschrieben. In diesen ist auch festgehalten, welche Prüfungen abgelegt und welche Form-/Haar-/Typ-Noten auf Zuchtschauen oder sog. Ankörungen erreicht werden müssen. Zucht- u. Verbandsprüfungen werden von den jeweiligen Zuchtvereinen sowie von durch den JGHV anerkannten Vereinen abgehalten. Zugang zu diesen Prüfungen haben i.d.R. nur Hundeführer, die im Besitz eines gültigen Jagdscheins sind. Eine weitere wichtige Zuchtvoraussetzung ist die Wesensfestigkeit sowie die körperliche Gesundheit des Hundes. Ein schwerwiegender körperlicher Mangel ist z.B. eine gravierende Fehlstellung der Läufe oder aber auch die vererbbare Anomalie des Hüftgelenks (sog. HD = Hüftgelenkdysplasie). Jeder Jagdhund-Zuchtverein hat einen oder mehrere Zuchtberater bzw. Zuchtwarte, deren Rat der Züchter rechtzeitig vor dem beabsichtigten Deckakt einholen sollte. Diese Zuchtberater sind immer erfahrene Kynologen (Kynologie = Wissenschaft vom Hund) und meist auch bewährte Züchter, die sich in „ihrer" Rasse bestens auskennen.

53 Was sind „Schwarzzuchten"?

Wenn mit Hunden gezüchtet wird, bei denen ein oder sogar beide Elternteile über keine vom jeweiligen Zuchtverein ausgestellten und vom JGHV anerkannten Ahnentafeln verfügen oder aber ihnen wegen schwerwiegender körperlicher, leistungs- oder wesensmäßiger Mängel die Zuchtzulassung durch den Verein verwehrt wurde. Bei den Nachkommen einer solchen Paarung gibt es weder eine Gewähr für die jagdliche Brauchbarkeit noch für die gesundheitliche und wesensmäßige Unbedenklichkeit, da bei den Elterntieren vererbbare Merkmale wie Laut, Wesensstärke, Wildschärfe nicht nachgewiesen oder gravierende körperliche Mängel wie HD o.a. nicht ausgeschlossen wurden.

54 Wann wird der Hund geschlechtsreif und wie äußert sich dies?

Rüden und Hündinnen werden zwischen dem 7. u. 12. Lebensmonat geschlechtsreif (1. Hitze). In dieser Pubertätsphase sind die Junghunde in ihrem Wesen vorübergehend verändert, sie wirken sensibler oder auch flegelhaft. Bei der Hündin äußert sich die Hitze oder Läufigkeit durch Anschwellen der Schnalle und Beginn des sog. „Färbens". Der blutige Ausfluss ist in der anfänglichen, ca. einwöchigen Vorhitze (Proöstrus) rot bis dunkelrot, in der anschließenden Haupthitze (Östrus, 9. bis 15. Tag) wird er zunehmend milchig-schleimig. Die Hitze kehrt periodisch meist zweimal im Jahresablauf (Frühjahr und Herbst) wieder.

55 Wann kann die heiße Hündin erfolgreich belegt werden?

Die Hündin „steht" etwa ab dem 9. Tag, sie lässt den Rüden zu. Der sicherste Zeitraum für einen erfolgreichen Deckakt liegt zwischen dem 11. u. 14. Tag. Aber auch in der folgenden Nachhitze, die noch 10 Tage andauern kann, ist eine erfolgreiche Befruchtung nicht ausgeschlossen. Der genaue Zeitpunkt des Eisprungs (Ovulation) lässt sich durch einen vaginalen Abstrich (in der Scheide oder Schnalle) oder durch einen einfachen Hormontest feststellen (Konzentration des Schwangerschaftsschutzhormons Progesteron im Blut). Für einen erfolgreichen Deckakt muss die Hündin frei von Gebärmutter- oder Scheideninfektionen (Bakterien) sein. Dies wird zu Beginn der Hitze mittels Abstrich vom Tierarzt festgestellt. Man kann eine Hitze durch Hormonpräparate verschieben, sollte jedoch bedenken, dass man durch solche Manipulationen den gesamten Hormonhaushalt der Hündin – oft für ihr ganzes Leben – nachhaltig stört.

56 Wie kann man eine heiße Hündin vor Rüden schützen?

Indem man die Hündin sicher einsperrt. Bedenken sollte man jedoch immer, dass die Liebe bekanntlich erfinderisch macht und für einen Rüden ein 2 m hoher Zwingerdraht kein Hindernis darstellen muss.

57 Nach welcher Tragzeit erfolgt die Geburt?

Die Welpen kommen nach durchschnittlich 63 Tagen zur Welt. Bei kopfstarken Würfen in der Regel etwas früher, bei kopfschwachen Würfen eher später. Zwischen dem Wölfen der einzelnen Welpen liegen anfangs vielleicht 30 Minuten, bei kopfstarken Würfen können zwischen der Geburt der letzten Welpen auch Stunden liegen.

6.45: Kurz vor der Geburt

58 Wo sollte die Hündin werfen?

Die Hündin sollte in ihrer gewohnten Umgebung und ungestört durch fremde Menschen oder auch andere Hunde werfen können. Die Wurfkiste muss so geräumig sein, dass sie noch durch die Hündin aufgewärmt werden kann. Im Wurfzwinger muss sie gegen Wind und Wetter geschützt stehen. Künstliche Wärmequellen sowie abgeschlossene Räume sind einer artgerechten Aufzucht abträglich. Der Wurfzwinger muss von seiner Größe und sonstigen Beschaffenheit (z.B. natürlicher Bodenbewuchs, Sonneneinstrahlung) her den hygienischen und instinktiven Bedürfnissen (Spieltrieb) der Hundefamilie gerecht werden.

6.46: Hündin mit ihren Welpen in der Wurfkiste

59 Wie kommen die Welpen zur Welt?

Die Geburt kündigt sich durch Austreten von Fruchtwasser an, der Welpe kommt in einer Fruchthülle zur Welt, die von der instinktsicheren Hündin aufgebissen und schließlich verzehrt wird. Anschließend beißt sie die Nabelschnur ab und durch dauerndes Trockenlecken weckt sie die Lebensgeister des Neugeborenen, der sofort in kreisenden Bewegungen das Gesäuge sucht. Die Welpen kommen blind und behaart zur Welt, die Augen öffnen sich zwischen dem 10. und 14. Tag. Die instinktsichere Hündin vollzieht den gesamten Geburtsvorgang sowie die anschließende Aufzucht selbstständig und ohne jede Hilfe. Jedoch ist spätestens nach abgeschlossenem Geburtsvorgang eine tierärztliche Nachversorgung unbedingt notwendig. Die Kontraktion und Reinigung der Gebärmutter schützt vor häufig tödlich verlaufenden Entzündungen.

60 Was versteht man unter Kupieren?

Kupieren ist das Kürzen der Rute, das in den ersten Lebenstagen der Welpen erfolgt. Die Maßnahme dient dem Tierschutz, um zu erwartende Verletzungen (Wundschlagen im Schilf, Gestrüpp etc.) bei jagdlich geführten Hunden zu vermeiden. Gem. Tierschutzgesetz vom 1.6.1998 ist das Kupieren „jagdlich zu führender Hunde" durch einen Tierarzt erlaubt. Dieser prüft im Einzelfall die Voraussetzungen und kürzt die Ruten nur etwa bis zur Hälfte der ursprünglichen Länge, um die Mimik und Steuerungsfunktion zu erhalten. Die Rassestandards der Deutschen Vorstehhundrassen DD, DK, PP, DSt, Gr u. Weimaraner-Kurzhaar, die der Ungarischen Vorstehhunde (Kurz- u. Drahthaariger Magyar Vizsla) sowie der des französischen Bretonischen Vorstehhundes sehen das Kupieren vor. Ebenso werden der Deutsche Wachtel, die Terrier und der Spaniel kupiert. Nicht kupiert werden grundsätzlich alle Bracken sowie Schweißhunde und die langhaarigen deutschen Vorstehhunde. Ebenso werden die „Engländer" (Pointer und Setter) niemals kupiert. Gleiches gilt für die Teckel aller Größen und Haarvarietäten.

61 Was versteht man unter „Wolfskrallen“ oder „Wolfsklauen“?

Die an den Innenseiten der Hinterläufe gelegentlich vorkommenden fünften Krallen (= Zehen), die meist nicht mit dem Laufknochen verwachsen sind, sondern nur lose in der Haut hängen. Sie werden in den ersten Lebenstagen mit einer scharfen Schere abgeschnitten, die geringe Blutung wird von der Hündin durch Lecken der Wunde meist rasch gestillt. Eine Abnahme dieser Wolfskralle ist notwendig, damit sich der Hund diese später nicht in spitzen Dornen oder Brombeeren einreißt oder gar abreißt.

62 Ab wann füttert man die Welpen zu?

Mit Beginn der 3. bis 4. Lebenswoche werden die Welpen zugefüttert, bis dahin leben sie ausschließlich von der Muttermilch. Als erstes „Beifutter“ nimmt man durch den Wolf gedrehtes Muskelfleisch vom Rind, gemischt oder in Abwechslung mit altersangepasster Flockennahrung. Ab der 5. bis 6. Lebenswoche meistern die Welpen auch schon grob gehackten Pansen oder anderes Muskelfleisch.

6.47: Säugen der Welpen

63 Was ist bei der Aufzucht der Welpen sonst noch zu beachten?

Nachdem die Mutterhündin in der Mitte der Trächtigkeit entwurmt wurde, ist dies in der zweiten und der vierten Woche nach dem Werfen zu wiederholen. Gleichzeitig werden dadurch die Welpen mitentwurmt. Der Wurf ist unverzüglich dem Zuchtbuchamt des jeweiligen Zuchtvereins zu melden. Gleichzeitig werden die Ahnentafeln der Welpen beantragt. Die Rufnamen aller Welpen eines Wurfes müssen mit dem gleichen Buchstaben beginnen. In der siebten Lebenswoche werden die Welpen gegen Staupe, Hepatitis, Parvovirose und Leptospirose geimpft. Eine wirksame Tollwutimpfung kann erst später – im Alter von etwa drei Monaten – erfolgen.

64 Was bedeutet folgende Anzeige in einer Jagdzeitung?

4,3 PP – Welpen m. P. abzugeben
mittel-dunkelbraun
gew. 6.4.99, nach Tim Hünfelden
VJP, HZP, VGP, HN, sil, HD 0, sg/sg
aus PPS Ira vom Geweberwald
VJP, HZP, VGP, VSWP, Btr, AH, HN, sil, spl, HD 0, sg/sg
ab Anfang Juni.

Pudelpointerwelpen – 4 Rüden, 3 Hündinnen mit Papieren abzugeben, mittel-dunkelbraun. Wurftag 06.04.1999 Vater: Tim Hünfelden, mit bestandener Verbandsjugendprüfung, Herbstzuchtprüfung, Verbandsgebrauchsprüfung, Härtenachweis, sichtlaut, HD-frei, Formwert sehr gut, Haarwert sehr gut Mutter: Pudelpointersieger Ira vom Geweberwald mit bestandener Verbandsjugendprüfung, Herbstzuchtprüfung, Verbandsgebrauchsprüfung, Verbandsschweißprüfung, Bringtreueprüfung, Armbrusterhaltabzeichen, Härtenachweis, sichtlaut, spurlaut, HD-frei, Formwert sehr gut, Haarwert sehr gut ab Anfang Juni abzugeben.

65 Wie stellt man die Identität eines Hundes fest?

Früher durch die Tätowierung (Tätonummer) im Behang. Heute wird fast nur noch „gechipt" (Einsetzen eines Chips unter die Haut).

6.4 Früherziehung, Ausbildung und Führung des Jagdgebrauchshundes

Der Umgang mit dem Junghund und seine Erziehung

66 Welche wesentlichen Entwicklungsphasen des Junghundes unterscheidet man und was bedeuten sie?

1. Die *Vegetative Phase* erleben die neugeborenen Welpen passiv. Sie dauert bis zur zweiten Woche. Die wenigen aktiven Bewegungen (Säugen, Milchtreten) werden vegetativ gesteuert.
2. In der anschließenden bis zur dritten Lebenswoche andauernden *Übergangsphase* öffnen sich Augen und Ohren – die Welpen nehmen ihre Umwelt wahr.
3. In der dritten Lebenswoche beginnt die *Prägungsphase*, in der der Welpe auf und durch seine Umwelt geformt wird. Im Spiel mit den Artgenossen, anfangs in der Wurfkiste, später im freien Gelände zeigen sich erste Ausdrucksformen, wie Knurren, Bellen, Sträuben der Haare, Angriff und Verteidigung. Häufiger Kontakt zu Menschen ist in dieser Phase sehr wichtig. Diese Phase dauert ca. bis zur achten Lebenswoche. Alles, was der Hund in dieser Zeit „lernt", führt zu unauslöschlichen Lernerlebnissen und ist bestimmend für sein ganzes Leben. Kommt er in dieser Zeit mit nur sehr wenigen Menschen zusammen, wird er seine Zuneigung auch später mit großer Wahrscheinlichkeit nur wenigen Menschen schenken. Hat er viele Kontakte, wird er vermutlich ein „Aller-

6.48: Die Auswahl des „geeigneten" Welpen kann schwierig werden

weltsliebling". Es ist sehr wichtig, dass der Welpe diese wichtigste Phase seines Lebens in engem Kontakt zu seinen Wurfgeschwistern und der Familie des Züchters verbringt. Ein Welpe, der diese Zeit alleine und ohne menschliche Bezugsperson verbringen muss, wird zu einem Wesenskrüppel verkommen („Kaspar-Hauser-Effekt"), der nicht mehr zu „beheben" ist.

4. In der *Sozialisierungsphase* tritt der Wechsel in einen neuen Familienverband ein. Der Mensch wird künftig sein Rudelführer und „Artgenosse". In dieser bis zur zwölften Woche andauernden Phase benötigt der Welpe geregelte Futterzeiten und viel Kontakt im Spiel. In der nun langsam einsetzenden Erziehung (z.B. Stubenreinheit) dürfen keinesfalls Schläge oder andere körperliche Strafen angewendet werden. Der Griff ins Nackenfell, wie der Leithund es auch im Rudel tut, macht dem Welpen unseren Unwillen ausreichend verständlich.
5. In der *Rangordnungsphase* (12. bis 16. Woche) lernt der Junghund seine Stellung in der Rangordnung (auch in der Familie) kennen. Sie muss für ihn unmissverständlich klar werden.
6. Die anschließende *Rudelordnungsphase,* in der der Hund sehr lernbegierig und aufnahmefähig ist, muss genutzt werden, den Hund ohne Zwang in die gewollte Richtung zu lenken. Er erwartet jetzt von seinem „Kopfhund" Autorität. Forderungen an das junge Tier sind konsequent durchzusetzen. Ist eine Strafe angebracht, muss sie sofort erfolgen, damit der Hund sie mit seinem Fehlverhalten in Verbindung bringen kann. Der Hund lernt jetzt als ständiger Revierbegleiter Wald, Feld und Wasser sowie die übrigen Lebensbereiche des Menschen kennen. Die Erziehung des Junghundes sollte bis zum zehnten Lebensmonat abgeschlossen sein. Ist der Hund bisher spielerisch – aber doch mit Konsequenz – erzogen worden, so beginnt nun die eigentliche Abrichtung auf das

ihm zugedachte Arbeitsgebiet, die sich nur schrittweise und in Kenntnis der Psyche des Hundes vollziehen kann. Die Abrichtung sollte nach Möglichkeit bis zum Eintritt in die *Erwachsenenphase* (18. bis 30. Monat) abgeschlossen sein. Der Hund ist nun ausgeglichen, beständig und belastbar. Er muss dauernd beansprucht werden, und kann auf Spezialaufgaben vorbereitet werden.

67 Welche Maßnahmen sind im Welpen- u. Junghundstadium von großer Bedeutung?

» Gewöhnung an Aufenthalt im Zwinger, Auto und Haus
» Kontakt mit Artgenossen und Menschen
» Förderung der körperlichen Entwicklung durch artgerechte Unterbringung, Fütterung, Pflege und ausreichende Bewegung
» Herstellung und Pflege eines intensiven Kontaktes zum Herren.

68 Wann beginnt man mit der Erziehung?

Die Erziehung beginnt im Alter von ca. acht Wochen – zu diesem Zeitpunkt wird der Welpe meist aus dem Rudelverband der Mutter – Geschwister herausgelöst. Jetzt übernimmt der Mensch die Rolle des Rudelführers.

69 Welche erzieherischen Schritte stehen am Anfang?

» Gewöhnung an den Namen und Herbeirufen
» Gewöhnung an geregelte Fütterungszeiten
» Stubenreinheit
» Gewöhnung an Halsung und Leine

70 Wie erzieht man den Junghund zur Stubenreinheit?

Indem man ihn nach jeder Fütterung sofort ins Freie lässt und dort lobt, sobald er sein „Geschäft" verrichtet. Sobald er unruhig wird oder sich z.B. durch Winseln bemerkbar macht, sollte der Welpe zusätzlich nach draußen gelassen werden. Strafe nach einem „Unglück" im Zimmer, womöglich noch nach Nichtbeachten dieser Anzeichen des Hundes sind völlig falsch und für ihn nicht begreifbar. Die letzte Mahlzeit sollte am frühen Abend verabreicht werden.

Jagdliche Anlagen und ihre Förderung

71 Welche jagdlichen Anlagen unterscheidet man beim Gebrauchshund?

Der Hund muss als genetische Anlage – je nach Rasse mehr oder weniger ausgeprägt – Nase, Spur- u. Finderwillen, Vorstehen, Wasser- u. Bringfreude sowie unbedingte Wesensfestigkeit und Wildschärfe mitbringen.

72 Lassen sich jagdliche Anlagen durch Dressur beeinflussen?

Anlagen lassen sich nicht durch Abrichtung „erzeugen". Sie müssen genetisch verankert sein und können bereits ab dem Welpenalter geweckt und gefördert werden. Gehorsamsleistungen hingegen sind das Ergebnis dressurmäßiger Einwirkung.

73 Welche Übungen sollten – schon im Welpenalter beginnend – im Hinblick auf Erkennen und Förderung jagdlicher Anlagen durchgeführt werden?

Die Arbeit auf der Futterschleppe ist genauso unentbehrlich wie die verschiedenen Übungen mit der Reizangel. Auch die Begegnung mit erlegtem Wild – jedweder Art – sowie das frühzeitige Bekanntwerden mit dem nassen Element sind prägende Ereignisse. Die wohl wichtigste Voraussetzung zur Förderung jagdlicher Anlagen besteht darin, den Junghund regelmäßig mit ins Revier zu nehmen, ihn mit Wald, Feld und Wasser sowie allen darin vorkommenden Wildarten bekannt und vertraut zu machen. Hierbei sind übermäßige Sichthetzen an Haarwild zu vermeiden. Der Junghund darf aber nach einer Hetze keinesfalls bestraft werden, da er in diesem Alter noch keinen Wildgehorsam hat und er die Strafe nur negativ mit dem Wild in Verbindung bringen würde.

6.49: Früher Kontakt mit jeglichem Wild prägt die jungen Hunde

74 Was versteht man unter einer Futterschleppe?

Der hungrige Welpe verfolgt eine Duftspur (Schleppe mit Pansen, Lunge o.ä.), die anfänglich nur wenige Meter und mit zunehmender Übung stetig an Stehzeit, Länge und Schwierigkeitsgrad (z.B. Haken) zunimmt. Am Ende der Schleppe wird er mit einem guten Happen belohnt. Diese Übung, an der langen Feldleine gearbeitet, gewöhnt den Hund an eine ruhige und konzentrierte Arbeitsweise, fördert den Spurwillen und die Spursicherheit.

75 Was ist eine Reizangel und wozu dient sie?

Die Reizangel besteht aus einem zwei bis vier Meter langen Stock und einer an dessen Ende befestigten, etwa gleich langen Schnur. Am Ende der Schnur ist ein Hasenbalg, ein Deckenfetzen oder ein Stück Wild befestigt. Diese durch die Reizangel bewegte „Beute"

6.50: Früherziehung des Hundes an der Reizangel

veranlasst den Welpen zum Nachhetzen und Greifen, aber auch die Vorstehanlage lässt sich fördern. Beim heranwachsenden Hund lassen sich Gehorsamsübungen verstärken – der Hund muss trotz kreisendem Hasenbalg in der Haltlage verharren. Neben den Attrappen wie Hasenbalg oder Federwildschwinge kann man auch ein Kanin oder einen Jungfuchs an der Reizangel befestigen. So lernt der Junghund auch ihm noch fremdes Wild kennen und greifen. All diese Übungen verschaffen dem Hund zudem sehr viel Bewegung und stärken sein Selbstbewusstsein, da er bei der „Hetze" immer Sieger bleiben sollte.

76 Wie ist der Hund bereits im Welpenalter auf spätere jagdliche Aufgaben vorzubereiten?

Haar- und Federwildschleppe sowie Schweißfährten (letztere immer am Schweißriemen bzw. an der Feldleine) im zeitlichen Anschluss an die Futterschleppen fördern die Konzentrationsfähigkeit auf Spur und Fährte und erhöhen Spurwillen und Spursicherheit.

77 Woran erkennt man den wesensfesten Hund?

Man erkennt ihn an der Unempfindlichkeit gegenüber ungewohnten Geräuschen, Ereignissen und Begegnungen. Er darf in derartigen Situationen keinerlei Angst oder Scheu zeigen, sonst ist er für die Zucht völlig ungeeignet, da auch diese Eigenschaften vererbbar sind. Mit Einschränkungen ist dieser Hund im Jagdbetrieb noch einsetzbar.

78 Wie und wann zeigen sich die Anlagen des Junghundes?

Alle Hunde sind eigene Individuen, die sich unterschiedlich entwickeln. So werden auch die jagdlichen Anlagen zu unterschiedlichen Zeitpunkten sichtbar. Steht z.B. der eine Hund bereits mit vier Monaten fest vor, markiert der andere noch im Alter von zehn Monaten das Wild nur kurz, wirft es dann heraus und hetzt nach. Ähnliche Unterschiede gibt es auch bei anderen Merkmalen, wie z.B. dem Spurlaut oder der Wasserfreude. Wichtig ist das frühzeitige Heranführen an die jeweilige Aufgabe und die kontinuierliche Übung.

79 Wie kann die Wasserfreude frühzeitig geweckt und gefördert werden?

Ein Welpe nimmt bereits mit 7 bis 8 Wochen in Begleitung der Wurfgeschwister und vor allem der Mutter das Wasser an und kann sofort schwimmen. Für derartige Übungen sollten nur warme Tage mit entsprechender Wassertemperatur gewählt werden. Die beste Methode ist sicherlich, den Welpen oder Junghund mit einem älteren Hund zusammen schwimmen zu lassen. Notfalls muss man selbst die Badehose anziehen, der Hund wird nach kurzem Zögern folgen.

80 An welchen Ausdrucksformen lässt sich die Stimmung unseres Hundes erkennen?

Wenn er die Rute klemmt, zeigt er Angst, Unsicherheit oder Scheu. Stellt er sie hoch, signalisiert er Selbstsicherheit und Überlegenheit. Das „Wackeln“ mit der Rute ist ein Ausdruck der Freude. Stellt er die Haare, zeigt er Aggressivität, legt er sich auf den Rücken, so ist dies ein Zeichen der Unterordnung bzw. der Unterwerfung. Lautgeben kann je nach Art und Weise ein Ausdruck der Freude oder Erregung sein, aber auch eine Warnung.

81 Wie sind die Lautäußerungen des Hundes zu deuten?

Das Lautgeben dient der Verständigung. Mit dem Knurren will der Hund seine Vorrangstellung innerhalb des Rudels und gegenüber anderen Artgenossen zeigen. Das Verbellen deutet man als herbeirufen. Ein Hund, der Wild gefunden hat, will seine Meutegenossen verständigen. In der Jagdpraxis ist das der Mensch. Das Geläut der Bracken ist als Aufforderung zum Folgen zu verstehen. Mit dem Heulen ruft sich eine Meute wieder zusammen. Ein Hund heult auch oder gibt Laut (Suchlaut), wenn er sich durch seinen Herrn verlassen fühlt.

Grundsätzliches zur Abrichtung

82 In welchem Alter kann man mit der Grundabrichtung beginnen?

Einfache Gehorsamsübungen wie Herankommen auf Zuruf oder Pfiff, Sitz und Leinenführigkeit können bereits im Alter von drei bis vier Monaten einsetzen. In diesem Alter sollte aber noch auf jegliche Anwendung von Zwang verzichtet werden. Je nach Reifegrad und Wesensfestigkeit beginnt die Grundabrichtung im Alter von acht bis zehn Monaten. Im Jährlingsalter ist das Wesen des Hundes in der Regel so gefestigt, dass die Halt- oder Down-Dressur sowie Apportierübungen durchgeführt werden können.

83 Was verstehen wir unter „Abrichten“ und „Abführen“?

Die planmäßige und gründliche Ausbildung des Hundes. Hierbei erhält er für erwünschte Leistungen Lob und Leckerbissen, bei unerwünschtem Verhalten Strafe. Gestraft wird mit dem hart gesprochenen Wort „Pfui“ und /oder mit dem Anrucken der Leine – aber niemals mit der Leine oder der bloßen Hand strafen. Wir unterscheiden die Grundabrichtung und das jagdliche Abführen im Gelände. Zur Grundabrichtung gehören: Leinenführigkeit, Setzen, Herankommen auf Ruf und Pfiff, Folgen frei bei Fuß sowie Haltmachen auf Ruf, Handhochheben und Trillerpfiff. Erst wenn der Hund hierin sicher ist und absoluten Gehorsam zeigt, folgen die Apportierübungen und schließlich das weitere jagdliche Abführen, die Arbeit vor und nach dem Schuss.

Merke: Der Gebrauchshund wird abgerichtet oder abgeführt, Schweiß- und Erdhunde werden eingearbeitet, Bracken eingejagt!

84 Was ist Grundsätzliches bei Gehorsamsübungen zu beachten?

» Konsequenz bei der Abrichtung – der Hund muss zuverlässig erkennen können, welche Verhaltensweisen von ihm erwartet werden.

» Positives Verhalten muss in Form von Belohnungen verstärkt – nicht erwünschtes Verhalten konsequent unterbunden werden.

» Übungen sollten schrittweise erfolgen und nur auf bereits gefestigtem Verhalten aufbauen.

» Gehorsamsübungen sollten regelmäßig und nach Möglichkeit täglich stattfinden und in Abhängigkeit von der Konzentrationsfähigkeit und Aufnahmebereitschaft des Hundes nie länger als 10 bis 15 Minuten dauern.

Wichtig: Sobald der Führer bei sich selbst Nervosität, Ungeduld und Reizbarkeit feststellt, sollte er sofort die Übung abbrechen, da sonst die Gefahr besteht, dass unkontrolliertes Führerverhalten zu Rückschlägen führt.

85 Wo soll die Abrichtung erfolgen?

Manche Übungen beginnen zwar noch in geschlossenen Räumen, die weitere Abrichtung sollte dann aber möglichst schnell ins Freie verlegt werden. Es empfiehlt sich, den Ort der Abrichtung recht oft zu wechseln, damit sich der Hund an Umwelteinflüsse gewöhnt und sich schließlich z.B. bei Gehorsamsübungen nicht mehr beeinflussen lässt.

86 Mit welchen Reizen wird der Hund abgerichtet und geführt?

Mit Hautreizen sowie Hör- und Sichtreizen.

87 Welche Hautreize werden bei der Abrichtung unterschieden?

» Hautreize als Lob (das Streicheln oder Abliebeln),

» Hautreize als Strafe (z.B. Ruck an der Halsung)

» Hautreize zur Ausführung einer Arbeitsleistung (z.B. Lefzendruck zum Öffnen des Fanges bei Aufnahme des Apportierbockes)

88 Welche Hörreize oder Hörzeichen unterscheidet man?

Man unterscheidet Hörzeichen als Lob und zur Ermunterung (wie „So ist's brav", „Bring schön", „Such verwund", „Fass") und Hörzeichen zur Einschüchterung dagegen kurz und scharf gesprochen. Die mit der Pfeife gegebenen Hörzeichen bedeuten: Kurzer Pfiff „Achtung", kurzer Doppelpfiff „Hierher", Trillerpfiff „Halt" = sofortiges Niederlegen und Liegenbleiben.

Kommandos sollten immer einsilbig (Down, Sitz, Platz, Apport etc.) kurz sein. Kurze, prägnante Ausdrucksweisen mit der nötigen Eindeutigkeit vermitteln dem Hund die Ernsthaftigkeit unseres Begehrens. Er versteht insbesondere zwei Sprachen: Die freundliche, mit Lob und Annehmlichkeiten verbundene sowie die unbedingte (befehlende), Tadel und Strafe nach sich ziehende.

89 Was versteht man unter Sichtzeichen?

Alle Zeichen, die man dem Hund mittels Körperbewegungen zur Ausführung einer Arbeitsleistung gibt. So bedeutet z.B. Erheben des Zeigefingers „Sitz"; Armhochheben, Stehen bleiben oder In-Anschlag-Gehen „Halt"; Wink mit der Hand oder Wendung des Körpers in eine bestimmte Richtung bedeuten, dass der Hund in dieser Richtung arbeiten soll.

90 Ist Zwang bzw. der Einsatz von Zwangsmitteln bei der Abrichtung notwendig und sinnvoll?

Zwangsmaßnahmen (aversive Reize) spielen in der natürlichen Sozialordnung der Meute eine wesentliche Rolle. Sie dienen der Herstellung und Erhaltung der Rangordnung bzw. der Unterwerfung, sofern notwendig. Bei der Abrichtung ist die Anwendung von verschiedenen Stufen des Zwangs, die je nach Empfindlichkeit des Hundes genau dosiert sein müssen, möglich. Häufig reicht der verbale „Zwang" (z.B. ein streng gesprochenes „Pfui") oder das kurze Ziehen am Halsband schon aus, um dem Hund unmissverständlich unseren Unwillen zu zeigen. Die Verwendung von Teleimpulsgeräten (elektr. Niedrigstromimpuls) wäre eine andere Form der Einwirkung auf den Hund, auch auf größere Entfernungen. Deren Einsatz bei der Jagdhundeausbildung ist jedoch gem. Urteil des Bundesverwaltungsgerichtes verboten. Ebenso ist die Verwendung von Dressurhalsbändern (sog. Stachelhalsbändern) nicht mehr statthaft.

91 Welche Hilfsmittel zur Abrichtung und Führung kennen wir?

» Schweißhalsung
» Führerleine, Feldleine, Schweißriemen
» Pfeife u. Trillerpfeife (Doppelpfeife)
» Dummys und Apportierbock

Erziehung zum Gehorsam

92 Was versteht man unter einem „leinenführigen" Hund?

Einen Hund, der sich an der kurzen Leine auf der linken Seite seines Herrn bewegt, ohne vorzuprellen oder zurückzubleiben. Der Kopf des Hundes soll mit den Knien des Führers auf gleicher Höhe bleiben. Im Stangenholz oder Kulturen soll der angeleinte Hund seinem Herrn so folgen, dass er sich weder mit der Leine verfängt noch seinen Herrn beim Vorwärtsgehen hindert. Bleibt er aus Ängstlichkeit zurück, so ist er mit der linken Hand – bei sanft gesprochenem „Fuß" – zu liebeln oder durch schnelles Vorwärtslaufen freudig zu animieren.

93 Was versteht man unter „Folgen frei bei Fuß"?

Der unangeleinte Hund folgt dem Führer, ohne dass dieser auf den Hund einwirken muss, dicht hinter oder neben dem Fuß. Der Hund muss sich dem Tempo des Führers anpassen. Wenn dieser z.B. stehen bleibt, so hat sich der Hund sofort zu setzen.

94 Wie übt man das „Sitz"?

Der Hund folgt dem Führer angeleint. Beim Stehen bleiben wird mit der rechten Hand die Leine straff gehalten und mit der linken wird der Hund durch Druck auf die Kruppe nach unten gedrückt. Mit der rechten Hand hält man die Leine hoch, so dass sich der Hund nicht legen kann. Gleichzeitig erhält er den Befehl „Sitz" und man zeigt ihm den erhobenen Zeigefinger, der schließlich auch als Sichtkommando ausreichen muss. Der Hund muss schließlich in der Sitzposition verharren, auch wenn der Führer sich einige Schritte entfernt.

95 Welche Bedeutung hat die „Halt"- oder „Down"-Dressur?

Die konsequente Haltabrichtung auf Zuruf, Handzeichen oder Trillerpfiff ist die Gewähr dafür, den Hund in jeder Situation (sichtiges Wild, Straßenverkehr, etc.) unter Kontrolle zu behalten. Sie ist unabdingbare Voraussetzung bei der weiteren Abrichtung und für den Jagdbetrieb.

6.51: Folgen an der kurzen Leine

... und frei bei Fuß

96 Was hat der Hund auf „Halt" oder „Down" zu tun?

Er hat sich auf die Hörzeichen „Halt", „Down", Trillerpfiff oder auf die Sichtzeichen (Hand- oder Gewehrhochheben) sofort niederzulegen und so lange liegen zu bleiben, bis er vom Herrn abgerufen wird. Mit dem Kommando „Halt" oder „Down" beherrscht man den Hund über weite Distanzen.

97 In welchen Schritten erfolgt die „Halt"- oder „Down"-Dressur?

1. *Drücken in die korrekte „Halt"-Lage:* Die linke Hand drückt auf die Kruppe, mit der rechten Hand fasst man unter die Vorderläufe und zieht sie gleichzeitig nach vorne. So kommt der Hund in die „Halt"-Lage, in der er, je nach Übungsfortschritt, immer länger verharren muss. Gleichzeitig erhält er das Kommando „Halt" oder „Down".

2. *Der Hund geht auf Kommando in die „Halt"-Lage:* Hat der Hund nun begriffen was „Halt" ist, so wird dem Kommando Nachdruck verliehen, indem man den Hund mit der unter dem Fuß durchgeführten Leine auf den Boden ziehen oder auf die kurze Leine treten kann. Diese Übung wird begleitet durch das „Halt"-Kommando und das Heben der rechten Hand. Das Heben der rechten Hand ist ein Sichtkommando, das schließlich auch alleine angewendet wird.
3. *„Halt" auf Trillerpfiff:* Beherrscht der Hund nun die Kommandos „Halt" und „Armheben", wird zusätzlich getrillert. Alle drei Kommandos werden anfangs gleichzeitig und schließlich einzeln gegeben. Er muss auf alle drei – auch einzeln – gegebene Kommandos sofort in die „Halt"-Lage gehen.
4. *Verharren in der „Halt"-Lage:* Sind die Übungen so weit fortgeschritten, dass der angeleinte Hund auf Hör- und Sichtkommandos in die „Halt"-Lage geht, so muss er nun lernen, in dieser so lange zu verharren, bis er vom Führer abgeholt bzw. gerufen wird. Hierbei bewegt man sich zunehmend vom Hund weg, umkreist ihn und geht außer Sicht.
5. *„Halt" auf Entfernung:* Haben alle diese Übungen noch an der kurzen Leine stattgefunden, so wird jetzt an der Feldleine und schließlich mit frei umherlaufendem Hund gearbeitet. Die verschiedenen „Halt"-Kommandos, anfangs noch kombiniert, später einzeln, werden nun dem Hund aus immer größer werdender Entfernung vom Führer gegeben – anfangs nur wenige Meter, schließlich 50 bis 100 Meter und mehr. Sehr wichtig ist das schrittweise Vorgehen – jeder einzelne Übungsabschnitt muss fest sitzen, ehe man zum nächsten übergeht. Die konsequente „Halt"-Dressur ist grundlegende Voraussetzung für die Einarbeitung vieler anderer Gehorsamsfächer, aber insbesondere auch für den Jagdbetrieb.

98 Wie übt man das „Ablegen"?

Der an einer bestimmten Stelle – auch über einen längeren Zeitraum hinweg – abgelegte Hund darf seinen Platz nicht verlassen, auch dann nicht, wenn er durch irgendwelche äußeren Einflüsse beunruhigt oder abgelenkt wird oder wenn der Führer außer Sicht gerät.

6.52: 1 Sitz durch Niederdrücken mit der Hand. 2 Selbständiges Setzen, während der Führer stehen bleibt. 3 Sitzen bleiben, auch wenn der Führer sich bewegt.

Der Befehl zum Ablegen, auch bei einem Gegenstand wie Rucksack, Hut, Jagdstock o.ä. gegeben, darf nur leise erfolgen. Der so abgelegte Hund darf den Kopf hochhalten, sich sogar auf der Vorderhand aufrichten, seinen Platz aber keinesfalls verlassen und muss dort wieder abgeholt werden. Anfangs ist der Hund bei diesen Übungen noch angeleint, später frei. Sehr wichtig ist auch hier, dass die Abrichtung nur schrittweise erfolgt. So wird z.B. die Zeitdauer des Außersichtbleibens des Führers langsam gesteigert.

6.53: Drücken in die „Halt"-Lage

6.54: Selbständiges „Halt" an der kurzen Leine

99 Was muss der abgelegte Hund tun, wenn ein Schuss fällt?

Er hat auf der Stelle zu bleiben, bis er abgeholt wird, und darf weder winseln noch Laut geben. Der vom Meutetrieb geleitete Hund fühlt sich „abgelegt" vereinsamt. Das Abholen bedeutet für ihn eine Erlösung. Er wird deshalb nach guter Arbeit gelobt. Ein abgelegter Hund darf nie abgepfiffen werden, man muss ihn stets abholen (im Unterschied zu dem in „Halt"-Lage befindlichen Hund).

100 In welcher jagdlichen Situation wird das Ablegen verlangt?

Das Verharren auf dem zugewiesenen Platz ist besonders im praktischen Jagdbetrieb bei Pirsch, Treibjagd, Ansitz, Kontrolle eines Anschusses etc. von großer Bedeutung.

6.55: Abgelegt am Stand

101 Wie hat sich der Hund auf dem Stand zu verhalten?

Während des Treibens, auch wenn mehrfach geschossen wird und Treiberlärm herrscht, muss der Hund sich ruhig verhalten, am besten abgelegt. Er darf weder an der Leine zerren, noch winseln oder Laut geben.

102 Was versteht man unter „Apportieren"?

Sicheres und zuverlässiges Apportieren ist immer noch eine Hauptaufgabe des vielseitigen Gebrauchshundes. Bei dieser Arbeit hat er das erlegte Feder- und Haarwild auf den Zuruf „Apport" korrekt zu tragen, d.h. ohne es zu knautschen (zu drücken), seinem Herren zuzutragen und abzugeben. Krankgeschossenes Wild muss er finden und, wenn notwendig, zuverlässig abtun (abwürgen) und sauber bringen (apportieren). Kommt der Hund heran, so hat er sich zu setzen und auf das Kommando „Aus" das Wild sofort herzugeben. Es darf nicht geduldet werden, dass der Hund seinen Herrn umkreist oder ihm das Wild vor die Füße wirft.

103 In welchen Schritten bringt man dem Hund das Apportieren bei?

1. *Greifen des Apportierholzes:* Der Hund wird am Dressurhalsband angeleint und sitzt links neben dem Herrn. Das Apportierholz (z.B. ein ca. 30 cm langes Stück eines Besenstiels) wird dem Hund mit gleichzeitigem Kommando „Apport" in den Fang gelegt. Öffnet er diesen nicht, umgreift der Abrichter mit der einen Hand den Fang. Die Zange aus Daumen und Zeigefinger presst auf die Lefzen. Macht der Hund den Fang jetzt auf, legt der Abrichter ihm mit der anderen Hand das Apportierholz hinein. Dazu wird wiederholt das Kommando „Apport" gegeben. Mit dem Befehl „Aus" holt man es ihm wieder aus dem Fang. Wichtig ist hierbei, dass positives Verhalten wie Öffnen des Fanges bzw. Halten des Apportiergegenstandes sofort belohnt wird (Happen, Streicheln etc.).
2. *Halten des Apportierholzes oder eines Balges:* Nun wird mit dem Kommando „Apport" das Apportierholz – in weiteren Schritten der Balg oder der Apportierbock – in den Fang des Hundes gelegt. Der Hund muss ihn halten und nach dem Befehl „Aus" wieder loslassen. In der Folge soll er den Apportiergegenstand halten lernen. Wichtig sind deutliche Pausen zwischen dem Reichen des Bockes oder Balges, dem Aufnahmebefehl, dem Zurückziehen der Hand, dem erneuten Anfassen des Apportiergegenstandes und der Ausgabeanweisung, damit der Hund nichts durcheinanderbringt.
3. *Tragen des Bockes bzw. Balges:* Mit der Leine wird der Hund, der den Bock oder Balg im Fang hat, an den Führer herangezogen und das Kommando „Hier" gegeben. Damit Bock oder Balg nicht ausgelassen werden, greift man mit der rechten Hand unter den Fang. Man achtet darauf, dass der Hund den Apportiergegenstand nur im Sitzen ausgibt.
4. *Ergreifen des Apportiergegenstandes:* Dem sitzenden Hund hält man den Bock oder Balg hin. Die linke Hand liegt im Zangengriff über dem Fang. Der Hund muss den Apportiergegenstand auf Befehl aufnehmen, durch Lefzendruck wird nachgeholfen. Dieser Griff endet, sobald der Hund zugreifen will. Nachdem er auf Kommando ausgegeben hat, wird er belohnt.
5. *Aufnehmen vom Boden:* Man vergrößert schrittweise den Abstand zwischen Fang und Apportiergegenstand, bis man diesen schließlich auf den Boden legt. Die Abfolge dieser Schritte sollte nicht zu groß und der Lernfähigkeit des Hundes angepasst sein. Er muss jeweils auf Befehl aufnehmen und im Sitzen ausgeben.

6. *Bringen des Gegenstandes:* Den angeleinten Hund führt man zum abgelegten Apportierbock und fordert ihn mit Apportkommando zum Aufnehmen auf, lässt ihn den Bock zutragen und ausgeben. Diese Übung wird nun an der Feldleine gefestigt, indem man die Entfernung zwischen Hund und ausgelegtem Apportiergegenstand immer weiter vergrößert. Ist auch dieser Übungsschritt gefestigt, wird der Hund frei zum Bringen geschickt. Später wird der Bock geworfen und muss geholt werden. Schließlich lassen wir ihn unauffällig fallen. Der Hund muss auf der Spur des Führers zurück suchen und apportieren.
7. *Festigung der Grifftechnik und Stärkung der Nackenmuskulatur:* Das zu tragende Gewicht wird durch Aufschrauben von Eisenringen an den Apportierbock stufenweise erhöht. Damit der Hund auch das Ausbalancieren einer Last lernen kann, lässt man ihn z.B. einen mit einem Balg umwickelten Sandsack oder Dummy bringen.
8. *Bringen von Wild:* Ist nun die Grundabrichtung im Apportieren abgeschlossen, lässt man den Hund verschiedene Wildarten, auch ihm unangenehme (z.B. Fuchs oder Taube) apportieren. Zuerst wird diese Übung mit kaltem, später auf der Jagd mit warmem Wild durchgeführt. Hierbei ist darauf zu achten, dass der Hund sich keine Unarten angewöhnt, wie zum Beispiel das „Knautschen" von noch nicht verendetem oder warmem Wild.
9. *Ergänzende Bringübungen:* Um den Jagdgebrauchshund zu einem in allen Situationen zuverlässigen Apporteur zu machen, sollte man ihm unbedingt beibringen, mit dem Apportiergegenstand bzw. mit Wild Hindernisse wie Hürden und Gräben zu überwinden und hierbei korrekt zu bringen. Eine weitere sinnvolle Übung ist das Bringen auf der Führerfährte. Hierbei werden verschiedene persönliche Gegenstände wie Hut, Schlüsselbund o.ä. „verloren". Der Hund wird mit Apportbefehl auf der Führerfährte zum Suchen und Bringen zurückgeschickt.

104 Kann man bei einem apportierfreudigen Hund auf eine Einarbeitung nach obigem Verfahren verzichten?

Es gibt Rassen, bei denen die Einarbeitung wie oben erläutert nicht notwendig oder sogar kontraproduktiv ist. Auch bei einigen Vertretern unserer Deutschen Vorstehhundrassen bedarf es nicht der klassischen Apportierschule. Allerdings muss man als Ausbilder sicherstellen, dass ohne Zwang eingearbeitete Hunde im späteren Jagdbetrieb in jeder Situation zuverlässig apportieren und auch unangenehme Wildarten, wie z.B. Fuchs oder Taube, zutragen.

105 Wie soll der Hund eine gegriffene Ente apportieren?

Er muss nach Verlassen des Wassers die Ente, ohne sich zu schütteln oder sie zwischenzeitlich abzulegen, seinem Führer zutragen. Eine abgelegte Ente, die vielleicht nur geflügelt ist, würde sonst sofort wieder das Wasser annehmen.

Was ist ein „Knautscher"? Das „Knautschen" von warmem Wild ist in fast allen Fällen auf nicht sachgemäße Abrichtung oder Führung zurückzuführen. Man darf nicht die spielerische Bringfreude des Hundes als ausreichend ansehen, das Apportieren ist ein „Muss", die Art und Weise des Apportierens eine Frage der sachgemäßen sowie konsequenten Abrichtung.

6.56:

Greifen des Apportierbocks

Halten des Apportierholzes

Tragen des Apportierbockes

Freies Bringen von beschwertem Apportierbock

Aufnehmen vom Boden

Sitzen und Ausgeben des Apportierbocks

Bringen von Fuchs und Kaninchen

106 Was ist ein „Totengräber"?

Ein „Totengräber" verbuddelt z.B. auf der Schleppe gefundenes Wild, manchmal sogar in Sichtweite seines Führers. Die Ursachen sind zu suchen in mangelndem Konnex zum Führer oder aber in der Sorge um die Beute, die er beim Anblick anderer Hunde oder Menschen empfindet, oder wenn er seinen Herrn, mit dem er die Beute „teilt", nicht finden oder in einer Menschenmenge nicht erkennen kann. Der Hund wird unsicher und vergräbt. Das Vergraben ist entweder auf falsche Einarbeitung oder auf eine nicht funktionierende Meuteordnung (Führer-Hund) zurückzuführen.

107 Was ist ein „Blender", was ein „Blinker"?

Der „Blender" täuscht durch Markieren oder Vorstehen das Vorhandensein von Wild vor, obwohl er in Wirklichkeit keines ausgemacht hat. Der „Blinker" hingegen weicht wahrgenommenem Wild deutlich aus und sucht scheinbar unbeeindruckt weiter.

108 In welchem Alter sollte der Hund Raubwild- bzw. Wildschärfe zeigen?

Der Zeitpunkt des kompromisslosen Abwürgens von Beutegreifern liegt je nach Selbstsicherheit und Überlegenheitsgefühl des Hundes im zweiten Lebensjahr. Eine kompromisslose Schärfe ist im praktischen Jagdbetrieb (Verlorenbringen, Nachsuche) unverzichtbar.

109 Welche Bedeutung hat der Härtenachweis?

Der Härtenachweis als Ausdruck der sog. Raubwildschärfe ist in vielen Zuchtvereinen Voraussetzung zur Zuchtzulassung.

110 Wie wird der Härtenachweis erbracht?

Der Härtenachweis darf aufgrund tierschutzrechtlicher Vorschriften nur anlässlich der praktischen Jagdausübung erbracht werden. Eine derartige Arbeit muss von zwei zuverlässigen Zeugen bestätigt werden, damit der Härtenachweis beim Stammbuchamt des JGHV registriert werden kann.

111 Worin besteht der Unterschied zwischen Wild- und Raubwildschärfe?

Raubwildschärfe ist das sichere und kompromisslose Verfolgen und Abtun von krankgeschossenen Beutegreifern (in alter Terminologie: Raubzeug). Wildschärfe zeigt sich im Greifen, Herunterziehen (Rehwild) bzw. dem Stellen von starkem und/oder wehrhaftem Wild. Beides steht in keinerlei Zusammenhang zu einer andressierten Mannschärfe.

Die jagdlichen Anlagen

112 Woran erkennt man den Spurwillen eines Hundes?

Den Spurwillen erkennt man an der Ruhe und der konzentrierten Arbeitsweise auf einer schwierigen Spur. Der Hund versucht z.B. mit großer Anstrengung und Ausdauer, eine über einen trockenen Acker verlaufende Spur eines Hasen auszuarbeiten.

113 Wie bringt man seinem Jagdhund eine planmäßige Suche bei?

Der Führer geht in „Schlangenlinien" über die Felder. Das bringt auch den Hund zum Hin- und Herpendeln. Holt er zu weit aus, wendet sich der Jäger einfach in die andere Richtung.

Er zeigt dies mit dem Arm an, gegebenenfalls unterstützt durch einen kurzen Pfiff. Es ist darauf zu achten, nach Möglichkeit gegen den Wind zu suchen.

114 Wodurch zeichnet sich eine gute Suche aus?

Durch Planmäßigkeit, Weiträumigkeit, Ausdauer und vor allem durch Finderwillen.

6.57: Ausgeprägte Vorstehanlage

115 Was versteht man unter „Durchstehen" und wie kann man es üben und festigen?

Unter „Durchstehen" versteht man das regungslose Verharren des Hundes vor festliegendem Federwild, aber auch vor Hase oder Kanin, bis der Führer den vorstehenden Hund erreicht hat und das Wild „heraustritt". Der im „Halt" durchgearbeitete Hund, der nicht fest durchsteht, wird beim ersten Anzeichen von Anziehen oder Markieren von Wild mit Trillerpfiff oder „Halt"-Kommando zum Verharren gezwungen. Man nähert sich dem sitzenden oder liegenden Hund, lobt ihn und unterbindet jedes Vorwärtsdrängen mit dem Zuruf „Halt" oder durch Trillerpfiff. Auch die Feldleine kann hier wertvolle Dienste leisten. Diese Übung wiederholt man so lange, bis der Hund fest durchsteht. Beim hochgehenden Wild ist er mit den gleichen Kommandos am Nachsetzen (beim Federwild „Nachprellen") zu hindern.

116 Wird der Hund, wenn er Hühner herausgestoßen oder einen Hasen gehetzt hat, beim Zurückkommen gestraft?

Nein! Das würde der Hund nicht verstehen. Wir dürfen auf den Hund immer nur strafend einwirken, wenn er das ihm gegebene Hörzeichen nicht beachtet. Der Hund wird deshalb beim Zurückkommen in aller Ruhe empfangen und an den Riemen genommen. Will er bei nächster Gelegenheit wieder hetzen, dann wirken wir auf ihn mit „Pfui-" Rufen und / oder Trillerpfiff ein. Nur dann kann der Hund verknüpfen, was er lassen soll. Benimmt er sich bei dieser Arbeit dagegen einwandfrei, dann lassen wir es ihn durch das Lob „So ist's brav" wissen.

117 Was ist ein „Verlorenbringer"?

Ein Hund, der die Wundspur des nicht oder nicht mehr sichtigen Hasen (Fuchses) arbeitet, bis er schließlich den verendeten Hasen (Fuchs) findet, bzw. den kranken Hasen sticht (den Fuchs aufjagt), hetzt, fängt, abtut und bringt.

118 Mit welcher Wildart werden bevorzugt Schleppen gelegt?

Mit Hase oder Kanin, Fasan, Rebhuhn, Ente oder auch Taube, später auch mit Fuchs. Länge und Schwierigkeitsgrad der Schleppe werden mit zunehmender Übung gesteigert.

119 Was ist beim Schleppelegen zu beachten?

Man muss sich sehr viel Zeit lassen und systematisch vorgehen. Die ersten Schleppen sollten kurz und ohne große Schwierigkeiten angelegt sein, damit der Junghund sie ohne große Mühe am Riemen ausarbeiten kann. Sie werden je nach Lernerfolg zunehmend länger und schwieriger (Einlegen von Haken, unübersichtliches Gelände, Wald u. oder Feld), das Gelände wird häufiger gewechselt und schließlich arbeitet der Hund ohne Riemen. Im Hinblick auf die HZP (Herbstzuchtprüfung) ist es sinnvoll, wenn man dem Hund eine reißfeste Schnur durch die Halsung zieht und die ersten 20 Meter an diesem „Riemen" arbeitet. Wenn er sich festgesaugt hat, lässt man ein Ende der Schnur los. Ohne Verzögerung und ohne sich zu verheddern, kann sich der Hund aus dieser einfachen Leinung ziehen und flott weitersuchen. Längere Schleppen als bei der Prüfung gefordert, sollten geübt werden, damit der Hund nicht nach einer bestimmten Entfernung, wo er erfahrungsgemäß das Wild vermutet, abbricht. Bringt nun der Hund das gefundene Wild, geht man einige Schritte zurück und lässt den Hund sich auf leises Kommando oder auf Fingerzeig setzen und ausgeben.

120 Wie bereitet man den Junghund auf die Schweißarbeit vor?

Schon im zweiten bis dritten Lebensmonat kann man dem Hund Futterschleppen zum Fressnapf legen. Schleppen mit Wildpansen und Wildlunge motivieren ihn zusätzlich für diese Arbeit. Man muss jeglichen Zwang vermeiden und nutzt den natürlichen Finderwillen aus. Die Einarbeitung erfolgt wie bei der Schleppenarbeit, aber grundsätzlich an der Feldleine oder am Schweißriemen, mit dem er schließlich die von ihm geforderte Arbeit verknüpft und sich darauf einstellen kann.

121 Wie werden Schweißfährten gelegt?

Man kann Schweißfährten spritzen oder tupfen oder den Fährtenschuh verwenden. Zum Tupfen verwendet man einen sogenannten Tupfstock, an dessen Ende ein ca. 4 cm^2 großes Schwämmchen befestigt ist. Man tupft das Schwämmchen bei jedem zweiten Schritt auf den Boden. Wird die Schweißmenge beim Auftupfen zu gering, wird das Schwämmchen in den mitgeführten Schweiß eingetaucht. Zum Spritzen verwendet man eine beliebige Flasche, die am Verschluss ein ca. 2 mm großes Loch aufweist, durch das bei schwingenden Handbewegungen Schweiß auf den Boden tropft. Bei der Arbeit mit dem Fährtenschuh werden die Schalen eines erlegten Stückes (Rot-, Schwarz- oder Rehwild) in eine spezielle Halterung gespannt. Mit den umgeschnallten Fährtenschuhen tritt man anschließend eine Fährte.

122 Worauf muss man beim Legen von Schweißfährten achten?

Die Schweißfährten sind zunächst mit relativ viel Schweiß auf einer Länge von 50 bis 100 Metern anzulegen. Nach ca. 2 Stunden wird die Fährte gearbeitet. Mit zunehmender Übung und Sicherheit des Hundes wird erstmals die Schweißmenge reduziert (¼ l auf 400 m), dann die Fährtenlänge ausgedehnt bei gleichzeitigem Einlegen von Haken. Auf das Einlegen von Wundbetten (mit Verweiserbrocken wie geronnenem Schweiß, Leber- oder Lungenstückchen, die der Hund aufnimmt) darf nicht verzichtet werden. Die Verlängerung der Stehzeit, bis zur Übernachtfährte, erhöht den Schwierigkeitsgrad durch zunehmende Verleitfährten und verhindert das Arbeiten des Hundes auf der „Beifährte" des Fährtenlegers. Ein frisches Stück Wild am Ende der Fährte (anstelle einer Rehdecke oder Sauschwarte) erhöht die Motivation unseres jungen Hundes erheblich.

6.58: Die Schleppe wird gelegt

6.59: Die Arbeit an der langen Leine

123 Welche Vorteile hat die Einarbeitung mit dem Fährtenschuh?

Bei der Arbeit mit dem Fährtenschuh lernt der Hund, sich vor allem auf die Bodenverwundung und, sofern noch vorhanden, auf die Krankwitterung zu konzentrieren, die ein Stück Wild hinterlässt. Das Vorhandensein von Schweiß ist dabei nicht entscheidend, es hilft lediglich dem Führer zur Kontrolle. Häufig schweißt ein Stück Wild nicht oder nur ganz wenig, z.B. nach einem Verkehrsunfall. Ist der Hund dann auf den Schweiß fixiert, fällt ihm die Arbeit ohne Schweiß sehr viel schwerer.

6.60: Mit tiefer Nase folgt der Hund der Fährte

124 Was sind Verweiserpunkte?

Außer Wundbetten, die häufig vermehrt Schweiß oder auch andere Pirschzeichen aufweisen können, werden je nach Länge der Fährte mehrere Verweiserpunkte eingelegt. Hierfür werden Leber- oder Lungenstückchen, Wildbret oder geronnener Schweiß in die Fährte gelegt. Der Hund nimmt diese Verweiserbrocken gerne auf oder verweist sie zumindest, so dass man Gewissheit über die Fährtentreue des Hundes erlangt. Der so eingearbeitete Hund verweist schließlich auf der natürlichen Wundfährte jedes Wund- oder Tropfbett bzw. vermehrt vorkommenden Schweiß.

125 Was ist ein Schweißriemen und woraus besteht er?

Er besteht aus einem mindestens 6 m, besser 8 bis 12 m langen Riemen und der daran befindlichen Schweißhalsung. Der Riemen wurde früher ausschließlich aus Leder gefertigt, heute werden häufig Nylonmaterialien verwendet, die unempfindlicher gegen Nässe und Schmutz sind. Die Schweißhalsung sollte 3 bis 5 cm breit sein und mit einem drehbaren Ring an einem Wirbel versehen sein. Der Schweißriemen darf nie an einer Würgehalsung befestigt sein. Bei der Arbeit wird der Schweißriemen zwischen den Läufen des Hundes durchgezogen und mit beiden Händen gehalten.

126 Was versteht man unter Totverbellen und Totverweisen?

Totverbellen ist das Lautgeben des Hundes, wenn er ein Stück Schalenwild verendet gefunden hat. Beim Totverweisen kehrt der Hund vom verendet vorgefundenen Stück zum Führer zurück und führt ihn dorthin. Bei der praktischen Nachsuchenarbeit muss die Riemenarbeit die Regel sein. Daher kommt der Hund kaum in die Situation, dass er Totverbellen oder -verweisen muss. Verbellende oder verweisende Hunde bringen den Führer allzu oft in Versuchung, den Hund zu früh zu schnallen und damit den Erfolg der Nachsuche zu gefährden, da die Hunde dann zur freien Verlorensuche übergehen und häufig nicht zum Stück finden. Verweisen und Verbellen sind manchmal angewölft, können aber auch angelernt werden.

127 Wie verläuft die Einarbeitung zum Totverbeller?

Nach gearbeiteter Futterschleppe gibt man ihm die Belohnung – das gefundene Futter – erst, nachdem er Laut gegeben hat. Das auffordernde Kommando heißt „Gib Laut". Im Laufe der Zeit verlängert man die Schleppe auf 200 bis 300 m und stellt den Fressnapf unter eine Rehdecke, auch hier muss er auf Kommando verbellen. Schließlich geht man zur Schweißfährte über, an deren Ende nur noch die Rehdecke liegt, die er zu verbellen hat. Man lässt ihn mindestens 10 Minuten lang Laut geben, bevor man ihn abholt. Der Hund darf nie die Decke packen und muss auf alle Fälle beim Wild bleiben.

128 Was versteht man unter „Genossen machen"?

Man macht einen Hund „genossen", indem man ihm als Belohnung für gute Arbeit aus der Hand etwas Schweiß, Milz oder Pansenstücke des erlegten Stückes (außer Schwarzwild) gibt. Diese Belohnung soll ihm Ansporn für weitere gute Arbeit sein und seine Passion anregen.

129 Was ist ein Anschneider?

Ein Hund, der alleine zum Stück findet, unbeaufsichtigt ist und sofort zu fressen beginnt.

Arbeiten vor dem Schuss

130 Was erwartet man bei der Feldarbeit?

Der Hund soll eine planmäßige, weiträumige und ausdauernde Suche zeigen. Gefundenes Wild soll er fest vorstehen und gegebenenfalls nachziehen.

131 Wie äußert sich Schusshitze?

Beim Schuss, häufig schon beim In-Anschlag-Gehen, zerrt der Hund an der Leine, bellt, winselt oder sucht in ungestümem Tempo voran, sofern er unangeleint ist. Zu Übungszwecken befiehlt man den Hund in die Downlage, in der er auch bei mehreren Schüssen so lange absolut ruhig verharren muss, bis der Apportbefehl kommt.

132 Worin besteht die Arbeit am Wasser?

Der Hund muss das ihm zugewiesene Wasser-, Schilf- und Ufergelände möglichst planmäßig unter Ausnutzung des Windes durchstöbern und Wasserwild hochmachen. Zum sicheren Finden muss er auch die Schwimmspur bzw. das Geläuf der Ente ausarbeiten können.

133 Was versteht man unter Stöbern?

Der Hund soll auch ausgedehnte, nicht einsehbare Kulturen und Dickungen selbstständig und planmäßig durchsuchen. Hierbei darf er nicht vorstehen, sondern muss gezügelt stöbern und mit Passion die Spur oder das Geläuf des Wildes aufnehmen und es „laut" dem Jäger zutreiben. Wenn das Wild das Treiben verlassen hat, soll ihm der Hund möglichst nicht zu weit über die Grenzen des Treibens (des „Bogens") hinaus folgen, er soll „bogenrein" sein. Er soll im Zweifel auf Hör- oder Sichtzeichen hin ins Treiben zurückkehren und weiter stöbern bzw. sich neu einweisen lassen. Hier liegt der Unterschied zum Brackieren, bei dem der Hund dem Hasen/ Fuchs auch über einen Bogen hinaus folgen muss.

134 Was versteht man unter „Buschieren"?

Die Suchjagd mit dem Hund im dichten Stangenholz, in niedrigen Kulturen oder auf kurz bewachsenen Schlägen. Der Hund soll hierbei, wie bei der Suche im Feld, im Schussbereich der Flinte, unter Ausnutzung des Windes, planvoll suchen und das sich drückende Wild vorstehen oder hochmachen. An aufstehendem Wild muss er sich durch Zuruf oder Trillerpfiff halten lassen. Der Hund muss einen feinen Appell haben und schon auf leisen Zuruf, Wink oder Körperwendung reagieren. Zwischen Hund und Führer besteht stets Sichtkontakt.

135 Was versteht man unter „Changieren"?

Das unerwünschte Überwechseln des Hundes von der gearbeiteten Spur (Fährte) auf eine andere, meist wärmere Spur (Fährte).

136 Wann ist ein Hund sichtlaut, spurlaut, weidlaut, baulaut?

Er ist sichtlaut oder hetzlaut, wenn er hinter flüchtendem Wild nur so lange laut gibt, wie er es sieht. Er ist spurlaut (fährtenlaut), wenn er der Spur (Fährte) des Wildes laut jagend folgt. Spur- und Fährtenlaut sind ein Vorzug des Hundes, da der Jäger erkennen kann, wohin das Wild flüchtet, er ist somit ein Muss für den im Wald jagenden Hund. Der Spurlaut (auf der Hasenspur) ist bei den meisten Stöber- und Dachshunden sowie den Bracken genetisch fest verankert, bei den anderen Rassen kommt er weniger häufig oder überhaupt nicht vor. Der Hund ist weidlaut, wenn er weiter „läutet", obwohl er die Spur oder Fährte verloren hat. Er ist baulaut (lügt), wenn er ohne Wildberührung im Bau laut ist.

137 Was ist von stumm jagenden Hunden zu halten?

Stumm jagende Hunde sind dem Wild unheimlich, und es verlässt sehr schnell die gewohnten Einstände. Außerdem weiß der Jäger nicht, ob und wohin der Hund jagt. Jeglicher Einsatz stumm jagender Hunde ist daher z.B. bei Drück- u. Stöberjagden abzulehnen.

138 Worin unterscheiden sich Stand- und Hetzlaut?

Der Standlaut (das Laut geben des Hundes vor dem gestellten Wild) klingt tief und voll, der Hetzlaut klingt hoch (jiff-jiff).

139 Welche anderen Einsatzbereiche gibt es noch bei der Arbeit vor dem Schuss?

Die Erdarbeit oder Bodenjagd des Teckels oder Terriers im Fuchs- oder Dachsbau.

Die Arbeit nach dem Schuss

140 Welche Einsatzbereiche kennen wir?

Nach dem Schuss ist neben dem Apportieren von erlegtem und Verlorenbringen von krankem Wild die Schweißarbeit auf Schalenwild der häufigste Einsatzbereich. Hierbei muss der Hund krankgeschossenes Wild am langen Riemen nachsuchen, gegebenenfalls hetzen, stellen und/oder niederziehen.

141 Worin besteht die Arbeit im Feld nach dem Schuss?

Nach dem Schuss hat der Hund erlegtes Wild auf „Apport"-Befehl sofort seinem Herrn zuzutragen. Krankgeschossenes Niederwild soll er finden und falls notwendig, zuverlässig abtun und bringen. Er hat sich zu setzen und auf das Kommando „Aus" das Wild sofort herzugeben.

142 Welche Aufgaben hat der Hund bei der Wasserjagd?

Nach dem Schuss muss der Hund erlegtes Wild verlorensuchen und bringen. Krankgeschossenes Wild muss er suchen und – häufig auf der Schwimmspur – dem Jäger zudrücken oder aber selbst greifen und bringen.

143 Was versteht man unter Nachsuche?

Die Nachsuche von Schalenwild auf der Wund- oder Rotfährte mit dem Hund am Schweißriemen. Hierbei muss der Hund mit tiefer Nase arbeiten, riemenfest und fährtentreu sein. Trockenheit, Hitze, strenger Frost und Verleitungen durch gesundes Wild können die Arbeit sehr erschweren.

144 Welche Hunde werden bei der Nachsuche eingesetzt?

Prinzipiell zunächst die hierauf spezialisierten und gut eingearbeiteten Schweißhunde. Auch andere Rassen können eingesetzt werden, sofern die Hunde die nötigen Voraussetzungen erfüllen. Voraussetzung für die Schweißarbeit sind ein ausgeprägter Fährtenwille, Wildschärfe, Hetzfreude sowie eine ruhige und konzentrierte Arbeitsweise mit tiefer Nase am Riemen. Die Arbeit auf einer schwierigen Krankfährte bedeutet insbesondere für den Hund eine große körperliche Anstrengung, daher muss er auch eine gute körperliche Kondition besitzen. Junge, unerfahrene Hunde sammeln die notwendige Praxis bei Arbeiten, bei denen eindeutige Pirschzeichen am Anschuss auf einen tödlichen Schuss und somit auf eine Totsuche hindeuten.

145 Wann soll man mit der Nachsuche beginnen?

Bei Niederwild sofort, bei Schalenwild frühestens nach drei bis vier Stunden. Bei einsetzender Dämmerung erst am nächsten Morgen. Schalenwild lässt man erst „krank werden", dies gilt entgegen immer noch verbreiteter Meinung auch bei Laufschüssen.

146 Was versteht man unter „fährtenrein"?

Der Hund darf sich nicht von anderen Fährten (Verleitfährten) oder Witterung ablenken lassen, er muss auf der Fährte bleiben, auf die er angesetzt wurde. Die Erziehung zur Fährtenreinheit ist die wohl wesentlichste Aufgabe bei der Einarbeitung und Voraussetzung für erfolgreiche Nachsuche des Gespanns. Hierbei werden z.B. Schleppen mit verschiedenen Wildarten über die Schweißfährte gelegt, von denen sich der Hund nicht verleiten lassen darf.

6.61: Er hat gefunden und bringt freudig ...

... und gibt sauber aus

147 Wo beginnt die Schweißarbeit?

Immer am Anschuss – nach Prüfung der Pirschzeichen.

148 Wie sucht man Schalenwild nach?

Grundsätzlich am Schweißriemen!

Bei der Nachsuche müssen Jäger und Hund möglichst ungestört sein (andere Hunde und Jäger halten ausreichend Abstand zum Gespann). Nach sorgfältiger Untersuchung des Anschusses und nach Ablauf der notwendigen Wartezeit (das Wild soll erst krank und die

Fährte „kalt" werden) bringt der Hundeführer den Hund am Schweißriemen zum Anschuss und lässt ihn mit dem Zuspruch „Such verwundt" vorsuchen. Hierbei achtet er darauf, ob der Hund Pirschzeichen verweist, die Fährte „anfällt" und sich auf ihr „festsaugt". Erst dann lässt er den Hund am Schweißriemen arbeiten. Hat der Führer Zweifel, ob der Hund die Fährte noch hält, und will er ihn wieder zur richtigen Fährte legen (oder soll die Nachsuche unterbrochen oder aufgegeben werden), so wird der Hund „abgetragen". Kleine Hunde werden hierzu auf den Arm genommen, große Hunde werden unter der Brust hochgehoben und einige Meter von der Fährte weggeführt.

149 Was tut man, wenn krankes Wild vor dem Hund fortbricht?

Der Hund wird „abgehalst" oder „gelöst" (von der Halsung befreit). Er soll das vor ihm streichen flüchtende kranke Wild hetzen, stellen, gegebenenfalls niederziehen und abtun (Rehwild). Der Hannoversche Schweißhund (Schweißhundeverein „Hirschmann" 1894) soll nach traditionellen Vorstellungen nicht an Rehwild gearbeitet werden und sogar rehwildrein sein. Das wehrhaftere Rot- und Schwarzwild darf er nur stellen und Standlaut geben (nicht niederziehen). Den Fangschuss gibt nur der Hundeführer oder ein von ihm eigens Beauftragter. Schmaltiere und Kälber stellen sich erfahrungsgemäß schlecht. Für diese Nachsuchen sind nur besonders erfahrene und hetzfreudige Hunde zu verwenden.

6.5 Hundekrankheiten

Allgemeines Wohlbefinden

150 An welchen Merkmalen erkennt der Hundeführer, ob sein Hund krank ist?

Im engen Umgang mit dem Hund wird der Hundeführer zunächst eine Änderung des allgemeinen Verhaltens feststellen, z.B. ein vergleichsweise geringes Interesse an der Umgebung, Fressunlust oder eine häufigere starke Flüssigkeitsaufnahme, getrübter Blick und Abweichungen von der normalen Körpertemperatur (ca. 37,5 bis 38,5 °C, bei jungen Hunden bis 39,5 °C). Können solche Beobachtungen nicht durch andere Faktoren (z.B. Witterung, Alter) erklärt werden, sollte in jedem Fall ein Tierarzt aufgesucht werden.

Infektionen

151 Welche Infektionskrankheiten sind beim Hund von besonderer Bedeutung und wie kann man ihnen begegnen?

Parvovirose (fälschlicherweise auch Katzenseuche genannt), Tollwut, Staupe, Leptospirose, Hepatitis contagiosa canis (H.c.c.), Aujeszkysche Krankheit (Pseudowut), Zwingerhusten und Borreliose, die durch Zecken übertragen werden kann. Erreger sind dabei insbesondere Viren und Bakterien, aber auch Parasiten oder Pilze können Infektionskrankheiten hervorrufen. Gegen die meisten dieser Infektionskrankheiten kann man den Hund impfen. Dabei erhalten die Welpen i.d.R. einen Impfschutz von der Mutterhündin über deren Milch. Erst ab der 7. bis 9. Lebenswoche sollten die Welpen geimpft werden. Nach 3 bis 4 Wochen sollte dieser Impfschutz wiederholt und erweitert werden. Danach erfolgt eine

Komplettimpfung im jährlichen Abstand, wobei einige Impfstoffe einen 2- bis 3-jährigen Impfschutz gewähren.

152 Welche Infektion befällt vor allem den Jagdhund?

Parvovirose. Die Erkrankung beginnt mit Fieber und meist blutigem Durchfall, der die erkrankten Tiere stark „austrocknet". Bei sehr jungen Hunden kann die Infektion zum Herztod führen. Erkrankte Tiere müssen umgehend in tierärztliche Intensivbehandlung. Zunehmend bereitet in den letzten Jahren die Borreliose Probleme. Die durch Bakterien (beim Zeckenbiss) hervorgerufene Krankheit äußert sich mit Gelenksentzündungen, Bewegungsstörungen, Fieber und im fortgeschrittenen Stadium durch Lähmungserscheinungen. Bei frühzeitiger Diagnose ist eine Behandlung möglich.

153 Wie äußert sich die Tollwut beim Hund?

In typischen Fällen verläuft die Tollwut in drei Phasen. Das erste Anzeichen ist oft eine Verhaltensänderung. Im weiteren Verlauf kann es zu Erregungszuständen (Exzitationsstadium) kommen, die schließlich durch Lähmung (Paralysestadium) zum Tod führen. Da die Krankheitserscheinungen bei Tollwut sehr vielfältig sind, muss dringend empfohlen werden, falls ein Tier oder dessen Halter Kontakt mit einem tollwutkranken – oder verdächtigen – Tier hatten, unverzüglich einen Arzt oder Tierarzt aufzusuchen. Geimpfte Hunde sind in diesem Fall rechtlich besser gestellt als ungeimpfte, für die eine sofortige Tötung angeordnet werden kann.

154 Wie verläuft die Tollwut-Erkrankung beim Menschen?

Diese Virusinfektion verläuft, wenn kein Impfschutz besteht oder nach einer Infektion nicht sofort eine ärztliche Behandlung erfolgt, immer tödlich.

155 Von welchem Tier geht die Tollwut in Deutschland hauptsächlich aus?

In Deutschland geht die Infektionskette noch immer vornehmlich vom Fuchs aus. Die Ansteckung erfolgt durch virushaltigen Speichel, der durch Biss übertragen wird. Durch eine flächendeckende Impfung der Füchse hofft man, die Krankheitsausbreitung stoppen zu können.

156 Wodurch entsteht Staupe und welche drei Formen unterscheidet man?

Staupe ist eine Virusinfektion, die durch Kontakt mit einem erkrankten Hund oder auch Marder übertragen werden kann. Die Erkrankung beginnt mit Fieber, Apathie, wässrigklarem Augen- und Nasenausfluss, der bald schleimig-eitrig wird. Es kann zu Durchfall mit Erbrechen (Darmform der Staupe) und/oder Husten mit Atembeschwerden (Lungenform der Staupe) kommen. Befällt das Virus das Gehirn, was sich durch Gleichgewichtsstörungen, Krämpfe und Lähmungen äußert, so spricht man von der nervösen Form der Staupe.

157 Wie wird Leptospirose auch genannt?

Stuttgarter Hundeseuche oder Weil'sche Krankheit. Diese Erkrankung wird durch bestimmte Bakterien hervorgerufen. Infizierte Hunde können den Erreger über lange Zeit mit dem Urin ausscheiden. Daneben sind Ratten und Mäuse eine wichtige Infektionsquelle.

158 Was ist Zwingerhusten?

Zwingerhusten ist eine multifaktorielle Infektion der Hunde, was bedeutet, dass mehrere Viren an dieser Infektion beteiligt sind (vergleichbar mit einer Grippeinfektion). Diese Erkrankung äußert sich zunächst mit starkem Röcheln und Husten. Es folgen hohes Fieber mit eitrigem Nasenausfluss und Apathie. Betroffen sind v.a. junge Welpen.

159 Was ist die Aujeszkysche Krankheit?

Eine akut, tödlich verlaufende Virusinfektion der Gehirnnerven. Besonders gefährdet sind Jagdhunde, die Kontakt mit infizierten Wildschweinen hatten oder die rohes Wildschweinfleisch zu fressen bekamen. Beim Menschen kann das Virus zu harmlosen Wundinfektionen führen. Zu Beginn der Erkrankung beobachtet man Unruhe und Apathie. Es folgen starkes Speicheln infolge von Schluckbeschwerden, schwankender Gang mit ängstlichem Gesichtsausdruck. Manche Hunde haben Tobsuchtsanfälle. Dabei kratzen sich die Tiere bis zum Blutigwerden. Die Symptome ähneln denen der Tollwut. Eine Behandlung ist nicht möglich. Man kann den Hund dadurch schützen, indem grundsätzlich kein rohes Schweinefleisch füttert.

160 Welche weiteren Infektionskrankheiten können für den Jagdhund von Bedeutung sein?

Hepatitis, deren Symptome ähnlich denen einer Vergiftung sind (Erbrechen, blutiger Durchfall, hohes Fieber), Salmonellosen und Pilzflechten sowie Leishmaniose, eine durch die Sandmücke vor allem in den südlichen Ländern übertragbare Krankheit.

Ektoparasiten

161 Welche Hautparasiten findet man vornehmlich beim Hund?

Flöhe, Läuse, Haarlinge, Zecken und Milben. Es ist unbedingt notwendig, dass man sich als Hundehalter über die Lebensgewohnheiten von Hautparasiten (vor allem Flöhe) informiert. Flöhe halten sich den größten Teil ihres Lebens nicht auf dem Wirt auf, sondern in seiner Umgebung. Die tägliche Blutmahlzeit dauert ca. eine Stunde. Ausgewachsene Flöhe überleben ein bis zwei Monate ohne Blutmahlzeit.

162 Welche Auswirkungen kann Flohbefall haben?

Beim Jagdhund kann Flohbefall zur Ursache folgender Krankheitserscheinungen führen:

» Hautentzündungen mit nachfolgenden bakteriellen Infektionen durch ständiges Kratzen des Tieres.
» Allergie gegen Flohspeichel, die sich in Hautrötungen mit Ekzemen und noch stärkerem Juckreiz äußert.
» Bandwurmbefall, denn Flöhe sind Zwischenwirte für bestimmte Bandwürmer.
» Andere Krankheiten, weil Erreger durch den Flohbiss auch ins Blut des Haustieres gelangen können.

163 Was kann man bei starkem Flohbefall tun?

Baden mit antiparasitären Shampoos, Behandlungen mit Flohpuder und das Tragen von Flohhalsbändern. Gut bewährt haben sich auch sogenannte „Spot-on"-Verfahren, wobei den Hunden eine antiparasitäre Substanz auf den Rücken geträufelt wird. Einige dieser Substanzen bieten auch einen guten Schutz gegen Zeckenbefall. Eine gründliche Umgebungsbehandlung mit Insektiziden ist wichtig. Es müssen immer alle Hunde und Katzen im gleichen Haushalt behandelt werden. Auch Ungeziefer wie Zecken, Läuse und Haarlinge werden durch Floh- und Zeckenbänder und durch Spot on Mittel abgetötet. Zwar verhindern sie nicht den Befall des Hundes mit diesem Ungeziefer, doch sie verhindern häufig die Übertragung gefährlicher Krankheiten.

164 Welche Krankheiten werden von Zecken übertragen?

In Deutschland wird vornehmlich Borreliose und die FSME (Frühsommer-Meningo-Encephalitis) von Zecken übertragen. In den südlichen Ländern (Spanien, Italien, Südfrankreich) werden Babesiose und andere Krankheiten übertragen.

165 Wie kann man sich vor Zecken und den von ihnen übertragbaren Krankheiten schützen?

Es stehen sowohl Floh- und Zeckenbänder zur Verfügung als auch Ampullen, die dem Hund in den Nacken geträufelt werden (Spot on), um so die Plagegeister vom Tier abzuhalten. Seit einigen Jahren existiert für Hunde auch ein Impfstoff gegen Borrelliose, der besonders in gefährdeten Gebieten regelmäßig wiederholt werden sollte. Bei häufigeren Reisen in südliche Länder sollte man seinen Hund gegen Leishmaniose impfen lassen.

Endoparasiten

166 Welche Wurmarten kommen hauptsächlich beim Hund vor und wie infiziert er sich damit?

In erster Linie handelt es sich um Spul-, Haken-, Peitschen- und Bandwürmer. Spul- und Hakenwürmer sind die häufigsten und bedeutendsten Parasiten bei Hunden. Die Ansteckung der Welpen erfolgt durch invasionsfähige Larven entweder in der Endphase der Trächtigkeit oder noch vor der Geburt im Mutterleib (Spulwurmlarven) oder nach der Geburt mit der Muttermilch (Haken- und Spulwurmlarven). Infektionen durch Auflecken von Spulwurmeiern oder Hakenwurmlarven aus der Umwelt bzw. aktives Einbohren von Hakenwurmlarven durch die gesunde Haut sind ebenfalls von Bedeutung. Aus den Spulwurmeiern schlüpfen im Darm Larven, die sich durch die Darmwand hindurchbohren und während der Wanderung durch den Tierkörper ihre Entwicklung zu geschlechtsreifen Würmern fortsetzen. Aufgeleckte Hakenwurmlarven entwickeln sich nach ihrer Ansiedlung im Darm direkt zu geschlechtsreifen Würmern. Ein kleinerer Teil dieser Larven bohrt sich jedoch auch durch die Mundschleimhaut ein und beginnt seine Körperwanderung, wodurch Organverletzungen und Gewebeschäden verursacht werden. Während im Körper von erwachsenen Hunden wandernde Larven schließlich abgekapselt werden, gelangen die über die Haut in Welpen und Junghunde eingedrungenen Larven zum Abschluss ihrer Wanderung über die Lungen, die Luftröhre und Speiseröhre in den Magen-Darm-Trakt des Wirtstieres zurück.

167 Welches ist der häufigste Hundebandwurm?

Der häufigste Hundebandwurm ist *Dipylidium caninum*. Die Ansteckung geschieht durch Flöhe oder Haarlinge, in welchen sich nach der Aufnahme der Eier die infektiöse Finne entwickelt. Die klinische Bedeutung ist gering. Oft fällt der Befall lediglich durch weißlich rosa gefärbte Glieder auf, die mit dem Kot ausgeschieden werden oder in der Analgegend des Hundes zu sehen sind. Eingetrocknete Bandwurmglieder sind reiskorngroß und können in großen Mengen auf dem Lager des Hundes gefunden werden.

168 Welche Bandwürmer sind auf den Menschen übertragbar?

Zwei weitere Bandwürmer, *Echinococcus granulosus* (Hundebandwurm) und *Echinococcus multilocularis* (Fuchsbandwurm), sind auf den Menschen übertragbar. *Echinococcus granulosus*, der dreigliedrige Hundebandwurm, und *Echinococcus multilocularis*, der fünfgliedrige Fuchsbandwurm sind wegen der großen Gefahr für den Menschen von erheblicher Bedeutung. Zwischenwirte sind viele Haus- und Wildtiere. Die Finnen wachsen in inneren Organen, besonders in Leber und Lunge. Der Hund infiziert sich durch Aufnahme von rohen Schlachtabfällen oder durch Lunge und Leber vom Schalenwild. *Echinococcus multilocularis* (Fuchsbandwurm) tritt vorwiegend beim Fuchs auf, selten bei Hunden und Katzen. Die Übertragung geschieht durch die Aufnahme von Bandwurmeiern oder den sog. Proglottiden, die im Fell infizierter Tiere oder auch auf Beeren haften, die durch Fuchslosung beschmutzt wurden. Diese mikroskopisch kleinen Partikel können in den menschlichen Körper gelangen und in der Leber zum Wachstum großer Bläschenkolonien führen, die tumorartig wachsen und unter Umständen zum Tode führen.

169 Wie kann man sich vor Infizierung mit dem Fuchsbandwurm schützen?

Waldfrüchte sollten vor Verzehr gründlich gewaschen werden. Bauhunde sollten nach der Arbeit gewaschen bzw. von im Fell haftenden Schmutzpartikeln gesäubert werden. Beim Abbalgen von Füchsen sollte man Einmalhandschuhe und Mundschutz tragen. Hunde sollten regelmäßig entwurmt werden.

170 Welche Maßnahmen sind zu treffen, um Wurmbefall beim Hund zu vermeiden?

Voraussetzung ist eine gründliche und kontinuierliche Flohbekämpfung. Es sollten keine rohen Schlachtabfälle an Hunde verfüttert werden. Der Kot infizierter Hunde muss unschädlich beseitigt werden. Bei sorgfältiger und wiederholter Anwendung sind Wurmkuren sicher wirksam. Regelmäßige Kotuntersuchungen dienen einer gezielten Kontrolle auf Wurmbefall.

Organkrankheiten

Ohr

171 Wie erkennt man, dass der Hund an einer Ohrenentzündung leidet?

Der Hund zeigt Unruhe, möchte ständig mit den Hinterläufen an den Ohren kratzen. Der Kopf wird oft am Boden oder an anderen Gegenständen gerieben und schief gehalten.

172 Welche Ursachen führen zu Ohrenentzündungen?

Fremdkörper (meist Grannen oder Kornspelzen), Ohrmilben, Schleimhautpolypen, Tumoren und Verletzungen des Gehörganges (durch eindringende Fremdkörper oder Biss); aber auch Allergien und Autoimmunerkrankungen können zu Ohrerkrankungen führen. Eine frühzeitig erkannte Ohrenentzündung des äußeren Gehörganges lässt sich normalerweise komplikationslos behandeln, wenn sie nicht bereits wochen- oder monatelang besteht und durch bakterielle Sekundärinfektionen eine rasche Behandlung erschwert wird.

173 Was begünstigt Ohrenentzündungen?

Prädestiniert für Ohrenentzündungen des äußeren Gehörganges (auch Ohrwurm oder Ohrzwang genannt) sind enger Gehörgang, Eindringen von Wasser beim Schwimmen und ein tief angesetzter Behang.

174 Warum soll man nicht mit Wattestäbchen den Gehörgang reinigen?

Mit dem Wattestäbchen werden Ohrenschmalz oder Fremdkörper in die Tiefe des Gehörganges geschoben. Es entsteht ein Pfropf, der nur schwer zu beseitigen ist. Es können das Innenohr und das Trommelfell verletzt werden.

175 Wie säubert man sinnvoll den äußeren Gehörgang?

Nach starker Verschmutzung kann mit milder, handwarmer Lösung das Innenohr gereinigt werden. Anschließend können verschiedene Ohrensalben oder Ohrentropfen zum Einsatz kommen, die nach Anweisung des Tierarztes je nach der Art der Entzündung angewendet werden. Wichtig ist die regelmäßige und konsequente Behandlung. Sinnvoll ist es, dass die Gehörgänge, bevor z.B. eine Wasserarbeit ansteht, mit einer fetthaltigen Salbe eingerieben werden.

176 Woran ist zu denken, wenn der Hund plötzlich jault, den Kopf schüttelt oder den Kopf schief hält?

Man sollte unverzüglich den Gehörgang untersuchen bzw. daran denken, dass Fremdkörper in Form von Grannen oder Kornspelzen in den Gehörgang gelangt sind. Diese Fremdkörper müssen sofort vom Tierarzt entfernt werden, da sie ansonsten immer tiefer in der Gehörgang eindringen, dabei sehr schmerzhaft sind und das Trommelfell verletzen können.

177 Woran ist zu denken, wenn das Außenohr eine dicke weiche Schwellung zeigt?

Durch eine Verletzung kann ein sogenanntes Blutohr (Othämatom) entstanden sein. Man sollte den Tierarzt aufsuchen, da eventuell eine operative Korrektur notwendig ist.

Auge

178 Wie sollte man nach absolvierter Wald- und Feldarbeit die Augen untersuchen?

Bei Tageslicht oder mit einer Taschenlampe erfolgt eine genaue Betrachtung von Bindehaut und Hornhaut. Trübungen und Fremdkörper erscheinen zumeist dunkler oder hell leuchtend.

179 Was ist zu tun, wenn die Augen ständig tränen bzw. sich in den Augenwinkeln ein schmieriges Sekret bildet?

Schmutzpartikel und Schleim werden mit Zellstoff oder einem sauberen Leinentuch trocken oder mit kaltem Wasser vorsichtig ausgewischt. Bei ständig wiederkehrendem Tränenfluss ist daran zu denken, dass die Tränenkanäle am Rande der Augenlider verstopft sind. Sie sollten vom Tierarzt gespült werden. Durch Entzündungen des dritten Augenlides (himbeerartiges Anschwellen der Lymphplatte) sowie durch Fehlstellungen der Lidränder kommt es zu Irritationen und Reizungen von Hornhaut und Bindehaut. Beim Entropium (Einwärtsrollen des Lidrandes) oder Ektropium (Auswärtsrollen des Lidrandes) wird der Tränenfilm auf dem Augapfel störend beeinflusst, so dass es zu Entzündungen von Hornhaut und Bindehaut kommen kann. Derartige Fehlstellungen sollten vom Tierarzt chirurgisch korrigiert werden.

Analdrüsen

180 Wo befinden sich die Analdrüsen des Hundes und welche Funktion haben sie?

Sie liegen jeweils links und rechts unterhalb vom Weidloch am Übergang der Decke in der Mastdarmschleimhaut. Sie dienen als Duftdrüsen und enthalten ein stark riechendes Sekret, das bei Kotabsatz und Wedeln entleert wird.

181 Woran ist zu denken, wenn der Hund auf dem Hinterteil rutscht (sog. Schlittenfahren)?

Die Analdrüsen könnten entzündet bzw. stark gefüllt sein. In diesem Fall sollte man mit Zellstoff bzw. einem Gazebausch das Weidloch umfassen und durch massierenden Druck unterhalb vom Weidloch die Analdrüsen entleeren. Bei sehr starker Entzündung sollten die Analdrüsen mit einer antibiotischen Lösung vom Tierarzt gespült werden, da sich ansonsten ein Abszess bilden kann, der anschließend nach außen aufbricht. Auch Bandwurmbefall, Durchfall und Verschmutzungen am Weidloch können zum Rutschen auf dem Hinterteil führen.

Magendrehung

182 Was ist eine Magendrehung?

Bei der Magendrehung des Hundes handelt es sich um eine schnell verlaufende Krankheit, die ohne tierärztliche Behandlung innerhalb weniger Stunden zum Tod des Tieres führt. Die Magendrehung wird häufig bei Hunden großer Rassen beobachtet. Im Anschluss an eine reichliche Fütterung kommt es zur Magenüberladung mit starker Gasbildung. Durch heftige Bewegungen des Hundes unterstützt, kann sich der Magen um seine Achse drehen, so dass der Ein- und Ausgang des Magens verschlossen werden. Bei nicht sofortiger tierärztlicher Behandlung (Operation) kommt es zum Kreislaufschock und Tod.

183 Wie erkennt man, dass bei einem Hund eine Magendrehung vorliegt?

Die Tiere sind sehr unruhig, würgen und versuchen vergeblich zu erbrechen. Auffällig ist der stark aufgeblähte Bauch (Trommelbauch), verbunden mit Hecheln infolge von Atemnot und Kreislaufversagen.

Verdauungsstörungen

184 Was ist bei Durchfall zu beachten?

Bei Durchfallerkrankungen verliert der Körper sehr viel Flüssigkeit (Elektrolyte). Diese muss durch Aufnahme von Tee oder Elektrolytlösungen ergänzt werden. Man sollte, wenn es die Konstitution des Tieres erlaubt, dem Hund über 24 Stunden die Nahrung entziehen. Wenn das Tier nicht erbricht, kann es etwas verdünnten Tee (Kamillen-, Fenchel- oder schwarzen Tee), eventuell Möhrensaft in kleinen Mengen zu sich nehmen. Nie etwas zwanghaft eingeben, nur freiwillig aufnehmen lassen. Ab dem zweiten Tag bis einschließlich dritten Tag 1/3 gekochtes, zerkleinertes Fleisch, Haferflocken oder Reis, Karotten und eine Prise Salz vermischen. Davon 4- bis 5-mal täglich, je nach Größe des Hundes, einen Tee- bis einen Esslöffel füttern. Als Getränk weiterhin Tee, Möhrensaft oder abgekochtes Wasser in kleinen Mengen. Jeden weiteren Tag etwas mehr anbieten. Sollten Durchfallerkrankungen länger als 2 bis 3 Tage bestehen bleiben oder sollte Blut mit dem Kot ausgeschieden werden, so ist ein Tierarzt aufzusuchen, da die Ursachen für Durchfallerkrankungen sehr vielfältig sind.

185 Wie äußert sich eine Verstopfung?

Der Hund kann trotz heftigen Drängens keinen Kot absetzen. Die betroffenen Tiere hocken sich ständig hin, jaulen und zeigen vermehrte Unruhe.

186 Welche Ursachen kann eine Verstopfung haben?

In den meisten Fällen ist eine Verstopfung fütterungsbedingt. Eine häufige Ursache ist das Füttern von Knochen. Aber auch andere, besonders stark gärende Futtermittel können eine Verstopfung verursachen.

187 Was kann man bei Verstopfung tun?

Man sollte dem Hund sofort die Nahrung entziehen und ausschließlich kleine Mengen Flüssigkeit geben, die mit einem Abführmittel (z.B. Paraffinöl, Mikroklist) kombiniert werden können. Sollte dennoch kein Kot abgesetzt werden können, so muss man den Tierarzt aufsuchen, da unter Umständen ein Einlauf durchgeführt werden muss bzw. eine Darmverschlingung oder ein Fremdkörper im Darm die Ursache sein kann. Grundsätzlich sollten keine Knochen verfüttert werden.

Gelenkerkrankungen

188 Was ist Dackellähme?

Dackellähme ist ein durch Bandscheibenschaden verursachter Vorfall der Bandscheibe in den Wirbelkanal. Durch Kompression (Quetschung) des Rückenmarks kommt es je nach Lokalisation und Ausmaß der Kompression zu verschiedenen nervalen Ausfallserscheinungen mit z.T. heftigen Schmerzen. Oft berichten die Besitzer, dass die Hunde nicht mehr Treppen hinauf laufen möchten oder mit ihren Hinterläufen nicht mehr hoch kommen. Manchmal sind die Hunde hochempfindlich, wenn sie berührt oder aufgehoben werden. In anderen Fällen beobachten die Besitzer schlagartige Lähmungen eventuell begleitet von einem Aufschrei beim Treppenlaufen oder Hochspringen. Bei all diesen Krankheitserscheinungen sollte unverzüglich ein Tierarzt aufgesucht werden.

189 Was verstehen Sie unter der Abkürzung „HD"?

Die Abkürzung steht für die Hüftgelenksdysplasie, eine vererbbare oder erworbene Krankheit, bei der die Hüftpfannen verformt (abgeflacht) sind, oder die Oberschenkelköpfe zu weit aus den Hüftpfannen ragen. Dadurch wird v.a. die Beweglichkeit des Hundes beeinträchtigt. HD kann durch Röntgenuntersuchung festgestellt werden. Einige Zuchtverbände schreiben eine solche Untersuchung für die Zulassung zur Zucht zwingend vor.

Äußere Verletzungen

190 Wie kann man Blutungen stillen?

Zerschnittene Pfoten, kleine Biss- oder Stichverletzungen an den Beinen und herausgerissene Krallen verursachen z.T. starke Blutungen. In derartigen Fällen bindet man den Fuß von unten nach oben mit irgendeinem gerade vorhandenen Verbandmaterial schichtweise ein, bis kein Blut mehr durchsickert. Wenn man die Bandage zusätzlich mehrmals in sich dreht, so erhält man einen festen Verband. Das Abbinden der Gliedmaße ist schwieriger und bereitet dem Tier oft große Schmerzen. Falls bei starken Blutungen abgebunden werden muss, benutzt man besser eine breite Binde, die oberhalb der Verletzung straff um das Bein gewickelt wird. Nach etwa 20 Minuten sollte sie gelockert werden, um Schädigungen der Gliedmaße zu vermeiden.

191 Wie transportiert man einen Hund mit gebrochenen Gliedmaßen?

Das Schienen gebrochener Gliedmaßen ist nur in wenigen Fällen vorteilhaft. Besser ist es, das verletzte Tier so auf einer Decke oder Trage zu lagern, dass das erkrankte Bein auf dem Körper des Tieres liegt. Anschließend das Tier mit einer Decke zudecken und schnell zum Tierarzt bringen.

192 Was bedeutet es, wenn der Hund einen Schock hat?

Der Schock ist kennzeichnend durch ein meist plötzlich einsetzendes Kreislaufversagen. Je nach Art der Ursache (Unfall, plötzlicher Blutverlust, Vergiftung etc.) fällt der Blutdruck rapide ab, so dass es kurze Zeit später zum Ausfall sämtlicher Körperfunktionen kommt. Das Tier bricht plötzlich zusammen, und seine Gliedmaße fühlen sich kalt an. Die Schleimhäute am Kopf sind blass und zeigen meistens eine bläuliche Färbung. Jeder Schock bedeutet höchste Lebensgefahr und erfordert dringend tierärztliche Hilfe. In der Zwischenzeit soll der Hund in Wolldecken oder Alufolie eingewickelt werden, um den Wärmeverlust zu vermeiden.

Vergiftungen

193 Was ist bei einer Vergiftung zu tun?

Vergiftungserscheinungen sind beim Hund oft dramatisch und schreiten schnell fort. Wird eine Vergiftung vermutet, muss alles unternommen werden, um das Gift zu identifizieren. Um eine gezielte Behandlung einleiten zu können, benötigt der schnellstens aufzusuchende Tierarzt so viele Beobachtungen wie möglich. Es ist ratsam, die giftenthaltende Substanz dem Tierarzt mitzubringen (Erbrochenes, aufgenommenes Futter usw.).

6.6 Jagdhundeprüfungen

Allgemeines

194 Was ist der Jagdgebrauchshundverband (JGHV)?

Der JGHV ist der Dachverband für das gesamte Jagdgebrauchshundwesen; er besteht seit 1899 und wurde ursprünglich von den Zuchtvereinen der „kontinentalen Vorstehhundrassen" („Vollgebrauchshunde") gegründet. Er hat sich die Aufgabe gestellt, durch Prüfung, Zucht und belehrende Tätigkeit für die Beschaffung brauchbarer Jagdhunde zu sorgen und damit dem weidgerechten Jagen zu dienen. Ihm gehören Zuchtvereine für Jagdgebrauchshunderassen, einzelne Jagdgebrauchshundvereine, die Landesjagdverbände und Kreisgruppen bzw. Jagdvereine der Landesjagdverbände an. Zu seinen wichtigsten konkreten Aufgaben zählt der JGHV u.a. die Erarbeitung neuer jagdkynologischer Erkenntnisse, die Festsetzung gemeinsamer Prüfungsordnungen das Erstellen von Richtlinien für das Heranbilden und Ernennen von Verbandsrichtern und die Führung des DGStB (Deutsches Gebrauchshundstammbuch) als Leistungsstammbuch und die Dokumentation der Verbandsarbeit.

195 Warum gibt es Prüfungen für Jagdhunde?

Wichtig ist die durch eine Prüfung dokumentierte Leistungsfähigkeit des einzelnen Hundes in seinem Einsatzspektrum. Der Gesetzgeber verlangt für bestimmte Jagdarten die Beteiligung „brauchbarer" Jagdhunde. Dieser objektive Nachweis der Brauchbarkeit lässt sich grundsätzlich am sichersten durch eine abgeleistete Prüfung mit nachvollziehbaren Anforderungen dokumentieren.

196 Wann wird ein Hund juristisch als „jagdlich brauchbar" bezeichnet?

Die jagdliche Brauchbarkeit sollte von einem Gebrauchshundeverein oder von der Unteren Jagdbehörde anerkannt sein.

197 Welche versicherungsrechtlichen Konsequenzen ergeben sich aus dem Nachweis der jagdlichen Brauchbarkeit?

Bei den meisten Versicherern sind bis zu zwei Jagdhunde über den Jagdscheininhaber haftpflichtversichert. Versichert sind auch Junghunde, die sich nachweisbar in jagdlicher Ausbildung befinden.

198 Welche Bedeutung haben Zucht- und Leistungsprüfungen?

Für die Zucht sind sie unverzichtbar, da nur durch sie objektivierbare Aussagen über Anlagen und Leistungsvermögen der jeweiligen Hunde gemacht werden können („Ostermannsche Statistik" im Deutschen Gebrauchshundstammbuch / DGStB). Der Zuchtwert von Elterntieren, alle positiven Eigenschaften, aber auch Schwächen und Wesensmängel werden erkannt und so können die Zucht positiv beeinflussende Faktoren gefördert und zuchtschädigende Entwicklungen frühzeitig unterbunden werden. Für den Jäger als potentiellen Käufer geben die Prüfungen Auskunft über das Leistungsvermögen und den Marktwert des angebotenen Hundes. Für den Welpenkäufer bieten sie wertvolle Anhaltspunkte bei der Wahl eines Zuchtzwingers, da die Leistungsfähigkeit der Eltern in der Regel die Grundvoraussetzung für die Qualität der Welpen ist.

Abkürzung	Name	Hunderassen	Prüfungsfächer
VJP	Verbandsjugend-prüfung	Kontinentale Vorstehhunde	**Feldarbeit:** Hasenspur, Vorstehen, Suche
HZP	Herbstzucht-prüfung	Kontinentale Vorstehhunde	**Feldarbeit:** Vorstehen, Suche, Schleppen (Haar-/Federwild), **Wasserarbeit:** Arbeit an der lebenden Ente, Verlorensuche
VGP	Verbands-gebrauchs-prüfung	Kontinentale Vorstehhunde	**Waldarbeit**: Schweiß, Schleppen (Fuchs u. Kanin), Stöbern, Buschieren **Wasserarbeit**: Stöbern ohne/mit Ente, Verlorensuche **Feldarbeit**: Vorstehen, Suche, Schleppe u. Verlorensuche von Federwild **Gehorsam**: Leinenführigkeit, Gehen frei bei Fuß, Ablegen, allgemeiner Gehorsam
VPS	Verbands-prüfung nach dem Schuss	Vielseitige Jagd-gebrauchshunde: Kont. Vorstehhunde, Apportierhunde (Retriever), Stöberhunde (Wachtel, Spaniel)	**Waldarbeit**: wie VGP Übernachtfährte verbindlich, keine Fuchsfächer **Wasserarbei**t: wie VGP **Feldarbeit**: wie VGP, Suche u. Vorstehen fallen weg **Gehorsam**: wie VGP
VSwP VFSP	Verbands-schweißprüfung Verbandsfährten-schuhprüfung	Jagdgebrauchs-hunde, die mindestens 24 Monate alt sind, JGHV-Papiere haben u. laut jagen	Schweißarbeit Fährtenschuharbeit 1000m, 20h oder 40h Stehzeit
JP A(Z)P	Jugendprüfung Anlagen(zucht) prüfung	Wachtel Bracken	Hasenspur
GP	Gebrauchs-prüfung	Wachtel, Bracken, Teckel, Terrier	Schweißarbeit, Gehorsam, (Schleppen), Stöbern
JEP BP	Jagdeignungs-prüfung Brauchbarkeits-prüfung	Jagdhunde	Schleppen Schweißarbeit Wasserarbeit (Verlorensuchen) Gehorsam

199 Wie lassen sich Hundeprüfungen grundsätzlich unterteilen?

Zunächst lassen sich Hundeprüfungen in Anlagenprüfungen und Leistungsprüfungen unterscheiden. Die Prüfungsordnungen hierfür werden vom JGHV bzw. den einzelnen Zuchtvereinen erlassen und überwacht. Daneben gibt es die Brauchbarkeits- oder Jagdeignungsprüfungen.

1. Anlagenprüfungen:
   Hier werden insbesondere die ererbten und jagdlich wichtigen Anlagen festgestellt. Man kann sie vergleichsweise als „Lehrlingsprüfungen" bezeichnen. Speziell nach dem Schwerpunkt des Einsatzbereiches stellt jede Jagdhunderasse spezifische Anforderungen und überprüft diese. Meist sind die gewonnenen Ergebnisse eine der Grundlagen für die mögliche Zuchtzulassung des jeweiligen Hundes. Eine gesonderte Form- und Haarbewertung – auch Pfostenschau genannt – stellt die andere Voraussetzung dafür bei den meisten Zuchtvereinen dar. Der JGHV richtet als rasseübergreifende Prüfungen an dieser Stelle die Verbands-Jugendprüfungen (VJP) und die Verbands-Herbstzuchtprüfungen (HZP) v.a. für Vertreter der kontinentalen Vorstehhunderassen aus. Dabei nimmt die HZP insoweit eine Sonderstellung ein, als in ihr sowohl Anlagen als auch Leistungen (in Form der Abrichtefächer) geprüft werden.
2. Leistungsprüfungen:
   Bei den Leistungsprüfungen werden dagegen, aufbauend auf die jagdlichen Anlagen des Hundes, Leistungen erwartet, die dem umfassenden jagdlichen Einsatzspektrum entsprechen. Hierzu gehören dann auch Fähigkeiten des Hundes, die für die jagdlichen Praxis anerzogen oder in ihr erworben wurden. Aus diesem Grund legen die Jagdhunde diese „Meisterprüfungen" meist erst in ihrem dritten oder vierten Lebensjahr ab. Zu den Leistungsprüfungen gehören u.a. die Verbands-Gebrauchsprüfung (VGP), die Verbandsprüfung nach dem Schuss (VPS), die Verbands-Schweißprüfung (VSwP) sowie die speziellen Leistungsprüfungen der Zuchtvereine (Gebrauchsprüfungen, Eignungsprüfungen, Hauptprüfungen usw.).
3. Neben den Prüfungen, die durch JGHV bzw. seine angeschlossenen Zucht- und Gebrauchshundvereine durchgeführt werden, gibt es die sog. *Brauchbarkeits- oder Jagdeignungsprüfungen*.

200 Von wem werden die Hunde auf den Prüfungen bewertet?

Drei Verbandsrichter sind jeweils einer Gruppe von 3 bis 4 Hunden zugeordnet. Kann sich die Richtergruppe nicht über ein zu vergebenes Prädikat einigen, so gibt das Urteil des Richterobmannes den Ausschlag.

201 Welche Voraussetzungen muss man erfüllen, um zum Verbandsrichter ernannt zu werden?

Man muss mindestens einen Hund erfolgreich geführt (VGP/VPS) und eine Lehrzeit – die Richteranwärterschaft – absolviert haben (als Richteranwärter je zweimal auf VJP, HZP und VGP/VPS gerichtet und an einer Fortbildungsveranstaltung des JGHV teilgenommen haben).

202 Wer führt eine Bewertung von Form und Haar unseren Jagdhunden durch?

Dies tun die einzelnen Zuchtvereine auf meist gesondert durchgeführten Zuchtschauen. Erfahrene und besonders geschulte Zuchtrichter beurteilen hier, wie viel oder wie wenig die Hunde vom definierten Rassestandard abweichen. Daraus ergibt sich Form- und Haarwert.

203 Wie erfolgt die Bewertung auf den Prüfungen?

Nach einem System, das Prädikate („sehr gut", „gut", usw.) vergibt und diese bei den meisten Prüfungsarten (Ausnahme: VGP, VPS) durch ein Punktesystem untergliedert (z.B. „sehr gut"= 11 P, 10 P, 9 P). Diese Punktzahlen werden mit Fachwertziffern (drücken die Wertigkeit des jeweiligen Faches aus) multipliziert und ergeben so die Endpunkte (vgl. Zeugnis Abb. 6.59). Einzelne Zuchtvereine haben abweichende Punktsysteme.

204 Welche weiteren Angaben müssen von den Richtern auf der Zensurentafel gemacht werden?

Sie tragen ein, ob der Hund schussfest, leicht schussempfindlich, schussempfindlich oder schussscheu ist. Die einzelnen Stufen der Empfindlichkeit sind genau definiert. Weiterhin erscheinen auf der Zensurentafel Angaben über das Gebiss, die Augen, die Geschlechtsteile des Rüden, eventuelle Wesensmängel und vor allen den Laut (sichtlaut, spurlaut, weidlaut, stumm, fraglich).

205 Wie ist die Schussempfindlichkeit hinsichtlich der jagdlichen Brauchbarkeit zu bewerten?

Mit viel Arbeit und Gewöhnungsübungen kann eine leichte Schussempfindlichkeit beim Hund überwunden werden. Bei schussscheuen Hunden ist dies jedoch kaum zu erreichen. Da derartige Wesensmängel in der Regel jedoch vererbt werden, sind Hunde, bei denen diese Anlage festgestellt wird, von der Zucht ausgeschlossen.

206 Kann ein weidlauter Hund auch zusätzlich spurlaut sein?

Der weidlaute Hund unterscheidet sich vom sicht- und/oder spurlauten Hund dadurch, dass er ohne von Wild ausgehende optische oder geruchsmäßig wahrnehmbare Reize Laut gibt. Er hat eine sehr niedrige Reizschwelle – und dies natürlich auch beim Arbeiten einer Spur. Da man aber bei solchen Hunden nie sicher sein kann, ob Wild vorhanden ist, sind sie für viele Einsatzbereiche eher ungeeignet.

Anlagenprüfungen

207 Was wird bei einer VJP (Verbandsjugendprüfung) geprüft?

» Die Arbeit auf der Spur des nicht (mehr) sichtigen Hasen. Hier wird besonderer Wert auf den Spurwillen gelegt.
» Das Vorstehen festliegenden Wildes und eventuell das Nachziehen hinter laufendem Federwild. Ein Durchstehen wird bei der VJP noch nicht verlangt, Nachprellen gilt nicht als Fehler.
» Der Gebrauch der Nase (Objektive Riechleistungen können auf einer Prüfung nicht gemessen werden.) wird danach beurteilt, ob der Hund entsprechend der Revierverhältnisse viel Wild findet, wie er den Wind nutzt, wie er sich bei der Spurarbeit verhält (Reaktion beim Verlieren, Kreuzen und Wiederfinden der Spur).
» Im Fach Suche liegt bei der VJP das Hauptgewicht auf dem Finderwillen, eine planmäßige Suche wird noch nicht verlangt, allerdings muss auch eine hinreichende Ausdauer erkennbar sein.

Jagdgebrauchshundverband e.V.

Formblatt 7
Stand 2008-1

Zensurentafel für Verbands-Gebrauchsprüfung (VGP)

Verein: ______________________ EDV-Nr.: __________

Prüfungsort: ______________________ Prüfungstage: __________

Führer: ______________________ PLZ: ________ Wohnort: __________

Name des Hundes: ______________________ gew.: ________ ☐ Rüde ☐ Hündin

Rasse: ______________________ ZB-Nr.: __________ DGStB-Nr.: __________

Mutter: ______________________ ZB-Nr.: __________ DGStB-Nr.: __________

Vater: ______________________ ZB-Nr.: __________ DGStB-Nr.: __________

I. Waldarbeit	LZ	FWZ	UZ
Riemenarbeit / Übernachtfährte		8	
Riemenarbeit / Tagfährte		5	
Totverbellen (zusätzlich, Mindest - LZ 2)		4	
Totverweisen (zusätzlich, Mindest - LZ 2)		3	
Bringen von Fuchs über Hindernis		3	
Fuchsschleppe		5	
Bringen von Fuchs auf der Schleppe		2	
Hasen- oder Kaninchenschleppe		4	
Bringen von Hase oder Kaninchen		2	
Stöbern ☐ lt. ☐ spl. ☐ wdl. ☐ st. ☐ ?		4	
Buschieren		3	
Summe Waldarbeit:			
II. Wasserarbeit			
Stöbern ohne Ente im deckungsr. Gewässer		3	
Verlorensuchen im deckungsr. Gewässer		3	
Stöbern mit Ente		3	
oder lt. beil. Zeugnis vom __________		3	
Bringen von Ente		2	
Summe Wasserarbeit:			

Schußfestigkeit bei der Wasserarbeit: ☐ ja ☐ nein

Härtenachweis des Stammbuchamtes hat vorgelegen ☐ ja ☐ nein

Formwert: __________

Haarwert: __________
(nur vorliegende Zuchtschauergebnisse)

III. Feldarbeit	LZ	FWZ	UZ
Nasengebrauch		6	
Suche		4	
Vorstehen		4	
Manieren und Nachziehen am Wild		3	
a.1. Arbeit am geflügel. Huhn oder Fasan		4	
a.2. oder Federwildschleppe		3	
b.1. Freies Verlorensuchen eines frisch geschossenen Stückes Federwild		3	
b.2. oder Freies Verlorensuchen eines ausgelegten Stückes Federwild		3	
Bringen von Federwild		2	
Summe Feldarbeit:			
IV. Gehorsam			
Allgemeines Verhalten - Gehorsam		3	
Verhalten auf dem Stand		2	
Leinenführigkeit		1	
Folgen bei Fuß		2	
Ablegen		2	
Benehmen vor eräugtem Federwild		2	
Benehmen vor eräugtem Haarnutzwild		3	
Schußruhe		2	
Summe Gehorsam:			
Gesamt - Punktzahl I-IV:			

Körperliche Mängel (Gebiß-, Hoden-, Augenfehler): __________

Begründung der Note 4h und andere Bemerkungen: __________

__________ **Preis** ☐ mit Übernachtfährte ☐ mit Tagfährte

Nicht bestanden - Grund des Ausscheidens (in Worten beschreiben): __________

Prüfungsleiter	Richter (RO)	Richter	Richter
VR-Nr.:	VR-Nr.:	VR-Nr.:	VR-Nr.:

Zensuren: hervorragend =4h | sehr gut = 4 | gut = 3 | genügend = 2 | mangelhaft = 1 | ungenügend = 0 | nicht geprüft = —

vom JGHV autorisiert

6.62: Zensurentafel für die Verbands-Gebrauchsprüfung (mit Genehmigung des JGHV)

» Die Führigkeit (nicht der Gehorsam!) des Jährlings zeigt sich darin, ob der Hund Kontakt mit seinem Führer hält, oder sich aus dessen Einwirkungsbereich entfernt. Auch eine gewisse Lenkbarkeit bei der Suche und das Bestreben, sich immer wieder am Führer zu orientieren, zeugen von einer guten Führigkeit des Hundes.
» Schussfestigkeit.

208 Nach welchem System wird die Arbeit der Hunde auf den Anlagenprüfungen bewertet?

Nach einem Punkte-System, das Punkte für gezeigte Leistungen mit der Wertigkeit des jeweiligen Faches (sog. Fachwertziffern – FWZ) miteinander kombiniert. Bei den meisten Rassen können maximal 12 Punkte vergeben werden, 0 Punkte bedeuten die schlechteste Leistung. So ergibt sich dann z.B. das Endresultat: VJP mit 68P bestanden. Andere Zuchtverbände bewerten mit einer 4- oder 9-Punkte-Verteilung.

209 Welche zusätzlichen Fächer werden auf der HZP (Herbstzuchtprüfung) geprüft?

Im Bereich der Anlagefächer wird der Hund zusätzlich im Wasser geprüft. Die Wasserarbeit auf der HZP und VGP wird durch die am 1.9.1994 in Kraft getretene Prüfungsordnung Wasser geregelt, um eine tierschutzkonforme und weidgerechte Durchführung zu garantieren. Zu Beginn der Wasserarbeit wird die *Schussfestigkeit* des Hundes geprüft. Hierzu wird eine erlegte Ente möglichst weit ins Wasser geworfen und der Hund zum Bringen aufgefordert. Während der Hund auf die Ente zu schwimmt, wird mit Schrot auf das Wasser in Richtung der Ente geschossen. Bringt der Hund daraufhin die Ente nicht selbständig, dann darf er am Wasser nicht weiter geprüft werden. Anschließend wird im Fach *Verlorensuchen im deckungsreichen Gewässer* eine frisch erlegte Ente so in dem Gewässer (Deckung) ausgelegt, dass der Hund über eine freie Wasserfläche zum Bringen geschickt werden muss. Der Hund hat das Ausbringen der Ente nicht eräugt und muss, aus mindestens 30 m Entfernung losgeschickt, das Wild finden und ohne weiteres Kommando seinem Führer zutragen. Beim Fach *Stöbern mit Ente im deckungsreichen Gewässer* wird eine mit einer Papiermanschette (über einzelnen Schwungfedern) vorübergehend flugunfähig gemachte Ente in der Deckung eines Gewässers (Mindestausdehnung und –tiefe sind genau festgelegt) ausgesetzt, ohne dass der Hund dieses sieht. Seine Aufgabe besteht darin, die Ente selbständig zu suchen, zu finden und aus der Deckung herauszudrücken, so dass diese unverzüglich erlegt werden kann. Die erlegte Ente muss danach dem Führer zugetragen werden. Dieses Fach hat einen sehr hohen Aussagewert in Bezug auf die Anlagen des Jährlings und gibt den Züchtern wichtige Informationen über Wasserfreude, Härte, Finderwille und Ausdauer des Hundes. Dieses Fach der „Prüfungsordnung Wasser“ steht allerdings aus Tierschutzgründen in einigen Bundesländern noch in der Diskussion.

210 Welche Abrichtefächer werden auf einer HZP geprüft?

» *Verlorenbringen von Federwild:* Normalerweise (falls weder Fasane, noch Tauben oder Hühner geschossen werden) soll der Hund auf einer ca. 150 m langen Schleppe (mit zwei stumpfen Haken) an einer der oben genannten Wildarten seinen Finder- und Bringwillen zeigen.
» *Haarwildschleppe:* Hier wird ein Hase oder ein Kanin ca. 300 m geschleppt, die geforderte Leistung ist mit der oben beschriebenen vergleichbar.

» *Art des Bringens:* Die Korrektheit des Greifens, Tragens und Ausgebens wird hier bewertet und zwar als Durchschnitt aller erbrachten Leistungen.
» *Gehorsam:* Der Hund muss den Befehlen seines Führers sofort und willig gehorchen und er darf andere (Jäger und Hunde) nicht stören. Die weiteren von den Richtern zu machenden Angaben entsprechen denen der VJP.

Leistungsprüfungen

211 Worin liegt die besondere Bedeutung einer bestandenen „Verbandsgebrauchsprüfung" (VGP)?

Die VGP ist eine Leistungsprüfung, die vom vielseitigen Gebrauchshund ein Allroundkönnen verlangt. Ein VGP-Hund ist in der Regel ein nervenfester, belastbarer, arbeitsfreudiger und gehorsamer Jagdhelfer, der die für die vielfältigen Arbeiten auf dem Feld, im Wald und im Wasser nötigen Voraussetzungen hat. Zu einem wirklich zuverlässigen, erfahrenen und oft auch spezialisierten Jagdhund kann ihn allerdings nur die regelmäßige Praxis machen.

212 Mit welchem Alter sollte der Jagdgebrauchshund auf der VGP geführt werden?

Da die VGP die sogenannte Meisterprüfung darstellt, sollte der Hund erst im zweiten Feld, d.h. im Alter von ca. zweieinhalb Jahren, auf dieser Prüfung vorgestellt werden, da schon eine gewisse Erfahrung im praktischen Jagdbetrieb erwünscht und sinnvoll ist. Das Führen bereits im ersten Feld ist meist die Folge eines (nicht erwünschten) sportlichen Ehrgeizes oder rein geschäftlicher Überlegungen.

213 Worauf wird bei der VGP ganz besonderer Wert gelegt?

Auf den Gehorsam des Hundes mit und ohne Wildberührung. Er muss sich jederzeit an flüchtendem Wild halten lassen, in allen Fächern des Gehorsams wie *Leinenführigkeit, Folgen frei bei Fuß, Ablegen, Verhalten auf dem Stand* (Schussruhe) firm sein und außerdem bei allen (!) Arbeiten seinen Gehorsam unter Beweis stellen. So führt z.B. das prädikatsmindernde Abkommen von der Schweißfährte auch zu einer Prädikatsminderung im Fach *Allgemeines Verhalten/Gehorsam* bei der Waldarbeit.

214 Durch welche anderen zusätzlichen Fächer unterscheidet sich die VGP von einer HZP?

Vor allem durch die Schweißarbeit und die Fuchsfächer. Neben den schon erwähnten Gehorsamsfächern ist die Prüfung bei der Wasserarbeit um das Fach „Stöbern im deckungsreichen Gewässer" erweitert, und der Hund muss im Wald die Fächer „Stöbern" und „Buschieren" absolvieren. Im Feld muss er zusätzlich ein in der Deckung (z.B. Rübenacker) ausgelegtes Stück Federwild verlorensuchen und bringen.

215 Wie sieht die Schweißfährte aus?

Zur Wahl steht die Arbeit auf einer Übernachtfährte (höhere Punktzahl) und einer Fährte, die nur 2 bis 5 Stunden steht. Beide sind 400 m lang und werden mit Wildschweiß getupft oder gespritzt. Nach etwa 100 und 300 m wird je ein stumpfer Haken eingelegt und nach

200 und 400 je ein Wundbett angelegt. Erst kurz bevor der Hund die Fährte arbeitet, wird ein Stück Schalenwild beim zweiten Wundbett abgelegt. Für die Arbeit des Tot-Verbellers oder -Verweisers wird die Fährte dann erst um 200 m verlängert, wenn dieser das zweite Wundbett gefunden hat. Ist die Fährte gelegt und das Stück Wild am dritten Wundbett abgelegt, dann folgt ihr der Hund frei (ohne Schweißriemen). Findet er das Stück, dann muss er, je nach Einarbeitung, seinen Führer durch Verbellen oder Verweisen in Besitz des Stückes bringen.

216 Welche Arbeitsweise wird hier vom Hund verlangt?

Er soll die Schweißfährte konzentriert, ruhig aber zügig durcharbeiten und dabei den Willen zeigen, die Fährte fortzubringen und, falls nötig, durch Bogenschlagen die verlorene Fährte wiederzufinden.

217 Worin besteht die zusätzliche Arbeit eines Totverbellers oder Totverweisers?

Nach dem Finden des zweiten Wundbettes werden die letzten 200 m der Fährte gelegt, die der Hund dann frei arbeitet, um als Totverbeller dann am gefundenen Stück zu bleiben und es ca. 10 Minuten zu verbellen. Hat der Verweiser das Stück erreicht, so muss er das vom Führer vorher beschriebene Verhalten (beim Bringselverweiser das Pendeln zwischen Stück und Führer mit dem am Bock immer wieder aufzunehmendem Bringsel) eindeutig zeigen und so das Gespann zum Erfolg bringen. Wie sich der Hund am Stück verhält, wird von einem Richter beobachtet, der sich in Sichtweite des Stückes aufhält. Schneidet der Hund an (frisst er am Stück), so scheidet er aus der Prüfung aus. Auch reine Riemenarbeiter werden auf ihr Verhalten am Stück hin geprüft.

218 Was wird in den Fuchsfächern vom Hund verlangt?

1. Er muss im Wald eine 300 m lange Fuchsschleppe arbeiten. Die Hauptschwierigkeiten bestehen darin, dass die meisten Hunde Füchse nur recht unwillig apportieren (wahrscheinlich wegen des unangenehmen Geruchs) und der zu bringende Fuchs mindestens sieben Pfund wiegen muss.
2. Er muss den Fuchs über eine Hürde oder einen Graben bringen, was in Anbetracht der Größe und des Gewichts einen gut durchtrainierten Hund verlangt. (An dieser Stelle muss darauf hingewiesen werden, dass durch die inzwischen nahezu flächendeckende Verbreitung des Fuchsbandwurms für den Menschen nicht zu verharmlosende Gefahren beim Kontakt mit Füchsen bestehen.)

219 Welche Leistung wird im Fach „Stöbern ohne Ente im deckungsreichen Gewässer" verlangt?

Hierbei handelt es sich um das zweite Fach, das bei der Wasserarbeit der VGP geprüft wird und über die Anforderungen der HZP hinausgeht. Der Hund soll auf einfachen Befehl seines Führers ins Wasser gehen und dort etwa 10 Minuten im Schilf stöbern, wobei er sich gut lenken lassen soll. Dies verlangt neben einer großen Wasserpassion auch eine Menge Gehorsam vom Hund, da er in der Regel bei diesem Fach keine Wildberührung hat.

220 Was ist der Unterschied zwischen dem Fach „Stöbern" und dem Fach „Buschieren"?

Beide gehören zu den Waldfächern, das erste wird in einer Dickung, das letztere im hohen Bestand, auf niedrigen Kulturen oder kurz bewachsenen Schlägen geprüft. Beim Stöbern soll der Hund selbständig und sich von seinem Führer lösend einen Dickungskomplex absuchen, während er beim Buschieren unter der Flinte, das heißt im Schussbereich seines Herrn, suchen und sich dabei gut lenken lassen muss.

221 Nach welchem System werden die Hunde auf der VGP bewertet?

Mit Zensuren, die von „0 = ungenügend" bis „4 = sehr gut" (bei besonderen Leistungen hervorragend – 4h) reichen. Diese Leistungsziffern werden mit Fachwertziffern multipliziert, die dann aufaddiert die Gesamtpunktzahl ergeben. Weiterhin erfolgt die Einordnung in einen I., II. oder III. Preis. Die hierfür in den einzelnen Fächern bzw. Fachgruppen zu erbringenden Mindestleistungen sind in den Prüfungsordnungen festgelegt.

222 Was ist eine Verbandsprüfung nach dem Schuss (VPS)?

Die VPS unterscheidet sich nur unwesentlich von der VGP. Im Feld werden die Fächer *Suche und Vorstehen* nicht geprüft. Es können also auch Hunde, die keine Vorstehhunde sind, an der Prüfung teilnehmen. Im Wald muss die *Übernachtfährte* gearbeitet werden. *Die Fuchsfächer* sind Wahlfächer.

223 Welche wichtigen Leistungsprüfungen gibt es noch?

Die **Verbandsschweißprüfung (VSwP)**, die **Verbandsfährtenschuhprüfung (VFSP)**, die **Verlorenbringerprüfung (Vbr)**, die **Verbandsstöberprüfung (VStP)** und die **Bringtreueprüfung (Btr)** beim JGHV, sowie die rassespezifischen Leistungsprüfungen der Zuchtvereine.

224 Was wird bei der VSwP oder einer VFSP verlangt?

Wesentlich mehr als bei der VGP. Sie wird als Sonderprüfung mit Riemenarbeit auf der künstlichen Fährte abgehalten. Dabei wird die Schweißfährte mit ¼ l Schalenwildschweiß getupft oder getropft oder mit dem Fährtenschuh getreten (Schweiß findet sich nur zu Beginn und Ende der Fährte und an den Verweiserpunkten). Die Länge beträgt jeweils nicht unter 1000 m, die Stehzeit nicht unter 20 (oder 40) Stunden. Zugelassen werden in der Zeit vom 1.5. bis 15.11. alle Jagdhunde, die am Prüfungstag mindestens 24 Monate alt und im Zuchtbuch eines vom JGHV anerkannten Zuchtvereins oder -verbandes eingetragen sind sowie laut jagen. Die Fährten werden je mit einem rechten Winkel nach etwa 200, 400 und 800 Meter gelegt. Auf der Fährte sind zwei Wundbetten mit erkennbar größerer Schweißmenge oder Risshaarbüscheln anzulegen. Für die bestandene VSwP werden die Leistungszeichen Sw I (sehr gut), Sw II (gut) und Sw III (ausreichend) erteilt. Der Stammbuchführer trägt dieses Zeichen hinter dem Namen und der Zuchtbuchnummer des Hundes ins Gebrauchshundestammbuch ein. Ähnlich hohe Anforderungen finden sich in den Leistungsprüfungsordnungen einiger Zuchtvereine (Teckel, BGS, Bracken).

225 Wann wird das Leistungszeichen „Vbr" (Verlorenbringer) vergeben?

Der Hund muss, auf die Wundspur eines kranken Hasen oder Fuchses gesetzt, der Spur so lange folgen, bis er entweder das verendete Stück findet oder das kranke fängt und jeweils seinem Führer zuträgt. Um das Leistungszeichen „Vbr" zu erhalten, muss er auf einer Jagd bei zwei mindestens 300 m langen wie oben beschriebenen Arbeiten erfolgreich sein. Die Arbeiten müssen von Verbandsrichtern bezeugt bzw. bestätigt sein.

226 Was wird auf einer Bringtreueprüfung (Btr) geprüft?

Hier soll der Hund seine Zuverlässigkeit im Bringen dadurch beweisen, dass er kalte Beutegreifer (Fuchs), die er zufällig findet, seinem Führer zuträgt. Die Schwierigkeit besteht zum einen darin, dass man dem Hund keinen Bringbefehl geben darf, und zum anderen darin, dass er nicht einer Spur oder Fährte folgend zum Stück gelangen kann.

227 Welchen Zweck verfolgt der Verbandsstöberprüfung (VStP)?

Eine bestandene Stöberprüfung zeichnet den Jagdgebrauchshund aus, der in der Lage ist, im Wald – alleine oder mit Führerunterstützung – Wild zu finden, zu bedrängen und in Bewegung zu bringen. Auf Spur und Fährte jagt er anhaltend, sicher und laut. Durch diese Prüfung sollen Veranstalter von Bewegungsjagden die Möglichkeit erhalten, geeignete Jagdhunde zu erkennen und im Sinne einer tierschutzgerechten Jagd einzusetzen.

228 Welche Bedeutung haben die Leistungszeichen?

Leistungszeichen sind Abkürzungen, die auf der Ahnentafel bzw. ins DGStB (Deutsches Gebrauchshundestammbuch) eingetragen werden und die die auf Prüfungen oder im praktischen Jagdgebrauch erbrachten Leistungen des Hundes dokumentieren. Sie werden dem

6.63: Jagdlich geprüfte Hunde sind Grundlage für die Zucht und für hohes Leistungsvermögen im jagdlichen Alltag.

Namen des Hundes vorangestellt oder angefügt und sind Bestandteil des Namens wie ein akademischer Titel. Leider hat nahezu jeder Zuchtverein eigene Leistungszeichen, die auch für den Insider kaum noch zu durchschauen sind. So bedeutet ein Doppelpunkt (= Sinnbild für 2 Schweißtropfen) beim Schweißhund eine bestandene Hauptprüfung und beim Wachtel nachgewiesene Leistungen auf der natürlichen Wundfährte. Bei einigen anderen Rassen wird die Leistung auf natürlicher Wundfährte durch ein SwN („Schweiß-Natur") dargestellt. Nachfolgend eine Liste der Leistungszeichen des Jagdgebrauchshundverbandes:

Leistungszeichen	Bedeutung
/	Härtenachweis abgelegt
Vbr	Verlorenbringer auf natürlicher Wundspur
Btr	Bringtreuprüfung bestanden
Sw	Verbandsschweißprüfung bestanden, z.B. Sw II=2.Preis auf 20-stündiger Fährte, Sw /I=1.Preis auf 40-stündiger Fährte.
A.H.	Armbruster-Haltabzeichen (Hund lässt sich bei der Hetze eines Hasen durch Trillerpfiff anhalten und arbeitet danach die Spur)
\	Lautjagerstrich (vor dem Namen des Hundes)
—	Totverbeller (vor dem Namen des Hundes)
|	Totverweiser (vor dem Namen des Hundes)
\	Vater im DGStB (hinter dem Namen des Hundes)
/	Mutter im DGStB (hinter dem Namen des Hundes)
<	beide Eltern im DGStB (hinter dem Namen des Hundes)
CACIB	Internationales Schönheitschampionat
CACIT	Internationales Arbeitschampionat

Rassespezifische Prüfungen

229 Gibt es besondere Prüfungen für Stöberhundrassen?

Ja, Stöberhunde haben ihre eigenen Verbandsprüfungen, bei denen an ihre speziellen Fähigkeiten wie weites unabhängiges Stöbern sowie Spur- und Fährtenarbeit besondere Anforderungen gestellt werden. Für *Deutsche Wachtelhunde* z.B. gibt es die *Jugendprüfung (JP), die Eignungsprüfung (EP)* und *die Gebrauchsprüfung (GP).*

230 Welche Fächer werden auf einer Jugendprüfung für Deutsche Wachtelhunde (DW) geprüft?

Auf der JP werden geprüft: Nase, Spurlaut, Spursicherheit, Spurtreue, Stöberanlage, Wasserfreude, Führigkeit und Schussfestigkeit.

231 Welche Fächer werden auf einer Eignungsprüfung (EP/EPB) für DW geprüft?

Auf einer EP müssen die Hunde eine 400 m lange *Schweißfährte* arbeiten, sie werden beim *Stöbern im Wald* geprüft, sie müssen eine *Haar-* und eine *Federwildschleppe* arbeiten. Im Wasser müssen sie die *Schwimmspur* der Ente arbeiten (nur in den Bundesländern, wo dies erlaubt ist), sie müssen die Ente verlorensuchen und bringen. Auf der Spur wird wieder die Nase, der Spurlaut, der Spurwille, die Spursicherheit und ggf. die Spurtreue geprüft. Die *Schussfestigkeit* wird sowohl im Wasser als auch im Wald überprüft.

232 Wie sieht eine Gebrauchsprüfung (GP) für DW aus?

Im Wald müssen die Hunde eine 600 m lange *Übernachtschweißfährte* arbeiten, sie machen eine *Hasen-* (300 m) und eine *Federwildschleppe* (150 m), sie werden im Fach *Stöbern*, im Fach *Buschieren* und in verschiedenen Gehorsamsfächern geprüft. Zu den Gehorsamsfächern gehören: Leinenführigkeit, Folgen frei bei Fuß, Ablegen, Standruhe, Ruhe auf Schuss, Gehorsam an Schalenwild, allgemeiner Gehorsam. Im Wasser wird zusätzlich (zur EP) das Fach *Stöbern ohne Ente im deckungsreichem Gewässer* geprüft.

233 Welche speziellen Prüfungen gibt es für Erdhunde?

Erdhunde werden auf Zuchtprüfungen und Gebrauchsprüfungen über der Erde, im Bau und am Wasser geprüft.

234 In welchen Fächern wird der Deutsche Jagdterrier (DJT) auf der Zuchtprüfung beurteilt?

Im Bau in den Fächern Sprengen, Ausdauer, Passion, Laut und Absuchen. Über der Erde in den Fächern Nase, Spurwille, Spurlaut, Sichtlaut, Wasserfreude, Führigkeit und Schussfestigkeit.

235 Welche Fächer werden auf der Gebrauchsprüfung (GP) der DJT geprüft?

Im Wald die *Schweißarbeit, das Bringen leichten Wildes* (Haarwild, Federwild), das *Stöbern* und der *Spurlaut*. Bei der Fachgruppe *Gehorsam* wird die Leinenführigkeit, das Gehen frei bei Fuß, das Ablegen und der allgemeine Gehorsam geprüft. Am Wasser werden die Hunde in den Fächern *Stöbern ohne Ente, Stöbern mit Ente* und *Bringen aus tiefem Wasser* geprüft. Die *GP* entspricht den Vorstellungen des Deutschen Jagdterrier Club, der dem Jäger einen kleinen, universell einsetzbaren Jagdgebrauchshund an die Hand geben möchte.

236 Welche Prüfungen gibt es für die Bracken?

Seit 2003 gibt es eine einheitliche Prüfungsordnung für Bracken, die von allen Bracken-Zuchtvereinen (außer dem VDbr) grundsätzlich getragen wird. Sie gliedert sich in die Teile Anlagenprüfung (AP) Leistungsprüfungen (SP und GP) und Naturleistungszeichen („S", „SwN"). Im Rahmen der AP legen die Vereine großen Wert auf die Feststellung des fährtenlauten Jagens insbesondere am Hasen und Fuchs als Basis für die qualifizierte Stöberarbeit im späteren jagdlichen Einsatz. Die Schweißprüfung (SP) orientiert sich, abgesehen von einigen Besonderheiten, an den Regelungen der VSwPO bzw. der VFSPO. Bei der Gebrauchsprüfung (GP) werden Leistungen in den Fächern *Laute Jagd* (im Wald), *Schweißarbeit, Haarwildschleppe* sowie verschiedene *Revierführigkeitsfächer* verlangt. Darüber hinaus können die Bracken das Leistungszeichen für druckvolles Arbeiten am Schwarzwild (S) bzw. auf der natürlichen Wundfährte (SwN) erlangen.
Bei den Schwarzwildbracken ist die Arbeit im Saugatter Teil der Anlagenprüfung (AZP).

Jagdeignungsprüfungen/Brauchbarkeitsprüfungen

237 Durch welche Leistungsfeststellung (neben den Verbandsprüfungen) kann der Jagdhund außerdem den Nachweis seiner Brauchbarkeit erbringen?

Durch die sogenannten **Jagdeignungsprüfungen (JEP)** oder **Brauchbarkeitsprüfungen (BP)**, deren Anforderungen von Bundesland zu Bundesland differieren können.

238 Für welche Hunde werden Jagdeignungsprüfungen (JEP) bzw. Brauchbarkeitsprüfungen (BP) durchgeführt?

Für Jagdhunde, für die kein wie oben erwähntes Prüfungszeugnis über eine bestandene Gebrauchsprüfung vorliegt. Hierzu können auch Hunde gehören, die ohne Ahnentafel eines Zuchtvereines sind und deshalb nicht an Verbandsprüfungen teilnehmen dürfen.

239 Welche Leistungen werden bei der JEP/BP verlangt?

Die Anforderungen an die jagdliche Brauchbarkeit sind von Bundesland zu Bundesland unterschiedlich geregelt (vgl. die jeweiligen Landesjagdgesetze und entsprechende Verordnungen). Es werden nur *Gehorsam* und genügende Leistungen des Hundes nach dem Schuss verlangt, also Leistungen auf der *künstlichen Schweißfährte* und im *Verlorenbringen* (Apportieren) von Nutzwild zu Lande und aus dem Wasser. Die Schussfestigkeit wird bei freiem Lauf und im Wasser geprüft. Für Spezialisten (Erdhunde, Schweißhunde und Bracken) gelten besondere Bestimmungen. Von der Weiterprüfung auszuschließen sind Hunde, die handscheu oder schussscheu sind, sowie Anschneider und Totengräber.

240 Welche Anforderungen stellt die JEP/BP an Hund und Führer?

Man muss sie als Mindestanforderungen bezeichnen, die nicht notwendigerweise auch den Anforderungen der jagdlichen Praxis gerecht werden. So sollte ein Hund, der die Schweißfährte einer JEP geschafft hat, nicht allein aus diesem Grund als brauchbarer Schweißarbeiter auf der Naturfährte angesehen werden.

241 Welches Mindestmaß an Gehorsam wird gefordert?

Mindestens einfacher Gehorsam, so dass eine erfolgreiche Arbeit nach dem Schuss gewährleistet ist. Wildgehorsam ist nicht erforderlich. Wenn der Hund nicht am Wild ist, muss er auf Pfiff herankommen, er muss leinenführig sein, frei bei Fuß gehen und sich, wenn abgelegt, nicht durch eine Schussabgabe zum Verlassen des Platzes animieren lassen.

242 Wie wird selbständiges Bringen geprüft?

Im Feld, auf Stoppeln oder einer Wiese soll der Hund auf der Federwildschleppe (Rebhuhn, Fasan, Taube) von 150 m Länge ein möglichst frisch geschossenes Stück Federwild suchen und bringen. Im Wald oder unübersichtlichen Gelände soll der Hund eine 300 m lange Haarwildschleppe (Hase oder Kaninchen) arbeiten. Sie ist mit Nackenwind unter Einlegen von zwei Haken zu legen. Gewünscht wird williges, schnelles und selbständiges Finden sowie schnelles Aufnehmen und freudiges Bringen des Stückes. Genaues Halten der Schleppe wird nicht verlangt, aber der Hund muss bringen, dabei darf er max. dreimal angesetzt werden. Bei der Wasserarbeit soll der Hund eine ins deckungsreiche Gewässer geworfene tote Ente schwimmend bringen.

243 Welche Bestimmungen gelten für die Schweißarbeit auf der künstlichen Fährte?

Die künstlichen Rotfährten können gespritzt oder getupft werden. Je nach Bundesland müssen die Fährten über Nacht oder nur mindestens eine Stunde stehen. Die Schweißmenge darf bei 400 m Fährtenlänge nicht mehr als einen Viertelliter betragen. Sie sind mit zwei Haken, möglichst mit Nackenwind und auf den ersten 50 m in annähernd gleicher Richtung zu legen. Nach etwa 200 m (150 m) ist ein Wundbett anzulegen und durch einen Fährtenbruch zu markieren. An das Ende der künstlichen Rotfährte wird ein Stück Schalenwild oder die Decke bzw. Schwarte eines Stückes gelegt. Bei der Riemenarbeit muss der Schweißriemen mindestens 6 m Länge haben und in ganzer Länge abgedockt sein.

244 Wie hat die durchführende Stelle die Prüfung vorzubereiten?

Sie hat ein geeignetes Prüfungsrevier und die Prüfergruppe bereitzustellen, das benötigte Wild zu beschaffen und die Rotfährten und Schleppen zu legen.

245 Wie lautet das Prüfungsergebnis bei den Eignungsprüfungen?

Brauchbar oder nicht brauchbar (die nicht bestandene Prüfung kann wiederholt werden).

6.7 Jagdhund und Tierschutz

246 Wie dient die Jagd mit dem Hund dem Tierschutz?

Der Jagdhund zeigt da seine Stärken, wo Fehlleistungen des Menschen zumindest partiell wieder gutgemacht werden können – und die schlimmste Fehlleistung des jagenden Menschen ist ein Schuss, der trifft, aber nicht sofort tötet. Mit der Verpflichtung tierschutzgerecht zu jagen, ist die Verpflichtung verbunden, brauchbare Hunde auf der Jagd einzusetzen. Nicht nur für die Jagd auf Schalenwild brauchen wir den Nachsuchenhund, sondern auch für die Jagd auf jegliches Niederwild. Eine krank geschossene Taube leidet genauso wie der krank geschossene Hirsch.

247 Wie steht der Gesetzgeber (Tierschutzgesetz) zu der Abrichtung von Jagdhunden und den dazugehörigen Verbandsprüfungen?

Er erkennt die Notwendigkeit der Abrichtung des Hundes zur Jagd und der Überprüfung seiner Fähigkeiten voll an und bringt dies auch im Tierschutzgesetz zum Ausdruck. Um einen Junghund auf seine späteren Aufgaben in der Jagdpraxis vorzubereiten, ist auch die Einarbeitung an lebendem Wild unumgänglich. Eventuell damit verbundene Beunruhigungen stehen in keinem Verhältnis zu dem damit angestrebten Ziel, einen wirklich brauchbaren Hund auszubilden, der tierschutzgerechtes Jagen erst möglich macht.

248 Fühlt sich Wild durch laut oder stumm jagende Hunde stärker beunruhigt?

Durch stumm jagende, da das Wild vor allem in unübersichtlichem Gelände die nötige Fluchtdistanz nicht richtig einschätzen kann, und so meist unnötig großem Stress und hohem Energieverbrauch ausgesetzt ist. Grundsätzlich ist das von Beutegreifern-gejagt-werden ein normaler Bestandteil des Lebens jeder natürlichen Tiergesellschaft und folglich nicht tierquälerisch. Es kann dann den Tatbestand der Tierquälerei erfüllen, wenn man Jagdhunde z.B. in einem kleinen Gatter suchen lässt, in dem sich Rehwild befindet und man damit das Greifen der Rehe durch die Hunde billigend in Kauf nimmt. Dies gilt insbesondere auf Bewegungsjagden auf Schalenwild im Wald. Hier ist von Seiten des Jagdleiters unbedingt darauf zu achten, dass ausschließlich Jagdhunde eingesetzt werden, die die Fähigkeit zum spur- und fährtenlauten Jagen nachweisen können. Lediglich Sicht- oder Standlaut des Hundes ist für diese Jagdart als nicht ausreichend anzusehen. Der JGHV verlangt darüber hinaus, dass Hunde, die auf solchen Jagden eingesetzt werden, gegenüber Menschen und Artgenossen verträglich, wesensfest und wildscharf sind und zudem einen ausgeprägten Orientierungssinn haben.

249 Welche Bedeutung haben Sau-Übungsgatter für die Einarbeitung von Jagdhunden und für eine tierschutzgerechte Jagd?

Schwarzwildgatter sind eine hervorragende Möglichkeit, Jagdhunde, die an Sauen jagen sollen, auf ihre Qualifikation zu testen und einzuarbeiten. Nicht jeder Hund ist für die Saujagd geeignet. Überscharfe Hunde, die sich in jede Sau verbeißen sind genauso ungeeignet wie „Feiglinge", die sich nicht trauen, die Sauen stark zu bedrängen. „Sauhunde" müssen eine wohl dosierte Wildschärfe haben, das bedeutet Mut und Draufgängertum auf der einen Seite, aber auf der anderen Seite auch die notwendige Vorsicht, die vor lebensgefährlichen Verletzungen schützt. Setzt man solche Hunde auf der Jagd ein, dann kommt es weder bei Sau noch bei Hund zu Vorkommnissen, die nicht mit dem Tierschutz und schon gar nicht mit weidgerechtem Jagen zu vereinbaren sind.

250 Verstößt das Abwürgen von Beutegreifern durch Jagdhunde gegen das Tierschutzgesetz?

Nein, wenn es bei der normalen Jagdausübung geschieht und nicht künstlich herbeigeführt wurde. Ein möglicher sicherer Schuss muss jedoch die erste Wahl bleiben. Würgt also ein Jagdhund z.B. einen Fuchs ab, ohne dass der Jäger vorher die Möglichkeit hatte, diesen zu erlegen, dann verstößt er nicht gegen das Tierschutzgesetz.

251 Welche allgemeinen Kriterien gelten für die tierschutzgerechte Einarbeitung und Jagd mit dem Hund?

Eigentlich gibt es nur ein Kriterium und zwar dasselbe, das auch für die Jagd insgesamt oberste Maxime sein muss: Dem Wild so wenig unnötiges Leid zufügen wie möglich. Hunde muss man einsetzen wie ein Gewehr, nämlich besonnen und verantwortungsvoll.

Weiterführende Literatur

Bottler, G.: Deutsch-Drahthaar heute; 1997, Kynos, Mürlenbach
Hupe, D.: Guter Jagdhund, treuer Freund, 2011, LV-Buch, Münster
Markmann, H.-J.: Vom Welpen zum Jagdhelfer, 4. Auflage 1996, Kosmos, Stuttgart
Siveke, W., Bottler, G.: Die Frühsterziehung des Vorstehhundes, 2007, Neumann-Neudamm, Melsungen
Tabel, C.; Der Jagdgebrauchshund, 13. Auflage 2006, BLV, München
Trumler, E.; Hunde ernst genommen; 9. Auflage 2007, Piper, München
Uhde, H.; Das Jagdgebrauchshundewesen; 2. Auflage 2009, Landbuch, Hannover

Abbildungsnachweis

Blomenkamp, S.: 6.1
Bottler, G.: 6.4, 6.34, 6.53–65, 6.58–63
Club für Bretonische Vorstehhunde (Wreesmann, H.): 6.16
Club Tirolerbracke Deutschland; Parr, M.: 6.31
Deutscher Brackenverein; Müller-Höhnscheidt, T.: 6.29; Oelssner, K.: 6.30
Deutscher Bracken-Club: 6.26, Pientha, L.: 6.27
Deutscher Foxterrier Verband: 6.23
Deutscher Jagdterrier Club: 6.24
Deutscher Retriever Club e.V.; Pöhler, H.: 6.37; Velte, K.: 6.38
Deutscher Teckelklub 1888 e.V.; Krietsch, J.: 6.20, Zilles Tierfotografie Gorell, A.: 6.21, Tornau, M.: 6.22
Deutsch-Kurzhaar-Verband e.V. (Inzelsberger, I.): 6.8
Deutsch-Langhaar-Verein Saarland: 6.13
Göckel, C.: 6.11
Griffhorn, G.: 6.7
iStock/glenkar: Deckblatt
iStock/tirc83: 6.18
Keil, B.: 6.2, 6.3
Pohl, G.: 6.6, 6.44–52, 6.57
Reddemann, J.: 6.25
Verband für Kleine Münsterländer: 6.12
Verein Dachsbracke; Schledorn, G.: 6.28
Verein für Deutsche Wachtelhunde: 6.17
Verein für Pointer und Setter e.V.; Möller, E.: 6.39–43
Verein Hirschmann; Frohnweiler, H.: 6.35
Verein Jagdbeagle; Gnieser, P.: 6.32
Verein Deutsch Stichelhaar: 6.5
Verein Ungarischer Vorstehhunde: 6.14, 6.15
Weimaraner Klub e.V.; Bilstein, A.; 6.9, Modarressi-Tehrani, D.: 6.10

SWEDTEAM

Jagdliche Praxis

7 Einleitung

Die Jagd wird nur dann ihre Berechtigung dauerhaft behalten, wenn sie gegenüber der Gesellschaft glaubhaft, sowie tierschutz- und naturschutzgerecht im Umgang mit der Kreatur und der Umwelt praktiziert wird. Die Gesellschaft erwartet vom Jäger ein kompetentes jagdliches Handwerk und Lösungsmöglichkeiten bei Problemen mit Wildtieren jeglicher Art. Ein ganzheitliches Denken und eine freie Wertschätzung gegenüber allen Dingen der Schöpfung soll dem Jäger in der Natur Freude bereiten und ihn in die große Verantwortung „der Jagd" nehmen. Deshalb lässt sich das Wort Weidgerechtigkeit am besten mit dem Postulat des Ethikers Albert Schweitzer definieren: „Ehrfurcht vor dem Leben". Im umfangreichen Sachgebiet der „jagdlichen Praxis" findet der Jungjäger für die Jägerprüfung sowie für die spätere Jagdpraxis wichtige, sogar teilweise lebenswichtige Erklärungen. Es werden allgemeine Verhaltensmaßregeln in Abhängigkeit von Wind und Wetter erläutert. Diese Faktoren sind besonders bedeutsam, da bei ihrer Nichtbeachtung ein unnötiger Jagddruck verursacht werden kann. Die Unfallverhütung, Unfallversorgung und besonders die Beachtung der *Unfall-Verhütungs-Vorschrift* (UVV-Jagd) gehören zu dem fundamentalen Wissen für die Jägerprüfung und die weitere Jagdpraxis. Ihre Kenntnis beugt lebensgefährlichen Jagdunfällen vor, weswegen diese Grundregeln von jedem Jäger verinnerlicht werden müssen. Weiterhin werden die verschiedenen Jagdarten vorgestellt und in den rechtlichen Rahmen der Gesellschafts- und Einzeljagd eingebettet. Ausführlich beschrieben werden die praktischen Aspekte der Jagd mit Hunden, der Fallen- bzw. Fangjagd, sowie der Bau von jagdlichen Einrichtungen. Außerdem wird auf das Bergen und den Abtransport des Wildes eingegangen, denn nicht in allen Revieren ist das Wegenetz so ausgebaut, dass mit dem Geländewagen nahe an das erlegte Wild herangefahren werden kann. Vor allem im Hochgebirge muss manches Stück Wild auf einem Karren oder auf dem Rücken des Jägers „geliefert" werden. Zu guter Letzt erhält der Jagdscheinanwärter einen umfassenden Einblick in die Beizjagd bzw. Falknerei, also in die hohe Kunst, die Jagd nicht nur mit der leblosen Waffe, sondern auch mit lebenden Tieren auszuüben. Wie der Name schon sagt, steht in diesem Kapitel die Praxis der Jagd im Vordergrund, für deren Ausübung der Jagscheinanwärter allerdings nicht umhin kommt, sich ausreichende theoretische Grundkenntnisse anzueignen.

7.1 Die Jagdarten

Bei all den unterschiedlichsten Jagdarten ist die Einzeljagd, der Anstand oder der Ansitz, bei den meisten Jägerinnen und Jägern die beliebteste. Vom Jäger/in wird beim Ansitz ein ruhiges und aufmerksames Verhalten verlangt und die Sinne konzentrieren sich auf die Umgebung. Die Wahrnehmung der Natur ist dabei ein besonderer Genuss, Lebensqualität und eine nachhaltige Erholung. Hat man den Anstand oder Ansitz in einem Bodensitz, so ist das nahe Erleben der Natur eine besondere Jagdart. Die Wildart bestimmt meist die Ausrichtung und Örtlichkeit des Ansitzes. Diese ist wiederum im hohen Grad vom Wind abhängig. Wer bei der Jagd den Wind beachtet, wird meist mit Erfolg belohnt. Wer den Wind vernachlässigt, macht unnötigen Jagddruck auf das Wild und die Jagd wird vom Misserfolg geprägt.

1 Welche Jagdarten werden grundsätzlich unterschieden?

Grundsätzlich unterscheiden wir die Einzeljagd (z.B. Ansitz, Pirsch, Reizjagd) und die Gesellschaftsjagd (z.B. Drück-, Stöber-, Treibjagd).

2 Welche Vor- und Nachteile hat die Einzeljagd?

Besonders in den kleinen Jagdrevieren mit geringem Schalenwildabschuss ist die Einzeljagd in Form der Ansitzjagd die häufigste Jagdausübung. Ein genaues Ansprechen und eine ruhige Schussabgabe kommen bei dieser Jagdausübung dem Wild zugute. Der Abschuss von Trophäenträgern sollte grundsätzlich auf der Einzeljagd getätigt werden. Permanent Ansitzen während der Jagdzeit bedeutet für das Wild jedoch ständigen Jagddruck. Dadurch wird das Wild heimlich und ändert den natürlichen Lebensrhythmus. Es wird nachtaktiv und bleibt tagsüber in der Deckung, wo es durch sein heimliches Verhalten Schäden verursacht (Verbiss/Schälen). Die Intervallruhe sollte bei der Einzeljagd beachtet werden.

3 Was versteht man unter dem Begriff „Intervalljagd"?

Bei der Intervalljagd wechseln Zeiträume längerer Jagdruhe mit kurzen Phasen intensiver Bejagung. Diese Jagdphasen richten sich möglichst nach den natürlichen jahreszeitlichen Aktivitätsphasen des Wildes (beim Rehwild z.B. Mai – Juni, Blattzeit Mitte Juli – Anfang August, September bis Mitte Oktober). In dieser Zeit erfolgt dann ein Großteil des Abschusses, damit zwischenzeitlich möglichst kein Jagddruck das Wild vertrauter macht. Regelmäßige Intervalljagden bewähren sich gerade auch bei Schwarzwild zur Wildschadensverringerung im Umfeld von Wildschadensflächen oder von Ortschaften.

4 Welche Vor- und Nachteile haben Gesellschaftsjagden?

Vorteile der Gesellschaftsjagden liegen darin, dass mit vergleichsweise geringem zeitlichem Aufwand der Abschuss auf wenige Tage konzentriert werden kann. Insbesondere wird an solchen Jagdtagen Schalenwild in der Jugendklasse und weibliches Schalenwild erlegt. Dies bedeutet einen verringerten Jagddruck, da vor und nach diesen Jagden wieder Ruhe in den Revieren gehalten werden kann. Niederwild wird traditionell fast ausschließlich auf Gesellschaftsjagden bejagt. Der Pflege der jagdlichen Traditionen und Bräuche kommt bei solchen Gelegenheiten ein hoher Stellenwert zu. Bei Gesellschaftsjagden auf Schalenwild werden Schützen mit viel jagdlicher Erfahrung und hohem schießtechnischem

Können benötigt, da Fehlabschüsse stets zu vermeiden sind. Der unzulässige Abschuss führender Tiere zerstört die Alters- und Rottenstruktur nachhaltig. Darüber hinaus kann die Qualität des Wildbrets insbesondere durch schlechte Schüsse leiden.

5 Welche Formen der Einzel- und Gesellschaftsjagd sind bekannt?

Zeitgemäße Jagdarten in Deutschland		
Einzeljagd	**Gesellschaftsjagd**	
Ansitz	**Schalenwild**	**Niederwild**
Pirsch		
Buschieren	Drückjagd	Treibjagd
Baujagd	Riegeljagd	Vorstehtreiben
Fallenjagd	Stöberjagd	Kesseltreiben
Lock-, Ruf- und Reizjagd	Maisjagd	Streife
Anstehen an Pässen, Bauen, Schlafbäumen, Enten und Gänsestrich	Ansitzdrückjagd	
Nachsuche		

Bewegungsjagd = neuzeitlich, Synonym für Gesellschaftsjagd auf Schalenwild

Witterung und Wetter

6 Warum sollen Gesellschaftsjagden auf Schalenwild bevorzugt in der Zeit zwischen Mitte Oktober bis zum 20. Dezember stattfinden?

Werden versehentlich Alttiere, Leitbachen oder auch Ricken vor dem Kalb, den Frischlingen oder dem Kitz erlegt, so kümmern diese und haben große Probleme. Dies trifft insbesondere beim Rotwild zu, wo die Kälber ohne die Führung des Alttiers in aller Regel aus dem sich wieder findenden Rudel ausgestoßen werden. Der fehlende Sozialkontakt des dann einzeln ziehenden Kalbes beeinflusst dieses dermaßen, dass es trotz möglicher Nahrungsaufnahme verhungert. Ab Mitte Dezember befindet sich das wiederkäuende Schalenwild in einem Stoffwechseltief und erleidet durch Beunruhigungen sehr hohe Energieverluste, die zu verstärkten Schäl- und Verbissschäden führen kann. Gesellschaftsjagden sollten Anfang Oktober noch nicht stattfinden, da die Belaubung der Bäume meist noch vollständig ist, was einerseits das Schussfeld für die Schützen schmälert, andererseits dem Wild vermehrte Deckung bietet und somit den möglichen Jagderfolg verringert. Schließlich ist in aller Regel die Vermarktungssituation für Wildbret kurz vor Weihnachten am besten.

7 Wie beeinflusst die Witterung das Verhalten des Wildes und wann soll der Jäger auf die Jagdausübung verzichten?

Bei Hitze und Dürre zieht das Wild sehr spät, meist erst nachts, wenn es etwas abgekühlt hat. Ungern zieht Schalenwild bei gewittriger Stimmung oder kurz vor einem abendlichen Regen. Besonders günstig hingegen sind die Tages- und Abendstunden nach einem Gewitterregen. Im Herbst und Winter verspricht Frost und eine Hochdruckwetterlage guten Erfolg. Nieselregen beeinflusst dagegen das Verhalten des Wildes überhaupt nicht und man bekommt sogar bei solchem Wetter einen recht guten Anblick, da Störungen durch

Spaziergänger weniger wahrscheinlich sind. Bei starkem Wind und heftigem Regen liegt insbesondere das Niederwild sehr fest und drückt sich. Auch das Schalenwild verlässt bei solchen Verhältnissen ungern seinen Einstand, weil es über seine Sinnesorgane keine oder eine geringe Sicherheit wahrnehmen kann. Es kann die Situation nicht ein- und abschätzen und wird daher mögliche Gefahren vermeiden. Eine alte Jägerregel lautet: *Wenn der Sturm jagt, soll der Jäger nicht jagen*. Daher sollte auch der Jäger insbesondere bei Sturm und starkem Wind lieber in seinem „sicheren Einstand" verbleiben.

8 Was ist eine „Neue" und wie verhält sich das Wild bei Neuschnee?

Man spricht von einer „Neuen", wenn Neuschnee auf eine alte Schneedecke fällt. Erst bei einer Neuen kann man sicher im Revier abspüren, abfährten oder auf Sauen kreisen. Bei dem ersten Neuschnee läuft das Wild meist recht wenig. Erst am zweiten Tag, nach dem ersten Schneefall, hat sich das Wild an die neue Situation gewöhnt.

7.1: Nach einer „Neuen" kann man Spuren und Fährten im Schnee gut erkennen.

9 Bei welcher Witterung soll die Jagdausübung auf Schalenwild nicht stattfinden?

Bei Harsch (hart gefrorener Schnee) schürft sich das flüchtende Schalenwild die Decke/Schwarte an den Läufen durch das Eis auf. Bei hoher Schneelage, bei der das Schalenwild in seiner Flucht beeinträchtigt wird, soll ebenfalls die Jagdausübung eingestellt werden.

10 Wie verhält sich der Jäger bei Gewitter im Revier?

Bei Gewitter gibt es keine Regel, die dem Jäger im Revier Schutz bietet. Grundsätzlich sollten Ansitzeinrichtungen und der Wald verlassen werden. Das Unterstellen unter einem Baum kann bei Gewitter lebensgefährlich sein. In der Nähe eines Blitzeinschlages ist der Jäger durch das aufgebaute elektrische Spannungsfeld gefährdet. Kann sich der Jäger bei Gewitter in sein Auto flüchten, so ist er dort sicher und sollte das Gewitter abwarten. Nach einem Gewitter zieht das Wild gerne auf die Äsungsflächen und Wiesen, wo sich dann der Ansitz lohnt.

Unfallverhütung und Unfallversorgung bei der Jagdausübung

Die Unfallverhütungsvorschriften (UVV), insbesondere die UVV „Jagd", bedeuten für jeden Jagdausübungsberechtigten bzw. Versicherten gesetzlich- verbindliche Pflichten bezüglich der Arbeitssicherheit und dem Gesundheitsschutz im Jagdrevier. Laut UVV „Jagd" gilt der Jagdausübungsberechtigte als Unternehmer und das Jagdrevier als Arbeitsplatz. In Deutschland erlassen die Berufsgenossenschaften als Träger der gesetzlichen Unfallversicherung die berufsgenossenschaftlichen Vorschriften, die vom Bundesministerium für Arbeit und Soziales als Fachaufsicht genehmigt werden müssen. Der Jagdausübungsberechtigte als Jagdunternehmer muss eine wirksame Erste Hilfe bei Unfällen sicherstellen.

11 Welche allgemeine Vorschrift ist neben den Jagdgesetzen und den Ausführungsverordnungen für die praktische Jagdausübung von Bedeutung für Jagdpächter, Jäger und Jagdhelfer?

Die Unfallverhütungsvorschrift (UVV) „Jagd" der landwirtschaftlichen und forstwirtschaftlichen Berufsgenossenschaft.

12 Wie sind Schusswaffen während der Jagdausübung zu behandeln?

Schusswaffen dürfen nur während der tatsächlichen Jagdausübung geladen sein. Die Laufmündung ist stets – unabhängig vom Ladezustand – in eine Richtung zu halten, in der niemand gefährdet wird. Nach dem Laden ist die Waffe zu sichern. Eine eingestochene Waffe ist sofort zu sichern und zu entstechen, falls der Schuss nicht abgegeben wurde.

13 Wie ist die Waffe zwischen zwei Treiben zu tragen?

Die Waffe ist außerhalb des Treibens stets ungeladen, mit geöffnetem Verschluss und mit der Mündung nach oben oder abgeknickt, zu tragen. Bei besonderen Witterungsverhältnissen kann der Jagdleiter zulassen, dass Waffen geschlossen und mit der Mündung nach unten getragen werden, wenn sie entladen sind. Während den Mittagspausen am Sammelplatz sollten die Waffen in einem beaufsichtigten Gewehrständer abgestellt werden.

7.2: Gewehrständer bei einer Gesellschaftsjagd

14 Wie ist die Waffe beim Überwinden von Geländehindernissen (Gräben, Zäune), beim Besteigen/Verlassen von Hochsitzen und Fahrzeugen oder während der Fahrt zu tragen?

Beim Besteigen von Fahrzeugen und während der Fahrt muss die Schusswaffe entladen sein. Beim Besteigen oder Verlassen eines Hochsitzes, beim Überwinden von Hindernissen oder in ähnlichen Gefahrenlagen müssen die Läufe (Patronenlager) ebenfalls entladen sein.

15 Wann darf der Schütze erst einen Schuss abgeben?

Ein Schuss darf erst abgegeben werden, wenn sich der Schütze vergewissert hat, dass niemand gefährdet wird. Eine Gefährdung ist z.B. dann gegeben, wenn Personen durch Geschosse oder Geschossteile verletzt werden können, die an Steinen, gefrorenem Boden,

Ästen, Wasserflächen oder am Wildkörper abprallen oder beim Durchschlagen des Wildkörpers abgelenkt werden. Eine Gefahrensituation liegt vor, wenn bei der Schussabgabe kein ausreichender Kugelfang vorhanden ist.

16 Wie weit gefährdet ein Schrotschuss und ein Büchsengeschoss das Hintergelände?

7.3: Nur gewachsener Boden ist ein sicherer Kugelfang. Eine flache Schussabgabe (rote Linie) gefährdet Nachbarschützen oder Spaziergänger.

Treffen Schrotkörner oder Büchsengeschosse auf Steine, gefrorenen Boden, Äste oder Bäume, so können sie bei einem ungünstigen Auftreffwinkel abprallen und als kleine Metallteilchen unkontrolliert im Gelände umherfliegen. Dabei können nicht nur Menschen, sondern auch Wild, das sich hinter dem beschossenen Stück befindet, tödlich getroffen oder verletzt werden. Daher ist es wichtig, dass man mit einem guten Kugelfang schießt und darauf achtet, dass das zu beschießende Wild frei steht.

§ 3 UVV „Ausübung der Jagd"

17 Warum wird das Verschießen von Flintenlaufgeschossen („Brenneke") bei Gesellschaftsjagden von der Jagdleitung oft verboten?

Flintenlaufgeschosse sind nicht nur ein Behelf in ihrem Wirkungskreis gegenüber dem Büchsengeschoss, sondern auch eine ernste Gefährdung für Jagdteilnehmer und Waldspaziergänger. Sie wirken wie Vollmantelgeschosse und haben nicht die Tötungswirkung wie Teilmantelgeschosse. Treffen Flintenlaufgeschosse auf Steine, gefrorenen Boden oder Bäume, so können diese „Bleibatzen" zu unkontrollierten Abprallern werden.

18 Wann darf bei Gesellschaftsjagden die Waffe geladen und wann muss sie entladen werden?

Sofern der Jagdleiter nichts anderes anordnet, ist die Waffe erst auf dem Stand zu laden und nach Beendigung der Treibens sofort zu entladen.

19 Wie erfährt der Schütze, dass ein Treiben beendet ist?

Entweder wird das Treiben abgeblasen oder es endet nach vereinbarter Uhrzeit. In jedem Fall ist die Waffe zu entladen.

20 Was ist zu beachten, wenn ein Schütze so lange schießen darf, bis er abgeholt wird?

Diese Regelung gilt bei Gesellschaftsjagden auf Schalenwild oder bei einem gemeinsamen Ansitz. Derjenige, der den Schützen zum Stand bringt und ihn wieder abholt, muss sich unmissverständlich bemerkbar machen können (lautes Rufen, Signalband am Hut usw.). In diese Richtung darf grundsätzlich kein Schuss abgegeben werden. Bei der nächtlichen Ansitzjagd (Vollmondphase) müssen sich die Jäger zusätzlich mit Taschenlampen gegenseitig eindeutig verständigen.

21 Darf in ein Treiben hineingeschossen werden?

Es ist **strengstens verboten**, mit Büchsen- oder Flintenlaufgeschossen in das Treiben hineinzuschießen. Auch bei Maisjagden darf nicht ins Maisfeld geschossen werden. Ausnahmen kann der Jagdleiter nur unter besonderen Voraussetzungen (z.B. Geländeform oder bei Ansitzdrückjagden) zulassen, sofern hierdurch eine Gefährdung ausgeschlossen ist. Wenn sich Personen in Gefahr bringender Nähe befinden, darf in diese Richtung weder angeschlagen noch geschossen werden. Ein Durchziehen mit der Schusswaffe durch die Schützen- oder Treiberlinie ist unzulässig.

22 Was haben die Schützen bei Kesseltreiben zu beachten?

Bei Kesseltreiben bestimmt der Jagdleiter, ab wann nicht mehr in den Kessel geschossen werden darf; dazu muss er rechtzeitig das Signal „Treiber in den Kessel" blasen oder blasen lassen.

23 Was ist zu beachten, wenn Durchgeh- oder Treiberschützen mit eingesetzt werden?

Durchgeh- oder Treiberschützen dürfen während des Treibens nur entladene Schusswaffen mitführen. Das Mitführen der Schusswaffe kann für den Durchgeh- oder Treiberschützen zweckmäßig sein für den Fangschuss auf vom Hund gestelltes, erkennbar krankes Wild. Diese Regelung gilt nicht für Feldstreifen und Kesseltreiben.

24 Wann sollte eine laufende Gesellschaftsjagd abgebrochen werden:

Bei schlechten Sichtverhältnissen wie bei dichtem Schneetreiben, dichtem Nebel und einsetzender Dunkelheit. Ebenso beim Auftreten von massiven Störungen durch Jagdgegner und bei schweren Jagdunfällen.

25 Darf im alkoholisierten Zustand die Jagd ausgeübt werden?

Alkoholgenuss ist bei der Jagdausübung untersagt. Die Zuverlässigkeit des Jägers, besonders im Umgang mit Schusswaffen, wird dadurch in Frage gestellt. Bei Gesellschaftsjagden ist auch für Treiber der Genuss alkoholischer Getränke untersagt. Verliert ein Jäger wegen Trunkenheit am Steuer seinen Führerschein, muss er damit rechnen, dass er Jagdschein und Waffenbesitzkarte ebenfalls verliert (Frage der Zuverlässigkeit).

26 Wer wird noch von der weiteren Teilnahme an einer Jagd ausgeschlossen?

Der Jagdleiter hat Personen, die infolge mangelnder persönlicher Eignung besonders unfallgefährdend handeln (z.B. Personen, die mit geladenem Gewehr durch die Schützen- oder Treiberlinie ziehen oder in Richtung eines Schützen oder Treibers schießen), die Teilnahme an der Jagd zu untersagen. Wer vorsätzlich Fehlabschüsse tätigt oder riskiert oder gegen die Grundsätze der deutschen Weidgerechtigkeit verstößt, kann ebenfalls wegen mangelnder Jagddisziplin von der weiteren Jagd ausgeschlossen werden.

27 Wann wird ein Jagdleiter bestimmt und was hat dieser für eine Funktion?

Bei Gesellschaftsjagden muss der Jagdausübungsberechtigte einen Jagdleiter bestimmen, wenn er nicht selbst diese Aufgabe wahrnimmt. Die Weisungen des Jagdleiters sind zu befolgen. Der Jagdleiter hat den Schützen und Treibern die erforderlichen Anordnungen für den gefahrlosen Ablauf der Jagd zu geben. Er hat insbesondere die Schützen und Treiber vor Beginn der Jagd zu belehren und ihnen die Signale bekanntzugeben.

28 Was gilt für den Transport der Jagdgesellschaft bei Gesellschaftsjagden?

Die Transportfahrzeuge müssen über sichere und bequeme Auf- und Einstiege verfügen sowie ausreichend Sitzgelegenheiten bieten, die absturzsicher sind. Zu beachten ist § 21 StVO über Personenbeförderung.

29 Wie muss der öffentliche Straßenverkehr bei Gesellschaftsjagden gegen Verkehrsunfälle mit Wild oder Jagdhunden gewarnt werden?

Werden bei einer Gesellschaftsjagd öffentliche Straßen tangiert, sind Warnschilder aufzustellen oder Sicherungsposten mit Warnkleidung einzusetzen, um die Verkehrsteilnehmer vor dem unberechenbaren Überqueren von Wild und Jagdhunden zu warnen. Das Aufstellen von Warnschildern oder der Einsatz von Sicherungsposten an öffentlichen Straßen muss bei der Kreisverwaltung (Sachgebiet Verkehr) angezeigt werden. Handelt es sich dabei um Land- oder Bundesstraßen, kann die Behörde einen Qualifikationsnachweis für die Sicherung dieser Straßen verlangen. Geschehen Wildunfälle bei Gesellschaftsjagden ohne Verkehrsposten oder Warnschilder, kann die Jagdleitung zur Verantwortung gezogen werden.

7.4: Hinweisschilder machen Autofahrer auf die erhöhte Gefahr des Wildwechsels aufmerksam.

7.5: Straßenposten bei Gesellschaftsjagd

30 Welche Sicherheitsmaßnahmen muss der Jagdleiter bei Standtreiben veranlassen?

Bei Standtreiben haben der Jagdleiter oder die von ihm zum Anstellen bestimmten Beauftragten den Schützen ihre jeweiligen Stände anzuweisen und den jeweils einzuhaltenden Schussbereich genau zu bezeichnen. Nach Einnehmen der Stände haben sich die Schützen mit den jeweiligen Nachbarn zu verständigen; bei fehlender Sichtverbindung hat der Jagdleiter diese Verständigung sicherzustellen. Sofern der Jagdleiter nichts anderes bestimmt, darf der Stand vor Beendigung des Treibens weder verändert noch verlassen werden. Verändert oder verlässt ein Schütze mit Zustimmung des Jagdleiters seinen Stand, so hat er sich vorher mit seinem Nachbarn zu verständigen.

31 Welche Anforderungen stellt die UVV Jagd an die Kleidung der Teilnehmer einer Gesellschaftsjagd?

Bei Gesellschaftsjagden müssen sich alle an der Jagd unmittelbar Beteiligten deutlich farblich von der Umgebung abheben. Als deutlich farbliche Abhebung eignen sich bei Treibern, Treiber- und Durchgehschützen streichen oder Warnwesten in orange-roter Signalfarbe, bei Schützen mindestens ein orange-rotes Signalband am Hut und entsprechende Warnkleidung. (s. Abb. 7.6)

7.6: Sichtbare Warnkleidung ist bei Gesellschaftsjagden vorgeschrieben und unverzichtbar für die Sicherheit.

32 Darf man Kinder und Heranwachsende als Treiber einsetzen?

Kinder und Heranwachsende überschauen die Gefährlichkeit ihrer Tätigkeit als Treiber in der Regel nicht. Kommt es zu einem Unfall, etwa weil ein jugendlicher Treiber nicht in der Linie ging (Zurückbleiben oder Voreilen), haftet der Jagdleiter mit. Nach § 11 der UVV 1.1 „Allgemeine Vorschriften" dürfen Personen unter 18 Jahren nicht mit Arbeiten beschäftigt werden, bei denen sie infolge ihrer Unerfahrenheit und der noch mangelnden geistigen und körperlichen Reife besonders unfallgefährdet sind. Dieser Hinweis verbietet den Einsatz von Kindern als Treiber.

33 Darf man bei der Entenjagd Schützen stehend in Booten (Wasserfahrzeugen) postieren?

Ja, vorausgesetzt, das Boot ist gegen Umschlagen und der Schütze gegen Sturz gesichert. Dazu muss das Boot entweder sehr breit oder mit einem Ausleger versehen sein, und der Schütze muss sich an einem Geländer festhalten können.

34 Bei welcher Jagdausübung ist ein Begleiter mitzunehmen?

Die UVV Jagd regelt, dass bei einer mit besonderen Gefahren verbundenen Jagdausübung ein Begleiter zur möglichen Hilfeleistung mitzunehmen ist. Besonders Gefahren können sich ergeben z.B. durch Witterungs-, Gelände und Bodenverhältnisse, vor allem im Hochgebirge, auf Gewässern und in Mooren sowie bei der Nachsuche auf wehrhaftes Wild.

35 Was ist bei schweren Unfällen im Revier zu beachten?

Die ordnungsgemäße Erstversorgung von verletzten Personen und die Verständigung der Rettungskräfte. Hierbei ist zu beachten, dass gegebenenfalls Krankenwagen ins Revier gelotst werden müssen (evtl. mit GPS-Koordinaten), da sich die Rettungskräfte in der Regel mit dem Waldwegenetz und den Flurnamen nicht auskennen. Daher müssen die benachrichtigten Rettungskräfte an einem ihnen bekannten Treffpunkt (z.B. Bauernhof, Forsthaus) durch den Lotsen empfangen werden. Diese Rettungskette sollte man für den Ernstfall mit zuständigen Stellen durchsprechen.

36 Welche Grundregeln zur Sicherheit sollten vor und während der Jagd immer beachtet werden?

Die Vorbereitungen zur „Ersten Hilfe“ beginnen lange vor der Jagd. Bei Gesellschaftsjagden veranlasst der Jagdleiter das Mitführen von Erste-Hilfe-Material. Darüber hinaus sorgt jeder Jäger für sich selbst. In jeden Jagdrucksack gehören Verbandszeug, Druckverbände, Einweghandschuhe, Dreieckstücher und Desinfektionsmittel. Man hinterlässt immer Nachricht, in welchem Revierteil oder Hochsitz man sich aufhält, um nötige Suchaktionen abzukürzen. Man hat stets genügend Munition, eine Taschenlampe und wenn möglich ein Mobiltelefon dabei, um damit (wenn die Funkverbindung funktioniert) oder mit den anderen Hilfsmitteln einen Hilferuf abgeben zu können.

37 Welche Mindest-Sicherheitsausrüstung muss der Jäger bei der Jagd im Gebirge mitführen?

In den Rucksack gehören unbedingt Verbandszeug, eine Alurettungsdecke (zusammengelegt nicht größer als eine Brieftasche), eine Taschenlampe, Feuerzeug, ein Mobiltelefon oder evtl. ein anderes Signalgerät.

38 Welches ist das allgemein übliche Notsignal?

Für einen auf der Einzeljagd in eine Notlage geratenen Jäger kann es hilfreich sein, wenn er die allgemein üblichen Notsignale kennt und anwendet. Das Notsignal geht in der Reihenfolge: lang – kurz-kurz – lang und bedeutet: Helft – bin in – Not! Das Signal kann optisch (z.B. durch Winken oder mit dem Signalspiegel) oder akustisch abgesetzt werden, z.B. mit dem Jagdhorn, der Autohupe, einer Trillerpfeife. Weiterhin durch vier mehr oder weniger gedehnte Waldrufe (Hooop, Hopp/Hopp, Hooop) oder durch vier Schüsse, die dann in der Folge: Einzelschuss, nach etwa drei Sekunden ein Doppelschuss und nach wiederum drei Sekunden der vierte Schuss.

7.7: Schilder mit deutlicher Nummerierung ...

39 Welches ist das alpine Notsignal?

Optische (Blinkzeichen) oder akustische (Rufe) Signale werden in Abständen von 10 Sekunden gegeben; nach sechs Signalen (= 1 Minute) tritt eine Pause von ebenfalls einer Minute ein, danach wird wiederholt. International gilt das Winken mit beiden Armen (z.B. zu einem Hubschrauber) als Hinweis auf eine Notlage.

7.8: ... oder Forsthäuser dienen als Rettungspunkte.

40 Was bedeutet die Rettungskette Forst?

Landkreise und Forstämter legen markante Rettungspunkte im Revier fest (Wegekreuzung, Parkplätze, Forsthäuser), mit eindeutiger, einheitlicher Beschilderung und Rettungspunktenummer. Rettungskräfte sind bei eingehenden Notrufen mit Hilfe der Rettungspunktnummer in der Lage, Standort und Anfahrtswege auf einer Landkarte genau zu erkennen und anzufahren.

Gesellschafts- und Einzeljagd im rechtlichen Rahmen

41 Was ist eine Gesellschaftsjagd?

Es gibt in den Landesjagdgesetzen keine einheitliche Sprachregelung zum Begriff der Gesellschaftsjagd. Oft werden hier die Begriffe Gesellschaftsjagd und Treibjagd sinnverwandt benutzt und unterschiedlichste Unterscheidungen getroffen. Allgemein gilt jedoch das jagdliche Zusammenwirken von mindestens vier Jägern und/oder Treibern (Jagdausübende) als Gesellschaftsjagd, bei der das Wild in Bewegung gebracht und den Jägern zugetrieben oder -gedrückt wird.

7.9: Bei Gesellschaftsjagden muss ein Jagdleiter bestimmt werden.

42 Was ist ein Jagdleiter?

Die für die Durchführung der Gesellschaftsjagd verantwortliche Person. Dies kann der Revierinhaber selbst oder eine von ihm benannte, im Blick auf die jagdlichen Gegebenheiten erfahrene Person sein (Berufsjäger, Jagdaufseher). In den Forstverwaltungen ist in der Regel der zuständige Forstamtsleiter für die Jagdleitung verantwortlich. Die UVV „Jagd" schreibt vor, dass bei Gesellschaftsjagden der Unternehmer (Jagdausübungsberechtigte) einen Jagdleiter bestimmen muss, wenn er nicht selbst diese Aufgabe wahrnimmt.

§ 4 UVV „Besondere Bestimmungen für Gesellschaftsjagden"

43 Wann dürfen Gesellschaftsjagden nicht durchgeführt werden?

In einigen Bundesländern ist es verboten, an Sonn- und Feiertagen während des Gottesdienstes Gesellschaftsjagden durchzuführen. Bei schlechten Sichtverhältnissen hat der Jagdleiter die Jagd einzustellen (UVV).

44 Welche schriftlichen Unterlagen muss jeder Teilnehmer während einer Gesellschaftsjagd bei sich führen?

Normalerweise ergeht im Vorfeld einer Gesellschaftsjagd an die Teilnehmer eine schriftliche Jagdeinladung des Jagdausübungsberechtigten oder dessen Beauftragten für den jeweiligen Jagdtag. Diese Einladung ist wichtig beim Waffentransport auf öffentlichen Straßen (Polizeikontrolle) und zur Absicherung bei Unfällen im Rahmen dieses Jagdtages. Daneben ist natürlich das Mitführen des gültigen Jagdscheines und der Waffenbesitzkarte Pflicht.

45 Was muss der Jagdgast im Rahmen der Begrüßung bei einer Gesellschaftsjagd dem Jagdleiter vorzeigen?

Der gültige Jagdschein ist dem Jagdleiter unaufgefordert vorzulegen. Einige Landesjagdgesetze und Jagdleitungen verlangen ergänzend einen aktuellen Schießnachweis und evtl. den Nachweis als kundige Person nach EG-Richtlinien.

46 Welcher Jagdschein berechtigt nicht zur Teilnahme an Gesellschaftsjagden?

Der Besitzer eines Jugendjagdscheins (§ 16 Abs. 3 Bundesjagdgesetz) darf nicht an Gesellschaftsjagden teilnehmen.

47 Worüber müssen die Jäger bei der Begrüßung zu einer Gesellschaftsjagd unbedingt informiert werden?

Wer hat die Jagdleitung? Was sind die besonderen Sicherheitsbestimmungen für diesen Tag? Wann ist Beginn und wann Ende der Jagd bzw. der Treiben? Welches Wild darf beschossen werden? Wie ist die Wildversorgung geregelt (Aufbrechen vor Ort, in der Wildkammer, Wildbergung)?

48 Wie wird dem Jäger das Ende einer Gesellschaftsjagd mitgeteilt?

Der Beginn und das Ende der Jagd bestimmt der Jagdleiter und teilt diese bei der Begrüßung mit. Darüber hinaus kann das Ende der Jagd auch klassisch durch das Jagdhornsignal „Hahn in Ruh" übermittelt werden. Der Schütze darf während des Treibens nie seinen Stand verlassen.

49 Was ist eine Einzeljagd?

Der Sammelbegriff für die Jagdformen, die der Jäger allein ausübt. Als Einzeljagd gilt auch, wenn der Jäger mit 1–2 Begleitern (z.B. zur Baujagd, oder bei einem Sammelansitz) unterwegs ist.

50 Welche rechtliche Voraussetzung benötigt ein Dritter (Jagdgast) bei der Einzeljagd?

Den unentgeltlichen oder entgeltlichen Jagderlaubnisschein, der von dem oder den Jagdausübungsberechtigte/n unterschrieben sein muss. Der Jagdausübungsberechtigte kann allerdings einen Jagdgast (für einen Ansitz) ohne Jagderlaubnisschein in Rufweite ansetzen oder in seiner Begleitung zur Jagd mitnehmen.

51 Worin liegt der Unterschied zwischen dem unentgeltlichen und dem entgeltlichen Jagderlaubnisschein?

Die unentgeltliche Jagderlaubnis kann in schriftlicher oder mündlicher Form erfolgen und ist jederzeit widerrufbar. Ist der Jagdgast allein mit Jagdwaffe im Revier unterwegs, so ist für evtl. Kontrollen eine schriftliche Jagderlaubnis notwendig. Die entgeltliche Jagderlaubnis ist mit einer Zahlung für diese Jagdmöglichkeit verbunden. Sie bedarf der schriftlichen Form. Der Inhaber des entgeltlichen Begehungsscheines muss i. d. R. jagdpachtfähig sein und bei der unteren Jagdbehörde angezeigt werden.

52 Welche Angaben muss der Jagderlaubnisschein beinhalten?

Name und genaue Anschrift des Jägers sowie die genaue Bezeichnung des Jagdbezirkes oder Jagdreviers. Was darf erlegt werden und wie lange ist der Erlaubnisschein gültig. Der Jagderlaubnisschein ist nur in Verbindung mit dem gelösten Jagdschein gültig.

53 Warum sind der Jagderlaubnis- und Jagdschein für die Jagdausübung wichtig?

Polizeibeamte und Jagdschutzberechtigte (§ 25 BJagdG) dürfen im Rahmen des Jagdschutzes unbekannte Personen, die zur Jagd ausgerüstet angetroffen werden, kontrollieren und den Jagderlaubnisschein in Verbindung mit dem Jagdschein verlangen. Daher ist es wichtig, immer diese Ausweispapiere zur Jagdausübung mitzuführen.

Moderne Jagdliche Hilfsmittel

Jagdliche Hilfsmittel sind oft Gegenstände aus dem Alltagsbereich, die den Jäger bei der Jagdausübung unterstützen. Einige dieser Gegenstände sollten ihren festen Platz im Jagd-Rucksack haben.

Wärmebildtechnik im Jagdbetrieb

Es gibt Wärmebildkameras als Handgeräte, Wärmebildferngläser, Vorsatz- bzw. Nachsatzgeräte für Zielfernrohre sowie kompakte Wärmebild-Zielgeräte. Die Verwendung von Nachtsichtaufsatz- oder Nachtsichtvorsatzmodulen haben die Bundesländer in sehr unterschiedlicher Weise mit entsprechenden Vorbehalten geregelt. Der Umgang mit kompletten Nachtzielgeräten (mit Montagevorrichtung für Schusswaffen) ist nach Waffenrecht für Jäger nicht statthaft.

Aufwind bekam die Wärmebildtechnik zur intensiven Bejagung des Schwarzwildes wegen Wildschäden und der drohenden Schweinepest. Die dunkle Nacht als Gewähr für Sicherheit und Ruhe ist für das Wild vorbei, wenn diese Technik falsch eingesetzt wird. Der intensive

Gebrauch der Wärmebildtechnik bei der Schwarzwildbejagung kann Wildschäden im Feld verringern. Allerdings wechselt durch diesen nächtlichen Jagddruck das Schwarzwild in ruhigere Regionen ab und der landwirtschaftliche Wildschaden wird verlagert. Anderes Schalenwild wird durch die nächtliche Unruhe zu Waldgeistern. Offene Äsungsflächen werden durch die Beunruhigung gemieden und der Wildschaden im Wald nimmt zu. Daher sollte der Gebrauch der Wärmebildtechnik im Jagdrevier überlegt, beschränkt und nur gezielt eingesetzt werden.

54 Für welche Wildart werden die Hilfsmittel für die Nachtjagd eingesetzt?

Dort, wo hohe Schwarzwildbestände vorkommen, kann bei aufkommenden Wildschäden in der Landwirtschaft und der drohenden Schweinepest die Nachtsichttechnik als Hilfsmittel eingesetzt werden.

7.10: Wärmebildkamera als Handgerät (Spotter genannt) und Jagdwaffe mit Vorsatzgerät auf dem Zielfernrohr.

55 Welche negativen Auswirkungen sind mit dem intensiven Einsatz der Nachtsichttechnik im Jagdrevier verbunden?

Durch die intensive Störung und Beunruhigung der Wildtiere in der Dunkelheit versteckt sich das Wild in der Deckung und sucht sich ruhigere Lebensräume.

56 Was ist vom Einsatz von Sprechfunkgeräten im Jagdbetrieb zu halten?

Beim Nachsucheneinsatz, bei Gesellschaftsjagden oder auf abgelegenen Hütten ist der Einsatz von Funk durchaus sinnvoll. Auch in Revieren mit großer Waldbrandgefährdung oder starkem Publikumsverkehr kann Sprechfunk hilfreich sein. Mobiltelefone lösen die Sprechfunkgeräte meist ab, sofern im Revier ein ausreichendes Funknetz besteht.

57 Wozu dient ein Berg- oder Zielstock?

Im Hochgebirge trägt jeder Jäger grundsätzlich einen Bergstock mit sich. Dieser dient als Steig- und Gehilfe (drittes Bein), aber auch als „Notstativ" beim Schuss oder für das Spektiv. Bergstöcke haben meist eine eiserne Spitze und am anderen Ende eine Gummikappe für die geräuschlose Pirsch. Im Flachland und Mittelgebirge dienen die Stöcke primär als Zielhilfe bei der Pirsch. Traditionell wird ein Bergstock aus Holz vom Haselnussstrauch oder Schwarzdorn gefertigt. Manche Jäger nehmen auch auseinanderklappbare Zielstöcke mit. Das Gewehr wird dort aufgelegt, wo sich die beiden Stöcke (Latten) kreuzen.

58 Wozu dient der Sitzstock?

Meist werden Sitzstöcke auf Gesellschaftsjagden verwendet. Praktisch sind sie auch bei längeren Pirschgängen, auf denen man sich immer wieder für einige Zeit niedersetzt. Dort, wo keine Ansitzeinrichtung gebaut werden kann und wo ein Kugelfang vorhanden ist, kann man mit einem Sitzstock in der Deckung auch jagen. Sitzstöcke sind in verschiedenen Formen erhältlich (Dreibein, Stockform, etc.)

7.11: Ein Schweißriemen oder ein gewöhnlicher Strick ist ein einfaches Hilfsmittel für die Wildbergung.

59 Was gehört bei Gesellschaftsjagden auf Schalenwild unbedingt zur Ausrüstung?

Ein Rucksack, der ein Fernglas zum genauen Ansprechen vom Wild enthält. Eine stabile Leine (2 m) für die Wildbergung und um nach der Jagd verjagte Hunde anzuleinen, ein feststehendes Jagdmesser, ein Sitzkissen für das evtl. nasse Sitzbrett, Einweghandschuhe und Plastikbeutel für den Aufbruch sollten ebenfalls mitgeführt werden.

Maisjagden und „Sauen fest"
Eine besondere Form der Gesellschaftsjagd sind „Maisjagden" und die winterliche Jagd bei Schnee „Sauen fest". Gerade bei diesen Jagdarten passieren alljährlich zahlreiche Jagdunfälle. Ursachen der meisten Jagdunfälle sind mangelhafte Vorbereitung und Organisation der Jagd, Schussabgabe ohne Kugelfang und Missachtung der Jagddisziplin.

60 Wann sollte Schwarzwild in Maisfeldern bejagt werden?

Die Anwesenheit von Schwarzwild im Maisfeld sollte sicher sein. Die geographische Lage und die Größe des Maisfeldes muss ein Abstellen der Schützen in einem unfallsicheren Bereich und den Erfolg der Wildschadensreduzierung gewährleisten. Maisfelder über fünf Hektar Fläche sind schwer bejagbar, da bei dieser Feldgröße die Sauen vor den Hunden und Treiber ausweichen können und das Maisfeld nicht unbedingt verlassen.

61 Was muss beim Abstellen der Schützen bei „Maisjagden" unbedingt beachtet werden?

Auf einer Revierkarte oder durch eine örtliche Vorbesichtigung sollten die Schützenstände mindestens einige Stunden vor der Jagd, besser Tage vorher, durch die Jagdleitung genau festgelegt werden. Beim Anstellen dürfen die Sauen im Mais den/die Jäger nicht bemerken. Wird direkt am Maisfeld abgestellt, müssen die Schützen immer mit dem Rücken zum Maisfeld stehen. Der Wind darf dabei nicht auf das Maisfeld stehen. Die Schützen dürfen auf keinen Fall ins Maisfeld und nur nach vorn mit Kugelfang schießen. Erfolgreich ist das Abstellen von Schützen auf Wechseln oder an entfernten Waldrändern.

7.12: Zur guten Vorbereitung einer Gesellschaftsjagd, auch einer Maisjagd, gehört die Arbeit an der Revierkarte.

62 Warum sollten bei „Maisjagden" nur Frischlinge freigegeben werden?

Die oberste Priorität bei „Maisjagden" haben die Sicherheit und die Wildschadensabwehr vor dem maximalen Jagderfolg. Um Fehlabschüsse bei säugenden und führenden Bachen auszuschließen, sollte man nur Frischlinge zum Abschuss freigeben. Würden die Bachen vor den Frischlingen erlegt, so hätte man in der Regel die führungslosen Frischlinge weiterhin als Wildschadensfaktor im Mais und dadurch das Gegenteil bewirkt.

63 Was sollte beim Hundeeinsatz bei „Maisjagden" beachtet werden?

Haben die Sauen im Mais die vorgestellten Jäger nicht bemerkt, werden Treiber und solo jagende Jagdhunde im Maisfeld eingesetzt. Man hat dann oft schnell den Erfolg, dass das Schwarzwild sich nicht mehr sicher fühlt und das Maisfeld zügig verlässt. Bei den solo jagenden Hunden muss es sich nicht immer um die klassischen Stöberhunde handeln. Es eignen sich alle Jagdgebrauchshunde, die umsichtig und konsequent das Schwarzwild in einem Maisfeld suchen, aufstöbern und laut anjagen.

7.13: Bei Maisjagden sollten nur Frischlinge bejagt werden.

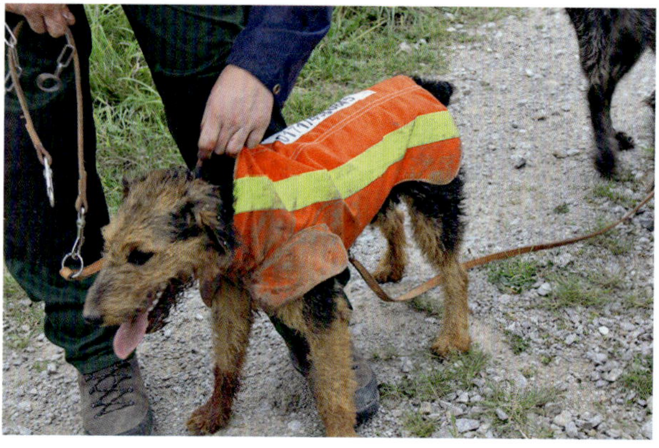

7.14: Jagdterrier mit Schutzweste bei einer Maisjagd.

Hunde, die sich kopflos auf Wild stürzen, sind aus Gründen des Tierschutzes von der Jagdleitung abzulehnen.

64 Was bedeutet für einen Jäger der Begriff „kreisen"?

An Schneetagen im Winter kann der Jäger nach einer „Neuen" (s. S. 655) genau das Revier abfährten oder abspüren und feststellen, ob Wild in einen Dickungsbereich eingewechselt ist und dort steckt. Bevorzugt wird diese Jagdart zur gezielten Schwarzwildbejagung angewendet. Hat man Schwarzwild in der Dickung bestätigt, so spricht man von „Sauen fest".

65 Warum ist beim „Kreisen" und „Sauen fest" das Tageslicht so wichtig?

An den kurzen Wintertagen dämmert es in den dichten Dickungen und Einständen schon am frühen Nachmittag. Versucht man am späten Nachmittag das Schwarzwild aus einer größeren Dickung zu jagen, so verbleiben die Sauen oft trotz Treiber- und Hundeeinsatz in diesem schützenden Einstand. Das Schwarzwild fühlt sich sicher in der halbdunklen Dickung und wartet die Dunkelheit ab, die ja an einem Wintertag sehr schnell eintritt. Hat man „Sauen fest", so sollten diese um die Mittagszeit bejagt werden.

66 Was muss bei „Sauen fest" hinsichtlich der Sicherheit der Jagdteilnehmer unbedingt beachtet werden?

Die Schützen sollten weiträumig abgestellt werden, so dass sie sich nicht gegenseitig gefährden. Eine Schussabgabe darf nur mit Kugelfang erfolgen! Als Kugelfang gilt nur der gewachsene Boden.

67 Warum sollte das Schwarzwild ab Februar nicht mehr durch Stöberjagden bejagt werden?

Spätestens ab Februar sollten keine Stöberjagden mehr durchgeführt werden, damit keine säugenden Bachen erlegt werden (Muttertierschutz).

68 Warum sollten bei „Maisjagden" oder „Sauen fest" die Fernwechsel durch Schützen abgestellt werden?

Bei diesen Jagdarten ist das Abstellen der Fernwechsel meist sehr erfolgreich. Allerdings muss die Jagdleitung gute Revierkenntnisse haben und die Fernwechsel genau kennen. Anwechselndes Schwarzwild hat in der Regel die Fluchtgeschwindigkeit reduziert und kann gut angesprochen und erlegt werden.

69 Wodurch kann man bei „Maisjagden" oder „Sauen fest" für die Schützen einen sicheren Kugelfang herstellen?

Ein Kugelfang ist gewährleistet durch das frühzeitige Aussuchen von Schützenständen und, wo erforderlich, das Aufstellen von „Drückjagdsitzen" an Maisfeldern. In einigen Bundesländern ist die Verwendung dieser Sitze bei „Maisjagden" gesetzlich vorgeschrieben. Wo kein ausreichender Kugelfang vorhanden ist, sollten an bekannten Wechseln „Drückjagdsitze" aufgestellt werden, die im Winter bei „Sauen fest" sowie zur Einzeljagd im Sommer ihre Verwendung finden.

7.2 Die Einzeljagd

Die Einzeljagd wird vom Jäger vorwiegend alleine oder in Begleitung (Jagdführer) ausgeübt. Sie umfasst verschiedene Jagdarten. Jagdrechtlich ist die Abgrenzung zu einer Gesellschaftsjagd wichtig.

Das Anstehen an Pässen, Bauen und Schlafbäumen

70 Welche Niederwildarten werden am Pass bejagt?

Hase, Fuchs, Dachs und Steinmarder.

71 Was versteht man unter der „Hasenkur"?

Der Jäger setzt sich abseits des Hasenpasses am Waldrand oder im Feld an und wartet, bis der Hase ein- bzw. ausläuft. Im Feld benutzt der Hase gern trockene Wege als Pässe. Als „Kurzeit" bezeichnet man die Abend- und Morgendämmerung, zu der der Hase am Wechsel zwischen Feld und Wald besonders aktiv ist.

72 Wie bejagt man den Dachs am Bau?

Entweder man stellt sich eine Ansitzleiter an den Bau und erwartet den Dachs dort am Abend beim Ausfahren oder man setzt sich am frühen Morgen an, um ihn bei der Rückkehr zu überraschen. Ist ein Bau nicht einsehbar, etwa wenn er in einer Dickung liegt, dann sitzt der Jäger ein Stück abseits und erwartet den Dachs auf seinem Pass. Vorsicht!: In unmittelbarer Nähe einer Röhre besteht die Gefahr, dass er auch mit einem guten Schuss noch einfährt.

73 Gibt es noch eine andere reizvolle Jagdart auf den Dachs?

In mondhellen Sommernächten lohnt der Ansitz auf Wiesen, die der Dachs nach Schnecken und Würmern absucht. Gerne sucht der Dachs auch Streuobstwiesen nach überreifem Obst ab. Im Herbst kann der nächtliche Ansitz an Maisäckern erfolgreich sein.

74 Welche wildbiologischen Grundsätze sind bei der Bejagung des Dachses zu beachten?

Der Dachs ist erst mit 18 Monaten geschlechtsreif, alte Dachse sind für den Besatz wichtig. Man sollte bestrebt sein, möglichst Jungdachse zu erlegen.

75 Womit wird der Dachs geschossen?

Im Nahbereich bis maximal 30 Meter unter der Verwendung von Schrot Nr. 5 (3 mm) und mit der Kugel, mindestens im Kaliber .22 Hornet. Dass der Dachs beim Schuss breit stehen muss, sollte eine Selbstverständlichkeit sein. *Merke:* Der Dachs ist so schwer wie ein Reh, seine Schwarte ist aber wesentlich dicker als eine Rehdecke, hinzu kommt seine Feistschicht.

76 **Lohnt das Anstehen (Ansitzen) am Bau auch beim Fuchs?**

Der Fuchs ist – sobald die Welpen ausgelaufen sind – nur relativ selten im Bau anzutreffen, schon gar nicht bei gutem Wetter. Der Anstand lohnt daher nur, wenn man bei Schnee spüren kann oder den Fuchs am Morgen einfahren sieht.

77 **Wie bejagt man die Jungfüchse am Bau?**

Anfang Mai im Alter von ca. 4 Wochen verlassen die Jungfüchse zum ersten Mal den Bau. Man zählt genau die Anzahl der Jungfüchse, bevor man an einem sonnigen Tag diese am Bau erlegt. Wichtig ist, dass man alle Jungfüchse an einem Tag erlegen sollte, denn die Fähe trägt bei der geringsten Störung die Jungfüchse in einen Notbau. Der Abschuss von Elterntieren während der Setz- und Aufzuchtzeit ist streng verboten (Straftatbestand).

78 **Wo kann man auf den Steinmarder anstehen?**

Steinmarder verlassen ihr Tagesversteck – häufig Feldscheunen – fast immer durch den gleichen Schlupf und halten feste Pässe über Dächern und feste Absprünge zum Boden. Dort erwartet sie der Jäger am frühen Abend.

79 **Welche Wildart wird an Schlafbäumen bejagt?**

Ringeltauben und dort, wo erlaubt, Elstern und Rabenkrähen. Sie fallen im Herbst und Winter gerne in alten Bäumen (Eichen, Buchen) kleinerer Wäldchen und Feldgehölze ein, um hier zu nächtigen. Dort kann der Jäger die einfallenden Tauben und Rabenvögel erwarten.

Die Ansitzjagd

80 **Was versteht man unter der Ansitzjagd?**

Die Ansitzjagd ist eine Form der Einzeljagd, wobei der Jäger das Wild in Deckung und unter Beachtung der Windrichtung erwartet.

81 **Wie und wo wird die Ansitzjagd ausgeübt?**

Der Jäger sitzt in Erwartung des Wildes auf dem Boden oder auf Ansitzeinrichtungen an Wechsel, Äsungsflächen, Wiesen, Kirrungen u.ä.

82 **Welche Ansitzeinrichtungen kennt der Jäger?**

Offener Hochsitz, Kanzel, geschlossener Hochsitz, Leitersitz, Kanzelleitersitz und Schirm. Auch die speziellen Drückjagdsitze können zum Ansitz benutzt werden.

7.15: Bodenschirm für die Einzeljagd, mit Deckungspflanzen getarnt.

83 Warum ist bei der Ansitzjagd die Beachtung der Windrichtung so wichtig?

Bekommt das Wild Wind vom Jäger, so verlässt es die Deckung nicht bzw. ergreift die Flucht. Geschieht dies häufiger, so meidet das Wild die Stellen, an denen die Störungen auftreten, verlegt seinen Äsungsplatz z.B. in eine Dickung oder ändert den Lebensrhythmus und wird nachtaktiv.

84 Wie sollte der Platz einer Ansitzeinrichtung im Revier ausgesucht werden?

Unter Beachtung der Hauptwindrichtung (meist Süd-West) und der Möglichkeit, durch einen Pirschpfad den Ansitz zu betreten bzw. zu verlassen, ohne dass das Wild den Jäger bemerkt. Ansitzeinrichtungen sollten so in die Landschaft eingebaut werden, dass die Eigenart und Schönheit der Landschaft dadurch nicht gestört wird. Wildruhezonen sollten respektiert und nicht durch Ansitzeinrichtungen zur Beobachtung von Wild gestört werden.

7.16: Offener Leitersitz

85 Welche Vorteile bietet ein Leitersitz oder ein Hochsitz?

Er bietet mehr Übersicht und ermöglicht es, aufgelegt sowie sicher mit einem Kugelfang zu schießen. Gleichzeitig verhilft er dem Jäger zu einer gewissen Jagddisziplin und verhindert unnötigen Jagddruck durch evtl. Herumlaufen.

86 Was ist der Nachteil geschlossener Hochsitze?

Man hört und sieht weniger und hat kaum das Gefühl, in freier Natur zu sein. Geschlossene Hochsitze sind auffälliger in der Natur und oft eine Provokation gegenüber der Öffentlichkeit. Es ist auch ein Irrtum zu glauben, der geschlossene Hochsitz mache den Jäger vom Wind unabhängig.

7.17: Geschlossene Hochsitze sind aufwendig im Bau und stehen sehr auffällig in der Landschaft.

87 Was ist ein Schwerpunktabschuss?

Wo Kulturen oder Naturverjüngungen durch Wildverbiss (meist Rehwild) gefährdet sind, kann der Jäger durch einen konzentrierten Abschuss bei der Ansitzjagd zur Vermeidung von Verbissschäden beitragen. Dabei wird auf einer überschaubaren Verjüngungsfläche jedes jagdbare Stück Rehwild erlegt, bis die gefährdete Fläche aus dem Äser gewachsen ist (4 bis 5 Jahre). Es sind jedoch wildbiologische Grundsätze und jagdrechtliche Bestimmungen der Abschussplanung zu beachten. Eine solch durchgeführte schwerpunktmäßige Bejagung hilft dem Waldbesitzer den Aufwand und Kosten für den Zaunbau oder den Einzelschutz zu reduzieren, sie sperrt das Wild nicht komplett von Flächen aus und sie erleichtert dem Jäger die Bejagung. Man kann den Schwerpunktabschuss auch zur Verhütung von Schäden auf landwirtschaftlichen Flächen anwenden. Verkehrsunfälle durch Wild kann man dadurch reduzieren, dass man in gefährdeten Bereichen intensiv jagt und die Wilddichte senkt. Diesen Beitrag zur Verkehrssicherheit sollte der Jäger unbedingt leisten.

88 Was ist der Unterschied zwischen Kirrung und Fütterung?

Kirrung bedeutet, das Wild mit geringen, artgerechten Futtermitteln anzulocken mit der Absicht, es zu erlegen. Fütterung findet ihre Anwendung in der Notzeit (z.B. nach Naturkatastrophen, strengen Wintern) und zur Verhinderung von Wildschäden als Ablenkfütterung (z.B. Feldwildschäden beim Schwarzwild). An Fütterungen darf in einem Umkreis von 200 Metern (§ 19 Abs. 10 BJagdG) kein Schuss fallen. Hierbei sind die jeweiligen Landesjagdgesetze zu beachten!

89 Was versteht man unter einer Ablenkfütterung?

Eine Ablenkfütterung wird besonders für Schwarzwild eingerichtet, um Wildschäden im Feld zu verhindern. Sie soll tief im Wald angelegt werden, wo dann regelmäßig das Schwarzwild mit geringen Mengen Getreide oder Mais lange beschäftigt werden soll. An Ablenkfütterungen und in einem Umkreis von mindestens 200 Metern darf nicht gejagt werden. Die Anlage einer Ablenkfütterung ist in einigen Bundesländern genehmigungspflichtig.

90 Wie sind Schwarzwildkirrungen einzurichten und was sind artgerechte Futtermittel?

Kirrungen sollten so eingerichtet werden, dass sie von Wegen nicht sichtbar sind und mindestens 200 Meter von der nächsten landwirtschaftlichen Flächen entfernt liegen. Das Ausbringen von nicht artgerechtem Kirrmaterial (z.B. Backwaren) ist verboten. Das Kirrmaterial muss so angeboten werden, dass es außer Schwarzwild kein anderes Wild aufnehmen kann. Die Ansitzeinrichtungen sollten nicht durch überdimensionierte Hochsitze (Schlafkanzeln) sichtlich auffallen, sowie bei

7.18: In den Boden eingebracht, fällt der Mais am wenigsten auf.

optimalen Licht- und Sichtverhältnissen eine ordnungsgemäße Bejagung ermöglichen. Artgerechte Futtermittel sind Getreide, Mais, Eicheln, Äpfel und Kartoffeln.

91 Warum dürfen keine Schlachtabfälle an Schwarzwild verfüttert werden?

Nach der Hygieneverordnung für nicht für den menschlichen Verzehr bestimmte tierische Nebenprodukte (VO (EG) 1771/2002) dürfen Schlachtabfälle, Speisereste, tote Haustiere oder Tierkörperteile nur in Tierkörperbeseitigungsanlagen entsorgt werden. Schlachtabfälle können Überträger von Krankheiten (z.B. Schweinepest) sein.

92 Dürfen Aufbrüche vom Wild oder Fallwild im Wald entsorgt werden?

Nach der Verordnung (VO EG) 1774/2002, Kapitel 1 -Tierkörperbeseitigung- ist es erlaubt Aufbrüche und Fallwild im Wald zu entsorgen. Voraussetzung: - Es darf kein Verdacht auf für den Menschen übertragbaren Krankheiten oder Seuchen (Schweinepest) vorliegen. – Wild-Aufbrüche und Wildkörper sollten im Wald so entsorgt (vergraben) werden, dass sie kein öffentliches Ärgernis werden. In Seuchengebieten mit Schweinepest (Klassische Schweinepest, Afrikanische Schweinepest) gelten entgegengesetzte Bestimmungen: Schwarzwildaufbrüche, Teile von Schwarzwild und ganze Kadaver (Fallwild) sind nach den Bestimmungen der Veterinärbehörde zu entsorgen oder werden sogar durch die Veterinärbehörde selbst in eine Tierkörperbeseitigungsanstalt verbracht.

93 Was ist bei der Jagdausübung nachts auf Schwarzwild an der Kirrung bei Vollmond oder Schnee zu beachten?

In vielen Revieren ist das Schwarzwild so heimlich geworden, dass der Ansitz bei Nacht oft die einzige Bejagungsmöglichkeit darstellt. Dabei können eine geschlossene Schneedecke oder das Licht des zunehmenden Mondes die Sichtverhältnisse meist etwas verbessern. Dennoch ist unbedingt darauf zu achten, dass nur auf einwandfrei angesprochene, frei stehende Stücke geschossen wird. In Rotwildrevieren sollte grundsätzlich auf eine Nachtjagd im Wald verzichtet werden, da dadurch das Rotwild unnötig beunruhigt wird.

94 Was ist der tierschutzgerechte bzw. weidgerechte Schuss auf Haarwild?

Durch den sofort tödlich wirkenden Schuss hinter das Blatt (Kammerschuss) wird das Herz-Lungen-System zerstört. Gezielte Schüsse auf Kopf, Träger oder hinter den Teller sind unverantwortlich, auf das Schärfste abzulehnen und ein Verstoß gegen das Tierschutzgesetz.

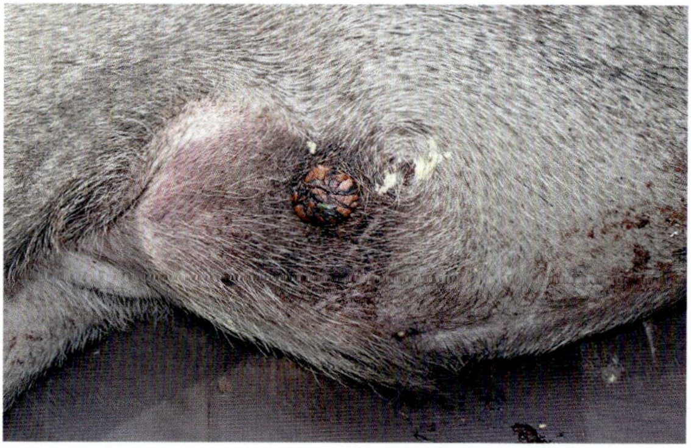

7.19: Weidwund-Ausschussseite bei einem Keiler. Wie ein Pfropfen verschließen die Innereien den Ausschuss und verhindern somit Schweißaustritt. Fehlender Schweißaustritt behindert die Nachsuche mit dem Hund.

95 Für welche Wildarten gilt das Nachtjagdverbot?

Nach § 19 Bundesjagdgesetz ist die Jagd auf Schalenwild (mit Ausnahme von Schwarzwild) sowie auf Federwild (außer Möwen, Schnepfen, Auer-, Birk- und Rackelwild) zur Nachtzeit verboten. Einige Bundesländer ermöglichen die Nachtjagd auf Rot- und Damwild. Nicht betroffen von dem Jagdverbot ist alles sonstige Haarwild (z.B. Fuchs).

96 Der Fuchs wird am Luder bejagt, was heißt das?

Etwa ab September beschickt der Jäger einen bestimmten Platz im Revier regelmäßig mit kleinen Mengen an Aufbruch und Zerwirkabfällen (nicht von Schwarzwild in Schweinepestgebieten). Dadurch werden insbesondere Fuchs und Marder, oft aber auch Schwarzwild angelockt. Sobald der Balg verwertbar ist (ab November), setzt er sich an diesem Luderplatz an, um den Fuchs zu erlegen. Bei Mond und Schnee (nicht bei Neuschnee) ist mit gutem Erfolg zu rechnen.

97 Was soll man bei der Wahl und Anlage des Luderplatzes beachten?

Als Luderplatz eignen sich meist größere Freiflächen, die voll von der Leuchtkraft des Mondes erhellt werden. Die „Luderstelle" soll höchstens 30 Meter von der jagdlichen Einrichtung entfernt liegen. Das Luder soll leicht in ein kleines Loch vergraben werden. Alternativ dazu kann man auch einen Haufen Mist auf dem Luderplatz platzieren und dort Teile von Aufbrüchen verstecken.

98 Was ist bei der Luderjagd noch zu beachten?

Grundsätzlich dürfen keine Schlachtabfälle als Luder verwendet werden. Auf Weiden dürfen keine Löcher zum Vergraben vom Luder ausgehoben werden. Weidevieh könnte in einen Luderschacht treten und sich verletzen. Bei der Anlage eines Luderplatzes ist darauf zu achten, dass die Auslage des verwesenden Luders nicht zum „öffentlichen Ärgernis" wird. In Bereichen von Trinkwasserschutzgebieten dürfen Luderplätze nicht angelegt werden.

99 Wie und mit was soll man den Fuchs schießen?

Balgschonend und wirksam sind die Kugelkaliber ab .22 Mag. bis zur 5,6 x 50. Prinzipiell sinnvoll ist die Verwendung von Vollmantelgeschossen. Größere Kaliber entwerten meist den Balg, Schrote Nr. 5 (3 mm) sind ausreichend, wenn man nicht weiter als 30 Meter schießt. Je gröber die Schrote, um so geringer die Deckung; das gilt besonders bei weiten Schüssen. Wie auch alles andere Wild soll der Fuchs beim Schuss breit stehen und hinter das Blatt geschossen werden.

100 Womit werden Marder gekirrt?

Gerne werden Rosinen, Backpflaumen, Dörrobst, Honig und das Hühnerei angenommen.

101 Wo kirrt man den Marder?

In Dorfnähe oder in Feldscheunen erscheint der Steinmarder häufig schon am frühen Abend. Daher werden das Ei oder die Kirrfrüchte hinter der Scheune oder bei Gerümpel unweit des Tagesunterschlupfes versteckt. Bei Schnee lässt sich gut feststellen, wo die Marder tagsüber stecken und wie die Pässe verlaufen.

102 Wird auch Federwild gekirrt?

Ja. Stockenten und Ringeltauben.

103 Wann ist eine Entenkirrung sinnvoll?

Sie soll nur für die Stockente Anwendung finden, um diese Entenart an einer bestimmten Stelle an nur wenigen Jagdtagen effektiv zu bejagen. Gleichzeitig sollten ökologisch wichtige Gewässer (Lebensräume) entlastet und durch die Wasserwildjagd nicht gestört werden. Das ist besonders im Bereich von Rast- und Überwinterungsgewässern wichtig, wo durch jede Störung eine große Zahl Wasservögel beunruhigt wird.

104 Werden Enten im Wasser oder an Land gekirrt?

Auf keinen Fall im Wasser. Nährstoffarme Gewässer sind selten geworden und werden durch Entenkirrungen eutrophiert. Eine Ausnahme bilden schwimmende Futterflöße, auf denen kleine Mengen Getreide gereicht werden.

105 Wann und wie bejagt man Enten am Wasser?

Entweder beim abendlichen Anstand (Entenstrich) oder indem man mit mehreren Schützen in einer Reihe vorsichtig auf die Ufer zugeht und die Enten aufjagt. Bei der Entenjagd muss mindestens ein brauchbarer Jagdhund mitgeführt werden. In manchen Bundesländern ist eine Entenkirrung untersagt.

106 Welche Schrotstärke eignet sich für Enten und was ist bei der Schussentfernung zu beachten?

Üblich ist Schrot Nr. 5 (3 mm) oder Nr. 7 (2,5 mm) bei einer Schussentfernung von max. 30 Metern. Am besten zu schießen sind die Enten beim Einfallen oder Abstreichen. Dabei sollte jedoch die passende Entfernung eingehalten werden, um das Wildbret nicht zu entwerten oder das Stück lediglich krank zu schießen. In den meisten Bundesländern darf Wasserwild an und über Gewässern nur noch mit bleifreier Munition geschossen werden.

Die Pirsch

107 Was versteht man unter der Pirsch?

Bei gutem Wind das Revier langsam (mehr stehend als gehend), aufmerksam, unauffällig und leise durchstreifen. Dabei kommt es darauf an, das Wild eher zu bemerken als von ihm bemerkt zu werden und auf gute Schussentfernung heranzukommen.

7.20: Besonders gut lässt sich Schwarzwild anpirschen. Passt der Wind, kommt man sehr nahe an diese Wildart heran.

108 Was macht den Reiz der Pirsch aus?

Im einem landschaftlich schönen Revier auf Schalenwild zu pirschen ist für viele Jäger die interessanteste Jagdart überhaupt. Die meisten der heutigen Reviere sind jedoch zu klein, um ständig darin zu pirschen. Das Wild bemerkt die Anwesenheit des Jägers früher oder später und meidet dann meist die Flächen, auf denen es entdeckt werden kann. Es wird heimlich und die Bejagung dadurch sehr schwer und aufwendig. In den schützenden Einständen steigt dadurch der Äsungsdruck und die Wildschäden im Wald nehmen zu.

109 Welche Schalenwildart wird fast ausschließlich auf der Pirsch erlegt?

Am Berg das Gamswild, weil es tagaktiv ist und sich bevorzugt im freien Gelände bewegt (Almen, Latschenfelder, Lahmer im Bergwald usw.).

110 Welche grobe Regel gilt im Gebirge bezüglich des Windes?

Zwischen Sonnenunter- und Sonnenaufgang fällt der Wind ins Tal, tagsüber, vor allem wenn die Sonne steigt, zieht der Wind den Berg hinauf. Auf der Schattenseite kann er auch tagsüber fallen. Bei ausgedehnten Pirschgängen, aber auch beim Ansitz, muss man den Wechsel des Windes mit einkalkulieren. In engen Gräben und Tälern zieht der Wind häufig mit dem Wasser.

111 Wozu dienen Pirschwege?

Sie sollen das geräuschlose Anpirschen an die Hoch- oder Bodensitze ermöglichen. Im Hochgebirge sind umfangreiche, miteinander verbundene Pirschwegsysteme gebräuchlich und für die Gamsjagd auch notwendig. Allerdings werden sie meist nur von gröberen Hindernissen befreit und nicht gründlich gefegt wie die Pirschwege im Flachland.

112 Welchen Nachteil weisen Pirschwege auf?

Sie werden früher oder später fast immer von Waldbesuchern entdeckt und als Wanderpfade oder Joggingstrecken zweckentfremdet. Zumindest im Flachland und Mittelgebirge schaden längere oder verbindende Pirschwegsysteme daher mehr, als sie nutzen. Pirschwege sollten immer so angelegt werden, dass sie am Anfang der ersten Meter nicht gepflegt und somit nicht einsehbar sind.

113 Kann der Jagdpächter seine Pirschwege nicht einfach „sperren"?

Nein, er ist nur Pächter des Jagdausübungsrechtes. Außerdem ist jedermann befugt, den Wald zu jeder Tages- und Nachtzeit zu betreten. Einschränkungen des freien Betretungsrechtes sind teilweise in den Waldgesetzen der Länder geregelt (Forstkulturen), ferner kann das Betretungsrecht durch Naturschutzverordnungen oder in den zeitlich befristeten Wildschutzgebieten (etwa im Bereich sogenannter Wintergatter) eingeschränkt werden.

7.21: Aus dem Waldschatten heraus soll der Pirschweg zur Ansitzeinrichtung angelegt werden.

Lock-, Ruf- und Reizjagd

114 Was versteht der Jäger unter der Lock-, Ruf- und Reizjagd?

Die Jagd auf eine Reihe von Wildarten, bei der er gewisse Stimmlaute des Wildes nachahmt, um es auf diese Weise zum Zustehen zu veranlassen, d.h. in den Bereich seiner Büchse oder Flinte zu locken.

115 Welche Wildarten werden in der Paarungszeit bejagt?

Im Grunde alle Schalenwildarten, wobei vor allem auf Rot- und Rehwild die Lockjagd ausgeübt wird. Bedeutung hat diese Methode auch während der Ranzzeit auf den Fuchs. Auer- und Birkhähne wurden früher in der Balz erlegt (in Deutschland sind sie allerdings ganzjährig geschont). In dieser Zeit ist das Wild in der Regel besonders aktiv und oft auch am Tag zu beobachten.

116 Was sollte man grundsätzlich beachten, bevor man die Lock-, Ruf- und Reizjagd ausübt?

Für dem Umgang mit Lockinstrumenten und das Nachahmen von gewissen Stimmlauten benötigt man praktische Erfahrung und etwas Begabung. Wer diese Jagdart nicht beherrscht, sollte zurückhaltend damit umgehen. Durch erfahrene Jäger und Wildbeobachtungen kann man diese Jagdart erlernen. Durch die falsche Anwendung von Lockinstrumenten wird das Wild unnötig vergrämt und der Jagderfolg bleibt aus.

117 Wie funktioniert die Rufjagd auf den Brunfthirsch?

Der Jäger ahmt den Ruf eines suchenden Hirsches nach, um damit den Platzhirsch zu reizen. Dabei darf er diesen nicht „einschüchtern“, sondern muss ihm durch richtige Tonwahl das Gefühl der Überlegenheit lassen. Unterschieden werden der Ruf des suchenden Hirsches, der Sprengruf (wenn der Hirsch ein Stück Kahlwild treibt) und der Kampfruf (wenn sich zwei Hirsche gegenseitig drohen).

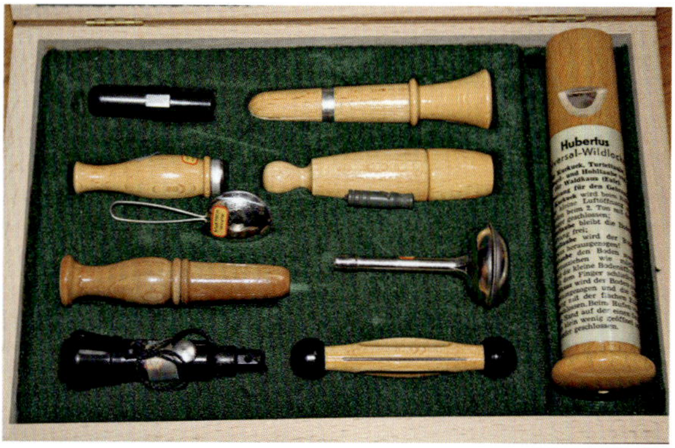

7.22: Zum Beherrschen der Lockinstrumente gehört Talent und viel Übung.

118 Mit welchen Instrumenten wird der Ruf nachgeahmt?

Neben Tritonmuschel, Ochsenhörnern, Abschnitten des Heracleumrohres und einer ganzen Reihe von industriell gefertigten Hirschrufen aus Kunststoff hat sich bei den erfahrenen Rotwildjägern der „Eifel-Hirschruf“ nach Oberförster Hemmerling bewährt.

119 Was versteht man unter der Blattzeit und der Blattjagd?

Die Paarungszeit beim Rehwild findet (regional unterschiedlich) von Juli bis Mitte August statt. Die Blattzeit ist der Höhepunkt der Paarungszeit des Rehwildes von der letzten Juliwoche bis zur ersten Augustwoche. Blattjagd ist die Lockjagd auf den Rehbock in der Blattzeit. Der Jäger ahmt Kontaktlaute des weiblichen Rehwildes und der Kitze nach, dabei springt der Rehbock aufs „Blatt" (Locktöne). Der Begriff hat seinen Ursprung im Buchenblatt, das früher als Lockinstrument diente.

120 Wie wird die Blattjagd heute praktiziert?

In oder an einem Rehwildeinstand, vom Boden in Deckung oder von einer Jagdeinrichtung aus „blattet" der Jäger in Erwartung des Rehbockes. Dabei kommt es nicht nur auf die „richtigen Töne", sondern auch auf das konzentrierte Verhalten des Jägers an; denn beim Anwechseln ist der suchende Rehbock oft sehr vorsichtig und kann dabei den Jäger zuerst bemerken.

121 Mit welchen Instrumenten wird geblattet?

Früher wurde hauptsächlich auf Buchen- oder Fliederblättern oder auf Grashalmen geblattet. Heute sind unterschiedliche Instrumente aus Holz, Kunststoff und Gummi gebräuchlich. Letztlich kommt es aber nicht so sehr auf das Instrument an, sondern auf die richtige Zeit und Taktik.

122 Welche Rufarten (Locktöne) werden unterschieden?

Geißfiep, Kitzfiep, Sprengfiep und Angstfiep.

123 Wie bekommt man einen bei der brunftigen Geiß stehenden Rehbock eventuell doch zum Zustehen?

Mit dem Kitzfiep. Auf den reagiert zwar in der Regel nur die Geiß, hinter ihr kommt aber der Rehbock. Oder aber man plätzt, d.h. man ahmt das Imponiergehabe bzw. das Einstandsmarkieren eines Rehbocks nach (Kratzen im Laub mit einem Stock oder Brechen von Ästchen).

124 Was ist ein „Hexenring"?

Als Paarungsvorspiel treibt der Rehbock das weibliche Stück in kreis- oder schleifenförmigen Runden vor sich her. Dabei wird der Bodenbewuchs niedergetreten, was dann besonders in Wiesen oder Getreidefeldern deutlich zu sehen ist.

125 Wie soll der Jäger bei der Blattjagd bewaffnet sein?

Der Rehbock ist während der Blattzeit besonders schusshart, d.h. auch mit guten Kammerschüssen kann er noch weit gehen. Daher benötigt man etwas größere Kugelkaliber (ab 7 mm), die einen sicheren Ausschuss und reichlich Schweiß gewährleisten.

126 Wie und wann wird die Ruf- oder Lockjagd auf den balzenden Ringeltauber ausgeübt?

Im Frühjahr, während der Paarungszeit. Man begibt sich in die Nähe eines rufenden Taubers und ahmt den Balzruf nach. Meist steht der Tauber zu. Ein besonderer Reiz und eine große Schwierigkeit dieser Jagdart ist es, den balzenden Tauber auf Schrotschussentfernung anzuspringen. Anmerkung: In Folge der Jagdzeitenänderung für Ringel- und Türkentauben (01.11. bis 20.02.) ist diese Jagdart zulässig, wenn von der zuständigen Jagdbehörde zur Verhütung von Wildschäden eine Ausnahmegenehmigung zur Taubenjagd erteilt wurde.

127 Welche wildbiologischen Erkenntnisse sind bei der Ruf- oder Lockjagd auf Ringeltauber im Frühjahr zu beachten?

Ab Mitte April brüten die meisten Tauben. Die Bejagung des Ringeltaubers stört dann das Brutgeschäft. Beim Abschuss des Taubers verlässt die Taube das Gelege. Dann dauert es längere Zeit, bis sie sich mit einem anderen Tauber verpaart hat und ein neues Gelege anlegt.

128 Mit was schießt der Jäger den balzenden Tauber?

Mit Schrot Nr. 5 (3 mm). Der Kugelschuss mit dem Kleinkaliber gegen den Himmel ist wegen des fehlenden Kugelfangs unverantwortlich und sehr gefährlich.

129 Wie wird der Birkhahn bei der Balz bejagt?

Die Hähne fallen währen des Hellwerdens auf dem Balzplatz ein und beginnen meist unverzüglich mit der Bodenbalz. Der Jäger hat schon in der Dunkelheit den Balzplatz in einem Bodenschirm bezogen und kann die Birkhähne erwarten. Wird es Tag, so streichen die Hähne zur Sonnenbalz ab. Dabei stehen sie meist auf dem Gipfel eines Überhälters (einzeln stehender, erwachsener Baum) und kullern und fauchen noch bis in den späten Vormittag hinein. Nun kann sie der geschickte Jäger anpirschen. In Deutschland hat das Birkwild eine ganzjährige Schonzeit.

7.23: Der Tauber besitzt „auf jeder Feder ein Auge".

130 Welches Gewehr ist für die Birkhahnbalz zweckmäßig?

Eine Bockbüchsflinte mit kleinem Kugelkaliber (.22 Mag., .22 Hornet oder .222 Rem.). Balzt der Hahn im Schrotschussbereich, sind Schrote Nr. 5 (3 mm) das Sicherste. Mit der Kugel könnten viele Hähne nur krank geschossen werden.

131 Wie wird der Auerhahn bejagt?

Während der Birkhahn zunächst auf dem Boden und erst bei Sonne auf dem Baum balzt, ist es beim Auerhahn genau umgekehrt. Schlaf- und Balzbaum sind beim Auerhahn identisch. Der Jäger bestätigt den Hahn am Abend und pirscht morgens noch bei Dunkelheit in die Nähe des Balzbaumes. Dabei hört er besonders in Mondnächten das Balzlied des Hahnes (Knappen, Triller, Hauptschlag, Wetzen oder Schleifen) schon lange vor Tagesanbruch. Sobald er sich auf etwa 150 Meter (vom Gelände abhängig) genähert hat oder sich in Sichtweite des Hahnes befindet, muss er diesen anspringen.
In Deutschland hat das Auerwild eine ganzjährige Schonzeit.

132 Wie springt man einen balzenden Hahn an?

Während des Knappens und beim Triller darf sich der Jäger nicht bewegen. Erst beim auf den Hauptschlag folgenden Schleifen (Wetzen) kann er ein bis drei Sprünge (Schritte) wagen, muss aber wieder erstarren, ehe der Hahn das Schleifen beendet. Während des Schleifens ist die Aufnahmefähigkeit des Hahns für optische und akustische Reize beeinträchtigt.

133 Wie kann man den Fuchs locken?

Üblich sind Hasenquäke, Kaninchenklage und Mauspfiff. Letzterer lässt sich leicht ohne jedes Instrument auf den Lippen nachahmen. Für die Hasenquäke werden meist kleine, käufliche Locker eingesetzt.

134 Wie lernt man, Hasenquäke, Kaninchenklage und Mauspfiff nachzuahmen?

Der beste Lehrmeister ist das Revier, wo man einerseits die richtigen Töne hört und andererseits durch den Erfolg oder Misserfolg der eigenen Versuche lernt. Es gibt darüber hinaus auch Tonträger zu kaufen.

135 Wann verwendet der Jäger den Mauspfiff?

Wenn der Fuchs außer Schussweite vorbeischnürt, und er ihn zum Zustehen bringen will. Bei windstillem Wetter hört der Fuchs das „Mäuseln“ bis auf 200 Meter, tiefe Frequenzen hingegen vernimmt er wesentlich schlechter.

136 Wann wird die Hasenquäke oder Kaninchenklage eingesetzt?

In verschneiten Mondnächten, wenn der Jäger im Feld ansitzt oder beim winterlichen Abendansitz im Wald. Gute Erfolge hat man auch bei nachmittäglichen Ansitzen im Spätwinter. Die Füchse liegen in dieser Jahreszeit tagsüber in sonnigen Dickungen und stehen leicht zu. Die Kaninchenklage sollte man nur dort einsetzen, wo Kaninchen im Revier vorkommen.

137 Was ist das „Buschieren“?

Es ist eine Form der Einzeljagd auf Niederwild in Gelände mit niedrigem Bewuchs, die von ein bis zwei Jägern mit einem Vorsteh- oder Stöberhund durchgeführt wird. Dabei sucht der kurzjagende Hund klassisch unter der Flinte (Schrotschussentfernung) das Wild, macht es hoch oder steht evtl. vor, so dass der Jäger es gut erlegen kann. Vor allem das gute Zusammenspiel zwischen Hund und Hundeführer macht diese Jagdart sehr reizvoll.

7.3 Allgemeines zur Gesellschaftsjagd

Eine Gesellschaftsjagd dient in erster Linie dazu, in einer kurzen Zeit mit mehreren Jägern eine gute Jagdstrecke zu erreichen (effektives Jagen). Staatliche Forstverwaltungen und Jagdpächter verbinden mit der Einladung zu einer Gesellschaftsjagd ein Gefühl der Verbundenheit und die Gelegenheit des Gedankenaustausches. Gesellschaftsjagden werden von der Öffentlichkeit immer aufmerksam beobachtet und reflektieren das Ansehen des Jägers und den Umgang mit dem Wild. Gesellschaftsjagden sind unerlässlich, um die Wildbestände zu reduzieren, damit Wildschäden im Feld und Wald vermieden werden.
Die zu bejagende Wildart bestimmt die Form der Jagdart. Zur Jagdkultur, speziell zum jagdlichen Brauchtum, gehört eine genaue Bezeichnung der Jagdarten. Leider werden heute viele Begriffe falsch verwendet und neue Bezeichnungen hinzugefügt. Somit führt dies vielerorts zur Irritierung. Der Begriff „Bewegungsjagd" ist neu und steht für eine Gesellschaftsjagd, ohne genauere Erklärungen. Die genauen Bezeichnungen der Jagdart dienen der Sicherheit und den Vorgaben für den Jäger und der Jagdorganisation.

Gesellschaftsjagd auf Niederwild

138 Was ist eine Treibjagd?

Das Zusammenwirken mehrerer Jäger mit Treibern und Hunden. Diese Jagdform und ihre Bezeichnung findet ihre Anwendung auf Niederwild. Länderregelungen beachten!

139 Welche Formen der Niederwildtreibjagd sind bei uns gebräuchlich?

Vorstehtreiben/Standtreiben, Böhmische Streifen, Kesseltreiben und Buschieren.

140 Was sollte vor jeder Niederwildjagd auf den Feldhasen überlegt werden?

Ob genügend Wild vorhanden ist, um eine Treibjagd abzuhalten. Durch Scheinwerferzählungen im Oktober kann man den Hasenbesatz relativ genau einschätzen. So sollten im Revierdurchschnitt auf 100 Hektar (= 1 km^2) mindestens 15 Hasen gezählt werden, um eine Treibjagd auf Hasen durchzuführen. Werden unter 15 Hasen auf 100 Hektar gezählt, ist eine Treibjagd auf Hasen aus wildbiologischen Gründen abzulehnen und schadet nachhaltig dem Hasenbesatz.

7.24: Mindestens 15 Hasen auf 100 Hektar sollten im Oktober vor der Treibjagd gezählt werden, um eine nachhaltige, erfolgreiche Hasenstrecke zu erreichen.

141 Was versteht man unter einem Vorstehtreiben?

Die Schützen beziehen feste Stände, auf denen sie bis zum Abblasen und Entladen bleiben müssen. Treiber machen das Wild hoch, gelegentlich unterstützt von Hunden, und treiben es diesen Standschützen zu.

7.25: Vorstehtreiben

142 Wie sollte das zahlenmäßige Verhältnis zwischen Schützen und Treiber aufgeteilt sein?

Unbedingt mehr Treiber als Schützen (etwa 2 : 1).

143 Was sind bei Feldstreifen und Kesseltreiben Durchgeh- oder Treiberschützen und dürfen diese auf Wild schießen?

In der Treiberreihe gehen Schützen mit, die nur umsichtig nach rückwärts schießen dürfen. Das nach vorne oder zur Seite flüchtende Wild wird von den Vorstehschützen erlegt. Es darf nicht sein, dass nach einer Treibjagd Durchgehschützen das meiste Wild erlegt haben und damit Jagdkönig werden. Es ist auch ein guter weidmännischer Brauch, dem Wild, das sich nach rückwärts „rettet“, die Chance zu geben und es nicht zu erlegen.

144 Welche Gefahren bestehen, wenn Schützen als „bewaffnete Treiber“ eingesetzt werden?

Durchgeh- oder Treiberschützen dürfen nur bei Feldstreifen und Kesseltreiben eingesetzt werden. Im Treiben umgehen diese die dichtesten Horste aus Sicherheitsgründen, dadurch kann sich mehr Wild drücken. Das Mitführen einer geladenen Flinte im Treiben birgt Gefahren (Stolpern, Hängen bleiben usw.). Zurückgebliebene Treiber und Hunde können sich unbemerkt hinter der Treiberwehr befinden und versehentlich beschossen werden.

145 Wie funktioniert eine Streife?

Jäger und Treiber (idealerweise = 1 Schütze auf 2 Treiber) bilden eine gerade Front, und streifen so durch das Gelände. Dieses muss übersichtlich sein. Gelegentlich werden einzelne Schützen am Ende eines Treibens vorgestellt. Sobald diese Vorstehschützen in den Gefahrenbereich geraten, darf nur noch nach hinten geschossen werden.

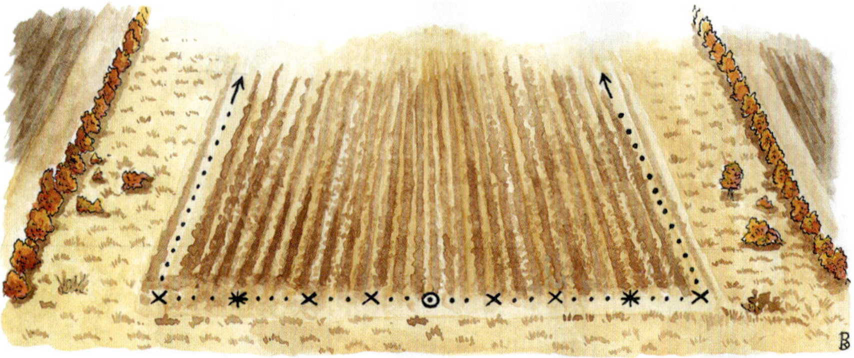

7.26: Streife

146 Was ist eine „Böhmische Streife"?

Bei ihr wird nicht nur – wie bei der Streife – eine gerade Front gebildet, sondern rechts und links je ein vorgezogener Flügel.

147 Kann man bei einer Streife die Hunde als Treiber einsetzen?

In der Regel nicht, weil sie das Wild zu früh nach vorne wegdrücken. In größeren stehenden Senf-, Raps-, Bohnen- oder Maisäckern kann es aber notwendig sein, gehorsame Hunde stöbern zu lassen, danach kommen sie wieder an die Leine.

148 Wie funktioniert ein Kesseltreiben?

Schützen und Treiber bilden einen Kreis, indem sie von einem zentralen Punkt nach zwei Seiten auslaufen. Ist der Kreis geschlossen, wird angeblasen. Erst jetzt darf geladen und

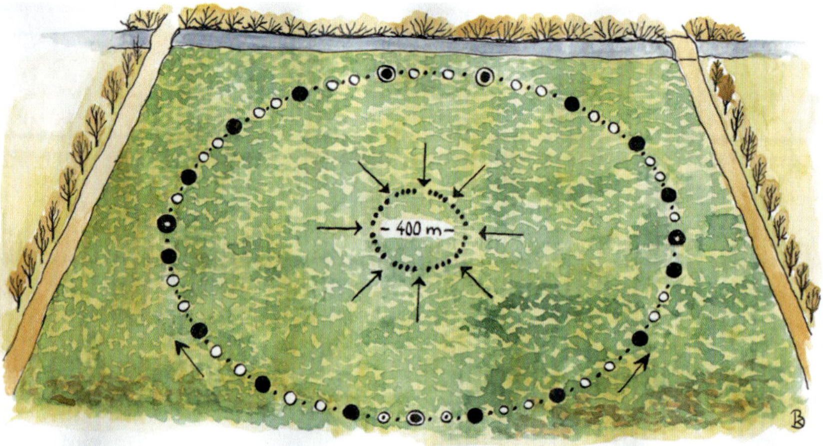

7.27: Kesseltreiben

geschossen werden. Der Kreis aus Schützen und Treibern bewegt sich nun gleichmäßig auf eine markierte Mitte zu. Dabei werden die Abstände zwischen den Treiber und Schützen immer geringer und der Kessel immer kleiner.

149 In welche Richtung darf dabei geschossen werden?

Bei Kesseltreiben bestimmt der Jagdleiter, ab wann nicht mehr in den Kessel geschossen werden darf. Ist der Kessel auf etwa 300 Meter Durchmesser geschrumpft, ertönt das Signal „Treiber in den Kessel". Die Treiber lösen sich jetzt aus dem Schützenkreis und dringen zum Mittelpunkt vor. Die Schützen bleiben stehen und dürfen dann nur noch nach außen schießen. Sobald die Treiber sich in der Mitte getroffen haben, wird abgeblasen.

150 Auf welche Wildart ist das Kesseltreiben primär ausgerichtet?

Auf den Feldhasen.

151 In welchem Gelände kann man Kesseltreiben machen und zu welcher Jahreszeit?

Das Gelände muss nahezu eben und übersichtlich sein (keine Hügel, kein Buschwerk, Gebäude, Waldparzellen, Bäche usw.). Gejagt wird erst im Frühwinter, wenn die Felder abgeerntet sind. Alle Beteiligten müssen sich ständig sehen können, sonst ist ein sauberer Kreis nur schwer zu bilden und das Schießen wird gefährlich.

152 Dürfen die Hunde beim Kesseltreiben frei laufen?

Die Hunde müssen an der Leine bleiben, damit die Schützen ungehindert schießen können. Hunde, die in solchen Treiben frei laufen dürfen, werden meist schusshitzig und für einen ordentlichen Jagdbetrieb unbrauchbar.

153 Darf man auf Niederwildjagden auch mit der Kugel schießen, etwa wenn überraschend Sauen vorkommen?

Nur wenn dies vorher vom Jagdleiter ausdrücklich erlaubt wurde und nur im vorgegebenen Rahmen. Patronen mit Flintenlaufgeschossen müssen so mitgeführt werden, dass Verwechslungen mit Schrotpatronen ausgeschlossen sind (UVV „Jagd" § 2 Abs. 4).

7.28: Bau von Drückjagdständen

Gesellschaftsjagd auf Schalenwild

154 Was ist eine Drückjagd?

Die Drückjagd findet ihre Anwendung besonders auf Rotwild, wobei ortskundige Treiber (oft Waldarbeiter) durch leichtes Beunruhigen das Wild ermuntern oder nötigen, ihre Einstände ruhig zu verlassen. Bei der klassischen Drückjagd werden grundsätzlich keine Hunde eingesetzt.

155 Was ist eine Ansitz-Drückjagd?

Der Sammelansitz mehrerer Jäger in einem größeren Jagdbezirk auf den vorhandenen jagdlichen Ansitzeinrichtungen, wobei das Wild ausschließlich durch Treiber beunruhigt wird. Diese Jagdform findet bei höherer Wilddichte auf alles Schalenwild ihre Anwendung.

156 Was ist eine Riegeljagd?

Der Begriff Riegeljagd steht im (Hoch-) Gebirge für die Drückjagd auf Gamswild (Gamsriegeln). Auch hier werden Hunde normalerweise erst nach dem Schuss eingesetzt.

7.29: Die klassische Riegeljagd am Berg gilt besonders der Jagd auf das Gamswild.

157 Was ist eine Stöberjagd?

Es ist die gebräuchlichste Gesellschaftsjagd auf Schwarzwild und Rehwild, sie wird fälschlicherweise oft mit der Treibjagd verwechselt. Hierbei werden die Schützen an den Wechseln abgestellt und sicher fährtenlaute Hunde, oft zusammen mit Treibern, beunruhigen das Wild (auch großflächig). Die Stöberjagd dient der Schalenwildbejagung. Je nach zu bejagender Wildart erfolgt die Auswahl der Hunde. Stöberjagden auf Rotwild sollten mit kurzläufigen Hunden und auf einer Mindestfläche von ca. 300 Hektar durchgeführt werden. Bei der Durchführung von Stöberjagden auf Schalenwild ist es wichtig zu bedenken, dass Rotwild, wie auch Rehwild, ab etwa Mitte Dezember in einem sehr engen Sozialverband lebt und darüber hinaus in seinem Stoffwechseltief steht. Störungen und Beunruhigungen durch eine Stöberjagd führen daher zu erhöhtem Nahrungsbedarf, der dann durch verstärktes Schälen in den jeweiligen Beständen zu großen Wildschäden führt.

7.30: Ergebnis einer Stöberjagd auf Schwarz- und Rehwild. Das Wild wurde aufgebrochen und hängt zum Lüften an einer Stange.

158 Was ist eine Lappjagd?

Das sind Treib- oder Drückjagden, bei denen versucht wird, das Wild durch aufgehängte „Lappen“ (Stofflappen) in eine bestimmte Richtung zu lenken oder vom Ausbrechen auf einer bestimmten Seite abzuhalten. § 19

Bundesjagdgesetz verbietet die Lappjagd innerhalb einer Zone von 300 Metern von der Reviergrenze.

159 Sind großflächige Stöberjagden auf Rehwild sinnvoll, bei denen die Fernwechsel abgestellt werden?

Nein, weil Rehwild nicht zu so weiträumiger Flucht neigt wie etwa Rot- oder Schwarzwild. Als Schlüpfertyp verdrückt es sich lieber still und versucht, schnell wieder in seine Einstände zurückzukommen.

160 Welche Überlegungen muss die Jagdleitung vor einer Gesellschaftsjagd anstellen, wenn mehrere Schalenwildarten (besonders Rotwild) im Revier vorkommen?

Welche Schalenwildart schwerpunktmäßig an einem bestimmten Jagdtag bejagt werden soll. Danach richtet sich dann die Gestaltung der Jagdlogistik (Schützenstände, Größe der Treiben, Hundeeinsatz). Gilt z.B. der Jagdtag dem Rotwild, so wird durch den geringen Treiber- und Hundeeinsatz das Schwarzwild relativ unberührt bleiben und durch das weiträumige Abstellen der Wechsel wird das Rehwild in seinen Einständen nicht viel bewegt. Entsprechend abgewandelt werden die Treiben bei Schwarzwild- oder Rehwildjagden.

161 Welche Schalenwildart erfordert den Einsatz guter Hunde bei der Stöberjagd?

Schwarzwild verlässt ohne Hunde kaum größere Dickungen. Dickfellig wird das Schwarzwild auch in der Dickung bei Hunden ohne Wildschärfe und wenn es merkt, dass draußen der Jäger es erwartet (zu nahes Abstellen am Dickungsrand).

162 Was muss der Jagdleiter einer Gesellschaftsjagd bezüglich des Hundeeinsatzes vorbereiten?

Neben der Überlegung, wie viele und welche Hunde vorhanden und zur Jagd eingesetzt werden sollen, muss der Jagdleiter den Hundeführern Hinweise geben für evtl. Notfälle und für den Fall, dass Hunde sich verjagt (verlaufen) haben. Hierzu sollte eine Notversorgung bei Verletzungen durch Verbandsmaterial gewährleistet und der Bereitschaftsdienst eines Tierarztes bekannt sein. Die Jagdhunde werden vor dem Einsatz mit gut sichtbaren Signalhalsbändern gekennzeichnet. Auf dem Signalhalsband oder einem zusätzlichen Gummiring um den Hals wird die Telefonnummer vom Besitzer oder von einer Person, die für den Jagdtag erreichbar ist, gut leserlich mit einem wasserfesten Stift geschrieben.

7.31: Optimaler Schützenstand bei einer Stöberjagd.

163 Warum sollten bei Gesellschaftsjagden keine Schneisen und Wege mit Schützen abgestellt werden?

Schneisen, Wege u.ä. sind im Wald sogenannte „Lichtbrücken“ und werden vom anwechselnden Schalenwild in schneller

Flucht überfallen. Dabei hat der Schütze in der Regel keine ausreichende Zeit, um das Wild genau anzusprechen und dann erlegen zu können. Bei Wegen besteht zudem noch die Gefährdung von Spaziergängern und Nachbarschützen. Daher gehören Schützenstände ins Altholz oder angehende Baumholz.

164 Wie verhält sich der Schütze, wenn Rudel, Rotten oder Sprünge anwechseln?

Grundsätzlich werden immer Kälber, Frischlinge oder Kitze zuerst vor dem Mutterwild beschossen. Fehlabschüsse von führenden Stücken haben immer negative Folgen auf die Sozialstruktur des verbleibenden Verbandes. Bei anwechselnden Rudeln (z.B. Rot- oder Damwild) sollte nur auf Kälber geschossen werden, da man ein erlegtes Kalb bei größeren Rudeln nicht dem dazugehörigem Alttier einordnen kann. Gleiches gilt für das Schwarzwild. Auch in kleineren Familienverbänden sollte unbedingt zuerst das schwächste Stück und erst dann das führende Stück erlegt werden.

165 Welche Jagdeinrichtungen sind bei Maisjagden, Drück- und Stöberjagden im flachen Gelände notwendig?

Sogenannte Drückjagdsitze, die eine Fußbodenhöhe von 150 cm haben sollten. Durch diese Sitze wird gewährleistet, dass verantwortlich mit Kugelfang auf Wild geschossen werden kann.

7.32: „Drückjagdleiter", im Vordergrund, bietet Deckung und eine bessere Schussabgabe mit Kugelfang.

166 Welche Pflichten haben die Schützen bei einer ordentlichen Schalenwildjagd?

Jeder Schuss, auch der versehentliche Schuss in die Luft, sollten dem Anstellenden oder der Jagdleitung gemeldet werden. Jeder vermeintliche Fehlschuss auf Wild muss ebenfalls gemeldet werden. Jeder Anschuss für Kontroll- oder Nachsuchen muss gut sichtbar markiert werden. Der Jagdleitung muss für spätere Nachsuchen eine genaue Schilderung der Situation (Fluchtrichtung, Zeichnen des Stückes, usw.) gegeben werden. Der Schütze sollte nach Möglichkeit an der von ihm verursachten Nachsuche teilnehmen.

167 Was ist zu beachten, wenn man auf einem Stand mehrere Stücke Wild beschießt?

Hat der Schütze ein Stück Wild beschossen und es bricht nicht in Sichtweite zusammen, so sollte er keinesfalls auf weitere Stücke schießen, mit Ausnahme von Fangschüssen. Bei den notwendigen Nachsuchen entstehen für das Nachsuchengespann schwierige Situationen, wenn mehrere Anschüsse nahe beieinander liegen oder sich Fluchtfährten kreuzen.

168 In welchen Monaten im Winter sollte man auf Schalenwild keine Gesellschaftsjagden mehr durchführen?

Das wiederkäuende Schalenwild ist ab Dezember in der Sozialstruktur der Rudel und Sprünge sehr gefestigt und das Wild steht im absoluten Stoffwechseltief mit geringem Energieverbrauch. Daher sollte man diese ab Mitte Dezember durch Gesellschaftsjagden möglichst nicht mehr beunruhigen. Schwarzwild sollte ab Mitte Januar nicht mehr durch Treibjagden beunruhigt werden, da schon in dieser Zeit die ersten Frischlinge im Kessel liegen können. Wird die Bache mit „Druck“ (Treiber, Hunde) aus ihrem Frischkessel gejagt, so wird sie diesen in der Regel nicht mehr aufsuchen und die Frischlinge verenden.

7.4 Die Jagd mit Hunden

Allgemeines

Das gemeinsame Jagen mit einem Jagdgebrauchshund ist bei vielen Jagdarten nicht nur eine gesetzliche Verpflichtung, sondern vermittelt auch ein hohes jagdliches Wertgefühl. Das Bestreben des Jägers sollte es sein, leistungsstarke Jagdgebrauchshunde zu züchten, auszubilden und einzusetzen. Die Leistungsstärke eines Jagdgebrauchshundes richtet sich immer nach der Vielzahl der Einsatzmöglichkeiten. Bracken haben nicht ihren Platz in einem kleinen Niederwildrevier und Vorstehhunde nicht in einem Schalenwildrevier. Es ist auch unverantwortlich, mit einem unerfahrenen Jagdgebrauchshund Nachsuchen auf krankes Wild durchzuführen. Geht es um den praktischen Tierschutz, d.h. Wild von seinen Qualen zu erlösen, so muss dies mit Vorrang und aller Konsequenz umgesetzt werden. Wissensrelevant für den Jungjäger sind nicht die kleinsten Details der einzelnen Prüfungsinhalte der Hundezuchtverbände, sondern die Einsatzmöglichkeiten der Jagdgebrauchshunderassen und wie man dort die Anlage- und Leistungsanforderungen definiert hat.

169 Muss oder soll jeder Jäger heute einen Jagdhund führen?

Nein. Die meist kleinen Jagdreviere und der dramatische Rückgang des Niederwildes grenzen die Arbeitsmöglichkeiten unserer Jagdgebrauchshunde sehr ein. Jagdhunde mit wenig Arbeit und Erfahrung stören oft nur in der Praxis. Daher entwickelt sich der Einsatz der Jagdhunde immer mehr zu einer Spezialisierung, d.h. für die jeweilige Jagdart werden dazu besonders in der Praxis erfahrene Hunde eingesetzt.

170 Wann verlangt der Gesetzgeber zwingend die Bereithaltung eines brauchbaren Jagdhundes?

Bei jeglicher Art der Jagd auf Wasserwild und für Nachsuchen hat der Jagdausübungsberechtigte dafür Sorge zu tragen, dass brauchbare Jagdhunde in genügender Anzahl mitgeführt und verwendet werden.

Stöbern und Buschieren

171 Wie kann man als Alleinjäger effektiv mit einem Hund Rehwild stöbern?

Man bezieht Posten auf einem Hochsitz oder einer übersichtlichen Stelle vor einer lückigen Kulturfläche, im unterbauten Altholz oder an einem Kulturgatter und lässt den Hund stöbern. Bewährt für diese Jagdart hat sich der Teckel. Mit ihm spielen die Rehe „Katz und Maus" und bleiben immer wieder zur Orientierung zum fährtenlauten (langsamen) Hund stehen. Dabei kann der Jäger ruhig ansprechen und schießen.

7.33: Hunde stellen einen Überläufer

172 Welche Hunde sind für die Stöberjagd auf Rehwild geeignet?

Damit das Rehwild (wie alle anderen Wildarten) den jagenden Hund einschätzen kann, ist der Spur- oder Fährtenlaut bei der Stöberjagd die wichtigste Eigenschaft. Daher scheiden prinzipiell alle Hunde aus, bei denen diese Eigenschaft nicht vorhanden ist (unabhängig von der Rasse). Stumm jagende Hunde versetzen das Rehwild in Panik, es kann seine Verfolger nicht einschätzen und flieht kopflos. Hochflüchtigen Hunden gelingt es dann oft, die Stücke zu fangen und abzuwürgen. Vor den kurzläufigeren, spurlauten Teckeln, Terriern, (Dachs-)Bracken oder Wachteln dagegen kommt das Rehwild meist langsamer, lässt sich besser ansprechen und erlegen.

173 Kann man auch Schwarzwild stöbern?

Sind Sauen in einer Dickung fest, so stellen sich die Jäger bei gutem Wind an den Wechsel vor. Erfahrene Stöberhunde kann man vom Stand schnallen, sie suchen sich dann die Sauen mit Wind, sprengen evtl. die Rotte und drücken sie den Schützen zu.

174 Wie stöbert der Einzeljäger auf Kaninchen?

Er stellt sich an einer Hecke oder im Wald im Bereich der Baue vor und lässt den Hund im angrenzenden Feld (Raps, Senf, Mais) stöbern. Dieser arbeitet dabei selbstständig und ohne Sichtkontakt zu seinem Führer.

175 Was ist der Unterschied zwischen Stöbern und Buschieren?

Beim richtigen Stöbern hat der Hund in der Regel keinen Sichtkontakt zu seinem Führer; er arbeitet selbstständig. Beim Buschieren hingegen arbeitet er „unter der Flinte" (innerhalb eines Schrotbereiches) sowie mit Sichtkontakt zu seinem Führer und unter dessen Anleitung.

176 Auf welche Wildarten wird buschiert?

Auf die meisten Niederwildarten, also auf Hase, Kaninchen, Fasan, Schnepfe u.a.

177 Wie arbeitet der Vorstehhund bei der Suchjagd?

Es sucht in Schleifen weiträumig vor dem/den Jäger(n) das offene Gelände ab (Sichtkontakt). Bekommt er von sich drückendem Niederwild Wind, „zieht er an“ und „steht es vor“. Der Jäger rückt dann auf, tritt das Wild heraus (oder er fordert den Hund auf einzuspringen) und versucht es zu erlegen.

Brackieren

178 Was ist der Unterschied zwischen Stöbern und Brackieren?

Beim Stöbern macht der Hund Wild hoch, jagt es aus der Dickung und kehrt in diese zurück; man sagt „er jagt bogenrein“, weil es nicht wesentlich über den Bogen (das Treiben) hinaus jagt. Beim Brackieren sucht der Hund das Wild und jagt es anhaltend, bis es nach einem mehr oder weniger großen Bogen wieder an seinen Ausgangspunkt zurückkehrt und vom Jäger erlegt werden kann. Die Jagd (Brackade) kann über weite Strecken gehen und u.U. mehrere Stunden dauern.

179 Welche gesetzlichen Voraussetzungen müssen für das Brackieren gegeben sein?

Der Gesetzgeber schreibt eine Mindestfläche vor, die 1.000 Hektar betragen muss. Das bedeutet nicht, dass ein Revier 1.000 Hektar groß sein muss, um brackieren zu dürfen, sondern bezieht sich auf die jeweilige Gesamtfläche. Die Fläche kann auch aus mehreren Revieren gebildet werden, in denen dann gemeinsam gejagt wird.

180 Welche Wildarten werden brackiert?

Das traditionelle Wild des Brackenjägers ist Fuchs und Hase. Beim Fuchs verläuft die Brackade allerdings meist sehr kurz, weil dieser (abhängig von den Geländeverhältnissen) versucht, sich schnell in den Bau zu retten.

7.34: Westfälische Dachsbracke mit einem brackierten Hasen

181 Lässt sich auch der Schneehase brackieren?

Im Hochgebirge und in Skandinavien wird bevorzugt der Schneehase brackiert, weil dieser nicht so weit geht wie der Feldhase. Der Brackenjäger spricht von kleineren „Buchten“. In Deutschland hat der Schneehase eine ganzjährige Schonzeit.

182 Kann man auch Rehe brackieren?

Rehe lassen sich nicht brackieren, weil ihr Fluchtverhalten nicht zu der Jagdart passt. Sie sind „Schlüpfer“ und flüchten nicht über große Distanzen, sondern versuchen, dem Verfolger durch vielfältiges Umherziehen und das Anlegen eines Fährtengewirrs abzuschütteln.

Bei den Rehbrackaden, wie sie z.B. in Schweden üblich sind, handelt es sich im Grunde um großräumige Reh-Stöberjagden unter Zuhilfenahme von verschiedenen Laufhundrassen, die mit den deutschen Brackenrassen nahe verwandt sind.

183 Nach welchem Prinzip läuft eine Hasenbrackade ab?

Entweder der Hund sucht sich frei einen Hasen, der Jäger entdeckt einen solchen in der Sasse oder er macht ihn zufällig hoch. Der Hund jagt den Hasen spurlaut. Dieser läuft je nach Jahreszeit und Witterung einen mehr oder weniger großen Bogen (Bucht), trachtet aber den Hund abzuhängen und auf festen Pässen in die Nähe seiner Sasse zurückzukommen. Hasen haben feste Lebensräume, in denen sie sich hervorragend auskennen, das ist ihre „Lebensversicherung". Sie lenken den Verfolger bei der Flucht zunächst aus dem engeren Bereich hinaus, versuchen ihn durch Absprünge und Widergänge zu verwirren (ihn abzuhängen) und kehren dann zurück. Da der Jäger den Pass kennt und weiß, „wie der Hase läuft", kann er ihn an geeigneter Stelle erwarten.

184 Kann man mit jedem Hund brackieren?

Beim Brackieren werden Hunde benötigt, die einen sehr großen Spurwillen besitzen, verbunden mit einer sehr feinen Nase und einer hohen Ausdauer. Die Bracken wurden Jahrhunderte lang speziell zu diesem Zweck gezüchtet, ebenso wie andere Rassen für andere „Spezialaufgaben" gezüchtet wurden, die teilweise dem langanhaltenden Brackieren entgegen stehen (Vorstehen). Dennoch gibt es auch bei anderen Rassen, wie z.B. den Teckeln und Wachteln, einzelne Hunde, die diese Anforderungen erfüllen können.

185 Was versteht man unter einem Schallhasen?

Nicht selten wird durch den Laut des brackierenden Hundes ein unbeteiligter Hase oder Fuchs (Schallfuchs) hoch, der dann zufällig dem Jäger anläuft.

Schweißarbeit und Nachsuchen

Die Nachsuchenarbeit ist eine sehr hohe Verantwortung gegenüber dem Tierschutz und hat im Jagdbetrieb absolute Priorität. Es ist kein Betätigungsfeld, um die Vielzahl der Jagdgebrauchshunde zu beschäftigen, sondern ein Jagdhandwerk für Spezialisten bei Hund und Jäger. Unsere Jagd in der jetzigen Form behält ihre Legitimation, wenn wir Jäger mit dem Wild *vor*, *während* und *nach* dem Schuss ordentlich umgehen.

186 Wann kommt es zu einer Nachsuche?

Wenn das beschossene Stück Wild nicht in Sichtweite des Schützen verendet.

7.35: Insbesondere die Schweißhunde (im Bild Hannoversche Schweißhund-Welpe) sind durch ihre Leistungszucht für Nachsuchen auf Schalenwild geeignet.

187 Wie soll das Wild mit der Kugel beschossen werden, um es tödlich zu treffen und um möglichst Fehlschüsse auszuschließen?

Körperbau und innere Organe des Rehbocks

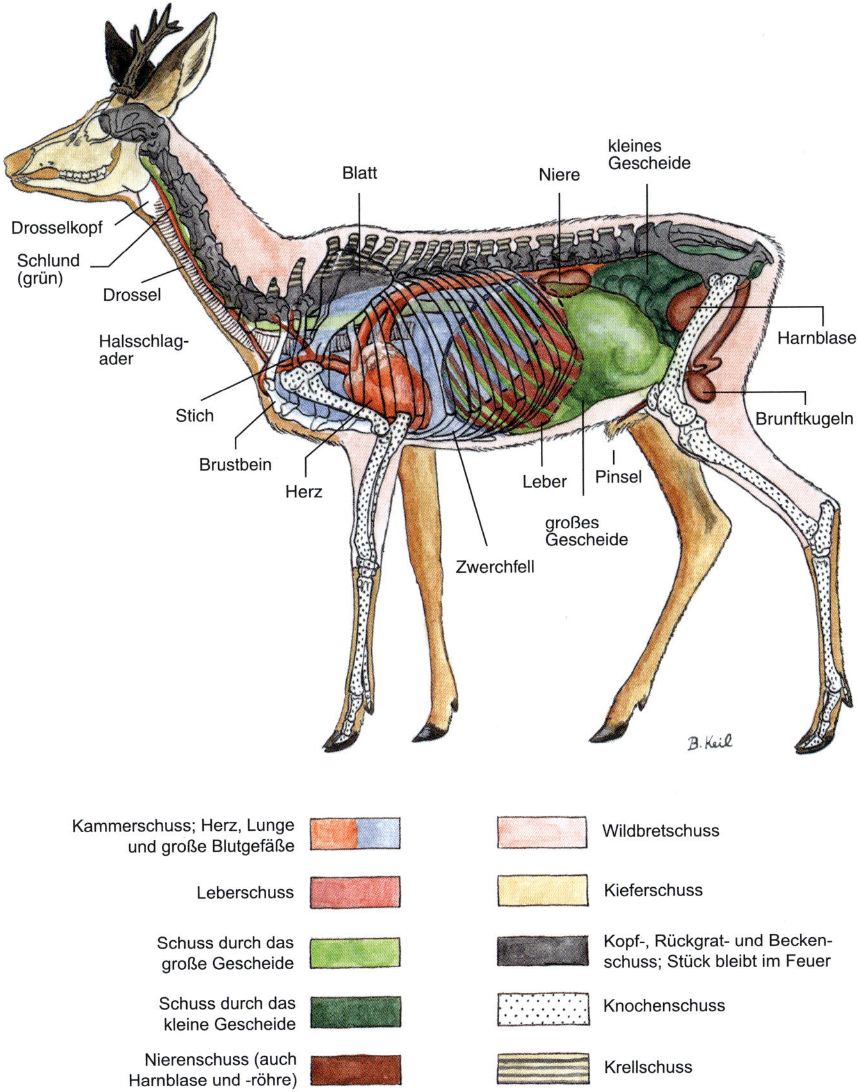

7.36: Körperbau und innere Organe des Rehbocks, Schussbezeichnung

Wird Wild beschossen, sollte es nach dem genauen Ansprechen für den Schuss breit stehen. Die Kugel sollte in dem Dreieck Schulterblatt, Schultergelenk und Ellenbogengelenk (Kammerschuss, siehe Abb. 7.20) angesetzt werden. Dadurch werden beim Eindringen des Geschosses in den Wildkörper, neben dem Schock auf das Nervensystem, die Lungenflügel und das Herz tödlich getroffen. Bei solchen Schüssen bricht das Wild oft einfach zusammen. Unkontrollierte Todesfluchten bei solchen Schüssen sind jedoch normal und kommen vor bei Hochwild oder wenn das Wild vorher den Jäger bemerkt oder Verdacht geschöpft hat.

188 Welche Schüsse auf Wild sollten grundsätzlich abgelehnt werden?

Wer dem Wild Kopf- oder Halsschüsse anträgt oder es spitz von vorne bzw. spitz von hinten beschießt, der handelt grob fahrlässig und nicht tierschutzgerecht. Kopfschüsse treffen oft Äser bzw. Gebrech; wird bei Hals- bzw. Trägerschüssen nicht der Halswirbel tödlich getroffen, so werden aus solchen „Kunstschüssen" schwere Streifschüsse. Schüsse von vorne oder von hinten auf den Wildkörper verursachen nicht nur schlimme Verletzungen, sondern entwerten bei Treffern meist das Wildbret als wertvolles Lebensmittel. Auch mit einem sehr erfahrenen Schweißhund sind Äser- und Gebrechschüsse sowie Streifschüsse meist nicht zu bekommen. Wild mit Äser- oder Gebrechschüssen kann kein Wasser und keine Nahrung mehr aufnehmen und stirbt einen qualvollen Tod. Ob Wild mit Streifschüssen überlebt, kann der Jäger nur selten feststellen. Auf jeden Fall bedeuten alle Verletzungen für Wild, das nicht durch eine Nachsuche zur Strecke kommt, einen schmerzhaften Leidensweg bis zum Verenden oder evtl. Ausheilen.

189 Wie verhält sich der Jäger, wenn Schalenwild nicht in Sichtweite verendet ist ?

Er soll bis zu einer Stunde warten, bis er sich vorsichtig an den Anschuss begibt. Vorhandene Pirschzeichen (Schweiß, Knochensplitter, Schnitthaar usw.) sind sorgfältig zu verbrechen und bei Niederschlag (Schnee, Regen) abzudecken. Bei Dunkelheit soll der Anschuss überhaupt nicht mehr aufgesucht werden. Die Nachsuche, auch wenn nur eine Totsuche erwartet wird, sollte immer dem Hundeführer überlassen werden. Dieser hat zu beurteilen, ob evtl. ein „Spezialist" heranzuziehen ist.

190 Wie verhält sich der Jäger bei vermeintlichen Fehlschüssen und was ist eine Kontrollsuche?

Bei vermeintlichen Fehlschüssen ist unter allen Umständen festzustellen, wo das Geschoss sitzt. Geschosseinschlag im Boden, Kugelriss und dergleichen müssen kein Zeichen für einen Fehlschuss sein. Das Stück kann nicht als gefehlt gelten, solange der Sitz des Geschosses nicht festgestellt ist. Im Zweifelsfall soll mit einem erfahrenen Schweißhund eine Kontrolle des Anschusses bzw. eine Kontrollsuche durchgeführt werden.

Nachsuchen – Übersicht der speziellen Begriffe	
Anschusskontrolle	Der Anschuss wird untersucht, ob das Stück getroffen wurde
Kontrollsuche	Anschuss und die Fluchtfährte wird mit einem Hund kontrolliert, ob das Stück verletzt ist (Schuss, Verkehrsunfall)
Leichte Todsuche	Das Stück liegt bis 100 Meter verendet vom Anschuss (meist Kammerschuss)
Erschwerte Nachsuche	Schwierige Bedingungen für den Hund durch Verleitung, schlechtes Wetter, vorher aufgemüdet oder geringe Verletzung. Das kranke Stück macht Widergänge, läuft im unwegsamen Gelände.
Erschwerte Nachsuche mit Hetze	Schwierige Bedingungen für den Hund bei der Riemenarbeit bis zum Stück im Wundbett. Erst, wenn das kranke Stück aus dem Wundbett flüchtet, wird der Hund zur Hetze geschnallt.
Fehlsuche	Besonders bei Streifschüssen oder bei angejagtem Wild (Stöberjagd) kann bei aller Mühe der Erfolg zum Stück ausbleiben.
Fehlhetze	Das aus dem Wundbett flüchtige Wild wird vom geschnallten Hund nicht eingeholt, weil es von der Motorik und Vitalität her vor dem Hund flüchten kann.

191 Wann soll der Jäger zu einer Nachsuche den „Spezialisten“, den eingearbeiteten Schweißhund, rufen?

Immer dann, wenn aufgrund der Zeichen am Anschuss oder nach kurzer Zeit auf der Wundfährte zu vermuten ist, dass eine längere und schwierige Nachsuche zu erwarten ist. Eigene Versuche oder der Einsatz von jungen oder unerfahrenen Hunden müssen dann unter allen Umständen unterbleiben, um dem erfahrenen Hund die Arbeit nicht noch zusätzlich zu erschweren.

192 Was sind schwierige Nachsuchen auf Schalenwild?

Dazu zählen: Lauf-, Krell-, Äser (Gebrech)- und Streifschüsse, weiterhin alle organische Verletzungen, bei denen das Wild nicht im Nahbereich von 200 Metern verendet ist.

Für schwierige Nachsuchen sollten grundsätzlich nur erfahrene Schweißhunde eingesetzt werden. Der eigene, unerfahrene Jagdhund sollte nicht, auch nicht zum Versuch, eingesetzt werden.

7.37: Der Schweißhundführer muss eine Schutzausrüstung tragen und hat Weisungsrecht bei der Nachsuche, falle weitere Personen beteiligt sind.

193 Was hat es für Folgen, wenn man zu früh mit der Nachsuche beginnt oder einen unerfahrenen Hund einsetzt?

Das Wild merkt den Jäger mit Hund und wird im Wundbett aufgemüdet. Diese Angstflucht beim kranken Wild kann sehr weit gehen. Kommt es dann noch zur Fehlhetze durch einen unerfahrenen Hund, kann dieses Fluchtverhalten für einen erfahrenen Schweißhund im Nachgang erfolglos werden.

194 Welche Pflicht hat der verantwortliche Jäger für anfallende Nachsuchen?

Antwort: Für Nachsuchen muss der verantwortliche Jäger ein nachweislich brauchbares Nachsuchengespann einsetzen. Verstöße dagegen können nach § 22a Bundesjagdgesetz mit dem Jagdscheinentzug geahndet werden.

§ 5 UVV „Nachsuche“

195 Welche Rahmenvorschriften gelten bei der Nachsuche?

Nach § 5 UVV „Jagd“ wird der Hundeführer durch den Unternehmer (Jagdpächter) oder seinen Beauftragten als Jagdleiter bestimmt; er hat damit Weisungsrecht bei der Nachsuche, falls weitere Personen beteiligt sind. Der Hundeführer muss die notwendige persönliche Schutzausrüstung (Schutzbrille, Schutzhandschuhe) benutzen. Der Lauf der Waffe ist vor eindringenden Fremdkörpern zu schützen. Kinder und Jugendliche dürfen nicht an der Nachsuche teilnehmen. Der Unternehmer hat bei der Nachsuche für die Bereitstellung von Erste-Hilfe-Material zu sorgen. Die Wildfolge muss möglichst vorab geklärt sein, bestätigte Schweißhundeführer dürfen jedoch in einigen Bundesländern auch ohne vorherige Absprache Reviergrenzen überschreiten, eine Benachrichtigung erfolgt dann nach Abschluss der Arbeit (Länderregelungen beachten! Beispielsweise nicht in Bayern). Der eingesetzte Hund muss geeignet sein. Das bedeutet, er muss seine Eignung auf einer entsprechenden Schweißprüfung nachgewiesen haben. Wild, das auf einer Nachsuche zur Strecke gekommen ist, ebenfalls den fleischhygienischen Bestimmungen.

196 Welche Eigenschaften muss ein Schweißhund für die Nachsuchen besitzen?

Ein Schweißhund muss über die Anlagen eines Jagdgebrauchhundes hinaus ein zuverlässiger Riemenarbeiter und ein kompromissloser Hetzer sein sowie beim Stellen oder Halten von Wild eine gute Wildschärfe zeigen.

7.38: Am Ende einer erfolgreichen Nachsuche auf einen Brunfthirsch.

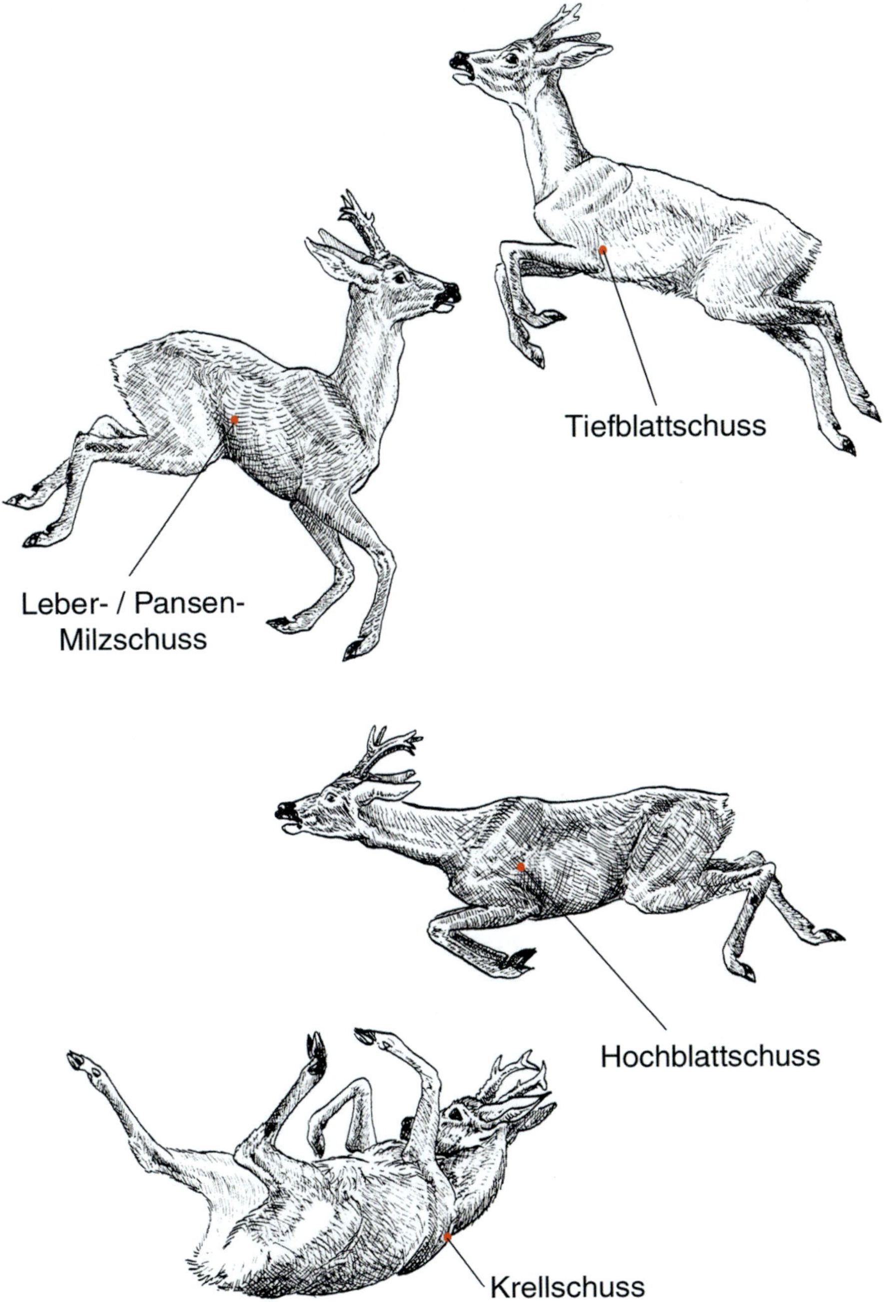

7.39: Häufige Schusszeichen

197 Was ist das „Zeichnen“ nach dem Schuss?

Es ist die Reaktion des Wildes im Augenblick des Auftreffens des Geschosses auf den Wildkörper. Bei der Einzeljagd beschossenes Wild zeichnet in der Regel recht deutlich. Auf der Gesellschaftsjagd beunruhigtes und flüchtiges Wild dagegen zeichnet meist schlecht, oft überhaupt nicht. Beim Schwarzwild ist das Zeichnen besonders schlecht zu sehen. Beobachtet der Schütze beim Schuss kein Zeichnen, so bedeutet das auf keinen Fall, dass das Stück gefehlt ist. Eine Kontrollsuche sollte im Zweifelsfall durchgeführt werden.

198 Was deutet darauf hin, dass das Wild einen Blatt- oder Kammerschuss hat, und wie verhält sich der Jäger?

Beim Blatt- oder Kammerschuss liegt meist am Anschuss hellrot-blasiger Schweiß, Lungensubstanz und Schnitthaare. Blatt- oder Kammerschüsse sind die tierschutzgerechtesten und gewünschten Schüsse auf alles Haarwild. Bei diesen tödlichen Schüssen können trotzdem, besonders bei Hochwild, noch Todesfluchten bis zu 100 Metern vorkommen. Nach einer geringen Wartezeit kann man dann mit einem Jagdgebrauchshund diese eindeutige Totsuche arbeiten.

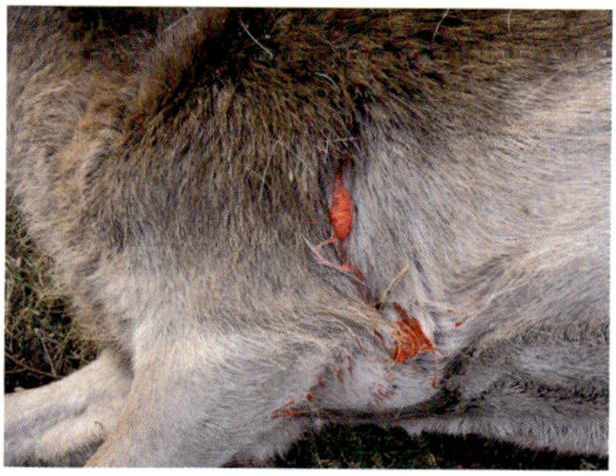

7.40: Kammerschuss

199 Mit was kann man vermeintliche Blatt- oder Kammerschüsse bei oberflächlicher Anschussuntersuchung verwechseln?

Bei Laufschüssen findet man nicht immer Knochensplitter am Anschuss. Trotzdem kann man dann Knochenmark finden, das im abgekühlten Zustand (unter der Körperwärme) in Verbindung mit Schweiß wie Lungensubstanz aussieht. Bildet sich beim Zerreiben der „Lungensubstanz“ zwischen den Fingern ein Fettfilm und bleiben keine Gewebereste, so muss man davon ausgehen, dass es sich um Knochenmark und einen Laufschuss handelt.

7.41: Die Riechschleimhaut beim Menschen hat ein Flächengröße von 2 cm², beim Dackel 100 cm² und beim Schweißhund 200 cm².

200 Wie erkennt man einen Laufschuss und wie verhält sich der Jäger bei einem solchen Schuss?

Am Anschuss liegen neben Schweiß, Schnitthaar und Wildbretteilchen in der Regel Knochensplitter (Röhren- und/oder Gelenkknochen). Grundsätzlich sollte man mindestens vier Stunden oder eine Nacht warten, bis man mit einem erfahrenen Schweißhund das Stück nachsucht. Durch die Wartezeit hat das Stück im Wundbett seine Ruhe und kann „krank“ werden. Je länger die Wartezeit bei kranken Stücken, die noch leben, um so vorteilhafter ist dies für eine nachfolgende Hetze durch den Hund.

201 Was ist ein Krellschuss?

Bei einem Krellschuss streift das Geschoss die Wirbelsäule des Wildes. Dadurch wird das Stück sofort von den Läufen geworfen. Nun kommt es darauf an, wie schwer die Wirbelsäulenverletzung ist. Tiere, die unter fünf Minuten wieder aufstehen, sind in der Regel auch mit einem erfahrenen Schweißhund nicht zu bekommen. Wichtig ist auch hier die Wartezeit von mindestens vier Stunden bzw. einer Nacht. Am Anschuss findet man in der Regel viel Schweiß, evtl. Teilchen vom Dornfortsatz und sichtbar die Stelle, wo das Stück in der vorübergehenden Lähmung lag und schlegelte. Bei Nachsuchen auf Krellschüsse ist immer mit einer Hetze zu rechnen.

202 Wie erkennt der Jäger Leber-, Milz- und Weidwundschüsse und wie verhält er sich bei diesen?

Meist findet man Pirschzeichen von diesen Organen. Bei Milz und Leber ist es oft nicht einfach, diese als winzige Teilchen genau einzuordnen; hinzu kommt noch, dass bei solchen Treffern viel Schweiß zu finden ist. Die klassischen Weidwund-Pirschzeichen sind Darmteile und Darminhalt. Jungjäger sollten sich die Organe von jedem erlegten Stück Wild beim Aufbrechen genau nach Größe, Farbe, Konsistenz und Geruch ansehen. Diese Erkenntnisse kann man dann für eine evtl. Anschussbestimmung gebrauchen. Bei Leber-, Milz- und Weidwundschüsse ist eine Wartezeit von mindestens vier Stunden bzw. einer Nacht einzuhalten. Da bei diesen Schüssen die Nachsuchen sehr schwierig sein können und das Wild noch leben kann, sollte der erfahrene Schweißhund gerufen werden. Bei Weidwundschüssen an Schwarzwild werden die Ein- und Ausschussseite oft durch Weißes (Fett) zugesetzt, so dass sich am Anschuss keinerlei Hinweise auf die Lage des Schusses ergeben.

203 Wie erkennt der Jäger Magen- (bei Schwarzwild) und Pansenschüsse (bei Wiederkäuer) und wie verhält er sich bei diesen?

Bei diesen Schüssen findet man in der Regel Magen- oder Panseninhalt (Nahrungsteile) und oft die Netzhaut vom Verdauungstrakt. Hier gelten die gleiche Regeln wie bei Leber-, Milz- und Weidwundschüssen.

204 Was gilt bei Äser- und Gebrechschüssen?

Diese Schüsse zählen für das Wild zu den schlimmsten überhaupt. Am Anschuss findet man Zahnteile, Knochenteile vom Nasenbein, Ober- oder Unterkieferbein, evtl. Stücke vom Lecker sowie schleimigen Schweiß. Grundsätzlich ist eine Wartezeit von mindestens vier Stunden bzw. einer Nacht zu berücksichtigen und immer ein erfahrener Schweißhund einzusetzen. Da diese Stücke organisch vollkommen gesund sind und alle vier Läufe benutzen können, bleiben die Hetzen bei diesen Schüssen häufig ohne Erfolg. Hier hat man bessere Chancen, wenn mit mehreren Jägern der Dickungsbereich umstellt wird, in dem das kranke Stück zu vermuten ist. Durch die Riemenarbeit „tritt" der Schweißhund das kranke Stück in der Dickung los und ein vorgestellter Schütze kann es dann beim Verlassen der Dickung erlegen.

205 Was sind Streifschüsse?

Streifschüsse liegen dann vor, wenn keine Organe und Knochen, sondern nur Decke/Schwarte und Muskelfleisch verletzt wurden. Da solche Schüsse nach ihrer Qualität nur schwer einzuschätzen sind, muss der erfahrene Schweißhund die Nachsuche durchführen. Erst nach einer längeren Riemenarbeit kann man beurteilen, ob die Nachsuche Erfolg haben kann. Leichte Streifschüsse heilt das Wild oft aus.

206 Warum ist die Wartezeit zwischen dem Schuss und der Nachsuche wichtig?

Eine Wartezeit von mindestens vier Stunden oder einer Nacht ist ein wesentlicher Beitrag zum Erfolg einer Nachsuche. Das Wild geht nach einer gewissen Zeit und Fluchtstrecke ins Wundbett. Im Wundbett kommt das Wild dann zur Ruhe und dem Schock folgt der Wundschmerz. Das kranke Wild verharrt dann im Wundbett und das Wundfieber macht es mit der Zeit richtig „krank". Für den Prozess des „Krankwerdens" von Flucht, ins Wundbett gehen und zur Ruhe kommen benötigt das Wild mehrere Stunden. Wird krankes Wild zu früh im Wundbett gestört, so sind Fehlhetzen und erfolglose Nachsuchen (bei Stücken, die man sonst bekommt) vorprogrammiert.

207 Wer gibt den Fangschuss, wenn der Hund bei einer Nachsuche das Stück Wild gestellt hat?

Grundsätzlich nur der Hundeführer. Es besteht bei aller Sorgfalt die Gefahr, beim Fangschuss aus Versehen den stellenden Hund zu erschießen. Auch ist es sehr gefährlich, wenn sich verschiedene Schützen aus unterschiedlichen Richtungen nähern, die nichts voneinander wissen. Daher sollten alle anderen beteiligten Jäger einer Nachsuche die Nerven behalten, wenn der Hund am kranken Stück Standlaut gibt.

7.42: Ein Kugelriss in der Erde bedeutet nicht immer ein Fehlschuss. Bei geringstem Zweifel muss eine Kontrollsuche durchgeführt werden.

208 Was ist der Unterschied zwischen Schnitthaar und Risshaar?

Schnitthaar entsteht beim Eindringen und Verlassen der Kugel durch die Decke/ Schwarte, wenn das Haar abgeschnitten wird. Risshaar hat immer eine Haarwurzel und nichts mit einer Schussverletzung zu tun. Es wurde aus der Decke/Schwarte herausgerissen.

209 Was sind „Eingriffe" und „Ausrisse"?

Eingriffe sind tief in den Boden eingreifende, auffällige Abdrücke der Schalen. Sie entstehen durch das heftige Zusammenfahren des Wildes in dem Augenblick, in dem das Geschoss den Wildkörper trifft. Eingriffe entstehen auch durch den Schreck beim Schuss und sind somit keine sichere Aussage über einen Treffer beim Wild. Werden Bodenüberzug, Gras oder Laub dabei ausgerissen und fortgeschleudert, so spricht man von „Ausrissen". Ein Kugelriss in der Erde bedeutet nicht immer ein Fehlschuss. Bei geringstem Zweifel muss eine Kontrollsuche durchgeführt werden.

210 Welche Waffen benötigt man für die Nachsuche?

Die meisten Nachsuchespezialisten führen einen Repetierer mit möglichst kurzem Lauf und einem zuverlässigen Sicherungs- oder Entspannsystem. Das Kaliber sollte mindestens 7 mm betragen. Kurzwaffen ab dem Kaliber 9 x 19 mm oder .357 Mag. sollten bei Nachsuchen nur auf kurze Distanz eingesetzt werden und dort, wo ein Gewehr hinderlich ist. Allerdings liegt bei Kurzwaffen die sofort tödliche Wirkung bei Nachsuchen im Kopfbereich, weil durch die geringe Auftreffenergie beim Wildkörper der Fangschuss nicht immer Wirkung zeigt. Weiterhin gehört zur Nachsuche ein stabiles feststehendes Messer, um gestelltes Wild abzufangen und evtl. gestrecktes aufzubrechen.

211 Wann und wie wird mit der blanken Waffe krankes Wild getötet?

Bei Verkehrsunfällen mit Wild, auf Nachsuchen, bei denen der Hund geringes Wild festhält und eine Schusswaffe wegen der Gefährdung von Mensch und Hund nicht eingesetzt werden kann, wird die blanke Waffe verwendet. Das feststehende Messer stößt man mit Kraft rechts und links in den Lungen-Herzbereich und öffnet mit einem Schnitt entlang der Rippen den Brustkorb. Dadurch bricht sofort das Vakuum der beiden Lungenflügel zusammen und mit dem Stich ins Herz ist das Leben getroffen.

Boden- oder Baujagd

Mit der Boden- oder Baujagd hat man eine effektive Jagdart, um mit wenig Aufwand und viel jagdlicher Freude die Beutegreifer zu erlegen. Hat man mehrere Kunstbaue im Revier, kann man an einem Jagdtag und zur richtigen Jahreszeit mehrere Füchse erlegen.

212 Welche Wildarten werden im Bau bejagt?

Insbesondere die Baubewohner Fuchs, Dachs und Kaninchen. Mittlerweile werden in einigen Bundesländern bei der Baujagd auch Waschbären und Marderhunde angetroffen.

213 Welche Hunde werden für die Baujagd verwendet?

Alle Dackel (Teckel) und die verschiedenen jagdlich gezüchteten Terrier.

214 Wann steckt der Fuchs im Bau?

Insgesamt eher selten, am häufigsten jedoch während der Ranz- und Rollzeit, die schon vor Weihnachten beginnt und bis in den Januar dauert. In Revieren mit wenig Deckung oder Ruhe (Erholungswälder) steckt der Fuchs auch sonst häufiger im Bau. Auch in der

Zeit des „Laubfalles", also je nach Klima und Region, welche die ersten Frostnächte bestimmen, etwa von Mitte Oktober bis Mitte November ist der Fuchs im Bau anzutreffen.

215 Was muss der Jäger beim Anstellen am Bau beachten?

Der Wind darf nicht zum Bau stehen. Der Jäger muss die wichtigsten Röhren überblicken, ohne selbst in die Röhre hineinsehen zu können, da ihn der Fuchs sonst aus der Röhre heraus eräugt und natürlich dann nicht springt. Gleichzeitig muss man sich absolut ruhig und still verhalten.

216 Wie soll der Jäger den Bauhund in den Fuchsbau schicken, damit ein Jagderfolg nicht ausbleibt?

Der Jäger schickt seinen Hund vom Stand aus zum Bau und vermeidet dabei jedes laute Wort. Erfahrene Bauhunde kennen den Ablauf und suchen sich, sobald sie von der Halsung sind, die Baueingänge selbständig. Sollte der Fuchs im Bau den Jäger jedoch bemerken, z.B. durch lautes Rufen, so versucht er entweder nur hartnäckig oder aber gar nicht, den Bau vor dem Hund zu verlassen, wodurch ein Jagderfolg ausbleiben würde.

7.43: Hat er Verdacht geschöpft, springt er ungern.

217 Was macht der Jäger, wenn sein Hund nicht in den Bau schliefen will?

Er leint ihn wieder an und geht, denn entweder ist der Bau unbefahren und somit ohne frische Witterung oder der Hund hat keine Erfahrung oder keine Schärfe. Wenn es an Erfahrung, Jagdpassion oder Schärfe fehlt, muss der Jäger seinen Hund zunächst mit erlegten Füchsen und dann mit einem Übungsbau vertraut machen. Im Revier eingebaute künstliche Baue sind für unerfahrene Junghunde der beste Einstieg in die Baujagd. Ist der Bau jedoch unbefahren, wäre es ein großer Fehler, den Hund hineinzuschicken. Das Ergebnis sind häufig „baulaute" Hunde, welche auch dann Laut geben, wenn sich kein Wild im Bau befindet.

218 Wie lange dauert es, bis der Fuchs springt?

Das ist sehr unterschiedlich. Füchse, die den Mensch draußen bemerkt haben, springen natürlich ungern. Sie stellen sich lieber einem Kampf mit dem nachfolgenden Hund, der je nach Größe des Baues und Erfahrung des Hundes bis zu einer Stunde und länger dauern kann. Hat der Fuchs die Jäger vorher nicht bemerkt, so springt er häufig aber auch schon nach wenigen Minuten.

219 Was tut man, wenn der erste Fuchs gesprungen ist?

Besonders während der Ranzzeit kann es sein, dass sich mehrere Füchse (fünf und mehr sind durchaus möglich) im Bau aufhalten. Daher verbleiben die Schützen ruhig an ihren Ständen und warten ab, bis der Hund erscheint und angeleint werden kann.

220 Darf man in die Röhre schießen, wenn dort der Fuchs erscheint?

Auf keinen Fall: Erstens wird der mit Erde und Lehm verschmierte Bauhund zu schnell mit einem Fuchs verwechselt, zweitens sind Schüsse spitz von vorne (auf alles Wild) kein tierschutzgerechtes Verhalten und verletzen die Füchse nur, was dann unnötiges Baugraben zur Folge hat; drittens kann durch dieses Verhalten auch der Hund, der sich oft direkt hinter dem Fuchs im Bau befindet, durch Schrote verletzt werden.

7.44: Der Kunstbau, noch nicht fertig eingebaut

221 Welche Baue sollten nicht bejagt werden?

Felsbaue oder alle jene, die aufgrund ihrer Lage im Notfall nicht gegraben werden können. Auf großen Bauanlagen mit vielen Röhren, wo oft Fuchs und Dachs anzutreffen sind, sollte auch kein Bauhund eingesetzt werden.

222 Wie kann man die Baujagderfolge und optimale Bejagung des Fuchses tierschutzgerecht und wirkungsvoll durchführen?

Durch die Anlage von mehreren künstlichen Bauen (Bausätze) an attraktiven Standorten im Revier. Sehr wichtig für den Jagderfolg ist ein gutes Schussfeld um den künstlichen Bau.

223 Was gehört zur Ausrüstung des Baujägers?

Neben der Schrotflinte gehören Grabwerkzeug (Spaten, Spitzhacke, Axt und Säge) für einen evtl. Einschlag, Kleinkaliberpistole für den Fuchs beim erfolgten Einschlag sowie Wasserkanister und Verbandskasten für den Hund zur Grundausrüstung. Präventiv für das punktgenaue Orten vom Bauhund unter der Erde haben sich Peilsender bewährt, die dem Hund mit einem dehnbaren Halsband umgelegt werden.

224 Was ist bei einem Einschlag zu beachten?

Die Grundsätze der Unfallverhütung. Es besteht die Gefahr, dass Bodenmaterial nachrutscht und den im Einschlag befindlichen Jäger verschüttet. Daher sollen tiefere Einschläge nie alleine gemacht, keine stärkeren Bäume untergraben und/ oder Hauptwurzeln gekappt werden.

225 Was macht der Jäger nach beendeter Einschlagarbeit?

Die offene Röhre darf nicht einfach wieder zugeschüttet werden. Daher baut man mit dicken Brettern und Hölzern einen Sturz als oberen Abschluss der Röhre. Erst dann wird der Einschlag vorsichtig zugeschüttet.

226 Wie kann man es erreichen, dass der Bauhund nicht am Dachs arbeitet?

Liegt die Vermutung nahe, dass der Hund am Dachs arbeitet, verlässt der Jäger demonstrativ den Bau. Solange der Hund den Jäger auf dem Bau vermutet, wird er nicht abbrechen. Kommt er heraus und vermisst den/die Jäger, wird er der Spur seines Führers folgen. Entscheidend ist, dass nie ein Dachs vor dem Hund zur Strecke kommt.

227 Was tut der Jäger, wenn der Fuchs absolut nicht springen will?

Er nimmt seinen Hund bei nächster Gelegenheit ab und setzt sich mit gutem Wind still an den Bau. Meist versucht sich der Fuchs, sobald es still geworden ist, zu verdrücken.

228 Lässt sich der Dachs sprengen?

Höchst selten. Er zieht sich im Bau in einen Kessel oder eine Endröhre zurück und bringt Sand oder Erde zwischen sich und den Hund (er verklüftet sich). Bei manchen Hunden kommt es auch vor, dass der Dachs den Hund überrollt und ihn dann verklüftet. Daher muss ein Einschlag gemacht werden, um an den vorliegenden Hund und den Dachs heran zu kommen. Man spricht aus diesem Grund auch vom „Dachsgraben".

229 Gibt es eine Notwendigkeit für die Baujagd auf den Dachs?

Nein, denn der Dachs ist außerhalb des Baues viel leichter und sicherer zu bejagen. Außerdem sind Baue intime Lebensräume und Aufzuchtstätten des Wildes, die wir nicht sinnlos zerstören dürfen. Das Dachsgraben ist nicht mehr zeitgemäß und heute aus Tier- und Naturschutzgründen absolut abzulehnen. Daher sollte man möglichst die schwierige und für den Hund gefährliche Arbeit des Dachsgrabens unterlassen.

7.45: Frettchen als Jagdhelfer

230 Springt der Waschbär?

Im Bau sitzende Waschbären springen sehr selten und sind gefährliche Gegner der Bauhunde. Es ist besser, sie außerhalb des Baues zu bejagen.

Frettieren

231 Wie erfolgt die Baujagd auf Kaninchen?

Wir sprechen vom Frettieren, weil an Stelle eines Bauhundes ein Frettchen verwendet wird. Es gibt auch sogenannte Kaninchenteckel, die aber bezüglich Statur und Wendigkeit den Frettchen deutlich unterlegen sind.

232 Wie wird frettiert?

Aus einer speziellen Transportkiste oder per Hand lässt man das Frettchen in eine Röhre des Kaninchenbaus einschliefen. Die aus dem Bau springenden Kaninchen werden mit Schrot (Nr. 7; 2,5 mm) geschossen. Bei unübersichtlichen oder verzweigten Bauen sowie an Stellen, an denen nicht geschossen werden kann (Friedhöfe, Straßendämme), können die Röhren alle oder teilweise mit Sprengnetzen abgedeckt werden. In ihnen fangen sich die springenden Kaninchen. Zur Beizjagd auf Kaninchen gehören neben dem Frettchen auch Habicht und evtl. Hund.

233 Wie kann man es verhindern, dass das Frettchen im Bau die Kaninchen greift?

Man kann ihnen einen Beißkorb aus feinem Draht anlegen oder ein kleines Glöckchen umhängen. Durch das Glöckchen wird das Frettchen im Bau angekündigt und die Kaninchen springen. Sollte sich zufällig ein Iltis im Bau stecken, so wird dieser ein Frettchen mit Glöckchen (ungewöhnliche Geräusche im Bau) nicht angreifen und töten, sondern rasch den Bau verlassen.

7.5 Die Fallen- oder Fangjagd

Die Fallen- oder Fangjagd spielt heute in den meisten Jagdrevieren eine untergeordnete Rolle. Bedingt durch den täglichen Zeitaufwand und die kritische Haltung in einigen gesellschaftlichen Kreisen findet die Fallenjagd heute weniger Anwendung als früher. Aber der Jäger sollte unbedingt die Handhabung und den gezielten Einsatz von Fallen und Fanggerät kennen, da in befriedeten Bezirken oder deren Randbezirken oft die Fallenjagd unumgänglich ist. Die Fallen- oder Fangjagd muss als effektive Jagdart zur Regulierung von einigen Niederwildarten, hier besonders von Prädatoren, erhalten bleiben. Allerdings erfordert ihre praktische Ausübung vom Jäger ein besonderes jagdliches Können und eine hohe Verantwortung gegenüber dem Wild, der Jagd und der öffentlichen Sicherheit. Gerade die grob fehlerhafte Ausübung der Fallenjagd sorgt gelegentlich für Schlagzeilen in der Presse.

234 Welche Fallenarten unterscheiden wir grundsätzlich?

Lebendfang- und Totschlagfallen.

235 Wer darf die Fallen- oder Fangjagd ausüben?

Die Fangjagd darf nur ausüben, wer die Jägerprüfung bestanden hat sowie einen gültigen Jagdschein und eine Erlaubnis zur Jagdausübung besitzt. In einigen Bundesländern ist noch zusätzlich als Qualifikationsnachweis ein Fallen- oder Fanglehrgang durch den jeweiligen Landesjagdverband zur Pflicht gemacht.

236 Wie hoch ist der Zeitaufwand, den man für die Fallenjagd einkalkulieren muss?

Zum Fang gestellte Lebendfangfallen müssen mehrmals täglich und Totschlagfallen müssen einmal täglich kontrolliert werden. Länderregelungen beachten!

237 Zur Fallen- oder Fangjagd gehören nicht nur theoretische, sondern vor allem praktische Kenntnisse. Wie kann man sich diese als Jungjäger aneignen?

Das praktische Wissen von einem erfahrenen Fallenjäger zu erlernen, ist die beste Schule. Die Landesjagdverbände bieten durch erfahrene Berufsjäger Seminare speziell zur Fallenjagd an, die jeder vor der Ausübung der Fallenjagd aufsuchen soll. Wer ohne praktisches Wissen die Fallenjagd ausübt, macht oft seine Erfahrungen auf Kosten des Wildes.

238 Was ist bei der Verwendung von Totschlagfallen zu beachten?

Wer eine Totschlagfalle aufstellen möchte, hat die erforderliche Verkehrssicherungspflicht und die jeweiligen Landesjagdgesetze zu beachten. Im Revier sollten Totschlagfallen in Fangbunker, Fallenkästen oder Fangburgen eingebaut werden. Dadurch werden sie für Unbefugte (spielende Kinder) nicht zur Gefahr und ein möglichst tierschutzgerechter Fang wird gewährleistet.

239 Wie muss eine Totschlagfalle den Beutegreifer töten?

Sofort tödlich ist der Fang über Hals oder Brustkorb.

240 Welche Totschlagfallen haben sich in der Praxis bewährt?

Abzugseisen, die durch Zug am Köder das Eisen auslösen, dies sind insbesondere der Schwanenhals, das Marderabzugseisen, das Haarabzugseisen sowie die Rasenfalle.

7.46: Marderabzugeisen mit Spannbügel

241 Wie kann man die Qualität der Totschlagfallen prüfen?

Die Klemm- oder Schlagkraft der Abzugseisen wird in Newton berechnet. Hierzu kann man spezielle Prüfgeräte kaufen. Ebenfalls kann man die Materialprüfung von Schlagfallen bei der Deutsche Versuchs- und Prüf-Anstalt für Jagd- und Sportwaffen (DEVA) durchführen lassen.

242 Was verlangt die Unfallverhütungsvorschrift (UVV Jagd) zur Fallenjagd?

Fangeisen dürfen nur mit einer entsprechenden Vorrichtung gespannt und nur mit einem geeigneten Gegenstand entsichert werden. Fangeisen dürfen nur so aufgestellt werden (Fangbunker u.ä.), dass Fehlfänge vermieden und keine Personen gefährdet werden.

243 Welche Lebendfangfallen gibt es?

Die Kastenfalle, die Wieselwippbrettfalle, die Betonrohrfalle, der Hundefang und die Drahtfallen.

244 Welche Vorteile bietet die Lebendfangfalle gegenüber der Totschlagfalle?

Die Lebendfangfalle fängt unversehrt lebend und ist für den selektiven Fang geeignet.

245 Wie ist die Verwendung der Kastenfalle zu beurteilen?

Gefangenes Wild in der Kastenfalle verhält sich auf Grund der Größe der Falle (Mindesteinlaufgröße von 15 x 20 cm) und des vollkommen dunklen Raums in aller Regel ruhig und

7.47: Kastenfalle, unverblendet

gelassen. Geschütztes Wild kann sofort unversehrt in die Freiheit entlassen werden. Daher gewährleistet die Kastenfalle eine tier- und artenschutzgerechte (zeitgemäße) Fallenjagd.

246 Wie ist die Verwendung der Drahtfalle als Lebendfangfalle zu beurteilen?

Gefangenes Wild in der Drahtfalle kann in die Freiheit sehen und versucht (spätestens beim Annähern des Menschen) den Draht durchzubeißen. Dadurch haben die Tiere Stress und verletzen sich. Daher sollten Drahtfallen nicht unverblendet verwendet werden. (Tierschutz)

247 Wie verhält sich der Jäger mit der Fallenjagd, wenn die Wildkatze, Luchs oder Wolf im Revier vorkommt?

Dort, wo man mit der Wildkatze, Luchs oder Wolf rechnen muss, wird die Fallenjagd grundsätzlich nur mit der Lebendfangfalle ausgeübt. Das gleiche gilt für die Bundesländer, in denen der Baummarder eine ganzjährige Schonzeit hat.

248 Was ist eine Betonrohrfalle?

Die Betonrohrfalle ist eine Lebendfangfalle in Kombination aus Luderplatz, Kunstbau und Falle. Sie ist speziell für den Fang von Füchsen konzipiert, wobei auch andere Beutegreifer wie Steinmarder sich dort fangen. Die Falle besteht aus einem Bausatz aus vier Betonröhren (Innendurchmesser 30 cm) sowie verschiedenen Einzelteilen und kann unkompliziert im Revier eingebaut werden. Geschickt eingebaut sieht die Betonrohrfalle wie ein Entwässerungsrohr aus.

7.48: Die Betonrohrfalle hat sich vor allem für den Fuchsfang bewährt.

249 Darf der Jäger Bisam fangen und wenn ja, womit?

Grundsätzlich darf jedermann den Bisam fangen, auch der Jäger. Voraussetzung ist jedoch die Erlaubnis der zuständigen Behörde. Der Fang erfolgt mit einer speziellen Bisamfalle (Totschlagfalle), die mit Apfelstückchen beködert wird. Damit sich keine Wasservögel in der Bisamfalle fangen, soll die Falle auch im Wasser im Fangbunker verlegt werden. Dort, wo Tauchenten und Schwäne vorkommen, sollte man auf die Verwendung mit der Bisamfalle verzichten.

250 Was macht der Jäger mit den Bälgen der gefangenen Beutegreifer?

Die Winterbälge sind in der Regel von Ende Oktober bis Ende Februar brauchbar. Die Beutegreifer werden abgebalgt und der Balg zum Trocknen auf ein Spannbrett gespannt. Hat der Jäger auch nicht unmittelbare Verwendung für die Winterbälge, so sollten auf keinen Fall erlegte oder gefangene Beutegreifer ohne weiteres entsorgt werden. Die Nutzung der Bälge ist nicht nur eine schmuckvolle Kleidung oder Trophäe, sondern dient auch dem Verständnis der Fallen- und Beutegreiferjagd gegenüber der Öffentlichkeit.

251 Was sind Frischlingsfallen?

Frischlingsfallen werden vereinzelt, meist in staatlichen Eigenjagdgebieten, zur Schweinepestbekämpfung eingesetzt. Die Grundsätze der weidgerechten Jagdausübung werden bei der Tierseuchebekämpfung eingeschränkt. Bei der regulären Jagd ist die Anwendung von Frischlingsfallen aus Gründen des Tierschutzes umstritten und der Fangerfolg steht meist im geringen Verhältnis (unter 10 %) zur Gesamtstrecke. Der Frischlingsfang (Saufang) ist genehmigungspflichtig!

7.6 Jagdliche Einrichtungen

Eine erfolgreiche und sichere Jagdausübung ist heute ohne jagdliche Einrichtungen in den meisten Revieren nicht möglich. Ist es der Pirschweg, der Hochsitz, die Wildkammer oder das Jagdhaus, alles zählt zur jagdlichen Infrastruktur. Ein jagdhandwerkliches Können und eine Sensibilität gegenüber der Natur und der Öffentlichkeit verlangt ein geschicktes Aufstellen und einen dezenten Bau aller jagdlichen Einrichtungen. Besonders Hochsitze und Kirrungen sind vielerorts das Aushängeschild des Jägers und seinem jagdlichen Handwerk.

252 Was gehört alles zu den jagdlichen Einrichtungen?

Alle Ansitzeinrichtungen, Fallen, Pirschsteige, Fütterungen, Salzlecken u.ä.

Ansitzeinrichtungen

253 Darf der Jagdpächter Hochsitze und ähnliche Einrichtungen bauen, wo er will?

Nein. Voraussetzung ist das Einverständnis des Grundstückseigentümers. Dieses kann aber nur verweigert werden, wenn mit der Einrichtung eine erhebliche Nutzungsbeeinträchtigung verbunden wäre. Allerdings kann der Grundeigentümer eine angemessene

7.49: Unauffällig eingebaut, stört die Kanzel auch am Waldrand nicht.

Entschädigung für die Duldung der Jagdeinrichtung verlangen. Die Bundesländer können bestimmen, dass ein Mindestabstand zur Reviergrenze eingehalten werden muss (in Nordrhein-Westfalen z.B. 75 m).

254 Aus welchem Material werden Hochsitze gebaut?

Als Baumaterial wird gesundes, entrindetes und kräftiges Holz verwendet.

255 Welche gesetzliche Regelungen muss man beim Bau von Jagdeinrichtungen beachten?

Evtl. Bauordnungen, UVV und Naturschutzgesetze. Im Zweifelsfall muss man sich bei den zuständigen Behörden erkundigen.

7.50: Wird eine Reviereinrichtung nicht mehr benötigt, muss sie abgebaut werden.

256 Wie müssen jagdliche Einrichtungen grundsätzlich in die Landschaft eingebaut werden?

So, dass die Eigenart und Schönheit der Landschaft durch die jagdlichen Einrichtungen im Aussehen nicht gestört wird. Der Bau von überdimensionierten Hochsitzen im Revier darf nicht zum negativen Markenzeichen und Ärgernis der Jagd werden.

257 Was muss der Jagdpächter oder Eigenjagdbesitzer als Unternehmer im Sinne der UVV bei Hochsitzen sicherstellen?

Dass Hochsitze, ihre Zugänge sowie Stege fachgerecht errichtet und mit Einrichtungen gegen das Abstürzen von Personen gesichert sind; bei ortsveränderlichen Hochsitzen muss die Standsicherheit gewährleistet sein; Hochsitze müssen vor jeder Benutzung, mindestens jedoch einmal jährlich geprüft werden und nicht mehr benötigte Einrichtungen sind abzubauen.

258 Wie sind die Leitern als Aufstieg von jagdlichen Einrichtungen zu bauen?

Leitern werden in einem geneigten Winkel von 70° bis 75° aufgestellt. Die angeflachten Leitersprossen werden in einem Abstand von 27 cm (geringer Sprossenabstand = langsames, sicheres Aufsteigen) aufgenagelt. Aufgenagelte Sprossen sind mit den Leiterholmen fest zu verbinden und auf diesen nach unten hin abzustützen. Gegen die Fäulnis sollten die Leiterholme auf Steine gestellt und gegen das Abrutschen mit „Heringen" verpflockt werden.

259 Wie sollten die Grundmaße von Ansitzeinrichtungen für zwei Personen sein?

Beim Bau der Ansitzeinrichtungen für zwei Personen sollten die Grundmaße 120 cm x 150 cm beachtet werden, um dem Jäger ein gutes Sitzen (Stuhlhöhe 45 cm) und ein sicheres Schießen (Gewehrauflage 103 cm) zu ermöglichen.

260 Wie kann man ein Umfallen von Hochsitzen verhindern?

Die wichtigste Statik beim Hochsitzbau ist die Verankerung im Erdbereich: der Abstand von den Auslegerstreben zu den aufrechten Stangen muss ¼ der Fußbodenhöhe betragen. Die Auslegerstreben und die Leiterholme werden zusätzlich mit Heringen verpflockt. Bei Sturm arbeiten die Auslegerstreben, die mit durchgehenden, langen Nägeln im Gerüst verbunden sind, auf Druck und Zug.

7.51: Unfallsicheres Befestigen eines Hochsitzdaches mit „Sturmhölzern".

261 Wie soll der Aufbau einer Ansitzeinrichtung konstruiert sein?

Der Aufbau einer Ansitzeinrichtung soll dem Jäger eine gute Sicht, guten Sichtschutz, bequemen Ansitz und eine gute Schussabgabe ermöglichen.

262 Was gehört zum Unfallschutz beim Hochsitzbau?

Zum Besteigen, Aufstellen und zum Absichern des Hochsitzgerüstes während der Bauphase sollten Sicherheitsgurt, Scherenstangen, Bauklammern, Fangseile, Seilleitern und Seilrolle verwendet werden.

263 Wie kann man Hochsitzstreben gegen Fäulnis am Boden schützen?

Durch die Salzimprägnierung der Hochsitzstreben an der Erdkante. Dazu werden Gummimanschetten (in kurze Stücke geschnittene Autoreifen) an die Streben genagelt und regelmäßig (einmal jährlich im Frühjahr) mit Salz gefüllt.

264 Wie wird ohne Unfallrisiko ein Hochsitzdach befestigt?

Auf die seitlich überstehenden Dachauflagehölzer werden zwei Bitumenplatten (4 qm) geschoben. Sturmleisten auf der Dachoberfläche werden mit den Dachauflagehölzern seitlich mit Draht verbunden. Die Dachplatten sind somit eingeklemmt und sturmsicher montiert. Das gefährliche Aufsteigen auf das Dach und das Beschädigen der Platten durch Nägel entfällt.

265 Wie und wann sollten geschlossene Hochsitze gebaut werden?

Geschlossene Hochsitze dürfen keine „Jagdhäuser auf Stelzen" werden, die Grundmaße 120 cm x 150 cm sollten beachtet werden. Die Anzahl der geschlossenen Hochsitze im Revier soll nur auf wenige notwendige beschränkt werden, damit dort der Jäger in der kalten Jahreszeit bei stundenlangem Ansitz nicht der Witterung ausgesetzt ist.

266 Was kann der Jäger gegen das unbefugte Betreten von Hochsitzen unternehmen?

Man kann an stark belaufenen Wanderwegen eine Sperrtüre an der Hochsitzleiter befestigen. Diese schützt vor dem Besteigen unbefugter Personen und ist gleichzeitig der sicherste Unfallschutz für die Bevölkerung. Verbotsschilder sollten, dort wo erforderlich, direkt an der Leiter angebracht werden. Rechtlich kann der Jagdausübungsberechtigte nach § 858 BGB „Verbotene Eigenmacht" gegen unbefugte Personen vorgehen.

7.52: Die Leitersperre verhindert unbefugtes Besteigen des Sitzes.

267 Wie erreicht man Rutschsicherheit auf dem Boden von offenen Hochsitzen?

Mehr Gleitschutz auf den Hochsitzboden bekommt man durch das Aufnageln von einem Stück Maschendraht.

268 Kann man durch eine große Hochsitzhöhe für das Wild „aus dem Wind" kommen?

Nein. Eine große Hochsitzhöhe oder ein geschlossener Hochsitz verhindern nicht, dass das Wild vom Jäger Wind bekommt, wenn er im falschem Wind sitzt. Wenn der Wind nicht passt, soll man sofort den Hochsitz verlassen, um das Wild nicht nachhaltig zu stören.

269 Soll man Ansitzleitern an Bäume anlehnen oder annageln?

Ansitzleitern sollten grundsätzlich nicht an Bäume genagelt werden, sondern freistehend aufgestellt werden. Das Schwanken der Bäume bei Wind löst die Nagelstellen der Leiterverbindung und Unfälle werden somit provoziert. Das Schießen von diesen „Baumleitern" stellt sich bei der geringsten Windbewegung so dar, als ziele der Jäger „flüchtig" auf ein stehendes Stück Wild. Ist der Baum nicht Eigentum des Jagdausübungsberechtigten, so handelt es sich gegebenenfalls um eine Sachbeschädigung.

7.53: Rutschsicher durch Maschendraht

270 Wie kann man beim Hochsitzbau einen Beitrag zum Naturschutz leisten?

Indem man Fledermauskästen, Nisthölzer für Wildbienen oder Vogelnistkästen anbringt. Werden Hochsitze mit solchen „Einliegerwohnungen" beschädigt, so liegt neben der Sachbeschädigung zusätzlich ein Verstoß gegen Naturschutz- bzw. Landschaftspflegegesetz vor.

271 Ist ein Jagdgast unfallversichert, wenn er beim Hochsitzbau hilft?

Nein, denn bei der landwirtschaftlichen Berufsgenossenschaft sind nur die Jagdpächter, Eigenjagdbesitzer und diejenigen, die in einem Arbeits- oder Dienstverhältnis zu den aufgeführten Personen stehen, gesetzlich versichert.

272 Muss ein Grundeigentümer im Jagdrevier das Aufstellen eines Hochsitzes akzeptieren?

Zur Gewährleistung einer ordnungsgemäßen Jagdausübung ist das Aufstellen von Hochsitzen erforderlich. Der Grundeigentümer muss allerdings eine jagdliche Einrichtung (Hochsitz, Kanzel, Fütterung) nicht in jedem Fall dulden.

Fütterungseinrichtungen

273 Was sind Futterlager für Schalenwild?

Rübenmiete, Kraftfuttervorratsbehälter, Eichelbehälter und Silos.

274 Was gehört speziell zur Rotwildfütterung?

Neben dem Futterlager gehören zur Rotwildfütterung freistehende Tröge mit Geweihabwurfstangenvorrichtung, Heuraufe und Pressballenraufe.

275 Was sind Kälberställe?

Eingezäunte Fütterungsbereiche an der Rotwildfütterung, durch deren Öffnung nur Kälber hinein können. Besteht eine intakte Sozialstruktur im Rotwildbestand, so sind Kälberställe unnötig, da die Alttiere immer mit ihren Kälbern an der Fütterung stehen. Kälberställe braucht man dort, wo falsch gejagt wird und die „Waisenkälber" an die Fütterung kommen.

276 Was gehört zur Schwarzwildfütterung und was zur Schwarzwildkirrung?

Zur Schwarzwildfütterung (Ablenkfütterung zur Wildschadensabwehr- bzw. -verhütung) gehören neben dem Futterlager Futtertröge, Futterautomat und ein Futtereisen zum tiefen Vergraben vom Mais. Zu beachten sind die rechtlichen Vorgaben, die in manchen

7.54: Solche Schuppen dienen zur Bevorratung von Winterfutter.

Bundesländern Fütterungen für Schalenwild einschränken. An einer Schwarzwildkirrung wird in geringen Mengen artgerechtes Futter (maximal 1 kg pro 100 ha) ausgebracht. Das Futter (meist Mais) soll vergraben oder durch Vorrichtungen so angeboten werden, dass andere Wildarten dieses nicht aufnehmen können. Dort, wo Schweinemastbetriebe im Revier vorkommen, sind Kirrungen oder Ablenkfütterungen in einem Mindestabstand von 1.000 Metern anzulegen. Diese Regelung gilt der Vorbeugung gegen die Übertragung der Schweinepest. Ebenso sollten die Betreiber von Schweinemastanlagen die gesetzlichen Bestimmungen zur Zäunung der Betriebsgelände konsequent einhalten.

277 Ist die Rehwildfütterung außerhalb von Notzeiten überhaupt notwendig?

Das Rehwild ist als Äsungstyp unter die Konzentratselektierer einzureihen. Es äst sehr nährstoffreiche, zellulosearme Blatt-, Kraut-, Knospen- und Blütenpflanzen. Im Rehwildpansen sind wenige zellulosezersetzende Bakterien vorhanden, um faserreiche Äsung wie Grasheu zu verdauen. Eine im Winter einsetzende Rehwildfütterung kommt zu spät für die physiologischen Abläufe beim Rehwild. Die Feistzeit für das Rehwild ist ab September bis Ende November. Danach erfolgt eine Drosselung der Futteraufnahme und ein Stoffwechseltief bis Ende Februar. In dieser Zeit lebt das Rehwild nur von Erhaltungsfutter (meist Knospenäsung, Brombeere) und den Fettreserven in Verbindung mit einem geringen Energieverbrauch. Wird in dieser Zeit des gedrosselten Stoffwechsels Kraftfutter verabreicht, so kann das Rehwild diese energiereiche Nahrung überhaupt nicht verwerten. Es kommt unter Umständen zu einer Übersäuerung im Verdauungstrakt (Labmagen, Dünndarm), die sogar zum Tod führen können.
Auch die Knospenäsung (Verbissschäden) wird durch energiereiches Futter nicht verringert. Aus diesen Gründen ist die Fütterung des Rehwildes auf Notzeiten zu beschränken.

278 Was ist eine Fasanenschütte?

Von dem Niederwild ist der Fasan am meisten auf die Fütterung im Winter angewiesen. Die Fasanenschütte besteht aus einem ca. 5 qm großen schrägen Pultdach auf vier Pfählen (80 cm u. 40 cm). Unter dem Dach werden Druschabfall (Kaff), bodenständiges Getreide, Mais an Kolben und Eicheln gefüttert.

279 Kann man Rebhühner im Winter füttern?

Das Fehlen von Wildkräutersamen im Herbst und Winter kann ein Ernährungsengpass der Rebhühner werden. Mit Baustahlmatten bespannte Holzrahmen sind mit wenigen Handgriffen zum Giebeldach zusammengefügt. Die Reisigabdeckung auf den Stahlmatten sorgt für Wetterschutz und die Hühner haben eine kleine „Ersatzhecke“ in der ausgeräumten Feldflur. Die Rebhuhnfütterung darf nicht unter Hochspannungsleitungen oder in die Nähe von Bäumen usw. aufgestellt werden, da dies günstige Greifvogel-Aufblockstellen sind. Als Futter werden Reste der Getreidereinigung, Druschabfälle und Weizen verwendet.

280 Was ist ein Entenbruthaus?

Eine Bruthilfe (aus Brettern gebaut in den Grundmaßen 50 x 60 cm), besonders für die Stockente, die eine einfache Hegemaßnahme an den Gewässern darstellt. Allerdings ist die beste Entenhege die natürliche Lebensraumgestaltung an den Gewässern und sollte gegenüber dem in der Landschaft auffälligen Entenbruthaus bevorzugt werden.

281 Was sind Salzlecken?

Es ist eine einfache Hegemaßnahme für das Schalenwild. An Fütterungen, Wildäcker-Wiesen und Einständen u. ä. wird der Salzleckstein als Baumsulze, Baumstubbensalzlecke und Pfahlsalzlecke dem Wild angeboten. Salzlecksteine gibt es als Bergkernsalz (Bruchsalz) oder in künstlicher Würfelform. Hier sollte man keine auffällige weiße Salzlecken im Revier verwenden. Neben den Mineralstoffen wird besonders das Natrium für die Milchbildung und den Haarwechsel vom Wild benötigt. Daher werden die Salzlecksteine im zeitigen Frühjahr ins Revier gebracht. Im Winter ausgelegte Salzsteine können Verbissschäden erhöhen, da das Wild nach der Aufnahme von Salz einen gesteigerten Wasserbedarf hat. Dieser wird über Knospenäsung gedeckt.

282 Was ist ein Wintergatter?

Die für die Winteräsung wertvollen und wichtigen Talwiesen im Bergwald fehlen meist durch die Zersiedlung der Landschaft und einer Wintersportvermarktung. Das Rotwild kann bei Schnee am Berg nicht mehr ohne Störung an die Überwinterungsflächen im Tal gelangen.

Wintergatter werden im Hochgebirge im Winter bis zum Frühjahr (Mai) für das Rotwild zum Schutze des Waldes eingesetzt. Sinnvoll sind Wintergatter in solchen Gebieten, in denen infolge hoher Schneelage das Rotwild im Winter talwärts zieht und dort in tiefer gelegenen Bereichen weitgehend von der Winterfütterung abhängig ist. Man versucht, das Rotwild dadurch aus dem sensiblen Bergwald (Schutzwald) in tiefere (schneeärmere) Bereiche zu ziehen und dort zu halten.

Wintergatter sind Ruhegatter für das Rotwild! Ein vermeintlicher Selektionsabschuss in einem Wintergatter bedeutet für das eingesperrte Wild hochgradigen Stress, verursacht Panik und wird aus Gründen des Tierschutzes abgelehnt.

283 Wie verhält sich der Jäger, wenn sich Rehwild in einem Kulturgatter befindet?

Kulturgatter dienen dem Schutz vor Verbiss- und Fegeschäden. Sie müssen rehwildsicher errichtet und regelmäßig auf Lücken und Schlupflöcher kontrolliert werden. Besonders in Schwarzwildrevieren kommt es vor, dass die Sauen Öffnungen schaffen, durch die Rehwild in die Gatter einwechselt und in der Kultur zu Schaden geht. Diese Stücke sind so schnell wie möglich aus dem Gatter zu entfernen. Dazu legt man an den Gatterecken ein Zaunfeld um und versucht das Wild vorsichtig hinauszudrücken. Wichtig ist dabei, dass eine Person an den geöffneten Zaunfeldern genau beobachtet, welches Wild auswechselt. Beim „Drücken" im Gatter, je nach Gattergröße, sollten nur wenige Treiber und nur Teckel eingesetzt werden. Gerät das Rehwild im Gatter durch Hetzen in Panik, so sind schlimme Verletzungen die Folge. Gelingt das Herausdrücken nicht, so ist, unter Berücksichtigung der gesetzlichen Bestimmungen (Jagdzeiten), sämtliches im Gatter stehende Wild zu erlegen. Auch hierzu kann der Einsatz von Teckeln hilfreich sein. Wird dabei bewusst mit hochläufigen Hunden Wild im Gatter gehetzt oder sogar außerhalb der Jagdzeit erlegt, so stellt dies einen eklatanten Verstoß gegen das Bundesjagdgesetz und Tierschutzgesetz dar.

284 Was kann der Jäger unternehmen, damit das Schwarzwild Gatterzäune nicht anhebt?

Werden durch den Bau von Kulturgattern Schwarzwildwechsel unterbrochen, so sollte man an den bekannten Wildwechseln Pendeltore einbauen. Die Pendeltore müssen so konstruiert sein, dass kein anderes Schalenwild, außer dem Schwarzwild, wechseln kann. Deshalb müssen die Holzpendel aus dicken Rundhölzern sein. Ein Bodenholz verhindert ein Vertiefen durch das ständige Durchwechseln und somit einen Einlass für anderes Schalenwild. Eine regelmäßige Kontrolle der Pendeltore wie auch der gesamten Zaunlinie ist wichtig.

7.55: Das Pendeltor verhindert das Eindringen von Rehwild.

Werkzeuge im Reviereinsatz

285 Welche Werkzeuge finden bei den Revierarbeiten ihren Einsatz?

Neben den Großgeräten (Schlepper, landwirtschaftliche Anbaugeräte) leisten insbesondere motorgetriebene Geräte (Motorsäge, Freischneider) gute Hilfe bei vielen Arbeiten im Revier. Darüber hinaus finden Handbeil, Axt, Handsägen, Astungssäge, Hammer, Spaten, Schaufel, Spitzhacke, Pflanzgeräte (Wiedehopfhaue), Laubrechen und viele kleineren Geräte Verwendung für die verschiedenen Revierarbeiten.

286 Was ist beim Einsatz von Werkzeugen zu beachten?

Alle Werkzeuge und Hilfsmittel müssen in einwandfreiem Zustand sein, notwendige Sicherheitshinweise sind zu beachten und die erforderliche Schutzkleidung sollte vorhanden sein und eingesetzt werden. Nach Möglichkeit sollten beim Einsatz von gefährlichen Werkzeugen (Motorsäge) zwei Leute beteiligt sein. Insbesondere die Gefährlichkeit der Motorsäge ist niemals zu unterschätzen.

7.56: Spezielles Großgerät „Büffel" für das Beseitigen von Wiesenschäden, die Schwarzwild verursacht hat.

287 Was gehört zur persönlichen Schutzbekleidung beim Einsatz der Motorsäge?

Schnittschutzhose, Sicherheitsschuhe/ Stiefel, Arbeitshandschuhe, Schutzhelm mit Gehör- und Gesichtsschutz.

288 Wie wird die Motorsäge (MS) richtig in Betrieb genommen?

Vor dem Starten ist die Kontrolle der Kettenspannung, von Treibstoff und Kettenöl wichtig. Zum Anwerfen muss die MS einen festen Stand auf dem Boden haben, wobei Schiene und Kette genügend Bodenabstand aufweisen müssen. Man kann ersatzweise auch den Griff zwischen den Beinen festklemmen. Wird die MS beim Anwerfen nicht fest auf den Boden gedrückt oder zwischen den Beinen festgesetzt, so besteht die Gefahr, dass diese hochschlägt und den Jäger verletzt.

7.57: So startet man die Motorsäge.

289 Was wird beim Umgang mit der Motorsäge u.a. noch verlangt?

Nur mit scharfer und richtig gespannter Kette arbeiten. An der Kette darf nur bei abgestelltem Motor gearbeitet werden. Mit der MS nur aus sicherem Stand arbeiten. Die Säge soll nicht verkrampft geführt werden, der Daumen umfasst stets den Tragegriff, niemals mit der Schienenspitze sägen. Die MS ist gleichzeitig eines der gefährlichsten Werkzeuge überhaupt, mit der auch bei Profis häufig Unfälle passieren. Daher ist ein MS-Lehrgang, bei dem der richtige Umgang erlernt wird, unbedingt notwendig.

7.7 Bergen und Abtransport des Wildes

Nicht in allen Revieren ist das Wegenetz so ausgebaut, dass mit dem Geländewagen nahe an das erlegte Wild herangefahren werden kann. Vor allem im Hochgebirge muss manches Stück Wild auf einem Karren oder auf dem Rücken des Jägers „geliefert" werden. Beim Bergen und dem Transport von Wild sind Punkte der Fleischhygiene-Verordnung zu beachten. Außer bei Beutegreifern, handelt es sich bei erlegtem Wild in der Regel um den Gewinn von einem Lebensmittel. Dementsprechend ordentlich und hygienisch sauber muss man mit dem Wild in der Jagdpraxis beim Aufbrechen, dem Bergen und dem Transport bis zur Wildkammer umgehen. Bei der Jägerprüfung wird auf den Fächern Wildbret- und Fleischhygiene und allem, was dazu gehört, wie „Bergen und Abtransport des Wildes", ein besondere Schwerpunkt liegen. Als Jäger wird einem die Wildbret- und Fleischhygiene wie ein roter Faden in der Jagdpraxis ständig begleiten.

290 Warum soll aufgebrochenes Wild nur über kürzere Strecken im Rucksack transportiert werden?

Bei einem längeren Transport im Rucksack besteht aufgrund des Luft- und Temperaturstaus die Gefahr des Verhitzens bzw. der stickigen Reifung. Das gleiche gilt für den Transport in geschlossenen Kunststoffwannen.

291 Was ist nach dem Erlegen von Wild für den Erhalt der Fleischqualität unverzichtbar?

Das schnelle Verbringen des erlegten Wildes in kühle und gut belüftete Räume. Das Transportieren über 2 Stunden Dauer muss unter Kühlbedingungen erfolgen, wenn erlegtes Haarwild nicht unmittelbar an Verbraucher abgegeben wird.

292 Was sind noch weitere Ursachen für einen raschen Verderb des Wildbrets?

Langdauernde Beförderung im Kofferraum oder auf Wildwagen, vor allem, wenn die Wildkörper übereinandergelegt werden. Wild darf nur so befördert oder aufbewahrt werden, dass eine ausreichende Belüftung und erforderlichenfalls Kühlung gewährleistet ist.

293 Was ist wichtig, wenn ein Stück nicht sofort geborgen werden kann?

Man muss es nach dem Aufbrechen so legen, dass es gut lüften und auskühlen kann. Beim Schwarzwild sollten in der warmen Jahreszeit noch zusätzlich die Blätter zur Belüftung geöffnet werden. Wichtig ist das Verblenden gegen das Anschneiden vom Fuchs oder im Hochgebirge gegen den Kolkraben. Um den Fuchs abzuhalten, genügt meist ein Taschentuch, Handschuh oder ähnliche Gegenstände.

294 Wie verhält sich der Jäger, wenn er erkennbar krankes Wild transportieren muss?

Erkennbar krankes Wild ist unbedingt getrennt von anderem Wild zu transportieren und der amtlichen Fleischuntersuchung zuzuführen. Der Transport vom Aufbruch für eine evtl. Untersuchung oder für die Entsorgung ist in wasserundurchlässigen Behältnissen durchzuführen.

7.58: Für ein größeres Revier ist die Kühlzelle unverzichtbar.

295 Wie lässt sich ein Reh oder ein Gams bequem tragen?

In der Schweiz ist es Brauch, die Gams zu schränken und im Genick zu tragen. Die geschränkten Läufe liegen dabei vor der Stirn des Trägers. Eine andere, auch beim Rehwild gelegentlich praktizierte Möglichkeit ist, sich das geschränkte Wild über die Schulter zu hängen. Sehr unbequem ist das Tragen am Bergstock.

296 Wie lässt sich Rot- oder Schwarzwild zum nächsten Fahrweg verbringen?

Ein mitgeführtes Seil wird einmal hinter das Haupt (Nacken) und dann einmal um den Äser/Gebrech fest geschlungen. Mit dieser Methode kann man nicht nur gut ziehen, sondern man hebt auch dabei den Äser/Gebrech vom Boden und verhindert dadurch ein Hängen bleiben an Bodenhindernissen. Hirsche zieht man meist an den Geweihstangen. Will man beim Bergen die Decke schonen, so legt man das Stück zum Ziehen auf eine kräftige Plane.

297 Was ist ein Hirschkarren oder ein Hirschschlitten?

In unwegsamen Gelände (meist Hochgebirge) und wenn über größere Entfernungen geliefert werden muss, leistet ein einrädriger, hinten und vorne mit je zwei Handgriffen und einer Bremse versehener Karren gut Dienste. Er wird von zwei Personen geführt. Hirschschlitten sind besonders leichte Hörnerschlitten, unter die sich in der Regel auch noch eine Achse mit zwei Gummirädern schrauben lässt. Bergauf werden diese Schlitten auch getragen. Zu diesem Zweck sind sie mit einem Tragegurt (zum späteren Festschnallen der Stücke) in der Mitte der „Ladefläche" ausgestattet oder man hängt sie sich rucksackähnlich auf den Rücken.

298 Wie geht man mit einem erlegten Murmeltier um?

Murmeltiere werden wie Schalenwild aufgebrochen, der Drosselschnitt unterbleibt jedoch. Nach dem Ausschweißen werden sie mit den Hinterläufen geschränkt und am Bergstock auf dem Rücken getragen. In Deutschland hat das Murmeltier eine ganzjährige Schonzeit.

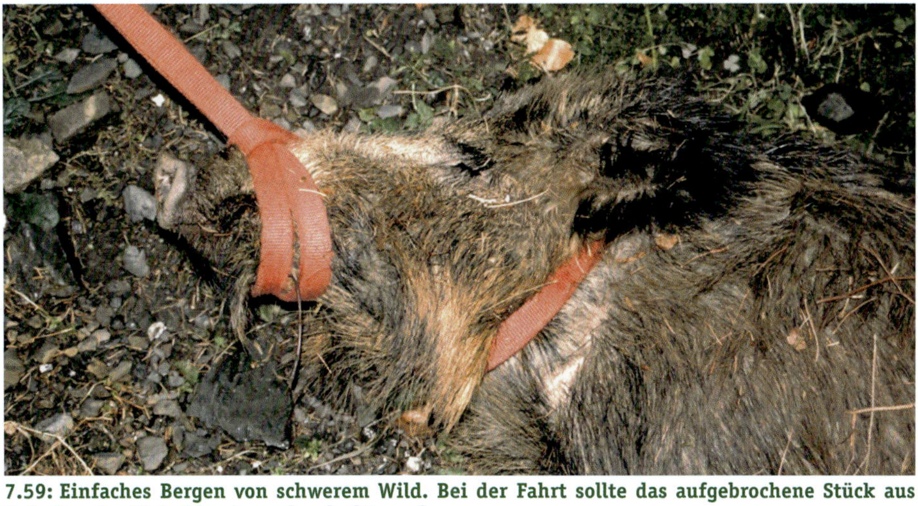

7.59: Einfaches Bergen von schwerem Wild. Bei der Fahrt sollte das aufgebrochene Stück aus Gründen der Fleischhygiene abgedeckt werden.

7.60: Wildtransportkorb am KFZ: Bei der Fahrt wird das erlegte und aufgebrochene Stück mit einer Folie abgedeckt.

299 Wie trägt man erlegte Beutegreifer?

Entweder mit allen vier Läufen auf dem Rucksack geschränkt oder nur mit den Hinterläufen geschränkt am Stock und nicht im Rucksack. Da die Beutegreifer, insbesondere der Fuchs, Überträger der Tollwut und des Fuchsbandwurmes sind, sind zur Vorsicht vor dem Berühren Einweghandschuhe anzuziehen.

300 Wie wird das Niederwild bei Gesellschaftsjagden versorgt?

Hase und Kaninchen werden ausgeweidet und an den Hinterläufen aufgehängt. Beim Federwild muss möglichst bald nach dem Schuss das Gescheide (Magen und Därme), sowie bei Wildtauben und Hühnervögeln der Kropf entfernt werden. Für den Transport muss das Niederwild mit ausreichender Belüftung rasch auskühlen können. Dabei darf sich das aufgehängte Wild (Galgen am Wildwagen) nicht gegenseitig berühren.

7.8 Wild und Straßenverkehr

Das Verkehrsstraßennetz in Deutschland ist sehr eng, die KFZ-Verkehrsdichte hoch. Verkehrsstraßen durchschneiden Wildeinstandsgebiete und Wildwechsel. Abgezäunte Autobahnen verhindern für viele Wildarten den genetisch wichtigen Populationsaustausch. Verkehrsunfälle mit Wild verursachen Sachschaden am Fahrzeug, Personenschäden und Verletzungen beim Wild. Jäger und die Straßenverwaltungen können Wildunfälle nicht vollkommen verhindern, aber vielerorts reduzieren. Der Jäger sollte es als seine Pflicht ansehen, verunglücktes Wild ordnungsgemäß von der Straße zu entfernen und diese Arbeit nicht einer Straßenverwaltung überlassen.

301 Wie kann man wiederholte Verkehrsunfälle durch Wild reduzieren?

Die Straßenbehörde kann durch die Hinweisschilder „Wildwechsel" den Autofahrer auf die Gefahr hinweisen. In Straßennähe sollte der Jäger keine Wildhegemaßnahmen (Wildäcker, Streuobst) oder Kirrungen anlegen. Wildunfallschwerpunkte kommen häufig dort vor, wo Wildeinstände und Äsungsflächen durch Straßen getrennt werden und zusätzlich die Verkehrsdichte hoch ist.

7.61: Bache als Verkehrsopfer im Straßengraben

302 Darf der Jäger durch Hinweisschilder oder das Aufhängen von Reflektoren an Verkehrsstraßen den Autofahrer und das Wild warnen?

Eine nichtbehördliche Einwirkung an Verkehrsstraßen ist gesetzlich ein „Eingriff in den Straßenverkehr". Verursacht ein Autofahrer einen Verkehrsunfall, weil dieser zum Beispiel durch das Reflektieren von CDs am Straßenrand abgelenkt wurde, so muss der verantwortliche Jäger den Unfallschaden laut Gerichtsurteil tragen. Daher sollten Maßnahmen durch den Jäger zur Vermeidung von Wildunfällen im Straßenverkehr behördlich genehmigt werden.

303 Wie tötet man tierschutzgerecht verletztes Wild im Straßengraben?

Am besten mit einer Schusswaffe und besonders dann, wenn es sich um wehrhaftes Wild handelt. Die Kurzwaffe im Kaliber .357 Magnum oder 9x19 mm findet hier ihre Anwendung. Da verletzte Tiere unter Schock stehen, ist ein Fangschuss als Kammerschuss, besonders bei größeren Schalenwildarten, oft wirkungslos. Daher ist in solchen Situationen ein gezielter Kopfschuss auf angefahrenes Wild tierschutzgerecht. Das Abfangen von verletztem Wild im Straßengraben mit dem Jagdmesser bedarf einer besonderen Sorgfalt. Ist ein Abfangen im Kammerbereich erforderlich, so sollte man bedenken, dass bei solchen Aktionen Verkehrsteilnehmer den Jäger kritisch beobachten.

304 Was sollte der Jäger beim Gebrauch einer Schusswaffe für den Fangschuss bei verletztem Wild durch den Straßenverkehr veranlassen?

Zur Sicherheit beim Schusswaffeneinsatz müssen alle Zuschauer mindestens 30 Meter vom verletzten Stück einen Sicherheitsabstand wegen Querschläger einnehmen. Sind Polizeibeamte an der Unfallstelle, werden diese den Jäger dabei unterstützen.

305 Wie verhält sich der Jäger bei verletztem Wild, das unter besonderem Schutz steht, wie Luchs oder Wolf?

Hier sollte der Jäger die Polizei einbeziehen. Die Polizei beauftragt einen Tierarzt und dieser wird entscheiden, ob das verletzte Tier veterinärmedizinisch versorgt werden muss. Fangschüsse auf einen verletzten Wolf ziehen wegen Verstoßes gegen das Artenschutzrecht eine Anzeige nach sich!

7.62: Fangschuss mit der Kurzwaffe

7.9 Beizjagd/Falknerei

„Die einzelnen Gebiete der Kunst des Jagens unterscheiden sich je nachdem, ob man sich lebloser Werkzeuge oder lebender Tiere bedient oder beide zugleich verwendet ...; hier soll nur von der Kunst mit Vögeln zu beizen, die Rede sein und in diesem Kapitel soll bewiesen werden, dass sie edler ist als alle anderen Jagdarten ... nicht jeder Mensch ist gleicherweise dazu (Beizjagd) geeignet, sondern nur ein unermüdlicher und begeisterter Liebhaber, der ebenso von Natur dazu veranlagt wie auch durch Unterweisung darauf vorbereitet sein muss." „Der Falkner muss einen klaren Verstand besitzen ... Er sei so kühn, dass er sich nicht fürchtet, notfalls auch wildes Gelände zu durchqueren. Auch soll er schwimmen können, damit er seinen Beizvogel, wenn er ein undurchschreitbares Gewässer überflog, schwimmend nachfolgen kann ... Er soll nicht zu jung sein, damit seine Jugend ihn nicht verleitet, gegen die Kunst zu handeln ... Auch darf er nicht jähzornig sein oder leicht in Wut geraten. Sehr häufig nämlich geschieht es, dass der Beizvogel etwas tut, was seinen Betreuer sehr aufbringt, und wenn dieser sich dann nicht zu beherrschen vermag, könnte er sich zu unüberlegten Handlungen gegen den Falken hinreißen lassen, die ihn ... nur zu leicht verderben würden." (Friedrich der II.)

306 Wo liegen die Ursprünge der Falknerei?

Die Ursprünge der Falknerei sind umstritten. Vermutlich liegen sie im vorderen oder mittleren Orient, vielleicht auch im fernen Osten (Japan, China).

307 Seit wann gibt es Hinweise auf die Falknerei in Europa?

Solche Hinweise gibt es seit dem 4. Jahrhundert n. Chr.

BLASE-Prüfungsfragen und Antworten zur Jägerprüfung
ISBN 978-3-494-01855-3 | Best.-Nr.: 494-01855
€ 29,95

Die schriftliche Prüfung ist in allen Bundesländern ein wichtiger Bestandteil der Jägerprüfung. Hier werden dem Prüfling Fragen gestellt, deren Beantwortung Aufschluss gibt, ob er die grundlegenden Wissensgebiete erfasst und verinnerlicht hat. Häufig zeigt die schriftliche Prüfung Lücken, die es bis zur mündlich/praktischen Prüfung zu schließen gilt.
In immer mehr Bundesländern wird diese schriftliche Prüfung in Form von Multiple-Choice-Tests durchgeführt. Es werden also zu den gestellten Fragen mehrere Antwortalternativen genannt, von denen mindestens eine als richtig angekreuzt werden muss.
Üben Sie also rechtzeitig diese Form der Prüfung, damit Sie auf den „Ernstfall" gut vorbereitet sind.

Sven Herzog: **Wildtiermanagement**
ISBN 978-3-494-01714-3 | Best.-Nr.: 494-01714
€ 39,95

Dieses Lehrbuch vermittelt die Grundlagen des Wildtiermanagements, angereichert um zahlreiche Praxisbeispiele. Wildtiermanagement ist weit mehr als nur Jagd und Fischerei. Aspekte wie Bestandserfassungen, Um- und Ansiedlungen, Schutzgebiete, Verkehrswege, Notzeitfütterungen oder Präventionsmaßnahmen bei vom Aussterben bedrohten Tierarten werden ausführlich beleuchtet und bewertet. Der Autor stützt sich auf zahlreiche Studien sowie auf 25 Jahre wissenschaftliche Erfahrung im Sachgebiet. Ein Buch für Jäger, Förster, Naturschützer, Studenten und alle, die sich mit unseren heimischen Wildtieren beschäftigen.

Quelle & Meyer Verlag GmbH & Co.
Industriepark 3 • 56291 Wiebelsheim
Tel.: 06766/903-140 • Fax: -320
E-Mail: vertrieb@quelle-meyer.de
www.quelle-meyer.de

308 Wer betrieb im Mittelalter die Falknerei?

Die Falknerei war im Mittelalter ein weit verbreitetes Privileg des Adels.

309 Welche Ursachen führten zu dem fast völligen Untergang der Falknerei?

Ursachen waren gesellschaftliche Veränderungen durch die französische Revolution und die Entwicklung von Schusswaffen.

310 Wann trat eine Wiederbelebung der Falknerei ein?

Mit der Gründung des Deutschen Falkenordens im Jahre 1923 begann die Entwicklung der modernen Falknerei.

311 Bestehen zwischen der früheren und der modernen Falknerei Unterschiede?

Die moderne Falknerei unterscheidet sich kaum von der früherer Jahrhunderte; sie ist also die älteste fortbestehende Jagdart. Ein Unterschied liegt im heutigen Einsatz von moderner Technik (Sender/Empfänger).

312 Welche Änderungen rechtlicher Art wurden 1935 verbindlich?

Der Falknerjagdschein wurde eingeführt, und fast alle Greifvögel erhielten ganzjährige Schonzeit (damalige Ausnahmen: Habicht, Sperber, Rohrweihe sowie Mäuse- und Raufußbussard).

313 Gibt es eine Prüfungspflicht für die erste Erteilung des Falknerjagdscheins?

Eine doppelte Prüfungspflicht (Jäger- und Falknerprüfung) für den Falknerjagdschein gibt es seit 1976 (§ 15 Abs. 7 BJagdG). Jedoch entfällt die praktische und theoretische Schießprüfung.

314 Wie ist die verfassungsrechtliche Stellung der Beizjagd?

Das Bundesverfassungsgericht hat in einer Entscheidung die Ausübung der Beizjagd als ein Grundrecht auf freie Entfaltung der Persönlichkeit (Art. 2 GG) anerkannt.

315 Welches sind die wichtigsten Rechtsgrundlagen der Falknerei?

Das sind die Jagdgesetze und die Naturschutzgesetze des Bundes und der Länder nebst Durchführungsvorschriften sowie das Tierschutzgesetz. Hinzu kommen das Washingtoner Artenschutzübereinkommen sowie die EG-Verordnungen Nr. 338/97 und 939/97.

316 Was versteht man unter Beizjagd?

Beizjagd ist nach einer sog. „Legaldefinition" die Jagd mit Greifen und Falken (§ 15 Abs. 1 Satz 3 BJagdG).

317 Wer darf die Beizjagd ausüben?

Jeder Inhaber eines Falknerjagdscheines, der einen Eigenjagdbezirk besitzt, die Ausübung des Jagdrechts gepachtet hat oder die Erlaubnis des Jagdausübungsrechts besitzt.

7.63: Die Falknerei gehört zu den ältesten Jagdformen der Welt.

318 Wem ist die Haltung heimischer Greifvögel erlaubt?

Nur dem Inhaber eines Falknerjagdscheins (§ 3 BWildSchVO).

319 Welche und wie viele heimische Greifvögel darf der Inhaber eines Falknerjagdscheins halten?

Er darf insgesamt nicht mehr als zwei Exemplare der Arten Habicht, Steinadler und Wanderfalken halten (§ 3 BWildSchVO), deren legale Herkunft er nachweisen muss (§ 22 BNatSchG).

320 Wie ist die Haltung nichtheimischer Greifvögel geregelt?

Wer die erforderliche Zuverlässigkeit und ausreichende Kenntnisse hat sowie über erforderliche Einrichtungen verfügt, darf nichtheimische Greifvögel halten (§ 6 BArtSchVo).

321 Wie teilt man die Beizvögel nach ihrem Jagdstil ein?

Man teilt sie in die Vögel vom Hohen Flug (z.B. Wanderfalke) und die Vögel vom Niederen Flug (z.B. Habicht, Steinadler) ein.

322 Wo lassen sich Wanderfalken zur Beizjagd einsetzen?

Vorwiegend im flachen, deckungsarmen und übersichtlichen Gelände. Der Jagdflug kann über große Strecken gehen, so dass die Verfolgung und das Auffinden des Beizvogels problematisch sein können. Hilfsmittel ist der Sender.

323 Was versteht man unter der Beize „aus dem Anwarten"?

Der zum „Anwarten" abgetragene (abgerichtete) Falke stellt sich hoch in der Luft über seinen Herrn oder den suchenden Hund und wartet, bis der Hund vorsteht und Wild hochgemacht wird. Dann verfolgt er die Beute, schlägt sie nieder oder „bindet" sie mit seinen „Händen" (Fängen) und geht mit ihr zu Boden. Wanderfalken schlagen (fast) nur Flugwild.

324 Welchen Zweck hat die Falkenhaube?

Sie soll verhindern, dass der Falke sein Auge auf die Ferne einstellt und eine weit entfernte Beute ins Auge fasst, so dass er ununterbrochen zum Jagdflug starten will.

325 Welche Beizvögel werden verhaubt?

In der Regel nur Falken, weil sie Langstreckenjäger sind.

326 Welcher Beizvogel kann überall zur Beizjagd benutzt werden?

Der Habicht. Als äußerst wendiger Jäger jagt er auch in deckungsreichem Gelände erfolgreich. Habichte werden in der Regel nicht verhaubt, da sie nur auf kurze Strecken jagen.

327 Wie wird mit dem Habicht gebeizt?

In der Regel wird von der Faust gebeizt (Suche im Feld, Vorstehen, Buschieren, Stöbern, Frettieren). Den Habicht kann man auch in freier Folge fliegen; dabei folgt der Habicht dem Falkner oder dem stöbernden Hund von Baum zu Baum. Habichte schlagen Feder- und Haarwild.

7.64: Der Sakerfalke kommt aus Osteuropa sowie Zentralasien und wird in Deutschland oft als Beizvogel abgetragen.

328 Apportiert der Beizvogel seine Beute?

Nein, er geht nach dem Schlagen mit der Beute zu Boden. Der Falkner muss ihn suchen (Hilfe: Bells und Sender), zu ihm hinlaufen und die Beute aufnehmen. Nach einem Fehlflug sollen alle Beizvögel zum Falkner zurückkommen (Hilfe: Das Federspiel). Wird der Beizvogel nach einem erfolgreichen Jagdflug gar nicht oder erst nach längerer Zeit gefunden, so kann er so viel gekröpft haben, dass er nicht beireitet.

329 Welche weiteren Tiere werden zusätzlich als Jagdgehilfen in der Falknerei eingesetzt?

Jagdgehilfen sind Hunde, und zwar Vorstehhunde bei der Jagd mit Falken und Stöber- oder Vorstehhunde bei der Jagd mit Habicht oder Adler, sowie Frettchen.

330 Wie beschaffen sich die Falkner ihre Beizvögel?

Beschaffung und Besitz von Greifvögeln sind weitgehend eingeschränkt (§ 20f BNatSchG; Art. 8 EGVo 338/97). Beizvögel können daher fast nur auf dem Zuchtweg beschafft werden. (§ 20a Abs. 1 Nr. 1 BNatSchG, Art. 8 EGVo 338/97). Lediglich der Habicht darf mit einer Ausnahmegenehmigung als Nestling oder Ästling der Natur entnommen werden (§ 22 Abs. 4 BJagdG i. Verb. mit § 20g Abs. 1 Nr. 1 BNatSchG). Die Vermarktung legaler Vögel ist begrenzt zulässig (§ 20g Abs. 2 BNatSchG).

331 Wie werden illegale Beschaffung und illegaler Besitz geahndet ?

Sie werden mit Bußgeldern (§ 30 BNatSchG) oder, wenn sie gewerbe- oder gewohnheitsmäßig begangen worden sind, mit Freiheits- oder Geldstrafen (§ 30a BNatSchG) geahndet.

332 Wer darf Greifvögel züchten?

Wer seine Greifvögel legal besitzt, darf mit ihnen züchten. Eine Zuchtgenehmigung ist nicht erforderlich.

333 Ist die Zucht von Greifvögeln auch für den Artenschutz von Bedeutung?

Ja, wenn gefährdete Arten nicht mehr in der Lage sind, eine überlebensfähige Population wieder aufzubauen. So haben Falkner des Deutschen Falkenordens bislang über 800 gezüchtete Wanderfalken erfolgreich ausgewildert; ihr Bestand ist nicht mehr gefährdet.

334 Werden auch nichtheimische Greifvögel für die Beizjagd eingesetzt?

Ja. Hierzu zählen u.a. Ger-, Saker-, Lanner-, Prärie- und Luggerfalken, Wüsten- und Rotschwanzbussarde sowie die Habichtsadler.

Weiterführende Literatur

Blase Cd-Rom – Grundlagen und Praxis der Jagd, 7. Auflage, Version 7.2.0, 2010, edition Jafona im Quelle & Meyer Verlag, Wiebelsheim

Brüll, H., Trommer, G.: Die Beizjagd, 6. Auflage 2007, Kosmos, Stuttgart

Engelmann, F.; Die Raubvögel Europas, 1997, Reprint der 1. Aufl. 1928, Aula, Wiebelsheim

Hespeler, B., Krewer, B: Jung oder alt? Schalenwild richtig ansprechen, 3. Auflage 2006, BLV, München

Wandel, G.: Reviereinrichtungen selbst bauen, 10. Auflage, Neuausgabe 2009, BLV, München

Weis, G.: Anlage und Pflege von Wildäsungsflächen, 1997, Nimrod, Suderburg und Hanstedt

Westerkamp, A.: Fangjagd, 2. Auflage 2009, Kosmos, Stuttgart

Abbildungsnachweis

Deutscher Bracken-Club e.V.: 7.33

Fotolia.com/© Bergringfoto: Deckblatt

Hammer, W.: 7.62

Hilpisch, H.: 7.1–15, 7.17–21, 7.23, 7.27–32, 7.34, 7.36–37, 7.39–41, 7.43–46, 7.48–61, 7.63

Keil, B.: 7.24–26, 7.35, 7.38,

Knittel, C.: 7.16

Möller, H. P.: 7.22

Vogel, H.: 7.42

Wandel, G.: 7.47

Jagdliches Brauchtum

8 Einleitung

Menschheitsgeschichte ist Jagdgeschichte. Und so alt wie die Jagd, so alt ist jagdliches Brauchtum. Seit jeher unterliegt es einem beständigen Wandel, denn die Geschichte der Jagd ist mit der Geschichte der Menschheit untrennbar verbunden. Dennoch ist das Weidwerk hinsichtlich seiner kulturhistorischen Bedeutung und trotz aller rechtlichen, technischen, sozialen sowie mentalen Veränderungen in Einem durch die Jahrhunderte hindurch stets gleich geblieben: Es gab Anstoß zu großen Leistungen auf technischem, wissenschaftlichem und künstlerischem Gebiet. Heute, in einer Zeit starker Umweltbelastungen und -zerstörungen zeigen gerade die Jäger – zusammen mit Forst- und Landwirten, mit Fischern, Imkern und Naturschützern – ihre Verantwortung gegenüber dem Wildtier, der Umwelt wie auch der Gesellschaft in hohem Maß (Arten- und Biotopschutz, nachhaltiges Bewirtschaften natürlicher Ressourcen).
In 24 Nationen – darunter auch Deutschland – zählt die Falknerei bereits zum Immateriellen Weltkulturerbe der Menschheit. Auch das deutsche Weidwerk hätte dies verdient. Allerdings sind die bisherigen Bemühungen des Deutschen Jagdverbands (DJV) und des Bayerischen (BJV) bislang erfolglos geblieben, „Jagdkultur und Jagdwesen in Deutschland" ins Verzeichnis des Immateriellen Kulturerbes aufnehmen zu lassen.
Jagdliche Bräuche sind – teils regional geprägte – Gewohnheiten und Verhaltensweisen, die sich bei der Jagd bewähren oder einfach unserem ästhetischen Empfinden entsprechen. Dazu zählen unter anderem Bruchzeichen, Jagdsignale, Jägerlieder, Jägersprache, das Töten von verletztem Wild, das Behandeln des erlegten Wildes, das Streckelegen, der Transport des erlegten Wildes, das Schüsseltreiben, Tottrinken, Jagdgericht, Jägerschlag sowie Hubertusgottesdienste.
Jagdliches Brauchtum ist sowohl praxis- als auch prüfungsrelevant. So ist es für Jagdscheinanwärter beispielsweise unabdingbar, verschiedene Jagdsignale zu kennen. Dieses Wissen gewährleistet nicht nur einen reibungslosen Jagdbetrieb. Die Kenntnis bestimmter Jagdsignale, etwa „Hahn in Ruh'!" oder „Treiber in den Kessel" ist gerade bei Gesellschaftsjagden ein wichtiger Sicherheitsaspekt. Darüber hinaus werden bei der Jägerprüfung auch die Bräuche nach dem Schuss abgefragt, etwa wie eine Strecke gelegt wird. Weniger wichtig, aber nicht bedeutungslos sind zum Beispiel die Geschichte der Jagd oder das Herrichten von Trophäen (es sei denn, es sind – wie beispielsweise in Bayern – Pflichthegeschauen vorgeschrieben).

8.1 Geschichte der Jagd

1 Welche kulturhistorische Bedeutung kommt der Jagd zu?

Die Geschichte der Jagd ist mit der des Menschen untrennbar verbunden. Die Jagd ist trotz aller rechtlichen, technischen, sozialen und mentalen Veränderungen in Einem durch die Jahrhunderte hindurch immer gleich geblieben: Sie gab Anstoß zu großen Leistungen auf technischem, wissenschaftlichem und künstlerischem Gebiet. Heute, in einer Zeit zunehmender Umweltbelastungen und -zerstörung zeigen gerade Jäger – zusammen mit Forst- und Landwirten, mit Fischern, Imkern und anderen Naturnutzern – ihre Verantwortung gegenüber dem Wildtier, der Umwelt wie auch der Gesellschaft in hohem Maß (Biotop- und Artenschutz, nachhaltige Bewirtschaftung natürlicher Ressourcen).

2 Wie alt ist die Jagd?

Sicher ist, dass die Jagd zu den ältesten Beschäftigungen des Menschen zählt und auch die früheren Entwicklungsstufen des Menschen Fleisch erbeutet und verzehrt haben. Eine genaue Datierung ist aus verschiedenen Gründen sehr unsicher.

3 Wie verlief die Geschichte der Jagd?

Traditionell wird die Jagdgeschichte Deutschlands und Österreichs unter jagdrechtlichem Aspekt so eingeteilt:

» *Freier Tierfang* (bis 7./8. Jahrhundert n. Chr.): Jeder durfte überall zu jeder Zeit und auf jede beliebige Weise jedes Wild erbeuten;
» *Inforestation* (bis 12./13. Jahrhundert): Es wurden Bannforste – bestimmte, in der Regel bewaldete Gebiete – ausgewiesen, in denen allein dem Herrscher (König) das Jagdrecht zustand;
» *Regalität* (bis 1848): Das Jagdrecht ist mehr oder minder Regal, das heißt, nutzbares Hoheitsrecht der Landesherren. Es kommt zu der Unterscheidung von Hoch- und Niederjagd;
» *Revierjagdsystem* (bis heute): Das Jagdrecht ist an Grund und Boden gebunden, Jagd- und Jagdausübungsrecht sind getrennt.

8.2 Brauchtum allgemein, Weidgerechtigkeit, Heiliger Hubertus und Heiliger Eustachius

4 Was verstehen wir unter jagdlichem Brauchtum?

Brauchtum setzt sich zusammen aus gewohnheitsmäßig begangenen Ritualen. Der Adventskranz in der Vorweihnachtszeit ist ein gutes Beispiel. Man kann damit seine Wohnung schmücken, muss es aber nicht. Zum Brauchtum gehören beispielsweise Erlegerbruch (8.4.6) und Letzter Bissen (8.4.5). Auch etwas, was man tun oder lassen kann. Oder: Warum erhält nur männliches, nicht aber weibliches Rotwild den Letzten Bissen?

5 Was gehört nach traditionellem Verständnis zum jagdlichen Brauchtum?

Hierzu gehören die Bruchzeichen, die Jagdsignale, die Jägerlieder, die Jägersprache, das Töten von verletztem Wild, das Behandeln des erlegten Wildes, das Streckelegen, das Behandeln von Trophäen, der Transport des erlegten Wildes, das Schüsseltreiben, das Tottrinken, das Jagdgericht, der Jägerschlag sowie die Hubertusgottesdienste. Das jagdliche Brauchtum ist als solches nicht randscharf abzugrenzen und entbehrt weitgehend einer klaren Systematik.

6 Welche Bedeutung haben jagdliche Bräuche?

Spätestens seit den 1930er Jahren gelten jagdliche Bräuche als ungeschriebene Verhaltensvorgaben für den Weidmann. Dies darf jedoch keinesfalls bedeuten, dass der Jäger sie unreflektiert übernimmt. Vielmehr muss er immer wieder prüfen, ob sie noch sinnvoll sind – etwa aus Gründen der Sicherheit oder des Tierschutzes.

7 Welche überlieferten Bräuche sind nicht mehr sinnvoll?

Manche Bräuche sind mittlerweile verboten, etwa aus wildbrethygienischen Gründen. Das gilt beispielsweise für das Auswerfen von Hasen oder das Aushakeln von Federwild. Andere Bräuche sind unzweckmäßig. So macht es zum Beispiel wenig Sinn, an den sogenannten bruchgerechten Holzarten (vgl. 8.4.22) auf Gedeih und Verderb festzuhalten. Praxisnäher ist es auch, einen Anschuss mit Hilfe von Trassierband zu kennzeichnen, anstatt ihn gerecht zu verbrechen. Trassierband ist deutlich leichter zu finden als ein Anschussbruch, speziell wenn der Nachsuchenführer ganz allein auf sich gestellt ist.
Fragwürdig aus Gründen des Tierschutzes ist es, nur auf laufende Hasen und fliegende Fasanen Dampf zu machen. Der Sassenhase und der Infanterist bieten ein leichteres Ziel.

8 Wie kann man die Jagd definieren?

Jagd ist Aufsuchen und Verfolgen von Wild, um es zu erbeuten. Dies ist eine pragmatische Definition der Jagd des Biogeografen Paul Müller. Der Jagdhistoriker Kurt Lindner definierte Jagd akademisch so: Jagd ist zweckbewusstes, in der Regel auf Erbeuten gerichtetes Nachstellen einer Gruppe von als Wild bezeichneter Säugetiere und Vögel unter Verwendung zusätzlicher Mittel (Netze, Flinten etc.) und unter Wahrung der Entkommenschancen der verfolgten Tiere. Dagegen vertritt der spanische Philosoph José Ortega y Gasset die Auffassung: „... die Jagd ist eine Nachahmung des Tieres. Wer sie als menschliches Faktum auffasst ..., versteht nicht, was Jagd ist." Nach Ortega ist Jagen nichts anderes als das Aufeinandertreffen zweier Instinktsysteme. Er macht – anders als Lindner – keinen Unterschied zwischen Mensch und Tier. Dann aber wäre Jagd mit Brudermord gleichzusetzen.

9 Was versteht man unter Weidgerechtigkeit?

Weidgerechtigkeit ist ein Synonym für Jagdethik und ein zentraler, im Bundesjagdgesetz (§ 1 Abs. 3) benutzter Begriff, der anders als sonst in Gesetzgebung und Rechtsprechung üblich, bislang nicht präzise und verbindlich bestimmt worden ist. Der Begriff der Weidgerechtigkeit ist ähnlich schwammig wie der Rechtsterminus „gute Sitten". Weidgerechtigkeit ist der kategorische Imperativ für Jäger. Wer gegen die Jagdethik verstößt, handelt unmoralisch, denn er verletzt ungeschriebene Gesetze der Jägerschaft.

10 Wann handelt ein Jäger unweidmännisch?

Ein vollständiger Katalog von unweidmännischem oder nicht weidgerechtem Verhalten existiert bislang nicht. Gegen die Weidgerechtigkeit verstößt beispielsweise, wer unsichere Schüsse riskiert, also etwa zu weite Entfernungen in Kauf nimmt oder bei unzureichendem Licht schießt, wer nicht gewissenhaft nachsucht, wer seinem Standnachbarn Wild „vor der Nase" wegschießt u.a.m. Wer versehentlich über die Strecke tritt, handelt dagegen bloß nicht brauchtumsgerecht. Unabhängig von der Weidgerechtigkeit gibt es noch die sogenannten „Sachlichen Verbote", die in § 19 BJagdG aufgelistet sind. Dazu zählt unter anderem der Einsatz von Schlingen, Vogelleim oder Selbstschussgeräten.

11 Gibt es einen Schutzpatron der Jäger?

Heute – früher war es die griechische Göttin Artemis bzw. die römische Diana – ist der Heilige Hubertus (geb. um 655, gest. 727) der Schutzpatron der Jäger. Er war Bischof in Maastricht, später in Lüttich. Wegen angeblicher Wundertaten und großen Glaubenseifers ist er bereits im Jahre 743 heilig gesprochen worden. In Österreich und einigen anderen Ländern ist der Heilige Eustachius (gest. um 117) Schutzpatron der Jäger. Sein Fest ist am 20. September jedes Jahres.

8.1: Kirchenfenster mit Darstellung des Hl. Hubertus

12 Was versteht man unter der Hirschlegende?

Nach dieser Legende soll der Heilige Hubertus einst ein wilder Jäger gewesen sein und an einem kirchlichen Feiertag wieder einmal zu Pferde einen Hirsch gehetzt haben. In die Enge getrieben – der Heilige Hubertus hatte bereits die Waffe erhoben – habe sich der Hirsch plötzlich zu Hubertus gewandt und zwischen seinen Geweihstangen sei das Kreuz Christi erschienen. Der Hirsch habe den Jäger dann eindringlich zur Umkehr aufgefordert. Hubertus habe daraufhin die Waffen niedergelegt und gelobt, fortan nicht mehr an kirchlichen Feiertagen zu jagen. Der tiefere Sinn der Legende ist eine eindringliche Warnung vor übertriebener Passion.

13 Seit wann wird die Hirschlegende dem Heiligen Hubertus zugeschrieben?

Erst seit dem 15. Jahrhundert wird die Hirschlegende mit dem Heiligen Hubertus in Verbindung gebracht. Vorher wurde sie schon dem Heiligen Eustachius zugeschrieben. Zahlreiche vorchristliche Überlieferungen, vornehmlich aus dem indischen Raum, aber auch aus dem Zweistromland, enthalten bereits das Hirschmotiv und sind mindestens bis in das 3. Jahrhundert v. Chr. zurückzuverfolgen.

14 Wann ist der Hubertustag?

Am 3. November jeden Jahres ist das Fest des Heiligen Hubertus. An diesem Tag oder Anfang November werden Gesellschaftsjagden, sogenannte Hubertusjagden, abgehalten oder auch Gottesdienste zu Ehren des Heiligen Hubertus gefeiert.

8.3 Sprache der Jäger

15 Woraus setzt sich der Wortschatz der Jäger zusammen?

Der jagdliche Wortschatz besteht aus Fachwörtern (z.B. Kesseltreiben oder Wildfolge), aus gruppensprachlichen Ausdrücken (z.B. Löffel oder Blume) und aus solchen Wörtern, die der Gemeinsprache entstammen und einen jagdlichen Gehalt aufweisen (z.B. Hase oder Jagdhund).

16 Was verstehen wir unter Gemein-, Gruppen- und Fachsprache?

Gemeinsprache sind Grammatik und Wortschatz, wie sie im Duden stehen. In Deutschland und Österreich also das Hochdeutsche, in Frankreich das Französische. *Gruppen- und Fachsprachen* (Oberbegriff *Sondersprachen* im Unterschied zur Gemeinsprache) sind nicht Sprache im eigentlichen Sinne, da sie nur über einen eigenen Wortschatz, nicht aber über eine eigenständige Grammatik verfügen.

Gruppensprachen zeichnen sich durch einen Wortschatz aus, der dem spezifischen Interesse einer Gruppe Rechnung trägt, z.B. dem der Integration der Gruppenmitglieder oder dem des bewussten Absonderns von anderen Gruppen. Ein Beispiel hierfür bildet die Studentensprache. Oftmals erhalten dabei gemeinsprachliche Wörter eine neue und zusätzliche Bedeutung: In der Gemeinsprache ist die Rose beispielsweise eine Blütenpflanze, während der Jäger darunter einmal den Perlenkranz am unteren Ende von Geweihen und zum anderen den warzigen, meist lebhaft gefärbten Augenkranz bei den meisten Hühnerarten, besonders beim Birkhahn, versteht. Noch ein Beispiel: Mit Tellern werden in der Gemeinsprache Teile des Essgeschirrs bezeichnet, der Jäger aber begreift darunter die Ohrmuscheln des Schwarzwildes.

Zur *Fachsprache* – genauer zum fachlich bedingten Wortschatz – gehören Wörter, die durch Vertiefen des Sachwissens (Arbeitsteilung; Spezialisierung) entstanden sind. Die jagdliche Fachsprache ist wesentlich durch Technik und Recht geprägt. Fachwörter der Jägersprache sind beispielsweise Kastenfalle, Bockbüchse oder Nachsuche.

17 Auf wie viele Wörter beläuft sich der Jagdwortbestand?

Die gegenwärtig verwendete Terminologie besteht aus maximal 2.000 Wörtern, was mit der Entwicklung der Jagdtechnik zusammenhängt. Heute haben wir eine „Monokultur" der Schusswaffe. Noch bis zum Ende des 19. Jahrhunderts spielte beispielsweise die Fangjagd eine gewichtige Rolle (Schlingen, Vogelherd, Kloben, Gewichtsfallen usw.). Betrachtet man den jagdlichen Wortschatz von seinen Anfängen im 8. Jahrhundert bis in die Gegenwart, dann setzt er sich aus insgesamt etwa 13.000 Ausdrücken mit ca. 40.000 definierten Bedeutungen zusammen.

18 Ist die Jägersprache sinnvoll?

Ja, denn sie dient der schnellen und unmissverständlichen Verständigung der Weidmänner untereinander. Ohne einen speziellen Wortschatz kommen auch Seeleute oder Computerfachleute nicht aus. Der jagdliche Wortbestand ist außerdem sehr altes Kulturgut, das erhalten und gepflegt zu werden verdient. Er ist der umfangreichste und ein besonders eingehend erforschter Sonderwortbestand des deutschen Sprachgutes.

19 In welcher Situation sind jagdliche Spezialwörter unangebracht?

Wenn sich ein Jäger mit einem Nichtjäger unterhält, sollte er ganz auf gruppensprachliche Begriffe verzichten und nur dann, wenn nötig, auf Fachwörter zurückgreifen.

20 Warum sollte man Weidmann, Weidwerk etc. mit „ei" und nicht mit „ai" schreiben?

Etymologisch korrekt ist die Schreibweise mit „ei" („Weid" kommt vom indogermanischen „Weide" = Nahrungserhalt oder -erwerb). Die Variante mit „ai" ist mundartlich begründet (Bayern, Österreich). Sie wurde 1935 verbindlich von den Nationalsozialisten angeordnet. In der DDR war die Schreibweise mit „ei" üblich. Laut Duden sind beide Schreibweisen zulässig. Der Gesetzgeber schreibt „Weidgerechtigkeit" (§ 1 (3) BjagdG). Im BLASE wird die Schreibweise mit „ei" übernommen.

8.4 Bruchzeichen

21 Was ist ein Bruch?

Ein Bruch ist ein abgebrochener, in der Regel grüner Zweig bestimmter Baumarten, der der Nachrichtenübermittlung dient oder aber symbolischen bzw. ästhetischen Charakter hat. Früher benutzte man Brüche wohl auch aus religiösen oder hygienischen Gründen.

8.2: Ein braver Bock, gerecht verbrochen

22 Welche Holzarten kommen traditionell für Brüche in Frage?

Seit den 1930er Jahren sind nur Eiche, Erle, Fichte, Tanne und Kiefer (auch Latsche und Zirbelkiefer) bruchgerecht. In früherer Zeit war dies anders. So war etwa die Buche im 18. Jahrhundert eine Bruchholzart. Pragmatisch betrachtet können alle am Ort der Erlegung greifbaren Bäume und Sträucher des Waldes oder der Feldmark bruchgerecht sein, wobei man nur dann von den traditionellen Brüchen abweichen sollte, wenn diese nicht greifbar sind. Wer einen Bock in einem Weizenschlag streckt, kann ihn auch mit Ähren gerecht verbrechen. Das symbolische Handeln ist wichtiger als das Verwenden eines bruchgerechten, d.h. bestimmten, Holzes.

23 Wann ist ein Stück gerecht verbrochen?

Ein Stück Wild ist mit dem Inbesitznahmebruch und – gegebenenfalls – dem Letzten Bissen gerecht verbrochen.

24 Was versteht man unter einem Inbesitznahmebruch?

Der Inbesitznahmebruch – ungefähr ein halber Arm lang – wird gestrecktem Schalenwild auf die linke Seite (vom Wild aus betrachtet, welches ja auf der rechten Seite liegt) gelegt. Bei weiblichen Stücken zeigt die gewachsene Spitze zum Haupt, bei männlichem Wild das abgebrochene Ende. Dieser Bruch wird auch als Wild- oder Streckenbruch bezeichnet. Der Inbesitznahmebruch hatte früher rechtliche Funktion, heute nur symbolische.

25 Was ist der Letzte Bissen?

Der Letzte Bissen wurde traditionell dem erlegten männlichen Schalenwild, in Bayern und Österreich auch dem Auer-, Birk- und Haselhahn sowie dem Murmeltier in den Äser, das Gebrech bzw. den Schnabel gesteckt. Heute sollte der Letzte Bissen nicht auf männliches Wild beschränkt bleiben. Denn anderenfalls müsste man konsequenterweise zwischen männlichen und weiblichen Kälbern, Kitzen und Frischlingen differenzieren, was aber in der Praxis nicht geschieht.

26 Wie wird der Erleger- oder Schützenbruch überreicht?

Der Schützenbruch wird bei Gesellschaftsjagden entweder vom Jagdleiter oder aber vom Jagdherren mit dem Schweiß des erlegten Stückes benetzt und dem Schützen mit „Weidmannsheil" auf dem abgenommenen Hut, dem Weidblatt oder dem Hirschfänger überreicht, wobei die Klinge keinesfalls auf den Erleger gerichtet ist. Der Erleger nimmt den Bruch, steckt ihn – gewöhnlich rechts – an seinen Hut und dankt mit „Weidmannsdank" und Händedruck.

Auf der Einzeljagd wird sich der Erleger selbst mit einem Schützenbruch „versorgen". Bei erfolgreicher Nachsuche überreicht der Hundeführer dem Schützen einen Bruch. Der Erleger bricht einen Zweig vom Bruch ab und gibt ihn mit „Weidmannsdank" dem Hundeführer, der den Zweig seinem Hund an die Halsung steckt.

27 Wie viele Schützen- oder Erlegerbrüche werden bei Gesellschaftsjagden an einen Schützen überreicht, der mehrere Stück Wild geschossen hat?

Bei Gesellschaftsjagden überreicht entweder der Jagdleiter oder der Jagdherr vor oder nach dem Verblasen der Strecke jedem Erleger einen Bruch (nicht für jedes Stück einen).

28 Für welche Wildarten wird ein Schützenbruch überreicht?

Dies geschieht gewöhnlich bei allem Schalenwild, bei Fuchs, Murmeltier, Auer-, Rackel- und Birkhahn (die Waldhühner haben allerdings in Deutschland keine Jagdzeit, wohl aber in Österreich).

29 Was ist ein Hauptbruch?

Ein Hauptbruch ist ein armlanger, mit dem Jagdmesser beidseitig befegter Zweig, d.h. die Rinde des Mitteltriebes ist entfernt – das Holz „leuchtet". Er wird auf die Erde gelegt oder aufgehängt und sollte von weither sichtbar sein. Er bedeutet „Achtung" und zeigt dem Jäger an, dass an dieser Stelle eine weitere wichtige Information – in der Regel durch Bruchzeichen – zu finden ist.

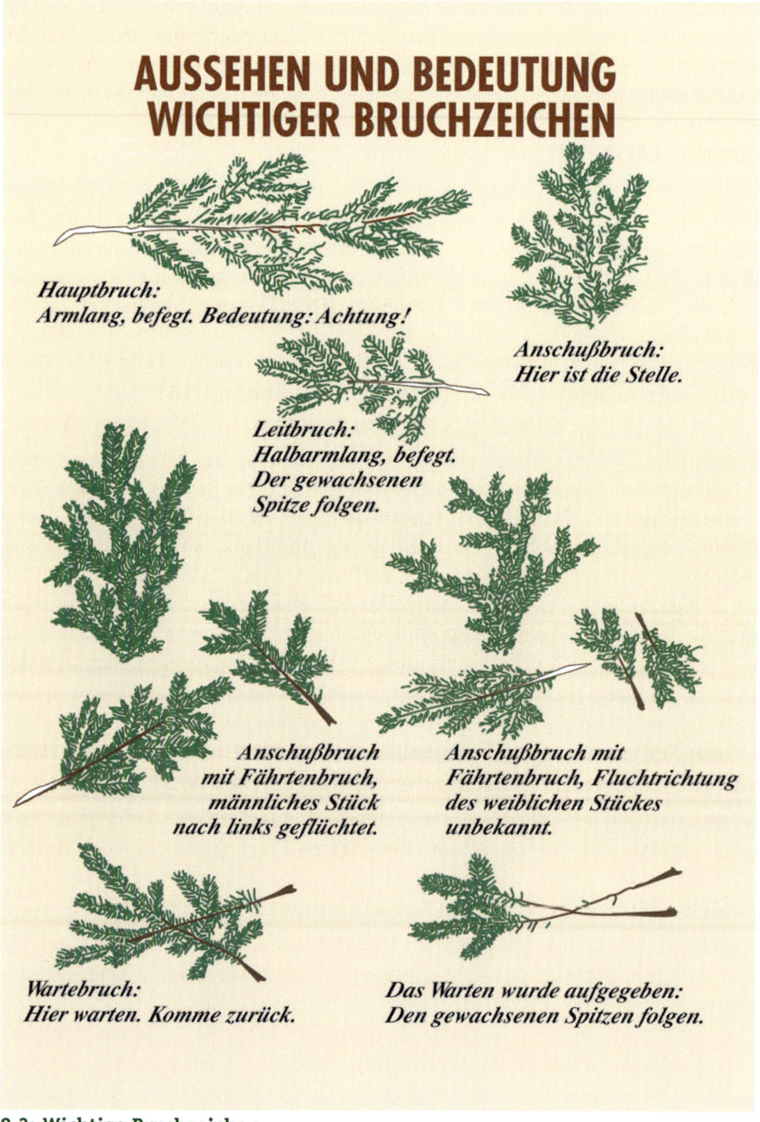

8.3: Wichtige Bruchzeichen

30 Was versteht man unter einem Leitbruch?

Dies ist ein etwa halbarmlanger, ebenfalls befegter Bruch – also ohne Mittelrinde –, der mit der gewachsenen Spitze in die Folgerichtung zeigt. In Teilen Österreichs gilt allerdings die gebrochene Seite als richtungsweisend.

31 Was ist ein Anschussbruch?

Der Anschussbruch ist ein nicht befegter Bruch, dessen gebrochenes Ende dort im Erdboden steckt, wo der Jäger den Anschuss gefunden hat oder vermutet. Mittlerweile hat es sich allerdings eingebürgert, dass Anschüsse zwecks späterer Nachsuchen nicht mehr mit Brüchen versehen, sondern mit farbigen Signalbändern – notfalls auch mit Papiertaschentüchern o.ä. – markiert werden, damit die betreffende Stelle leichter wiedergefunden werden kann.

32 Was ist ein Fährtenbruch?

Der Fährtenbruch ergänzt den Anschussbruch und ist halbarmlang, angespitzt und nicht befegt. Er wird dann ausgelegt, wenn der Schütze mit Sicherheit weiß oder aber vermutet, in welche Richtung das beschossene Stück absprang. Bei einem weiblichen Stück wird das gewachsene Ende des Bruches in die Fluchtrichtung gelegt, bei einem männlichen Stück das angespitzte Ende. Zur Vervollständigung wird der Fährtenbruch geäftert, d.h. ein kleiner Querbruch hinter ihn gelegt. Ist die Fluchtrichtung unbekannt, wird er doppelt geäftert.

33 Was versteht man unter einem Standplatzbruch?

Er besteht aus zwei Brüchen und kann bei Waldtreib- oder Drückjagden den Platz jedes Schützen kennzeichnen. Dabei handelt es sich erstens um einen armlangen, halbkahlen Bruch (= mit entfernten unteren Seitenästen), der vor dem Schützen in der Erde steckt sowie zweitens einem Hauptbruch (vgl. 8.4.14), der auf die Erde gelegt wird und mit der gewachsenen Spitze die Folge nach dem Treiben anzeigt. Der Schütze steht zwischen den beiden Brüchen. In der Praxis wird der Standplatzbruch bei Waldtreiben heute ersetzt, indem man Bäume besonders kennzeichnet, etwa mittels Farbe oder farbiger Bänder.

34 Was ist ein Wartebruch?

Er besteht aus zwei gekreuzt übereinander gelegten, armlangen Brüchen. Wenn die unteren Zweige zu zwei Dritteln entfernt sind, bedeutet dies, dass das Warten aufgegeben worden ist, wobei die gewachsenen Spitzen die Abmarschrichtung anzeigen. Drei nebeneinander gelegte Wartebrüche bezeichnen einen Sammelplatz.

35 Was ist ein Warnbruch?

Der Warnbruch ist ein weißgeschnitzter, also sehr auffälliger Bruch. Seine Rinde und Zweige sind abgesehen von der Spitze völlig abgeschabt. Er wird zu einem Kreis gebogen aufgehängt und bedeutet: Achtung! Gefahr!

36 Was versteht man unter einem Trauerbruch?

Es ist ein Bruch, der mancherorts zur Beerdigung eines Weidmannes von den dabei anwesenden Jägern getragen wird. Die Brüche respektive Zweige stecken mit ihrer Unterseite nach außen am Hut, werden „gewendet“, also mit der Nadelseite nach innen getragen. Gewöhnlich befinden sie sich an der linken Seite des Hutes.

37 Was ist ein Standesbruch?

In Teilen Österreichs ist es Brauch, bei festlichen Anlässen, etwa einer Hochzeit, einen Bruch an die linke Seite des Hutes zu stecken, wobei die Nadelseite nach außen zeigt.

38 Was ist der Letzte Bruch?

Es ist ein Bruch, der dem verstorbenen Weidmann ins Grab mitgegeben oder darauf gelegt wird.

39 Wann gebraucht man Schmuckbrüche?

Wer zum Schüsseltreiben oder anderen geselligen Anlässen mit Jägern Fichten oder Tannengrün, aber auch Eichenzweige etc., auf den Tisch legt, um ihn festlich zu dekorieren, der benutzt Schmuckbrüche. Auch das zur Strecke gelegte Wild befindet sich auf Schmuckbrüchen oder ist von solchen umrahmt.

40 Welche Brüche werden im jagdlichen Alltag kaum noch verwendet?

Die sog. Verständigungsbrüche, also Haupt-, Leit-, Warte-, Anschuss-, Fährten- sowie Warnbruch, sind völlig außer Gebrauch gekommen. Es ist an der Zeit, dass Jagdscheinanwärter hierüber nicht mehr geprüft werden.

8.5 Jagdsignale

41 Welche Jagdhörner sind im Gebrauch?

Heutzutage werden folgende Jagdhörner von den Jägern benutzt:

1. *Fürst-Pleß-Jagdhorn* in B – es ist etwa 130 cm lang, hat einen Kreisdurchmesser von 20 cm und ist mit grünem Leder umwickelt; es ist das gebräuchlichste Jagdhorn;
2. *Clewingsches Taschenjagdhorn* – es ist genauso lang wie das Pleßhorn, mehrfach gewunden, der Kreisdurchmesser beträgt 12 cm; es ist grün umwunden und hat enge Röhren;
3. *Sauerländer Halbmond* in B – er ist ebenso lang wie das Pleßhorn, allerdings lediglich zum Halbmond gebogen; er besteht traditionell aus Kupfer und hat keine Wicklung, dafür aber ein charakteristisches Riemenzeug mit den Initialen oder dem Wappen des Eigentümers;
4. *Parforcehorn* – es ist größer als das Fürst-Pleß-Horn (45 bis 48 cm im Durchmesser), meist ebenfalls grün umwickelt und in verschiedenen Ausführungen zu finden:
   - *Parforcehorn* in B, einfach gewunden, etwa 260 cm lang; in dieser Stimmlage gibt es auch Hörner mit engerem Durchmesser (zirka 35 cm); sie sind allerdings in der Gesamtlänge dem einfach gewundenen gleich;
   - *Parforcehorn* in Es, zweifach gewunden, mit einer Länge von 400 cm;
   - *Parforcehorn* in B und Es, wie das Es-Horn zweifach gewunden, jedoch mit einer Klappe, mit deren Hilfe man die Stimmlage zwischen B und Es wechseln kann;
5. *Trompe de Chasse* in D – es stammt aus Frankreich, ist bei drei Windungen etwa 440 cm lang. Im Unterschied zu den Parforcehörnern ist es nicht umwickelt, der Schalltrichter ist innen schwarz lackiert.

42 Was ist ein Ventilhorn?

Ein Pleßhorn mit drei Ventilen, auf dem man auch Halbtöne blasen kann.

43 Was ist ein Waldhorn?

Das ist ein Konzerthorn mit Ventilen.

44 Wie trägt man das Jagdhorn?

Das Horn hängt an der rechten Seite über der Schulter des Bläsers an der Hornfessel, wobei das Mundstück zweckmäßigerweise nach (unten) vorne zeigt. Der Sauerländer Halbmond wird dagegen links getragen.

8.4: Das Jagdhorn ist wesentlicher Bestandteil von Jagdpraxis und -kultur.

45 Aus wie vielen Tönen bestehen unsere Jagdsignale (und wie lauten die Noten)?

Die gebräuchlichen Signale bestehen aus fünf Tönen (C – G – C – E – G).

46 Welche Jagdsignale unterscheidet man?

Man trennt zwischen drei Gruppen von Jagdsignalen:

1. *(Jagd-) Leitsignale:* Dabei handelt es sich um einstimmige, auf der Jagd (meist während der Treibjagd) von den Bläsern einzeln (solistisch) geblasene Verständigungssignale, z.B. „Aufbruch zur Jagd“, „Langsam treiben“ oder „Treiber in den Kessel“;
2. *Allgemeine Signale:* Das sind Gruppensignale, die dann erklingen, wenn die Jagdgesellschaft versammelt ist, z.B. „Begrüßung“, „Zum Essen“ oder „Jagd vorbei“;
3. *Wild- oder Totsignale:* Das sind Fanfaren, die jeweils einzelnen Wildarten zugeordnet sind und nach dem Streckenlegen oder am erlegten und versorgten Einzelstück ertönen, z.B. „Sau tot“, „Fuchs tot“ oder „Hase tot“.

47 Mit welchen Signalen kann man sich gegenseitig herbeirufen?

Das geht mit dem „Wo-bist-du-denn?“ („Hegeruf“) und der Antwort „Bin-hier“ („Antwort“). In Notsituationen kann durch das „Helft-bin-in-Not“ („Jägernotruf“) Hilfe herbeigerufen werden. Im Zeitalter des Handys sind diese Signale außer Gebrauch gekommen. Mit dem Handy, Smartphone etc. ist eine Verständigung einfacher und präziser.

48 Nach welchem Jagdsignal bewegt sich die Jagdgesellschaft in Richtung des ersten Treibens?

Das geschieht nach dem Signal „Aufbruch zur Jagd“.

Gebräuchliche Jagdsignale

Das hohe Wecken

Begrüßung

Aufbruch zur Jagd

Das Ganze

Langsam treiben!
(Anblasen des Treibens)

Halt!

Treiber in den Kessel! (Treiber rein!)

Hahn in Ruh!
Abblasen des Treibens

Zum Essen

Notruf

Hegeruf

Antwort!

Hirsch tot!

Damhirsch tot!

8.5: Die wichtigsten Jagdsignale

Sau tot!

Gams tot!

Muffel tot!

Reh tot!

Fuchs tot!

Hase tot!

Kaninchen tot!

Flugwild tot!

Jagd vorbei!

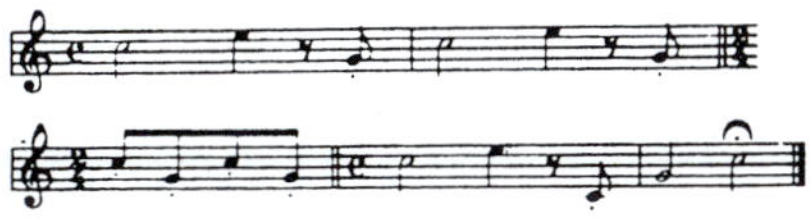

Halali!

49 Welche Signale ertönen, wenn das Treiben beginnen soll?

Dann ertönen die Jagdleitsignale „Das Ganze“ und „Langsam treiben“.

50 Welche Signale sind beim Kesseltreiben von Bedeutung?

Das sind die Signale „Das Ganze“, „Langsam treiben“, („Halt“) „Treiber in den Kessel“ und „Hahn in Ruh'!“.

51 Was bedeutet das Signal „Hahn in Ruh'“ ?

Mit diesem Signal wird das Treiben beendet und das Entladen angeordnet.

52 Welche Signale rufen Jäger und Treiber zum Sammelplatz?

Durch die Signale „Sammeln der Jäger“ und „Sammeln der Treiber“. Eventuell wird auch der „Hunderuf“ geblasen.

53 In welcher Reihenfolge wird gestrecktes Wild verblasen?

Es wird in der Reihenfolge verblasen, in der es auf der Strecke liegt. Dabei gilt grundsätzlich Hochwild vor Niederwild, Haarwild vor Federwild. Bei der Drückjagd zum Beispiel: „Hirsch tot“, „Sau tot“ und „Fuchs tot“. Nach einer Niederwildjagd können beispielsweise folgende Signale ertönen: „Fuchs tot“, „Hase tot“ sowie „Flugwild tot“. Nach den letzten Totsignalen folgen grundsätzlich die Signale „Jagd vorbei“ und „Halali“. Das Signal „Jagd vorbei“ gilt dem heutigen Jagdtag, das Signal „Halali“ als freudiger Abschluss, aber auch als Signal zur weiteren Jagd alleine oder zusammen in den nächsten Tagen. Ein schöner neuer Brauch ist es, das Verblasen der Strecke nach dem „Halali“ mit dem Signal „Auf Wiedersehen“ ausklingen zu lassen.

54 Ist der Hut während des Verblasens der Strecke abzunehmen?

Mehr und mehr hat es sich eingebürgert, zu Ehren des gestreckten Wildes während des Signals „Halali“ den Hut zu lüften. Eigentlich wird dem erlegten Wild bereits mit den Totsignalen die letzte Ehrbezeugung erwiesen. In der Praxis wird sich der Jagdgast nach dem Verhalten des Jagdherren richten.

8.6 Bräuche nach dem Schuss

55 Was ist das große Jägerrecht?

Es war früher ein Teil der üblichen Naturalentlohnung der Berufsjäger. Mit geringen Abweichungen in manchen Regionen bestand es aus dem Kopf (ohne Trophäe), dem Hals bis einschließlich zur dritten Rippe (dem sog. Vorschlag), dem Wildbret unter dem Rückgrat (dem sog. Mürbebraten), der Decke, dem Feist, der mit den Fingern gelöst werden konnte, sowie dem Geräusch, d.h. Herz, Lunge, Leber, Milz, Nieren und Zwerchfell. Das große Jägerrecht ist heute nicht mehr üblich.

56 Was versteht man unter dem kleinen Jägerrecht?

Zum kleinen Jägerrecht gehören die essbaren Teile des Geräuschs, der Feist, der mit den Fingern abgelöst werden kann, ferner der Pansen (als Hundefutter), das beim Abschlagen des Kopfschmuckes freigelegte Hirn sowie der Lecker.

57 Wem steht das kleine Jägerrecht zu?

Grundsätzlich steht das kleine Jägerrecht dem zu, der das Stück aufbricht. Dies ist in aller Regel der Erleger. Soll das Stück allerdings an einen Wildhändler etc. veräußert werden, sind diesem sämtliche Innereien abzugeben. Die Trophäe steht fast immer dem Erleger zu (Ausnahme: Fehlabschuss). Dies wird bisweilen als „Jägerrecht des Erlegers“ bezeichnet.

58 Was bedeutet Streckelegen?

Nach einer Gesellschaftsjagd wird das erlegte Wild in Reihen auf „Tannengrün“ bzw. Schmuckbrüchen ausgelegt. Alles Wild sollte einheitlich, nämlich auf der rechten Seite (vom Wild aus betrachtet; anders formuliert: mit der Herzseite nach oben) und mit dem Haupt bzw. Kopf in Richtung des Jagdherren liegen. Jedes zehnte (eventuell auch fünfte) Stück wird eine halbe Wildlänge vorgezogen.

59 In welcher Weise wird die Strecke gelegt?

Das Schalenwild wird traditionell gerecht verbrochen. Zuerst werden Rot-, dann Dam-, Sika-, Muffel- und schließlich Schwarz- und Rehwild aufgereiht. Das stärkste Stück liegt am rechten Flügel (links aus Sicht des Jagdherren), männliches Wild vor weiblichem. Wegen der Wildbretstärke liegen Alttiere vor den Kälbern, unabhängig davon, ob es sich um männliche oder weibliche Kälber handelt.

60 Wie ist das Streckelegen beim Niederwild – ausgenommen Rehwild – zu handhaben?

Zuvorderst liegen die Füchse mit hochgebogener Lunte. Dann folgen Hasen, Kaninchen, Fasanen und übriges Flugwild – möglichst der Größe nach. Sonstige behaarte Beutegreifer liegen in der Reihe der Füchse.

61 Was geschieht bei gemischten Strecken?

Das Hochwild liegt stets vor dem Niederwild, Haarwild vor Federwild.

62 Was sollte man beim Legen der Strecke grundsätzlich beachten?

Die Strecke sollte aus ästhetischen Gründen nicht tiefer als breit sein. Wenn also von einer Wildart nur recht wenige Stücke erlegt worden sind, wird die nächste Wildart in derselben Reihe angeschlossen. Nur Füchse und andere Beutegreifer werden stets gesondert in eine Reihe gelegt.

63 Wo stehen Jagdherr, Schützen, Treiber und Hundeführer sowie Bläser?

Jagdherr und Schützen stehen traditionell vor der Strecke, Jagdhornbläser hinter der Strecke am rechten Flügel. Hinter den Bläsern stehen die Treiber, Hundeführer mit Hunden befinden sich am linken Flügel hinter der Strecke, soweit sie keine Schützen sind.

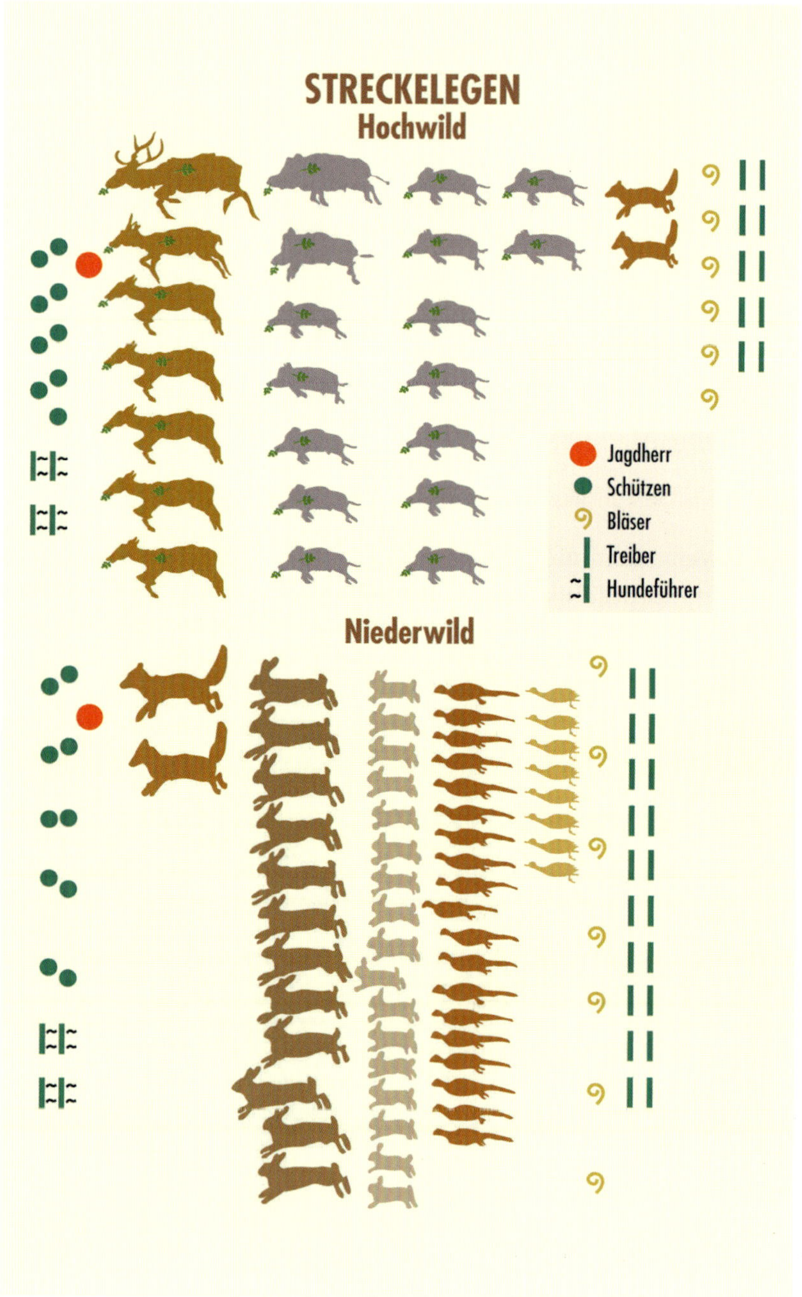

8.6: Streckelegen bei Hoch- und Niederwild

64 Welche Regeln gelten an der gelegten Strecke?

Verpönt ist es, über die Strecke zu treten. Zur Bekanntgabe und zum Verblasen der Strecke erscheinen Schützen, Hundeführer und Treiber möglichst vollständig. Waffen und Hunde werden mitgeführt. Allerdings gilt es, eine anderweitige Vorgabe des Jagdherren zu respektieren.

65 Was geschieht, wenn die Strecke gelegt ist und alle Beteiligten den ihnen angewiesenen Platz eingenommen haben?

Der Jagdherr gibt das Gesamtergebnis der Gesellschaftsjagd bekannt. Wenn der Jagdherr nicht selber Jagdleiter war, meldet der Jagdleiter dem Jagdherrn die Strecke. Daraufhin bedankt sich der Jagdherr bei Schützen, Hundeführern und Treibern und verteilt – soweit dies noch nicht im Vorfeld geschehen ist – an jeden erfolgreichen Schützen, der Schalenwild oder Füchse gestreckt hat, einen Bruch – selbst wenn der eine oder andere mehrere Stück Schalenwild erlegt haben sollte. Schließlich lässt der Jagdherr die Strecke verblasen und bedankt sich danach bei den Bläsern.

66 Was versteht man unter Schüsseltreiben?

Wenn Jäger und Jagdhelfer sich nach einer Gesellschaftsjagd zum Essen zusammenfinden, bezeichnet man dies als Schüsseltreiben oder Knödelbogen.

67 Was ist ein Jagdkönig?

Mancherorts wird nach einer Gesellschaftsjagd derjenige zum Jagdkönig ernannt, der die wertmäßig bzw. zahlenmäßig höchste Strecke erzielt hat. Doch besteht hier weitgehend Entscheidungsfreiheit des Jagdherren. Jagdkönig sollte keinesfalls der werden, der ein nicht freigegebenes Stück geschossen hat. Dem Jagdkönig obliegt es, auf die erste Rede zu antworten, im Namen aller Gäste für den Jagdtag zu danken und diesen aus seiner Sicht nochmals zu würdigen.

68 Was ist ein Jagdgericht?

Ein meist beim Schüsseltreiben oder Knödelbogen tagendes Laien-„Gericht", das Verstöße gegen Jagdregeln und Brauchtum in oft humorvoll erzieherischer Form rügt. Als „Strafen" folgen z.B. kleine Geldbußen für die Revierkasse oder das Spendieren von Getränken. Wirklich schwerwiegendes Fehlverhalten kann keinesfalls Sache des Jagdgerichts sein. Es erfordert ein ernstes Gespräch zwischen dem Jagdleiter bzw. -herren und dem Missetäter. Notfalls sind Konsequenzen zu ziehen, die bis zum Ausschluss von der Jagd führen können.

69 Was ist der Jägerschlag?

In vergangenen Jahrhunderten wurden die Berufsjäger nach Abschluss ihrer dreijährigen Lehre von ihrem Lehrprinzen zum Jäger geschlagen. Nach einer feierlichen Ansprache „ohrfeigte" der Lehrherr den jungen Berufsjäger ein letztes Mal und überreichte ihm dann den Hirschfänger, den nur ein fertig ausgebildeter Jäger tragen durfte. Später entstand der Brauch, die jungen Jäger nach bestandener Prüfung zum Jäger zu schlagen. Dabei ist fälschlicherweise die alte Sitte des „Pfundegebens" eingeflossen. Das „Pfundegeben" war eine Strafe für jagdliches Fehlverhalten – mehr oder minder kräftige Schläge mit

dem Hirschfänger etc. auf das Hinterteil. Sie wurde vornehmlich im Rahmen der großen höfischen Jagden verhängt.
Heute wird nach bestandener Jägerprüfung oder nach Erlegen des ersten Stück Wildes der Jägerschlag als (hoffentlich!) würdige Zeremonie durchgeführt. Dabei wird der Jagdherr oder Lehrprinz dem Jungjäger mit dem Weidblatt oder Hirschfänger dreimal auf die rechte Schulter schlagen und beispielsweise folgenden Vers sprechen: Der erste Schlag soll dich zum Jäger weihen, / der zweite Schlag dir Weidgerechtigkeit verleihen, / der dritte Schlag sei ein Gebot: / Was du nicht kennst, das schieß' nicht tot!

70 Was ist unter der Totenwacht zu verstehen?

In den vergangenen Jahrzehnten ist der Brauch entstanden, dass der Schütze alleine am gestreckten und möglichst aufgebrochenen Stück eine gewisse Zeit verharrt und nochmals das durchdenkt, was er um dieses Stück erlebte. Die Totenwacht ist nur bei der Einzel-, nicht aber bei einer Gesellschaftsjagd üblich.

71 Was bedeutet Tottrinken?

Wenn ein Jäger auf einer Einzeljagd besonderes Weidmannsheil gehabt hatte, dann wird er oftmals das Bedürfnis haben, in einer besinnlichen Stunde – alleine oder in Gesellschaft – alles nachzuerleben. Natürlich gehört dazu ein guter Tropfen. Allerdings sollte man Wild nur tottrinken, nicht totsaufen.

8.7 Verwerten der Jagdtrophäen, Präparieren und Gerben

72 Welche Teile von Wildtieren werden als Jagdtrophäen verwendet?

Der Kopfschmuck von horn- und geweihtragendem Schalenwild (männlich und weiblich), die Eckzähne von älterem Schwarzwild (Gewehre und Haderer beim Keiler, Haken bei der Bache), die Fangzähne des Fuchses, die Grandeln des Rotwildes, Malerfedern sowie Schnepfenbart bei der Schnepfe und die Erpellocken von Stockenten. Bei Raubwild und -zeug ist der Balg bzw. die Schwarte die Trophäe. Trophäen sind auch die Decken und Schwarten des Schalenwilds. Rücken-, Mähnen und Schnurbarthaare verschiedener Arten können als Hutschmuck verwendet werden.
Einst waren u.a. auch Federn vom Spiel des Birkhahn, die Magensteine des Auerhahns sowie die Flügeldeckfedern des Eichelhähers sehr begehrt.

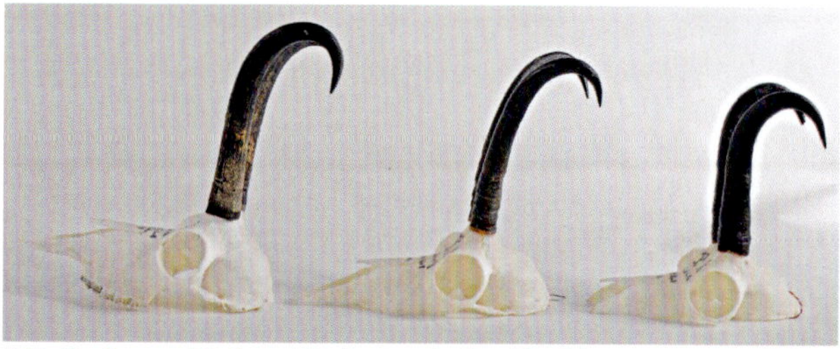

8.7: Drei verschiedene Varianten beim Abschlagen von Trophäen.

73 Wie wird eine Rehkrone gewonnen?

Zunächst wird das Haupt unmittelbar am Träger abgeschärft. Dann wird die Decke vom Haupt entfernt, damit anhaftende Schmutzteile den Knochen beim Abkochen nicht verfärben. Nur über dem Nasenbein kann ein Stück der Decke belassen werden, damit sich beim Abkochen die Knochennähte nicht lösen. Anschließend werden die beiden Lichter ausgelöst. Schließlich ist der Unterkiefer ebenfalls auszulösen. Dazu wird die Backenmuskulatur

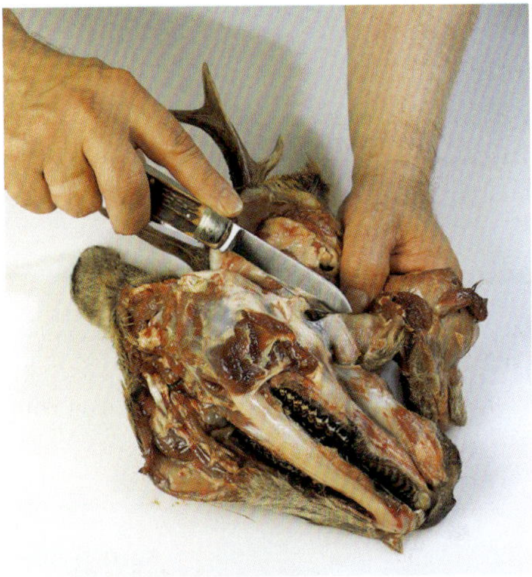

8.8: Entfernen der Decken- und Wildbretteile vom Schädel

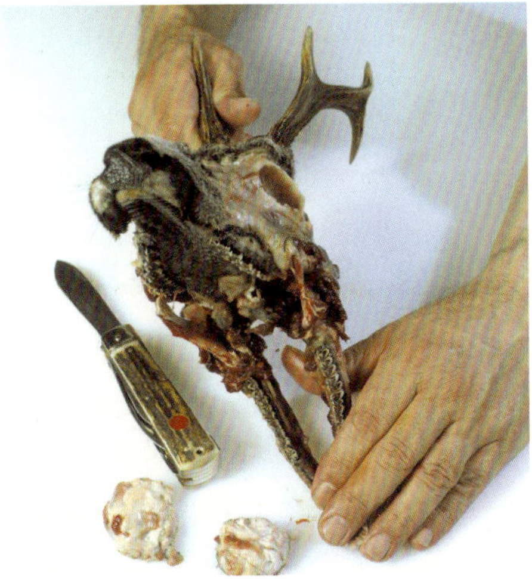

8.9: Trennen des Unterkiefers vom Oberkiefer durch Aushebeln

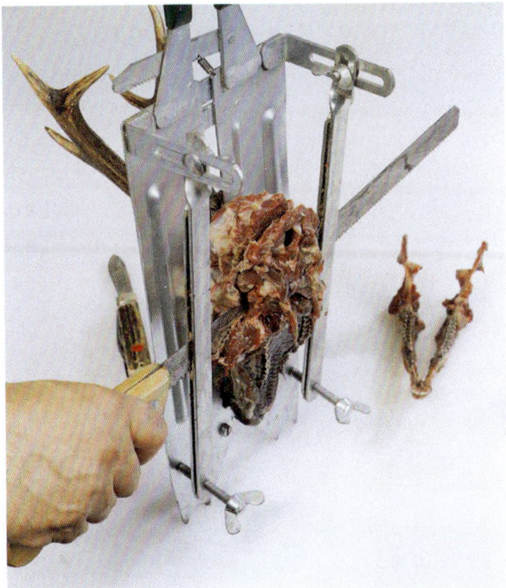

8.10: Einspannen in die Gehörnsäge und Abtrennen des Oberkiefers

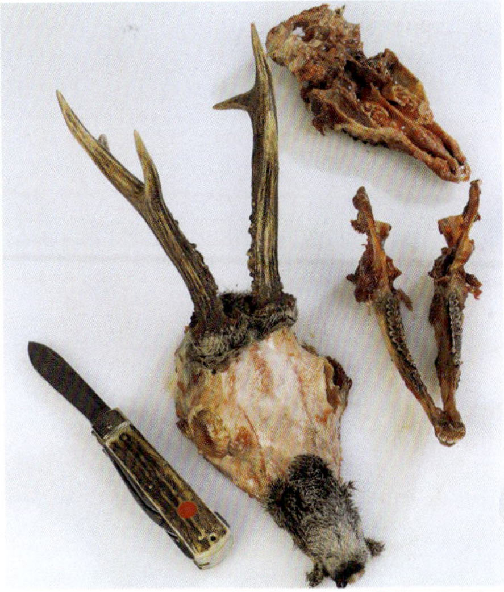

8.11: An der Nase verbleibt ein Teil der Decke, damit der Schädel an dieser Stelle nicht zerkocht.

links und rechts mit dem Messer bis auf den Knochen durchgeschärft: Der Unterkiefer lässt sich nun leicht mit den Händen ausheben. Noch am Ober- oder Unterkiefer verbliebenes Wildbret wird möglichst entfernt. Anschließend ist der Schädel in die Halterung einer Geweihsäge einzuspannen. Der Schnittverlauf wird mittels Führungsschiene genau eingestellt. Das Abschlagen eines Geweihs ohne die gerade genannte Vorrichtung bedarf der Erfahrung und handwerklichen Geschicks. Nach dem Durchsägen des Schädels wird die letzte Knorpelverbindung getrennt und das Hirn entfernt.

8.12: Die Haltevorrichtung fixiert das Geweih beim Abkochen.

8.13: Nach dem Abkochen werden alle Fleisch- und Deckenteile entfernt.

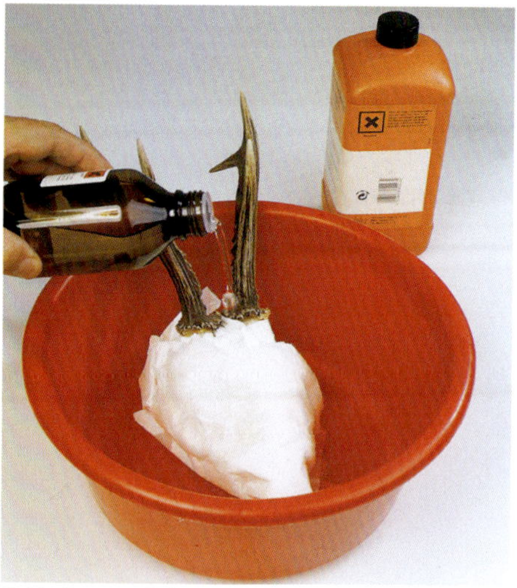

8.14: Das gesäuberte Geweih wird mit Wasserstoffperoxyd oder anderen Mitteln gebleicht.

8.15: Die fertige Trophäe auf einem Brett befestigt.

74 Wie wird das abgeschlagene Geweih behandelt?

Es wird etwa 24 Stunden in ein Gefäß mit kaltem Wasser gestellt. Das Wasser wird so oft erneuert, bis es klar bleibt. Dann wird der Schädelknochen in kaltem Wasser aufs Feuer gesetzt. Die Rosen müssen hierbei über dem Wasser stehen. Mit einem Löffel Spülmittel oder Waschpulver wird das Entfetten des Knochens gefördert. Das Wasser wird langsam und so lange erhitzt, bis sich alle Decken- und anhaftenden Wildbretteile lösen lassen, der Schädelteil aber nicht zerkocht (je nach Alter und Größe unterschiedlich). Sofort hiernach wird das Geweih in einen Eimer mit kaltem Wasser gelegt, damit es gut auskühlt und das ausgekochte Fett nicht in die Knochenporen eindringen kann. Dann wird das Geweih gesäubert. Durch Auflegen von Papiertüchern, die nachfolgend mit Wasserstoffperoxyd (30 %) oder einem anderen Mittel getränkt werden, kann man die knöchernen Teile bleichen. Anstelle dieser Behandlung ist auch das Abreiben des Schädelteiles mit Glaspapier und das Polieren mit Schlämmkreide sowie Spiritus möglich.

75 Welche weitere Methode gibt es, um ein Gehörn abzukochen?

Bei der sogenannten Ruck-Zuck-Methode wird vor dem Abkochen wie folgt verfahren:

a Zunächst wird der Unterkiefer herausgelöst. Das Haupt wird auf die Seite gelegt, die Decke von der hinteren Äseröffnung im Verlauf der Zahnreihen bis zum hinteren Schädel aufgeschärft.

b Die Decke im Bereich des Unterkiefers wird abgeschärft.

c Von der Kieferunterseite wird die Kiefermuskulatur links und rechts der Kieferäste durchtrennt.

d Nun wird das Haupt senkrecht auf die Stangen gestellt. Ober- und Unterkiefer werden umfasst, der Unterkiefer ausgehebelt.

e Die Verbindungen von Schlund sowie Kehlkopfraum werden durchschnitten, bis schließlich der gesamte Unterkiefer abgetrennt werden kann.

f Nun kommt das gesamte Haupt ohne jede weitere Vorbereitung und ohne vorausgegangenes Wässern „mit Haut und Haar" in einen passenden Topf. Für das Abkochen eines Rehschädels ist ein Topf mit einem Durchmesser von 20 Zentimetern und einer Höhe von 15 Zentimetern ausreichend. Das Haupt braucht nicht restlos von Wasser bedeckt zu sein. Es genügt, wenn der Topf nur zur Hälfte mit Wasser gefüllt ist.

a

b

g Das Wasser gelangt sehr schnell zum Sieden, wenn man den Topf mit einer Alu-Folie abdeckt und diese an den Topfrand sowie die Gehörnstangen anpresst. Damit überschüssige, kräftige Dämpfe die Folie nicht anheben, macht man an beliebiger Stelle eine kleine Öffnung in der Folie.

h So wird der Schädel gedämpft. Ältere Böcke werden bedenkenlos 45 Minuten gekocht. Bei jüngeren Böcken reicht eine Kochzeit von einer halben Stunde. Ein Schädel ist dann gar, wenn sich die Deckenpartien selbständig lösen.

i Nach dem Abkochen den ganzen Schädel in kaltes Wasser tauchen und restlos abkühlen lassen.

c

d

e

f

j Beim abgekühlten Schädel kann man die gesamte Decke mühelos vom Schädel abziehen, andernfalls wird man mit dem Messer nachhelfen.

k Bevor unnötig Schädelpartien gesäubert werden, wird das Gehörn mit Hilfe eines feinzähnigen Fuchsschwanzes oder einer Gehörnsäge gekappt. Der Schnitt wird durch den unteren Augenbogen in Richtung Nasenschädel (bei kurzem Schädel) geführt. Bei einem so gekappten Gehörn lassen sich die Lichter herausdrücken.

l Mittels einer Rosenschere werden die Knochenverbindungen im Nasen- und Schädelbereich durchtrennt und herausgebrochen. Nach Beseitigen sämtlicher Haut- und Fleischreste wird der Schädel gebleicht.

g

h

i

j

k

l

76 Wie sind „Keilerwaffen" zu behandeln?

Sie stecken öfter bis zu Zweidrittel im Kiefer. Man wird deshalb beim Absägen des Ober- und Unterkiefers den Schnitt hinter dem vierten Backenzahn führen. Mit dem Durchsägen der Unterkieferäste im hinteren Viertel vermeidet man, dass versehentlich ein Stück der in den Unterkiefer hineinragenden Gewehre mit abgesägt wird.
Durch das Abkochen (ca. 30 Minuten) kann man erreichen, dass die Waffen sich im Kiefer lockern. Die Knochen dürfen allerdings nicht zu „scharf" gekocht werden, da die Keilerwaffen andernfalls springen. (Ein weiteres Verfahren, das früher üblich war, ist das „Mazerieren". Dabei kommen Ober- und Unterkiefer in eine mit Wasser gefüllte, luftdicht verschlossene Plastiktüte, in der sie bis zu vier Wochen bleiben. Aufgrund des vom Wasser beschleunigten Fäulnisprozesses werden die Waffen gelockert.)
Nach dem Abkochen werden Ober- und Unterkiefer stets feucht gehalten, damit sie nicht zu schnell austrocknen und infolgedessen platzen. Dann werden Haderer (einfach) und Gewehre (knifflig) herausgelöst und deren Zahnmark mit einem Stück Draht oder einer Stricknadel herausgekratzt.
Damit die später aufgesetzten Keilerwaffen nicht platzen, werden sie zuvor mit einem Füllstoff gefüllt. Dazu kann man u.a. Zweikomponentenkleber, Bienenwachs, Paraffin oder silikonhaltige Füllstoffe verwenden.

77 Wie werden die Krucken der Gams bzw. die Schnecken des Muffelwidders behandelt?

Vorweg ist zu bemerken, dass es nicht erforderlich ist, die Unterkiefer abzukochen, da sich das Alter exakter anhand der Jahresringe der Krucke oder der Schnecke bestimmen lässt. Die Arbeiten beim Abkochen sind zunächst grundsätzlich dieselben wie beim Abkochen einer Rehkrone (vgl. 8.7.73). Aber im Unterschied zu dieser lassen sich die einzelnen Schläuche (= die auf den kegelförmigen Stirnzapfen sitzende Hohlhörner) vom Knochen abziehen. Damit dieses gelingt, werden Krucken mit Pechbelag mazeriert (vgl. 8.7.76). Sonst werden der Schädel zusammen mit den unteren Teilen der Schläuche mit Wasser bedeckt und so lange auf mittlerer Stufe gekocht, bis sich die Schläuche lösen lassen (Beim Widder ist Knorpel an der Unterkante der Basis der Schnecken mit dem Messer zu entfernen). Die abgelösten Schnecken werden innen gründlich gereinigt und bis zum Wiederaufsetzen feucht gehalten. Damit auch die Stirnzapfen gut entfettet werden, wird die Schädeldecke an den Aufsetzpunkten mit einem Dorn durchstoßen (Gams). Dann wird der Schädel fertig abgekocht und gebleicht. Anschließend erfolgt das Aufsetzen der Schläuche oder Schnecken, wobei diese mit Holzleim oder Sekundenkleber fixiert werden.

78 Wie werden Geweihe und Keilerwaffen als Wandschmuck verwendet?

Sie werden auf Schilder (z.B. aus Eiche oder Birke) aufgesetzt. Auf der Rückseite des Schildes können Angaben über das Erlegen (Schusstag, Ort, Nummer der Abschussliste, Gewicht usw.) vermerkt und – außer bei Schwarzwild – in Aussparungen eventuell Teile der Unterkiefer für die Altersbestimmung untergebracht werden. Starke Trophäen oder größere Schädel können auch direkt an die Wand gehängt werden. Keilerwaffen werden bisweilen nur in Metall gefasst. Bei Trägerpräparaten werden Hals und Kopf komplett mit der Trophäe präsentiert.

79 Wie werden Jagdtrophäen noch verwendet?

Als Raum- und Körperschmuck. Als Raumschmuck werden besonders Geweihe, Schaufeln und Krucken zu Kronleuchtern, Tischlampen, Garderoben- und Gewehrhaltern verarbeitet. Weiter dienen sie zur Herstellung von Tabakspfeifen, Hirschfängern, Knöpfen oder Jagdmessern u. a. m. Zu Körperschmuck (Ringe, Broschen, etc.) werden unter anderem Grandeln, Fuchsfänge und Schnepfen- sowie Erpelfedern verarbeitet.

80 Welche Teile des Federwildes werden als Raum- und Wandschmuck verwendet?

Früher u.a. der Fächer bzw. Stoß und Kopf mit Stingel (Hals) vom Auer-, Birk- und Rackelhahn. Gern wird der ganze Hahn präpariert und als Raum- bzw. Wandschmuck benutzt. Das gilt auch für anderes Federwild, z.B. für die Schnepfe oder Wildenten.

81 Was versteht man unter Grandeln?

Die Eckzähne im Oberkiefer des männlichen Rotwildes. Beim weiblichen Rotwild spricht man von Haken. Grandeln und Haken kommen selten auch beim Rehwild, durchweg beim Sikawild, nicht aber beim Damwild vor.

82 Wann haben Grandeln oder Haken einen besonderen Wert?

Wenn sie eine möglichst dunkelbraune Zeichnung aufweisen. Die Tier-Haken sind oft besser gefärbt als die Hirschgrandeln. Die Zeichnung verblasst, wenn sie längere Zeit dem Tageslicht ausgesetzt sind. Grandelschmuck wird deshalb in einer Schmuckkassette verwahrt.

83 Was sind Magensteine oder Magenkiesel?

Kleine rundgeschliffene Quarzsteinchen, die sich im Magen aller Waldhühner befinden. Sie werden auch als „Weidkörner“ bezeichnet.

84 Welche Jagdtrophäen benutzt man als Hutschmuck?

Den Gams-, Sau-, Dachs- und Hasenbart, Penisknochen von Fuchs und anderem Haarraubwild, Erpelfedern, Schnepfenfedern, Fasanen- und Rebhuhnfedern und die blau-schwarz gefärbten Flügeldeckfedern des Eichelhähers (wenn dessen Erlegung erlaubt ist). Für größeren Hutschmuck werden der Unterstoß des Auerhahns, vom Birkhahn eine (eine „Krumme“) oder mehrere Sicheln mit den weißen Federn des Unterstoßes benutzt.
Es entspricht jagdlichen Brauchtum, nur das als Jagdschmuck zu verwenden, was man selbst erbeutet hat. Der Jäger schmückt sich nicht mit „fremden Federn“.

85 Was versteht man unter dem Gamsbart oder Wachler?

Einen Busch aus den langen schwarzen Winter-Rückenhaaren, die sich beim Gamsbock vom Widerrist bis zum Wedel hinziehen. Am längsten sind sie über der Kruppe. Die besten „Bärte“ haben meist mittelalte Böcke, insbesondere im Januar. Wenn es ein prächtiger Bart sein soll, müssen die Spitzen weiß sein; er muss einen guten „Reif“ haben. Der echte Gamsbart ist eine beliebte Hutzier des Jägers, ebenso der echte Sau- und Dachsbart.

86 Was ist ein „Hasenbart“?

Als „Hasenbart“ bezeichnet man den Hutschmuck, der aus den längsten Barthaaren, Schnurhaaren, des Feldhasen gebunden wird.

87 Wie übergibt man dem Präparator Wild?

Federwild wird nicht ausgeweidet. In den Schnabel und die Kloake gibt man Teile eines Papiertaschentuches oder Watte, ebenso auf den Ein- und Ausschuss, damit der Schweiß aufgesogen wird. Ausgetretene Schweißtropfen werden mit saugfähigem Material abgetupft, das Gefieder geglättet. Nachdem er ausgekühlt ist, kommt der Wildvogel am besten in einen Nylonstrumpf und wird noch am Erlegungstag tiefgefroren oder geht per Express auf den Transport.
Will man einen Kopf oder das Vorderteil eines Stück Haarwildes präparieren lassen, darf man den Drosselschnitt nicht ausführen. Man schärft die Decke vom Haupt entlang der Rückenlinie auf und dann hinter den Blättern hinunter. Den Kopf löst man vorsichtig heraus, ohne Lider, Lippen, Backen und Nasenbein zu verletzen.

88 Was hat mit Decken, Schwarten und Bälgen zu geschehen?

Man kann sie gesalzen und getrocknet (Kochsalz!) oder einfach gefrostet an den Handel bzw. an Gerbereien abgeben. Rotwild- und Rehwilddecken sind im Sommer am wertvollsten, Sauschwarten und Raubwildbälge im Winter. Zum Salzen sind etwa 30 % des Gewichtes der Decke oder Schwarte an Salz zu verwenden. Hasenwolle verwendete man einst für hochwertige Velourhüte.

89 Welche Arbeitsvorgänge kennt man bei der Ledergerbung?

Zunächst kommen die angelieferten Decken und Schwarten in die Weiche, also ins Wasser, anschließend in den Äscher (traditionell in Kalkmilch). Das Ergebnis des ersten Arbeitsganges ist die Blöße. So wird die geweichte und enthaarte Decken- bzw. Schwarteninnenseite bezeichnet. Als zweiter Schritt folgt das Entfleischen und Spalten. Der dritte Schritt ist das Entkälken und Entfetten. So vorbereitet, kann das eigentliche Gerben beginnen. Aufgrund unterschiedlicher Gerbstoffarten unterscheidet man zwischen folgenden Methoden: 1. Gerben mit Mineralsalzen (Chrom-III-, Aluminium-, Zirkon- oder Eisensalze), 2. Vegetabilgerbung mit pflanzlichen Gerbstoffen (Blätter, Rinden, Hölzer, Früchte), 3. Fettgerbung mit Fisch- oder Seetierölen (Trane), 4. synthetisches Gerben mit künstlich hergestellten Gerbstoffen (Syntane, Harzgerbstoffe, Polymergerbstoffe, Polyphosphate, Paraffinsulfochlorid) oder 5. Aldehydgerbung (früher Formaldehyd, heute Glutaraldehyd). Nach dem Gerben wird das Leder mechanisch entwässert (abgewelkt) und mit Falzmaschinen auf eine gleichmäßige Stärke gebracht. Es wird entsäuert, gefärbt und gefettet. Schließlich folgt die Trocknung und schließlich noch ein abschließendes mechanisches Bearbeiten, um das Leder weich und geschmeidig zu machen. Das Gerben ist also ein komplexer Prozess.

Weiterführende Literatur

Frevert, W.: Jagdliches Brauchtum und Jägersprache. 4. Auflage 2020 (ursprünglich zwei eigenständige Publikationen). Kosmos Verlag, Stuttgart.

Herberstein, P./Schachel, E./Stättner, F./Sternath, M.; Jägerbrauch. Gelebtes & Überlebtes bei der Jagd. 2. Auflage 2008. Österreichischer Jagd- und Fischereiverlag, Wien.

Roosen, R., Bachmann, W. (Hrsg.): Praxishandbuch Jagd. 5. Aufl. 2020. Kosmos Verlag, Stuttgart.

Winkelmayer, R., Paulsen, P., Lebersorger, P., Zedka, H.-F.: Wildbret-Hygiene. Das Buch zur Guten Hygienepraxis bei Wild. 7. überarbeitete Auflage 2019. cw Nordwest Media Verlag, Grevesmühlen.

Abbildungsnachweis

Fotolia.com/©Otto Durst: Deckblatt

Jafona-Archiv: 8.1

Nagel, W.: 8.3

Roosen, R.: 8.4, 8.7

Möller, H. P.: 8.5

Kujawski, O.E.J.: 8.8–15

Herbst, U.: 8.16

Umwelt- und Naturschutz

9 Einleitung

Angesichts der Gefährdungen, denen Natur und Landschaft durch vielfältige Nutzungsansprüche ausgesetzt sind, ist Naturschutz zu einer der wichtigsten gesellschaftspolitischen Aufgaben unserer Zeit für die Sicherung von Gegenwart und Zukunft geworden. Die Bedeutung des Naturschutzes wurde durch die Aufnahme einer Staatszielbestimmung in das Grundgesetz und in verschiedenen Länderverfassungen nachdrücklich unterstrichen. Naturschutz ist wesentliche Voraussetzung für eine nachhaltige, zukunftsfähige Entwicklung, deren Notwendigkeit spätestens seit der Konferenz der Vereinten Nationen über Umwelt und Entwicklung in Rio de Janeiro im Jahre 1992 besonders deutlich geworden ist.

Die Aufgabe des Naturschutzes kann der Staat nicht allein bewältigen. Naturschutz ist vielmehr auch auf die verständige Mithilfe des einzelnen Bürgers angewiesen. Dies gilt in erster Linie für die Beachtung der gesetzlichen Vorschriften, die der Bürger nicht nur unter dem Druck staatlichen Zwangs, sondern aus innerer Überzeugung leisten sollte. Aber auch dort, wo keine unmittelbaren gesetzlichen Verpflichtungen bestehen und es auf freiwilligen Einsatz ankommt, ist jedermann gefordert, sich der eigenen Verantwortung für die Umwelt bewusst zu sein. Dies gilt insbesondere für den Jäger im Revier, der durch seine umfangreiche Ausbildung über die komplizierten Zusammenhänge des Naturhaushaltes Kenntnis hat und seine Mitmenschen am vorgelebten Beispiel von der Bedeutung des Naturschutzes überzeugen kann.

Das Betätigungsfeld der Jäger im Naturschutz erstreckt sich vom Biotopschutz über die Biotopvernetzung bis hin zu gezielten Artenschutzprogrammen für besonders gefährdete Arten. Eine wichtige Aufgabe der Jagd im Artenschutz ist auch die Entnahme von so genannten „gebietsfremden invasive Arten". Die Revierinhaber werden sogar von den Naturschutzbehörden beauftragt, zum Schutz der heimischen Tierwelt fremde Arten (z. B. Waschbär, Mink, Marderhund etc.) mit Nachdruck zu entnehmen, um bedrohte heimische Arten vor diesen Räubern zu schützen.

Zur effektiven Umsetzung von Naturschutzmaßnahmen haben verschiedene Landesjagdverbände und Privatpersonen eigene Stiftungen oder Naturschutzgesellschaften (BJV: Wildlandstiftung Bayern; Deutsche Wildtierstiftung; DJV: „Jägerstiftung natur und mensch – gemeinsam Zukunft stiften" etc.) gegründet. Sie erwerben in der Regel wertvolle und bedrohte Biotopflächen und sorgen zusammen mit örtlichen Jägern, den Grundbesitzern, den Forstverwaltungen und weiteren Naturschützern für deren Erhalt und Pflege. Eine enge und konstruktive Zusammenarbeit mit den Naturschutz- und Forstbehörden sowie den Naturschutzverbänden vor Ort ist dazu unerlässlich.

Darüber hinaus liefert die organisierte Jägerschaft durch eine flächendeckende Präsenz und ständige Beobachtung in den Revieren im Rahmen des Wildtiermonitoring wichtige Informationen zur Bestandssituation von Wildtierarten, über deren Zustand und die Entwicklung ihrer Lebensräume. Diese aktuellen Informationen sind eine wesentliche Voraussetzung für ein ökologisch fundiertes Nutzungs- und Erhaltungsmanagement.

Der Jagdscheinanwärter wird in der Jägerprüfung mit Fragen zur Organisation des Naturschutzes in Deutschland und den Zielen des Bundesnaturschutzgesetzes konfrontiert. Er muss diejenigen Tierarten aufzählen und erkennen können, die dem Bundesnaturschutzgesetz unterliegen und wissen, inwieweit sie gefährdet, bedroht oder geschützt sind. Darüber hinaus muss er die verschiedenen Schutzgebietskategorien und die darin erlaubten Hegemaßnahmen und Revierarbeiten kennen.

9.1 Allgemeines, Definitionen

1 Welche Bedeutung hat die Jagd für den Naturschutz?

Inhalt des Jagdrechts ist an erster Stelle die Hege der wildlebenden jagdbaren Tiere. Die Sicherung und Pflege ihrer Lebensgrundlagen als Hegeziel bedeutet aber nichts anderes als Biotoppflege und Biotopgestaltung. Mit der sogenannten Biotophege versuchen Jäger, nicht mehr voll funktionstüchtige Ökosysteme zu optimieren. Die verschiedenen Lebensbereiche innerhalb der Jagdbezirke sollen dabei so angereichert werden, dass eine Regeneration aller heimischen Arten dauerhaft gesichert ist.

Jäger und Grundeigentümer sind durch das Bundesjagdgesetz und aus ihrem Selbstverständnis heraus zum Schutz der Natur verpflichtet. Nur vielfältig strukturierte und möglichst naturnahe Lebensräume bieten den heimischen Wildtieren mit einer Vielzahl von Pflanzenarten optimale Lebensbedingungen. Wenn sie verschwinden oder beeinträchtigt werden, leiden Wild sowie andere Tier- und Pflanzenarten gleichermaßen darunter.

Jagd und Naturschutz sind keine Gegensätze, sondern verhalten sich wie zwei Kreise, die sich hinsichtlich gemeinsamer Aufgaben überschneiden. Jagd unterstützt vielfach Naturschutzstrategien und trägt zum Erhalt der biologischen Vielfalt bei. Damit soll eine Bestandsgefährdung einer Wildart durch eine andere Art ausgeschlossen werden.

Die Bedeutung dieses Nutzungsaspektes des Naturschutzes wird nicht nur im Bundesnaturschutzgesetz klar herausgestellt. Auch die Umweltbehörde der Vereinten Nationen (IUCN) hat in ihrem „Strategiepapier für Naturschutz, Umweltschutz und nachhaltige Entwicklung" zum Ausdruck gebracht, dass eine verantwortungsvolle Nutzung wildlebender Tier- und Pflanzenarten als erneuerbare natürliche Ressource dem Naturschutz sogar dienlich ist: „Jagd fördert den Schutz der Natur, macht ihn teilweise erst möglich und ist somit kein Gegensatz zum Naturschutz." Auch die Konvention von Rio über die biologische Vielfalt von 1992 führt aus, dass Naturschutz mit einer nachhaltigen, vernünftigen Nutzung natürlicher Ressourcen vereinbar ist. So ist die Jagd in Deutschland auch am Nachhaltigkeitsprinzip ausgerichtet.

2 Welche Ziele verfolgen Naturschutz und Landschaftspflege?

Natur und Landschaft sind im besiedelten und unbesiedelten Bereich so zu schützen, zu pflegen und zu entwickeln, dass

» die Leistungsfähigkeit des Naturhaushaltes,
» die Nutzungsfähigkeit der Naturgüter,
» die Pflanzen- und Tierwelt sowie
» die Vielfalt, Eigenart und Schönheit von Natur und Landschaft als Lebensgrundlage des Menschen und als Voraussetzung für seine Erholung in Natur und Landschaft nachhaltig gesichert sind (Bundesnaturschutzgesetz).

3 Was ist unter Umweltschutz zu verstehen?

Umweltschutz umfasst alle Maßnahmen, die dazu dienen, eine ökologisch weitestgehend intakte Umwelt zu wahren und langfristig zu erhalten. Man unterscheidet zwischen *technischem Umweltschutz* (Reinhaltung von Luft, Wasser und Boden, Lärmbekämpfung) und *biologischem Umweltschutz* (Naturschutz und Landschaftspflege). Umweltplanung beschäftigt sich mit dem Ziel, die Umwelt so zu beeinflussen, dass die negativen menschlichen Einflüsse so gering wie möglich auf die Umwelt wirken können.

4 Was ist Ökologie?

Der Begriff wurde 1866 von Ernst Haeckel geprägt. Er ist abgeleitet aus dem Griechischen: oikos = Haus und logos = Lehre (Haushaltslehre der Natur).

Ökologie ist ein Teilbereich der Biologie. Sie ist die Lehre von den Beziehungen zwischen Lebewesen und ihrer Umwelt. Als Wissenschaft umfasst die Ökologie vorwiegend solche Einflüsse, die von außen auf den lebenden Organismus ausgeübt werden.

Beispiel: Schwarzwild bricht den Waldboden um, damit es Nahrung findet. Dabei übt es Einfluss auf die Organismen des Bodens aus. Die genaue Untersuchung dieses Einflusses ist ein Anliegen der Ökologie.

5 Was versteht man unter Artenschutz?

Der moderne Naturschutz muss dem bedrohlichen Rückgang der Tier- und Pflanzenarten entgegenwirken. Ziel des Artenschutzes ist es, das zu erhalten, was Lebewesen zu ihrer Entwicklung und Lebensweise benötigen: Ausreichende Ernährungsmöglichkeiten, reine Luft, gesundes Wasser, Bewegungs- und Zufluchtsräume, Ruhe- und Rastbereiche, Plätze für die ungestörte Fortpflanzung.

Die wichtigste Aufgabe im Artenschutz ist der Schutz der Lebensräume. Dabei kommt es darauf an,

» die noch verbleibenden geeigneten Lebensräume zu erhalten und zu pflegen,
» gestörte oder entwertete Lebensräume zu verbessern,
» verloren gegangene durch neu geschaffene Lebensräume zu ersetzen, wo sich Gelegenheit dazu bietet.

Nur in relativ wenigen Fällen ist für den Lebensraumschutz ein vollkommener Gebietsschutz, d.h. ein vollständiger oder doch weitgehender Verzicht auf eine Nutzung durch den Menschen, erforderlich und noch möglich.

Zu den Arten, die für ihren Fortbestand große, zusammenhängende Flächen mit charakteristischen Merkmalen benötigen, gehören einige Wirbeltiere, vor allem Sumpf- und Wasservögel, Greifvögel und Eulen. Einige von ihnen haben sich den Bedingungen ihres Ersatzlebensraumes Kulturlandschaft gut angepasst. Für sie genügen in der Regel geringfügige Nutzungs-

9.1: Der Wolf hat sich wieder in verschiedenen Revieren etabliert. Im Jahr 2000 ist erstmals auch in Deutschland ein Welpe nachgewiesen worden. Heute besiedeln ca. 2000 Wölfe Deutschland.

9.2: Der Nationalpark Jasmund: Er wurde kurz vor der Wiedervereinigung als Großschutzgebiet eingerichtet.

und Veränderungsbeschränkungen. Andere benötigen naturnahe Verhältnisse und ihren Bedürfnissen entsprechend geschützte Gebiete, in denen eine Nutzung durch den Menschen weitgehend oder ganz unterbleiben muss (Naturschutzgebiete, Nationalparks).

Die weit überwiegende Mehrheit der Tierarten beschränkt sich auf kleinflächige Lebensräume, die mosaikartig in naturnahe, oft aber auch vom Menschen stark veränderte Lebensbereiche eingestreut sind. Für das Überleben dieser Arten genügt es, kleine und kleinste Flächen zu erhalten oder zu schaffen, die aber so dicht gestreut sein müssen, dass die einzelnen Vorkommen Verbindung untereinander halten können. Ziel des staatlichen Artenschutzes ist es, ein überregionales, landes- bzw. bundesweites Biotopverbundsystem zu schaffen.

Durch gezielte Maßnahmen in Revieren können auch Jäger zu Verbesserungen im Artenschutz beitragen: Nisthilfen, Krötenunterführungen und Krötenzäune, Öffnung von Dachstühlen und alten Lagerkellern, Bewachung von Brutgebieten gegen Störungen, Beseitigung gefährdender Zäune und Leitungen, etc.

6 Häufig spricht man von einem für eine Wildtierart geeigneten Biotop. Was versteht man darunter?

Ein Biotop ist ein charakteristischer Lebensraum oder Standort von Tieren und Pflanzen (z.B. Almen, Trockenhang, Seeufer). In diesem wird eine bestimmte Lebensgemeinschaft oder Biozönose begünstigt. Jede Biotopart charakterisiert bestimmte abiotische und biotische Faktoren. Da stets eine Wechselwirkung zwischen Boden, Wasser, Luft, Licht, Temperatur und unter den in diesen Bedingungen lebenden Organismen besteht, sind beide Faktoren bei einer Biotopbeschreibung heranzuziehen.

7 Was meint der Begriff Biozönose?

Um eine Lebensgemeinschaft vollständig zu charakterisieren, müssen nicht nur die einzelnen Organismen und Arten, sondern auch ihre wechselseitigen Beziehungen untereinander (z.B. Räuber-Beute-Beziehung, parasitäre Lebensweise, symbiontische Lebensweise) sowie zur unbelebten Natur berücksichtigt werden. Eine solche Lebensgemeinschaft aus Pflanzen und Tieren wird als Biozönose bezeichnet.

8 Was versteht man unter einem Ökosystem?

Dies ist das Zusammenwirken zwischen Biotop und Biozönose. Das Gesamtsystem unterliegt einer Selbstregulation. Wenn diese ungestört funktioniert, ist die Überlebensfähigkeit des Ökosystems in einem selbst erhaltenen Gleichgewichtszustand gesichert. Ein Ökosystem grenzt sich nicht von selbst ab, sondern wird vom Betrachter festgelegt. So können Gartentümpel, eine Hecke, eine Trockenmauer oder ein Ackerrandstreifen als Ökosystem betrachtet werden.

9 Was versteht man unter einem Habitat?

Der Begriff Habitat schränkt den Biotopbegriff insoweit ein, als dieser nur den Lebensraum in Bezug auf eine bestimmte lebende Art meint. Habitat beschreibt den Ort, an dem eine Tier- oder Pflanzenart regelmäßig anzutreffen ist. Sie umfasst die engste Umwelt einer Art. Die drei begrenzenden Faktoren eines Habitates sind Wasser, Nahrung und Raum (Unterschlupf, Nachtlager, Rückzugsgebiet, Überwinterungsplatz, etc.).

9.2 Naturschutz auf nationaler Ebene

10 Wie ist der rechtliche Rahmen für das Handeln in der Natur gestaltet?

Um Handlungen gegen den Bestand geschützter und gefährdeter Tierarten und ihrer Lebensräume unmittelbar unterbinden zu können, sind nicht zuletzt auch Gebote und Verbote notwendig. Die rechtlichen Grundlagen des Schutzes von Tier- und Pflanzenarten sind in verschiedenen deutschen Gesetzen und Verordnungen dargelegt:

- Grundgesetz
- Gesetz über Naturschutz und Landschaftspflege (Bundesnaturschutzgesetz)
- Verordnung zum Schutz wildlebender Tier- und Pflanzenarten (Bundesartenschutzverordnung)
- jeweilige Landesnaturschutzgesetze (z.B. Gesetz über den Schutz der Natur, die Pflege der Landschaft und die Erholung in der freien Natur – Bayerisches Naturschutzgesetz)
- Gesetz zum Schutz der wildwachsenden Pflanzen und der nichtjagdbaren wildlebenden Tiere (Naturschutzergänzungsgesetz)
- Bundesjagdgesetz
- jeweilige Landesjagdgesetze (z.B. Bayerisches Jagdgesetz, Hessisches Jagdgesetz, Thüringisches Jagdgesetz)
- Verordnung über den Schutz von Wild (Bundeswildschutzverordnung)
- Verordnung (EG) über den Schutz von Exemplaren wildlebender Tier- und Pflanzenarten durch Überwachung des Handels

» FFH-Richtlinie (Richtlinie 92/43/EWG des Rates zur Erhaltung der natürlichen Lebensräume sowie der Welt lebenden Tiere und Pflanzen).

11 Wann organisierte sich in Deutschland der aktive Naturschutz?

Die Anfänge des Natur- und Artenschutzes in Deutschland gehen auf den Beginn des 19. Jahrhunderts zurück. Der berühmte Naturforscher Alexander von Humboldt gilt mit seiner Schrift „Ansichten der Natur" als Pionier des ökologischen Denkens.
Wilhelm Heinrich Riehl, Ernst Rudorff, Wilhelm Vetekamp und Lina Hähnle waren die Wegbereiter des deutschen Naturschutzes im 19. Jahrhundert. Mit der Schrift „Über das Verhältnis des modernen Menschen zur Natur" von Ernst Rudorff (1880) unter Forderung Vetekamps, Staatsparke auch in Deutschland nach dem Vorbild der Nationalparks in den Vereinigten Staaten einzurichten, erhielt der Naturschutz Impulse, die auch heute noch wirksam sind. Um 1900 wurden die ersten Vereine und Gesellschaften mit Zielen des Naturschutzes gegründet:

» 1899: Lina Hähnle gründet den Bund für Vogelschutz
» 1900: Gründung des Vereins zum Schutz der Alpenpflanzen und Tiere (heutige Bezeichnung: „Verein zum Schutz der Bergwelt")
» 1904: Gründung des Deutschen Bundes für Heimatschutz
» 1906: Gründung des Landesausschusses für Natur- und Heimatschutz in Bayern
» 1906: Gründung der „Staatlichen Stelle für Naturdenkmalpflege in Preußen" (Vororganisation der heutigen Bundesforschungsanstalt für Naturschutz und Landschaftsökologie)
» 1913: Gründung des „Bund Naturschutz in Bayern"
» 1919: Im Artikel 150 der Weimarer Verfassung verpflichtet sich das Deutsche Reich erstmals zur Erhaltung und Pflege der Natur
» 1935: Verabschiedung des Reichsnaturschutzgesetzes
» 1970: Mit der Gründung des Bayerischen Staatsministeriums für Landesentwicklung und Umweltfragen wird im Freistaat Bayern das erste Umweltministerium in Europa eingerichtet
» 1970: Mit der Gründung des „Nationalparks Bayerischer Wald" erhält Deutschland 100 Jahre nach Vetekamps Forderung seinen ersten Nationalpark
» 1984: Verankerung des Umwelt- und Naturschutzes in der Bayerischen Verfassung als fundamentales Staatsziel

12 Wann wurde erstmals der Naturschutz per Gesetz verankert?

Das Deutsche Reich verpflichtete sich 1919 im Artikel 150 der Weimarer Verfassung erstmals zur Erhaltung und Pflege der Natur. Das Vorwort des 1935 verabschiedeten Reichsnaturschutzgesetzes, dessen Inhalt heute für die damalige Zeit futuristisch wirkt, hat seine beängstigende Aktualität behalten:

„Die heimatliche Landschaft ist gegen frühere Zeiten grundlegend verändert, ihr Pflanzenkleid durch intensive Land- und Forstwirtschaft, einseitige Flurbereinigung und Nadelholzkultur vielfach ein anderes geworden. Mit ihren natürlichen Lebensräumen schwand eine artenreiche, Wald und Feld belebende Tierwelt dahin. Diese Entwicklung war häufig wirtschaftliche Notwendigkeit; heute liegen die ideellen, aber auch wirtschaftlichen Schäden solcher Umgestaltung der deutschen Landschaft klar zu Tage."

13 Welche Bedeutung haben „Rote Listen"?

Rote Listen, die es auf Bundes-, Landes-, und Regierungsbezirksebene gibt, sollen durch Auflistung gefährdeter Tier- und Pflanzenarten vor deren akuter Gefährdung des Aussterbens warnen. Nachfolgende Einteilung gibt Auskunft über den jeweiligen Bestand, Besatz und deren Entwicklungen mit jeweiligem Gefährdungsgrad:

» **Ausgestorben:** Die Populationen dieser Arten sind in Deutschland oder dem entsprechenden Teilgebiet mit Sicherheit oder großer Wahrscheinlichkeit erloschen (Wisent).

9.3: Rebhuhn: ein Verlierer in großräumigen Agrarlandschaft

» **Vom Aussterben bedroht:** Das Überleben dieser Arten ist unwahrscheinlich, wenn die Gefährdungsursachen weithin auf sie einwirken (Fischotter, Moorente, Kornweihe, Wiesenweihe, Auerwild, Birkwild).

» **Stark gefährdet:** Die Bestände dieser Arten gehen in Deutschland oder dem entsprechenden Teilgebiet signifikant zurück (Steinadler, Spießente, Kolbenente, Rebhuhn).

» **Gefährdet:** Diese Arten sind aktuell bedroht und gehen vielerorts zurück (Seehund, Knäkente, Eiderente, Gänsesäger, Haselhuhn, Wanderfalke, Baumfalke, Seeadler, Fischadler).

» **Extrem seltene Arten und Arten mit geografischer Restriktion:** Arten, deren Population zwar stabil, aber geografisch eng begrenzt und deshalb gefährdet sind (Steinbock, Schneehase, Pfeifente, Bergente, Nonnengans, Alpenschneehuhn).

» **Arten der Vorwarnliste:** Arten, die aktuell noch nicht gefährdet sind, von denen aber zu befürchten ist, dass sie innerhalb der nächsten 10 Jahre gefährdet sein werden, wenn bestimmte Faktoren weiterhin auf sie einwirken (Baummarder, Mauswiesel, Wachtel).

In zwei weitere Kategorien, nämlich „Gefährdung anzunehmen, aber Status unbekannt" und „Daten defizitär" werden Arten eingestuft, bei denen eine präzise Einteilung aufgrund mangelnder Information nicht möglich ist.

14 Was wissen Sie über den Aufbau und die Organisation der Naturschutzbehörden?

In den meisten Bundesländern sind die Naturschutzbehörden ebenso dreistufig aufgebaut wie die Jagdbehörden. Oberste Fachbehörde eines Bundeslandes in Naturschutzfragen ist die Oberste Naturschutzbehörde. Ihr Sitz ist im zuständigen Landesministerium (z.B. in Bayern: Bayerisches Staatsministerium für Umwelt und Verbraucherschutz). Eine mitwirkende Tätigkeit haben nach § 58 Bundesnaturschutzgesetz folgende Ämter: Landesamt für Wasserwirtschaft, Geologisches Landesamt, Landesamt für Umweltschutz, Akademie für Naturschutz und Landschaftspflege.

Mittlere Fachbehörde ist die Höhere Naturschutzbehörde. Ihren Sitz hat sie bei den Bezirksregierungen. Untere Fachbehörde ist die Untere Naturschutzbehörde. Sie ist an den Landratsämtern oder kreisfreien Städten eingerichtet. Allen Naturschutzbehörden stehen

zur fachlichen Beratung Naturschutzbeiräte zur Verfügung, die sich aus Fachkräften des amtlichen Naturschutzes sowie ehrenamtlichen Sachverständigen zusammensetzen. Weiterhin gibt es diverse Landes- und Bundesverbände, die nach §§ 58, 59, 60 Bundesnaturschutzgesetz als Naturschutzverbände anerkannt sind.
Darüber hinaus ist auf Landkreisebene (Untere Naturschutzbehörde) die ehrenamtlich tätige Naturschutzwacht eingerichtet, deren Aufgabe in der Unterstützung der Naturschutzbehörde und Polizei bei Ordnungswidrigkeiten und Straftaten liegt.
Mittlere Fachbehörde ist die Höhere Naturschutzbehörde. Ihren Sitz hat sie bei den Bezirksregierungen. Untere Fachbehörde ist die Untere Naturschutzbehörde. Sie ist an den Kreisverwaltungsbehörden der Landratsämter oder kreisfreien Städte eingerichtet.

15 Was ist ein nach § 58 Bundesnaturschutzgesetz anerkannter Verband?

Der Deutsche Jagdverband sowie zahlreiche Landesjagdverbände sind nach § 58 bzw. § 60 Bundesnaturschutzgesetz als Naturschutzverbände anerkannt. Für die Durchsetzung von Naturschutzbelangen ist die Mitarbeit von Verbänden, die sich mit einem großen Teil ihrer Aktivitäten dem Umwelt- und Naturschutz verschrieben haben, außerordentlich wichtig. Durch diese Anerkennung erhalten die Naturschutzverbände die Möglichkeit, zu geplanten Raumordnungsverfahren Stellung zu nehmen, sofern Interessen des Verbandes berührt werden oder naturschutzrelevante Eingriffe vorgenommen werden.
Dies ist häufig beim Straßen- und Wasserbau, der Nutzungsumwandlung von Landschaftsteilen, der Ausweisung von Schutzgebieten, Flächennutzungsplänen und Flurbereinigungsverfahren der Fall. Kontaktperson in solchen Fragen ist für den Revierinhaber der in vielen Kreisjagdvereinen oder Hegegemeinschaften installierte Naturschutzbeauftragte. Auskünfte hierüber können auch die von vielen Landesjagdverbänden eingerichteten Wildland- und Naturland-Gesellschaften geben.

16 Was ist ein Naturschutzgebiet?

Naturschutzgebiete sind rechtsverbindlich festgesetzte Gebiete, in denen ein besonderer Schutz von Natur- und Landschaft in ihrer Ganzheit oder in einzelnen Teilen

1. zur Erhaltung von Lebensgemeinschaften oder Biotopen bestimmter wildlebender Tier- und Pflanzenarten,
2. aus wissenschaftlichen, naturgeschichtlichen oder landeskulturellen Gründen oder
3. wegen ihrer Seltenheit, besonderen Eigenart oder hervorragenden Schönheit erforderlich ist.

Alle Handlungen, die zu einer Zerstörung, Beschädigung oder Veränderung des Naturschutzgebietes führen können, sind verboten.

17 Was sind Nationalparke?

Nationalparke sind zu schützende Gebiete, die

1. großräumig und von besonderer Eigenart sind,
2. im überwiegenden Teil ihres Gebietes die Voraussetzungen eines Naturschutzgebietes erfüllen,
3. sich in einem vom Menschen nicht oder wenig beeinflussten Zustand befinden und
4. vornehmlich der Erhaltung eines möglichst artenreichen heimischen Tier- und Pflanzenbestandes dienen.

Der Begriff Nationalpark fand erst knapp 100 Jahre, nachdem 1872 der erste Nationalpark der Welt, der Yellowstone Nationalpark, gegründet wurde, Eingang in das Naturschutzrecht Deutschlands. Es ging den Gründern des ersten Nationalparks einfach darum, eine Landschaft von atemberaubender Schönheit der kommerziellen Ausbeutung zu entziehen. In Europa entstanden die ersten Nationalparke nach der Jahrhundertwende, hier vor allem in Schweden und in der Schweiz (Schweizerischer Nationalpark).
In Deutschland ging der Naturschutz andere Wege: Er entwickelte sich zunächst aus der Denkmalpflege mit dem Ziel, Einzelgebilde der Natur oder bestimmte Naturzustände zu erhalten.
Im Reichsnaturschutzgesetz, welches in der Bundesrepublik Deutschland als Rahmengesetz bis 1976 Gültigkeit hatte, waren Nationalparke nicht vorgesehen. Auch im Naturschutzgesetz der Deutschen Demokratischen Republik von 1954 und im späteren Landeskulturgesetz sucht man ebenfalls vergeblich den Begriff „Nationalpark". In Deutschland wurde der erste Nationalpark 1970 im Bayerischen Wald gegründet. Am 12. September 1990 wurde in der ehemaligen DDR ein Kabinettsbeschluss unter Lothar de Maizière gefasst, der u.a. 5 Nationalparke und 6 Biosphärenreservate vorsah. Damit wurde auch im Osten Deutschlands die Nationalparkidee umgesetzt. Der Einigungsvertrag bestätigte diesen Kabinettsbeschluss kurze Zeit später.

18 Was unterscheidet Nationalparke von großen Naturschutzgebieten?

Nach dem Bundesnaturschutzgesetz von 1976 soll ein Nationalpark großräumig und von besonderer Eigenart sein. Das Gebiet soll die Voraussetzungen eines Naturschutzgebietes erfüllen, wobei Nationalparke stets mehr sind als nur große Naturschutzgebiete. Nationalparke schützen ein oder mehrere Ökosysteme mit ihren natürlichen Kreisläufen und spontanen Entwicklungen. Hierzu zählen Massenvermehrungen von Borkenkäferpopulationen bzw. Überschwemmungen oder Murenabgänge sowie Lawinen und Bergstürze im Gebirge. Nationalparke dienen dem Schutz von besonders schönen Naturlandschaften und sollen für Besucher unter Berücksichtigung der Schutzzwecke zugänglich sein. Darüber hinaus dienen Nationalparke der Erziehung, der Bildung und Erholung wie auch der wissenschaftlichen Forschung.
Während in der Kernzone der Nationalparke (75 % der Fläche) die Jagdausübung „ruht", werden definierte Wildbestände in den Randzonen nach festgelegten Managementkonzepten reguliert. Vor allem das Schalenwild wird in diesen Randzonen planmäßig reguliert.

19 Was ist ein Nationales Naturmonument?

Mit der Ergänzung des Bundesnaturschutzgesetz des im Jahre 2019 wurde mit der Einführung des „Nationalen Naturmonumentes" eine neue Schutzgebietskategorie geschaffen. Um national bedeutsame Schöpfungen der Natur auch auf kleineren Flächen ab ca. 5 Hektar Größe einem herausgehobenen Schutz zu unterwerfen, der auch international Anerkennung und Beachtung findet, ist es erforderlich, diese neue Schutzgebietskategorie des Nationalen Naturmonuments einzuführen.
Es handelt sich um Gebiete, die eine oder mehrere besondere/herausragende natürliche oder gemischt natürlich-kulturelle Erscheinungen enthalten, die außerordentlich oder einzigartig sind und wegen der ihnen eigenen Seltenheit, ästhetischen Qualität oder kulturellen bzw. geistig-seelischen Bedeutung schützenswert sind. Dabei kann es sich um Wasserfälle, Dünen, Höhlen oder andere geologisch interessante Erscheinungen mit für

die Bevölkerung identitätsstiftender Bedeutung handeln. Auch vom Menschen geschaffene oder gestaltete Erscheinungen können zum Schutzgut erklärt werden. Unter die Kategorie der Nationalen Naturmonumente fallen insbesondere national bedeutsame Schöpfungen der Natur, die nicht das Kriterium der Großräumigkeit nach § 24 Abs. 1 Nr. 1 (Nationalparke) erfüllen. Nationale Naturmonumente sind wie Naturschutzgebiete zu schützen. D.h. alle Handlungen, die zu einer Zerstörung, Beschädigung oder Veränderung des Monuments oder seiner Bestandteile oder zu einer nachhaltigen Störung führen können, sind nach Maßgabe näherer Bestimmungen verboten. Aufgrund des hohen Besucherwertes können die Monumente der Allgemeinheit zugänglich gemacht werden, soweit es der Schutzzweck erlaubt. Bisher wurden allerdings in Deutschland noch keine Nationalen Naturmonumente ausgewiesen.

20 Was sind Biosphärenreservate?

Biosphärenreservate sind zu schützende Gebiete, die

1. großräumig und für bestimmte Landschaftstypen charakteristisch sind,
2. in wesentlichen Teilen die Voraussetzungen eines Naturschutzgebietes erfüllen,
3. vornehmlich der Erhaltung oder Wiederherstellung einer durch vielfältige Nutzung geprägten Landschaft und der darin historisch gewachsenen Arten- und Biotopvielfalt dienen und
4. beispielhaft der Entwicklung und Erprobung von Naturgütern auf besonders schonende Wirtschaftsweise dienen.

Biosphärenreservate werden von der UNESCO als großflächige Gebiete ausgewiesen, um repräsentative Ökosysteme der Natur- und Kulturlandschaft zu erhalten. Sie sind in ein internationales Umweltbeobachtungssystem eingebunden und bieten in der Regel vielfältige Möglichkeiten der ökologischen Forschung. Je nach Intensität der menschlichen Eingriffe kann eine Zonierung nach Kernzone, Pufferzone und Übergangszone erfolgen. Das bekannteste Biosphärenreservat in Deutschland liegt in der Rhön. Eine durch die Jägerschaft installierte Brücke mit Hegering engagiert sich dort für die Erhaltung eines wertvollen Birkwildvorkommens, bei dem die jagdliche Reduktion von Prädatoren sowie

9.4: Das Biosphärenreservat Rhön ist durch das weite Offenland ein einzigartiges Mittelgebirge mit zahlreichen seltenen Pflanzen und Tierarten.

Ruhekonzepte eine herausragende Rolle spielen. Gerade auch die Regulierung der überhandnehmenden Waschbärenpopulation, einer invasiven gebietsfremden Art, sichert den Erhalt vieler heimischer Bodenbrüter.

21 Was sind Landschaftsschutzgebiete?

Landschaftsschutzgebiete sind Gebiete, in denen ein besonderer Schutz von Natur- und Landschaft

1. zur Erhaltung oder Wiederherstellung der Leistungsfähigkeit des Naturhaushalts oder der Nutzungsfähigkeit der Naturgüter,
2. wegen der Vielfalt, Eigenart oder Schönheit des Landschaftsbildes oder
3. wegen ihrer besonderen Bedeutung für die Erholung erforderlich ist.

Die Jagd ist im Landschaftsschutzgebiet in vollem Umfang erlaubt.

22 Was ist ein Naturpark?

Naturparke sind Gebiete, die

1. großräumig sind,
2. überwiegend Landschaftsschutzgebiete oder Naturschutzgebiete sind,
3. sich wegen ihrer landschaftlichen Voraussetzung für die Erholung besonders eignen und
4. in der Landesplanung für die Erholung oder den Fremdenverkehr vorgesehen sind.

Die Jagd ist in Naturparks in vollem Umfang erlaubt.

23 Was versteht man unter einem Naturdenkmal?

Naturdenkmale sind Einzelschöpfungen der Natur, deren besonderer Schutz

1. aus wissenschaftlichen, naturgeschichtlichen oder landeskulturellen Gründen oder
2. wegen ihrer Seltenheit, Eigenart oder Schönheit erforderlich ist.

Als Naturdenkmal können markante Felsformationen, besonders alte, einzeln stehende Bäume oder seltene geohistorische Aufschlüsse (z.B. Steinbrüche, Erzabbaustätten) sein, die die Entwicklungsgeschichte der Erde wiedergeben.

9.5: Naturdenkmal: Landschaftselement unter Naturschutz

24 Was versteht man unter einem geschützten Landschaftsbestandteil?

Geschützte Landschaftsbestandteile sind Teile von Natur und Landschaft, deren besonderer Schutz

1. zur Sicherstellung der Leistungsfähigkeit des Naturhaushalts,
2. zur Belebung des Orts- und Landschaftsbildes oder
3. zur Abwehr schädlicher Einwirkungen erforderlich ist.

Der Schutz kann sich in bestimmten Gebieten auf den gesamten Bestand an Bäumen, Hecken oder anderen Teilen der Landschaft erstrecken.

Die Jagd ist in einem „geschützten Landschaftsbestandteil" grundsätzlich erlaubt.

9.3 Natur- und Umweltschutz international

Jäger engagieren sich im internationalen Artenschutz:

Auch wenn der Schutz von Natur und Umwelt in Teilbereichen, vor allem bei der Luft- und Gewässerreinhaltung, wesentliche Fortschritte gemacht hat, besteht besonderer Nachholbedarf bei der Erhaltung der biologischen Vielfalt. Sie umfasst neben der Vielfalt der Lebensräume die Artenvielfalt an Pflanzen und Tieren sowie die genetische Vielfalt innerhalb der Populationen einer Art. Vorrangiges Ziel des Natur- und Artenschutzes ist deshalb, eine Trendwende beim Artenrückgang einzuleiten. Vor allem der im Offenland und insbesondere auf den Agrarflächen zu beobachtende Rückgang der Arten ist für das gesamte Ökosystem bedrohlich. Daher haben die Europäische Union sowie Bund und Länder umfangreiche Programme gegen den Artenrückgang entwickelt. Die Anlage von mehrjährigen Blühstreifen und die Stilllegung von Ackerflächen soll dieser Entwicklung entgegenwirken.

25 Welche internationalen Verträge und Vereinbarungen regeln heute den weltweiten Artenschutz?

Tier- und Pflanzenarten und die in ihnen geborgene Vielfalt sind ein unersetzbarer Teil des natürlichen Systems unseres Planeten. Internationale Vereinbarungen zum Schutz wildlebender Tiere und Pflanzen sowie ihrer Lebensräume bestehen seit über 100 Jahren. Jedoch wurde vor allem mit der Konferenz über Umwelt und Entwicklung 1992 in Rio de Janeiro deutlich, dass ein wirksamer Schutz der Pflanzen und Tiere und ihrer Lebensräume sich nur mit einer umfassenden Strategie verwirklichen lässt, die auch eine langfristige nachhaltige Nutzung beinhaltet. Meilensteine des modernen Naturschutzes waren das vom Europarat ausgerufene Europäische Naturschutzjahr 1970 bzw. die erste Umweltkonferenz der Vereinten Nationen 1972 in Stockholm. In den Folgejahren wurden internationale Vereinbarungen und Verträge geschlossen, die Schutz und nachhaltige Nutzung der Natur regeln:

» RAMSAR-Konvention (1971)
» EG-Vogelschutzrichtlinie (1979)
» Flora-Fauna-Habitat-Richtlinie (1992)
» Berner Übereinkommen (1979)
» Bonner Konvention (1979)
» Washingtoner Artenschutzübereinkommen (1973)
» Übereinkommen über die biologische Vielfalt (1992).

26 Für Feuchtgebiete von internationaler Bedeutung wurde die RAMSAR-Konvention vereinbart. Welches Übereinkommen beinhaltet sie?

Als erste der heute bedeutsamen weltweiten Artenschutzbestimmungen wurde 1971 in der iranischen Stadt Ramsar das „Übereinkommen über Feuchtgebiete, insbesondere als Lebensraum für Wasser- und Watvögel, von internationaler Bedeutung" abgeschlossen. Das Übereinkommen ist Ende 1975 völkerrechtlich in Kraft getreten; kurz darauf erlangte es auch in der Bundesrepublik Deutschland Gültigkeit. Zu den schützenswerten Feuchtgebieten gehören Flussläufe und Küstenstreifen ebenso wie große Moore, Sümpfe und

9.6: Ramsargebiete sind Feuchtzonen und bieten Lebensräume für Wasser- und Watvögel.

Seen. Feuchtgebiete sind nämlich unersetzliche Lebensräume für zahlreiche Pflanzen- und Tierarten. Ziel der RAMSAR-Konvention ist es, die weltweit bedeutenden Feuchtgebiete zu schützen. Hierzu muss jeder der beigetretenen Staaten wenigstens ein Gebiet unter den Schutz der Konvention stellen und in die von der Internationalen Naturschutzunion (IUCN) geführte Liste der international bedeutsamen Feuchtgebiete eintragen lassen. Z.B. sollen Gebiete benannt werden, in denen sich regelmäßig mehr als 20.000 Wat- und Wasservögel aufhalten. Zu den in der Bundesrepublik Deutschland gemeldeten 31 RAMSAR-Gebieten zählen unter anderem das gesamte Wattenmeer, die Vorpommersche Boddenlandschaft, der Dümmer, die Rieselfelder Münster, das Wohlmattinger Ried, der Chiemsee, der Ammersee und der Starnberger See. Durch das RAMSAR-Übereinkommen soll auch die *naturschonende Nutzung* gefördert und die Zusammenarbeit beim Schutz grenzüberschreitender Feuchtgebiete verstärkt werden.

27 Welche Bedeutung hat die EG-Vogelschutzrichtlinie?

Ziel der Vogelschutzrichtlinie ist es, sämtliche wildlebenden europäischen Vogelarten – vom kleinen Zaunkönig bis zum mächtigen Seeadler – in ihrem Bestand dauerhaft zu erhalten. Als Hauptgrund nennt die Richtlinie: „Der bei vielen wildlebenden Vogelarten festzustellende Rückgang der Bestände bildet eine ernsthafte Gefahr für die Erhaltung der natürlichen Umwelt, da durch diese Entwicklung insbesondere das biologische Gleichgewicht bedroht ist.“ Die Mitgliedstaaten verpflichten sich deshalb zu einem umfassenden Schutz sowohl der Vögel selbst wie auch ihrer Lebensräume.
In der Bundesrepublik Deutschland wurde die Vogelschutzrichtlinie rechtlich umgesetzt durch die Anfang 1987 in Kraft getretene „Artenschutznovelle“ des Bundesnaturschutzgesetzes, der Bundesartenschutzverordnung und durch einige Änderungen der Jagdbestimmungen. Die Europäische Union hat folgerichtig erkannt, dass ohne Schutz der Lebensräume ein Schutz der Arten ohne Chancen bleiben muss.
Neben der Einrichtung von Schutzgebieten, die insgesamt ein zusammenhängendes Netz ergeben sollen, hat sich die Vogelschutzrichtlinie das hohe Ziel gesteckt, auch außerhalb

von Schutzgebieten die Lebensräume zu pflegen und ökologisch sinnvoll zu gestalten. Bereits zerstörte Lebensräume sollen nach Möglichkeit wieder hergestellt werden. Grundsätzlich ist es verboten, wildlebende Vogelarten zu töten oder zu fangen. Nester und Eier dürfen nicht zerstört, beschädigt oder entfernt werden. Auch die Vögel selbst dürfen – besonders in der Brut- und Aufzuchtzeit – weder gestört noch beunruhigt werden. Ausnahmen gelten für in Anhängen aufgeführte Arten. Teils dürfen diese gemeinschaftsweit bejagt werden, teils nur in bestimmten Mitgliedsstaaten.
Zusätzliche Verpflichtungen ergeben sich für besonders gefährdete Arten. Auch für zahlreiche in Deutschland vorkommende Vogelarten wie Rohrdommel, Fischadler, Kranich, Großtrappe, Schwarzspecht und Blaukehlchen sind „besondere Schutzgebiete" zu schaffen. Neben kleineren Flächen wurden von der Bundesrepublik Deutschland die Nationalparke und Biosphärenreservate sowie einige RAMSAR-Gebiete benannt.

28 Welche Bedeutung hat die Flora-Fauna-Habitat-Richtlinie (FFH-Richtlinie)?

Mitte 1992 verabschiedete die Europäische Union nach mehrjähriger Vorbereitungszeit eine „Richtlinie zur Erhaltung der natürlichen Lebensräume sowie der wildlebenden Tiere und Pflanzen", die Flora-Fauna-Habitat-Richtlinie, kurz FFH-Richtlinie genannt. Dabei liegt das Hauptaugenmerk auf dem Schutz der Lebensräume, weil nur so auch die wildlebenden Tier- und Pflanzenarten und damit das gemeinsame Naturerbe der Gemeinschaft dauerhaft bewahrt werden können. Ziel der Naturschutzbemühungen ist der sogenannte „günstige Erhaltungszustand" von Lebensräumen und Arten. Es sollen stabile Flächengrößen, stabile Bestände der Tier- und Pflanzenarten und intakte ökologische Funktionen erhalten werden. Die Richtlinie verpflichtet die Mitgliedstaaten, unter dem Namen „Natura 2000" ein europäisches Netz von Schutzgebieten einzurichten. Dieses Netz soll aus jenen Flächen bestehen, die wertvolle Lebensraumtypen und die Habitate der gemeinschaftsweit seltenen und bedrohten Arten beherbergen. Natura 2000 umfasst außerdem sämtliche „besonderen Schutzgebiete" nach der Vogelschutzrichtlinie.
Von den gemeinschaftsweit rund 430 besonders zu schützenden Pflanzenarten kommen im Bundesgebiet allerdings nur ein Dutzend vor. Anders sieht es bei den 200 geschützten Tierarten aus. Unter anderem sind in Deutschland immerhin Fischotter, Luchs, Seehund, 8 Fledermausarten und 15 Fischarten verzeichnet. Zu den gemeinschaftsweit bedeutsamen Lebensräumen gehören in Deutschland unter anderem die Nord- und Ostseeküsten einschließlich der Küstendünen, außerdem Moore, unverbaute Bergflüsse, Trockenrasen sowie verschiedene weitgehend natürlich erhaltene Waldtypen.

9.7: Der Auerhahn ist ein Waldvogel mit einer imposanten Erscheinung. Er unterliegt dem Jagdrecht, ist ganzjährig geschont und zählt zu den bedrohten Arten nach der FFH-Richtlinie.

Die FFH-Richtlinie regelt auch den direkten Schutz bestimmter gefährdeter Arten. Dabei wird das Tötungs-, Fang- und Störungsverbot der Vogelschutzrichtlinie und des Berner Übereinkommens auf diese Arten übertragen. Für Pflanzenarten gelten entsprechende Regeln. Ausnahmen sind unter anderem möglich, um Wildschäden in der Land- und Forstwirtschaft zu vermeiden (z.B. Vergrämungsabschüsse beim Kormoran oder Regulation des Bibers). Bei geschützten Arten, die dem Jagdrecht unterliegen, haben Jagdpächter, Eigenjagdbesitzer und Jagdgenossenschaft eine besondere Hegepflicht wahrzunehmen.

29 Welches Rechtsinstrument stellt das Berner Übereinkommen dar?

Das Berner Übereinkommen vom Jahre 1979 regelt vor allem den Schutzstatus von Tier- und Pflanzenarten und verbietet unter anderem bestimmte Fang- und Tötungsmethoden sowie Formen der Nutzung. 1982 nahm die Europäische Staatengemeinschaft die Konvention per Ratsbeschluss an, 1995 trat sie in der Bundesrepublik Deutschland in Kraft: „Jede Vertragspartei ergreift die geeigneten und erforderlichen gesetzgeberischen und Verwaltungsmaßnahmen, um die Erhaltung der Lebensräume wildlebender Pflanzen- und Tierarten sowie die Erhaltung gefährdeter natürlicher Lebensräume sicherzustellen." Die Konvention konzentrierte sich im Wesentlichen auf gefährdete, empfindliche oder von Natur aus seltene Arten. So zählen in Mitteleuropa Fischotter, Wolf und Braunbär zu diesen besonders geschützten Tierarten.

30 Welche Tierarten erhalten in der Bonner Konvention einen besonderen internationalen Schutz?

Schon Anfang des vorigen Jahrhunderts wurden erste internationale Naturschutzvereinbarungen für wandernde Tierarten beschlossen. Diese galten zunächst den Zugvögeln. Doch nicht nur Vögel ziehen, sondern auch Fische, Fledermäuse und Robben. Solchen wandernden Arten soll die Bonner Konvention Schutz gewähren, die auf Anregung der 1972 in Stockholm tagenden ersten UN-Umweltkonferenz entstand. Die Bundesregierung übernahm es, einen entsprechenden Entwurf zu erarbeiten, der im Juni 1979 in Bonn abschließend diskutiert und als „Übereinkommen zur Erhaltung der wandernden wildlebenden Tierarten" verabschiedet wurde – kurz Bonner Konvention genannt.

Die Bonner Konvention legt lediglich Mindestanforderungen fest. Dazu gehören Bestimmungen über den Erhalt oder die Wiederherstellung der Lebensräume und eines Netzes von Schutzgebieten entlang der Wanderrouten sowie deren bestandsschonender Nutzung. Die Bonner Konvention umfasst alle „im biologischen Sinne wandernden Tierarten", soweit sie bei diesen Wanderungen Staatsgrenzen überschreiten. So sind auch Tierarten mit besonders weiträumigen Wanderungen erfasst, hierunter auch unser heimischer Weißstorch.

31 Das Washingtoner Artenschutzübereinkommen regelt den Handel von freilebenden Tieren und Pflanzen. Welche Bedeutung kommt ihm zu?

Viele Tier- und Pflanzenarten sind heute deshalb so gefährdet, weil sie zu begehrten Handelsobjekten geworden sind. Jahr für Jahr werden weltweit große Mengen von Vögeln und Pflanzen der Natur entnommen. Der Handelswert übersteigt 500 Milliarden Euro. Deshalb wurde 1973 in Washington das „Übereinkommen über den internationalen Handel mit gefährdeten Arten freilebender Tiere und Pflanzen" abgeschlossen. Die Bundesrepublik Deutschland gehörte zu den Erstunterzeichnern und setzte das Abkommen bereits 1976 in Kraft.

Das Washingtoner Artenschutzübereinkommen (WA) sieht ein umfassendes Kontrollsystem für den grenzüberschreitenden Handel mit geschützten Tier- und Pflanzenarten vor. Die Handelsbestimmungen gelten auch für Teile von Arten und die hieraus gewonnenen Erzeugnisse. Die Ausfuhrstaaten können also durch Verweigerung der Genehmigung oder Einschränkung auf eine bestimmte jährliche Höchstzahl von Exemplaren den Handel regeln. Für besonders schwere Verstöße gegen das Washingtoner Artenschutzübereinkommen können Freiheitsstrafen bis zu 5 Jahren verhängt werden. Beschlagnahmte lebende Tiere werden in der Regel in Zoos untergebracht, tote Exemplare gehen als Lehr- und Anschauungsmaterial an Museen, Schulen und Zollstellen.

32 In welcher Form werden Jäger, die im Ausland jagen, mit der Abkürzung CITES konfrontiert? Was verbirgt sich dahinter?

Das Washingtoner Artenschutzabkommen (CITES) von 1973 will gefährdete Tiere und Pflanzen schützen, indem es den Handel mit ihnen verbietet oder nur unter strengen Auflagen zulässt. Zur Ausfuhr von Trophäen sind Ausfuhrgenehmigungen der jeweiligen Staaten erforderlich, die als CITES-Bescheinigungen bezeichnet werden. (s. Abbildung S. 21) CITES steht für „Convention on International Trade in Endangered Species of Wild Fauna and Flora" und ist das „Übereinkommen über den internationalen Handel mit gefährdeten Arten freilebender Tiere und Pflanzen".

33 Welche Ziele verfolgt das Übereinkommen über die biologische Vielfalt?

Das Übereinkommen über die biologische Vielfalt wurde nach mehrjährigen Verhandlungen auf der Konferenz der Vereinten Nationen für Umwelt und Entwicklung im Juni 1992 in Rio de Janeiro unterzeichnet. Das Übereinkommen wurde bisher von etwa 170 Staaten und der Europäischen Gemeinschaft ratifiziert und trat im Dezember 1993 in Kraft. Ziel des Übereinkommens ist neben der Erhaltung biologischer Vielfalt (Lebensräume, Arten, genetische Variabilität innerhalb der Arten) ihre vorausschauende und nachhaltige Nutzung sowie die gerechte Verteilung der Gewinne aus dieser Nutzung genetischer Ressourcen zwischen den Herkunfts- und den Nutzerländern.

Der Schutz von Arten soll vorrangig in den natürlichen Lebensräumen (in situ) erfolgen. Flankierende Erhaltungsmaßnahmen außerhalb dieser Lebensräume (ex situ) sowie verstärkte Forschung, Ausbildung und Umweltverträglichkeitsprüfungen sollen die Strategie und das Konzept des Schutzes durch nachhaltige Nutzung ergänzen und unterstützen.

34 Was ist die Agenda 21?

Die Agenda 21 ist ein umfassendes dynamisches Aktionsprogramm, das detaillierte umwelt- und entwicklungspolitische Handlungsweisen enthält. Die nachhaltige Nutzung der Natur ist zentraler Bestandteil der Agenda 21. Grundgedanke ist dabei die Verantwortung gegenüber künftigen Generationen, die darin besteht, dass die Natur nur im Rahmen ihrer langfristigen Regenerationsfähigkeit genutzt werden soll. Im übertragenen Sinne heißt dies: Nicht das Kapital, sondern nur die Zinsen dürfen verbraucht werden.

EUROPÄISCHE UNION / *EUROPEAN UNION*

5

ANTRAG / *APPLICATION*

1. Ausführer/Wiederausführer / *Exporter/Re-exporter*

GENEHMIGUNG/BESCHEINIGUNG
PERMIT/CERTIFICATE

- ☐ EINFUHR / *IMPORT*
- ☐ AUSFUHR / *EXPORT*
- ☐ WIEDERAUSFUHR / *RE-EXPORT*
- ☐ SONSTIGES / *OTHER:*

Übereinkommen über den internationalen Handel mit gefährdeten Arten frei lebender Tiere und Pflanzen
Convention on International Trade in Endangered Species of Wild Fauna and Flora

3. Einführer / *Importer*

4. (Wieder-)Ausfuhrland / Country of (re-)export

5. Einfuhrland / Country of import

6. Ort, an dem lebende Exemplare der in Anhang A aufgeführten Arten gehalten werden dürfen / *Location at which live specimens of Annex A species will be kept*

7. Ausstellende Vollzugsbehörde / *Issuing Management Authority*

BUNDESAMT FÜR NATURSCHUTZ
Konstantinstraße 110
D-53179 BONN

5

8. Beschreibung der Exemplare (einschl. Kennzeichen, Geschlecht/Geburtsdatum von lebenden Tieren) / *Description of specimens (incl. marks, sex/date of birth for live animals)*

9. Nettomasse (kg) / *Net mass (kg)*

10. Menge / Quantity

11. CITES-Anhang/CITES Appendix

12. EU-Anhang/*EU-Annex*

13. Herkunft / *Source*

14. Zweck / Purpose

15. Ursprungsland / Country of origin

16. Genehmigungs-Nr. / *Permit No*

17. Ausstellungsdatum / *Date of issue*

18. Letztes Wiederausfuhrland / *Country of last re-export*

19. Bescheinigungs-Nr. / *Certificate No*

20. Ausstellungsdatum / *Date of issue*

21. Wissenschaftlicher Artname / *Scientific name of species*

22. Üblicher Artname / Common name of species

23. Ich beantrage hiermit die oben genannte Genehmigung/Bescheinigung. / I hereby apply for the permit/certificate indicated above.

Bemerkungen (z. B. zum Zweck der Einfuhr, Einzelheiten der Unterbringung lebender Exemplare usw.) / Remarks (e.g. on purpose of introduction, details of accommodation for live specimens, etc.)

Die erforderlichen Belege und Beweismittel sind beigefügt. Ich erkläre hiermit, dass ich alle obigen Angaben ordnungsgemäß nach bestem Wissen und Gewissen gemacht habe. Ich erkläre, dass bisher kein Antrag auf eine Genehmigung/Bescheinigung für die oben genannten Exemplare abgelehnt wurde.
I attach the necessary documentary evidence and declare that all the particulars provided are to the best of my knowledge and belief correct. I declare that an application for a permit/certificate for the above specimens was not previously rejected.

Unterschrift / *Signature*

Lebende Tiere werden unter Einhaltung der CITES-Leitlinien für den Transport und die Vorbereitung des Transports von lebenden Wildtieren oder, im Fall eines Lufttransports, der Vorschriften des Internationalen Luftverkehrsverbandes (IATA) für den Transport lebender Tiere befördert.
Live animals will be transported in compliance with the CITES Guidelines for the Transport and Preparation for Shipment of Live Wild Animals or, in the case of air transport, the Live Animals Regulations published by the International Air Transport Association (IATA).

Name des Antragstellers / *Name of applicant*

Ort und Datum / *Place and date*

(2012)
WILHELM KÖHLER VERLAG 32423 Minden, Brückenkopf 2a, Telefon 05 71 / 8 28 23 - 0, Telefax 05 71 / 8 28 23 23
60323 Frankfurt/M, Telemannstr. 13, Telefon 0 69 / 97 20 25 - 97, Telefax 0 69 / 72 72 96
Homepage: www.koehler-verlag.de, E-Mail: info@koehler-verlag.de
Bestell-Nr. 221

9.8: CITES-Bescheinigung (mit freundlicher Genehmigung des Wilhelm Köhler Verlags)

9.4 Jagd und Naturschutz

35 Was bedeutet Nachhaltigkeit?

Der heute viel zitierte Begriff „Nachhaltigkeit" wurde vor über 200 Jahren von der deutschen Forstwirtschaft geprägt. Dahinter stand das Ziel, nur soviel Holz zu nutzen, wie im gleichen Zeitraum nachwächst. Der bedeutende Forstmann Georg Ludwig Hartig hat bereits 1795 in seiner „Anweisung zur Taxation der Förster" einen Satz formuliert, der auch heute noch aktuell ist: „Eine Nutzung sollte zwar so hoch wie möglich, doch so zu suchen sein, dass die Nachkommenschaft wenigstens ebenso viel Vorteil daraus ziehen kann, als sich die jetzt lebende Generation zueignet."

200 Jahre später wurden diese Gedanken bei der Umweltkonferenz in Rio de Janeiro 1992 aufgegriffen und auf sämtliche Bereiche des Lebens übertragen. In der Rio-Deklaration wurde das Prinzip „Nachhaltigkeit" als Handlungsmaxime festgeschrieben: „Hierunter wird eine Entwicklung verstanden, die die Bedürfnisse der Gegenwart befriedigt, ohne die Lebensmöglichkeiten zukünftiger Generationen durch übermäßige Beanspruchung von Umweltressourcen zu gefährden."

36 Wie wird nachhaltige jagdliche Nutzung in Deutschland gewährleistet?

Der Staat schützt auch in Verantwortung für die künftigen Generationen die natürlichen Lebensgrundlagen im Rahmen der verfassungsmäßigen Ordnung durch die Gesetzgebung und nach Maßgabe von Gesetz und Recht durch die vollziehende Gewalt und die Rechtsprechung (Artikel 20a Grundgesetz).

Der Schutz des Wildes und seiner Lebensgrundlagen geht Jäger, Grundeigentümer und Öffentlichkeit gemeinsam an. Das Bundesjagdgesetz hat zum Schutz der nachhaltigen jagdlichen Nutzung folgende Regelungen getroffen:

- » Die Verpflichtung zur Hege richtet sich an Jäger und Grundeigentümer: Die Hege hat zum Ziel die Erhaltung eines angepassten artenreichen und gesunden Wildbestandes (§ 1 Bundesjagdgesetz).
- » Durch das Reviersystem werden die Jäger in die Verantwortung genommen, langfristig für ihren anvertrauten Naturraum zu sorgen (§§ 4 ff. Bundesjagdgesetz).
- » Durch Jagdzeiten wird festgelegt, welche Wildarten zu welcher Zeit bejagt werden dürfen. Die meisten dem Jagdrecht unterliegenden Wildarten (zum Beispiel Luchs, Wildkatze, Großtrappe, Greife) sind ganzjährig geschont. Sie unterliegen damit der Hegepflicht und sind durch den Jagdausübungsberechtigten in besonderer Weise in ihrer Entwicklung zu fördern. Elterntiere sind generell während der Aufzucht von der Bejagung ausgenommen (§ 22 Bundesjagdgesetz).
- » Abschusspläne stellen sicher, dass ein gesunder Wildbestand in angemessener Zahl erhalten bleibt (§ 21 Bundesjagdgesetz).
- » Die sachlichen Verbote (z.B. Verbot von Schlingen, Vogelnetzen, automatischen Waffen) gewährleisten, dass die Jagd tierschutzkonform ist (§ 19 Bundesjagdgesetz).
- » Der Jäger ist verpflichtet, das Wild zu schützen, so z.B. vor Wildseuchen, wildernden Hunden und streunenden Katzen (§ 23 Bundesjagdgesetz).
- » Das Verbot der unbefugten Beunruhigung soll das Wild vor Stress schützen (§ 19a Bundesjagdgesetz).

37 Welche Bedeutung hat der Biotopschutz im Naturschutz?

Die Biotopzerstörung und Biotopentwertung ist eine bedeutende Ursache für die Gefährdung nicht nur seltener Tiere und Pflanzen. Nur, wenn der Lebensraum dieser Arten geschützt wird, erhält man auch die darin lebenden Tier- und Pflanzenarten. Aus diesem Grunde ist der Biotopschutz im Bundesnaturschutzgesetz besonders geregelt. Nach § 30 Bundesnaturschutzgesetz genießen folgende Biotope einen Schutzstatus:

» Feuchtbiotope (z.B. Hochmoore, Niedermoore, Sümpfe, Röhrichte, Quellbereiche, etc.)
» Trockenbiotope (z.B. offene Binnendünen, Geröllhalden, Wacholderheiden, Trockenrasen)
» Waldbiotope (z.B. Wälder und Gebüsche trockenwarmer Standorte, Hoch-, Sumpf- und Auwälder)
» Küstenbiotope (Fels- und Steilküsten, Strandwälle und Dünen, Wattflächen im Küstenbereich)
» Alpine Biotope (z.B. offene Felsbildungen, alpiner Rasen, Krummholzgebüsche)

Beim Biotopschutz geht es insbesondere um den Erhalt und Schutz bestimmter natürlicher oder naturnaher Biotope. Von besonderer Bedeutung sind die sogenannten Biotopverbundsysteme, die eine flächige Vernetzung einzelner Biotope miteinander gewährleisten sollen.

9.9: Streuobstwiese mit Beweidung durch Heidschnucken

38 Nennen Sie bedrohte Tierarten in Siedlungsnähe, Dörfern und Städten:

» Mops-Fledermaus
» Abendsegler
» Großes Mausohr
» Rauhaut-Fledermaus
» Große Hufeisennase
» Breitflügel-Fledermaus
» Weißstorch
» Schleiereule
» Gartenschläfer
» Wendehals
» Gartenrotschwanz
» Halsbandschnäpper
» Rotkopfwürger
» Schwalbenschwanz

9.10: Der Gartenrotschwanz bewohnt als Hohlenbrüter lichte Wälder. Er ist leider in seinem Bestand rückläufig und gefährdet.

39 Nennen Sie bedrohte Tierarten an sonnigen Steilhängen und in Steinbrüchen:

» Mauereidechse
» Smaragdeidechse
» Zippammer
» Äskulapnatter
» Schlingnatter
» Apollofalter
» Uferschwalbe
» Knoblauchskröte
» Geburtshelferkröte
» Kreuzkröte

40 Wie kann der Jäger im Revier zur Erhaltung der Lebensräume von Tieren und Pflanzen beitragen?

In unserer Landschaft gibt es zahlreiche Flächen, die sich für die Anlage neuer Lebensräume eignen, ohne dass dabei andere vorhandene und schützenswerte Biotope beeinträchtigt werden. Landwirte und andere Grundbesitzer können solche Areale zur Verfügung stellen und zum Beispiel gemeinsam mit den Revierinhabern, der Hegegemeinschaft oder ortsansässigen Naturschutzvereinigungen mit Hecken- und Feldgehölzen bepflanzen oder Kleingewässer für Amphibien schaffen.
Wer Hecken anlegt, sollte nur standortgerechte und einheimische Gehölz- und Straucharten verwenden, die aus der näheren Umgebung stammen. Die Landesjagdverbände bieten hierzu in Zusammenarbeit mit den Naturschutzbehörden und Landwirtschaftsämtern Naturschutzprogramme an, die eine staatliche Förderung erfahren (Vertragsnaturschutz in Bayern: Aktionsprogramm des Landesjagdverbandes Bayern „Naturerbe Bayerische Landschaft").

41 Welche Bedeutung hat die Pflege unserer Kulturlandschaft für die weitere Entwicklung unserer heimischen Flora und Fauna?

Die Kulturlandschaften Mitteleuropas, geprägt von einer jahrtausendelangen Geschichte, sind nicht nur Lebensraum des Menschen, sondern auch einer artenreichen Pflanzen- und Tierwelt. Die ökologische Qualität dieser Landschaften ist somit auch entscheidend für das Fortbestehen einer vielfältigen Fauna und Flora. Deutschland besitzt aufgrund

9.11: Bäuerliche Kulturlandschaft

seiner klimatischen und geologischen Verhältnisse, aber auch als Folge seiner historischen Entwicklung eine Vielzahl unterschiedlicher Landschaften mit einer artenreichen, für den jeweiligen Naturraum charakteristischen Tier- und Pflanzenwelt. Der durch den technischen Fortschritt ausgelöste Wandel in allen Lebensbereichen, der in den letzten Jahrzehnten auch unsere Landschaften verändert hat, gefährdet den Fortbestand vieler Pflanzen- und Tierarten.

Bis weit ins letzte Jahrhundert hinein wurde das Gesicht der Kulturlandschaften überwiegend durch bäuerliche Nutzung geprägt. Neben naturnah verbliebenen Wäldern und Mooren, Streuwiesen, Heiden und Magerrasen, Hecken und Feldgehölzen bestimmten Felder, Wiesen und Weiden, Siedlungen und Obstgärten die Eigenart der Landschaften. Naturverträgliche Nutzungsformen haben für viele Arten neuen Lebensraum geschaffen. So konnten sich manche Ackerwildkräuter, aber auch Pflanzen der Heiden und Magerrasen erst mit der – aus heutiger Sicht sehr extensiven – Acker- und Grünlandnutzung bei uns großflächig ausbreiten.

42 Wie können besonders bedrohte Arten geschützt werden?

Um die heimische Flora und Fauna wirkungsvoll zu schützen, genügt es nicht, nur einige besonders bedeutsame Standorte oder einzelne Arten unter Schutz zu stellen. Es muss vielmehr die gesamte Vielfalt der Lebensräume (Biotope) und Lebensgemeinschaften (Biozönosen) gesichert werden. Der Schutz einer gefährdeten Pflanzenart z.B. durch ein Pflückverbot ist wirkungslos, wenn ihr Lebensraum beispielsweise durch Entwässerung, Düngung oder Aufforstung zerstört wird.

9.12: Intensive Landwirtschaft

43 Welche menschlichen Einflüsse waren die Ursache für den Artenrückgang in vielen Regionen Deutschlands?

9.13: Heckenelemente als Lebensräume für Vögel und Kleinsäuger

Die zunehmende Industrialisierung und der Strukturwandel der Landwirtschaft in den letzten Jahrzehnten führten zu einer fortschreitenden ökologischen Verarmung. Durch das Zusammenlegen von Flächen ist heute ein großflächiger Anbau weniger Kulturpflanzen möglich. Viele schonende Nutzungsformen, wie Streumahd oder Huteweide, wurden fast völlig aufgegeben. Hierzu kommen Überbauung und Zerschneidung der Landschaft durch Verkehrswege, großflächiger Einsatz von Düngemitteln und Pflanzenschutzmitteln sowie das Beseitigen von Rainen, Hecken und kleineren Gehölzen. Die Eingriffe führten zur Gefährdung bzw. zum Verschwinden zahlreicher Tier- und Pflanzenarten. Nur „Allerweltsarten" finden in der maschinengerechten Produktionslandschaft noch ausreichende Lebensbedingungen. So sind heute bereits ehemals weit verbreitete Ackerwildkräuter wie Feldrittersporn, Sandmohn, Kornrade und Sommeradonisröschen bedroht, weil Getreideäcker nicht mehr extensiv bewirtschaftet werden.

44 Welche ökologische Bedeutung hatte der Wandel unserer Kulturlandschaft von kleinbäuerlichen Strukturen zu Großagrarbetrieben?

Die veränderte Landbewirtschaftung hat in der Bundesrepublik Deutschland, aber auch in vielen anderen Ländern dieser Welt einen Prozess der „ökologischen Entmischung" in großräumige Nutzungsbereiche und verinselte kleinräumige Schutzbereiche ausgelöst. Naturschutz, der sich nur auf den Erhalt weniger besonders gefährdeter Arten beschränkt, wird auch diese verlieren, wenn es nicht gelingt, die ökologische Isolierung, d.h. die Verinselung der Lebensräume, wieder zu überwinden. Biotopverbundsysteme sollen hier Abhilfe schaffen.

Natürliche Lebensräume, mit dazu gehörigen Lebensgemeinschaften, sind z.B. Au- und Bruchwälder, Moore, Seen und Quellfluren.

9.14: Begradigter und kanalisierter Bachlauf

Sie entstanden ohne Einwirkung des Menschen, während naturnahe Ökosysteme wie Trockenrasen oder Streu- und Feuchtwiesen aus früheren Landnutzungsformen hervorgegangen sind. Die natürlich entstandenen Lebensgemeinschaften bedürfen zu ihrer Erhaltung keiner Maßnahmen, sofern es gelingt, störende Einflüsse fernzuhalten. Dies gilt vor allem für natürliche Waldgesellschaften, Hochmoore, natürliche Felsheiden und Gewässer. Lebensräume aus „Menschenhand" müssen allerdings rege Pflege erfahren, um ihren ökologischen Wert und die Bedeutung für die zu schützende Lebensgemeinschaft zu erhalten.

45 Welche Bedeutung haben Quellen, Quellbereiche und Quellsümpfe für die dort lebende Tier- und Pflanzenwelt?

Quellgesellschaften sind sehr selten und besitzen deshalb gerade in unserer Zeit, in der die Gewässer zunehmend mit Nährstoffen angereichert sind, als nährstoffarme Standorte sowohl für die Tier- als auch für die Pflanzenwelt eine überragende Bedeutung. Über 400 verschiedene Tierarten sind auf Quellbereiche angewiesen und können bei Veränderung oder Verlust ihres Lebensraumes nicht auf andere Gebiete ausweichen.

9.15: Nährstoffarme Quellbereiche sind heute selten geworden.

46 Kennen Sie die besondere Bedeutung von Hoch- und Übergangsmooren im Artenschutz?

Hochmoore sind in Deutschland meist gegen Ende der letzten Eiszeit vor rund 10.000 Jahren entstanden. Es gibt sie von der Meeresküste bis über die alpine Baumgrenze. Ihr Name leitet sich nicht von der Höhenlage ab, sondern von der Art ihres Wachstums, das ausschließlich von Niederschlagswasser abhängt. Hochmoore wölben sich urglasförmig empor und liegen in ihrem zentralen Teil deutlich höher als die umgebene Landschaft (Schwarzes Moor in der Rhön). Unter Übergangsmooren versteht man noch wachsende Moorflächen, deren Wasserhaushalt einerseits vom Regenwasser, andererseits aber auch noch vom Untergrund bestimmt wird. Hoch- und Übergangsmoore werden durch die recht charakteristischen Torfmoosarten der Gattung *Sphagnum* geprägt.

Die naturnahen, nährstoffarmen Hoch- und Übergangsmoore sind für die auf solche Verhältnisse spezialisierten Tiere und Pflanzen unersetzliche Lebensräume. Nahezu alle noch aus der letzten Eiszeit übriggebliebenen „Glazialrelikte" haben ihr einziges Vorkommen in Hoch- und Übergangsmooren. In ungestörten Hochmooren können neben Torfmoosen und Bergkiefern fast nur speziell an diesen Lebensraum angepasste Gräser gedeihen.
Intakte Hoch- und Übergangsmoore können ungewöhnlich große Wassermengen aufnehmen und speichern, die sie über die Verdunstung, unter Umständen auch über einen langsamen Wasserabfluss wieder abgeben. Sie wirken damit ausgleichend auf das Klima und den natürlichen Wasserhaushalt. Der Erhalt der Moore spielt im Zusammenhang mit der Bindung von CO_2 in der Luft eine ganz bedeutsame Rolle. Daher sind Moore aus der Sicht des Klimaschutzes wichtige Biotope, deren Verbreitung und Umfang ausgeweitet werden soll.
Die entscheidenden Ursachen für die Gefährdung und Zerstörung der Hoch- und Übergangsmoore sind:
» Entwässerung,
» Nutzung durch Land- und Forstwirtschaft,
» Freizeitdruck und
» Torfabbau.

47 Nennen Sie bedrohte Tierarten in sumpfigen Wiesen, Weiden und Mooren:

» Uferschnepfe
» Großer Brachvogel
» Bekassine
» Rotschenkel
» Sumpfohreule
» Braunkehlchen
» Schwarzkehlchen
» Wiesenpieper
» Moorfrosch
» Kreuzotter
» Moor-Wiesenvögelchen
» Blauschillernder Feuerfalter
» Großer Perlmuttfalter
» Birkhuhn
» Hochmoor-Bläuling
» Hochmoor-Gelbling

9.16: Anlage von Feuchtbiotopen im Wald

9.17: Das Verbreitungsgebiet der Kreuzotter geht von Mitteleuropa bis zum Polarkreis.

9.18: Moorfrosch: Während der Paarung verfärbt sich das Moorfroschmännchen durch spektrale Reflexionen blau oder violett.

48 Kennen Sie geschützte Pflanzen in Flachmooren und Streuwiesen?

» Schachblume
» Trollblume
» Karlszepter
» Mehlprimel
» Schlauch-Enzian
» Geflecktes Knabenkraut
» Sumpf-Knabenkraut
» Sumpf-Gladiole
» Sommer-Drehwurz

9.19: Die Trollblume liebt Feuchtwiesen und Bachränder im Hochgebirge.

49 Kennen Sie bedrohte Pflanzenarten an Hochmoorstandorten?

» Mittlerer Sonnentau
» Langblättriger Sonnentau
» Weichstengel
» Sumpf-Bärlapp

50 Sind die in ganz Deutschland anzutreffenden Fichtenforste auf eine natürliche Verbreitung zurückzuführen?

Wenn auch die Fichte heute aufgrund ihres raschen Wuchses als „Brotbaum" des Waldbesitzers gilt, so darf das doch nicht darüber hinwegtäuschen, dass sie von Natur aus eine Baumart der nördlichen Waldgebiete und der Hochlagen ist und erst seit rund 250 Jahren als Folge forstlicher Maßnahmen vielfach unser Landschaftsbild prägt. Natürliche Fichtenwälder kommen vor allem in den hohen Lagen der südostdeutschen Mittelgebirge (Bayerischer Wald, Fichtelgebirge, Thüringer Wald) und in den Alpen vor.
Künstlich angelegte Fichtenforste haben im Gegensatz zum Bergfichtenwald keine Kraut- und Strauchschicht. Allenfalls wird der Boden von einer dünnen Moosdecke überzogen. Ihr Erscheinungsbild hat mit einem natürlichen Bergfichtenwald wenig zu tun. Sie haben für unsere heimischen Wildarten nur eine geringe Lebensraumkapazität.

51 Welche ökologischen Funktionen erfüllen Hecken und Feldgehölze?

9.20: Büsche und Sträucher als Gliederungselemente in der Landschaft

Der ökologische Wert einer Hecke hängt entscheidend von ihrer Artenzusammensetzung, Größe und Vernetzung mit benachbarten Hecken oder Wäldern sowie von den auf sie wirkenden Nutzungseinflüssen ab. Schmale Heckenstreifen zwischen intensiv gedüngten Acker- und Wiesenflächen gliedern zwar optisch das Landschaftsbild, sind aber als Lebensraum für Tiere oder Pflanzen weit weniger bedeutsam als beispielsweise Feldgehölze, deren Randbereiche von einer artenreichen Gesellschaft besiedelt sind. Dies trifft auch für zahlreiche Wildarten zu, die in Hecken und Feldgehölzen durch Äsung und Deckung eine Nische in der Agrarlandschaft finden.

Hecken und Feldgehölze erfüllen folgende Funktionen:

» Sie beleben das Landschaftsbild und erhöhen die Strukturvielfalt in der Kulturlandschaft.

» Sie beeinflussen das Kleinklima und schützen den Boden der umgebenen Kulturflächen vor Wasser- und Winderosionen und bewirken damit auf landwirtschaftlichen Flächen Ertragssteigerungen.

» Sie sind Lebensraum für zahlreiche Tierarten. Insbesondere stellen sie günstige Nahrungs-, Nist-, Rückzugs- und Überwinterungsplätze dar.

» Sie sind Aufenthaltsort von Kleinsäugern wie dem Wiesel sowie zahlreichen räuberischen Insekten wie Schweb- und Florfliegen, Schlupfwespen und Marienkäfern und daher für den biologischen Pflanzenschutz von hohem Wert.

9.21: Heckensaum, einem Waldrand vorgelagert

52 Nennen Sie bedrohte Tierarten in Feldgehölzen, Hecken und Remisen:

- » Neuntöter
- » Raubwürger
- » Segelfalter
- » Akazienzipfelfalter
- » Wanderfalke
- » Steinkauz
- » Wiedehopf
- » Dorngrasmücke
- » Grauammer
- » Ortolan

53 Kennen Sie besonders geschützte Pflanzenarten in unseren Heidelandschaften?

- » Frühlings-Adonisröschen
- » Gewöhnliche Küchenschelle
- » Frühlings-Küchenschelle
- » Bienen-Ragwurz
- » Hummel-Ragwurz
- » Stattliches Knabenkraut
- » Frühlings-Enzian
- » Deutscher Enzian
- » Silberdistel

54 Ist die Jagd in Schutzgebieten erlaubt?

Die Jagdausübung ist grundsätzlich in allen Schutzgebietskategorien zulässig, sachlich geboten und ökologisch notwendig. Sie muss vergleichbar mit der Pflege und Nutzung von Pflanzen als Teil eines notwendigen Biotopmanagements stattfinden. Einschränkungen in der Jagdausübung werden in den Kernzonen der Nationalparke vorgenommen. Umso intensiver findet in den Randbereichen der Nationalparke eine Bestandsregulierung des Schalenwildes statt. Sie müssen am Schutzzweck gemessen notwendig, geeignet, angemessen und nachvollziehbar sein. Ein Jagdverbot ist in Schutzgebieten unserer Kulturlandschaft nur in begründeten Ausnahmefällen sinnvoll.
Allein die Ausweisung von Schutzgebieten genügt auf Dauer nicht zur Erhaltung von Lebensraum und Arten. Den Jägern als Sachwalter der wildlebenden Pflanzen- und Tierwelt kommt hierbei eine herausragende Bedeutung zu, weil sie Kenntnis über das Vorhandensein von bedrohten Tier- und Pflanzenarten im Revier haben und praktische Erfahrungen im Biotop- und Artenschutz besitzen.

55 Ist die Jagd in Schutzgebieten ökologisch sinnvoll?

Vielfach sind Eingriffe in Wildtierpopulationen gerade in Schutzgebieten notwendig. Zu hohe Bestände an Schalenwild, an Beutegreifern oder Wildkaninchen können im Gegenteil sogar zur Beeinträchtigung der schutzwürdigen Flora und Fauna, insbesondere zu Wildschäden im Schutzgebiet selbst und auf angrenzenden Flächen, führen.
Bei zu hohen Populationsdichten einer Art, wie z.B. der Stockente, besteht die Gefahr der Verdrängung anderer seltener oder gar geschützter Arten. Beutegreifer, wie zum Beispiel der Fuchs oder das Wildschwein, müssten im Interesse seltener Beutetiere und zur Bekämpfung von Tierseuchen (Staupe, Räude, ASP) durch jagdliche Eingriffe reguliert werden. Der Bruterfolg in Vogelschutzgebieten kann durch einen zu hohen Beutegreiferdruck gänzlich in Frage gestellt sein.

56 Ist die Bau- und Fangjagd in Schutzgebieten notwendig?

Eine eventuell notwendige Reduzierung bestimmter Beutegreifer alleine mit der Waffe ist unmöglich, so dass mit der Bau- und Fangjagd ein Schutz gefährdeter Arten (insbesondere Bodenbrüter) verbunden ist. Auch die Entnahme von invasiven und gebietsfremden Arten ist nur mit einer intensiven Fangjagd effektiv.

57 Nennen Sie herausragende Artenschutzprojekte der Jägerschaft in Deutschland:

Bayern:

» Artenhilfsprogramm für Steinböcke an der Benediktenwand bei Bad Tölz
» Schutzgemeinschaft Auerhuhn im Bayerischen Wald
» Rebhuhnprogramm „Artenreiche Flur" in Mittelfranken
» Birkwildprojekt in der Rhön

Hamburg:

» Ringelgansprojekt „Hallig Hooge"

Mecklenburg-Vorpommern:

» Wiederansiedelung von baumbrütenden Wanderfalkenpopulationen

Niedersachsen:

» Erhaltung der Diepholzer Moorniederung

Schleswig Holstein:

» Seehund-Aufzuchtstation Friedrichskoog

9.22: Offene Weidefläche im Hochgebirge

58 Welche Probleme des Natur- und Artenschutzes sind im Hochgebirge bedeutsam?

Seit durch verändertes Freizeitverhalten des Menschen auch das Bedürfnis nach Erholung in der freien Natur und die Zahl der Erholungssuchenden nie gekannte Ausmaße annahmen, wurden auch abgelegenste Gebiete durch Straßen und Seilbahnen erschlossen und dem Andrang großer Menschenmassen ausgesetzt. Allzu oft ist bereits die Grenze des Zumutbaren überschritten, da einzelne Tier- und Pflanzenarten stark gefährdet oder regional nicht mehr anzutreffen sind. Einige Arten (z.B. das Alpenschneehuhn) finden selbst im Hochgebirge nicht mehr jene Ungestörtheit, die sie benötigen.
Die Begegnung mit der Natur kann dem Menschen meist auch ermöglicht werden, ohne die Lebensbedingungen seltener oder bedrohter Arten zu schmälern. Wo dies nicht möglich ist, gebührt der Erhaltung bedrohter Tier- und Pflanzenarten der Vorrang. Für die Rückzugs- und Restvorkommen in den Alpen gibt es keine Ausweichmöglichkeiten mehr. Um diesen Wildtieren die nötige Ruhe zu geben, werden bereits heute Wildschutzzonen eingerichtet, in denen über Monate hinweg Betretungsverbote bestehen. Das Hochgebirge ist deshalb für viele Arten zu bedeutsam, da ist trotz der rauen Lebensbedingungen einigen Arten als einziges richtig Rückzugsgebiet erhalten blieb.

59 Nennen Sie bedrohte Tierarten im Hochgebirge:

» Steinadler
» Murmeltier
» Alpenschneehase
» Alpenschneehuhn
» Steinhuhn
» Mauerläufer
» Steinschmätzer
» Hochalpenapollo
» Birkwild
» Auerwild

9.23: Das Alpenschneehuhn ist ein Eiszeitrelikt der alpinen Höhenstufe.

60 Kennen Sie geschützte Pflanzen in der Alpenregion?

» Edelweiß
» Edelraute
» Moos-Steinbrech
» Zweiblütiger Steinbrech
» Kies-Steinbrech
» Zarter Enzian
» Rundblättriger Enzian
» Spinnweben-Hauswurz
» Dach-Hauswurz
» Aurikel

61 Welche Bedeutung haben Gewässer- und Uferstreifen im Naturschutz?

Gewässer und ihre Randbereiche sind durch verschiedenste Eingriffe – Begradigung von Flüssen und Bächen, Beseitigung von Verlandungsbereichen, Unterbindung natürlicher Hochwässer und Verschmutzung des Wassers – als Lebensräume für Tiere entwertet oder zerstört worden. Bei wenigen Arten haben auch Seuchen und Verdrängung (z.B. beim Edelkrebs), aber auch Nachstellung und Konkurrenz (Fischotter) zum Rückgang beigetragen. Dies erklärt auch, weshalb auf Sumpfgebiete, Röhrichte und Gewässer angewiesene Vogelarten zu 80 % als gefährdet einzustufen sind.

Eine Reihe von Arten ist auf die Freihaltung von Kies- und Sandbänken angewiesen (Flussregenpfeifer, Flussuferläufer, Flussseeschwalbe) und reagiert sehr empfindlich gegen Störungen, insbesondere während der Brutzeit.
Zum Rückgang der ganz im Wasser lebenden Arten hat neben den Verlusten an Uferständen, Eingriffen in Wasserführung, Fließgeschwindigkeit und Wärmehaushalt am meisten die Verschmutzung der Gewässer beigetragen. Zu den am stärksten betroffenen Arten gehören Stein- und Edelkrebs, von den Fischen vor allem die Kieslaicher (Äsche) und Laichwanderer (Huchen, Neunauge).

62 Nennen Sie bedrohte Tierarten an Seen, Gewässern und im Uferbereich:

» Moorente
» Kolbenente
» Haubentaucher
» Löffelente
» Knäkente
» Beutelmeise
» Blaukehlchen
» Europäische Sumpfschildkröte
» Laubfrosch
» Gelbbauchunke
» Kammmolch
» Purpurreiher
» Rohrweihe
» Wiesenweihe
» Schilfrohrsänger
» Drosselrohrsänger
» Rohrdommel
» Zwergdommel
» Fischotter
» Flussseeschwalbe
» Flussuferläufer
» Eisvogel
» Wasseramsel
» Edelkrebs

9.24: Laubfrösche verfügen durch Haftballen an den Zehen über ein exzellentes Kletter- und Haftvermögen.

63 Kennen Sie gefährdete Pflanzenarten in Gewässer- und Ufernähe?

» Weiße Seerose
» Sanddorn

64 Auch von Menschenhand geschaffene Lebensräume sind Refugien seltener Arten. Erklären Sie die Bedeutung von Steinbrüchen, Kies-, Sand- und Lehmgruben für den Naturschutz.

Die hier zusammengefassten Lebensräume verdanken – sieht man von den natürlich entstandenen Hängen ab – ihr Dasein Eingriffen des Menschen. Es sind sogenannte Erdaufstöße, ehemalige oder noch genutzte Abbaustätten.
Die trockeneren dieser Lebensräume locken mit ihren Spalten und Klüften und einer in der bunten Vielfalt von Gräsern, Blumen und Sträuchern sich reich entfaltenden Insektenfauna Vögel und Kriechtiere an: Eidechsen und Ringelnattern finden hier Unterschlupf, warme Plätze zum Sonnen und Nahrung. Wanderfalke und Uhu nisten in alten Steinbrüchen.
Wo Wasser hinzukommt, finden vor allem einige Lurcharten eine neue Heimat. Die Kreuzkröte laicht z.B. gerne in Sand- und Kiesgrubentümpeln; die Laichplätze der Gelbbauch-

unken liegen überwiegend in Lehm- und Tongruben. In die Wände von Sandgruben graben Uferschwalben ihre Brutröhren. In vielen Gegenden sind die meisten Laichgewässer von Erdkröte, Berg- und Teichmolch Lebensräume aus „zweiter" Hand.

9.25: Lesesteinhaufen sind Refugien seltener Reptilien und Insekten.

65 Nennen Sie bedrohte Tierarten in Acker- und Weideland, auf Weiden, Wiesen und Heiden:

» Haubenlerche
» Wechselkröte
» Streifen-Bläuling
» Berghexe
» Kleines Ochsenauge
» Schwarzer Bär
» Englischer Bär
» Regensburger Heufalter

66 Kennen Sie bedeutsame ökologische Nischen im Wald?

Wälder und Forsten bedecken heute noch ein knappes Drittel der Fläche der Bundesrepublik Deutschland. Obwohl die ursprüngliche Vielfalt der Waldtypen geringer geworden ist, beherbergen die Wälder mit ihren wichtigen Randbereichen noch immer einen beträchtlichen Teil unserer Fauna. Die Tierarten des Waldrandes und der Lichtungen brauchen den Schutz und die Geborgenheit des Waldes, aber auch Sonne und freies Gelände zur Jagd auf Beutetiere. Daneben gibt es eine Gruppe von Bewohnern des Waldinnern, deren Ansprüche in Wäldern verschiedener Art erfüllt sein können. Schließlich gibt es Arten, die nur in Laub- und Mischwäldern vorkommen, und solche, die Nadelwälder bevorzugen oder an sie gebunden sind. Viele Waldbewohner sind auf stehendes und liegendes Totholz angewiesen. Solche Bäume verdienen als schutzwürdige Lebensstätten Schonung. Als Lebensraum für viele bedrohte Arten erfüllen sie eine wichtige Aufgabe. Viele Arten sind für den Höhlenbau, für die Nahrungsbeschaffung und die Larvenentwicklung auf alte, abgestorbene, faule oder morsche Bäume angewiesen, so die Spechte und zahlreiche Käferarten (z.B. Hirschkäfer und Alpenbock). Verschiedene Fledermausarten, Sperlingskauz, Raufußkauz und Hohltaube benötigen Baumhöhlen.

9.26: Im Bestand belassenes Totholz bietet vielen Arten Schutz und Lebensraum.

67 Nennen Sie bedrohte Tierarten im Einzugsbereich von Wäldern:

9.27: Hirschkäfer sind imposante Insekten in Eichenwäldern mit hohem Totholzanteil.

- Luchs
- Wildkatze
- Wespenbussard
- Baumfalke
- Rotmilan
- Uhu
- Sperlingskauz
- Raufußkauz
- Ziegenmelker
- Hohltaube
- Auerhuhn
- Feuersalamander
- Baumschläfer
- Haselhuhn
- Weißrückenspecht
- Mittelspecht
- Dreizehenspecht
- Zauneidechse
- Springfrosch
- Kleiner Schillerfalter
- Großer Schillerfalter
- Kleiner Waldportier
- Großer Waldportier
- Augsburger Bär
- Alpen-Perlmutterfalter
- Hirschkäfer
- Alpenbock

68 Kennen Sie besonders geschützte Pflanzen in unseren Wäldern?

- » Schneeglöckchen
- » Märzenbecher
- » Seidelbast
- » Übersehene Traubenhyazinthe
- » Bunte Schwertlilie
- » Christrose
- » Doldiges Winterlieb
- » Diptam
- » Blasses Knabenkraut
- » Frauenschuh
- » Purpur-Knabenkraut
- » Helm-Knabenkraut
- » Netzblatt
- » Nestwurz
- » Alpenveilchen
- » Kreuz-Enzian
- » Flach-Bärlapp
- » Tannen-Bärlapp
- » Hirschzunge
- » Schwalbenwurz-Enzian

9.28: Diptam kommt auf Trockenrasen und an besonnten Waldsäumen vor. Seine ätherischen Öle verbreiten einen Duft nach Vanille und Zitrone.

69 Jäger bringen neben großen finanziellen Mitteln viel Zeit und Arbeit in Naturschutzprojekte ein. Kennen Sie Beispiele?

- » Pflanzung und Pflege von Hecken und Schutzgehölzen
- » Anlage von Feuchtbiotopen
- » Bepflanzung von Kies- und Erdgruben in der Feldflur
- » Anlage von Verbissgehölzen, Wildwiesen und Wildäckern
- » Entrümpelungsaktionen von Zivilisationsmüll in der Natur (Aktion „Ramadama“)
- » Wildtiermonitoring durch Wildtierkataster (Wildtiermonitoring Bayern, Wildtiererfassung in den Ländern Deutschlands „WILD“)
- » Anbringen von Nisthilfen
- » Reduktion von Fressfeinden zur Stabilisierung bedrohter Arten
- » Ursachenforschung für Rückgang bedrohter Arten
- » Entnahme von invasiven gebietsfremden Arten zum Schutz der heimischen Fauna

9.5 Praktischer Naturschutz im Revier

Jagd ist angewandter Naturschutz! Ohne eine intakte artenreiche Natur ist Jagd nur eingeschränkt möglich. Denn Flora und Fauna stehen in einer engen und sensiblen Wechselbeziehung zueinander. Wer Wald, Feld und Flur fast täglich beobachtet, erlebt, wie unsere durch zahlreiche Einflüsse beeinträchtigten Ökosysteme empfindlich reagieren. Der Jäger kann jedoch in Absprache mit den Grundeigentümern in seinem Revier ganz konkret Leistungen für den Natur- und Artenschutz erbringen und somit zum Überleben vieler bedrohter Arten beitragen.

70 Welche Bedeutung haben Feldholzinseln im Revier?

Kleine Gehölze in der freien Landschaft, bestehend aus Bäumen, Sträuchern und Kräutern, werden als Feldholzinseln bezeichnet. Sie bilden am Rand oder im Zentrum der Felder Schutzräume für zahlreiche Tiere, bieten ihnen Deckung und Brutmöglichkeiten. Die hoch technisierte Landwirtschaft mit großflächigem Ackerbau und die meist auf eine Tierart reduzierte Viehzucht haben dazu geführt, dass in unseren Revieren häufig nur ein krasser Wechsel zwischen Wald und offener Landschaft zu finden ist.
Feldholzinseln, in Form von langgezogenen Streifen oder einzelnen Tüpfeln, bieten als abwechslungsreicher Lebensraum einer Vielzahl von Pflanzen und Tieren vielfältige Lebensmöglichkeiten. Das Rebhuhn oder der Feldhase benötigen genau diese Umgebung, um stabile Populationen erhalten oder aufbauen zu können. Deshalb sind die Neuanlage und die Pflege von Feldholzinseln wichtige Naturschutzaufgaben. Hecken und Feldgehölze stellen in ihrer natürlichen Entwicklung nur ein kurzzeitiges Sukzessionsstadium dar und würden ohne menschliche Einflussnahme schnell ihren typischen Charakter verlieren.

9.29: Trittsteine in einer Naturlandschaft: Feldscheune als Fledermausquartier, Streuobstwiese als Refugium für Steinkauz und Meise, Solitärbäume und Feldholzinseln mit Wiesenbrache für Rebhuhn, Feldhase und Co.

Diese als wertvolle Biotope zu erhalten, ist mit einem gut geplanten Pflege- und Entwicklungskonzept möglich.

71 Was ist bei der Anlage von Hecken und Feldgehölzen zu beachten?

» Vor der Anlage ist das Einverständnis des Grundeigentümers einzuholen.
» Es sind nur heimische Strauch- und Gehölzarten einzubringen. Bei der Erweiterung und Pflege von Hecken, die einem besonderen Schutzstatus unterliegen (z.B. geschützte Landschaftsbestandteile, Naturdenkmäler), ist vorher die untere Naturschutzbehörde anzuhören.
» Die Neuanlage von Hecken kann nur in den Monaten zwischen Oktober und April erfolgen.
» Die Anlage der Hecke ist so zu planen, dass Nachbargrundstücke durch Schattenwurf oder Einwuchs nicht beeinträchtigt werden.

72 Welche ökologische Bedeutung haben Streuobstwiesen in der Kulturlandschaft?

Ein idealer Lebensraum für viele bedrohte Tierarten sind Streuobstwiesen. Früher gehörten sie ganz selbstverständlich zu jedem Bauernhof: Zwischen den Obstbäumen verschiedener Sorten, Alters- und Größenklassen grasten Rinder und Schafe. In den zurückliegenden zwei Jahrzehnten wurden Streuobstwiesen häufig durch kurzlebige Obstplantagen ersetzt, in denen Kräuter als Unterbewuchs unerwünscht sind. Streuobstwiesen bieten jedoch vielen Tier- und Pflanzenarten ideale Lebensbedingungen: Steinkauz, Wiedehopf und Wendehals sind typische Bewohner dieser ursprünglichen Kulturlandschaft. Bilche und Fledermäuse, die die höhlenreichen alten Obstbäume bewohnen, sind hier ebenso häufig anzutreffen wie Orchideen und Nelkenarten, die sich speziell auf extensiv genutzten Wiesen einstellen. So können bis zu 3.000 (!) verschiedene Tierarten in Streuobstwiesen beobachtet werden.

73 Welche positiven Auswirkungen haben Streuobstwiesen auf die Umwelt?

» Windschutz
» Verringerte Bodenerosion
» Wasserrückhalt
» Wichtige Trittsteine im Biotopverbund
» Ausgleich des regionalen Kleinklimas
» Geringer Nährstoffeintrag und geringe Pestizidbelastung durch extensive Bewirtschaftung

74 Welche positiven Auswirkungen haben Streuobstflächen für Flora und Fauna?

» Strukturvielfalt
» Blütenreichtum der Bäume und Wiesenkräuter
» Zahlreiche und vielfältige Baumhöhlen

75 Welche Möglichkeiten können zum Schutz und zur Erhaltung von Streuobstwiesen ergriffen werden?

» Neueinlage mit Hochstammbäumen
» Nachpflanzung in entstandenen Lücken
» Pflege durch Pflanz-, Erziehungs- und Verjüngungsschnitt
» Ausbringen von Nisthilfen
» Begleitende Maßnahmen durch Anlage von Randgehölzen und Hecken

76 Welche seltenen oder bedrohten Tier- und Pflanzenarten sind auf Streuobstwiesen anzutreffen?

Säugetiere:
» Fledermäuse, Siebenschläfer, Gartenschläfer
Vögel:
» Wiedehopf, Steinkauz, Wendehals, Raubwürger, Gartenrotschwanz, Grünspecht, Ortolan, Kleinspecht, Rebhuhn
Amphibien und Reptilien:
» Schlingennatter, Ringelnatter, Zauneidechse
Insekten:
» Wildbienen, zahlreiche Tag- und Nachfalterarten sowie verschiedene Heuschreckenarten
artenreiche Pflanzengemeinschaften auf extensiv genutzten Wiesen:
» Schlüsselblumen, Orchideen, Wiesensalbei

77 Welches ökologische Potential bieten agrarökologische Ausgleichsflächen und Stilllegungsflächen in der Agrarlandschaft?

Wirtschaftliche Zwänge und die fortschreitende Technisierung führten in der Vergangenheit dazu, dass ehemals klein strukturierte Ackerlandschaften in große Ackerflächen umgewandelt wurden.
Die Agrarpolitik der europäischen Union fordert ab 2023 wieder die Stilllegung von ca. 4% der Ackerflächen als agrarökologische Maßnahme zum Schutz der heimischen Flora und Fauna. Diese landwirtschaftlichen Stilllegungsflächen können viele Arten als bedeutsamen Lebensraum nutzen. Heute ist dieses Marktordnungsinstrument der EU aufgrund einer Intensivierung nachwachsender Rohstoffe fast gänzlich entfallen. Um darüber hinaus einen weiteren ökologischen Puffer in den intensiv genutzten Kulturlandschaften einzubauen, bieten die Landwirtschaftsbehörden mit Kulturlandschaftsprogrammen Jägern und Landwirten die Möglichkeit, dem Artenschwund entgegen zu wirken. Auf den ausgewiesenen Ackerflächen werden spezielle Saatmischungen ausgebracht oder nach Abernten der Felder Zwischenfrüchte angebaut. Darüber hinaus können die Bearbeitungszeitpunkte so mit den Landwirten abgestimmt werden, um die Lebensbedingungen für Wildtiere zu verbessern. Neben den jagdbaren Wildarten profitieren viele Insekten, Vögel und Reptilien vom Ökosystem „Wildacker". Neuerdings wird von der EU in Verbindung mit der Agrarförderung ein agrarökologisches Konzept für die landwirtschaftliche Betriebe eingefordert, welches den in der Feldflur vorkommenden Tierarten (Feldhase, Rebhuhn, Fasan, Kiebitz, Bekassine etc.) hilft.

78 Was versteht man unter dem Lebensraum Ackerbrache?

Der durch Flächenstilllegung geschaffene Lebensraum Brache zeigte eine Reihe von ökologischen Vorteilen für Natur und Umwelt. Bei langjähriger Stilllegung kann es zu einer Entlastung der Ökosysteme durch Verringerung der Austräge von Düngemitteln und Pestiziden kommen. Ebenso können sich auf diesen Ackerbrachen neue Biotope bilden. Soweit keine Pflanzen eingesät werden, entwickeln sich einjährige Ackerwildkräuter und nach mehreren Jahren typische Artenmischungen der Ruderalfluren. Mit einer speziellen Samenmischung begrünte Ackerflächen werden auch als Ackerbrache bezeichnet. Diese Flächen bieten sofort Lebensraum und Überwinterungsquartier für zahlreiche Offenlandarten.

79 Welche ökologische Bedeutung haben Ackerbrachen?

Sie sind temporäre Trittsteinbiotope in der Kulturlandschaft.
Sie bieten Nahrungs-, Brut- und Deckungshabitate für zahlreiche Tierarten. Die Artenvielfalt in der Agrarlandschaft wird gesichert und weiter gefördert. Die Bodenfruchtbarkeit bleibt erhalten.

80 Welche ökologischen Vorteile bringt die Ackerbrache?

» Pflanzenreichtum durch Wildkräuter und Kulturpflanzen
» Brut- und Aufzuchtgebiet für viele Niederwildarten und seltene Vogelarten wie Rohrweihe, Braunkehlchen, Neuntöter oder Wachtelkönig
» Nahrungs- und Rastplätze für Durchzügler und Nahrungsgäste wie Wespenbussard, Roter Milan, Schleier- und Waldohreule
» Ganzjähriger Einstand mit ausreichender Deckung und Äsung für Rehe, Feldhasen, Fasan und Rebhuhn
» Gliederung der Kulturlandschaft und Schaffung von Trittsteinbiotopen

81 Welche weiteren positiven Auswirkungen hat die Ackerbrache als ganzjähriger Lebensraum?

Viele Vogelarten nutzen die Brache als Ersatz für fehlende Hecken. Eine über Jahre wechselnde Pflanzenfolge (Sukzession) fördert die Lebensbedingungen für unterschiedliche Tierarten:
» flächige Brachen bieten höheren Schutz als lange Streifen oder andere lineare Strukturen
» durch den Artenreichtum auf Ackerbrachen entstehen neue Nahrungsketten von Insekten über Kleinsäuger, Amphibien, Feldvögel bis zu Greifvögeln und Raubsäugern
» abgestorbene Stängel der Hochstauden bieten gerade im Winter ausreichend Deckung und gegebenenfalls Äsung

82 Können isolierte Weiher und Feuchtbiotope in der Feldflur eine ökologische Funktion wahrnehmen?

Insekten-, seltene Frosch- und Krötenarten, Schlangen (z.B. Ringelnatter) und viele andere Tierarten leben an und in Teichen. Neu angelegte, natürlich gestaltete Teichflächen ziehen über Jahre verschiedene Arten an, selbst wenn sie in einer sonst großflächig genutzten Agrarlandschaft angelegt werden. Teichflächen und ihre Uferzonen werden auch von vielen Entenarten als Nahrungs- und Rastgebiete genutzt. Offene Wasserstellen dienen Amphibien als Laichplatz, werden von zahlreichen Vogelarten als Nahrungsquelle und vom Schalenwild gerne zum Schöpfen von Wasser aufgesucht.

83 Was ist bei der Neuanlage von Feuchtbiotopen zu beachten?

Ähnlich wie bei der Anlage von Hecken spielt die Standortwahl, die Gestaltung des Feuchtbiotops, die kontinuierliche Wasserversorgung, die Sonneneinstrahlung und die Zusammensetzung der standortgemäßen Wasser- und Verlandungsvegetation eine wichtige Rolle für die künftige Qualität des Biotops.
Ehe man zur Tat schreitet, müssen einige Grundvoraussetzungen abgeklärt sein. Neben dem Einverständnis des Grundeigentümers ist zumeist bei größeren Gewässerneuanlagen

auch eine Genehmigung der zuständigen Behörde einzuholen. Ansprechpartner sind die untere Naturschutzbehörde und – im Wald – das zuständige Forstamt.
Einige kleinere solche Vorhaben lassen sich jedoch oft recht schnell realisieren und werden von den Landesjagdverbänden sowie den öffentlichen Verwaltungen häufig sogar finanziell unterstützt. Eine fachliche Beratung erhalten die Jäger durch die Naturschutzreferate ihrer Landesjagdverbände.

84 Was ist bei der Standortwahl eines Amphibiengewässers zu berücksichtigen?

Insbesondere für Neuanlagen von kleinen Tümpeln und Stillgewässern sind solche Flächen besonders geeignet, an denen die kontinuierliche Wasserversorgung durch hoch anstehendes Grundwasser oder durch die Nähe eines Fließgewässers gesichert ist. Extensiv genutztes Grünland, Ödland, Hecken und reich gegliederte Waldränder gewährleisten den langfristigen Bestand solcher künstlichen Biotopschöpfungen. Vor der Neuanlage ist allerdings auch zu berücksichtigen, dass bei den Baumaßnahmen keine bereits vorhandenen wertvollen Ökosysteme beeinträchtigt werden. Ungeeignet sind Standorte, die in unmittelbarer Nachbarschaft zu viel befahrenen Straßen liegen.
Im Interesse der Überlebenssicherung der Arten sollte allerdings bedacht werden, dass meist nur ein vernetztes System von Feuchtbiotopen einen effektiven Artenschutz gewährleisten kann. In ausgeräumten Landschaften ist der Aufbau einer ökologisch wertvollen Infrastruktur oberstes Ziel des Natur- und Artenschutzes.

85 Was ist bei der Gestaltung von Stillgewässern zu berücksichtigen?

Für Amphibien- und Insektenarten, aber auch für die Entwicklung der Wasserpflanzen ist eine anhaltende Sonneneinstrahlung sehr wichtig. Daher sollte bei der Standortwahl berücksichtigt werden, dass gegebenenfalls ein nahe gelegener dichter Baumbestand ausgelichtet werden muss. Die Größe des Stillgewässers kann nach den örtlichen Gegebenheiten variieren. Mehrere miteinander verbundene Feuchtinseln mit einem Durchmesser von 5 bis 25 m sind einem größeren Gewässer vorzuziehen, da sich durch Randeffekte und Einbuchtungen verschiedene Nischen entwickeln. Um den Arten auch eine Überlebensmöglichkeit im Winter zu sichern, ist darauf zu achten, dass die Wassertiefe mindestens 1 m erreicht. Damit wird ein völliges Durchfrieren des Stillgewässers verhindert. Zu den Arten, die im Wasser überwintern, gehören Gras-, See- und Teichfrosch sowie Teich-, Berg- und Kammmolch.

86 Sollten künstlich angelegte Feuchtbiotope sofort begrünt werden?

Eine standortgemäße Wasser- und Verlandungsvegetation fördert natürlich den schnellen Einzug einer Vielzahl von Amphibien. Allerdings gibt es auch einige Pionierarten (z.B. Kreuzkröte), die Vegetationselemente im flachen Wasserbereich überhaupt nicht schätzen. Daher ist zu empfehlen, nach der bautechnischen Fertigstellung des Feuchtbiotopes die natürliche Entwicklung der Vegetation (Sukzession) abzuwarten.

87 Welche Bedeutung haben Kopfweiden für den Artenschutz?

Früher waren Kopfweiden elementarer Bestandteil des Landschaftsbildes und lieferten den Rohstoff für Besen, Körbe und Bohnenstangen. Durch die „Ernte" der Weideruten werden die Bäume regelmäßig geschnitten. So entstehen im Lauf der Jahre zahlreiche Höhlen, Einbuchtungen und Nischen, also Brutstätten für Insekten, Vögel und Kleinsäuger. Nachdem heute die Korbmacherei nur noch eine geringe Bedeutung hat, wachsen die Weiden ungenutzt und ungepflegt „in den Himmel", werden kopflastig und brechen mit zunehmendem Alter leicht auseinander. Somit gehen sie als einzigartige Bestandteile unserer Kulturlandschaft verloren. Mit dem Verlust der Kopfweiden verschwinden aber auch Höhlenbrüter wie Steinkauze, Bachstelzen, Gartenrotschwänze, Hohltauben und Meisen.

88 Was ist bei der Pflege von älteren Kopfweiden zu berücksichtigen?

Kopfweiden sollten regelmäßig zurückgeschnitten werden. Mit dem jährlichen Schnitt entwickeln sich schnell die knorrigen Charakterköpfe in der Landschaft. Aus den frisch abgetrennten Ruten und Ästen können Pfähle zum Aufbau neuer Kopfweiden gewonnen werden.

89 Sind künstliche Nisthilfen für den Artenschutz wichtig?

Artenschutz ist in erster Linie Biotopschutz. In intensiv gepflegten Kulturlandschaften fehlen meist alte Bäume oder stehendes Totholz, in denen Höhlenbrüter Nistmöglichkeiten vorfinden. Daher ist es durchaus sinnvoll, künstliche Nisthilfen anzubieten. Nistkästen werden von allen möglichen Arten benutzt. Typische gefiederte Bewohner sind Meisen, Kleiber, Fliegenschnepper, Sperlinge oder der Hausrotschwanz. Gelegentlich finden sich auch Siebenschläfer und Haselmaus ein. Spezielle Kästen dienen Fledermäusen als Unterschlupf. Schmetterlinge, wie der Große Fuchs, ruhen nachts, die Pyramideneule tagsüber darin. Nistkästen müssen aber auch regelmäßig im Herbst gereinigt werden, um den steten Bruterfolg zu sichern.

90 Welche künstlichen Nisthilfen kennen wir? Welche Bewohner nutzen diese?

» *Fledermauskästen oder Fledermausfassadenröhre*: Verschiedene Fledermausarten
» *Mauerseglerhaus*: Mauersegler, hausbewohnende Fledermäuse
» *Sperlingskoloniehaus*: Haussperling, Feldsperling, Hausrotschwanz
» *Rauchschwalbennest*: Rauchschwalbe
» *Mehlschwalbennest*: Mehlschwalbe
» *Nischenbrüterhöhle*: Bachstelze, Hausrotschwanz, Grauschnäpper, Rotkehlchen, Haussperling, Feldsperling
» *Halbhöhlennistkasten*: Bachstelzen, Grauschnäpper, Hausrotschwänze
» *Starenhöhle*: Star, Spechtarten
» *Insektennisthilfe*: Wildbienen, Schlupfwespen, Würmer

91 Welche Kriterien sind beim Aufhängen von künstlichen Nisthöhlen zu beachten?

Aufhängungshöhe: Nisthöhlen sind so zu anzubringen, dass diese gut und leicht kontrolliert werden können.
Himmelsrichtung: Im Garten, Obstanlagen und im Wald sind die Einfluglöcher nach Südosten auszurichten. Da die Vögel ihre Nester jährlich neu errichten, müssen diese spätestens im Herbst entfernt sein. Darin siedelnde Fledermäuse, Bilche oder Hummeln sind ungestört zu belassen.

92 Sind Fledermäuse in Deutschland geschützt?

Alle heimischen Fledermausarten sind nach der Bundesartenschutzverordnung streng geschützt. Ihre Lebensstätten dürfen nicht beeinträchtigt und die Tiere nicht gestört, gefangen oder getötet werden. Mehrere in Deutschland vorkommende Arten sind nach dem Europäischen Naturschutzrecht geschützt (FFH-Richtlinie der EU):

» Mopsfledermaus
» Großer Abendsegler
» Fransenfledermaus
» Zwergfledermaus
» Zweifarbfledermaus
» Großes Mausohr

93 Welche Maßnahmen können Waldbesitzer und Jäger treffen, um Fledermäusen zu helfen?

» Sicherung eines Netzes von Höhlenbäumen (7–10 Höhlenbäume pro Hektar)
» Kennzeichnung und Erhalt von bekannten Quartieren
» Anlage von Stillgewässern im Wald mit mindestens 200 Quadratmetern
» Erhalt bzw. Einbringen von Laubholz bei Nadelholzbeständen
» Bei Schädlingsbefall kein Einsatz von Insektiziden

9.30: Schwegler-Großbaumhöhlemitdreifacher Vorderwand. Dieser Kastentyp eignet sich für Fledermausarten, die in Baumhöhlen Wochenstubenquartiere beziehen (u.a. Wasser- und Fransenfledermäuse sowie Abendsegler)

9.31: Stehendes Totholz liefert vielen Höhlenbrütern Nistraum: Wo es fehlt, sind Nistkästen ein idealer Ersatz.

94 Welche Bedeutung haben Fledermauskästen als Ersatzwohnungen?

Viele unserer heimischen Fledermausarten beziehen Baumhöhlen. Damit sind sie abhängig von alten Baumbeständen, die solche Quartiere bieten. Da Bäume in Wirtschaftswäldern meist kein hohes Alter erreichen, in denen Baumhöhlen entstehen oder Höhlenbäume als Gefahrenquelle für den Straßenverkehr häufig entfernt werden müssen, leiden viele Fledermausarten unter akuter Quartiernot!

Mit Fledermauskästen kann man den Tieren gute Ersatzquartiere anbieten. Für den Schutz von Fledermausarten ist aber der Erhalt von Totholz in Wäldern ideal.

95 Wie sind Fledermauskästen im Wald aufzuhängen? Was ist bei ihrer Kontrolle zu beachten?

In Deutschland kommen über 20 verschiedene Fledermausarten vor. Ihr Bestand ist aber in den letzten Jahrzehnten dramatisch zurückgegangen. Die Ursache hierfür war vermutlich die intensive Pestizidanwendung in der Landwirtschaft sowie der Verlust von geeigneten Quartieren im Forst sowohl im Sommer als auch im Winter. Insbesondere in Gebieten, in denen das Angebot an Baumhöhlen zu gering ist, wird die Ansiedlung von Fledermäusen mit Hilfe von Nistkästen oder speziellen Fledermauskästen erfolgreich sein.

Fledermauskästen sollte man im Wald in Gruppen von 3 bis 5 Stück an nebeneinander stehenden Bäumen in 4 bis 5 Meter Höhe aufhängen. Einige Kästen sollten besonnt sein, andere im Schattenbereich hängen. Der direkte Anflug sollte frei von Ästen sein. Fledermauskästen können auch in einer Feldscheune, an Jagdkanzeln oder Stallungen aufgehängt werden. Hier bieten sie ebenfalls einen wertvollen Unterschlupf.

Nach dem Aufhängen von Fledermauskästen ist eine regelmäßige Kontrolle erforderlich. Wenn man Fledermäuse nachweisen kann, ist es sinnvoll, sich mit Fachleuten vor Ort in Verbindung zu setzen. Die Reinigung der Kästen erfolgt im Winter.

96 Welche Funktion haben Halbhöhlennistkästen und welche Arten brüten in ihnen?

Wer Halbhöhlen ausbringt, schafft Nistmöglichkeiten für Bachstelze, Grauschnäpper und Hausrotschwanz. Auch andere Arten benützen diese Nisthöhlen gelegentlich, etwa Gartenrotschwanz und Rotkehlchen.

97 Welchen Schutzstatus genießen die heimischen Reptilien?

Alle einheimischen Reptilien sind besonders geschützt. Sie dürfen weder gefangen, verletzt oder getötet werden, noch dürfen ihre Lebensräume zerstört werden. Reptilien benötigen eine strukturreiche Landschaft.

98 Mit welchen Maßnahmen kann ein Schutz von Reptilien realisiert werden?

» Bestehende Lebensräume erhalten (sonnige Hänge, Moore, Heiden)
» Eiablageplätze im Gelände schaffen (große Haufen aus Laub, Reisig oder Sägemehl) oder durch Anlage von Komposthaufen in Gärten
» Stein- und Trockenmauern errichten
» Teichufer naturnah gestalten
» Störungen vermeiden

9.32: Landwirtschaftliche Nebengebäude werden gerne von der Schleiereule aufgesucht.

99 Worauf ist der Bestandsrückgang bei Reptilien zurückzuführen?

Die Gründe für den Rückgang von Reptilien sind vielfältig:
» Verlust strukturreicher Waldränder
» Entwässerung von Mooren
» Kultivierung und Aufforstung von Magerrasen und Heiden
» Fehlen von Lichtungen in den Wäldern
» Strukturverlust in der Agrarlandschaft
» Mangel an Saumbiotopen (Hecken, Ackerrandstreifen)
» Erntetechniken (schnell laufende Kreiselmähwerke)
» Verlust von Eiablageplätzen

100 Kennen Sie einige bedrohte Reptilien?

» Kreuzotter
» Äskulapnatter
» Schlingnatter
» Ringelnatter
» Zauneidechse
» Bergeidechse
» Mauereidechse
» Smaragdeidechse
» Blindschleiche
» Europäische Sumpfschildkröte

9.6 Radioaktive Belastung von Umwelt und Wild

Das Cäsium 137, das derzeit noch gut in den Böden Deutschlands nachgewiesen werden kann, stammt zum größten Teil vom Reaktorunfall von Tschernobyl vom 26.4.1986. Aufgrund eines folgenschweren Bedienfehlers kam es zum größten Reaktorunfall in der friedlichen Nutzung der Atomkraft, in dessen Verlauf nach einer unkontrollierten Kernschmelze und anschließender Explosion radioaktive Substanzen in höhere Schichten der Atmosphäre geschleudert wurden. Die damals vorherrschenden Winde transportierten Cäsium und andere Spaltprodukte bis nach Nord-, Mittel- und Südeuropa.

Die Belastung in Deutschland ist je nach geographischer Lage aber vollkommen unterschiedlich. Diese ist gerade in der damals vorherrschenden Wetterlage begründet. In der Zeit kurz nach dem Reaktorunfall am 29. und 30. April 1986 befand sich Deutschland in einer nordöstlichen Strömung mit zahlreichen Gewitterschauern. Die höchsten Werte der Bodenkontamination zeigten sich in denjenigen Regionen, wo diese Schauer auftraten: Besonders hoch belastet sind insbesondere Teile des Bayerischen Waldes, der gesamte Alpenrand, Schwaben, manche Regionen in Nieder- und Oberbayern sowie Teile der Norddeutschen Tiefebene. In diesen Regionen zeigen sich auch heute noch bisweilen Grenzwertüberschreitungen bei untersuchten Pilzen, anderen Waldfrüchten und Wild.

Die Cäsium-137-Isotope lagerten sich in den Falloutgebieten vor allem in der Humusschicht (Streuschicht) von Böden ab. Die Anreicherung von Cäsium geschah besonders in Waldgebieten, da der Wald in seiner Funktion als Schadstofffilter viele Partikel aus der Umwelt aufnimmt. Das radioaktive Cäsium 137 verbleibt somit im Ökosystem Wald besonders nachhaltig. Über das Kreislaufsystem von Blatt- und Nadelfall und deren Zersetzung im Boden gelangt das Radiocäsium immer wieder mit der Nährstoffaufnahme der Bäume und Sträucher über ihre Wurzeln in das Blatt- und Nadelwerk.

Dieser Kreislauf des radioaktiven Cäsium 137 im Ökosystem wirkt sich vor allem auf das Schwarzwild aus. Aufgrund seines Fressverhaltens nimmt es Fraß aus der Streuschicht auf, wie z.B. Pilze oder Pflanzenteile, die in belasteten Regionen in besonderer Weise radioaktiv kontaminiert sind.

Generell sind für die Höhe der Kontamination der Wildtiere folgende Kriterien von Bedeutung: Die lokale Bodenbelastung (Höhe des Fallouts) und Bodenbeschaffenheit (Bodensäurewert), die Bioverfügbarkeit des Radiocäsiums, die Wildart und ihre Fressgewohnheiten, das Alter der Tiere (Jungtiere mehr als Alttiere), sowie die Jahreszeit der Erlegung (Winter mehr als Sommer), Nahrungsangebot im Revier und saisonale Besonderheiten (Mastjahre).

In einigen wenigen Gebieten Deutschlands ist das Wildbret des Schwarzwildes teilweise somit auch heute noch kontaminiert. In Gebieten mit hohem Fallout ist es vorgeschrieben, Wildbret, das in den Verkehr gebracht wird, auf Radioaktivität zu untersuchen. Außerhalb der Fallout-Regionen ist es allerdings nicht erforderlich, Wildfleisch auf mögliche Belastungen hin zu untersuchen.

Damit jedoch nur einwandfreies Wildbret auf den Teller der Verbraucher kommt, haben die Landesjagdverbände Bayern (BJV), Baden-Württemberg und Thüringen in den 90er Jahren begonnen, ein flächendeckendes Netz von Radiocäsium-Messstationen zu errichten, das mittlerweile für alle Fallout-Gebiete ausgebaut wurde.

Da nach wie vor die gemessenen Cäsiumaktivitätswerte im Muskelfleisch des Schwarzwildes den Grenzwert von 600 Becquerel pro Kilogramm Wildfleisch in Kontaminationsgebieten überschreiten können (Verordnung (EWG) Nr. 737/1990 für Drittlanderzeugnisse), dürfen zu hoch belastete Stücke nicht in den Verkehr gebracht werden und müssen verworfen werden. Hat der einzelne Jäger ein stark kontaminiertes Stück Schwarzwild erlegt, so kann er nach den gesetzlichen Regelungen eine Entschädigungsleistung über das Bundesverwaltungsamt in Anspruch nehmen.
Die Kontamination von Pilzen und Wildbret wird sicher noch mehrere Generationen betreffen, da das radioaktive Isotop 137 eine 30-jährige Halbwertszeit hat.

101 Welche Gebiete in Deutschland sind vom radioaktiven Fallout besonders stark betroffen?

Einige Regionen von Baden-Württemberg, Bayern und Thüringen sowie Teile der Norddeutschen Tiefebene sind besonders stark mit Radiocäsium 137 belastet.

102 Welche Halbwertszeit hat das radioaktive Isotop Cäsium 137?

Die Kontamination mit radioaktiven Cäsium 137 wird noch mehrere Generationen in Zukunft betreffen, da das Cäsium 137 eine physikalische Halbwertszeit von 30 Jahren hat.

103 Was versteht man unter physikalischer Halbwertszeit?

Beim radioaktiven Zerfall ist die Halbwertszeit diejenige Zeitspanne, in der die Hälfte der besagten Substanz (z.B. Cäsium 137, Strontium, Plutonium etc.) zerfallen ist.

104 Warum sind Wildtiere teilweise radioaktiv belastet? Wie kommt das Cäsium ins Wildbret?

Das nach dem Reaktorunglück von Tschernobyl in den Biotopen abgelagerte und im Oberboden angereicherte Cäsium 137 wanderte mit den Folgejahren in tiefere Bodenschichten. Pflanzen und Pilze nehmen mit den Wurzeln bzw. über das Pilzmyzel Cäsium 137 auf und lagern es in bestimmten Pflanzenteilen bzw. im Fruchtkörper ein. Pflanzen, die Cäsium aufgenommen haben, können Wildtieren als Nahrung dienen. Vor allem Schwarzwild, das bevorzugt Pilze als Fraß nutzt, ist in einigen wenigen Regionen Deutschlands stark betroffen.

105 Warum muss der Jäger Wildbret in Kontaminationsgebieten auf Radioaktivität ausmessen lassen?

Von der Europäischen Union ist für die Verkehrsfähigkeit von Lebensmitteln ein Grenzwert von 600 Becquerel (Bq) pro Kilogramm Wildbret festgelegt worden, der nicht überschritten werden darf. Wildbret mit mehr als 600 Bq/Kilogramm darf daher nicht in den Verkehr gebracht werden. Das „Inverkehrbringen" außerhalb des häuslichen Bereichs von Wild aus Kontaminationsgebieten ohne vorhergegangene Bestimmung des Radioaktivitätsgehalts stellt eine Verletzung der Sorgfaltspflicht des Jägers als Lebensmittelunternehmer dar. Ein Verstoß dagegen kann als Ordnungswidrigkeit oder sogar als Straftat geahndet werden.

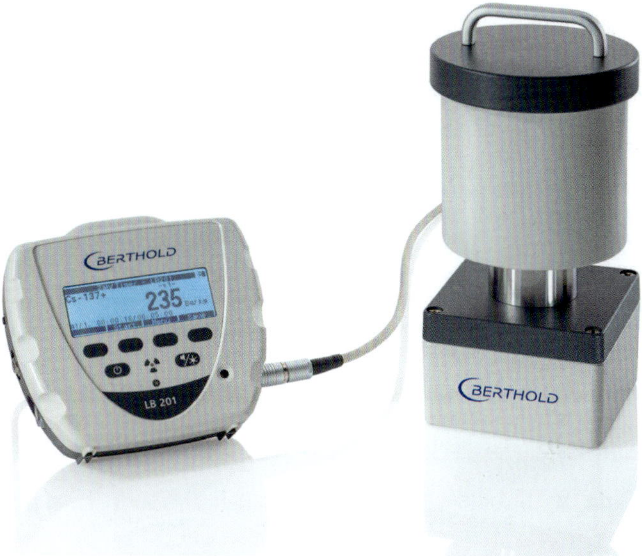

9.33: Strahlenmessgerät zur Bestimmung der radioaktiven Belastung von Wild

Jäger können jedoch eine Entschädigung erhalten, wenn festgestellt wird, dass ein im Revier erlegtes Stück Wild mit mehr als 600 Bq/Kilogramm belastet ist.

106 Welche Wildarten in Hochkontaminationsgebieten sind besonders stark belastet?

In diesen Gebieten sind besonders Wildschweine belastet. Aufgrund der unterschiedlichen Äsung ist Rehwild oder auch Rotwild sehr selten mit Cäsium 137 über dem Grenzwert von 600 Bq/Kg belastet. Nur bei Stücken aus Moorgebieten mit hoher Bodenkontamination kann gelegentlich auch eine Überschreitung des zugelassenen Grenzwertes beobachtet werden. Aufgrund des sauren Bodens wird das verfügbare Cäsium bevorzugt als Kaliumersatz von Pflanzen aufgenommen und diese werden wiederum von Wildtieren geäst.

Weiterführende Literatur

Bayerisches Staatsministerium für Landesentwicklung und Umweltfragen: Sehen und Schätzenlernen, Naturnahe Biotope in Bayern, 1995, kostenfrei

Bayerisches Staatsministerium für Landesentwicklung und Umweltfragen: Schützen und Blühen lassen, Geschützte Pflanzen, 1991, kostenfrei

Düll, R., Kutzelnigg, H.: Taschenlexikon der Pflanzen Deutschlands, 7. Auflage 2011, Quelle & Meyer, Wiebelsheim

Flade, M., Plachter, H., Henne, E., Anders, K. (Hg.): Naturschutz in der Agrarlandschaft, 1. Auflage 2003, Quelle & Meyer, Wiebelsheim

Flade, M., Plachter, H., Henne, E., Anders, K. (Hg.): Nature Conservation in Agricultural Ecosystems, 1. Auflage 2006, Quelle & Meyer, Wiebelsheim

Glandt, D.: Heimische Amphibien, 1. Auflage 2008, Aula, Wiebelsheim

Reddemann, J. (Hg.): Schutz und Nutzung von Feuchtgebieten, Schriftenreihe des LJV Bayern Bd. 4, 1997

Reddemann, J. (Hg.): Der Luchs in Mitteleuropa, Schriftenreihe des LJV Bayern Bd. 5, 1998

Scherzinger, W.: Naturschutz im Wald, 1996, Ulmer, Stuttgart

Schmidt, P. A., Hecker, U.: Taschenlexikon der Gehölze, 1. Auflage 2009, Quelle & Meyer, Wiebelsheim

Richarz, K., Hormann, M.: Nisthilfen für Vögel und andere heimische Tiere, 2. Auflage 2010, Aula, Wiebelsheim

Abbildungsnachweis

AID, Bonn: 9.9, 9.11, 9.12

Berthold Technologies GmbH & Co. KG: 9.33

Derer, F.: 9.19, 9.28

Fünfstück, H.-J.: Kapitel-Deckblatt

Grimmberger, E.: 9.1

Gross, R.: 9.14

Hartung, H.: 9.18

Jaschhof, H.: 9.17, 9.24

Kirchner, T.: 9.4

Martin, R.: 9.7

Moning, C.: 9.3

NICOR (Lizenz: CC BY 3.0): 9.5

RicoK69: 9.2

Reddemann, J.: 9.6, 9.13, 9.15, 9.16, 9.21, 9.22, 9.25, 9.29, 9.31, 9.32

Sigg, F.: 9.23

Schwegler Vogel- & Naturschutzprodukte GmbH: 9.30

Wilhelm Köhler Verlag, Minden: 9.8

Willner, W.: 9.20, 9.26, 9.27

Winger, T.: 9.10

Jagd und Recht

10 Einleitung

Das Zusammenleben der Menschen ist seit jeher durch bestimmte Regeln geordnet. In einem Rechtsstaat geschieht dies durch vom Staat erlassene Gesetze, Verordnungen und Erlasse, die grundsätzlich für jeden betroffenen Menschen verbindlich sind. So gilt es, z.B. Eigentumsrechte zu beachten, aber natürlich auch die Vorgaben des Straßenverkehrsrechts und alle in sonstigen Bereichen geltenden Vorschriften.

Speziell für den Jäger gibt es weitere Rechtsvorschriften, die nur diesen betreffen (Bundesjagdgesetz und jeweilige Landesjagdgesetze mit den dazugehörenden Verordnungen), wie auch das Waffengesetz für die Jäger (wie auch für Sportschützen) ganz besonders zu beachten und zu befolgen ist. Diese zum Teil sehr strikten Vorgaben sind insbesondere gerechtfertigt wegen der enormen Verantwortung, die der Jäger bei Ausübung der Jagd mit der Waffe zu übernehmen hat. Durch die teileweise schrecklichen Ereignisse in letzter Zeit hat das Waffengesetz auch für die Jägerschaft immer größere Bedeutung erlangt.

Das System des Jagdrechts ist gekennzeichnet durch den Umstand, wonach es einerseits das Bundesjagdgesetz gibt und auch die einzelnen Jagdgesetze der Bundesländer. Dieses scheint für den juristischen Laien zunächst einmal etwas verwirrend. Bis zur sog. Föderalismusreform im Jahre 2006 galt das Bundesjagdgesetz als sog. Rahmengesetz, mit dem die Bundesrepublik Deutschland („der Bund") den einzelnen Bundesländern gewisse rechtliche Vorgaben machte, innerhalb derer die jeweiligen Landesgesetzgeber entsprechend den speziellen regionalen Unterschieden auch eigene und für die Länder dann unterschiedliche Regelungen gesetzlich festlegen konnten. Mit der Föderalismusreform wurde durch eine entsprechende Änderung des Grundgesetzes (Art. 74 Abs. 1 Nr. 28 GG) das Jagdwesen der sog. konkurrierenden Gesetzgebung zugeführt und damit festgelegt, dass das Jagdwesen dem Grundsatz nach eigentlich „Ländersache" ist; der Bund hat sich für seine Regelungskompetenz lediglich das Recht der Jagdscheine vorbehalten, so dass diese betreffenden Vorschriften der Regelungskompetenz der Länder grundsätzlich entzogen sind. Für die Ausbildung kommt es also bei gewissen Detail-Fragen darauf an, in welchem Bundesland die Jägerprüfung abgelegt werden soll. Aber trotz gewisser Unterschiedlichkeiten sind die weitaus wichtigsten rechtlichen Vorgaben doch noch einheitlich in der gesamten Bundesrepublik – einheitlich, wie das Verständnis von Jagdrecht im objektiven und im subjektiven Sinne, die Regelung, wonach die Jagd grundsätzlich nur in Jagdbezirken von dazu durch die Inhaber eines Jagdscheins berechtigten Jäger ausgeübt werden darf, sowie die weiteren Regelungen zu Jagdverpachtungen, Jagdbeschränkungen, Pflichten bei der Jagdausübung, Jagdschutz, Wild- und Jagdschaden, Wildschadensverhütung und -ersatz, das Inverkehrbringen von Wild wie schließlich auch die Organisation von Jagdbeirat und Vereinigungen der Jäger.

So gut und sinnvoll die letzten Feststellungen zu den einheitlichen rechtlichen Vorgaben in der Bundesrepublik klingen - bei Drucklegung dieser neuen Auflage hat das Land Brandenburg eine Novellierung seines Landesjagdgesetzes begonnen, mit dem dort jedenfalls das bislang sehr bewährte Reviersystem seinem Ende entgegengehen dürfte. Ob dies tatsächlich dem Wohle der freilebenden Tiere und der Natur dienlich ist und weitergehend nur positive Folgen haben soll, wird die Zukunft zeigen - Skepsis ist angebracht. Und zwischenzeitlich haben sich weitere Veränderungen ergeben: Im Rahmen der auf Deutschland zukommenden afrikanischen Schweinepest wurde zur angeblich effektiveren Bejagung des Schwarzwildes für den jagdlichen Einsatz die Nachtsichttechnik erlaubt. Auf die entsprechende Darstellung wird verwiesen.

Neben den Jagdgesetzen und den landesrechtlichen Vorschriften muss der Jäger noch weitere Gesetze beachten, deren Regelungen unmittelbar auf seine Jagdausübung einwirken. Einige

Vorschriften des Strafrechts (StGB) sind besonders wichtig wie auch solche des Bürgerlichen Gesetzbuchs (BGB), und im täglichen Jagdbetrieb muss der Jäger stets aufmerksam und sich seiner großen Verantwortung bewusst sein, auch und insbesondere ihr gerecht zu werden durch die aufmerksame Beachtung aller einschlägiger gesetzlicher Vorschriften.
Die folgenden Fragen und Antworten behandeln also die für die Jagdausbildung und Jagdpraxis relevanten Gesetze wie

» Grundgesetz (GG)
» Bundesjagdgesetz (BJagdG)
» Landesjagdgesetze
» Waffengesetz (WaffG)
» Waldgesetz (BWaldG)
» Tiergesundheitsgesetz (TierGesG)
» Naturschutzgesetz (BNatSchG)
» Tierschutzgesetz (TierSchG)
» Pflanzenschutzgesetz (PflSchG)
» Fleischhygienebestimmungen
» Zollbestimmungen

10.1 Bundesjagdgesetz und Landesjagdgesetze

1 Welche gesetzgeberische Kompetenz ergibt sich für das Jagdrecht aus der Verfassung (Grundgesetz)?

Seit der Föderalismusreform hat der Bund von der ihm zustehenden verfassungsrechtlichen Kompetenz Gebrauch gemacht und das Grundgesetz dahingehend geändert, dass das Jagdwesen der konkurrierenden Gesetzgebung zugeführt wurde (Art. 74 Abs. 1 Nr. 28 GG). Das zu diesem Zeitpunkt bestehende BJagdG blieb zunächst uneingeschränkt wirksam ebenso wie auch die im Einklang mit der früher geltenden Rahmengesetzgebungs-Kompetenz mit dem BJagdG abgestimmten Landesjagdgesetze. Die Länder erhielten aber nunmehr das Recht, bis auf die dem Bundesgesetzgeber vorbehaltenen Regelungsteile des Jagdrechts (s. Einleitung) nun das Jagdrecht durch Ländergesetze evtl. auch anders zu regeln, als dies bisher durch das BJagdG im Zusammenhang mit einem darauf abgestimmten Landesgesetz geschehen war. Einige Länder haben davon durch sog. Vollgesetze Gebrauch gemacht. Der Bund könnte allerdings dennoch einzelne oder alle Teilgebiete des Jagdrechts in einem wiederum neuen Bundesjagdgesetz neu regeln und würde damit entsprechend anders lautende Landesjagdgesetze außer Kraft setzen. Anschließend könnte das eine oder andere Bundesland dennoch seinerseits ein neues Landesgesetz erlassen und damit den eigenen Bereich mit dem neuesten Jagdrecht begründen (sog. Pingpong-Effekt, Art. 72 Abs. 3 Nr. 1 GG).

2 Was verstehen wir unter Jagdrecht im objektiven und subjektiven Sinne?

Jagdrecht im objektiven Sinne ist die Gesamtheit der jagdrechtlichen Vorschriften. Neben dem BJagdG gehören zu den bundesrechtlichen Vorschriften die Verordnung über die Jagdzeiten (JagdzeitenVO) und die Bundeswildschutzverordnung. Und ebenso gehören zum Jagdrecht im objektiven Sinne die Landesjagdgesetze nebst deren Ausführungsbestimmungen, soweit diese neben dem oder anstelle des BJagdG Rechtsgeltung haben.
Unter dem Jagdrecht im subjektiven Sinne verstehen wir die Zuordnung eines Rechts (im Sinne *Berechtigung*), und im Hinblick auf das Jagdrecht also die Befugnis, die Jagd in gewisser Weise (s.u.) auszuüben; das Jagdrecht im subjektiven Sinne ist untrennbar mit dem Eigentum an Grund und Boden verbunden und daher Bestandteil des Grundstücks (§ 96 BGB) – das Jagdrecht im subjektiven Sinne ist mithin auch von der Eigentumsgarantie des GG fasst.

3 Darf also jeder Grundstückseigentümer auf seinem Grundstück die Jagd ausüben?

Nein – das Jagdrecht gibt in abstrakter Hinsicht die ausschließliche Befugnis, in einem bestimmten Gebiet wild lebende Tiere, die dem Jagdrecht unterliegen (Wild), zu hegen, auf sie die Jagd auszuüben und sie sich anzueignen (§ 1 Abs. 1 S. 1 BJagdG); zur konkreten Jagdausübung gibt es aber viele weitere gesetzliche Voraussetzungen, die erfüllt sein müssen, um als Jagdausübungsberechtigter dann tatsächlich auch auf die Jagd gehen zu können.

Jagdrecht und Jagdausübungsrecht

§ 1 und § 3 BJagdG

4 Wer ist Jagdausübungsberechtigter?

Aus der Definition des Jagdrechts im subjektiven Sinne ist zunächst zu entnehmen, dass dem Jagdausübungsberechtigten ein bestimmtes Gebiet mit wildlebenden Tieren zur Verfügung stehen muss. Dazu gehört aber auch der Besitz eines gültigen Jagdscheins; im Falle eines Eigenjagdbezirks wäre dann der Eigentümer auch der Jagdausübungsberechtigte. Bei gemeinschaftlichen Jagdbezirken, die durch die Jagdgenossenschaft gebildet werden, erhält der Jagdpächter von der Jagdgenossenschaft die Jagdausübungsberechtigung.

5 Wie unterscheiden sich Inhaberschaft des Jagdrechts und das Jagdausübungsrecht?

Das untrennbar mit dem Grundeigentum verbundene Jagdrecht steht dem Eigentümer zu, und zwar grundsätzlich zunächst ohne Rücksicht auf die Flächengröße.
Die Ausübung des Jagdrechts ist dagegen gebunden an Jagdbezirke von einer bestimmten Mindestgröße, die sowohl für Eigenjagdbezirke wie auch für gemeinschaftliche Jagdbezirke gesetzlich festgelegt sind.

6 Wem steht das Jagdrecht zu auf Flächen, die dem Staat (oder Bundesland) gehören, und wie ist es bei den Flächen, an denen kein Eigentum begründet ist?

Die gelegentlich recht großen staatseigenen Flächen bilden die Eigenjagdbezirke des Bundes und, in größerem Ausmaß, die der Bundesländer; das Jagdrecht steht auch hier dem Grundeigentümer zu und auch für die Jagdausübungsberechtigung gelten die allgemeinen jagdrechtlichen Bestimmungen.
Bei eigentumslosen Flächen (Meeresstrand und Küstengewässer sowie unter Staatshoheit des Bundes stehenden offenen Meeresbuchten) steht das Jagdrecht dem jeweiligen Bundesland zu.

7 Welchen Zweck verfolgt die Pflicht zur Hege?

Das Jagdrecht beinhaltet nicht nur die *Befugnis* zur Ausübung der Jagd, sondern enthält auch die Pflicht zur Hege der Wildtiere mit dem Ziel der Erhaltung eines den landschaftlichen landeskulturellen Verhältnissen angepassten artenreichen und gesunden Wildbestandes sowie die Pflege und Sicherung seiner Lebensgrundlagen (§ 1 Abs. 2 S. 1 BJagdG).
In einigen Landesjagdgesetzen ist nun die Hegepflicht in ähnlicher Formulierung mit ähnlichen Zielen enthalten.

8 Was ist mit Pflege und Sicherung des Lebensraums und der Lebensgrundlagen des Wildes gemeint?

Dies bezieht sich vorrangig auf die Biotophege.

9 Welche gesetzlichen Einschränkungen sind bei der Hege zu beachten?

Die Wildhege wird begrenzt durch das vom Gesetzgeber aufgestellte Erfordernis, Beeinträchtigungen einer ordnungsgemäßen land-, forst- und fischereiwirtschaftlichen Nutzung – insbesondere also Wildschäden – durch überhöhte Schalenwildbestände zu vermeiden.

10 Ist nur der Jäger zur Hege verpflichtet?

Die Hege des Wildes ist in erster Linie dem Jäger anvertraut und zur gesetzlichen Pflicht gemacht. Aber auch der Grundeigentümer (als Inhaber des Jagdrechts) ist eigentlich zur Hege verpflichtet (streitig).

11 Gibt es jagdethische Grundsätze, die bei der Jagdausübung anzuwenden sind?

Es gibt die anerkannten Grundsätze der Weidgerechtigkeit (§ 1 Abs. 3 BJagdG). Diese Grundsätze sind allerdings gesetzlich nicht definiert, und sie unterliegen auch einem gewissen Wandel im Laufe der Zeit. Inhaltlich geht es einerseits um Gedanken des Tierschutzes bei der Jagd aber auch darum, den Tieren als Teil der Schöpfung angemessen zu begegnen (s. unten Nr. 390, 397, 401).

12 Welche jagdlichen Handlungen sind im Begriff Jagdausübung enthalten?

Das Aufsuchen, Nachstellen, Erlegen und Fangen von Wild sowie die Ausübung des darauf bezogenen Aneignungsrechts. Aber auch Maßnahmen zum Schutz des Wildes vor Wilderern gehören dazu (s. unten).

13 Wie wird das Aneignungsrecht des Jägers ausgeübt?

Im Gegensatz zu Wildtieren in Gehegen, die dem Eigentümer des Geheges gehört sind die frei lebenden Wildtiere grundsätzlich *herrenlos*, d.h. sie gehören niemandem, insbesondere auch nicht dem Revierinhaber, in dessen Revier sie sich gerade aufhalten. Das Aneignungsrecht des Jagdausübungsberechtigten bezieht sich nur auf dieses herrenlose Wild und wird ausgeübt durch die Inbesitznahme des erlegten Wildtieres. Dies geschieht entweder durch den Jagdausübungsberechtigten selbst oder in dessen Auftrag, z.B. durch einen Jagdgast.

14 Worauf bezieht sich das Aneignungsrecht des Jagdausübungsberechtigten noch?

Nicht nur das erlegte oder in Fallen gefangene Wild unterliegt dem Aneignungsrecht sondern auch verendetes Wild und Fallwild (Verkehrsunfall), und auch Abwurfstanden sowie die Eier vom Federwild sind vom Aneignungsrecht des betreffenden Revierinhabers erfasst (§ 1 Abs. 5 BJagdG).

15 Wie verhält es sich mit Wild im Gatter (z.B. im Winter) und mit Gehegewild?

Wild (insbesondere Rotwild) im Wintergatter bleibt herrenlos und nur im Wintergatter evtl. verendetes Wild unterliegt dem Aneignungsrecht des Revierinhabers. Soweit Wildtiere aus Gehegen entwichen sind und der Eigentümer die Verfolgung aufgegeben hat und das

Wildtier die Gewohnheit abgelegt hat, an dem ihm bestimmten Ort (das Gehege) zurückzukehren, so gilt dieses Wildtier dann als herrenlos und unterliegt dem Aneignungsrecht des Jagdausübungsberechtigten, in dessen Jagdrevier es sich gerade aufhält und der es im Einklang mit sonstigen Vorschriften erlegen durfte.

16 Wem gehört gewildertes Wild?

Wilderei geschieht durch einen Nicht-Jäger, der ein Wildtier vorsätzlich getötet hat. Wilderei ist aber auch möglich durch einen Jäger, der unberechtigt in einem fremden Jagdrevier Beute macht. Der Wilderer kann in keinem Fall Eigentum an dem gewilderten Stück Wild begründen. Das Aneignungsrecht des Revierinhabers, in dessen Revier die Wilderei geschieht, ist grundsätzlich gegeben, aber zur tatsächlichen Begründung des Eigentums muss der Revierinhaber konkrete Maßnahmen zur Ausübung des Aneignungsrechts ausführen und insbesondere konkrete Kenntnis vom gewilderten Stück Wild haben. Das Aneignungsrecht kann nicht in abstrakter Weise auf alle im Jagdrevier gewilderten Wildtiere bezogen sein. Die Strafbarkeit der Wilderei ist in § 292 StGB geregelt.

§ 2 BJagdG Wild

17 In welche Gattungen der Tierarten wird das Wild unterteilt?

In Haarwild und in Federwild.

Zum Haarwild gehören:	Zum Federwild gehören:
Wisent (*Bison bonasus*)	Rebhuhn (*Perdix perdix*)
Elchwild (*Alces alces*)	Fasan (*Phasianus colchicus*)
Rotwild (*Cervus elaphus*)	Wachtel (*Coturnix coturnix*)
Damwild (*Dama dama*)	Auerwild (*Tetrao urogallus*)
Sikawild (*Cervus nippon*)	Birkwild (*Lyrurus tetrix*)
Rehwild (*Capreolus capreolus*)	Rackelwild (*Lyrurus tetrix* × *Tetrao urogallus*)
Gamswild (*Rupicapra rupicapra*)	Haselwild (*Tetrastes bonasia*)
Steinwild (*Capra ibex*)	Alpenschneehuhn (*Lagopus mutus*)
Muffelwild (*Ovis orientalis musimon*)	Wildtruthuhn (*Meleagris gallopa*)
Schwarzwild (*Sus scrofa*)	Wildtauben (*Columbidae*)
Feldhase (*Lepus europaeus*)	Höckerschwan (*Cygnus olor*)
Schneehase (*Lepus timidus*)	Wildgänse (Gattungen *Anser* und *Branta*)
Wildkaninchen (*Oryctolagus cuniculus*)	Wildenten (Familie Anatinae)
Murmeltier (*Marmota marmota*)	Säger (Gattung *Mergus*)
Wildkatze (*Felis silvestris*)	Waldschnepfe (*Scolopax rusticola*)
Luchs (*Lynx lynx*)	Blässhuhn (*Fulica atra*)
Fuchs (*Vulpes vulpes*)	Möwen (Familie Laridae)

Zum Haarwild gehören:	Zum Federwild gehören:
Steinmarder (*Martes foina*)	Haubentaucher (*Podiceps cristatus*)
Baummarder (*Martes martes*)	Großtrappe (*Otis tarda*)
Iltis (*Mustela putorius*)	Graureiher (*Ardea cinerea*)
Hermelin (*Mustela erominea*)	Greifvögel (Ordnung Accipitriformes)
Mauswiesel (*Mustela nivalis*)	Falken (Falconidae)
Dachs (*Meles meles*)	Kolkrabe (*Corvus corax*)
Fischotter (*Lutra lutra*)	
Seehund (*Phoca vitulina*)	

18 Welche Wildarten gehören zum Hoch- und welche zum Niederwild?

Zum Hochwild gehört alles Schalenwild außer Rehwild, außerdem Auerwild, Steinadler und Seeadler.
Rehwild und alles übrige Wild gehört zum Niederwild.
Die Einteilung und die Begriffsfindung sind nur historisch zu erklären und ergeben im Hinblick auf zoologischen Abgrenzungen eigentlich keinen Sinn; in früheren feudalen Zeiten hatte der Hochadel sich das Recht vorbehalten zur Jagd auf das Hochwild und für den niederen Adel blieb das Niederwild; andere Bevölkerungsteile durften ohnehin nicht eigenverantwortlich auf die Jagd gehen.

19 Welches Wild gehört zum Schalenwild?

Zum Schalenwild gehören Wisent, Elch-, Rot-, Dam-, Sika-, Reh-, Gams-, Stein-, Muffel- und Schwarzwild. Diese Arten bilden die biologische Ordnung der Paarhufer.

20 Können weitere Tierarten zum „Wild" erklärt werden?

Ja, schon zu Zeiten vor der Föderalismusreform (s. Einleitung) konnten die Länder weitere Tierarten bestimmen, die dem Jagdrecht unterliegen. Daran hat sich nichts geändert, und die Länder machen in unterschiedlicher Weise von diesem nach wie vor bestehenden Recht Gebrauch. In Bayern gehören bspw. Waschbär, Marderhund, Nutria, Eichelhäher, Rabenkrähe und Elster zu den (auch) jagbaren Tieren. Die Jagdschüler sind gut beraten, die jeweilige landesgesetzliche Regelung in dem Landesjagdgesetz zu ergründen, in dessen Land die Jägerprüfung abgelegt werden soll.

Jagdbezirke und Hegegemeinschaften

§ 4 BJagdG Jagdbezirke – „Reviersystem"

21 Welche Jagdausübungsbezirke unterscheidet man?

Den Eigenjagdbezirk und den gemeinschaftlichen Jagdbezirk.

22 Was bedeutet der Begriff „Reviersystem"?

Die Jagd darf nur in Jagdbezirken (§§ 4,7,8 BJagdG) ausgeübt werden. Die Jagdbezirke selbst „entstehen" durch die jagdgesetzliche Vorschrift, wonach zusammenhängende Grundflächen, die land-, forst-, oder fischereiwirtschaftlich nutzbar sind, den Jagdbezirk bilden.

23 Wann spricht man von einem „Lizenzsystem"?

Das Lizenzsystem kennt nicht den „Jagdbezirk" in vorgenanntem Sinne. Es ist unterschiedlich ausgestaltet und generell gekennzeichnet, dass eine aufgrund gesetzlicher Vorschriften zuständige Behörde einem (oder mehreren) Antragsteller(n) eine örtlich und zeitlich und auf eine bestimmte Anzahl einer Wildart begrenzte Jagderlaubnis erteilt.

24 Findet in Deutschland auch das Lizenzsystem Anwendung?

Reviersystem und Lizenzsystem schließen einander eigentlich aus. In Deutschland gibt es eine Ausnahme für den Fall, dass die Länder am Meeresstrand, im Wattenmeer und in den Küstengewässern die Jagd ähnlich wie durch ein Lizenzsystem organisieren (siehe oben Frage Nr. 6).

§§ 5,7 u. 8 BJagdG Eigenjagdbezirke u. Gemeinschaftliche Jagdbezirke

25 Wie „entstehen" Eigenjagdbezirke und Gemeinschaftliche Jagdbezirke?

Allein durch das Gesetz (BJagdG und/oder Landesjagdgesetz) ist festgelegt, wonach die zusammenhängenden Grundflächen, die land-, forst- oder fischereiwirtschaftlich nutzbar sind, einen Jagdbezirk bilden.
Ein Eigenjagdbezirk entsteht, wenn zusammenhängende Grundstücke eines einzigen Eigentümers eine bestimmte – wiederum durch ein Gesetz festgelegte – Mindestgröße haben.
Ein gemeinschaftlicher Jagdbezirk entsteht aus allen Grundflächen der vorgenannten Art eines Gemeindegebiets ohne etwaig dort vorhandener Eigenjagdbezirke, wobei auch die Fläche des gemeinschaftlichen Jagdbezirks „zusammenhängen" und eine gewisse Mindestgröße erreichen muss.

26 Wie groß muss die land-, forst- oder fischereiwirtschaftlich nutzbare Fläche zur Bildung eines Eigenjagdbezirks mindestens sein?

Nach dem BJagdG ist die Mindestgröße für den Eigenjagdbezirk 75 ha. Auch bei der Festlegung dieser Mindestgröße können die Länder abweichen und eine andere Flächengröße festlegen (in Bayern beträgt die Mindestgröße 81,755 ha, und Eigenjagdbezirke im Hochgebirge und seinen Vorbergen müssen mindestens 300 ha erreichen).

27 Genügt es zur Bildung eines Jagdbezirks, wenn nebeneinander liegende Grundflächen (Flurstücke) von zusammen knapp über 75 ha zwei verschiedenen Grundeigentümern gehören?

Nein, denn die zusammenhängenden Flurstücke müssen im Eigentum ein und derselben Person oder einer Personengemeinschaft stehen.

28 Welche Gründe sprechen für die Festlegung möglichst größerer Jagdbezirke als 75 ha?

Gründe der Wildhege und solche der sinnvollen praktischen Jagdausübung.

29 Was hat eine durch einen Eigenjagdbezirk verlaufende Landesgrenze zur Folge?

Der Zusammenhang der Grundflächen wird hierdurch nicht unterbrochen (§ 7 Abs. 2 BJagdG), es gilt für die Teilflächen jedoch das jeweilige Landesrecht.

30 Was sind „Regiejagden"?

Dies ist eigentlich nur ein anderer Ausdruck für die Eigenjagdbezirke des Staates (also des Bundes oder der Länder), wobei das Jagdrecht ausgeübt wird durch Selbstverwaltung (staatliche Forstverwaltung) oder durch Verpachtung; es gelten die üblichen Jagdgesetze auch hier.

31 Gibt es auch Eigenjagdbezirke mit einer zusammenhängenden Grundfläche von weniger als 75 ha?

Außerhalb einer generellen gesetzlichen Festlegung der Mindestgröße für Eigenjagdbezirke können auch solche Grundflächen, die an der Bundesgrenze liegen, sowie vollständig eingefriedete Flächen (§ 7 Abs. 3 BJagdG) von der zuständigen Behörde zu Eigenjagdbezirken erklärt werden. Als vollständig eingefriedete gelten solche Flächen, die gegen das Ein- und Auswechseln von Wild – ausgenommen Federwild, Wildkaninchen und Beutegreifer – dauernd umzäunt sind und keine Einsprünge besitzen (§ 6 Abs. 4 HessJagdG, § 5 Abs. 3 LJagdG von NRW).

32 Wer ist in einem Eigenjagdbezirk jagdausübungsberechtigt?

Grundsätzlich ist dies der Grundeigentümer oder der „Nutznießer", wenn ihm die Nutzung des Eigenjagdbezirks zusteht im Sinne eines „dinglichen Nutzungsrechts" (z.B. wie beim im Grundbuch eingetragenen Nießbrauch).

33 Darf jeder Besitzer eines Eigenjagdbezirks dort die Jagd ausüben?

Die konkrete Jagdausübung auch in einem Eigenjagdbezirk unterliegt noch weiteren Regeln. Der Eigenjagdbesitzer muss u.a. Inhaber eines Jagdscheins sein, und wenn er die weiteren gesetzlichen Voraussetzungen erfüllt, dann kann er in Abstimmung mit der Jagdbehörde in seiner Eigenjagd auf die Jagd gehen.

34 Wie viele Personen (Eigentümer, Stellvertreter oder Nutznießer) dürfen als jagdausübungsberechtigt in einem Eigenjagdbezirk höchstens benannt werden?

Auch die Jagdausübung in den Eigenjagdbezirken unterliegt der Kontrolle durch die Jagdbehörden. Es dürfen nicht „beliebig viele Personen" der Jagdbehörde benannt werden. Ausschlaggebend ist auch bei der Eigenjagd die Größe. Es gibt jedoch keine bundeseinheitliche Regelung, sondern die einzelnen Bundesländer haben sehr unterschiedliche Vorgaben gemacht (siehe Tabelle auf S. 828).

35 Wann sprechen wir von einem gemeinschaftlichen Jagdbezirk?

Alle Grundflächen eines Gemeindebezirks, die nicht einen Eigenjagdbezirk erreichen, bilden aufgrund gesetzlicher Vorschrift den sog. gemeinschaftlichen Jagdbezirk, wenn sie zusammenhängend mindestens 250 ha umfassen. Auch diese Größe ist „vorgegeben" vom BJagdG – die Länder können diese Größe unterschiedlich festsetzen.

36 Müssen alle Grundflächen des gemeinschaftlichen Jagdbezirks jagdlich nutzbar sein?

Nein, es zählen Grundflächen jeder Kategorie mit; hiervon ausgenommen sind also weder die Dorflage noch befriedete Bezirke und auch nicht Flächen, auf denen die Jagd ruht.

37 Was geschieht, wenn das gesamte Gemeindegebiet eine (oder mehrere getrennte) zusammenhängende Grundfläche bildet, die die Mindestgröße für einen gemeinschaftlichen Jagdbezirk nicht erreicht?

Die Jagdbehörden sind verpflichtet, für jagdlich nutzbare Flächen im Sinne der Gesetze dadurch zu sorgen, dass derartige Flächen dann einer anderen angrenzenden Jagdgenossenschaft oder einem angrenzenden Eigenjagdbezirk angegliedert werden.

38 Welche weiteren Möglichkeiten bei der Gestaltung der Jagdbezirke gibt es?

Durch Abtrennung, Angliederung (wie vorstehend) oder Austausch von Grundflächen kann und muss die Behörde den Jagdbezirk „abrunden", eben wenn aus zwingenden jagdlichen Erfordernissen dies notwendig ist. Zu den Notwendigkeiten zählen Probleme der gesamten Größe der Flächen bis zur Mindestgröße aber auch örtliche Gegebenheiten, die die ordnungsgemäße Jagdausübung erschweren oder verunmöglichen.

39 Was ist bei der Abrundung von Jagdbezirken zu beachten?

Die Gesamtgröße und der Jagdwert der beteiligten Jagdbezirke sollen möglichst unverändert bleiben.

40 Gibt es eine gesetzliche Regelung für Grundstücke, die aufgrund ihrer besonderen Form oder der auf ihr stattfindenden besonderen Nutzung generell für die Jagd „ungeeignet" sind?

Ja – in § 5 BJagdG findet sich eine Regelung: Grundstücke, die nach Umfang und Gestalt für sich allein eine ordnungsgemäße Jagdausübung nicht gestatten (wie natürliche und künstliche Wasserläufe, Wege, Triften und Eisenbahnkörper sowie ähnliche Flächen), bilden keinen Jagdbezirk für sich und unterbrechen nicht den Zusammenhang eines Jagdbezirks und stellen auch nicht den Zusammenhang zur Bildung eines Jagdbezirks zwischen getrenntliegenden Flächen her.
Die Rechtsvorschrift bezieht sich also im Wesentlichen auf relativ große Flächen und die Frage, ob trotz Erreichens einer Mindestgröße (z.B. für einen Eigenjagdbezirk) gleichwohl ein Eigenjagdbezirk aus Rechtsgründen nicht entsteht (s. auch Ziff. 56 unten).

41 Ist die Teilung eines gemeinschaftlichen Jagdbezirks in mehrere selbstständige Jagdbezirke möglich?

Ja – die Mindestgröße für jeden Teil muss wiederum 250 ha erreichen. Weitere Voraussetzung für die Teilung ist, dass dadurch die ordnungsgemäße Jagdausübung in den geteilten Jagdbezirken gefördert wird, und die Teilung durch spezielle Bedingungen des Geländes geboten ist (z.B. keine Teilung in Feld- und Waldjagd).

§ 6 u. 6 a BJagdG Befriedete Bezirke, Ruhen der Jagd

42 Auf welchen Flächen ruht die Jagd?

Auf Grundflächen, die zu keinem Jagdbezirk gehören, und in befriedeten Bezirken ruht die Jagd. Die genaue Festlegung der befriedeten Bezirke bleibt den Landesjagdgesetzen überlassen – allgemein gehören hierzu Friedhöfe, Höfe, dem Aufenthalt von Menschen dienende Gebäude, Hofräume, Hausgärten und Wildgehege, nicht aber Jagdgehege. Eine beschränkte Jagdausübung kann gestattet werden (die Beschränkung kann sich z.B. auf die Jagdzeit, die Wildarten, die Art der Bejagung usw. beziehen).

43 Was ist unter einer Befriedung jagdbarer Flächen aus ethischen Gründen zu verstehen?

Seit einiger Zeit gibt das BJagdG die Möglichkeit, wonach ein Grundeigentümer, der die Jagdausübung aus ethischen Gründen ablehnt, auf Antrag erreicht, dass seine Fläche in einem gemeinschaftlichen Jagdbezirk nicht mehr bejagt werden darf, sondern behandelt werden muss wie ein „befriedeter Bezirk". Nur eine natürliche Person kann einen derartigen Antrag stellen, dagegen können juristische Personen (z.B. ein eingetragener Verein, eine GmbH, eine religiöse Gemeinschaft oder Kirchengemeinde) Anträge auf Befriedung eines Grundstücks aus Gewissensgründen nicht stellen.

44 Wie ist das Verfahren geregelt, wodurch die Befriedung aus ethischen Gründen erreicht wird?

Der Grundeigentümer muss einen entsprechenden Antrag bei der Behörde einreichen und seine Motive glaubhaft schriftlich darlegen; soweit das Grundstück mehreren Personen gemeinsam gehört, müssen sie den Antrag gemeinsam stellen. Die Jagdbehörde prüft den Antrag auf Plausibilität und Ernsthaftigkeit und berücksichtigt bei der Entscheidung dann auch die sog. „öffentlichen Interessen", dass der Schutz vor Tierseuchen oder der Natur- und Artenschutz ausreichend gewahrt bleiben; auch die rein jagdlichen Belange, wie der Schutz vor Wildseuchen, Vermeidung von Wildschäden im Land-, Fort- und Fischereiwirtschaft sowie die Erhaltung eines gesunden Wildbestands sind zu beachten. Nach entsprechender Prüfung kann dem Antrag auf Befriedung stattgegeben werden.

45 Welche Personen sind an dem Verfahren zu beteiligen?

Die örtlich zuständige untere Jagdbehörde, bei der der Antrag einzureichen ist, muss vor der Entscheidung allen Betroffenen die Gelegenheit zur Stellungnahme geben, insbesondere also der Jagdgenossenschaft, dem Jagdausübungsberechtigten, den angrenzenden Grundeigentümern innerhalb des Jagdreviers, dem Jagdbeirat und den Trägern sonstiger öffentlicher Belange.

46 Kann eine Befriedung von Grundstücken in gemeinschaftlichen Jagdbezirken auch während einer Pachtperiode beantragt werden?

Die Befriedung soll mit Wirkung erst zum Ende des Jagdpachtvertrages erfolgen. Da Jagdpachtverträge jedoch regelmäßig auf mehrere Jahre abgeschlossen werden, kann eine Befriedung zum Ende des Jagdpachtvertrages gegebenenfalls eine ungerechtfertigte Härte für den Antragsteller darstellen. Gegebenenfalls kann die Behörde eine Befriedung auch zu einem früheren Zeitpunkt bestimmen. Dieser darf jedoch nicht vor Ende des Jagdjahres liegen.

47 Endet die Befriedung eines Grundstückes bei Wechsel des Eigentümers?

Mit dem Zeitpunkt eines Eigentümerwechsels erlischt auch die Befriedung. Die Befriedung von Grundflächen resultiert aus der Gewissensfreiheit des jeweiligen Grundeigentümers und seiner persönlichen Einstellung zur Jagd. Die Befriedung einer Fläche erlischt mit dreimonatiger Karenzzeit, wenn der Eigentümer wechselt.

48 Kann die Jagdbehörde eine beschränkte Jagdausübung auf den für befriedet erklärten Grundflächen anordnen?

Ja, dies ist möglich. Zur Vermeidung übermäßiger Wildschäden, der Gefahr von Tierseuchen, aus Gründen des Natur-und Artenschutzes, des Tierschutzes oder der Abwendung sonstiger Gefahren für die öffentliche Sicherheit und Ordnung kann die Jagdausübung auch auf befriedeten Flächen angeordnet werden.

49 Was hat der Jagdausübungsberechtigte nach der Befriedung eines Grundstückes innerhalb seines Jagdreviers zu berücksichtigen?

Das befriedete Grundstück darf nicht mehr bejagt werden. Ausnahmen hiervon regeln die Vorgaben der Behörde. Das befriedete Grundstück gehört allerdings noch zum gemeinschaftlichen Jagdbezirk, auch wenn der Eigentümer nicht mehr der Jagdgenossenschaft angehört. Eine Wildfolge auf das befriedete Grundstück ist weiterhin möglich. Der Grundeigentümer muss vom Jagdausübungsberechtigten aber über die Notwendigkeit der Wildfolge unverzüglich informiert werden. Sofern Tierschutzgründe nicht entgegenstehen, muss der Jagdausübungsberechtigte den Grundeigentümer des befriedeten Grundstücks schon vor der Nachsuche informieren.

50 Ist das Überjagen von Hunden über befriedete Grundstücke erlaubt?

Der Jagdausübungsberechtigte und seine Jagdgäste müssen nach der Befriedung eines Grundstücks darauf achten, dass dort keine jagdlichen Handlungen mehr stattfinden. Ein Verstoß gegen diese Regelung stellt zwar keine Jagdwilderei dar, aber der Grundeigentümer eines befriedeten Grundstücks hat Unterlassungsansprüche, die er gegebenenfalls auch vor Gericht durchsetzen kann.

Im praktischen Jagdbetrieb kann die Erkennbarkeit der Grenzen eines befriedeten Grundstücks innerhalb des Jagdreviers Probleme mit sich bringen. Die Kennzeichnung ist daher Angelegenheit des Grundstückeigentümers. Gerade bei Treib- und Drückjagden kann ein Überjagen von Hunden Probleme mit sich bringen. Eine ausdrückliche Duldungspflicht für das Überjagen von Hunden hat der Gesetzgeber nicht verankert. Der Jagdausübungsberechtigte muss Treib- und Drückjagden so organisieren, dass ein Überjagen von Hunden ausgeschlossen werden kann.

51 Wie werden Wildschäden auf befriedeten Flächen oder Nachbargrundstücken reguliert?

Kommt die Wildart, die in einem gemeinschaftlichen Jagdbezirk Wildschaden verursacht hat, auf der befriedeten Fläche vor, so haftet der Grundeigentümer der befriedeten Fläche anteilig für den entstandenen Wildschaden im gemeinschaftlichen Jagdbezirk. Ersatzansprüche von Wildschäden, die auf der befriedeten Fläche selbst entstanden sind, sind ausgeschlossen.

52 Was bezweckt der Gesetzgeber mit der Festlegung der befriedeten Bezirke?

Die Jagdausübung in/auf den befriedeten Bezirken gem. § 6 BJagdG würde zu einer beträchtlichen und nicht hinnehmbaren Gefährdung für dort sich aufhaltende Menschen führen können.

53 Wem steht das Aneignungsrecht in befriedeten Bezirken zu?

In befriedeten Bezirken, auch in solchen, die nur aus ethischen Gründen für befriedet erklärt werden, steht das Aneignungsrecht grundsätzlich dem Jagdausübungsberechtigten zu an solchem Wild, das in dem betroffenen Jagdbezirk ordnungsgemäß bejagt und erlegt wurde, aber erst in dem befriedeten Bezirk endgültig zu Tode gekommen ist. Deshalb ist dem Jagdausübungsberechtigten oder einem Beauftragten der Zugang zu dem befriedeten Bezirk zu ermöglichen und das Stück Wild ist herauszugeben. Wenn der Grundeigentümer das Stück Wild in Zueignungsabsicht behält, begeht er Wilderei, und wenn er lediglich den Zugang zwecks Bergung des Stücks Wildes verhindert, so macht er sich schadensersatzpflichtig mindestens in Höhe des Wertes des betroffenen Stück Wildes.

§ 9 BJagdG Jagdgenossenschaft

54 Wie wird die Jagdgenossenschaft gebildet?

Die Jagdgenossenschaft entsteht „automatisch" durch das gültige Jagdgesetz (entweder BJagdG oder Landesgesetz), worin bestimmt ist, dass alle Grundeigentümer mit allen ihren zu einem gemeinschaftlichen Jagdbezirk gehörenden Flächen als sog. „Jagdgenossen" diese Jagdgenossenschaft bilden. Prinzipiell kann sich kein Grundeigentümer einer land-, forst-, oder fischereiwirtschaftlich nutzbaren Fläche der Mitgliedschaft in einer Jagdgenossenschaft entziehen.

55 Ist eine Jagdgenossenschaft ein „privater Verein"?

Nein – die Jagdgenossenschaft ist zwar ähnlich konstruiert wie ein Verein mit einer Satzung und einem Jagdvorstand, aber weil die Jagdgenossenschaft aufgrund „gesetzlichen Befehls" entsteht, handelt es sich also um eine rechtsfähige Körperschaft des öffentlichen Rechts, und sie untersteht damit der Rechtsaufsicht der Jagdbehörde.

56 In welchen Ausnahmefällen sind die Eigentümer von Grundflächen, die zu einem gemeinschaftlichen Jagdbezirk gehören, dennoch keine Jagdgenossen?

Grundeigentümer von Grundflächen, auf denen die Jagd grundsätzlich nicht ausgeübt werden darf, sind von der Zwangsmitgliedschaft der Jagdgenossenschaften nicht erfasst – z.B. der Grundeigentümer der Grundstücke, auf denen die Bahngleise der Bundesbahn verlegt sind oder die Bundesautobahn verläuft.

57 Wer vertritt die Jagdgenossenschaft gerichtlich und außergerichtlich?

Die Jagdgenossenschaft als „juristische Person" bedarf dazu des von der Jagdgenossenschaft zu wählenden Jagdvorstandes, durch den die Jagdgenossenschaft handeln und die ihr zustehenden Rechte und Pflichten wahrnehmen kann.

58 Wann sind die Beschlüsse der Jagdgenossenschaft wirksam?

Die Beschlüsse in der Versammlung der Jagdgenossen müssen mit Stimmenmehrheit der anwesenden oder schriftlich bevollmächtigten Jagdgenossen wie auch mit der Mehrheit der durch die Jagdgenossen vertretenen Grundflächen gefasst werden. Es handelt sich mithin um eine „doppelte qualifizierte Mehrheit".

59 Wem steht das Jagdausübungsrecht in einem gemeinschaftlichen Jagdbezirk zu?

Der Jagdgenossenschaft.

§§ 10 u. 11 BJagdG Jagdnutzung – Jagdpacht

60 Wie nutzt die Jagdgenossenschaft üblicherweise die Jagd?

Die Jagdgenossenschaft verpachtet die zu ihrem gemeinschaftlichen Jagdbezirk gehörenden Flächen mittels eines Jagdpachtvertrages.

61 Kann der Kreis der Jagdpachtbewerber eingeschränkt werden?

Ja, die Verpachtung kann auf den Kreis der Jagdgenossen beschränkt werden.

62 In welcher Weise kann die Jagd in einem gemeinschaftlichen Jagdbezirk außer durch Verpachtung ausgeübt werden?

Die Jagdgenossenschaft kann die Jagd auf eigene Rechnung durch angestellte Jäger ausüben lassen. Diese „Eigenbewirtschaftung" entspricht eigentlich nicht den gesetzgeberischen Zielvorstellungen der Jagdgesetze.

63 Ist der Vorstand einer Jagdgenossenschaft berechtigt, über die Verpachtung der Jagd zu entscheiden?

Nein! Grundsätzlich entscheidet die Jagdgenossenschaftsversammlung durch Abstimmung über die Nutzung der Jagd und damit auch darüber, ob und wie diese verpachtet werden soll.

64 In welcher Weise erfolgt die Verteilung des Reinertrags an die Jagdgenossen?

Durch Verteilung nach der jeweiligen Flächengröße der Grundflächen, soweit auf ihnen die Jagdausübung zulässig ist.

65 Ist die Verpachtung auch eines Eigenjagdbezirks möglich?

Ja – nach ganz ähnlichen Regeln wie bei der Jagdgenossenschaft kann auch der Eigenjagdbesitzer verpachten.

66 Ist auch das Ruhenlassen der Jagd in einem gemeinschaftlichen Jagdbezirk zulässig?

Prinzipiell ja, allerdings nur mit Zustimmung der zuständigen Jagdbehörde.

67 Was ist Gegenstand der Jagdpacht?

Im Gegensatz zur „üblichen Pacht" etwa einer landwirtschaftlichen Einheit mit Hof und Feldern zum Zweck der Fruchtziehung, bei der der Verpächter zwar nicht das Eigentum, aber die gesamten Besitzrechte an den Pächter übergibt, ist der Pachtgegenstand bei der Jagdverpachtung nur ein Recht – nämlich das Recht, auf den betreffenden Grundflächen des Jagdbezirks die Jagd auszuüben. Dazu gehören natürlich auch das Betretungsrecht, auch Fahrrechte mit dem Pkw und sogar das Recht, in Absprache mit dem betroffenen Grundeigentümer jagdliche Einrichtungen (z.B. eine Kanzel) auf einem Grundstück des Jagdbezirks errichten zu dürfen.

68 Kann das Jagdausübungsrecht in der Weise aufgeteilt werden, dass pachtweise lediglich ein Teil dieses Rechts übertragen wird?

Nein! Lediglich ein Teil des Jagdausübungsrechts kann nicht Gegenstand eines Jagdpachtvertrages sein, allerdings kann sich der Verpächter einen Teil der Jagdnutzung, der sich auf bestimmtes Wild bezieht, vorbehalten (§ 11 Abs. 1 S. 2 BJagdG).

69 Ist es zulässig, lediglich einen Teil eines Jagdbezirks zu verpachten?

Ja – dies ist sowohl möglich bei einem gemeinschaftlichen Jagdbezirk wie auch bei einem Eigenjagdbezirk. Wichtig ist, dass der verpachtete Teil die gesetzliche Mindestgröße haben muss, und auch der verbleibende Teil des Jagdbezirks muss die jeweilige gesetzliche Mindestgröße noch erfüllen.

70 Welche Mindestgröße müssen die Jagdbögen eines gemeinschaftlichen Jagdbezirks bei Teilverpachtung noch haben?

Mindestens 250 ha (Bayern: 250 ha, 500 ha im Hochgebirge mit Vorbergen).

71 Wie groß darf die höchstzulässige Gesamtpachtfläche sein?

Jeder Jagdpächter darf nur insgesamt 1.000 ha pachten (der Landesgesetzgeber darf für das Hochgebirge Sonderregelungen bestimmen).

72 Ist dem Inhaber eines oder mehrerer Eigenjagdbezirke mit einer Gesamtfläche von mehr als 1.000 ha eine Zupachtung gestattet?

Ja – aber in diesem Falle müssen Flächen von mindestens der gleichen Größenordnung verpachtet werden.

73 Darf der Inhaber eines oder mehrerer Eigenjagdbezirke mit einer Gesamtfläche von weniger als 1.000 ha zupachten?

Ja – aber die Gesamtfläche, auf der ihm dann das Jagdausübungsrecht zusteht, darf 1.000 ha nicht überschreiten; ansonsten müsste er, wie im letzten Fall, die Fläche mindestens verpachten, die sein Jagdausübungsrecht über 1.000 ha liegt.

74 Darf man einen entgeltlichen Jagderlaubnisschein besitzen und gleichzeitig Jagdpächter einer anderen Jagdfläche sein?

Ja, aber die Gesamtfläche beider bejagter Gebiete darf 1.000 ha nicht überschreiten.

75 Kann der Jagdpächter eine Weiterverpachtung oder Unterverpachtung vornehmen?

Ja, aber nur mit Zustimmung des Verpächters.

76 Gibt es gesetzliche Vorschriften zur Dauer der Jagdpachtverträge?

Eine Begrenzung nach oben ist aus dem Jagdgesetzen nicht zu entnehmen; aber die Mindestpachtdauer beträgt grundsätzlich 9 Jahre (§ 11 Abs. 4 S. 2 BJagdG), jedoch haben die Länder teilweise von der Möglichkeit Gebrauch gemacht, die Mindestpachtdauer zu erhöhen. In Hessen z.B. beträgt die Mindestpachtdauer für Hoch- und Niederwildreviere generell 10 Jahre (§ 10 Abs. 1 HessJagdG), und in Bayern beträgt die Mindestdauer für Hochwildreviere mindestens 12 Jahre (Art. 14 Abs. 2 BayJG).

77 Gilt die gesetzliche Mindestpachtdauer auch für die Verlängerung bereits laufender Jagdpachtverträge?

Nein, bei der Verlängerung eines laufenden Jagdpachtvertrags kann auch eine kürzere Zeit vereinbart werden (§ 11 Abs. 4 S. 4 BJagdG).

78 Gibt es eine gesetzliche Vorschrift, wer überhaupt Jagdpächter sein darf?

Jagdpachtfähig ist nur, wer zur Zeit des Beginn des Jagdpachtvertrages einen Jahresjagdschein besitzt und einen solchen zuvor in Deutschland schon mindestens für 3 Jahre besessen hat; die 3 Jahre müssen nicht aufeinanderfolgend oder in den letzten Jahren vor Abschluss des Pachtvertrages gewesen sein (§ 11 Abs. 5 BJagdG). Ein Jugendjagdschein (§ 16 BJagdG) zählt nicht mit. Bis zum 4. Jahresjagdschein ist man also „Jung-Jäger" (unabhängig vom tatsächlichen Alter) und nicht jagdpachtfähig.

79 Welchen Zweck verfolgte der Gesetzgeber mit der Festlegung der Pächterhöchstzahl pro Jagdrevier?

Die Reviere dürfen je nach ihrer Größe nur an eine bestimmte Zahl von Jägern verpachtet werden; hierbei sind auch die Inhaber entgeltlicher Jagderlaubnisse mitzuzählen. Auf diese Weise wird im Interesse der Jagdpflege (ordnungsgemäße Ausübung der Jagd) die Zahl der Pächter begrenzt, denn sonst hätte die Festlegung von Mindestgrößen der verpachtbaren Reviere keinen Sinn.

80 Was bezweckt der Gesetzgeber mit der Regelung der Begrenzung der Pachthöchstflächen?

Ziel der Begrenzung der Pachthöchstflächen (pro Person) ist es, möglichst vielen Jagdpachtanwärtern die Chance zu eröffnen, allein oder zusammen mit Mitpächtern eine Jagd anpachten zu können, wodurch eine angemessene Verteilung der Jagdflächen unter der Jägerschaft erreicht werden soll (BT-Drucks. 7/4285).

81 Wie unterscheiden sich Jagdpacht und Jagderlaubnis im Sinne des Jagdausübungsrechts?

Der Jagdpächter erwirbt durch den (rechtsgültigen) Jagdpachtvertrag das Jagdausübungsrecht; der Inhaber einer Jagderlaubnis besitzt lediglich aufgrund einer vertraglichen Absprache mit einem Jagdausübungsberechtigten die Gelegenheit, in dessen Jagdbezirk in festgelegter Weise die Jagd ausüben zu dürfen.

82 Welche Formen der Jagderlaubnis sind denkbar?

Die Jagderlaubnis kann als Beteiligung an der Ausübung der Jagd entgeltlich oder unentgeltlich, beschränkt oder umfassend, zeitweise oder ständig sein.

83 Was sind die wesentlichen Unterschiede zwischen einer entgeltlichen und einer unentgeltlichen Jagderlaubnis?

Während bei der unentgeltlichen Jagderlaubnis lediglich ein jederzeit widerrufbares Gefälligkeitsverhältnis besteht, entsteht die entgeltliche Jagderlaubnis aufgrund eines – in der Regel schriftlich abzuschließenden – Vertrages, der sich als pachtähnliches Rechtsverhältnis darstellt.

10.1: Die winterliche Gesellschaftsjagd dient auch der Pflege der Gemeinschaft der Jäger und der Verständigung mit Jagdgenossen.

84 Was verstehen wir unter den Begriff „Jagdgast"?

Als „Jagdgast" wird bezeichnet, wer mit dem Jagdausübungsberechtigten (oder einem gesondert von diesem Betrauten) in dessen Revier gemeinsam „auf die Jagd geht". Sofern dem Jagdgast eine schriftliche Erlaubnis für seine jagdliche Tätigkeit nicht vorliegt, darf er nur zusammen mit oder in überschaubarer Nähe zum Jagdausübungsberechtigten jagdlich tätig sein. Für Jagdhandlungen mit einer Waffe benötigt der Jagdgast auf jeden Fall einen gültigen Jagdschein.

Bundesland	Höchstzahl der Pächter je Revierfläche	Höchstzahl der Jagdausübungsberechtigten eines Eigenjagdbezirks
Baden-Württemberg	Bis zu 250 ha drei Pächter, für je weitere angefangene 100 ha ein zusätzlicher Pächter (§ 19 Abs. 1 JWMG)	Wie nebenstehend. Die Teilung ist erlaubt mit Zustimmung der unteren Jagdbehörde, der verbleibende Teil muss mindestens 75 ha erreichen (§ 17 Abs. 2 JWMG).
Bayern	a) Im Hochgebirge mit seinen Vorbergen: bis zu 500 ha zwei Pächter, für je weitere angefangene 500 ha eine weitere Person. b) Im übrigen Bayern: bis zu 250 ha zwei Pächter, für je weitere angefangene 250 ha ein weiterer Pächter. Befriedete Bezirke zählen nicht mit (Art. 15 Abs. 1 BayJG).	a) Im Hochgebirge mit seinen Vorbergen: bis zu 500 ha zwei weitere Personen, für je weitere angefangene 500 ha eine weitere Person. b) Im übrigen Bayern: bis zu 250 ha zwei Personen, für je weitere angefangene 250 ha eine weitere Person. Befriedete Bezirke zählen nicht mit (Art. 7 Abs. 2, 15 Abs. 1 BayJG).
Berlin	Bis zu 250 ha zwei Pächter, für je weitere angefangene 125 ha ein zusätzlicher Pächter (§ 14 Abs. l LJagdG).	
Brandenburg	Bis zu 250 ha zwei Pächter, für jede weiteren 75 ha ein zusätzlicher Pächter § 14 Abs. 1 BbgJagdG). Befriedete Bezirke zählen nicht mit.	Die Aufteilung einer Eigenjagdbezirks (Mindest 150 ha) ist möglich, wenn jeder Teil mindestens 150 ha groß ist (§ 7 Abs. 1 u. 2 BbgJagdG).
Bremen	Unter 500 ha dürfen außer einem ständigen Jagdaufseher nicht mehr als vier Personen ständig die Jagd ausüben; für jede weiteren vollen 125 ha darf eine weitere Person ständig die Jagd ausüben (Art. 17 Abs. 2 LJG).	Bis zu 250 ha zwei Personen, für jede weiteren vollen 125 ha eine weitere Person (Art. 8 Abs. 1 LJG).
Hamburg	Bis zu 250 ha bejagbarer Fläche ein Pächter, von 250 ha bis 400 ha bejagbarer Fläche zwei Pächter; für jede weiteren vollen 150 ha bejagbarer Fläche ein weiterer Pächter. Befriedete Bezirke zählen nicht mit (§ 7 Abs. 1 LJG).	Entsprechende Regelung wie nebenstehend.
Hessen	Bis zu 500 ha drei Pächter, für jede weiteren angefangenen 150 ha ein weiterer Pächter (§ 11 HJagdG).	Bis zu 150 ha zwei Personen, für jede weiteren angefangenen 75 ha eine weitere Person (§ 6 Abs. 1 HJagdG).
Mecklenburg-Vorpommern	Bis zu 250 ha zwei Pächter; für je weitere angefangene 150 ha ein weiterer Pächter (§ 11 Abs. 2 LJagdG M-V).	Bis zu 250 ha grundsätzlich zwei Personen, für jede weiteren vollen 150 ha eine weitere Person (§ 3 Abs. 2 LJG).

Bundesland	Höchstzahl der Pächter je Revierfläche	Höchstzahl der Jagdausübungsberechtigten eines Eigenjagdbezirks
Niedersachsen	Seit Geltung des NJagdG gibt es gesetzliche Vorgaben für eine Höchstzahl der Pächter oder Inhaber von Jagderlaubnisscheinen nicht mehr. Dies liegt in der Verantwortung der Vertragsparteien.	Wie nebenstehend
Nordrhein-Westfalen	Bis zu 300 ha zwei Pächter, für jede weiteren vollen 150 ha ein weiterer Pächter (§ 11 Abs. 1 LJG).	Die Untere Jagdbehörde kann die Zahl der Jagdausübungsberechtigten bei Jagdbezirken bis zu 300 ha auf zwei Personen beschränken, für jede weiteren vollen 150 ha auf je eine weitere Person (§ 5 Abs. 1 LJG).
Rheinland-Pfalz	Bis zu 250 ha drei Personen, für je weitere angefangene 100 ha eine weitere Person (§ 15 Abs. 1 LJG).	Wie nebenstehend. Teilung eines Eigenjagdbezirks ist zulässig, wenn die Mindestgröße (75 ha) jeweils erreicht ist (§§ 9, 14 LJG) .
Saarland	Bis zu 150 ha zwei Pächter, für jede weiteren angefange nen 100 ha ein weiterer Pächter (§ 11 SJG).	
Sachsen	Seit dem 01.09.2012 gibt es durch das SächsJagdG gesetzliche Vorgaben für eine Höchstzahl von Pächtern je Revierfläche nicht mehr.	Entsprechende Regelungen wie nebenstehend.
Sachsen-Anhalt		Bis zu 400 ha vier Personen, für jede weiteren vollen bejagbaren 100 ha jeweils eine weitere Person (§ 9 Abs. 1 LJG).
Schleswig-Holstein	Bis zu 250 ha zwei Pächter, für jede weiteren vollen 150 ha ein weiterer Pächter (§ 11 Abs. 2 LJagdG).	Die Jagdbehörde kann die Zahl der Jagdausübungsberechtigten auf einer Grundfläche bis zu 300 ha auf zwei beschränken und für jede weiteren 150 ha um einen erhöhen (§ 5 Abs. 2 LJagdG).
Thüringen	Bis zu 250 ha zwei Pächter, in größeren Jagdbezirken für je weitere angefangene 150 ha ein weiterer Pächter (§ 15 Abs. 1 ThJG).	

85 Darf ein Jagdpächter (oder Eigenjagdbesitzer) andere Jagdscheininhaber als Jagdgäste mit auf die Jagd (Pirsch, Ansitz o.ä.) nehmen?

Ja, hierzu bedarf es keiner besonderen (schriftlichen) Erlaubnis. Bei einer Mehrzahl von Pächtern (oder Eigenjagdbesitzern) müssen allerdings alle Jagdausübungsberechtigte an einer solchen Jagd teilnehmen oder dem alleinigen begleitenden Jagdausübungsberechtigten eine schriftliche Zustimmung erteilt haben.

§§ 11, 12, 13 u. 13 a BJagdG Der Jagdpachtvertrag

86 Welche sind die wesentlichen Kriterien eines Jagdpachtvertrages?

Der Jagdpachtvertrag ist zunächst einmal ein den zivilrechtlichen Regeln des BGB folgender Vertrag (Vereinbarung), mit dem der Inhaber des Jagdrechts (die Jagdgenossenschaft oder der Eigenjagdbesitzer) einem jagdpachtfähigen Pächter das Jagdausübungsrecht für eine gewisse Zeit in dem vertraglich festgelegten Jagdrevier zu einem entsprechenden Preis (Jagdpacht) überträgt.

87 Auf welche Weise kommt es zum Vertragsabschluss eines Jagdpachtvertrages?

Bei der Verpachtung eines Eigenjagdbezirks ist dies relativ einfach – Verpächter und Pächter schließen einen schriftlichen Vertrag, sobald sie sich über die Einzelheiten der Vertragsbestimmungen einig sind.

Jagdverpachtungen von gemeinschaftlichen Jagdbezirken sind komplizierter: Wie oben in Ziff. 63 erwähnt, muss letztlich die Versammlung der Jagdgenossen über den Jagdpachtvertrag abstimmen. Deshalb gibt es mehrere Wege der Vorbereitung für die Verpachtung, nämlich die öffentliche (mündliche) Versteigerung oder die öffentliche Ausschreibung (Einholung schriftlicher Angebote) oder die freihändige Vergabe, wobei der jeweilige „letzte Zuschlag" der Abstimmung der Versammlung der Jagdgenossenschaft vorbehalten sein muss.

Schließlich ist auch noch die Verlängerung eines laufenden Jagdpachtvertrages möglich.

88 In welchen Fällen darf der Jagdvorsteher beim Zuschlag und beim Pachtabschluss nicht mitwirken?

Der Jagdvorsteher – dies ist der 1. Vorsitzende des von der Jagdgenossenschaft gewählten meist 3-köpfigen Jagdvorstands – darf dann nicht mitwirken, wenn er sich selbst um die Pacht bewirbt oder mit dem Pachtbewerber verheiratet, in grader Linie oder in der Seitenlinie bis zu 2 Grad verwandt oder verschwägert ist.

89 In welcher Weise ist die vorgesehene Verpachtung bekanntzugeben?

Öffentlich. Sie ist mindestens zwei Wochen vor der Entgegennahme von Pachtgeboten, unter gleichzeitiger Auslegung der Pachtbedingungen, in einer am Ausschreibungsort verbreiteten Tageszeitung oder in anderer ortsüblicher Weise bekannt zu machen; hierbei sind anzugeben Ort, Zeit und Art der Verpachtung, Größe des Jagdbezirks, Eigenschaft als Hoch- oder Niederwildjagd, vorgesehene Pachtdauer, zugelassener Bieterkreis und etwaige Sonderbedingungen. (Ausnahme: Bei freihändiger Vergabe und bei Verlängerung laufender Pachtverträge kann von der öffentlichen Bekanntmachung der Verpachtung abgesehen werden.)

90 Was hat der Jagdvorsteher bei öffentlichen Versteigerungen zu beachten?

Er hat bei Beginn der öffentlichen Versteigerung die Ordnungsmäßigkeit der Verpachtungsbekanntmachung und der Auslegung der Pachtbedingungen festzustellen. Er hat sich davon zu überzeugen, dass die Bieter jagdpachtfähig sind. Danach hat er zur Abgabe von Geboten aufzufordern. Ein Gebot erlischt, wenn ein höheres Gebot abgegeben wird; jedoch bleiben die drei Meistbietenden an ihr Gebot bis zur Entscheidung über den Zuschlag gebunden. Die Versteigerung darf erst abgeschlossen werden, wenn nach Aufforderung zur Abgabe höherer Gebote niemand mehr bietet. Nach Schluss der Versteigerung darf kein Gebot mehr entgegengenommen werden.

91 Innerhalb welcher Frist hat der Jagdvorsteher den Zuschlag an einen der Meistbietenden zu erteilen?

Der Jagdvorsteher kann den Zuschlag an einen der Meistbietenden sofort erteilen oder sich die Erteilung binnen zweier Wochen vorbehalten. Wird innerhalb der Frist kein Zuschlag erteilt, so erlöschen alle Gebote. Vom Zuschlag an einen der Meistbietenden soll in der Regel nur abgesehen werden, wenn dies im Interesse der Jagdgenossenschaft erforderlich ist.

92 Ist die Abtretung der Rechte aus einem Gebot möglich?

Nein! Die Abtretung der Rechte aus einem Gebot ist unwirksam.

93 Was hat der Jagdvorsteher bei Abgabe schriftlicher Pachtgebote zu beachten?

Er darf die eingereichten Pachtgebote erst nach Ablauf der Einreichungsfrist in Gegenwart eines Zeugen öffnen. Er hat ein Verzeichnis der Gebote anzufertigen und über die Annahme zu befinden. Wird innerhalb zweier Wochen nach Ablauf der Einreichungsfrist kein Gebot angenommen, so erlöschen alle Gebote.

94 Erlischt der Jagdpachtvertrag, wenn der Pächter eines Jagdbezirks stirbt?

Wenn nichts anderes im Jagdpachtvertrag vereinbart ist, wird der Jagdpachtvertrag mit dem (oder den) Erben fortgesetzt. Sofern der (oder einer von mehreren) Erbe(n) jagdpachtfähig ist, tritt dieser an die Stelle des verstorbenen Pächters. Der (oder die) Erben kann (können) der unteren Jagdbehörde auch einen jagdpachtfähigen Dritten als Jagdausübungsberechtigten benennen. Dieser ist dann für die Einhaltung aller jagdrechtlicher Vorschriften für das Revier bis zum Ende des Pachtvertrages verantwortlich unabhängig davon, ob und wie die Erben eventuell selbst auf die Jagd gehen können bzw. dürfen. Bei mehreren jagdpachtfähigen Miterben sind aus ihrem Kreis einer oder mehrere im Rahmen der zulässigen Pächter-Höchstzahl oder eine oder mehrere jagdpachtfähige dritte Person(en) als Jagdausübungsberechtigte zu benennen, damit die Jagdbehörde immer einen verantwortlichen Ansprechpartner für das Revier hat. Die Benennung eines jagdpachtfähigen Dritten ist naturgemäß auch dann notwendig, wenn kein jagdpachtfähiger Erbe zum Zeitpunkt des Todesfalls vorhanden ist, aber der Jagdpachtvertrag mit den Erben fortgeführt werden soll.

95 Was verstehen wir unter der Anzeigepflicht von Jagdpachtverträgen?

Nach Unterzeichnung des Jagdpachtvertrages durch Verpächter und Pächter muss der Abschluss dieses Vertrages der zuständigen unteren Jagdbehörde angezeigt werden durch Vorlage der Vertragsurkunde; dies gilt auch bei Unter- und Weiterverpachtung. Soweit der Vertrag nicht vorgelegt (angezeigt) wird, ist der Jagdpachtvertrag nichtig („schwebend unwirksam", wenn er grundsätzlich genehmigungsfähig wäre).

96 Kann die Jagdbehörde einen abgeschlossenen Jagdpachtvertrag beanstanden und welche Regelungen sind davon betroffen?

Die Jagdbehörde kann binnen 3 Wochen nach Eingang der Anzeige des Vertrages diesen beanstanden. Dies gilt bei Nichtbeachtung der gesetzlichen Regelungen über die Pachtdauer oder bei Gefahr der Außerachtlassung der festgelegten Hegeziele; die Gefahr muss sich bereits unmittelbar aus dem Vertragsinhalt ergeben. Sind diese Vorgaben nicht oder nur unzureichend erfüllt, so kann die Behörde zur entsprechenden Änderung oder völligen Aufhebung des Vertrages auffordern.

97 Gibt es weitere Mängel, die von der Behörde gerügt würden und zur Nichtigkeit des Jagdpachtvertrages führen?

Bei Verletzung des Grundsatzes der Unteilbarkeit der Übertragung des Jagdausübungsrechts oder der Nichtbeachtung des Erfordernisses der Mindestgröße der Eigenjagdbezirke bzw. der gemeinschaftlichen Jagdbezirke oder der höchstzulässigen Gesamtpachtfläche oder der Schriftform für den Jagdpachtvertrag oder der Nichtbeachtung der Voraussetzungen für die Jagdpachtfähigkeit wird die Jagdbehörde tätig werden.

98 Darf der Pächter schon zum Zeitpunkt der Anzeige des Jagdpachtvertrages die Jagd ausüben?

Nein, sondern erst nach Ablauf von 3 Wochen nach Anzeige des Vertrages, wenn die Behörde die Jagdausübung nicht zu einem früheren Zeitpunkt gestattet. Beanstandet andererseits die Behörde diesen Vertrag binnen dieser 3 Wochen, so ist die Jagdausübung durch den Pächter erst dann möglich, wenn die Beanstandungen behoben sind oder durch rechtskräftige gerichtliche Entscheidung festgestellt ist, dass der Vertrag nicht zu beanstanden ist.

99 Auf welche Weise wird ein Jagdpachtvertrag beendet?

Das Ende eines Jagdpachtvertrages kann auf ganz unterschiedliche Weise eintreten.
Der Jagdpachtvertrag – ein sog. „Dauerschuldverhältnis", weil der Vertrag für eine längere Laufzeit angelegt ist – endet zunächst einmal durch Zeitablauf am vertraglich festgelegten Zeitpunkt.
Der Vertrag kann auch beendet werden, wenn es ein im Vertrag festgelegtes Kündigungsrecht gibt und eine Partei von diesem Kündigungsrecht Gebrauch macht – dann endet der Pachtvertrag auch schon zu einem früheren Zeitpunkt (siehe oben Ziff. 86 u. 87).

Prinzipiell bei Dauerschuldverhältnissen gibt es auch das Recht zur außerordentlichen (eventuell sogar fristlosen) Kündigung immer dann, wenn dem Kündigenden das Festhalten am Vertrag redlicherweise nicht mehr zugemutet werden kann; dies kann begründet sein aus dem Verhalten des anderen Vertragsteils oder sogar auch dann, wenn sich die tatsächlichen Verhältnisse der Vertragsgrundlagen in unvorhersehbarer Weise verändert haben.

100 Gibt es noch weitere Umstände, die zum Ende eines Jagdpachtvertrages führen?

Ja – bei Verstößen gegen zwingende gesetzliche Vorgaben kommt der Jagdpachtvertrag gar nicht erst zum Entstehen, er ist vielmehr nichtig. Dies würde, sobald die Umstände bekannt werden, sofort von der unteren Jagdbehörde festgestellt.
Bei Verletzung des Grundsatzes der Unteilbarkeit der Übertragung des Jagdausübungsrechts oder der Nichtbeachtung des Erfordernisses der Mindestgröße der Eigenjagdbezirke bzw. der gemeinschaftlichen Jagdbezirke oder der höchstzulässigen Gesamtpachtfläche oder der Schriftform für den Jagdpachtvertrag oder der Nichtbeachtung der Voraussetzungen für die Jagdpachtfähigkeit.

101 Was geschieht mit dem Jagdpachtvertrag, wenn dem Pächter der Jagdschein rechtskräftig entzogen ist?

Zum Abschluss eines Jagdpachtvertrages ist ein gültiger Jahresjagdschein notwendig – folgerichtig erlischt der Jagdpachtvertrag dann, wenn dem (einzigen) Jagdpächter der Jagdschein unanfechtbar entzogen ist und auch sogar dann, wenn die Gültigkeitsdauer seines Jagdscheins endet und die zuständige Behörde die Erteilung eines neuen Jagdscheins unanfechtbar abgelehnt hat oder der Pächter die Voraussetzungen für die Erteilung eines neuen Jagdscheins nicht fristgemäß erfüllt.

102 Was geschieht, wenn nur gegenüber einem Mitjagdpächter gekündigt wird?

Der Jagdpachtvertrag bleibt grundsätzlich mit dem (den) übrigen Mitpächter(n) bestehen. Wenn aber die Fortführung des Jagdpachtvertrages den restlichen Beteiligten nicht mehr zuzumuten ist, können diese ihrerseits mit sofortiger Wirkung den Jagdpachtvertrag kündigen; die Kündigung muss unverzüglich nach Kenntniserlangung dieser Umstände erfolgen (siehe oben Ziff. 99).

103 Ist Schadensersatz möglich im Falle einer vorzeitigen Beendigung des Pachtvertrages?

Dies ist – wie bei sonstigem Dauerschuldverhältnissen auch – möglich, wenn die vorzeitig-fristlose Kündigung oder der Erlöschens-Tatbestand durch Entziehung des Jagdscheins vorwerfbar-schuldhaft (vorsätzlich oder grobfahrlässig) verursacht wurde; der Pächter haftet dann z.B. für einen etwaig entgangenen Pachtzins für den Zeitraum der noch restlichen Pachtdauer.

§ 14 Bundesjagdgesetz Wechsel des Grundeigentümers

104 Hat der Verkauf der gesamten Grundstücke eines verpachteten Eigenjagdbezirks einen Einfluss auf den Pachtvertrag?

Auch hier gilt der allgemeine Grundsatz: „Kauf bricht nicht Miete", in diesem Falle also „den Jagdpachtvertrag". Dieser ist überhaupt nicht betroffen, es tritt vielmehr der neue Eigentümer des Eigenjagdbezirks in sämtliche Rechte und Pflichten des weiterlaufenden Jagdpachtvertrages ein.

105 Hat der Eigentumswechsel an einem zum gemeinschaftlichen Jagdbezirk gehörenden Grundstück einen Einfluss auf den Pachtvertrag?

Der Eigentumswechsel hat keinen Einfluss darauf, dass das betroffene Grundstück nach wie vor zum gemeinschaftlichen Jagdbezirk gehört. Der Pachtvertrag ist nicht betroffen, der neue Eigentümer ist nun mit diesem Grundstück „neuer Jagdgenosse".

106 Ist der Jagdpachtvertrag betroffen, wenn ein Jagdgenosse während der Laufzeit des Pachtvertrages durch Zukauf die Mindestfläche zusammenhängender Grundstücke für die Bildung eines Eigenjagdbezirks erreicht?

An den Verhältnissen des Jagdpachtvertrages ändert sich bis zum Ende der vertraglichen Laufzeit nichts. Die bisher im Jagdpachtvertrag erfasste Fläche des gemeinschaftlichen Jagdbezirks bleibt, und auch die zwischenzeitlich entstandene Eigenjagd bildet mit ihren Grundflächen weiterhin den Teil des gemeinschaftlichen Jagdbezirks (vgl. BGHZ 62, 297 = NJW 1974, 1655 = RdL 1974, 235 = AgrarR 1975, 41). Erst nach Ablauf des Pachtvertrages muss der Eigenjagdbezirk berücksichtigt werden.

§§ 15, 16, 17 u. 18 BJagdG Jagdschein

107 Was ist die notwendige Voraussetzung für den Erwerb des ersten Jagdscheins?

Die wichtigste Voraussetzung (neben einigen anderen) ist der erfolgreiche Abschluss der Jägerprüfung in einem Bundesland der Bundesrepublik Deutschland (Geltungsbereich des BJagdG).

108 Darf der Inhaber eines Jagdscheins „überall auf die Jagd gehen"?

Grundsätzlich gilt für die Bundesrepublik Deutschland: Zum Jagdschein muss hinzukommen das Jagdausübungsrecht in ein bestimmen Jagdbezirk (als Eigenjagdbesitzer oder Jagdpächter), oder aber die Erlaubnis eines Jagdausübungsberechtigten im Sinne einer Jagderlaubnis (siehe oben Ziff. 84, 85).
Im Ausland gelten insoweit häufig andere Regeln.

109 Welche verschiedenen Jagdscheine gibt es?

Die jagdlichen Vorschriften in der Bundesrepublik kennen folgende Jagdscheine:
» Jahresjagdschein (Gültigkeit für höchstens 3 Jagdjahre)
» Tagesjagdschein (gültig für 14 aufeinanderfolgende Tage)
» Ausländerjagdschein (Jahres- und Tagesjagdschein)
» Jugendjagdschein
» Falkner-Jahresjagdschein

110 Was ist nach Ablauf der Gültigkeitsdauer des Jagdscheins zu tun?

Wenn der Jäger weiterhin im Besitz eines (Jahres-)Jagdscheins bleiben will, dann muss er rechtzeitig (schon vor Ablauf der Gültigkeitsdauer) den Jahresjagdschein auf Antrag bei der zuständigen Behörde verlängern lassen.

111 Hat der Jäger besondere Nachteile, wenn er die Verlängerung des Jagdscheins zunächst nicht beantragt und ein Zeitraum entsteht, in dem er wegen Fehlens eines Jagdscheins grundsätzlich (mit der Waffe) nicht jagen darf?

Abgesehen von dem Zeitraum, in dem der Jäger nicht jagen darf, gibt es in Ansehung der Jägerprüfung keine Nachteile. Die Wirksamkeit der bestandenen Jägerprüfung bleibt zeitlebens für die Erteilung weiterer Jagdscheine bestehen.
Es gibt aber hierzu weitere wichtige Vorschriften des WaffG (s. unten).

112 Welche weiteren persönlichen Voraussetzungen gibt es für die Erteilung eines Jagdscheins?

Für die Erteilung des (üblichen) Jahresjagdscheins muss der Antragsteller das 18. Lebensjahr vollendet haben.
Personen, die die Jägerprüfung bestanden haben und schon 16, aber noch nicht 18 Jahre alt sind, können auf Antrag den Jugendjagdschein erhalten (§ 16 Abs. 1 BJagdG).

10.2: Um den Jagdschein zu erlangen, bedarf es neben der bestandenen Prüfung weiterer gesetzlicher Voraussetzungen.

113 Gibt es Einschränkungen für den Jugendjagdschein?

Ja – der Jugendjagdschein berechtigt zunächst einmal nur zur Ausübung der Jagd in Begleitung einer volljährigen und jagdlich erfahrenen Aufsichtsperson, wobei dies entweder der Erziehungsberechtigte selbst oder aber mangels jagdlicher Erfahrung des Erziehungsberechtigten eine von diesem schriftlich beauftragte Person sein muss.

Inhaber von Jugendjagdscheinen dürfen generell nicht an Gesellschaftsjagden teilnehmen (§ 16 Abs. 2 BJagdG). In den einzelnen Landesjagdgesetzen ist festgelegt, was eine Gesellschaftsjagd ist.

114 Welche Behörde ist für die Erteilung der Jagdscheine zuständig?

Die für den Hauptwohnsitz des Bewerbers zuständige Untere Jagdbehörde ist zuständig. Hat der Antragsteller im Geltungsbereich des BJagdG keinen Wohnsitz, so ist die Jagdbehörde zuständig, in deren Amtsbezirk der Antragsteller die Jagd ausüben will.

115 Genügt es, wenn der pirschende Jäger seinen Jagdschein zu Hause gut aufbewahrt weiß?

Nein. Der Inhaber des Jagdscheins muss diesen beim Jagen zu Legitimationszwecken auch tatsächlich mit sich führen.

116 Ist auch für das Sammeln von Abwurfstangen der Besitz eines Jagdscheins notwendig?

Nein – da dies aber zum Jagdausübungsrecht (Aneignungsrecht !) gehört, bedarf es hierzu einer schriftlichen Erlaubnis des Jagdausübungsberechtigten.

117 Welche jagdlichen Hilfsdienste sind ohne Jagdschein zulässig?

Treiber-, Träger- und ähnliche Hilfsdienste bei der Jagdausübung sind erlaubt; dies gilt grundsätzlich aber nicht für Hilfsdienste mit der Waffe, bei der Fallenjagd oder beim Fang von Beutegreifern und Streunern.

118 Gibt es neben der erfolgreich bestandenen Jägerprüfung weitere Voraussetzungen, deren Fehlen die Erteilung eines Jagdscheins unmöglich machen?

Ja – es gibt weitere sachliche Voraussetzungen und insbesondere weitere persönliche Voraussetzungen, die der Bewerber erfüllen muss.
In sachlicher Hinsicht ist bei Erteilung des Jagdscheins eine ausreichende Jagdhaftpflichtversicherung (Deckungssumme je 500.000,00 € für Personen- und 50.000,00 € für Sachschäden) notwendig. Diese Versicherung muss während der gesamten Geltungsdauer eines Jagdscheins rechtswirksam unterhalten werden; wenn die Behörde erfährt, dass die Versicherung, aus welchen Gründen auch immer, nicht oder nicht ausreichend besteht, wird sie sofort den Jagdschein für ungültig erklären und einziehen.

119 Wie verhält es sich mit den persönlichen Voraussetzungen für die Erteilung und für den dauerhaften Besitz eines Jagdscheins?

Weil die Jagd zwangsläufig in Verbindung mit Schusswaffen ausgeübt wird, und weil der Jagdschein zum Erwerb von (jagdlich zu nutzenden) Schusswaffen berechtigt, gibt es hohe gesetzliche Hürden sowohl in den Jagdgesetzen (BJagdG) und auch im WaffG. Zur Aufrechterhaltung der allgemeinen Sicherheit und Ordnung und zur Minimierung der Gefahren, die von Waffen nun einmal ausgehen, überprüft die Behörde bei der Ersterteilung und bei der Verlängerung der Jagdscheine die Zuverlässigkeit und die persönliche Eignung des Jägers.

120 Welche Gesetze bestimmen die Zuverlässigkeit und die „persönliche Eignung" als Voraussetzung für den Besitz eines Jagdscheins?

Das BJagdG (§ 17) enthält Definitionen zur „Zuverlässigkeit", während im WaffG (§§ 5 und 6) insbesondere die „persönliche Eignung" definiert ist.
Allerdings verweist § 17 BJagdG auch auf das WaffG, so dass im Ergebnis der Jagdscheininhaber beiden gesetzlichen Vorschriften entsprechend zuverlässig und persönlich geeignet sein muss. Eine frühere unterschiedliche Regelung in den Jagdgesetzen im Vergleich zum WaffG wurde durch Harmonisierung der gesetzlichen Vorschriften aufgegeben.

121 Welche systematische Trennung ist für die Beurteilung der Zuverlässigkeit und der persönlichen Eignung erkennbar?

Es gibt im BJagdG zwingende Versagungsgründe, bei deren Vorliegen der Jagdschein nicht erteilt werden darf, und fakultative, bei denen die zuständige Behörde berechtigt ist, nach pflichtgemäßem Ermessen den Jagdschein zu versagen (oder eben doch zu erteilen). Bei der Frage der Zuverlässigkeit gibt es die vom Gesetz (BJagdG und WaffG) definierten Beispiele der unwiderlegbar zu vermutenden Unzuverlässigkeit wie auch die Regel-Unzuverlässigkeit. Bei letzterer ist von der Behörde zu prüfen, ob besondere Umstände vorliegen, die ausnahmsweise die vom Gesetz definierte Regelvermutung widerlegen und dazu führen können, dass der Jagdschein erteilt bzw. behalten werden kann.

122 Welche sind die wichtigsten zwingenden Versagungsgründe für die Erteilung des Jagdscheins?

Der Jagdschein muss versagt werden für Personen,

1. die noch nicht 16 Jahre alt sind;
2. bei denen Tatsachen die Annahme rechtfertigen, dass sie die erforderliche Zuverlässigkeit oder körperliche Eignung nicht besitzen;
3. denen der Jagdschein entzogen ist, während der Dauer der Entziehung oder einer Sperre (§§ 18, 41 Abs. 2 BJagdG);
4. die keine ausreichende Jagd-Haftpflichtversicherung besitzen.

123 Welches sind die fakultativen Versagungsgründe bei Erteilung des Jagdscheins?

Der Jagdschein kann versagt werden gegenüber Personen
1. die noch nicht 18 Jahre alt sind (aber Jugendjagdschein möglich);
2. die nicht Deutsche i. S. d. Art. 116 GG sind;
3. die nicht mind. 3 Jahre ihren Wohnsitz oder ihren gewöhnlichen Aufenthalt ununterbrochen im Geltungsbereich dieses BJagdG haben;
4. die gegen die Grundsätze des § 1 Abs. 3 BJagdG (Weidgerechtigkeit) schwer oder wiederholt verstoßen haben.

124 Welche genaueren gesetzlichen Vorgaben für die erforderliche Zuverlässigkeit oder körperliche Eignung sind erkennbar?

Grundsätzlich besitzen Personen die erforderliche Zuverlässigkeit nicht, wenn Tatsachen die Annahme rechtfertigen, dass sie
1. Waffen oder Munition missbräuchlich oder leichtfertig verwenden werden
2. mit Waffen oder Munition nicht vorsichtig und sachgemäß umgehen und diese Gegenstände nicht sorgfältig verwahren werden
3. Waffen oder Munition an Personen überlassen werden, die zur Ausübung der tatsächlichen Gewalt über diese Gegenstände nicht berechtigt sind.

Die erforderliche Zuverlässigkeit besitzen Personen in der Regel nicht, die
1. wegen eines Verbrechens
2. wegen eines vorsätzlichen Vergehens, dass eine der Annahmen im Sinne des § 17 Abs. 3 Nr. 1 bis 3 BJagdG rechtfertigt
3. wegen einer fahrlässigen Straftat im Zusammenhang mit dem Umgang mit Waffen, Munition oder Sprengstoff
4. wegen einer Straftat gegen jagdrechtliche, tierschutzrechtliche oder naturschutzrechtliche Vorschriften, das Waffengesetz, das Gesetz über die Kontrolle von Kriegswaffen oder das Sprengstoffgesetz

zu einer Freiheitsstrafe, Jugendstrafe, Geldstrafe von mindestens 60 Tagessätzen oder mindestens zwei Mal zu einer geringen Geldstrafe rechtskräftig verurteilt worden sind, wenn seit dem Eintritt der Rechtskraft der letzten Verurteilung 5 Jahre nicht verstrichen sind;

5. wiederholt oder gröblich gegen eine in § 17 Abs. 4 Nr. 1 d BJagdG verstoßen haben
6. geschäftsunfähig oder in der Geschäftsfähigkeit beschränkt sind
7. trunksüchtig, rauschmittelsüchtig, geisteskrank oder geistesschwach sind.

125 Wie verhält sich die Jagdbehörde, solange ein Strafverfahren, das zur Verurteilung führen kann, noch nicht rechtskräftig abgeschlossen ist?

Normalerweise wird der noch gültige mehrjährige Jahres-Jagdschein dem Jagdscheininhaber neben der WBK belassen, nicht aber bei Straftaten mit einem erheblichen kriminellen Gehalt, wenn also ein Verbrechen untersucht wird oder zur Anklage gekommen ist. Soweit allerdings der Jagdschein abgelaufen ist, wird die Behörde einen neuen Jagdschein mit dem Hinweis auf das laufende Verfahren nicht verlängern mit den oben erläuterten Rechtsfolgen z.B. für den Bestand eines etwaig unterhaltenen Jagdpachtvertrages.

126 Wie verhält es sich mit der Sperrfrist, innerhalb der ein neuer Jagdschein nicht beantragt bzw. erteilt werden kann?

Es gibt gesetzlich festgelegte Sperrfristen (s. vorstehend Ziff. 124), die das Gesetz mit 5 Jahren nach Rechtskraft der letzten strafrechtlichen Verurteilung festsetzt. Aus dem WaffG gibt es noch die Sperrfrist von 10 Jahren seit Eintritt der Rechtskraft der letzten Verurteilung (§ 5 Abs. 1 Nr. 1 WaffG), wenn wegen eines Verbrechens oder einer sonst vorsätzlich begangenen Straftat eine Freiheitsstrafe von mind. 1 Jahr erfolgt war. Schließlich kann auch die Jagdbehörde selbst im Falle der Einziehung eines Jagdscheins eine Frist festsetzen (§ 18 Satz 3 BJagdG), wenn keiner der letztgenannten Fälle vorliegt und die Behörde nach eigenem Ermessen eine Sperrfrist festlegt; wenn dies nicht unmittelbar mit dem Einziehungsakt geschieht, kann die Behörde durch einen gesonderten Verwaltungsakt eine Sperrfrist nicht festsetzen, so dass schon nach Ablauf des laufenden Jagdjahres der Bewerber einen neuen Jagdschein beantragen kann und die Behörde dann pflichtgemäß überprüft, ob die Neu-Erteilung aufgrund der Vorkommnisse schon gerechtfertigt oder verantwortbar ist.

Jagdbeschränkungen, Pflichten bei der Jagdausübung, beunruhigen von Wild

§§ 19 und 19a und 20 BJagdG

127 Welche Zwecke verfolgte der Gesetzgeber in erster Linie mit den sog. sachlichen Verboten für die Ausübung der Jagd (§ 19 BJagdG)?

Zum Zeitpunkt der Drucklegung dieser Auflage ist eine weitreichende Novellierung des BJagdG in Arbeit, die auch wichtige Bestimmungen des § 19 erfassen soll (Ge-/Verbote zur Jagdmunition; teilweise Freigabe von Nachtzieltechnik; Freigabe künstlicher Lichtquellen zur Zielerfassung). Die Bundesländer hatten gem. § 19 Abs. 2 schon von der diesbezüglichen Änderungsmöglichkeit Gebrauch gemacht, und insoweit ist die Rechtslage in den einzelnen Bundesländern sehr unterschiedlich. Die meisten bleibenden Einzelbestimmungen des § 19 folgen dem jagdethischen Charakter des Tierschutzes mit dem Ziel, dass die Jagd nicht zur schlichten Schädlingsbekämpfung verkommen soll.

128 Muss der Jäger alle Ge- und Verbote des § 19 BJagdG kennen?

Diese gesetzlichen Vorgaben in Verbindung mit den eventuell abweichenden am Prüfungsort geltenden Landesvorschriften sollte jeder Jäger kennen und bei der Jagdausübung unbedingt beachten. Nach § 19 BJagdG ist es verboten:

1. mit Schrot, Posten (übergroße Schrote), gehacktem Blei, Bolzen oder Pfeilen, auch als Fangschuss, auf Schalenwild und Seehunde zu schießen;
2. a) auf Rehwild und Seehunde mit Büchsenpatronen zu schießen, deren Auftreffenergie auf 100 m (E 100) weniger als 1.000 Joule beträgt; in Schleswig-H. sind auf Seehunde auch die Patronen 5,6 x 35 R (Vierling und Hornet) erlaubt;
   b) auf alles übrige Schalenwild mit Büchsenpatronen unter einem Kaliber von 6,5 mm zu schießen; im Kaliber 6,5 mm und darüber müssen die Büchsenpatronen eine Auftreffenergie auf 100 m (E 100) von mindestens 2.000 Joule haben. (Diese Energiewerte können unterschritten werden, wenn von einem staatlichen oder staatlich anerkann-

ten Fachinstitut die Verwendbarkeit der Munition für bestimmte jagdliche Zwecke bestätigt wird. Auf der kleinsten Verpackungseinheit der Munition ist das Fachinstitut, das die Prüfung vorgenommen hat, sowie der Verwendungszweck anzugeben);

c) mit halbautomatischen Langwaffen, die mit insgesamt mehr als 3 Patronen geladen sind, sowie mit automatischen Waffen auf Wild zu schießen;

d) auf Wild mit Pistolen oder Revolvern zu schießen, ausgenommen im Falle der Bau- und Fallenjagd sowie zur Abgabe von Fangschüssen, wenn die Mündungsenergie der Geschosse mindestens 200 Joule beträgt.

3. die Lappjagd innerhalb einer Zone von 300 Metern von der Bezirksgrenze, die Jagd durch Abklingeln der Felder und die Treibjagd bei Mondschein auszuüben;
4. Schalenwild, ausgenommen Schwarzwild (in Bayern nach Art. 29 BayJG), sowie Federwild zur Nachtzeit zu erlegen. Als Nachtzeit gilt die Zeit von eineinhalb Stunden nach Sonnenuntergang bis eineinhalb Stunden vor Sonnenaufgang; das Verbot umfasst nicht die Jagd auf Möwen, Waldschnepfen, Auer-, Birk- und Rackelwild;
5. a) künstliche Lichtquellen, Spiegel, Vorrichtungen zum Anstrahlen oder Beleuchten des Zieles, Nachtzielgeräte, die einen Bildwandler oder eine elektronische Verstärkung besitzen und für Schusswaffen bestimmt sind, Tonbandgeräte oder elektrische Schläge erteilende Geräte beim Fang oder Erlegen von Wild aller Art zu verwenden oder zu nutzen sowie zur Nachtzeit an Leuchttürmen oder Leuchtfeuern Federwild zu fangen;
   b) Vogelleim, Fallen, Angelhaken, Netze, Reusen oder ähnliche Einrichtungen sowie geblendete oder verstümmelte Vögel beim Fangen oder Erlegen von Federwild zu verwenden;
6. Belohnungen für den Abschuss oder den Fang von Federwild auszusetzen, zu geben oder zu empfangen;
7. Saufänge, Fang- oder Fallgruben ohne Genehmigung der zuständigen Behörde anzulegen;
8. Schlingen jeder Art, in denen sich Wild fangen kann, herzustellen, feilzubieten, zu erwerben oder aufzustellen;
9. Fanggeräte, die nicht unversehrt fangen oder nicht sofort töten, sowie Selbstschussgeräte zu verwenden;
10. in Notzeiten Schalenwild in einem Umkreis von 200 Metern von Fütterungen zu erlegen;
11. Wild aus Luftfahrzeugen, Kraftfahrzeugen oder maschinengetriebenen Wasserfahrzeugen zu erlegen; das Verbot umfasst nicht das Erlegen von Wild aus Kraftfahrzeugen durch Körperbehinderte mit Erlaubnis der zuständigen Behörde;
12. die Netzjagd auf Seehunde auszuüben;
13. die Hetzjagd auf Wild auszuüben (z.B. mit Windhunden, Motorbooten, Kraftfahrzeugen oder Skiern);
14. die Such- und Treibjagd auf Waldschnepfen im Frühjahr auszuüben;
15. Wild zu vergiften oder vergiftete oder betäubende Köder zu verwenden;
16. die Brackenjagd auf einer Fläche von weniger als 1.000 Hektar auszuüben (die Brackenjagd ist keine Hetz-, sondern eine Treibjagd, weil die Hunde das Wild den Schützen zutreiben);
17. Abwurfstangen ohne schriftliche Erlaubnis des Jagdausübungsberechtigten zu sammeln;
18. eingefangenes oder aufgezogenes Wild später als vier Wochen vor Beginn der Jagdausübung auf dieses Wild auszusetzen. (Ausgesetztes Wild soll zum Zeitpunkt der Jagdausübung in genügendem Maß Wildeigenschaft angenommen haben und mit seinem Lebensraum vertraut sein).

129 In welchen Sonderfällen darf auf Wild mit Pistolen oder Revolvern geschossen werden?

Lediglich im Falle der Bau- und Fallenjagd sowie zur Abgabe von Fangschüssen (wenn die Mündungsenergie der Geschosse mindestens 200 Joule beträgt), § 19 Abs. 1 Ziff. 2d BJagdG.

130 Wie wird eine gesetzlich einwandfreie Lappjagd durchgeführt?

Mindestens 300 m entfernt von der Grenze des Jagdbezirks wird ein Gebiet mittels an Bändern befestigten Lappen, Tuchfetzen, Papier oder Federn eingegrenzt und damit das Wild in seinem natürlichen oder durch geringe Beunruhigung verursachten Bewegungsverhalten gelenkt dorthin, wo eine Bejagung erfolgreich durchgeführt werden kann; denn das Wild – Schalenwild, wie aber auch z.B. der Beutegreifer Wolf – schreckt vor *unüblichen*, aber eigentlich leicht überwindbaren, insbesondere farblich markierten Auffälligkeiten im Gelände zurück und überwinden die scheinbaren Barrieren erst bei hoher Flucht.

131 Warum ist die Treibjagd bei nächtlichem Mondschein verboten?

Weil dem Jäger weder ein sicheres Ansprechen des Wildes noch des Hintergeländes möglich ist. Außerdem ist eine gesteigerte Gefährdung der Treiber bei derartigen Lichtverhältnissen gegeben.

132 Warum besteht ein Nachtjagdverbot für Schalenwild (ausgenommen Schwarzwild) sowie Federwild (außer Möwen, Waldschnepfen, Auer-, Birk- und Rackelwild), § 19 Abs. 1 Nr. 4 BJagdG?

Grundsätzlich gelten hier tierschützerische Überlegungen; dass Schwarzwild ausgenommen ist, liegt an der starken Vermehrung dieses Wildes und die von dieser Wildart verursachten Wildschäden, so dass zur effektiven Bejagung die Nachtjagd grundsätzlich nicht verboten wurde; unabhängig davon, dass Auer-, Birk- und Rackelwild in Deutschland ganzjährig geschont ist, wäre die ordnungsgemäße Jagdausübung insbesondere bei Auerwild frühmorgens, weit vor Tagesanbruch, wenn man von der relativ unbedeutenderen Abendbalz einmal absieht.

133 In welchen Fällen ist das Töten von Wild, das sich unverletzt (in Netzen) gefangen hat, zulässig?

Bei der Baujagd auf Füchse und Dachse und mit dem Frettchen auf Kaninchen.

134 Dürfen Beutegreifer vergiftet werden?

Nein! Das Vergiftungsverbot gilt für sämtliches Wild (§ 19 Abs. 1 Nr. 15 BJagdG), also auch für Beutegreifer.

135 Welche Stoffe sind als Gift i.S. von § 19 Abs. 1 Nr. 15 BjagdG anzusehen?

Sämtliche Stoffe, die auf chemischem oder chemisch-physikalischem Wege auf Wild tödlich wirken können.

136 Genießt das Wild neben den sachlichen Geboten noch weiteren gesetzgeberischen Schutz im Zusammenhang mit der Jagd?

Es ist verboten, Wild, insbesondere wenn es in seinem Bestand gefährdet oder bedroht ist, unbefugt an seinen Zuflucht-, Nist-, Brut- oder Wohnstätten durch Aufsuchen, Photographieren, Filmen oder ähnliche Handlungen zu stören. Nicht vermeidbare Tätigkeiten im Rahmen ordnungsgemäßer Jagdausübung stellen allerdings keine unbefugte Beunruhigung von Wild dar.
Die Vorschrift § 19a BJagdG richtet sich nicht nur an Jagdausübende, sondern gilt eigentlich allgemein – angesichts des Verhaltens der nicht-jagenden sonstigen Naturnützer ist diese gesetzliche Norm zugunsten der Jagd kaum durchsetzbar, zumal ja das Wild sich wegen des falschen Verhaltens durch Flucht der Situation entzogen hat und dann nicht mehr sichtbar ist.

137 Gibt es neben den sachlichen Verboten weitere gesetzliche Verbote der Jagdausübung?

Neben den Vorschriften, die für bestimmte Grundflächen entweder das Ruhen der Jagd anordnen (befriedete Bezirke, s.o. Frage 42) und neben Grundflächen, für die ein generelles Betretungsverbot möglich ist (s. § 9 BJagdG), ist es weiterhin möglich, dass im Einzelfall an Orten, an denen die Jagd die öffentliche Ruhe, Ordnung oder Sicherheit stören oder das Leben von Menschen gefährdet sein könnte, nicht gejagt werden darf.
In diesem Zusammenhang sind auch auf Naturschutz- und Wildschutzgebiete hinzuweisen sowie auf National- und Wildparken, in denen die jeweiligen Bundesländer in örtlicher Hinsicht die Jagd ganz verbieten oder einschränken können.

138 Genügt die Gefährdung eines einzelnen Menschen, um ein örtliches Verbot des Jagens bejahen zu können?

Ja. Dies ist bei konkreter Gefährdung auch nur eines Einzelnen gegeben (vgl. BayObLG, MDR 1959, 962).

§ 21 BJagdG Regelung der Bejagung (Abschussplan)

139 Welche Zwecke werden verfolgt durch die gesetzlich vorgegebenen Abschusspläne?

Die Regelung des Abschusses des Wildes hat gleichermaßen die Erhaltung eines gesunden Wildbestandes, die Mitberücksichtigung der Belange von Naturschutz und Landschaftspflege und den Schutz gegen Wildschäden einzubeziehen.

140 Für welche räumlichen Bereiche werden Abschusspläne festgesetzt?

Entsprechend dem nach dem Bundesjagdgesetz vorgesehenen „Reviersystem“ erfolgt die Festsetzung der Abschusspläne grundsätzlich für den einzelnen Eigenjagdbezirk oder den einzelnen gemeinschaftlichen Jagdbezirk.

141 Für welche Wildarten werden Abschusspläne erstellt („*bestätigt*" oder „*festgesetzt*")?

Laut BJagdG ist für alles Schalenwild (ohne Schwarzwild) und für Auer-, Birk- und Rackelwild und für Seehunde (solange diese vier Wildarten noch bejagbar waren) ein Abschussplan vorgeschrieben. In einzelnen Bundesländern wird abweichend der Abschussplan für Rehwild ersetzt durch andere Regeln, ohne dass die Jagdbehörden ihren regulativen Einfluss verloren hätten. Die Novellierung des BJagdG will ebenfalls den Abschussplan für Rehwild ersetzen durch eine Vereinbarung zwischen Grundeigentümer und Revierpächter.

142 Darf der Jäger der Abschussplanung unterliegendes Wild vor Bestätigung oder Festsetzung des Abschussplanes durch die Untere Jagdbehörde erlegen?

Grundsätzlich nein! Er würde eine Ordnungswidrigkeit nach § 39 Abs. 2 Nr. 3 BJagdG begehen. Zu beachten ist jedoch § 22a BJagdG.

143 Welche Maßnahmen sind unmittelbar vor der Aufstellung eines Abschussplanes zu erledigen?

Nach Maßgabe der jeweiligen landesrechtlichen Vorschriften ist in jedem Frühjahr rechtzeitig vor Erstellung des Abschussplanes eine Bestandsermittlung durchzuführen. Soweit die Wildarten, für die Abschusspläne aufzustellen sind, im Revier vorkommen, bezieht sich diese Ermittlung auf alle betroffenen Wildarten, wobei alle für die Beurteilung des Wildbestandes in Betracht kommenden Umstände festzustellen und zu berücksichtigen sind.

144 Welche Bestandszahlen sind für den Abschussplan maßgeblich?

» Frühjahrsbestand: Am 31. März vorhandener Wildbestand;

» Grundbestand: Am 1. April vorhandener Wildbestand, d.h. der Frühjahrsbestand nach Übergang der einzelnen Stücke in die nächst höhere Altersklasse;

» Sommerbestand: Grundbestand + Zuwachs (der Zuwachs ist unterschiedlich für jede Wildart statistisch hinzuzurechnen).

145 Wie werden die unterschiedlichen Stücke einer Schalenwildart im Abschussplan erfasst?

Bei jeder Wildart ist im Einzelnen nach Geschlecht, nach Altersstufen, Güte und Stärkeklassen aufzugliedern. In der Praxis stößt dies bei einzelnen Schalenwildarten naturgemäß auf Probleme wegen der nicht absoluten Feststellungsgenauigkeit durch Beobachten des Wildes.

146 Wie ist der Gang des Verfahrens zur Erstellung eines Abschussplanes?

Der Jagdausübungsberechtigte füllt den Vordruck für den Abschussplan aus, unterschreibt ihn (bei Verpachtung ist auch die zustimmende Unterschrift des Verpächters erforderlich) und reicht ihn i.d.R. bei der Unteren Jagdbehörde zur Bestätigung ein.

147 Wie bearbeitet die Jagdbehörde den eingereichten Abschussplan?

Der der Jagdbehörde eingereichte Abschussplan wird dort geprüft und „bestätigt" oder mit geändertem Inhalt „festgesetzt" (s.o. Frage 141). Eine Festsetzung erfolgt auch, wenn die Jagdausübungsberechtigte keinen Abschussplan eingereicht hat. Die Jagdbehörde soll mit dem Jagdbeirat (§§ 21 Abs. 2 i. V. m. 37 BJagdG) bei der Bestätigung bzw. Festsetzung des Abschussplans Einvernehmen herstellen.

148 Ist Fallwild oder beim Verkehrsunfall verendetes Wild im Rahmen des bestätigten oder festgesetzten Abschussplans zu berücksichtigen?

Ja, es ist entsprechend den landesrechtlichen Bestimmungen auf den Abschussplan anzurechnen.

149 Darf der Jagdausübungsberechtigte vom Abschussplan abweichen?

Grundsätzlich darf im Interesse einer sachgerechten Schalenwildbewirtschaftung der Abschussplan weder unter- noch überschritten werden. Die Länder haben jedoch Regelungen getroffen, die ein begrenztes Über- oder Unterschreiten des Abschussplans ermöglichen.

150 Welche Pflichten muss der Jagdausübungsberechtigte zwecks Überwachung der Erfüllung des Abschussplans befolgen?

Er hat zunächst die Pflicht zum Führen von Streckenlisten, muss nach Erlegen von Schalenwild die Abschussmeldungen an die zuständige Jagdbehörde geben und hat auf der Hegeschau die Trophäen und Unterkiefer vorzulegen, sofern dies nach Ländergesetz vorgeschrieben ist.

§ 22 BJagdG Jagd- und Schonzeiten

151 Welchen Zweck verfolgt der Gesetzgeber mit Festlegung der Schonzeiten?

Wild, das in seinem Bestand insgesamt gefährdet ist, kann ganzjährig geschont sein. Ansonsten dienen Schonzeiten der Sicherung der Aufzucht der Jungtiere und ist damit (auch) ein Merkmal der Hege des Wildes.

152 Wie lässt sich Wild einteilen bezüglich der unterschiedlichen Jagd- und Schonzeiten?

- » Wild, das ganzjährig zu schonen ist,
- » Wild, für das eine Jagd- und Schonzeit festgesetzt ist,
- » Wild, das außer in den Setz- und Brutzeiten ganzjährig bejagt werden darf (Frischlinge, Überläufer, Wildkaninchen und Füchse).

153 Welches Wild darf auch in der Schonzeit erlegt werden?

Die Länder können die Schonzeiten für bestimmte zu bezeichnende Gebiete oder für einzelne Jagdbezirke aus besonderen Gründen aufheben, und zwar insbesondere aus Gründen der Wildseuchenbekämpfung und Landeskultur, zur Beseitigung kranken oder kümmernden Wildes, zur Vermeidung von übermäßigen Wildschäden, zu wissenschaftlichen, Lehr- und Forschungszwecken, zur Vermeidung der Störung des biologischen Gleichgewichts oder der Wildhege.

154 Welche Jagdzeiten sind im Verordnungswege festgelegt?

Die Bundes-VO über die Jagdzeiten schreibt die Jagd- und Schonzeiten für die verschiedenen Wildarten vor, die jedoch im Einzelfall durch die Länder abgeändert werden können. Die genauen Zeiten können dem Anhang entnommen werden.

155 Welches Wild ist ganzjährig zu schonen?

Sämtliches Wild, für das keine Jagdzeiten festgesetzt sind (beispielsweise Wisent, Elchwild, Auer- und Birkwild).

156 Wann dürfen auch Wildtiere ohne Schonzeit (§ 22 Abs. 3 BJagdG) nicht bejagt werden?

In den Setz- und Brutzeiten bis zum Selbständigwerden der Jungtiere dürfen die zur Aufzucht notwendigen Elterntiere nicht bejagt werden (den Ländern ist es überlassen, die Zeitspanne der Setz- und Brutzeiten jagdbaren Wildes anzuordnen).

157 Gilt die den Elterntieren während der Setz- und Brutzeit gewährte Schonzeit auch für deren Jungtiere?

Nein! Deren Jungtiere können ohne zeitliche Begrenzung erlegt werden (z.B. Jungfüchse vor dem Bau oder Frischlinge).

158 Wann könnten während der Setz- und Brutzeiten auch die Elterntiere der Tierarten ohne Schonzeit getötet werden?

Wenn zuvor alle Jungtiere dieser Elterntiere erlegt sind (im Einzelfall mag diese Regelung auf Nichtjäger barbarisch wirken).

159 Ist das Ausnehmen der Gelege (Nester mit darin befindlichen Eiern) von Federwild erlaubt?

Dies ist grundsätzlich auch dem Jagdausübungsberechtigten nicht erlaubt.

160 Gibt es von diesem Grundsatz eine Ausnahme?

Ja! Ausnahmsweise dürfen die Eier von verlassenen Gelegen mit dem Ziel entnommen werden, sie vor der Zerstörung zu bewahren, und zwar sowohl vom Jagdausübungsberechtigten als auch von Dritten, um sie ausbrüten zu lassen. Außerdem können die Länder zulassen, dass Gelege in Einzelfällen zu wissenschaftlichen, Lehr- und Forschungszwecken oder für Zwecke der Aufzucht ausgenommen werden.

161 Inwieweit können die Länder – was das Sammeln von Eiern anbelangt – eine weitere Ausnahme zulassen?

Zur Bestandsregulierung können die Länder das Sammeln der Eier von Ringel- und Türkentauben sowie von Silber- und Lachmöwen gestatten (§ 22 Abs. 4 Satz 4 BJagdG).

Verhinderung von vermeidbaren Schmerzen oder Leiden des Wildes

162 Darf der Jäger schwerkrankes Wild während der Schonzeit töten?

Ja! Insbesondere aus Gründen des Tierschutzes obliegt ihm sogar die Rechtspflicht, ein solches Stück vor vermeidbaren Schmerzen oder Leiden zu bewahren. Dasselbe gilt auch bei (versehentlich) angeschossenem Wild.

163 Was versteht der Jäger unter „Wildfolge"?

Das Recht (oder die Pflicht), krankgeschossenes oder schwerkrankes Wild, das über die Reviergrenze in ein fremdes Jagdrevier wechselt, verfolgen zu dürfen.

164 Was ist Sinn und Zweck der „Wildfolge"?

Die „Wildfolge" konkretisiert den Tierschutz, wodurch krankgeschossenes oder schwerkrankes Wild über die Reviergrenze verfolgt werden darf, damit dieses Wild möglichst schnell von seinem Leiden erlöst wird; das fremde Jagdausübungsrecht wird insoweit eingeschränkt.

165 Was ist das gesetzliche Leitbild zur konkreten Ausgestaltung der „Wildfolge" zwischen den Reviernachbarn?

Grundsätzlich sollte zur Vermeidung von Streitigkeiten unter den Reviernachbarn eine schriftliche Vereinbarung über die „Wildfolge" getroffen werden (§ 22a Abs. 2 BJagdG).

166 Gibt es gesetzliche Ausnahmen von dieser Vorgabe des BJagdG?

Der Bundesgesetzgeber lässt landesrechtliche Regelungen als Ausnahme von dem Grundsatz zu, dass „Wildfolge" i.d.R. nur auf der Grundlage einer schriftlichen Vereinbarung gestattet sein soll.

167 Wie verhält sich der Jäger richtig, wenn ein im eigenen Revier krankgeschossenes und ins Nachbarrevier geflüchtetes Stück Wild sich dort sichtbar verletzt niedertut, aber nicht sofort verendet?

Wenn zwischen den Reviernachbarn Wildfolge schriftlich vereinbart ist, dann ist das Stück Wild unverzüglich von seinen Schmerzen zu erlösen, insbesondere dann, wenn dies noch aus dem eigenen Jagdrevier mit einem sicheren Schuss möglich ist. Dies gilt auch, wenn ein Landesgesetz eine entsprechende Regelung erlaubt und vorschreibt, selbst wenn die Reviernachbarn eine schriftliche Wildfolge-Vereinbarung nicht abgeschlossen haben.

168 Wie ist zu verfahren, wenn ein krankgeschossenes Stück Schalenwild über die Reviergrenze wechselt, ohne in Sichtweite zu verenden oder sich niederzutun?

Wenn keine entsprechende Wildfolge vereinbart worden ist, hat der Schütze zunächst lediglich den Anschuss und die Stelle des Überwechselns zu verbrechen; danach hat er ohne schuldhaftes Zögern den Reviernachbarn zu benachrichtigen und sich selbst oder einen Vertreter für die Nachsuche zu Verfügung zu stellen (diese Regelung gilt in fast allen Bundesländern).

169 Wem gehören Kopfschmuck (Trophäen) und Wildbret vom Schalenwild, das erst im Nachbarrevier zur Strecke kommt?

Sofern eine schriftliche Wildfolge-Vereinbarung vorliegt, steht diese Regelung im Belieben der Vertragsparteien – die gesetzliche Vorgabe z.B. in Bayern hat erzieherischen Charakter in Richtung disziplinierten Jagens in der Nähe der Reviergrenzen, weil nämlich (ohne schriftliche Wildfolge-Regelung) angeordnet wird, dass das Wildbret und die Erinnerungsstücke (Kopfschmuck und Grandeln des Schalenwildes, Waffen des Schwarzwildes) dem Revierinhaber, in dessen Jagdrevier das Wild zur Strecke kommt, gehören, aber das erlegte Wild auf den Abschussplan desjenigen Reviers anzurechnen ist, in dem es angeschossen wurde (Art. 37 Abs. 4 BayJG).

170 Wie verhält es sich mit der „Wildfolge" in befriedeten Gebieten?

Die Frage, ob und inwieweit nach dem BJagdG das Jagdausübungsrecht des Revierinhabers sich auch auf befriedete Bezirke (s.o. Frage 42) erstreckt, ist rechtlich sehr umstritten. Die jeweiligen Landesgesetze können hierzu gesonderte Festlegungen treffen. Eine sinnvolle Regelung ergibt die bayerische Vorschrift, wonach die Verfolgung kranken oder krankgeschossenen Wildes zulässig ist auch in befriedeten Bezirken, aber nur nicht in Gebäuden, Hofräumen und Hausgärten, wobei dort dem Revierinhaber aber dennoch auch das Aneignungsrecht zusteht und der Grundstückseigentümer zur Herausgabe dort verendeten Wildes verpflichtet ist.

§ 23 BJagdG Inhalt des Jagdschutzes

171 Was versteht der Gesetzgeber unter Jagdschutz?

Insbesondere ist darunter der Schutz des Wildes vor Wilderern, Futternot, Wildseuchen und vor wildernden Hunden oder Katzen sowie die Sorge für die Erhaltung der zum Schutz der Jagd und des Wildes erlassenen Vorschriften zu verstehen. Die nähere Bestimmung des Jagdschutzes sowie die zu dessen Durchführung notwendigen Maßnahmen sind Ländersache.

172 Gibt es für den Jagdausübungsberechtigten eine gesetzliche Pflicht zur Fütterung des Wildes in Notzeiten?

Ja, dies ergibt sich aus § 1 Abs. 2 BJagdG als konkrete Maßnahme zur Hege, und außerdem entspricht dies der Jagdethik (Weidgerechtigkeit). Trotz gelegentlicher behördlicher Versuche, die Fütterung insbesondere von Schalenwild zu Winterszeiten einzuschränken oder gar zu verbieten, ist an dieser gesetzlichen Pflicht festzuhalten.

173 Welche Möglichkeit steht der Jagdbehörde zur Verfügung, wenn der Jagdausübungsberechtigte trotz entsprechender behördlicher Aufforderung seine Verpflichtung zur ausreichenden Wildfütterung in der Notzeit nicht nachkommt?

Die Jagdbehörde könnte die Fütterung auf Kosten des Jagdausübungsberechtigten vornehmen lassen.

174 Wann ist vom Vorliegen einer „Notzeit" für das Wild auszugehen?

In den Jagdgesetzen gibt es eine konkrete Festlegung nicht. Eine „Notzeit" für eine bestimmte Wildart liegt vor, wenn der betreffende Lebensraum mit den natürlichen Ressourcen eine Nahrungsgrundlage nicht oder nicht ausreichend zur Verfügung stellt; dies ist im Winter möglich wie auch in Zeiten nach Naturkatastrophen (großflächige Waldbrände) mit Zerstörung der Nahrungsgrundlagen. „Eigentlich" kann der Revierinhaber mit seiner genauen Ortskenntnis am besten feststellen, ob eine Notzeit vorliegt oder nicht – allerdings greifen die Unteren Jagdbehörden gelegentlich zur Verhinderung einer „missbräuchlichen Wildfütterung" in diese Entscheidungshoheit des Revierinhabers ein und setzen durch eine Allgemeinverfügung fest, ob und in welchen Gebieten ihrer Zuständigkeit eine Notzeit vorliegt oder nicht.

175 Was ist unter einer „missbräuchlichen Wildfütterung" zu verstehen?

Die Wildfütterung als Hegemaßnahme soll und darf nur zur Überbrückung der Notzeit des Wildes erfolgen und darf nicht die Verwirklichung des Hegeziels gefährden oder verhindern; soweit die Fütterung nicht der Erhaltung eines den landschaftlichen und landeskulturellen Verhältnissen angepassten artenreichen und gesunden Wildbestandes dient, sondern vielmehr Beeinträchtigungen einer ordnungsgemäßen land-, forst- und fischereiwirtschaftlichen Nutzung und insbesondere Wildschäden zu befürchten sind (§ 1 Abs. 2 BJagdG), so ist die Fütterung „missbräuchlich", und der Jagdausübungsberechtigte kann behördlich gemaßregelt werden.

§ 24 BJagdG Wildseuchen

176 Was hat der Jagdausübungsberechtigte bei Verdacht des Ausbruchs einer Wildseuche zu tun?

Das richtige Verhalten ist abhängig von der zu vermutenden Wildseuche. Bei den weniger infektiösen und nicht auf Haustiere übergreifenden Seuchen ist eine unverzügliche Meldung an die Untere Jagd- bzw. Veterinärbehörde geboten. Bei hochinfektiösen Seuchen, mit Übertragungsmöglichkeiten auf Haus- und Nutztiere mit dadurch möglichen erheblichen wirtschaftlichen Schäden (z.B. afrikanische Schweinepest, ASP), ist mit der Meldung an die zuständige Behörde größte Eile geboten, und der Revierinhaber sollte dann weitergehend aktiv bei weiteren Maßnahmen mithelfen.

177 Welche Maßnahmen zur Gefahrenabwehr beim Auftreten einer Wildseuche werden die zuständigen Behörden in der Regel anordnen?

Je nach Art der zu vermutenden Wildseuche wird der Revierinhaber aufgefordert, zwecks Feststellung der vorliegenden Seuche ein entsprechendes Stück Wild zur amtlichen Untersuchung vorzulegen. Bei hochinfektiösen (Wild-)Seuchen wird der Revierinhaber angehalten, verendete Wildkörper im Revier zu belassen und die Abholung durch behördliche Mitarbeiter bestmöglich vorzubereiten.

178 Was muss mit einem seuchenverdächtigen Wildkörper geschehen, wenn der dann nicht zu Untersuchungszwecken der Jagdbehörde vorzulegen ist?

Die Wildkörper müssen „unschädlich beseitigt" werden, sodass eine weitere Verbreitung des Krankheitserregers ausgeschlossen ist. Die frühere auch zulässige Beseitigung durch den Jagdausübungsberechtigten durch Vergraben in einem mind. 0,5 m tiefen Erdloch (nicht in Wasserschutzgebieten oder in der Nähe öffentlicher Wege und Plätze) ist nicht mehr zeitgemäß und bei hochinfektiösen Seuchen absolut verboten.

179 Wie geschieht die „unschädliche Beseitigung" unter bestmöglicher Beachtung tierhygienischer und tierseuchenrechtlicher Vorgaben?

Die Jägerschaft hat im Zusammenwirken mit den Unteren Jagdbehörden vielfach an geeigneten Stellen der Reviere sog. Konfiskatsammelstellen eingerichtet. In versperrbaren Behältnissen können Revierinhaber und deren Beauftragte „verdächtige Tierkörper" einlegen, wenn nicht ein höheres Gefährdungspotenzial vorliegt. Die bessere Lösung ist die Abgabe an eine staatliche Tierkörperbeseitigungsanstalt mit dem Hinweis auf eine etwaig vorhandene Krankheit des Stückes. Und die von staatlichen Beauftragten abzuholenden hochinfektiösen Wildkörper werden ohnehin so entsorgt, dass eine weitere Verbreitung der Krankheitskeime (üblicherweise: Viren) unterbunden wird.

180 Welche Pflichten obliegen dem Jagdausübungsberechtigten bei hochinfektiösen seuchenartigen Tierkrankheiten?

Die früher verbreitete und derzeit nahezu ausgerottete Tollwut verlangte, dass er dem tollwutverdächtigen Wild sofort nachstellte und es unverzüglich zu erlegen versuchte, um es der Behörde vorzulegen (§ 7 TollwutVO). Die anlässlich der ASP nun neu geschaffenen gesetzlichen Vorgaben gehen noch wesentlich weiter.

181 Wie ist das Verhältnis zwischen den jagdrechtlichen Vorgaben (z.B. Schonzeiten, befriedete Bezirke) zu gesetzlichen Vorschriften oder Vorgaben der Behörden im Zusammenhang mit der Seuchenbekämpfung?

Im Zusammenhang mit dem Auftreten von Wildseuchen können die Behörden Tätigkeiten entfalten und Maßnahmen zur Gefahrenabwehr anordnen, die auf Grundlage der Jagdgesetze ergehen. Die Jagdbehörde kann aber auch (im Zusammenwirken

10.3: Das Schwarzwild ist zwar ein Überträger der Afrikanischen Schweinepest, doch ist das Risiko eines Ausbruchs in Mitteleuropa mit hoher Wahrscheinlichkeit nicht durch Wildschweine, sondern durch den Menschen bedingt.

mit der Veterinärbehörde) aufgrund „seuchenrechtlicher Vorschriften" tätig werden und Maßnahmen anordnen ohne Rücksicht auf jagdliche Ge- oder Verbote (Tiergesundheitsgesetz; TierGesG).

182 Welches Gesetz ist nun maßgeblich bei der Wildseuchenbekämpfung?

Das TierGesG wendet sich in erster Linie an Tierhalter von Haus- und Nutztieren und die dabei auftretenden Tierseuchen. Einbezogen in dieses Gesetz sind aber auch wildlebende Tiere und damit auch alle Personen, die in jagdlicher Hinsicht damit zu tun haben.

183 Wie sind nun die Jäger, insbesondere Revierinhaber, betroffen im Falle eines Verdachts oder einer tatsächlich bestätigten Wildseuche?

Es gibt nach wie vor die Anzeigepflicht wie auch weitergehende Auskunfts- und Mitwirkungspflichten bei behördlich angeordneten Maßnahmen zur Aufklärung bei Anzeichen von Wildseuchen. Die Behörde kann eine verstärkte Bejagung oder unabhängig von Jagd- und Schonzeiten den Abschuss allen seuchenverdächtigen Wildes anordnen aber auch ein generelles Jagdverbot verhängen oder die Jagdausübung beschränken. Der Revierinhaber kann wegen seiner Ortskenntnis in seinem Revier verpflichtet werden zur Teilnahme an der Suche nach verendeten Wildtieren oder nach infizierten und seuchenkranken Tieren. Der Revierinhaber muss notfalls auch eigenständiges behördliches Handeln in abgegrenzten gefährdeten Bezirken hinnehmen wie auch behördlich angeordnete komplette Bewirtschaftungs- und Jagdverbote.

184 Gibt es eine Kompensation für behördliche Eingriffe in das Jagdrecht zum Zwecke der Abwehr von Wildseuchen?

Ebenso wie die durch das TierGesG in Anspruch genommene Grundeigentümer (Land- oder Forstwirte, gegenüber denen ein Betretungsverbot ihrer Grundstücke angeordnet werden kann) dafür eine angemessene Entschädigung beanspruchen können, ist auch geregelt, dass der Jagdausübungsberechtigte, dem aufgrund entsprechend angeordneter Maßnahmen ein erhöhter Aufwand entsteht oder dessen Jagdausübung verboten oder beschränkt wird, einen angemessenen Ersatz nach dem jeweiligen landesrechtlichen Vorschriften verlangen kann.

§ 25 BJagdG Jagdschutzberechtigte

185 Welches sind neben den Maßnahmen zum Schutz des Wildes vor Futternot und Wildseuchen weitere wichtige Inhalte des Jagdschutzes?

Unter dem Begriff „Jagdschutz" fällt insbesondere der Schutz des Wildes vor Wilderern und wildernden Hunde und Katzen (§ 23 BJagdG). Die einzelnen Bundesländer haben in ihren Landesjagdgesetzen zu den einzelnen Voraussetzungen bei wildernden Hunden und insbesondere bei wildernden Katzen ergänzende und zum Teil gegenläufige Vorschriften erlassen, so dass in den einzelnen Bundesländern unterschiedliche Befugnisse gelten bis hin, dass wildernde Katzen überhaupt nicht mehr dem Jagdschutz unterstellt sind.

186 Dürfen alle Jäger in gleicher Weise den Jagdschutz ausüben?

Nein – die Jagdgesetze unterscheiden bestimmte Personengruppen und geben ihnen unterschiedlich intensive Befugnisse. Auch hier gibt die Kombination von Bundesrecht und Landesjagdgesetz gewisse Unterschiede – die „wenigsten Befugnisse" hat ein vom Revierinhaber gesondert mit dem Jagdschutz beauftragter Jagdgast; der Revierinhaber selbst ist in seinem Jagdrevier Jagdschutzberechtigter ebenso wie ein von der Jagdbehörde bestätigter Jagdaufseher, der wenn er forstlich ausgebildet oder Berufsjäger ist, noch die weitergehenden Befugnisse hat ebenso wie die im Vollzugsdienst tätigen Dienstkräfte der Polizei.

187 Wie wird ein Jäger (bestätigter) Jagdaufseher?

Der Revierinhaber kann durch einen (privatrechtlichen) Vertrag mit einem Jagdscheininhaber diesen zum Jagdaufseher ernennen. Dieser „einfache Jagdaufseher" hat dann für die Dauer dieses Vertrages die nur eingeschränkten Aufgaben im Rahmen des Jagdschutzes wie ein einmalig beauftragter Jagdgast.
Sofern der Jagdaufseher der zuständigen unteren Jagdbehörde zwecks Bestätigung gemeldet wird und diese nach pflichtgemäßer Prüfung diesen bestätigt, so hat er gleiche Befugnisse wie der Revierinhaber selbst. Und sofern der bestätigte Jagdaufseher zugleich Berufsjäger oder forstlich ausgebildet ist, hat er die Befugnisse im Rahmen des Jagdschutzes als Hilfsbeamter der Staatsanwaltschaft (§ 25 Abs. 2 BJagdG).

188 Gilt die Befugnis zum Jagdschutz „grenzenlos"?

Nein – mit Ausnahme der Befugnisse der Polizeibeamten bezieht sich die Berechtigung zum Jagdschutz stets auf das konkrete Jagdrevier des Revierinhabers, der den Jagdaufseher ursprünglich angestellt hat. Und stets hat die Befugnis ihre Grenzen durch die konkreten landesgesetzlichen Vorschriften, die, wie gesagt, in Deutschland zwischenzeitlich sehr unterschiedlich sein können.

189 Wie ist ein Jagdschutzberechtigter (Jagdaufseher) bei der Ausübung des Jagdschutzes erkennbar?

Je nach den Bestimmungen der Länder tragen die Jagdaufseher ein entsprechendes Jagdschutzabzeichen oder führen einen Berechtigungsausweis mit sich. Allerdings sind diese Kennzeichnungen nicht Wirksamkeitsvoraussetzung für die Ausübung des Jagdschutzes, sondern lediglich eine Ordnungsvorschrift.

190 Gegen welche Personen richten sich nun die jagdrechtlichen Befugnisse der Jagdaufseher?

Gegenüber Personen, die unberechtigt in einem Jagdbezirk jagen (also wenigstens den „objektiven Tatbestand" der Jagdwilderei – § 292 StGB – begehen) oder die außerhalb der zum allgemeinen Gebrauch bestimmten Wege zur Jagd ausgerüstet angetroffen werden (siehe etwa § 32 Abs. 1 Nr. 1 HessJagdG oder Art. 42 BayJG).

191 Welche Maßnahmen stehen dem Jagdschutzberechtigten gegenüber vorgenannten Personen zu?

In den meisten Bundesländern hat der Jagdschutzberechtigte die Befugnis zum Anhalten der betroffenen Person zunächst zum Zweck der Personenfeststellung; ferner darf er der betroffenen Person mitgeführte Waffen und Wild, sonstige Jagd- und Fanggeräte wegnehmen. Erweiterte Befugnisse erlauben z.B. auch die Durchsuchung von Wohnungen, was aber wegen Art. 13 des Grundgesetzes (Unverletzlichkeit der Wohnung) grundsätzlich außer bei Verfolgung auf frischer Tat – nur mit richterlichem Durchsuchungsbeschluss – erlaubt ist.

192 Gibt es auch außerhalb der Jagdgesetze und spezieller Polizeivorschriften weitergehende Rechtsvorschriften, nach denen alle Jagdschutzberechtigten handeln könnten?

Es gibt den sog. „Jedermann-Paragraf", nämlich § 127 Abs. 1 StPO, wonach jedermann befugt ist, einen Täter einer Straftat (Vergehen oder Verbrechen) auf frischer Tat, wenn er fluchtverdächtig ist oder seine Identität nicht sofort festgestellt werden kann, diesen auch ohne richterliche Anordnung vorläufig festzunehmen. Weil die Wilderei ein Vergehen ist, ist diese Befugnis auch einschlägig.

193 Was beinhaltet die Befugnis zum Anhalten?

Die „Befugnis zum Anhalten" umfasst das Recht, den Betroffenen „zu stellen" oder „festzuhalten", wobei dies auch gegen den Willen des Betroffenen mittels körperlicher Gewalt erlaubt ist.

194 Zu welchem Zweck ist das „Anhalten" erlaubt?

Dies dient nach jagdgesetzlicher Vorschrift zur Feststellung der Person und – ergänzend – zwecks Abnahme von Waffen oder erlegten Wildes. Deshalb ist es unzulässig, wenn ein Jagdschutzberechtigter eine ihm bekannte Person zur Feststellung der Person anhalten will.

195 Was ist der Unterschied zwischen „Anhalten" und der „vorläufigen Festnahme"?

Die „vorläufigen Festnahme" (siehe 192) hat zur Voraussetzung die Straftat (Vergehen oder Verbrechen), und „jedermann" (also auch der Jagdschutzberechtigte) kann diese Person solange festhalten, bis die Polizei kommt und den „Täter" übernimmt.

Das „Anhalten" ist eine jagdgesetzliche Befugnis des Jagdschutzberechtigten, wobei die Maßnahme nur zwecks Feststellung der Person ausgeübt werden darf, während allerdings schon eine Ordnungswidrigkeit (z.B. vorschriftswidriges Benutzen des Jägernotweges) ausreichend ist zur Durchführung dieser Maßnahme.

196 Welche Grundsätze gelten bei der Anwendung des „unmittelbaren Zwangs"?

Das Verhältnismäßigkeitsprinzip und das Übermaßverbot (Anwendung des gelindesten Mittels – beispielsweise ist die Anwendung körperlicher Gewalt gegen einen Wilderer durch einen abgerichteten Hund oder die Abgabe eines Warnschusses das gelindere Mittel im Verhältnis zum unmittelbaren Schusswaffengebrauch).
Der Schusswaffengebrauch zu diesem Zweck ist grundsätzlich nur durch Polizeibeamte und den bestätigten Jagdaufseher zulässig. Die Gewaltanwendung soll grundsätzlich zuvor angedroht werden.

197 Wann darf der Jagdausübungsberechtigte außer im Falle der Jagdausübung von der Schusswaffe Gebrauch machen?

Nur und ausschließlich im Falle der Notwehr.

198 Was versteht man unter Notwehr?

Notwehr ist diejenige Verteidigung, die erforderlich ist, um einen gegenwärtigen, rechtswidrigen Angriff von sich oder einem anderen abzuwenden (§ 32 StGB).

199 Welche Rechtsgüter sind durch Notwehr zu schützen?

Der Angriff muss nicht unbedingt gegen Leib oder Leben einer Person gerichtet sein – wehrfähig ist jedes geschützte Rechtsgut, also auch das jagdliche Aneignungsrecht und das Recht auf die Ausübung des Jagdschutzes.

200 Welches sind die zeitlichen Grenzen der Notwehrlage im Hinblick auf den „rechtwidrigen Angriff"?

Der Angriff muss „gegenwärtig" sein, also gerade erfolgen oder unmittelbar bevorstehen.

201 Darf auch ohne Notwehrsituation zum Anhalten eines Wilderers ein Schuss abgegeben werden?

Ein nicht gefährdender Warnschuss ist möglich, um einen Wilderer von einer (weiteren) Flucht abzuhalten, damit seine Person festgestellt werden kann.

202 Ist das Überschreiten der Notwehr strafbar?

Die Straffreiheit einer Abwehrhandlung ist nur dann gegeben, wenn die Verteidigung das „erforderliche Maß" nicht überschritten hatte. Wenn aber der Jagdschutzberechtigte die Grenzen der Notwehr aus Verwirrung, Furcht oder Schrecken überschreitet (Notwehrexzess; § 33 StGB), dann bleibt er straflos. Von Strafe kann abgesehen werden, wenn jemand die Voraussetzungen der Notwehr unverschuldet irrtümlich für gegeben hält (Putativ-Notwehr), und nur geringer würde der bestraft, der irrtümlich eine Notwehrlage annimmt und dabei die Grenzen der erforderlichen Verteidigung überschreitet (Putativ-Notwehrexzess).

203 Gibt es auch Notwehr zur Verteidigung einer anderen Person?

Ja – dies wird dann „Nothilfe" genannt, und es gelten die gleichen Regeln.

204 Unter welchen Umständen darf der Jäger wildernde Hunde töten?

Die richtige Beantwortung hängt ab von der im jeweiligen Bundesland herrschenden landesgesetzlichen Regelung. Ausgangspunkt war und ist die erkennbare Gefahr durch den Hund für das Wild. Unter Hintanstellung des Schutzes der Wildtiere werden die Voraussetzungen für das rechtmäßige Töten wildernder Hunde immer enger gezogen dadurch, dass es im Gegensatz zu früher nicht mehr ausreicht, dass ein für das Wild abstrakt gefährlicher Hund im Revier frei suchend umherstreift und sich dabei nach erkennbaren Umständen nicht nur vorübergehend der Einwirkung seines Herrn entzogen hatte. Nach heutiger in den Bundesländern verbreiteter Rechtslage gelten Hunde als wildernd, die im Jagdrevier erkennbar dem Wild nachstellen und dieses gefährden können. Diese Definition setzt nicht voraus, dass ein Hund bereits ein konkretes Stück Wild hetzt, anfällt oder reißt – es genügt aber auch nicht mehr, dass der Hund sich lediglich (vorübergehend oder auf Dauer) außerhalb der Einwirkung seines Herrn befindet.

205 Darf jeder streunende oder wildernde Hund geschossen werden?

Nein! Wertvolle Hunde wie Hirten-, Jagd-, Blinden-, Polizei- und Meldehunde sind, soweit sie als solche kenntlich sind, zu schonen, sofern sie vom Hundeführer zur Ausübung ihres Dienstes verwendet werden oder sich im Rahmen dieses Dienstes vorübergehend seiner Einwirkung entzogen haben („Überjagende Hunde“ siehe Nr. 214).

206 Dürfen wildernde Hunde auch außerhalb des eigenen Jagdbezirks vom Jagdschutzberechtigten getötet werden?

Nein, die Tötungsbefugnis endet an der Grenze des Jagdbezirks; auch in befriedeten Bezirken gilt das Tötungsrecht nicht, weil hier Hunde frei laufen dürfen und die Jagd ruht, also auch der Jagdschutz nicht ausgeübt werden darf.

207 Wann darf der Jagdschutzberechtigte eine streunende/wildernde Katze töten?

Die „klassische Rechtslage“ lautete: Wenn die Katze in einer bestimmten Entfernung (200, 300 oder 500 m, je nach Landesrecht) vom nächsten bewohnten Gebäude im Jagdbezirk sich aufhält. Die jüngsten Gesetzesänderungen einiger Landesgesetze haben die Katzen zum Teil generell aus dem Bereich des Jagdschutzes herausgenommen, trotz der nach wie vor gesicherten Erkenntnis der Gefährlichkeit streunender Katzen zum Nachteil des (juvenilen) Niederwilds wie auch sonstiger Tierarten.

208 Dürfte eine Katze im Rahmen zulässigen Jagdschutzes getötet werden, die außerhalb der „gesetzlichen Sperrzone“ sich unter Aufsicht einer Person befindet?

Schon immer galt die gesetzliche Vermutung des Wilderns bei einer sich im Jagdrevier befindliche Katze dann nicht, wenn diese sich in Begleitung und im Einwirkungsbereich eines Menschen befindet.

209 Dürfen Hunde und Katzen, die sich in Fallen gefangen haben, getötet werden?

Die Frage ist für die meisten Bundesländer zu bejahen. In Baden-Württemberg und Bayern sind sie wie eine Fundsache zu behandeln; dasselbe gilt für gefangen genommene Hunde in Rheinland-Pfalz.

210 Wie geschieht die „Beseitigung" eines im Rahmen rechtmäßigen Jagdschutzes getöteten Hundes oder einer Katze?

Grundsätzlich kann der Jäger vom Eigentümer des getöteten Tieres die Abholung des toten Tierkörpers verlangen, so dass die ordnungsgemäße Beseitigung dann dessen Obliegenheit ist. Sofern der Jäger die Beseitigung selbst erledigt, gelten die Erwägungen zu Ziff. 179.

211 Kann der Halter eines wildernden Hundes oder einer streunenden Katze wegen Verletzung seiner Aufsichtspflicht zur Verantwortung gezogen werden?

In den meisten Ländern stellt das unbeaufsichtigte Herumlaufenlassen von Hunden und Katzen in einem Jagdbezirk eine Ordnungswidrigkeit dar; in Baden-Württemberg, im Saarland, in Bayern, in Rheinland-Pfalz und in Schleswig-Holstein betrifft dies jedoch nur Hunde. Zivilrechtliche Ansprüche (etwa die Geltendmachung von Unterlassungsansprüchen) richten sich gegen den Hundehalter.

212 Richtet sich die Bußgeldandrohung auch gegen denjenigen, der im eigenen Jagdbezirk seine Hunde frei herumlaufen lässt?

Natürlich nicht! Ein Bußgeldbescheid kann nur gegen denjenigen verhängt werden, der Hunde im fremden Jagdbezirk umherlaufen lässt.

213 Ist im Zusammenhang mit einem „wildernden Hund" eine Strafbarkeit gem. § 292 StGB (Jagdwilderei) denkbar?

Die Strafgesetze des StGB richten sich nur an Menschen, so dass diese Frage „unsinnig" erscheint – wenn aber ein Hundebesitzer in einem fremden Jagdrevier seinen Hund in der Absicht laufen lässt, dass dieser Wild „erlegt" und der Hundehalter sich dieses nutzbar macht, dann liegt eine vorsätzliche Jagdwilderei (mittels des Hundes) seitens des Hundehalters vor, die zu bestrafen ist.

214 Was kennzeichnet einen „überjagenden Hund"?

Bei Drückjagden mit freilaufenden Hunden kommt es vor, dass trotz entsprechend einzuhaltenden Sicherheitsabstands zur Reviergrenze (mindestens 200 m) die Hunde Wild über die Reviergrenze zum Nachbarn verfolgen. Dabei verletzen sie (ungewollt) fremdes Jagdrecht, was grundsätzlich nicht hingenommen werden muss. Die Ausübung des Jagdschutzes durch den in seinem Jagdrecht verletzten Revierinhaber ist aber übermäßig und nicht gerechtfertigt, wenn dieses Geschehnis unbeabsichtigt und insbesondere trotz einer vernünftigen Planung und Durchführung der Drückjagd geschehen ist. Unberührt bleiben zivilrechtliche Unterlassungsansprüche. In einigen Bundesländern (z.B. Niedersachsen) ist zwischenzeitlich eine gesetzliche Duldungspflicht überjagender Hunde eingeführt worden, wenn bestimmte Vorgaben (rechtzeitige Information; begrenzte Anzahl von Drückjagden) eingehalten werden. Die rechtlichen wie tatsächlichen Gegebenheiten sind nach wie vor hoch umstritten.

215 Ist der Halter eines Hundes (oder Katze), der Wild verletzt oder getötet hat, zum Schadensersatz verpflichtet?

Grundsätzlich ja (§ 823 Abs. 2 BGB i.V. mit der jeweiligen bußgeldbewehrten landesrechtlichen Vorschrift, wonach das aufsichtslose Umherlaufenlassen von Hunden und Katzen verboten ist).

Wild- und Jagdschaden, Wildschadensverhütung und -ersatz

216 Was versteht das Jagdrecht unter dem Begriff „Wildschaden"?

Wildschaden ist der durch Wild (im Sinne der Jagdgesetze) an fremden Grundstücken, deren Bestandteilen und deren Bewuchs angerichtete Schaden.

217 Was versteht das Jagdrecht unter dem Begriff „Jagdschaden"?

Jagdschaden ist der durch die missbräuchliche (exzessive) Jagdausübung des Berechtigten, seiner Jagdaufseher oder seiner Jagdgäste verursachte Schaden an den zum Jagdbezirk gehörenden Grundstücken, deren Bestandteile und Bewuchs.

218 Gibt es gesetzliche Vorgaben zur Verhütung von Wildschäden?

Zur Vermeidung von Wildschäden gibt § 26 BJagdG den Jagdausübungsberechtigten, den Eigentümern oder Nutzungsberechtigten der Grundstücke die Befugnis, das Wild von den Grundstücken abzuhalten oder zu verscheuchen etwa durch Anbringung von Lärm erzeugenden Geräten, Verlappen, Verwittern der Wildwechsel oder Waldränder, (vorrübergehende) Einzäunung der gefährdeten Flächen.

219 Sind bei der Wildschadensverhütung „alle Mittel" erlaubt?

Die Schutzmaßnahmen dürfen das Leben oder die Gesundheit des Wildes nicht verletzen oder gefährden.

220 Gibt es behördliche Befugnisse zur Vermeidung übermäßigen Wildschadens?

§ 27 BJagdG gibt der Jagdbehörde die Möglichkeit zur Anordnung, dass der Jagdausübungsberechtigte in bestimmtem Umfang und in bestimmter Frist den Wildbestand zu verringern hat, um den übermäßigen Wildschaden zu vermeiden.

221 Wie sind die weiteren Voraussetzungen einer solchen Abschussverfügung und gibt es dazu wiederrum Einschränkungen durch Schonzeitregelungen o.ä.?

Für eine derart drastische Maßnahme der Behörde müssen extreme Wildschäden oder unwiderlegbare Gründe des Naturschutzes oder der Landschaftspflege vorliegen, und dann können – ähnlich wie bei der Wildseuchenbekämpfung – auch Schonzeitbestimmungen ausgesetzt werden.

222 Wie kann die Behörde ihrer Abschussverfügung Nachdruck verleihen?

Sofern der verantwortliche Jagdausübungsberechtigte die Anordnung der Behörde fristgerecht nicht befolgt, kann die Behörde für Rechnung des Jagdausübungsberechtigten – vornehmlich durch Berufsjäger – zwangsweise den Wildbestand verringern lassen (§ 27 Abs. 2 BJagdG).

223 Gibt es weitere gesetzliche Vorgaben, die in erster Linie auch der Vermeidung übermäßigen Wildschadens dienen?

§ 28 BJagdG mit der Überschrift „Sonstige Beschränkungen in der Hege“ verbietet das planvolle Hegen von Schwarzwild, wenn dieses nicht in Gattern geschieht, die ein Ausbrechen des Schwarzwildes unmöglich machen.

224 Wie ist der Begriff „Hege“ in vorstehendem Zusammenhang richtig zu verstehen?

Schwarzwild hat sich in den letzten Jahrzehnten überdurchschnittlich vermehrt und ist in den Jagdrevieren fast aller Bundesländer vorhanden. Die besondere gesetzliche Anordnung in § 28 Abs. 1 BJagdG soll das planvolle Heranzüchten eines bisher nicht existierenden Schwarzwildbestandes außerhalb ausbruchsicherer Einfriedungen verbieten wie auch die übermäßige Vermehrung eines bereits bestehenden Schwarzwildbestandes.

225 Welche Tierarten sind dem Begriff „fremde Tiere“ im Sinne von § 28 Abs. 3 BjagdG zuzurechnen?

Unter den Wildarten gelten diejenigen als fremd, die bei Inkrafttreten des Bundesjagdgesetzes am 1. April 1953 im damaligen Bundesgebiet nicht heimisch waren (hierzu gehören u.a. außereuropäische Hirsche, Polarfüchse, amerikanische Virginia-Wachteln und Marderhunde).

226 Welche Jagdbehörde wäre zuständig, sofern über das Ansiedeln oder Aussetzen fremder Tiere zu befinden wäre?

Die oberste Jagdbehörde des jeweiligen Bundeslandes oder die von ihr bestimmte Stelle würde eine Entscheidung in derartigen Fällen treffen müssen.

227 Welche Regelungsziele verfolgt § 28a BJagdG mit dem Begriff „invasive Arten"?

Grundsätzlich sind damit eigentlich die in § 28 BJagdG genannten „fremden Tiere" gemeint. Der deutsche Gesetzgeber musste eine Verordnung der EU (Nr. 1143/2014, in Kraft getreten am 01.01.2015) in nationales Recht umsetzen.
Durch Zusammenwirken gesetzlicher Vorschriften aus dem BNatSchG und dem BJagdG soll erreicht werden, die nachteiligen Auswirkungen invasiver gebietsfremder Arten auf die heimische biologische Vielfalt und die mit ihr verbundenen Ökosystem-Dienstleistungen zu verhindern, zu minimieren und abzuschwächen.

228 Wie ist der Revierinhaber durch die invasiven Arten in seiner Jagdausübung betroffen?

Durch Regelungen des BNatSchG, die über § 28a BJagdG auch in das Jagdrecht hineinwirken, ist der Jagdausübungsberechtigte veranlasst, die Durchführung von Management- oder Beseitigungsmaßnahmen nach Aufforderungen durch die zuständige (Jagd-)Behörde durchzuführen, soweit diese sich gegen invasive Arten richtende Maßnahmen im Rahmen der Jagdausübung mit zulässigen jagdlichen Methoden und Mitteln möglich und zumutbar und wirksam sind. Sofern der Jagdausübungsberechtigte Managementmaßnahmen nicht ausführen will oder die ihm von der Behörde übertragenen Maßnahmen nicht ordnungsgemäß ausführt, werden die von der zuständigen Behörde für notwendig angesehenen Maßnahmen durch andere Personen ausgeführt.

229 Was ist konkret unter „Managementaufgaben" zu verstehen?

Es gibt eine von der Europäischen Kommission erstellte Liste invasiver gebietsfremder Arten von unionsweiter Bedeutung mit Tier- und Pflanzenarten, deren Auftreten und Verbreitung in der EU-Region zurückgedrängt oder ganz verhindert werden soll. Für den Jäger sind (derzeit) 26 invasive Tierarten (Neozoen) betroffen, darunter Marderhund, Waschbär, Biberratte-Nutria, Bisam und die ägyptische Nilgans. Diese Arten sind dann mit jagdlichen Methoden kurzzuhalten oder eventuell auch aus der Natur gänzlich zu entnehmen.

230 Sind jagdethische Bedenken eines Revierinhabers zu berücksichtigen bei gesetzeskonformen, behördlich vorgegebenen Beseitigungsmaßnahmen gem. § 28a BJagdG?

Die Beteiligung an solchen Maßnahmen in seinem Revier ist und bleibt für den Jagdausübungsberechtigten freiwillig – er kann behördlich nicht gezwungen werden. Er muss eventuell dulden, dass in seinem Revier auf behördliche Anordnung andere Personen entsprechend, auch mit jagdlichen Methoden, gegen invasive Arten vorgehen müssen. Jagdethik, auch in Form allgemeinen Tierschutzes, soll gleichwohl gewahrt bleiben, denn in § 28a Abs. 3 ist nach den Vorgaben des EU-Rechts ausdrücklich klargestellt, dass der jagdrechtliche Elterntierschutz gem. § 22 Abs. 4 S. 1 u. 2 BJagdG unangetastet bleiben muss.

§ 29 BJagdG Wildschadensersatz

231 Welche grundsätzliche Bestimmung des Jagdrechts dient auch der Wildschadensverhütung?

In § 1 BJagdG war der „Inhalt des Jagdrechts" definiert (s.o. Ziff. 2, 5 u.7), und in Abs. 2 dieser Vorschrift wird festgelegt, dass die zum Jagdrecht zuzurechnende Hege so durchgeführt werden muss, dass „insbesondere Wildschäden möglichst vermieden werden".

232 Ist Wildschaden jeder Wildart zu ersetzen?

Nein, eine Schadensersatzpflicht gem. BJagdG besteht grundsätzlich nur für Schäden, die durch Schalenwild, Wildkaninchen und Fasanen angerichtet werden. Die Bundesländer können die Liste der Wildarten jedoch erweitern.

233 Wer hat den Wildschaden in gemeinschaftlichen Jagdbezirken zu tragen?

Nach den gesetzlichen Vorgaben haftet grundsätzlich die Jagdgenossenschaft in ihrer Gesamtheit dem einzelnen Jagdgenossen bei einem konkret eingetretenen Schaden; das bedeutet, dass die Entschädigung gekürzt ist um den Anteil, der dem Verhältnis der Flächen des betroffenen Jagdgenossen an der Fläche des gesamten Jagdreviers entspricht. Allerdings ist es durchaus noch üblich, dass ein Jagdpächter den Wildschaden zu ersetzen pachtvertraglich übernimmt, so dass dieser dann ausgleichspflichtig ist.

234 Was geschieht, wenn der zum Wildschadensersatz verpflichtete Jagdpächter wegen Vermögenslosigkeit nicht zahlen kann?

In diesen Fällen bleibt die Jagdgenossenschaft zum Ersatz verpflichtet (§ 29 Abs. 1 S. 4 BJagdG; „subsidiäre Haftung der Jagdgenossenschaft")

235 Wer trägt bei einem Eigenjagdbezirk den Wildschaden?

Wenn der Eigenjagdbesitzer selbst die Jagd in seinem Jagdrevier ausübt, dann ist er „sich selbst gegenüber schadensersatzpflichtig" – der Wildschaden bleibt bei ihm. Wenn die Eigenjagd verpachtet und im Pachtvertrag der Wildschadensersatz durch den Pächter übernommen ist, dann haftet zunächst der Pächter; wenn aber von ihm „nichts zu holen ist", dann bleibt der Wildschaden wiederum beim Eigenjagdbesitzer entsprechend der subsidiären Haftung der Jagdgenossenschaft.

236 Wie ist der Wildschadensersatz geregelt für Grundstücke, die einem Eigenjagdbezirk angegliedert sind (§ 5 Abs. 1 BJagdG)?

Der Eigenjagdbesitzer haftet, soweit er selbst in dem gesamten Jagdrevier die Jagd ausübt. Der Jagdpächter haftet, wenn er den Wildschadensersatz im Pachtvertrag übernommen hat – ist von ihm „nichts zu holen", dann haftet wiederum der Eigenjagdbesitzer subsidiär.

237 Welcher Schaden ist dem Geschädigten zu ersetzen?

Der Schaden, der durch Äsen, Verbeißen, Lagern, Niedertun, Scharren, Aufwühlen des Bodens, Fegen und Schälen von Bäumen durch Wild sowie durch Wildwechsel entstanden ist.

238 Ist auch der Schaden zu ersetzen, den ein Fuchs oder ein Habicht anrichtet, wenn er Haushühner tötet?

Nein. Hierfür gibt es keine gesetzliche Anspruchsgrundlage.

239 Gilt die Regelung für Wildschadensersatz auch für Schalenwild, das aus einem Gehege entwichen ist?

Wildtiere aus einem Gehege sind nicht herrenlos, daher haftet prinzipiell der Eigentümer oder Nutzungsberechtigte für den Wildschaden, der durch diese Tiere entsteht; die Pflicht zum Schadensersatz endet in zeitlicher Hinsicht, wenn das ausgebrochene Stück Schalenwild dort Einstand genommen hat, wo Wild derselben Art bereits heimisch ist und (ohnehin) das Tier aus dem Gehege nicht mehr zweifelsfrei erkannt werden kann.

§ 31 BJagdG Umfang der Ersatzpflicht

240 Können auch schon abgeerntete, aber noch nicht vom landwirtschaftlich genutzten Grundstück abgefahrene Feldfrüchte zum Schadensersatz führen, wenn Schalenwild daran zu Schaden geht?

Ja, zum ersatzpflichtigen Wildschaden gehören auch die Schäden an zwar bereits vom Grundstück getrennten, aber noch nicht geernteten Erzeugnissen – hierzu gehören beispielsweise ausgemachte Kartoffeln und Rüben (§ 31 Abs. 1 BJagdG).

241 Gibt es Wildschadensersatz auch bei einer auf dem Feld eingerichteten Rüben- oder Kartoffelmiete?

Nein, diese Früchte sind schon geerntet und eingebracht.

242 Auf welchen Zeitpunkt bei der die Berechnung des Wildschadens abzustellen?

Auf den Zeitpunkt der Ernte, soweit die geschädigten Bodenerzeugnisse ihren vollen Wert erst dann erreichen.

243 Woraus ergibt sich für den Geschädigten grundsätzlich eine Pflicht zum Wiederanbau bzw. zur Nachsaat nach eingetretenem Wildschaden?

Aus dem schadensersatzrechtlichen Grundsatz der Schadensminderungspflicht – der Wiederanbau im selben Wirtschaftsjahr muss aber den Schaden mindern können, andernfalls wäre er sinnlos (§ 31 Abs. 2 S. 2 BJagdG).

§ 32 BJagdG Schutzvorrichtungen

244 Welche Rechtswirkung hat es für den Geschädigten, wenn er von dem Jagdausübungsberechtigten vorgesehene oder bereits getroffene Abwehrmaßnahmen vereitelt?

Ein Anspruch auf Ersatz von Wildschaden ist für den Geschädigten dann nicht gegeben.

245 Gibt es Pflanzen, für die der Gesetzgeber eine Schadensersatzpflicht eigentlich nicht gewähren will, selbst wenn die sonstigen Voraussetzungen für den Wildschadensersatz gegeben sind?

Ja – für die sog. Sonderkulturen (Weinberge, Gärten, Obstgärten), Baumschulen, Alleen, einzelstehende Bäume, bestimmte Forstkulturen und Freilandpflanzungen von Garten- oder hochwertigen Handelsgewächsen ist der Wildschadensersatz ausgeschlossen, wenn diese Pflanzungen nicht durch üblich Schutzvorrichtungen vor dem Wild geschützt sind. Die Bundesländer können diese Vorschrift im Einzelnen verändern und insbesondere festlegen, welche Schutzvorrichtungen als „üblich" anzusehen sind.

246 Welcher Zweck steht hinter der vorstehend ersichtlichen gesetzlichen Regelung?

Die in § 32 Abs. 2 BJagdG aufgezählten „Sonderkulturen" und sonstige Pflanzen sind für das Wild besonders „attraktiv", und wegen des dadurch erhöhten Wildschadensrisikos ist der Wildschaden nicht zu ersetzen, wenn die Herstellung von üblichen Schutzvorrichtungen unterblieben ist, die unter gewöhnlichen Umständen zur Abwendung des Schadens ausreichen.

§ 33 BJagdG Jagdschaden

247 Gibt es gesetzliche Einschränkungen zum Betretungsrecht der Flächen im Jagdrevier, auf denen grundsätzlich die Jagd ausgeübt werden darf?

Das Betretungsrecht des Jagdausübungsberechtigten und seiner Jagdgäste und Helfer erfasst grundsätzlich sämtliche bejagbaren Grundflächen des Jagdbezirks.

248 Gibt es dennoch Gründe, die dieses Betretungsrecht einschränken?

Im Gegensatz zu Wildschäden, deren Vermeidung den menschlichen Gestaltungsmöglichkeiten doch immer ein wenig entzogen ist, sind Jagdschäden eher vermeidbar; deswegen sind insbesondere besäte Felder und nicht abgemähte Wiesen bei der Jagdausübung zu „schonen" (§ 33 Abs. 1 S. 1 BJagdG) – d.h. der Jäger soll sie nicht betreten, und dieses Gebot ist eben auch durchsetzbar.

249 Gibt es weitere gesetzliche Ver- oder Gebote zur Vermeidung von Jagdschäden?

Ja – die Ausübung der Treibjagd auf Feldern, die mit reifender Halm- und Samenfrucht oder mit Tabak bestanden sind, ist verboten.

250 Gibt es auch eine gesetzliche Regelung zur Suchjagd?

Ja – zur Vermeidung eines Jagdschadens ist die Suchjagd nur zulässig, wenn diese ohne Schaden für die reifenden Früchte möglich ist.

251 Muss der Jagdausübungsberechtigte für „jeden Schaden" bezahlen, der bei der Jagdausübung entsteht?

Ausgehend von der Definition des Jagdschadens (s.o. Ziff. 217) ist nur der Schaden zu ersetzen, der bei „missbräuchlicher" Ausübung der Jagd entsteht; die „reguläre Jagdausübung" ist „verschuldensfrei", und diese kann nicht zu einem Jagdschaden führen.

252 Muss der Jagdausübungsberechtigte auch haften für Jagdschaden, der verursacht wurde von einem von ihm bestellten Jagdaufseher oder von einem Jagdgast oder von einem sonstigen Jagdhelfer?

Der Revierinhaber haftet ebenfalls für seinen Jagdaufseher und für seinen Jagdgast, während er sich bei anderen Verrichtungsgehilfen eventuell entlasten kann.

253 Gibt es weitere Einschränkungen der Haftung des Jagdausübungsberechtigten bei den „Jagdschäden"?

Ja – der Schaden muss in einem direkten Zusammenhang stehen mit der Jagdausübung; wenn beispielsweise ein Treiber anlässlich einer Gesellschaftsjagd sich einen (kleinen) Christbaum abschneidet und entwendet, so ist dies kein Jagdschaden, weil dies nur „anlässlich der Jagd" und nicht „durch die Jagdausübung" entstanden ist.

254 Welche Person haftet bei Verpachtung des Jagdbezirks grundsätzlich für den Jagdschaden?

Es haftet grundsätzlich der Jagdpächter.

§§ 34, 35 BJagdG
Geltendmachung und Durchsetzung von Wild- und Jagdschäden

255 Bei wem ist ein Wild- oder Jagdschaden anzumelden?

Die ordnungsgemäße Anmeldung des Schadens ist eine wichtige Voraussetzung; die hierfür zuständige Behörde ist die örtliche Ordnungsbehörde (Gemeindeverwaltung), in deren Bezirk das beschädigte Grundstück gelegen ist; prinzipiell bestimmt das entsprechende Landesgesetz diese Zuständigkeit – aber die (Untere) Jagdbehörde wäre auf jeden Fall falsch.

256 Gibt es eine Frist zur Anmeldung eines Schadens?

Es gibt unterschiedliche Fristen – einerseits für Schäden an landwirtschaftlich genutzten Flächen und andererseits an forstwirtschaftlich genutzten Flächen; aber immer handelt es sich um Ausschlussfristen, so dass nach Ablauf der Frist eine Heilung der Versäumnis nicht möglich ist – d.h. der Anspruch ist dann nicht mehr durchsetzbar.

257 Wie sind nun die gesetzlich festgelegten Fristen?

Die Anmeldefrist für Schäden an landwirtschaftlichen Grundstücken ist 1 Woche, berechnet ab Kenntnis des Schadens bzw. ab dem Zeitpunkt, an dem der Berechtigte bei Beobachtung der notwendigen Sorgfalt Kenntnis vom Schaden hätte erhalten müssen.

Bei forstwirtschaftlichen Grundstücken gibt es zwei Anmeldezeitpunkte, nämlich zum 1. Mai oder 1. Oktober, so dass die jeweils vor diesen Terminen eingetretenen Schäden rechtzeitig zur Frist angemeldet sein müssen.

258 Gibt es Form-Vorschriften für die Anmeldung der Schäden?

Die Schadensanmeldung sollte schriftlich geschehen und soll (nicht *muss*) die als ersatzpflichtig in Anspruch genommene Person bezeichnen; eine bei der Behörde zu Protokoll aufgenommene Schadensanmeldung ist auch möglich.

259 Welches Gericht ist in Wild- und Jagdschadenssachen sachlich zuständig?

Das jeweils örtlich zuständige Amtsgericht.

260 Ist die sofortige Geltendmachung des Schadens beim Gericht möglich?

Nein – soweit ersichtlich haben die meisten Bundesländer die vorherige Durchführung eines Feststellungsverfahrens vor einer Verwaltungsbehörde („Vorverfahren“) gesetzlich vorgeschrieben.

261 Was sind Ziel und Zweck des Vorverfahrens?

Aufgabe des Vorverfahrens ist die schnelle Ermittlung des angemeldeten Schadens mit dem Ziel einer gütlichen Einigung, andernfalls der Schadensfeststellung.

262 Was ist in den (landesgesetzlichen) Vorschriften über das Vorverfahren geregelt?

In den jeweiligen Landesgesetzen gibt es Vorschriften zur Anmeldung des Wildschadens, über das Bestellen und die Verpflichtung der Schadenschätzer, die Prüfung der Rechtzeitigkeit der Schadensmeldung, das Anberaumen eines Ortstermins, um den behaupteten Schaden zu ermitteln.

263 Wie ist der Fortgang des Verfahrens, wenn im Vorverfahren eine gütliche Einigung nicht zustande kommt?

Es ist dann unverzüglich ein neuer Ortstermin anzusetzen, zu dem auch ein Schadenschätzer zu laden ist. Dann wird durch den sog. Vorbescheid der Schaden vorläufig vollstreckbar festgesetzt.

264 Welche Behörde bestellt den Wild-Schadenschätzer?

Die Untere Jagdbehörde legt fest, wer als Wild-Schadenschätzer in dem verwaltungsrechtlichen Verfahren tätig sein soll.

265 Wie erreicht der Vorbescheid eine Bestandskraft?

Die Beteiligten können innerhalb einer Frist von 2 Wochen ab Zustellung des Vorbescheids Klage zum zuständigen Amtsgericht erheben – ansonsten wird der Vorbescheid bestandskräftig.

266 Ist die Verwaltungsbehörde befugt, im Feststellungsverfahren den Vorbescheid abzuändern?

Nein – nur im gerichtlichen Nachverfahren ist durch das Gerichtsurteil der Vorbescheid zu verändern.

Verfahrensablauf beim Ersatz von Wild- und Jagdschäden		
1.	fristgerechte Anmeldung des Schadens bei der Gemeinde durch den Geschädigten ↓	↓
2.	außergerichtliche Einigung beim Ortstermin ↓	keine außergerichtliche Einigung beim Ortstermin ↓
3.	Protokoll der Gemeinde ↓	Wild- bzw. Jagdschadensschätzung beim neuen Ortstermin ↓
4.	Zahlung, sonst Zwangsvollstreckung aufgrund rechtskräftigen Vorbescheids ↓	Vorbescheid der Gemeinde infolge der Schätzung ↓
5.	–	Nach Klageerhebung gegen den Vorbescheid Urteil des Amtsgerichts

Inverkehrbringen und Schutz von Wild

267 In welcher Vorschrift gibt es Regelungen zum „Handel und Verkehr mit Wild?

In der Bundeswildschutzverordnung (BWildSchV).

268 Wie ist diese BWildSchV rechtstechnisch zu beschreiben und welchen Inhalt hat sie?

Die BWildSchV ist eine für die gesamte Bundesrepublik geltende Rechtsverordnung, die aufgrund der Ermächtigungsgrundlage in § 36 Abs. 1 Nrn. 2, 4 und 5 und Abs. 3 BJagdG erlassen wurde. Die Verordnung enthält Besitz- und Verkehrsverbote, Einschränkungen bei der Haltung von Greifen und Falken und legt Aufzeichnungs-, Kennzeichnungs- und Nachweispflichten zur Überwachung der Ge- und Verbote dieser Vorschrift fest.

269 Welchem Zweck dient die BWildSchV?

Mit ihren Vorschriften soll dem Schutz der heimischen, dem Jagdrecht unterliegenden Tierarten gedient werden; die Wildverkehrsüberwachung dient der Bekämpfung der Wilderei und soll den Handel mit gewildertem Wild bekämpfen.

270 Gibt es zu dieser Bundesverordnung auch gesetzliche Bestimmungen der Länder?

Ja – gem. § 36 Abs. 2 BJagdG regeln Länder durch Gesetz oder Verordnung die behördliche Überwachung des (gewerblichen) Handels mit Wild und den daraus gewonnenen Erzeugnissen; auch die behördliche Überwachung der Wildhandelsbücher fällt unter diese Vorschriften. Ferner gibt es landesrechtliche Vorschriften über das Aufnehmen, die Pflege und die Aufzucht verletzten oder kranken Wildes.

271 Welche Personen müssen ein Wildhandelsbuch führen?

Inhaber von Betrieben, die gewerbsmäßig Wildbret zerwirken, verarbeiten, veräußern oder verbrauchen. Dies sind insbesondere Wildhandlungen, Metzgereien, Gast-, Schank- und Speisewirtschaften, Kantinen, Hotels, Kaufhäuser und Krankenhäuser.

272 Wer darf Wildbret in den Verkehr bringen?

Nur der Jagdausübungsberechtigte und Personen, die ein Wildhandelsbuch führen. Wildbret darf nur an Selbstverbraucher oder an Personen veräußert werden, die ein Wildhandelsbuch führen.

273 Von wem darf der Selbstverbraucher Wildbret erwerben?

Nur vom Jagdausübungsberechtigten oder von Personen, die ein Wildhandelsbuch führen.

Jagdbeirat und Vereinigungen der Jäger

274 Wie sind die Jagdbehörden strukturell gegliedert?

Wie die dreistufige Verwaltung eines Bundeslandes sind auch die Jagdbehörden in den meisten Flächenländern der Bundesrepublik in drei Ebenen gegliedert:
Es gibt also die Untere Jagdbehörde (in der Terminologie Bayerns: im Landratsamt bzw. bei den kreisfreien Städten), dann die höhere (oder mittlere bzw. obere) Jagdbehörde (dies sind die Bezirksregierungen) und schließlich die oberste Jagdbehörde (das entsprechende Staatsministerium des jeweiligen Bundeslandes). In einigen (kleinen) Flächenländern und in den Stadtstaaten gibt es einen anderen Aufbau, wobei meistens eine Verwaltungsstufe entfällt.

275 Wie ist die Beratung der Jagdbehörden in jagdlichen Angelegenheiten geregelt?

§ 37 Abs. 1 BJagdG schreibt zwingend die Einrichtung von sog. Jagdbeiräten vor; diese werden dann aufgrund landesrechtlicher Vorschriften gebildet bei der unteren, der höheren und bei der obersten Jagdbehörde.

276 Wie müssen die Jagdbeiräte zusammengesetzt sein?

Grundsätzlich sind in die Jagdbeiräte aufzunehmen Vertreter der Landwirtschaft, der Forstwirtschaft, der Jagdgenossenschaften, der Jäger und des Naturschutzes. Die Anzahl der zu berufenden Mitglieder ist bei der unteren Jagdbehörde am kleinsten, und die meisten Mitglieder werden in den Jagdbeirat bei der obersten Jagdbehörde berufen; der jeweilige Behördenvertreter ist der Vorsitzende des Jagdbeirats.

277 Welche Aufgaben hat der Jagdbeirat zu erfüllen?

Dem Jagdbeirat obliegt die Beratung der jeweiligen Jagdbehörde bei allen jagdlichen Angelegenheiten von grundsätzlicher Bedeutung und wichtigen Einzelfragen, und durch die Zusammensetzung der Jagdbeiräte sollen die etwaig widerstreitenden Interessen der beteiligten Gruppen und Verbände ausgeglichen werden.

278 Was ist ein „Jagdberater"?

Nach dem jeweiligen Landesrecht werden zur sachverständigen Beratung der Jagdbehörden (nach Anhörung des Jagdbeirates) zusätzlich ehrenamtliche Jagd-Sachverständige bestellt, die – je nach Landesrecht – „Jagdberater" oder auch „Kreisjägermeister" oder „Stadtjägermeister" genannt werden. Diese Jagdberater werden für die unterschiedlichen Jagdbehörden von der jeweiligen Verwaltungsstufe berufen.

279 Was sind Vereinigungen der Jäger?

In § 37 Abs. 2 BJagdG sind „Vereinigungen der Jäger" benannt mit dem Hinweis, dass die Bundesländer deren Mitwirkung vorsehen können für Verfahren darüber, wenn Jagdscheininhaber gegen die Grundsätze der Weidgerechtigkeit verstoßen haben.
Eine nähere Definition gibt das BJagdG nicht, so dass die jeweiligen Landesgesetze bestimmen können, welche Jägerorganisationen als solche anzusehen sind und wie weit deren Mitwirkung reichen soll. Prinzipiell ist die Mitgliedschaft in diesen „Vereinigungen der Jäger" heute jedem Jagdscheininhaber freigestellt.

280 Welche Vereinigungen der Jäger sind derzeit in der Bundesrepublik konkret vorhanden?

Die Landesjagdverbände der jeweiligen Bundesländer bilden den Deutschen Jagdverband (DJV), wobei der Bay. Jagdverband (BJV) eigenständig ist, aber in Kooperation mit dem DJV handelt; in eigenen Bundesländern gibt es auch Landesorganisationen des ÖJV.

Straf- und Bußgeld-Vorschriften

281 Welche speziell jagdgesetzliche Straftaten sind aus dem BJagdG ersichtlich?

Mit Freiheitsstrafe bis zu 5 Jahren oder mit Geldstrafe (also i.S. der allgemeinen Strafgesetze ein „Vergehen") wird bestraft, wer trotz Verbots ein Stück einer bedrohten Wildart (§ 21 Abs. 3 BJagdG) erlegt oder ein Stück Wild in der Schonzeit erlegt (§ 22 Abs. 2

Satz 1 BJagdG) oder ein Elterntier in der Setz- und Brutzeit bist zum Selbständigwerden des Jungtiers (§ 22 Abs. 4 Satz 1 BJagdG) erlegt.

282 Könnte auch ein Wilderer eines der vorstehenden Delikte begehen?

Nein – die Strafvorschrift § 38 BJagdG richtet sich ausschließlich an den Jagdausübungsberechtigten und die mit seiner Erlaubnis Jagenden in seinem Jagdrevier. Ein Wilderer hingegen bricht fremdes Jagdrecht und würde nach § 292 StGB wegen Jagdwilderei verfolgt.

283 Gibt es in den Jagdgesetzen auch Ordnungswidrigkeiten, und wie unterscheiden sich diese von den vorstehenden Jagdvergehen?

Das Bundesjagdgesetz kennt einen ganzen „Katalog" von Ordnungswidrigkeiten (§ 39 BJagdG) und die Ländergesetze können weitere Ordnungswidrigkeiten im Jagdbereich festlegen. Im Unterschied zu einer Straftat ist eine Ordnungswidrigkeit zwar auch eine rechtswidrige und vorwerfbare Handlung, die den Tatbestand eines Ver- oder Gebots verletzt, aber keinen kriminellen Gehalt hat und deshalb lediglich mit einer Geldbuße geahndet wird.

284 Welche Verwaltungsbehörde ist zur Einleitung und Durchführung eines Bußgeldverfahrens nach § 39 BJagdG sachlich zuständig?

Grundsätzlich die Untere Jagdbehörde.

285 In welcher Weise ist die Verwaltungsbehörde bei der Verfolgung von Ordnungswidrigkeiten „gebunden"?

Im Gegensatz zur Verfolgung von Straftaten, wobei grundsätzlich das Legalitätsprinzip gilt, hat die Verwaltungsbehörde bei der Verfolgung von Jagd-Ordnungswidrigkeiten im Sinne des Opportunitätsprinzips nach pflichtgemäßen Ermessen zu entscheiden (§ 47 OWiG). Dabei darf die Behörde jedoch weder willkürlich noch unter Einbeziehung sachfremder Erwägungen einen Fall entscheiden.

286 Welche Möglichkeiten hat der Jäger, der mit einem OWi-Bescheid der unteren Jagdbehörde nicht einverstanden ist?

Gegen die Bußgeldbescheide der Behörde gibt es stets das Rechtsmittel des Einspruchs innerhalb einer Woche nach Zustellung des Bescheids; über den Einspruch entscheidet das Amtsgericht, in dessen Bezirk die Verwaltungsbehörde ihren Sitz hat, wobei die Staatsanwaltschaft beteiligt ist.

287 Begeht der Jagdausübungsberechtigte eine Ordnungswidrigkeit, wenn sein Jagdgehilfe eine Zuwiderhandlung im Sinne von § 39 BJagdG begeht?

Nein, nur wenn er die Ordnungswidrigkeit selbst begangen hat.

288 Kann ein Wilderer eine Ordnungswidrigkeit nach § 39 BjagdG begehen?

Nein! Auch diese Vorschriften wenden sich nur an den zur Jagdausübung Berechtigten.

289 Wer handelt ordnungswidrig?

Nach § 39 Abs. 1 BJagdG handelt ordnungswidrig, wer:

1. in befriedeten Bezirken die Jagd ausübt oder einer Beschränkung der Jagderlaubnis (§ 6 BJagdG) zuwiderhandelt;
2. auf vollständig eingefriedeten Grundflächen die Jagd entgegen einer nach § 7 Abs. 3 BJagdG vorgeschriebenen Beschränkung ausübt;
3. aufgrund eines nichtigen Jagdpachtvertrages, einer nichtigen entgeltlichen Jagderlaubnis oder vor Genehmigung des Jagdpachtvertrages durch die Untere Verwaltungsbehörde die Jagd ausübt;
4. als Inhaber eines Jugendjagdscheines ohne Begleitperson die Jagd ausübt (§ 16 BJagdG);
5. sachlichen Verboten (§ 19 Abs. 1 Nr. 3 bis 9, 11 bis 14, 16 bis 18 und § 19a BJagdG) oder örtlichen Verboten (§ 20 Abs. 1 BJagdG) zuwiderhandelt;
6. zum Verscheuchen des Wildes Mittel anwendet, durch die das Wild verletzt oder dessen Leib und Leben gefährdet wird;
7. einer Vorschrift des § 28 Abs. 1 bis 3 BJagdG über das Hegen, Aussetzen und Ansiedeln von Wild zuwiderhandelt;
8. Jagdschaden anrichtet (indem er den Vorschriften des § 33 Abs. 1 BJagdG zuwiderhandelt);
9. den Jagdschein auf berechtigtes Verlangen nicht vorzeigt.

Nach § 39 Abs. 2 BJagdG handelt ordnungswidrig, wer vorsätzlich oder fahrlässig

1. die Jagd ausübt, obwohl er keinen gültigen Jagdschein mit sich führt oder obwohl ihm die Jagd verboten ist (§ 41a BJagdG);
2. auf Schalenwild und Seehunde verbotswidrig schießt, in Notzeiten Schalenwild in einem Umkreis von 200 Metern von Fütterungen erlegt oder jagdbare Tiere vergiftet;
3. Schalenwild oder anderes Wild, das nur im Rahmen eines Abschussplanes bejagt werden darf, erlegt, bevor der Abschussplan bestätigt oder festgesetzt ist, oder wer den Abschussplan überschreitet;
4. während der Schonzeiten Wild nicht mit der Jagd verschont;
5. als Jagdausübungsberechtigter das Auftreten einer Wildseuche nicht unverzüglich der zuständigen Behörde anzeigt oder deren Weisungen zur Seuchenbekämpfung nicht Folge leistet (§ 24 BJagdG);
6. einer Rechtsverordnung nach § 36 Abs. 1 oder Abs. 5 BJagdG oder einer landesrechtlichen Vorschrift nach § 36 Abs. 2 BJagdG zuwiderhandelt, soweit sie für einen bestimmten Tatbestand auf diese Bußgeldvorschrift verweist;
7. zur Jagd ausgerüstet unbefugt ein fremdes Jagdgebiet außerhalb der zum allgemeinen Gebrauch bestimmten Wege betritt.

290 Welche rechtlichen Möglichkeiten gibt es um den Täter eines Jagdvergehens oder einer Jagd-OWi das rechtswidrig Erworbene wegzunehmen?

Hier kommt die durch Gericht oder Behörde mögliche Einziehung von Gegenständen zur Anwendung; diese ist allgemein in § 47 StGB geregelt und ist erweitert gem. § 40 BJagdG. Bei ganz groben Rechtsverstößen kann die Einziehung sogar die benutzte Jagdwaffe durch Einziehung dem Eigentümer genommen werden.

291 Worauf bezieht sich die Entziehung in Jagdangelegenheiten regelmäßig?

Die Einziehung betrifft insbesondere die unrechtmäßig gefangenen oder erlegten Tiere oder Teile dieser Tiere sowie verbotswidrig aufgestellte Schlingel oder sonstige Fanggeräte.

292 Ist die Einziehung zwingend vorgeschrieben?

Nein, in Anwendung des Grundsatzes der Verhältnismäßigkeit (§ 74b StGB, § 24 OWiG) steht sie im pflichtgemäßen Ermessen der Verwaltungsbehörde bzw. der zuständigen Gerichte.

Entziehung des Jagdscheins

293 Worauf bezieht sich die im BJagdG definierte Entziehung des Jagdscheins?

Wenn jemand nach § 38 BJagdG (vgl. 281 u. 282) und nach anderen einschlägigen §§ des StGB verurteilt ist, dann muss der Strafrichter die Entziehung des Jagdscheins anordnen, wobei dazu die etwaige Wiederholungsgefahr bei der Festsetzung der Dauer der Sperre berücksichtigt werden muss.

294 Welche Folge hat die vom Strafrichter festgesetzte Sperrfrist?

Innerhalb der vom Gericht festgesetzten Sperrfrist (für die Dauer von 1 Jahr bis zu 5 Jahren, ausnahmsweise auch zeitlich unbeschränkt) darf kein neuer Jagdschein verteilt werden

295 Ist die Entziehung des Jagdscheins auch möglich wegen einer OWi i.S. § 39 BJagdG?

Nein – in einem solchen Fall kann entweder von der Verwaltungsbehörde im Bußgeldverfahren oder vom Strafrichter „nur" ein Jagdausübungsverbot verhängt werden (§ 41a BJagdG), das von 1 bis zu 6 Monaten dauern kann.

296 Gibt es auch außerhalb des BJagdG weitere Straf- und Bußgeldbestimmungen?

Ja – das BJagdG erlaubt den Ländern ausdrücklich, Straf- und Bußgeldbestimmungen für Verstöße gegen die von ihnen erlassenen jagdlichen Vorschriften festzusetzen, soweit solche nicht schon in dem BJagdG enthalten sind. Die Länder haben davon zahlreich Gebrauch gemacht, aber diese Vorschriften können von Land zu Land etwas unterschiedlich sein.

297 Welches sind die wichtigsten (landesrechtlichen) Vorschriften zu jagdlichen OWi?

Im Allgemeinen handelt u.a. ordnungswidrig, wer:

1. an Orten, an denen ihm die Ausübung des Jagdrechts nicht zusteht, Besitz an lebendem oder verendetem Wild oder an Fallwild oder Abwurfstangen sowie an Eiern jagdbaren Federwildes erlangt und dies nicht binnen drei Tagen dem Jagdausübungsberechtigten (Revierinhaber) oder der nächsten erreichbaren Polizeidienststelle anzeigt oder das in Besitz Genommene nicht abliefert,
2. als Führer eines Fahrzeuges Schalenwild durch An- oder Überfahren schwer verletzt oder tötet und dies nicht unverzüglich anzeigt,
3. als Jagdgast ohne Begleitung des Jagdausübungsberechtigten (Revierinhabers) die Jagd ausübt, ohne den von diesem erteilten Erlaubnisschein bei sich zu führen,
4. als Jagdgast den Erlaubnisschein den Jagdschutzberechtigten auf Verlangen nicht vorzeigt,
5. als Jagdausübungsberechtigter (Revierinhaber) entgegen den Beschränkungen oder Verboten der Jagdbehörde Jagderlaubnisscheine erteilt oder andere Beteiligungen an der Jagdausübung einräumt,
6. einer zur Ausübung des Jagdschutzes berechtigten Person unrichtige Angaben über seine Person macht oder trotz Aufforderung die Angaben verweigert,
7. den sachlichen und örtlichen Verboten der Landesvorschriften zuwiderhandelt,
8. die Abschuss-(Strecken-)Meldung nicht, nicht vollständig, nicht rechtzeitig oder unrichtig erstattet, die Abschussliste nicht, nicht vollständig oder unrichtig führt oder sie der Jagdbehörde auf Verlangen nicht vorlegt (oder in Bayern, Hessen, Nordrhein-Westfalen und Niedersachsen trotz Aufforderung Trophäen auf einer Hegeschau nicht vorlegt),
9. bei Benutzung eines Jägernotweges den hierfür gegebenen Vorschriften zuwiderhandelt,
10. das Überwechseln krankgeschossenen Schalenwildes nicht unverzüglich dem Inhaber des Nachbarreviers oder dessen Stellvertreter anzeigt,
11. Hunde (in Hessen „oder Katzen") in einem Jagdrevier unbefugt außerhalb seiner Einwirkung frei laufen lässt,
12. ohne Begleitung oder schriftliche Anweisung des Jagdausübungsberechtigten (Revierinhabers) Streunern (Hunde ohne Einwirkung ihres Herrn, Katzen außerhalb der Schutzzone) mit der Schusswaffe nachstellt oder sie erlegt,
13. in der Notzeit nicht für angemessene Wildfütterung sorgt und die dazu erforderlichen Fütterungsanlagen nicht unterhält,
14. innerhalb der von der Jagdbehörde gestellten Frist keinen Berufsjäger bestellt,
15. der Pflicht, brauchbare Jagdhunde zu führen und zu verwenden oder zu halten, nicht nachkommt,
16. entgegen landesrechtlicher Bestimmungen Wild in freier Wildbahn füttert.

10.2 Das Waffengesetz (WaffG) und die Allgemeine Waffengesetz-Verordnung (AWaffV)

(auszugsweise für Jagdscheininhaber und -anwärter)

§§ 1–3 WaffG und Anlage 1 zu § 1 Abs. 4 WaffG bzw. Anlage 2 zu § 2 Abs. 2–4 WaffG

298 Was sind „Schusswaffen" im Sinne des Waffengesetzes?

Hierunter versteht man Geräte, bei denen Geschosse durch einen Lauf getrieben werden; sie sind zum Angriff, zur Verteidigung, zum Sport, Spiel oder zur Jagd bestimmt. Es fallen also auch alle bei der Jagd verwendeten Schusswaffen unter den waffengesetzlichen Waffenbegriff.

299 Was sind wesentliche Teile von Schusswaffen?

Wesentliche Teile von Schusswaffen sind insbesondere der Lauf, der Verschluss und das Patronen- bzw. Kartuschenlager, wenn diese nicht bereits Bestandteil des Laufes sind; bei Handfeuerwaffen mit einer Länge von nicht mehr als 60 cm auch das Griffstück und sonstige Waffenteile, soweit sie für die Aufnahme des Auslösemechanismus bestimmt sind.

300 Was sind Lang- und was sind Kurzwaffen?

Langwaffen sind Schusswaffen, deren Lauf und Verschluss in geschlossener Stellung insgesamt länger als 30 cm sind und deren kürzeste bestimmungsgemäß verwendbare Gesamtlänge 60 cm überschreitet. Kurzwaffen sind alle anderen Schusswaffen.

301 Was sind Schalldämpfer im Sinne des Waffengesetzes?

Schalldämpfer sind Vorrichtungen, die der Dämpfung des Mündungsknalls dienen und für Schusswaffen bestimmt sind.

302 Was bedeutet die waffenrechtliche Gleichstellung von wesentlichen Teilen von Schusswaffen und Schalldämpfern mit Schusswaffen?

Dies besagt, dass die für die Schusswaffen anzuwendende Normen (z.B. bezüglich der Erlaubniserteilung durch eine Waffenbesitzkarte oder einen Waffenschein) grundsätzlich auch für deren wesentlichen Teile und für die Schalldämpfer gelten.

303 Was sind Hieb- und Stoßwaffen im waffenrechtlichen Sinne?

Hierunter versteht man Waffen, deren Bestimmung es ist, unmittelbar mittels mechanischer, körperlicher Energie durch Hieb, Stoß oder Stich Verletzungen beizubringen.

304 Was ist Munition?

Munition ist zum Verschießen aus Schusswaffen bestimmte

1. Patronenmunition (Hülse mit Treibladungen, die ein Geschoss enthalten und Geschosse mit Eigenantrieb);
2. Kartuschenmunition (die Kartusche = Hülse enthält kein Geschoss, sondern nur die Ladung für den möglichen Antrieb);
3. pyrotechnische Munition (Patronenmunition, deren Geschoss einen explosionsgefährlichen Stoff enthält, der Licht-, Schall-, Rauch- oder ähnlichen Effekt zum Entstehen bringen soll).

305 Was sind Geschosse im Sinne des Waffengesetzes?

Dies sind sowohl feste Körper (Einzelgeschosse wie bspw. Büchsengeschosse und auch eine Anzahl von festen Körpern wie Schrotkugeln) als auch gasförmige, flüssige oder feste Stoffe in zum Verschießen aus Schusswaffen bestimmten und hergerichteten Umhüllungen.

306 Was sind Patronen mit Treibspiegel?

Es sind verbotene Patronen für Schusswaffen mit gezogenen Läufen, die

a) im Durchmesser kleiner sind als die Felddurchmesser der Schusswaffe und die
b) mit einer Treib- und Führungshülse umgeben sind, die sich nach Verlassen des Laufes vom Geschoss trennt.

Es sind Patronen, deren Verwendung die Straftatenaufklärung paktisch unmöglich macht, da das Geschoss keine Zug- und Felderspuren hinterlässt (Zuwiderhandlungen gegen dieses Verbot werden als Vergehen verfolgt!).

307 Für welche Waffen und Gegenstände besteht ein Umgangsverbot?

Verboten ist der Umgang mit folgenden Waffen und Gegenständen (Auszug):

1. Schusswaffen, die
   - » im Gesetz über die Kontrolle von Kriegswaffen aufgeführt sind (Ausnahme: halbautomatische tragbare Schusswaffen)
   - » Vorderschaftrepetierflinten sind und bei denen der Hinterschaft durch einen Pistolengriff ersetzt ist
   - » ihrer Form nach geeignet sind, einen anderen Gegenstand vorzutäuschen, oder die mit Gegenständen des täglichen Gebrauchs verkleidet sind (Koppelschlosspistolen, Stockgewehre u.a.),
   - » eine Länge von mehr als 60 cm haben und zerlegbar sind, deren längster Waffenteil kürzer als 60 cm ist und die zum Verschießen von Patronen mit Randfeuerzündung bestimmt sind,
   - » über den für Jagd- und Sportzwecke allgemein üblichen Umfang hinaus zusammengeklappt, zusammengeschoben, verkürzt oder schnell zerlegt werden können („Wilddiebsgewehre"),
   - » vollautomatische Selbstladewaffen sind,
   - » ihrer äußeren Form nach den Anschein einer vollautomatischen Selbstladewaffe hervorrufen, die Kriegswaffe im Sinne des Gesetzes über die Kontrolle von Kriegswaffen ist;

2. für Schusswaffen bestimmte Vorrichtungen, die das Ziel beleuchten oder markieren (Zielscheinwerfer, Laser oder Zielprojektoren);
3. Nachtsicht- und Nachtzielgeräte mit Montagevorrichtung für Schusswaffen sowie Nachtsichtvorsätze und Nachtsichtaufsätze für Zielhilfsmittel (z.B. ZFR), sofern sie einen Bildwandler oder eine elektron. Verstärkung besitzen;
4. Hieb- und Stoßwaffen, die ihrer Form nach geeignet sind, einen anderen Gegenstand vorzutäuschen oder die mit Gegenständen des täglichen Gebrauchs verkleidet sind;
5. Stahlruten, Totschläger oder Schlagringe;
6. Spring- und Fallmesser, außer Springmesser, wenn die Klinge seitlich aus dem Griff herausspringt und der aus dem Griff herausragende Teil der Klinge
   » höchstens 8,5 cm lang ist
   » in der Mitte mind. eine Breite von 20 v.H. der Länge aufweist
   » nicht zweiseitig geschliffen ist
   » einen durchgehenden Rücken hat, der sich zur Schneide hin verjüngt;
7. „Faustmesser“ und „Butterflymesser“;
8. Geschosse, Wurfkörper oder sonstige Gegenstände, die Angriffs- oder Verteidigungszwecken dienen und dazu bestimmt sind, leicht entflammbare Stoffe so zu verteilen und zu entzünden, dass schlagartig ein Brand entstehen kann;
9. Geschosse mit Betäubungsstoffen, die zu Angriffs- oder Verteidigungszwecken bestimmt sind (nicht aber Geschosse für das Narkosegewehr);
10. Geschosse und sonstige Gegenstände mit Reizstoffen, die zu Angriffs- oder Verteidigungszwecken oder zur Jagd bestimmt sind, wenn sie bei bestimmungsgemäßer Verwendung den Anforderungen einer Rechtsverordnung nicht entsprechen;
11. unbrauchbar gemachte vollautomatische Selbstladewaffen, die Kriegswaffen waren, und unbrauchbar gemachte Schusswaffen, die den Anschein vollautomatischer Kriegswaffen hervorrufen.

308 Sind die zerlegbaren jagdlichen Kipplaufwaffen als „verbotene Waffen“ zu betrachten gem. Waffenliste Anlage 2 zu § 2 Abs. 2 bis 4 WaffG?

Nein – die (meist mehrläufigen) zerlegbaren Kipplaufwaffen sind deshalb nicht verboten, weil diese über den für Jagd- und Sportzwecke allgemein üblichen Umfang hinaus nicht schnell zusammengeklappt, zusammengeschoben, verkürzt oder zerlegt werden können.

309 Wie sind die waffenrechtlichen Begriffe „eine Waffe erwerben“ oder „besitzen“ oder „überlassen“ oder „führen“ zu verstehen?

Eine Waffe
» erwirbt, wer die tatsächliche Gewalt (Besitz) darüber erlangt
» besitzt, wer die tatsächliche Gewalt darüber ausübt
» führt, wer die tatsächliche Gewalt über die Waffe außerhalb der eigenen Wohnung, Geschäftsräume oder des eigenen befriedeten Besitzes ausübt.

310 Welche strikten Voraussetzungen gelten nach dem WaffG für den Umgang mit (Schuss-)Waffen?

Der Umgang mit Waffen ist grundsätzlich nur gestattet den Personen, die
1. das 18. Lebensjahr vollendet haben und

2. eine Erlaubnis dazu besitzen (s.u. „Waffenbesitzkarte").

311 Welche Waffen und Gegenstände fallen nicht unter die Erlaubnispflicht?

Darunter fallen u.a. nicht

» Druckluft- und Federdruckwaffen, bei denen zum Antrieb der Geschosse kalte Treibgase Verwendung finden, wenn den Geschossen eine Bewegungsenergie von nicht mehr als 7,5 Joule erteilt wird und die entsprechend gekennzeichnet sind

» Wechsel- oder Austauschläufe gleichen oder geringeren Kalibers einschließlich der für diese Läufe erforderlichen auswechselbaren Verschlüsse (Wechselsysteme)

» Wechseltrommeln für Munition, die in Geschossdurchmesser und max. Gasdruck gleich oder geringer gegenüber der für die Waffe bestimmten Munition ist.

» Einsteckläufe und zugehörige Verschlüsse (Einstecksysteme) sowie Einsätze, die dazu bestimmt sind, Munition mit kleineren Abmessungen zu verschießen und die keine Einsteckläufe sind; für Schusswaffen, die bereits in der WBK des Inhabers einer Erlaubnis eingetragen sind.

312 Ist eine waffenrechtliche Erlaubnis beim Erwerb von Einsteckläufen erforderlich?

Für Einsteckläufe (Läufe kleineren Kalibers und ohne Verschluss, die in den Lauf einer Schusswaffe größeren Kalibers eingeführt werden) ist zum Erwerb und Besitz keine Erlaubnis (also keine Waffenbesitzkarte) erforderlich.

§ 10 WaffG Erteilung von Erlaubnissen zum Erwerb, Besitz, Führen und Schießen

313 In welcher Form wird die Erlaubnis zum Erwerb und Besitz von Waffen erteilt?

Die Erlaubnis erfolgt durch die Ausstellung einer Waffenbesitzkarte (durch die Jagd- bzw. Waffenbehörde) oder durch Eintragung der Waffe in eine bereits vorhandene Waffenbesitzkarte (WBK).

314 Wozu berechtigt die Waffenbesitzkarte?

Sie berechtigt im Allgemeinen zum Erwerb und zum Besitz (Ausübung der tatsächlichen Gewalt) von Schusswaffen.

315 Welche Fristen gelten für den Erwerb und die Anzeige von Waffen?

Die Erlaubnis zum Erwerb ist auf ein Jahr befristet, die Erlaubnis zum Besitz ist dagegen unbefristet. Binnen zwei Wochen nach Erwerb ist dieser der zuständigen Behörde anzuzeigen, damit eine Eintragung in die WBK erfolgen kann.

316 Kann eine Waffenbesitzkarte auf mehrere Personen ausgestellt werden?

Ja, wenn darauf Waffen eingetragen sind, die mehreren Personen oder einem Verein als juristische Person gehören.

317 Wie sind Erwerb und Besitz von Munition geregelt?

Eine Erwerbserlaubnis für die Munition der jagdlichen Langwaffen ist für Jäger mit gültigem Jagdschein nicht erforderlich. Wenn der Jäger aber einen Jagdschein nicht löst, entfällt das waffenrechtlich notwendige „Bedürfnis“ und der Munitionsbesitz auch für Langwaffen wird illegal. Deshalb ist es sinnvoll, auf der WBK Munitionserwerb für Langwaffen und (wie ohnehin notwendig) für Kurzwaffen gesondert einzutragen. Dann ist der Munitionsbesitz auch ohne gelösten Jagdschein rechtlich in Ordnung.

318 Darf ein Inhaber einer WBK die darauf eingetragene Waffe ohne weiteres „führen“?

Zum Führen einer Waffe (s.o. Ziff. 309) bedarf es grundsätzlich einer **gesonderten** waffenrechtlichen Erlaubnis, genannt „Waffenschein“; für die Jäger gelten insoweit Sonderregelungen (s.u.), so dass für die berechtigte Jagdausübung für die Jagdwaffen ein Waffenschein nicht benötigt und nicht erteilt wird.

319 Welche Voraussetzungen müssen für die Erteilung einer waffenrechtlichen Erlaubnis zum Umgang mit Waffen grundsätzlich gegeben sein?

Der Antragsteller muss

1. mindestens 18 Jahre alt sein,
2. die erforderliche Zuverlässigkeit und persönliche Eignung besitzen,
3. die Sachkunde nachgewiesen haben,
4. ein Bedürfnis besitzen und
5. den Abschluss einer entsprechenden Versicherung zur Abdeckung von Personen- und Sachschäden nachweisen.

320 Wonach beurteilt die zuständige Behörde die persönliche Zuverlässigkeit beim Antrag auf Erteilung einer WBK?

Das WaffG stellt eine Negativliste auf und definiert, bei welchen Personen die persönliche Zuverlässigkeit nicht gegeben ist; diese fehlt u.a. wenn eine Person

» wegen eines Verbrechens oder einer Straftat zu einer Freiheitsstrafe von mindestens einem Jahr verurteilt wurde
» Waffen oder Munition missbräuchlich oder leichtfertig verwendet
» mit Waffen oder Munition nicht vorsichtig oder sachgemäß umgeht oder diese Gegenstände nicht sorgfältig verwahrt
» Waffen oder Munition an Personen überlässt, die dafür nicht berechtigt sind.
» Veranlassung für negative belastbare Erkenntnisse der Verfassungsschutzbehörden gegeben hat.

321 Gibt es weitere Voraussetzungen, die die persönliche Eignung entfallen lassen?

Die persönliche Eignung kann Personen abgesprochen werden, die

» geschäftsunfähig sind.
» alkohol- oder rauschmittelabhängig, psychisch krank oder debil sind.

Personen, die noch nicht das 25. Lebensjahr vollendet haben, benötigen ein amts- oder fachärztliches oder fachpsychologisches Zeugnis über die geistige Eignung.

322 Wie wird die für die Erteilung einer WBK notwendige Sachkunde nachgewiesen?

Die Sachkunde ist zu erbringen im Rahmen einer Eignungsprüfung vor der dafür bestimmten Stelle. Die zum WaffG gehörende AWaffV führt in den §§ 1–3 hierzu aus, dass im Rahmen dieser Prüfung Kenntnisse nachgewiesen werden müssen, zu den Bereichen

» der zu beachtenden Rechtsvorschriften,
» der Funktionsweise, Innen- und Außenballistik, Reich- und Wirkungsweise von Geschossen, Funktions- und Wirkungsweise von sonst. verbotenen Waffen
» sichere Handhabung von Waffen und Munition incl. ausreichende Fertigkeiten im Schießen.

Lfd. Nr.	Art	Bezeichnung der Munition oder des Kalibers	Erlaubnisbehörde (Dienstsiegel)	überlassen am	an	Behörde (Dienstsiegel)
1	2	3	4	10	11	12
1	Doppelflinte	16/70	Kreisverwaltung Alzey-Worms			
2	Pistole	.38 spec.				
3	Repetier-büchse	8x57 IS				
~~4~~	~~Doppel-flinte~~	~~16/70~~		10.01. 1990		
5	Repetier-gewehr	~~8x57~~ 7x57				
6	Kipplauf-büchse	5,6x52R .222Rem.				
7	KK.-~~Gewehr~~	.22				
8	Repetier-Gewehr	.378 Weatherby	Kreisverwaltung Alze			

10.4: Zum Erwerb von Waffen und Munition benötigt der Jäger eine gültige Waffenbesitzkarte, zum Wiederladen eine Erlaubnis gem. § 27 des Sprengstoffgesetzes.

323 Wie kann die Sachkunde auch nachgewiesen werden?

Die Sachkunde gilt als nachgewiesen, wenn der Antragsteller die Jägerprüfung oder eine gleichgestellte Prüfung bestanden hat oder er durch eine Bescheinigung des Ausbildungsleiters nachweisen kann, dass er an einem Lehrgang zur Jägerprüfung (mit Waffen-Sachkunde) erfolgreich teilgenommen hat.

324 Was bedeutet das „waffenrechtliche Bedürfnis“ als Voraussetzung zur Erteilung der Erlaubnis zum Erwerb einer Schusswaffe?

Das restriktive Waffengesetz will die Art und Zahl der in Privatbesitz befindlichen Schusswaffen auf das unbedingt notwendige und mit Rücksicht auf die Interessen der öffentlichen Sicherheit vertretbare Maß beschränken. Deshalb muss jeder Antragsteller ein für seinen speziellen Waffeneinsatz ersichtlichen Zweck dartun; so haben Jäger, Sportschützen, Brauchtumsschützen, Waffen- oder Munitionssammler, Waffen- oder Munition-Sachverständige, gefährdete Personen, Waffenhersteller oder Waffenhändler oder Bewachungsunternehmer jeweils ein nachweisliches Bedürfnis für den Waffen- und Munitionserwerb, wobei die Geeignetheit und Erforderlichkeit der Waffen und/oder der Munition für den beantragten Zweck glaubhaft gemacht werden muss.

325 Wie wird das (waffenrechtliche) Bedürfnis für einen Jäger dokumentiert?

Dies liegt vor, wenn der Jäger Inhaber eines gültigen Jagdscheins ist, denn zur Jagd ist eine entsprechende Ausstattung mit Jagdwaffen unverzichtbar.

326 Gibt es die Möglichkeit einer Befristung oder einer sonstigen Einschränkung der Waffenbesitzkarte?

Die Befristung der WBK oder eine mit der Erteilung der WBK verbundene Auflage kann zur Abwehr von Gefahren für die öffentliche Sicherheit erfolgen.

§ 12 WaffG Ausnahmen von der Erlaubnispflicht

327 Welche Ausnahmen von den Erlaubnispflichten gibt es u.a. noch?

Eine Erwerbs- und Besitzerlaubnis benötigt nicht, wer eine Waffe als Inhaber einer WBK von einem Berechtigten:

» vorübergehend (max. einen Monat) für einen seinen Bedürfnissen entsprechenden Zweck erwirbt (leiht), oder
» zum Zweck der sicheren Verwahrung oder Beförderung erwirbt.
» auf einer Schießstätte vorübergehend zum Schießen erwirbt.

Eine Erlaubnis zum Erwerb und Besitz von Munition benötigt nicht, wer diese auf einer Schießstätte zum sofortigen Verbrauch erwirbt.

Eine Erlaubnis zum Führen von Waffen benötigt nicht, wer

» diese in einer Wohnung oder einem befriedeten Bezirk oder einer Schießstätte mit Zustimmung eines anderen führt.
» diese nicht zugriffsbereit und nicht schussbereit von einem zum anderen Ort transportiert (sofern dieser Transport dem dem Bedürfnis umfassenden Zweck entspricht).
» eine Langwaffe als Teilnehmer eines Sportwettkampfes auf einer festgelegten Wegstrecke führt.

328 Wer darf frei verkäufliche Waffen und Munition erwerben?

Nur Personen, die das 18. Lebensjahr vollendet haben und Jugendliche zwischen dem 16. und 18. Lebensjahr, die den Jugendjagdschein besitzen. Das gilt für Luftgewehre und -pistolen unter 7,5 Joule, Schreckschuss-, Reizstoff- und Signalwaffen sowie Wühlmausapparate mit PTB-Zeichen, Einsteckläufe, Viehbetäubungsgeräte, Bolzensetzgeräte, Armbrust, Bogen und für Hieb- und Stoßwaffen.

329 Darf der Jäger seine Schusswaffe seinem Nachbarn oder einem Verwandten zum Transport zu einem Schießstand oder zum Büchsenmacher oder zum vorübergehenden Verbleib (während des Urlaubs) übergeben?

Nur wenn dieser Nachbar oder Verwandte selbst im Besitz einer entsprechenden Erlaubnis ist.

330 Was ist gesetzlich definiert bei dem Begriff „Kleiner Waffenschein"?

Im WaffG § 10 Abs. 4 Satz 4 mit Hinweis auf Anlage 2 Abschnitt 2 Unterabschnitt 3 Nr. 2 u. 2.1 zum WaffG ist festgelegt, dass Personen mit einem Lebensalter von mindestens 18 Jahren und dem Nachweis der Zuverlässigkeit und persönlichen Eignung ohne Nachweis einer Sachkunde und ohne Bedürfnisprüfung und ohne Abschluss einer Haftpflichtversicherung Schreckschuss-, Reizstoff- und Signalwaffen erwerben dürfen, soweit diese den Anforderungen Anlage 2 WaffG, dort unter Abschnitt 2 Ziff. 1.3 entsprechen.

331 Warum benötigt der Jäger zum Führen und Schießen mit seinen Waffen zu Jagdzwecken keinen Waffenschein i.S. § 10 Abs. 4 WaffG ?

Die weitestgehende Erlaubnis zum Führen der Waffen wird durch den Waffenschein erteilt, und nur wenn ein Jäger „ausnahmsweise" auch im Besitz eines Waffenscheins ist, darf er die insoweit privilegierte Waffe auch zu anderen als Jagdzwecken führen (benutzen). Ansonsten ist der Jäger als Inhaber eines gültigen Jagdscheins zum Führen und Schießen seiner Waffen nur zu Jagdzwecken (und damit zusammenhängenden Verrichtungen) berechtigt.

332 Warum ist der Jäger von der Waffenscheinpflicht befreit?

Der Gesetzgeber sieht kein Bedürfnis für einen Waffenschein bei Personen in befugter Jagdausübung und beim Jagd- und Forstschutz, weil die insoweit geltenden gesetzlichen Regeln die Sicherheitsinteressen der Bevölkerung in genügender Weise berücksichtigen.

333 Gibt es ähnliche privilegierte Personengruppen wie die Jäger im Hinblick auf die fehlende Notwendigkeit eines Waffenscheins?

Ja – in ganz ähnlicher Weise gilt dieses Privileg auch für Sportschützen (§ 13 u. 14 WaffG) und für Brauchtumschützen (§ 16 WaffG) und für Waffen- und Munitionssammler (§ 17 WaffG).

334 Wann wird bei Jägern grundsätzlich ein Bedürfnis für den Erwerb und Besitz von Schusswaffen nebst Munition anerkannt?

Wenn der Jäger Inhaber eines auf seinen Namen lautenden gültigen Jagdscheins ist, wenn er glaubhaft macht, dass er die Schusswaffen und die Munition zur Jagdausübung oder zum Training im jagdlichen Schießen einschließlich jagdlicher Schießwettkämpfe benötigt und die zu erwerbende Schusswaffe und Munition nach dem Bundesjagdgesetz nicht verboten ist (§ 13 Abs. 1 WaffG).

335 Welche Waffen dürfen Inhaber eines gültigen Jahresjagdscheins ohne weitergehende Erlaubnis erwerben und besitzen?

Zum Erwerb von (jagdlichen) Langwaffen bedarf es keiner Erlaubnis; aber die Ausstellung einer Waffenbesitzkarte oder die Eintragung in eine bereits erteilte Waffenbesitzkarte ist durch den Erwerber binnen 2 Wochen zu beantragen. Der Jäger bedarf insoweit also der „nachträglich zu beantragenden" Besitzerlaubnis, nicht aber einer Erwerbserlaubnis.

336 Wie verhält es sich insoweit mit Kurzwaffen?

Der Gesetzgeber gestattet dem Inhaber eines Jahresjagdscheins grundsätzlich den Besitz von zwei jagdlich einsetzbaren Kurzwaffen, ohne dass ein Bedürfnis (i.S. § 8 WaffG) nachgewiesen werden muss; allerdings muss bei der Kurzwaffe bereits der Erwerb durch Eintragung in einer WBK zuvor durch die Behörde erlaubt sein.

337 Wie ist waffenrechtlich das „Führen einer Jagdwaffe" zu beschreiben?

Der Jäger darf seine Jagdwaffen ohne „gesonderte Erlaubnis" zur befugten Jagdausübung führen und mit den Waffen schießen. Dazu gehören neben der eigentlichen Jagdausübung auch das An- und Einschießen der Waffe im Revier, die Ausbildung von Jagdhunden im Revier und der Jagd- bzw. Forstschutz.

338 Wie verhält sich der Jäger mit seiner Waffe im Fahrzeug auf dem direkten Weg zu seinem Jagdrevier?

Die Langwaffe kann „offen" im Fahrzeug „zugriffsbereit" transportiert werden; allerdings ist die Munition von der Waffe getrennt mitzuführen.

339 Wie ist im Gegensatz dazu der „Transport" der Waffe im Fahrzeug z.B. zum Büchsenmacher auszuführen?

Die Waffe kann – getrennt von der Munition – im Fahrzeug transportiert werden; sie muss allerdings in einem verschlossenen Behältnis sein und darf sich mithin nicht in einem „zugriffsbereiten Zustand" befinden.

340 In welcher (gesetzlichen) Vorschrift finden sich insbesondere zum Waffentransport im Fahrzeug weitere Vorschriften?

Das Waffengesetz wird durch die VSG 4.4 (UVV) „Jagd" ergänzt, wonach generell geladene Waffen in Fahrzeugen untersagt sind – dies gilt nun inzwischen auch bei einer Fahrt während der Jagdausübung im eigenen Jagdrevier.

341 Wie ist der Waffenerwerb und -besitz bei Jugendlichen und während der Ausbildung zum Jäger geregelt?

Inhaber eines Jugendjagdscheines (nach § 16 BJagdG) dürfen keine eigenen Waffen auf Dauer erwerben. Sie dürfen solche nur für die Dauer der Jagdausübung oder des jagdlichen

Schießens (Training) erwerben, besitzen und führen. Diese Regelung gilt auch auf dem Weg zum und von diesen Tätigkeiten („im Zusammenhang mit"), wo die Waffen in nicht schussbereitem Zustand transportiert werden müssen.

Im Rahmen der Ausbildung dürfen Personen Jagdwaffen nur mit schriftlichem Einverständnis des Ausbilders und unter der Aufsicht eines Ausbilders für diese Ausbildung erwerben, besitzen und führen. Sind die Auszubildenden noch minderjährig (ab 14 Jahre), müssen die Eltern ebenfalls ihr schriftliches Einverständnis geben. Die Einverständniserklärung(en) muss der Auszubildende immer mitführen.

342 Was versteht das WaffG unter der Beschreibung „eine (Jagd-)Waffe wird jemandem überlassen"?

Eine Waffe (oder auch Munition) „überlässt", wer die tatsächliche Gewalt darüber einer anderen Person (auf Dauer) einräumt.

343 Was ist bei der Überlassung einer Waffe besonders zu beachten?

Waffen oder Munition dürfen nur berechtigten Personen überlassen werden. Die Berechtigung (z.B. durch den Besitz eines Jahresjagdscheins) muss entweder offensichtlich sein, oder der Überlassene muss sich persönlich von der Berechtigung überzeugen.

344 Welche ergänzenden Maßnahmen sind bei der Überlassung einer Waffe zu beachten?

Im Sinne der Unfallverhütung soll der Überlassene den Zustand der Waffe angeben („entladen", „teilgeladen" und „gesichert" o.ä.), und der Übernehmende sollte diese Angaben überprüfen und – je nach Situation – die Waffe in den „sichersten Zustand" versetzen.

345 Wie ist die „Überlassung von Waffen" infolge eines Erbfalles geregelt?

Durch die erbrechtliche sog. „Universalsukzession" tritt der Erbe grundsätzlich in die Rechtspositionen des Erblassers ein, und damit müsste der Erbe „eigentlich sofort" mit dem Erbfall Eigentümer und Besitzer der ererbten Waffen sein. Diese rein zivilrechtliche Betrachtung galt früher nahezu uneingeschränkt auch in waffenrechtlicher Hinsicht („Erbenprivileg"). Nach heutigen waffenrechtlichen Vorschriften gibt es unterschiedliche Regelungen je nach dem waffenrechtlichen Status eines Erben (oder Vermächtnisnehmers, der den Erben in waffenrechtlicher Hinsicht gleichgestellt ist).

346 Welche waffenrechtliche Pflicht ist unabhängig vom waffenrechtlichen Status eines Waffenerwerbers von Todes wegen zunächst zu erfüllen?

Jeder, der erlaubnispflichtige Waffen oder Munition beim Tode eines Waffenbesitzers in Besitz nimmt, muss dies der zuständigen Behörde unverzüglich anzeigen (§ 37 Abs. 1 Ziff. 1 WaffG); diese Vorschrift gilt nicht nur für jeden Erben, sondern auch für andere Personen bei ähnlichen Erwerbstatbeständen (s.u. Ziff. 351)

347 Wie ist das weitere Verfahren zum Waffenerwerb eines Erben gesetzlich geregelt?

Für den Fall, dass der Erbe zum Zeitpunkt des Erbfalls bereits selbst Berechtigter (also wie der Erblasser, bspw. Jäger oder Sportschütze) ist, so hat dieser Erbe innerhalb eines Monats nach Annahme der Erbschaft die Ausstellung einer Waffenbesitzkarte oder die Eintragung in einer ihm bereits ausgestellten Waffenbesitzkarte zu beantragen. Dies umfasst auch die ererbte Munition, deren Erwerbs- und Besitzberechtigung nur einzutragen ist, soweit diese nicht für jagdliche Langwaffen bestimmt ist.

348 Darf ein Erbe, der weder Jäger noch Sportschütze o.ä. ist, ererbte Waffen und Munition ebenfalls behalten?

Grundsätzlich darf ein solcher Erbe Munition überhaupt nicht behalten – diese ist „unbrauchbar" zu machen oder einem Berechtigten zu übergeben oder zu vernichten. Wegen der Waffen muss ein solcher Erbe ebenfalls innerhalb eines Monats die Ausstellung einer WBK für sich für die zum Nachlass gehörenden erlaubnispflichtigen Schusswaffen beantragen. Die Behörde hat vor Erteilung dieser WBK die Zuverlässigkeit und die persönliche Eignung (§§ 5 und 6 WaffG) zu überprüfen und festzustellen, ob der antragstellende Erbe volljährig ist. Sofern diese Bedingungen bejaht werden, wird die zuständige Behörde die WBK ausstellen und damit den fortwährenden Besitz der erlaubnispflichtigen Waffen genehmigen, ohne dass der Antragsteller waffenrechtliche Sachkunde oder das waffenrechtliche Bedürfnis erfüllen muss.

349 Gibt es eine weitere Einschränkung des Erbenprivilegs für den Erben, der nicht selbst schon legalen Waffenbesitzer zum Zeitpunkt des Erbfalls ist?

Ja – nach neuesten Vorschriften ist der Erbe verpflichtet, die erlaubnispflichtigen Waffen durch ein dem Stand der Technik entsprechendes Blockiersystem zu sichern, sodass diese zur Schussabgabe nicht mehr brauchbar sind. Lediglich für solche Waffen, für die ein dem Stand der Technik entsprechendes Blockiersystem noch nicht vorhanden ist, kann die Behörde einem Erben eine Ausnahme von der Blockierpflicht genehmigen wie auch dann, wenn Erbwaffen Bestandteil einer kulturhistorisch bedeutsamen Sammlung sind.

350 Ist die im Erbfall anzuordnende „Waffenblockade" endgültig?

Nein – für den Fall, dass der Erbe die Waffe später veräußern will und ein Funktionstest der Waffe (durch einen Berechtigten) vorgenommen werden soll, ist die vorübergehende Entsperrung möglich. Und die Entsperrung ist auch dann möglich, wenn der Erbe nach dem Erbfall selbst „Waffenberechtigter" (durch erfolgreiches Bestehen der Jägerprüfung und die Inhaberschaft eines Jahresjagdscheins) geworden ist.

351 Bei welchen weiteren waffenrechtlichen Fällen gibt es eine „unverzügliche Anzeigepflicht"?

Wer erlaubnispflichtige Waffen oder Munition beim Tode eines Waffenbesitzers, als Finder, als Insolvenz- oder Zwangsverwalter, Gerichtsvollzieher oder in ähnlicher Weise oder Funktion in Besitz nimmt, muss dies der zuständigen Behörde unverzüglich anzeigen.

Die Behörde kann solche Waffen und Munition sicherstellen, ihre Unbrauchbarmachung anordnen oder sie einem Berechtigten überlassen. Gleichfalls besteht eine unverzügliche Anzeigepflicht, wenn erlaubnispflichtige Waffen, Munition oder die entsprechenden Erlaubnisurkunden abhanden kommen.

In diesem Fall erfolgt eine Unterrichtung der örtlichen Polizeidienststelle zur weiteren polizeilichen Ermittlung.

Auch die Unbrauchbarmachung oder Zerstörung einer Waffe muss der zuständigen Behörde angezeigt werden. Hier besteht jedoch eine zweiwöchige Frist.

352 Was bedeutet i.S. des Gesetzes der Begriff „unverzüglich"?

Gesetzlich definiert ist dies so, dass der Verpflichtete „ohne schuldhaftes Zögern" seiner Rechtspflicht genügen muss. Das bedeutet zwar nicht „sofort", aber sobald der Betroffene anderweitig dringende Aufgaben erledigt hat, ist der Zeitpunkt gekommen.

353 Wann ist eine Schusswaffe abhanden gekommen?

Wenn der Inhaber der tatsächlichen Gewalt (Besitzer) den unmittelbaren Besitz ohne seinen Willen verloren hat (RGZ 101, 224).

§ 36 WaffG Aufbewahrung von Waffen und Munition

354 Welchen Zweck verfolgt der Gesetzgeber mit den immer wieder verschärften Aufbewahrungsvorschriften für Waffen und Munition?

Durch die gesetzlichen Regelungen in § 36 WaffG und §§ 13 u. 14 AWaffV soll verhindert werden, dass durch Diebstahl oder sonstiges Abhandenkommen Schusswaffen und Munition in den Besitz „unzuverlässiger Personen" geraten, so dass dadurch die öffentliche Sicherheit und Ordnung gefährdet wird.

355 Mit welchen konkreten Vorgaben versucht der Gesetzgeber, den Sicherungszweck im Hinblick auf legale Waffen und Munition und deren Abhandenkommen zu erreichen?

Seit 2002 gilt die Vorschrift der Waffen- und Munitionsaufbewahrung in einem Tresor. Die seitdem immer wieder aus nicht immer nachvollziehbaren Gründen vorgenommenen Verschärfungen haben zu einer „nahezu unverständlichen" Vorschriftenlage geführt, die aber, weil das WaffG Bundesrecht ist, im gesamten Bundesgebiet gilt.

356 Wie kann die Behörde sicherstellen, dass der legale Waffenbesitzer die Vorschriften der Waffenaufbewahrung in Tresoren auch befolgt?

Zunächst konnte die Behörde einen Nachweis des Besitzes eines vorgeschriebenen Tresors verlangen durch Vorlage einer Kaufbestätigung und/oder Zusendung eines bebilderten Nachweises insbesondere mit Abbildung des Typen-Schilds des Tresors. Ergänzend dazu wurde § 36 Abs. 3 WaffG verschärft, wonach die Behörde den Zutritt zu den Räumen verlangen kann, in denen die Waffen und die Munition aufbewahrt werden zwecks Überprüfung des Tresors und der darin aufbewahrten Waffen und Munition.

357 Darf durch die vorgenannte Vorschrift die Behörde auch gegen den Willen des Betroffenen in die Wohnung des legalen Waffenbesitzers eindringen und die korrekte Waffenaufbewahrung kontrollieren?

Es ist zu unterscheiden:
§ 36 Abs. 3 Satz 2 WaffG beschreibt die „unangekündigte freiwillige Waffenaufbewahrungskontrolle", wonach die Behörde zwar unangemeldet zur Kontrolle erscheinen darf, aber grundsätzlich die Durchführung der Aufbewahrungskontrolle nicht gegen den Willen des Berechtigten erzwingen kann, und insbesondere bei dessen Abwesenheit die Behörde einen anderen Termin wählen und mit dem Berechtigten eine Verabredung in zeitlicher Hinsicht treffen muss.
Das WaffG stellt in § 36 Abs. 3 Satz 4 ausdrücklich klar, dass die Wohnräume des Berechtigten gegen dessen Willen nur zur Verhütung dringender Gefahren für die öffentliche Sicherheit betreten werden darf und nur insoweit das Grundrecht der Unverletzlichkeit der Wohnung (Art. 13 GG) eingeschränkt wird.

358 Was geschieht, wenn der Waffenberechtigte der „freiwilligen Aufbewahrungskontrolle" mehrfach (begründungslos) nicht zustimmt?

Die Behörde könnte die mehrfache begründungslose Weigerung zur Aufbewahrungskontrolle zum Anlass nehmen, die Zuverlässigkeit (§ 5 WaffG) des Betroffenen in Frage zu stellen, und mit dieser Begründung die WBK einziehen und den Jagdschein für unwirksam erklären. Ob dieses Verhalten eines Betroffenen die Annahme der Unverlässlichkeit rechtfertigt, ist rechtlich umstritten – eine gesicherte Rechtsprechung dazu gibt es noch nicht.

359 Darf der Jäger bei einer zeitlich verabredeten Waffenaufbewahrungskontrolle sich z.B. durch seine Ehefrau vertreten lassen, wenn er in unvorhersehbarer Weise dann doch verhindert ist?

Sofern die Ehefrau nicht selbst Waffenberechtigte ist und gem. § 13 Abs. 10 AWaffV keine gemeinschaftliche Aufbewahrung von Waffen oder Munition vorliegt, ist dies absolut unzulässig. Der Berechtigte würde gegen das wichtigste Gebot verstoßen, dass Waffen und Munition nur in die Hände von berechtigten Personen gelangen dürfen. Nicht-berechtigte Personen dürfen niemals Zugang zum Waffentresor erhalten.

360 Wie ist die Unterbringung der Waffen genau geregelt?

Die Anforderungen an den Widerstandsgrad der Sicherheitsbehältnisse (Waffentresore) wurden mit Wirkung ab 06.07.2017 erneut verschärft. Schusswaffen müssen ungeladen und dürfen gemeinsam mit Munition nur aufbewahrt werden in einem Tresor, der mindestens der Norm DIN/EN 1143-1 Widerstandsgrad 0 oder einer Norm mit gleichwertigem Schutzniveau eines anderen EU-Mitgliedsstaats entspricht. Der Widerstandsgrad steigt mit der Bezeichnung I, II oder III. Die bis 05.07.2017 erlaubten Tresore der Sicherheitsstufe A (VDMA 24992) und A mit abschließbarem Innenfach B („Jägerschrank") und B genießen Bestandsschutz durch den bisherigen Besitzer und auch zugunsten berechtigter Personen für die Dauer einer gemeinschaftlichen Aufbewahrung in häuslicher Gemeinschaft.

Wertbehältnis	Kurzwaffen Stückzahl	Langwaffen Stückzahl	Munition Erlaubnispflichtig
Stahlschrank (ohne Klassifizierung) mit Schwenkriegelschloss oder gleichwertig	Nein	Nein	Ja
Widerstandsgrad 0 DIN EN 1143-1 (unter 200 kg)	Bis 5	Unbegrenzt	Ja
Widerstandsgrad 0 DIN EN 1143-1 (ab 200 kg)	Bis 10	Unbegrenzt	Ja
Widerstandsgrad I DIN EN 1143-1	Unbegrenzt	Unbegrenzt	Ja
Sicherheitsstufe A* VDMA 24 992	Nein	Bis 10	Im abschließbaren Innenfach
Sicherheitsstufe A* mit abschließbarem Innenfach Stufe B nach VDMA 24 992 (sog. „Jägerschrank")	Bis 5 Im Innenfach	Bis 10	Im abschließbaren Innenfach
Sicherheitsstufe B* VDMA 24 992 (mindestens 200 kg oder gleichwertige Verankerung, sonst max. 5 Kurzwaffen)	Bis zu 10	Unbegrenzt	Im abschließbaren Innenfach

361 Was verstehen wir unter Nachtsicht-Geräten und wie kommt der Jäger damit in Berührung?

Nachtsichtgeräte und Nachtzielgeräte sind ursprünglich ausschließlich für den militärischen und polizeilichen Einsatz entwickelt worden. Nachtsichtgeräte dienen der Beobachtung von Objekten in der Dämmerung und in der Dunkelheit. Ihre Nutzung zur Beobachtung von Wild in der Nacht war schon immer erlaubt. Nachtzielgeräte an der Waffe waren generell bis vor kurzer Zeit verbotene Gegenstände, soweit die Jagdausübung betroffen war.

362 Welche Geräte sind nun für den jagdlichen Einsatz erlaubt und welche Geräte sind weiterhin verboten?

Eine Neuregelung im WaffG (§ 40 Abs. 3 S. 4) erlaubt den Inhabern eines gültigen Jagdscheins für jagdliche Zwecke Nachtsicht-Vorsatzgeräte und Nachtsicht-Aufsatzgeräte für die Zieleinrichtung der Jagdwaffe. Der Umgang mit kompletten Nachtzielgeräten (Kompaktgeräte als Fernglas mit fest installierter Nachtsichttechnik und Absehen inklusiv der Montagevorrichtung für Schusswaffen) ist dagegen nach Waffenrecht für Jäger nicht statthaft. Bereits der Besitz stellt einen Straftatbestand dar.

Weil aber gemäß § 19 BJagdG der jagdliche Einsatz auch der Vorsatz- und Aufsatzgeräte, die für die Jagd nun erlaubt sein sollen, nach wie vor verboten ist, muss dieser Einsatz durch eine gesonderte Ausnahmeregelung der Landes-Jagdbehörde verbotsfrei

gemacht werden. Dies ist mit unterschiedlichen rechtlichen Konstruktionen in fast allen Bundesländern geschehen. Allerdings dürfen Nachtzieloptiken für die Jagdausübung mit Schusswaffen nicht ausgestattet sein mit integrierter Vorrichtung zum Beleuchten oder Ausstrahlen des Ziels wie z.B. Infrarot-Aufheller, Lampen etc.
Die nächste Änderung des BJagdG sollte diese unübersichtliche Rechtslage vereinheitlichen und eindeutig in einem Gesetz für die Jagd regeln.

363 Wie sollen nun diese für die Jagd erlaubten Nachtsicht-Vorsatz- oder -Aufsatzgeräte aufbewahrt werden?

Weil auch diese Geräte gemäß WaffG eigentlich nach wie vor verbotene Gegenstände sind (siehe Anlage 2 zum WaffG), muss der Jäger verhindern, dass diese abhanden kommen und in fremde Hände gelangen können. Aus diesem Grund müssen die Nachtsicht-Vorsatz- und -Aufsatzgeräte wie erlaubnispflichtige Schusswaffen im Waffentresor aufbewahrt werden.

364 Gibt es eine gesetzliche Regelung über die Ausweispflicht im Zusammenhang mit der Waffenbenutzung?

Ja – in § 38 WaffG ist geregelt:
Wer eine Waffe führt, muss
» seinen Personalausweis oder Pass und
» seine WBK (bei erlaubnispflichtigen Waffen) und
» als Jäger seinen Jagdschein
mitführen und diese auf Verlangen vorweisen.

365 Wer darf bei öffentlichen Veranstaltungen Waffen führen?

Das Führen von Waffen bei öffentlichen Vergnügungen, Volksfesten, Sportveranstaltungen, Messen, Ausstellungen, Märkten und anderen öffentlichen Veranstaltungen ist grundsätzlich für jedermann untersagt. Dies gilt insbesondere für Schusswaffen und Hieb- und Stoßwaffen. Ausnahmen können nur in sehr begrenztem Umfang durch die Behörde genehmigt werden.

366 Gilt das WaffG für alle Personen im Geltungsbereich des GG oder gibt es Ausnahmen?

Das WaffG ist nicht anzuwenden auf die obersten Bundes- und Landesbehörden, die Bundesbank, die Bundeswehr, die in Deutschland stationierten ausländischen Streitkräfte, die Polizeibehörden des Bundes und der Länder und die Zollverwaltung.
Für Personen, die aufgrund hoheitlicher Aufgaben oder als Personen des öffentlichen Lebens erheblich gefährdet sind, und für Staatsgäste können Sonderregelungen getroffen werden.
Das Gesetz umfasst nicht Kriegswaffen i.S. des Kriegswaffenkontrollgesetzes.

10.3 Bundesnaturschutzgesetz

367 Durch welche Gesetze wird der Naturschutz geregelt?

Es gibt das Bundesnaturschutzgesetz (BNatSchG) und die Naturschutzgesetze der Länder. Diese Gesetze wirken im Sinne der konkurrierenden Gesetzgebung (Art. 72 Abs. 3 Nr. 2 i. V. m. Art. 74 GG Abs. 1 Nr. 29 GG) ähnlich zusammen, wie das BJagdG und die einzelnen Jagdgesetze der Länder (siehe Einleitung zum Abschnitt „Jagd und Recht")

368 Welche grundsätzlichen Zwecke verfolgen die Naturschutzgesetze?

Natur und Landschaft sind so zu schützen, zu pflegen und zu entwickeln, dass die Leistungsfähigkeit des Naturhaushalts, die Nutzungsfähigkeit der Naturgüter, die Pflanzen- und Tierwelt sowie die Vielfalt, Eigenart und Schönheit von Natur und Landschaft als Lebensgrundlage des Menschen und als Voraussetzung für seine Erholung in Natur und Landschaft nachhaltig gesichert sind.

369 Welches sind die Grundsätze des Naturschutzes und der Landschaftspflege?

Dies sind stichwortartig folgende Grundsätze:

1. Sicherung, Entwicklung und Wiederherstellung der standortsprägenden biologischen Funktionen, Stoff- und Energieflüsse und landwirtschaftlichen Strukturen;
2. Sparsame und schonende Nutzung der nicht erneuerbaren, nachhaltige Nutzung erneuerbarer Naturgüter;
3. Bodenschutz, Schutz natürlicher Pflanzendecken und Ufervegetationen und Vermeidung von Erosionen;
4. Erhaltung, Entwicklung und Wiederherstellung natürlicher und naturnaher Gewässer und Uferzonen;
5. Geringhaltung schädlicher Umweltbedingungen durch Maßnahmen von Naturschutz und Landschaftspflege;
6. Schutz von Klima, u.a. durch zunehmende Nutzung erneuerbarer Energiequellen und Erhalt von Klimaschutzwäldern;
7. Vermeidung von dauerhaften Schäden des Naturhaushaltes und von Zerstörung wertvoller Naturhaushalte bei der Gewinnung von Bodenschätzen, bei gleichzeitiger Förderung von oder Ausgleich durch Renaturierungen, Sukzessionen oder Rekultivierungen;
8. Erhaltung und Entwicklung der biologischen Vielfalt zur Sicherung der Leistungs- und Funktionsfähigkeit des Naturhaushaltes;
9. Schutz wild lebender Tiere und Pflanzen in ihrer natürlichen Artenvielfalt sowie Schutz und Pflege ihrer Biotope;
10. Erhaltung und Entwicklung ökologischer Kleinstrukturen (Wald, Hecken, Wegraine usw.) auch in besiedelten Bereichen;
11. Erhaltung unbebauter Bereiche wegen ihrer Bedeutung für Naturhaushalt und Erholung, Renaturierung nicht mehr benötigter versiegelter Flächen;
12. Minimalisierung von Zerschneidung und Landschaftsverbrauch bei Planung und Umsetzung von Verkehrswegen, Energieleitungen und ortsfesten baulichen Anlagen;

13. Erhaltung der Landschaft in ihrer Vielfalt, Eigenart und Schönheit, wegen ihrer Bedeutung auch als Erlebnis- und Erholungsraum des Menschen. Schutz, Pflege und Gestaltung dafür geeigneter Flächen;
14. Erhaltung historischer Kulturlandschaften und -landschaftsteile in ihrer besonderen Eigenart;
15. Förderung des allgemeinen Verständnisses für Ziele und Aufgaben des Naturschutzes und der Landschaftspflege.

370 Welche Bedeutung haben die Naturschutzgesetze?

Durch das Naturschutzgesetz des Bundes und die begleitenden Gesetze der Länder sollen die Pflanzenarten, die Tierarten und einzelne Teile der Natur und der Landschaft geschützt werden.

§§ 8–12 BNatSchG Landschaftsplanung

371 Wie werden die gesetzlich vorgegebenen Ziele des Naturschutzes bei der Landschaftsplanung umgesetzt?

Durch die Landschaftsplanung (für den Bereich des jeweiligen Bundeslandes durch Landschaftsprogramme, für Teile eines Landes durch Landschaftsrahmenpläne und für örtliche Gebiete durch Landschaftspläne), die von Bund, Ländern und Kommunen jeweils für den räumlichen Zuständigkeitsbereich erstellt werden und von „oben nach unten“ aufeinander aufbauen.

372 Was ist bei Eingriffen in Natur und Landschaft zu beachten?

Ein Eingriff in Natur und Landschaft – also Veränderungen der Gestalt oder Nutzung von Grundflächen oder Veränderungen des Grundwasserspiegels – sind so auszuführen, dass vermeidbare Beeinträchtigungen von Natur und Landschaft unterbleiben und unvermeidbare Beeinträchtigungen innerhalb einer zu bestimmenden Frist durch Maßnahmen des Naturschutzes und der Landschaftspflege ausgeglichen werden (§ 15 Abs. 2 BNatSchG).

§§ 20–36 BNatSchG Schützenswerte Landschaftsteile

373 Welche Teile von Natur und Landschaft genießen besonderen Schutz und besondere Pflege?

Im vierten Abschnitt des BNatSchG werden die schützenswerten Landschaftsteile und ihre jeweilige Definition aufgeführt. Es handelt sich dabei insbesondere im Einzelnen um:
» Naturschutzgebiete (§ 23),
» Nationalparks und Biosphärenreservate (§§ 24 und 25),
» Landschaftsschutzgebiete (§ 26),
» Naturparke (§ 27),
» Naturdenkmale (§ 28),
» geschützte Landschaftsbestandteile (§ 29) und um
» gesetzlich geschützte Biotope (§ 30).

374 Was sind Naturschutzgebiete?

Es sind rechtsverbindlich festgesetzte Gebiete, in denen ein besonderer Schutz von Natur und Landschaft in ihrer Ganzheit oder in einzelnen Teilen zur Erhaltung von Lebensgemeinschaften oder Lebensstätten bestimmter wild wachsender Pflanzen- oder wildlebender Tierarten oder wegen ihrer Seltenheit, Eigenart oder Schönheit im öffentlichen Interesse liegt (§ 23 BNatSchG).

375 Was sind Nationalparks und Biosphärenreservate?

Es sind großräumige, zu schützende Gebiete von besonderer Eigenart, im vom Menschen nicht oder kaum beeinflussten Zustand, die im überwiegenden Teil ihres Gebietes die Voraussetzungen eines Naturschutzgebietes erfüllen und in erster Linie der Erhaltung eines möglichst artenreichen heimischen Pflanzen- und Tierbestandes dienen sollen (§ 24 BNatSchNeurG).

Biosphärenreservate sind großräumige und für bestimmte Landschaftstypen charakteristische Gebiete, die in wesentlichen Teilen die Voraussetzungen eines Naturschutzgebietes, überwiegend jedoch zumindest die an ein Landschaftsschtzgebiet erfüllen und vornehmlich der Erhaltung, Entwicklung oder Wiederherstellung einer durch vielfältige Nutzung geprägten Landschaft, der darin historisch gewachsenen Arten- und Biotopvielfalt dienen. Eine die Naturgüter schonende Wirtschaftsweise ist beispielhaft zu entwickeln und zu erproben (§ 25 BNatSchG).

376 Was sind Landschaftsschutzgebiete?

Es sind Gebiete, in denen ein besonderer Schutz von Natur und Landschaft

1. zur Erhaltung oder Wiederherstellung der Leistungsfähigkeit des Naturhaushalts oder der Nutzungsfähigkeiten der Naturgüter,
2. wegen der Vielfalt, Eigenart oder Schönheit des Landschaftsbildes,
3. wegen ihrer Bedeutung für die Erholung erforderlich ist (§ 26 BNatSchG).

377 Was sind Naturparks?

Es sind überwiegend aus Landschaftsschutz- oder Naturschutzgebieten bestehende, zu pflegende großräumige Gebiete, die sich für die Erholung besonders eignen und nach den Grundsätzen und Zielen der Raumordnung und Landesplanung für die Erholung oder den Fremdenverkehr vorgesehen sind (§ 27 BNatSchG). Naturparks werden durch schonende Formen der Landnutzung und durch Landschaftspflege in ihrem Bestand erhalten.

378 Was verstehen wir unter Naturdenkmalen?

Es sind rechtsverbindlich festgesetzte Einzelschöpfungen der Natur, deren besonderer Schutz aus wissenschaftlichen, naturgeschichtlichen oder landeskundlichen Gründen oder aber wegen ihrer Seltenheit, Eigenart oder Schönheit erforderlich ist (§ 28 BNatSchG).

379 Was sind sog. geschützte Landschaftsbestandteile?

Es sind Teile von Natur und Landschaft, deren besonderer Schutz

1. zur Sicherstellung der Leistungsfähigkeit des Naturhaushalts,
2. zur Belebung, Gliederung oder Pflege des Orts- und Landschaftsbildes oder
3. zur Abwehr schädlicher Einwirkungen erforderlich ist (§ 29 BNatSchG).

§§ 37–55 BNatSchG Artenschutz

380 Auf welche Pflanzen und Tiere findet das Bundesnaturschutzgesetz Anwendung?

Grundsätzlich auf alle wildwachsenden Pflanzen und auf alle wildlebenden Tiere.

381 Welche Aufgaben sollen die Vorschriften über den Artenschutz erfüllen?

Sie dienen dem Schutz und der Pflege der wildlebenden Tier- und Pflanzenarten in ihrer natürlichen und historisch gewachsenen Vielfalt.

382 Welche Aufgaben beinhaltet der Artenschutz?

Er soll den Schutz der Tiere und Pflanzen vor Beeinträchtigungen durch den Menschen sichern und Schutz und Pflege der Biotope und die Ansiedlung von Tieren und Pflanzen verdrängter wildlebender Arten gewährleisten.

383 Was ist Grundvoraussetzung für einen wirksamen Artenschutz?

Der besondere Schutz des jeweiligen Biotops, der daher so in § 21 BNatSchG ausdrücklich vorgesehen ist.

384 Welchen abgestuften Schutz gewährleistet das Bundesnaturschutzgesetz im Hinblick auf die Tier- und Pflanzenarten?

Es unterscheidet den allgemeinen Schutz wildlebender Tiere und Pflanzen und die besonders geschützten Tier- und Pflanzenarten.

385 Wie ist der allgemeine Schutz wildlebender Tiere und Pflanzen nach dem BNatSchG geregelt?

Bei diesen Wild- und Pflanzenarten beschränkt sich der Schutz darauf, dass Tiere und Pflanzen dieser Arten nicht ohne vernünftigen Grund gefangen, verletzt oder getötet bzw. ihre Lebensstätten nicht verwüstet, beeinträchtigt oder zerstört werden dürfen (§ 39 Abs. 1 BNatSchG).

386 Wie ist die Schutz-Regelung bei den besonders geschützten wildlebenden Tieren und Pflanzen?

Über § 54 BNatSchG ist das Bundesumweltministerium ermächtigt, durch Rechtsverordnung zu bestimmen, welche Tier- und Pflanzenarten oder Populationen solcher Arten unter besonderen Schutz zu stellen sind. Hierzu gibt es die Bundesartenschutzverordnung (BArtSchV), in der Ge- und Verbote enthalten sind sowie in der Anlage eine Auflistung der besonders geschützten Pflanzen- und Tierarten.

387 Was regelt das Bundesnaturschutzgesetz hinsichtlich der besonders geschützten Pflanzen und Tiere?

Es verbietet:

1. Tieren der besonders geschützten Arten nachzustellen, sie zu fangen, zu verletzen, zu töten oder ihre Eier, Larven, Puppen oder sonstige Entwicklungsformen wegzunehmen, zu zerstören oder zu beschädigen.
2. Pflanzen der besonders geschützten Arten oder einzelne Teile von ihnen abzuschneiden, abzupflücken, aus- oder abzureißen, auszugraben, zu entfernen oder sonst zu beschädigen.
3. Tiere der als vom Aussterben bedroht bezeichneten Arten an ihren Nist-, Brut-, Wohn- oder Zufluchtsstätten durch Aufsuchen, Photographieren, Filmen oder ähnliche Handlungen zu stören,
4. a) frische oder getrocknete Pflanzen der besonders geschützten Arten und
   b) lebende oder tote Tiere der besonders geschützten Arten, ihre Eier, Larven, Puppen, sonstige Entwicklungsformen oder Nester sowie hieraus gewonnene Erzeugnisse in Besitz zu nehmen, zu erwerben, die tatsächliche Gewalt darüber auszuüben, zu be- und verarbeiten, abzugeben, feilzuhalten, zu veräußern oder sonst wie in den Verkehr zu bringen.

Ländervorschriften zum Schutz einzelner Arten und andere Schutzvorschriften bleiben von dieser Regelung unberührt.

388 In welchem Verhältnis steht das Bundesnaturschutzgesetz (insbesondere im Zusammenhang mit dem Artenschutz) zu den jagdrechtlichen Vorschriften?

Das BNatSchG berührt grundsätzlich nicht die Bestimmungen des Forst-, Jagd- und Fischereirechts ähnlich wie das Tierschutzrecht und das Pflanzenschutzrecht. Soweit jagd- oder fischereirechtliche Vorschriften zum Schutz und zur Pflege betroffener Arten fehlen und Rechte der Jagdausübungs- und Fischereiberechtigten nicht vorgehen, gelten auch Vorschriften des Naturschutzrechts (§ 37 Abs. 2). Für das Management invasiver Arten, soweit dies wildlebende Tiere mit Bezug zum Jagdrecht betrifft, ist nun § 28 a BJagdG eingeführt worden (s. Nr. 227).

389 Wo ist in den Gesetzen nun der Wolf einzuordnen?

Obwohl der Wolf ehemals in unserem Lande nahezu ausgerottet war, gilt er nicht als invasiv. Der Wolf gehört zur euroasiatischen Population großer Beutegreifer und er ist durch europäische gesetzliche Vorgaben streng geschützt (FFH-Richtlinie, Anhang IV).
In Deutschland ist der Wolf gemäß BJagdG nicht den jagdbaren Tieren zuzurechnen, er unterliegt damit nicht dem Jagdrecht. In dem Bundesland Sachsen allerdings wurde der Wolf in den Katalog jagdbare Tiere aufgenommen. Wegen des Schutzstatus nach europäischem Recht musste der Wolf natürlich ganzjährig geschont sein. Allerdings unterliegt der Wolf damit sogar der Hegepflicht der Jäger.
Einen Wolf im Sinne einer jagdlichen Handlung zu erlegen ist in Deutschland aus vorgenannten Gründen undenkbar. Und wenn einmal aufgrund ganz besonderer behördlicher Anordnungen oder Genehmigungen ein Wolf erlegt werden soll, dann wird die artenschutzrechtliche Ausdrucksweise benutzt, wonach der Wolf „entnommen" wird. Die gesetzlichen

oder behördlichen Voraussetzungen dazu sind extrem hoch und nicht immer für betroffene Personen nachvollziehbar.

390 Was versteht man unter der sog. „Landwirtschaftsklausel"?

Die sog. „Landwirtschaftsklausel" bezieht sich auf die land-, forst- und fischereiwirtschaftliche Bodennutzung. Eine solche Nutzung ist nicht als Eingriff in Natur und Landschaft iSd § 14 BNatSchG anzusehen, soweit dabei Ziele und Grundsätze des Naturschutzes und der Landespflege berücksichtigt werden (s. insoweit § 5 BNatSchG).

§§ 63 u. 64 BNatSchG Mitwirkung von Vereinen

391 Wie wirken Naturschutzverbände und sonstige Organisationen beim Naturschutz mit?

Bestimmten vom Bund anerkannten Vereinigungen (gem. § 3 des Umwelt-Rechtsbehelfsgesetzes), die nach deren satzungsgemäßen Aufgabenbereich im Schwerpunkt die Ziele des Naturschutzes und der Landschaftspflege fördern (anerkannte Naturschutzvereinigungen), ist Gelegenheit zur Stellungnahme und zur Einsicht in einschlägige Sachverständigengutachten zu geben, soweit Rechtsverordnungen und andere im Rahmen unter dem Gesetz stehende Rechtsvorschriften auf dem Gebiet des Naturschutzes und der Landschaftspflege vorbereitet werden oder Planfeststellungsverfahren von Bundesbehörden mit Eingriffen in Natur und Landschaft iS § 14 BNatSchG betroffen sind wie auch bei anderen den Naturschutz und Landschaftsschutz betreffenden Maßnahmen.
Die meisten Landesjagdverbände und der Deutsche Jagdverband sind als Naturschutzvereine anerkannt, und insoweit haben diese auch das Recht, Rechtsbehelfe gegen behördliche Vorhaben im Umwelt- und Landschaftsrecht einzulegen und zu verfolgen, ohne in eigenen Rechten verletzt zu sein (§ 64 BNatSchG).

§§ 69–73 BNatSchG Strafvorschriften

392 Gibt es im Naturschutzgesetz auch Strafvorschriften?

In § 69 ist ein großer Katalog von Ordnungswidrigkeiten enthalten, die mit einer Geldbuße bis zu 50.000,00 € geahndet werden können. In §§ 71 und 71a BNatSchG sind sogar Straftatbestände genannt, die geahndet werden können mit Freiheitsstrafe bis zu 5 Jahren oder mit Geldstrafe; hierbei werden Verstöße gegen den Schutz von Tieren und Pflanzen einer streng geschützten Art erfasst wie insbesondere auch die gewerbs- oder gewohnheitsmäßige Begehung von Verstößen gegen die Schutzvorschriften so streng geahndet werden können.

10.4 Tierschutzgesetz (TierSchG)

§ 1 TierSchG Grundsatz, Zweck

393 Was ist der oberste Grundsatz des Tierschutzgesetzes?

Aus der Verantwortung des Menschen für das Tier als Mitgeschöpf ist dessen Leben und Wohlbefinden zu schützen bzw. zu wahren. Niemand darf einem Tier ohne vernünftigen Grund Schmerzen, Leiden oder Schäden zufügen.

394 Wie ist im Hinblick auf das TierSchG das Töten von Tieren im Rahmen der Jagdausübung darstellbar?

Die weidgerechte Jagd stellt einen ausreichend vernünftigen Grund in Sinne des TierSchG dar. Dabei muss der Jäger so weit wie möglich vermeiden, dem Wild Schmerzen und Leiden zuzufügen. Ersichtlich entspricht diese Vorgabe wiederum einem Teil der Grundsätze der Weidgerechtigkeit.

395 Darf man ein gezüchtetes oder aufgezogenes Tier einer wildlebenden Art in der freien Natur aussetzen oder ansiedeln?

Aus Tierschutzgründen lediglich dann, wenn es auf die zum Überleben im vorgesehenen Lebensraum erwartete Nahrungsaufnahme vorbereitet und an das Klima angepasst wurde. Weitere Einschränkungen dieser Möglichkeiten ergeben sich aus den Bestimmungen des Jagdrechts und des Naturschutzrechtes.

§§ 2, 2a, 3 TierSchG Tierhaltung

396 Welche konkreten Vorgaben ergeben sich aus dem TierSchG für die Jagdhundehaltung?

Der Jagdhund muss seiner Art und seinen Bedürfnissen entsprechend angemessen ernährt, gepflegt und verhaltensgerecht untergebracht werden. Für täglich ausreichende Bewegung des Hundes ist zu sorgen.

397 Darf ein kranker Jagdhund zu einer Drückjagd mitgenommen werden?

Nein! Es ist verboten, von diesem (außer in Notfällen) Leistungen abzuverlangen, denen er wegen seines Zustandes offensichtlich nicht gewachsen ist oder die augenscheinlich seine Kräfte übersteigen (§ 3 Ziff. 1 TierSchG).

398 Darf ein Jagdhund an anderen Haustieren auf Schärfe hin abgerichtet werden?

Nach § 3 Ziff. 7 TierSchG ist das Abrichten eines Tieres auf Schärfe hin an einem anderen lebenden Tier völlig unzulässig.

399 Darf ein Jagdhund auf Wild gehetzt werden?

Nur im Rahmen der weidgerechten Jagdausübung (§ 3 Ziff. 8 TierSchG).

§§ 4ff. TierSchG Töten von Tieren

400 Darf der Jäger seinen altersbedingt kranken leidenden Jagdhund durch einen Schuss von seinem Leiden erlösen?

Nein – der Jagdhund darf grundsätzlich nur nach Betäubung durch einen Tierarzt getötet werden (§ 4 Abs. 1 S. 1 TierSchG). Insofern greift auch nicht ein jagdliches Privileg, da der Schuss auf lebende Tiere grundsätzlich nur im Rahmen der Jagdausübung gestattet ist.

401 Welche tierschutzgesetzlichen Vorgaben muss der Jäger bei der Tötung von Wildtieren (Wirbeltiere) beachten?

Nur im Rahmen der weidgerechten Ausübung der Jagd ist dies erlaubt (s.o. Ziff. 390). Und weiterhin ist zu beachten, dass dem Tier dabei nicht mehr als unvermeidbare Schmerzen zugefügt werden (§ 4 Abs. 1 S. 2 TierSchG).

§§ 5ff. TierSchG Eingriffe bei Tieren

402 Welche Vorgaben des TierSchG sind zu beachten, wenn mit Schmerzen verbundene Eingriffe an einem Wirbeltier vorgenommen werden sollen?

Ein derartiger Eingriff ist grundsätzlich nur nach vorheriger Betäubung durch einen Tierarzt zulässig (§ 5 Abs. 1 TierSchG).

403 Gilt § 5 Abs. 1 TierSchG auch für das Kupieren der Ruten von Jagdhunden?

Das Kupieren der Rute eines Jagdhundes ist bei jagdlich zu führenden Hunden möglich, wenn für die vorgesehene Nutzung des Tieres dieses unerlässlich ist und tierärztliche Bedenken nicht entgegenstehen (§ 6 Abs. 1 Ziff. 1b TierSchG). Diese Vorschrift gilt in gleicher Weise auch für die Frage, ob die Ohren eines Jagdhundes kupiert werden dürfen.

404 Gibt es einen tierschutzgesetzlichen Schutz für Wildtiere im Hinblick auf die Durchführung land- und forstwirtschaftlicher Arbeiten?

Der Bundesminister für Ernährung, Landwirtschaft und Forsten kann durch Rechtsverordnungen (mit Zustimmung des Bundesrates) Bestimmungen erlassen, die das Wild vor vermeidbaren Schmerzen oder Schäden durch land- und forstwirtschaftliche Arbeiten schützen sollen (§ 13 Abs. 2 TierSchG).

405 Hält auch das TierSchG Straf- und Bußgeldvorschriften bereit, die auch die Jagdausübung betreffen?

In § 17 TierSchG gibt es einen Straftatbestand (Freiheitsstrafe bis zu 3 Jahren oder Geldstrafe), wer ein Wirbeltier ohne vernünftigen Grund tötet oder einem Wirbeltier aus Rohheit erhebliche Schmerzen oder Leiden zufügt oder länger anhaltende oder sich wiederholende erhebliche Schmerzen oder Leiden zufügt. Nur die weidgerechte Jagd im Rahmen der geltenden Jagdgesetze „befreit" den Jäger vor dieser Strafvorschrift. Des weiteren gibt es in § 18 einen langen Katalog von Ordnungswidrigkeiten, wobei diese Tatbestände für die Jagdausübung von untergeordneter Bedeutung sind.

10.5 Sonstige Gesetze und Verordnungen

Bundeswaldgesetz (BWaldG)

406 Durch welche Gesetze wird das Forstrecht (im engeren Sinne) dargestellt?

Durch das Gesetz zur Erhaltung des Waldes und zur Förderung der Forstwirtschaft (Bundeswaldgesetz) und durch die dieses Gesetz ergänzenden Forstgesetze der Länder.

407 Was ist der Zweck des Bundeswaldgesetzes?

In § 1 des BWaldG werden drei Ziele genannt:

1. Die Erhaltung und nachhaltige Sicherung der Nutz-, Schutz- und Erholungsfunktion des Waldes.
2. Die Förderung der Forstwirtschaft.
3. Ausgleich zwischen Interessen der Allgemeinheit und Belangen der Waldbesitzer.

408 Was versteht man unter Wald?

Wald im Sinne des BWaldG ist jede mit Forstpflanzen bestockte Fläche. Darunter werden auch Waldwege, Blößen und Schneisen, kurzfristig kahlgeschlagene Flächen, Waldwiesen und Wildäsungsplätze, Holzlagerplätze und mit dem Wald verbundene und ihm dienende Flächen verstanden.

Nicht als Wald gelten Hecken, Baumreihen oder -gruppen sowie Baumschulen wie auch die agro-forstliche Nutzung eines Baumbestandes. In den meisten Bundesländern werden auch Weihnachtsbaum- und Schmuckreisigkulturen nicht als Wald definiert.

409 In welchen Gesetzen sind forstrechtliche Ahndungsvorschriften mit aufgenommen worden?

Durch die das Bundeswaldgesetz ergänzenden Ländergesetze.

410 Zu welchen Themen äußert sich das BWaldG?

Das BWaldG ist ein Rahmengesetz, das von den Ländern zu den forstlichen Fragen ergänzt werden muss. Das BWaldG beschränkt sich auf einige länderübergreifende Regelungen zur forstlichen Rahmenplanung, zur Sicherung der Waldfunktionen (an dieser Stelle wird die Erstaufforstung und das Betreten des Waldes geregelt) und trifft eine erschöpfende Regelung über die verschiedenen Arten forstlicher Zusammenschlüsse.

411 Mit welchen wichtigen forstrechtlichen Rechtsgebieten befassen sich insbesondere die Ländergesetze?

Mit den Forstnutzungsrechten, dem Waldbrandschutz und dem Forstschutz.

412 Was versteht man unter Forstschutz?

Bei ihm geht es für die zuständigen Personen um die Aufgabe, Zuwiderhandlungen gegen Rechtsvorschriften, die den Schutz des Waldes oder der dem Forstbetrieb dienenden Anlagen gegen rechtswidrige Handlungen Dritter zum Gegenstand haben, zu verhüten und zu unterbinden sowie bei der Verfolgung solcher Zuwiderhandlungen mitzuwirken.

413 Worum handelt es sich in der Regel bei solchen Zuwiderhandlungen?

Diese stellen sich regelmäßig als Ordnungswidrigkeiten mannigfachen Inhalts dar und finden sich in Feld- und Forstschutzgesetzen unterschiedlicher Benennung (oder anderen der Gefahrabwendung dienenden Gesetze), soweit diese nicht im Naturschutzrecht der Länder aufgegangen sind.

§§ 15 ff. BWaldG Forstwirtschaftliche Zusammenschlüsse

414 Wozu dienen forstwirtschaftliche Zusammenschlüsse?

Forstwirtschaftliche Zusammenschlüsse haben das Ziel, die jeweilig zugehörigen Flächen gemeinsam rationeller zu bewirtschaften. Dadurch sollen insbesondere die Nachteile geringer Flächengrößen, der Besitzzersplitterung, fehlender Waldwegestruktur oder anderer Strukturmängel ausgeglichen werden.

Dabei wird zwischen anerkannten Forstbetriebsgemeinschaften, Forstbetriebsverbänden und anerkannten Forstwirtschaftlichen Vereinigungen unterschieden (§ 15 BWaldG), die sich insbesondere in der Art des Zusammenschlusses und der Zusammenarbeit unterscheiden.

415 Was versteht man unter Forstbetriebsgemeinschaften?

Forstbetriebsgemeinschaften sind privatrechtliche Zusammenschlüsse von Grundbesitzern, die den Zweck verfolgen, die Bewirtschaftung der angeschlossenen Waldflächen und der zur Aufforstung bestimmten Grundstücke zu verbessern (§ 16 BWaldG).

416 Worum handelt es sich bei Forstbetriebsverbänden?

Forstbetriebsverbände sind Zusammenschlüsse von Grundstückseigentümern in der Form von Körperschaften des öffentlichen Rechts (§ 21 BWaldG).

417 Was versteht das Bundeswaldgesetz unter forstwirtschaftlichen Vereinigungen?

Forstwirtschaftliche Vereinigungen sind privatrechtliche Zusammenschlüsse von anerkannten Forstbetriebsgemeinschaften, Forstbetriebsverbänden oder nach Landesrecht gebildeten Waldwirtschaftsgenossenschaften o.ä. zu dem Zweck, auf die Anpassung der forstwirtschaftlichen Erzeugung und des Absatzes von Forsterzeugnissen an die Erfordernisse des Marktes hinzuwirken (§§ 37, 38 BWaldG).

Bundeswildschutzverordnung, Bundesartenschutzverordnung

418 Was wird durch die Bundeswildschutzverordnung geregelt?

Diese trifft als Teil des Jagdrechts Regelungen im Hinblick auf Besitz und Erwerb von Wild, über Handel und Verarbeitung und überhaupt über das Inverkehrbringen von Wild sowie über das Halten von Greifen und Falken in Gefangenschaft.

419 Welche Tiere fallen unter die Bundeswildschutzverordnung?

Sämtliches in Anlage 1 zu § 2 Abs. 1 BWildSchVO angeführte Haar- und Federwild:

Haarwild: Steinwild, Schneehase, Murmeltier, Seehund.

Federwild: Rebhuhn, Fasan, Wachtel, Auerwild, Birkwild, Rackelwild, Haselwild, Alpenschneehuhn, Wildtruthuhn, Hohltaube, Ringeltaube, Turteltaube, Türkentaube, Höckerschwan, Graugans, Blässgans, Saatgans, Kurzschnabelgans, Ringelgans, Weißwangengans, Kanadagans, Stockente, Löffelente, Schnatterente, Pfeifente, Krickente, Spießente, Kolbenente, Bergente, Reiherente, Tafelente, Schnellente, Brandente, Eisente, Samtente, Trauerente, Eiderente, Mittelsäger, Gänsesäger, Zwergsäger, Waldschnepfe, Blässhuhn, Mantelmöwe, Heringsmöwe, Silbermöwe, Sturmmöwe, Lachmöwe, Schwarzkopfmöwe, Zwergmöwe, Dreizehenmöwe, Haubentaucher, Graureiher, Kolkrabe.

Und sämtliches in Anlage 4 (zu § 3 Abs. 1 BWildSch-VO) aufgeführte Federwild: Fischadler, Wespenbussard, Schwarzmilan, Rotmilan, Seeadler, Rohrweihe, Kornweihe, Wiesenweihe, Sperber, Habicht, Mäusebussard, Raufußbussard, Steinadler, Turmfalke, Rotfußfalke, Merlin, Baumfalke, Wanderfalke.

420 Was ist Zweck und Ziel der Bundeswildschutzverordnung?

Der gesteigerte Schutz der ganzjährig geschonten Wildarten.

421 Wodurch soll dieser Zweck insbesondere erreicht werden?

Durch die jedermann treffenden Besitz- und Verkehrsverbote (§ 2 BWildSch-VO). Den Jagdausübungsberechtigten trifft ein grundsätzliches Verbot der entgeltlichen Abgabe von ganzjährig geschontem Wild an Personen (Vermarktungsverbot).

422 Wird durch die Bundeswildschutzverordnung auch das Aneignungsrecht des Jagdausübungsberechtigten eingeschränkt?

Nein, dieses bleibt unberührt. Die Weitergabe darf jedoch nur in Form der Schenkung erfolgen. Alle Tierarten der Anlage 2 zur BWildSchVO dürfen gegen Entgelt, die der Anlage 3 BWildSchVO jedoch nicht gewerbsmäßig (z.B. an Wildhändler, Gastwirte oder Präparatoren) weitergegeben werden.

423 Wann dürfen in der Natur tot aufgefundene Tiere, die der BWildSchVO unterliegen, uneingeschränkt auch entgeltlich abgegeben werden?

Wenn dies dem Zweck der Forschung und der Lehre dient.

424 Welches in Gefangenschaft gezüchtete Federwild darf verkauft werden?

Rebhühner, Fasanen, Wachteln und Stockenten, sofern sie nicht vorher herrenlos geworden waren.

425 Erstrecken sich die Vorschriften der BWildSchVO auch auf die ihrem Schutz unterliegenden Exemplare, welche vor ihrem Inkrafttreten rechtmäßig erworben wurden?

Die Vorschriften der BWildSchVO gelten nicht für den vor dem 1.4.1986 rechtmäßig erworbenen „Altbesitz".

426 Welche Pflichten obliegen den Präparatoren?

Für die in Anlage 5 zur BWildSchVO aufgeführten Arten haben diese ein Aufnahme- und Auslieferungsbuch mit ggf. täglichen Eintragungen zu führen und diese auf Verlangen zur behördlichen Prüfung vorzulegen. Hinsichtlich dieser Tiere und Teile von Tieren besteht eine Kennzeichnungspflicht, soweit dies sachdienlich und die Anbringung dem Präparator aus wirtschaftlichen Gründen zumutbar ist. In Anlage 5 sind folgende Wildarten aufgelistet:

Haarwild: Steinwild, Schneehase, Murmeltier, Seehund.

Federwild: Wachtel, Auerwild, Birkwild, Rackelwild, Haselwild, Alpenschneehuhn, Hohltaube, Turteltaube, Kurzschnabelgans, Ringelgans, Weißwangengans, Löffelente, Schnatterente, Kolbenente, Schnellente, Brandente, Eisente, Eiderente, Mittelsäger, Gänsesäger, Zwergsäger, Schwarzkopfmöwe, Zwergmöwe, Dreizehenmöwe, Haubentaucher, Graureiher, Kolkrabe.

427 Verbietet die Bundesartenschutzverordnung (BArtSchV) die Fallenjagd (Fangjagd)?

Der Umkehrschluss zu § 4 BArtSchV gestattet grundsätzlich die Fangjagd. Jedoch dürfen nur solche Fallen Anwendung finden, die das Wild entweder sofort töten (sog. „Totschlagfallen" wie Schwanenhals) oder es in Kastenfallen unversehrt fangen. Die Bundesländer haben teilweise einschränkende Bestimmungen über die Art der Fallen und ihre Verwendung erlassen.

Fleischhygienegesetz

428 Auf welches Wild bezieht sich das Fleischhygienegesetz?

Dieses Gesetz betrifft nur Haarwild, nicht aber Federwild.

429 Welches Wild ist nach dem Fleischhygienegesetz dem „erlegten Haarwild" gleichgestellt?

Dem „erlegten Haarwild" ist gleichgestellt das Fallwild, welches durch äußere Gewalteinwirkung (etwa bei Verkehrsunfällen) getötet wurde.

430 Bei welchen Wildarten sieht das Fleischhygienegesetz eine Trichinenschau vor?

Die Untersuchung auf Trichinen ist in erster Linie beim Schwarzwild vorgesehen, aber auch bei anderen fleisch- und allesfressenden Tieren, sofern sie für Menschen zum Verzehr verwendet werden sollen (ausdrücklich aufgeführt sind im Fleischhygienegesetz Bär, Fuchs, Dachs sowie als einziger überwiegender Pflanzenfresser der „Sumpfbiber").

431 Worauf muss der Jäger beim Versorgen von erlegtem Wild nach der Fleischhygiene-Verordnung insbesondere achten?

Die Fleischhygiene-Verordnung verpflichtet den Jäger, insbesondere beim Versorgen (Aufbrechen, Zerwirken, Zerlegen) von erlegtem Wild darauf achtzugeben, ob Erkennungszeichen vorliegen, die das Wildbret als bedenklich für den Genuss durch Menschen erscheinen lassen. Stellt der Jäger an dem erlegten Wild solche bedenklichen Merkmale fest, dann muss er das Wildbret stets der amtlichen Fleischuntersuchung zuführen; zuständig hierfür sind die dafür amtlich bestimmten Tierärzte. Diesen müssen neben dem Wildkörper auch die inneren Organe vorgelegt werden.

10.6 Jagdbehörden und jagdliche Organisationen

432 Wie sind die Jagdbehörden in Deutschland strukturiert?

Üblicherweise ist in den Bundesländern der Behördenaufbau dreistufig mit einer Unteren Jagdbehörde (nicht jedoch in Hamburg und Berlin), einer Oberen (auch Höheren oder Mittleren genannt) Jagdbehörde (mit Ausnahme der Stadtstaaten sowie der Länder Brandenburg, Nordrhein-Westfalen, Mecklenburg-Vorpommern, Saarland und Schleswig-Holstein) und einer Obersten Jagdbehörde, die dann beim jeweils zuständigen Ministerium angegliedert ist.

433 Welche Aufgaben fallen den einzelnen Jagdbehörden zu?

Die *Unteren Jagdbehörden* stellen Jagdscheine aus, genehmigen Abschusspläne und Jagdpachtverträge, überwachen den Abschuss, das Abrunden von Jagdbezirken, bestätigen Jagdaufseher und führen Statistiken. In den meisten Bundesländern führen sie auch Jägerprüfungen durch und organisieren die Trophäen- bzw. Hegeschauen.
Die *Oberen* bzw. *Höheren* oder *Mittleren Jagdbehörden* erteilen – als erste Beschwerdeinstanz – Widerspruchsbescheide. In einigen Bundesländern können sie Verordnungen betr. Abschussverbote für bestandsbedrohte Wildarten oder Schonzeiten für krankes oder kümmerndes Wild aufheben. Ebenso können sie dies aus Gründen der Wildhege oder Landeskultur bei Störungen des biologischen Gleichgewichts oder zur Vermeidung übermäßiger Wildschäden. Sie können Genehmigungen zum Aushorsten von Habichten, die zur Beizjagd verwendet werden sollen, ebenso erteilen wie Einzelgenehmigungen für das Erlegen von Wild während der Schonzeit. Ferner können sie Aufsichtsbehörde für die Unteren Jagdbehörden sein und Hegegemeinschaften anerkennen.
Die *Obersten Jagdbehörden* sind die zweite Beschwerdeinstanz. Sie erstellen Vorlagen für Antworten auf Petitionen in Jagdangelegenheiten an die Landtage, erarbeiten Geset-

zesvorlagen und erlassen Verordnungen wie beispielsweise über Jagd- und Schonzeiten bezüglich weiterer Tierarten, die dem Jagdrecht unterstellt werden sollen, oder erlassen Verwaltungsvorschriften. Schließlich sind sie Genehmigungsbehörde für das Aussetzen oder Aussiedeln fremder Wildtiere in freier Natur (sofern nicht delegiert).

434 Welchen gesetzlich vorgegebenen Zwecken dienen die organisierten Jäger und welche Organisationformen gibt es ?

Die einzelnen Bundesländer können nach der Einleitung von Ahndungsverfahren das Mitwirken von Vereinigungen der Jäger in den Fällen vorsehen, in denen Jagdscheininhaber gegen die Grundsätze der Weidgerechtigkeit verstoßen haben (§ 37 BJagdG). Von dieser Ermächtigung haben mehrere Länder Gebrauch gemacht, indem sie die Organisationen der Landesjagdverbände im Deutschen Jagdverband als Vereinigungen der Jäger anerkannt haben. Die Vereinigung der Jäger vertritt die Mehrheit der Jagdscheininhaber im jeweiligen Geltungsbereich.

435 Wie lässt sich der Deutsche Jagdverband e.V. (DJV) beschreiben?

Der DJV ist der größte vereinsrechtlich organisierte Zusammenschluss der Jäger in Deutschland, und er wird gebildet durch die Landesjagdverbände von 15 Bundesländern (www.jagdverband.de). Neben diesem Verband handelt der Bayerische Landesjagdverband (BJV) zwar in Abstimmung mit dem DJV, ist aber organisatorisch selbstständig, nachdem er den DJV 2010 verlassen hatte (www.jagd-bayern.de). In beiden Jagdverbänden sind 74,4% der 403.020 Jagdscheininhaber in Deutschland organisiert. Der 1949 gegründete DJV hat seinen Sitz zwischenzeitlich ausschließlich in Berlin, der Bayerische Landesjagdverband in Feldkirchen bei München. Der einzelne Jäger ist nicht Mitglied in einem der genannten Dachverbände; die persönliche Mitgliedschaft ist grundsätzlich nur möglich in den Vereinen auf Kreisebene, die dann in Summe aller Kreisgruppen oder Jagdvereine des jeweiligen Landes den Landesjagdverband bilden und „darüber" – mit Ausnahme Bayern – bilden die Landesjagdverbände dann den DJV.

436 Welche Ziele verfolgen den DJV und BJV?

Der DJV und auch die Landesjagdverbände verfolgen u.a. folgende Ziele:

» Schutz und Erhaltung einer artenreichen und gesunden freilebenden Tierwelt und Sicherung ihrer Lebensgrundlagen unter Wahrung der Landeskultur sowie die Förderung der Ziele des Umwelt- und Naturschutzes, der Landschaftspflege und des Tierschutzes,
» Pflege und Förderung jagdlichen Brauch- und Schrifttums, der jagdlichen Aus- und Weiterbildung, jagdkultureller Einrichtungen sowie der Beachtung der allgemein anerkannten Grundsätze deutscher Weidgerechtigkeit,
» Förderung von Wissenschaft und Forschung im Bereich des jagdlichen Fachgebiets und
» die Vertretung der Jägerschaft auf nationaler und internationaler Ebene u.a.m.

437 Welche anderen jagdlichen Organisationen gibt es?

Es gibt noch den Ökologischen Jagdverband (ÖJV), mit Landesverbänden in verschiedenen Bundesländern – z.B. in Bayern, im Saarland, in Hessen und Rheinland-Pfalz (www.oejv.de). Der ÖJV tritt mit seinen ca. 2.000 Mitgliedern für eine drastische Schalenwildreduktion sowie einen Bejagungsverzicht auf bestimmte Niederwildarten ein.

Jagdpolitisch zunehmend bedeutsam wird der Bund Deutscher Berufsjäger (BDB), zu dem sich Berufsjäger aus allen Bundesländern (mit Ausnahme von Bayern) zusammengeschlossen haben (www.revierjaeger.de). Erwähnenswert ist zudem der Deutsche Falkenorden (DFO), denn er ist der weltweit älteste Falknerverband (d-f-o.de). 2010 wurde die Falknerei von der UNESCO in die Liste des Immateriellen Weltkulturerbes aufgenommen. Weltumspannend sowie politisch unabhängig ist der CIC (Internationaler Rat zur Erhaltung des Wildes und der Jagd/Conseil International de la Chasse et de la Conservation du Gibier). Der CIC ist eine hochkarätige Beratungsorganisation, die an vielen internationalen Übereinkünften mitgewirkt hat (www.cic-wildlife.org).

Eine Bereicherung der jagdlichen Szenerie bilden zudem die sogenannten Jagdkorporationen. Dabei handelt es sich um Studentenverbindungen, die sich neben dem korporationsstudentischem besonders dem jagdlichen Brauchtum sowie der Kontaktpflege mit Jägern und Jagdwissenschaftlern widmen. Ein Teil von ihnen hat sich in dem Dachverband „Wernigeroder Jagdkorporationen-Senioren-Convent" (WJSC) zusammengeschlossen (www.wjsc.de).

Weiterführende Literatur

Deutscher Jagdverband e.V. (Hrsg.): DJV-Handbuch Jagd 2022
Bayerischer Jagdverband e.V. (Hrsg.): BJV-Handbuch Jagd 2022

Angewendete Gesetze und aktueller Stand

Bundesjagdgesetz: vom 29.09.1976, zuletzt geändert am 14.11.2018 (BGBl. I S. 1850)
Waffengesetz: vom 11.10.2002, zuletzt geändert am 17.02.2020 (BGBl. I S. 166) und Allgemeine Waffengesetz-Verordnung vom 27.10.2003, zuletzt geändert am 17.02.2020 (BGBl. I S. 166)
Bundesnaturschutzgesetz: vom 29.07.2009, zuletzt geändert am 04.03.2020 (BGBl. I S. 440)
Tierschutzgesetz: neugefasst durch Bek. vom 18.05.2006, zuletzt geändert am 20.11.2019 (BGBl. I S. 1626)
Tiergesundheitsgesetz: vom 22.05.2013, zuletzt geändert am 20.11.2019 (BGBl. I S. 1626)
Bundeswaldgesetz: vom 02.05.1975, zuletzt geändert am 17.01.2017 (BGBl. I S. 75)
Bundeswildschutzverordnung: vom 25.10.1985, zuletzt geändert am 28.06.2018 (BGBl. I S. 1159)
Bundesartenschutzverordnung: vom 16.02.2005, zuletzt geändert am 21.01.2013 (BGBl. I S. 95)

Abbildungsnachweis

iStock com/pac9012: Deckblatt
Möller, H -P , Dortmund: 10.2, 10.4
Stahl, G , Biebern, Gundersheim: 10.1
Wikimedia Commons/Valentin Panzirsch (CC BY-SA 3.0 AT): 10.3

Wichtige Adressen

(Untergliederungen von Verbänden jeweils beim Dachverband zu erfragen):

Verbände und Vereine

AGDW – Die Waldeigentümer
Claire-Waldoff-Straße 7
10117 Berlin
Tel: 030/311 66 76 20
Fax: 030/311 66 76 29
E-Mail: info@waldeigentuemer.de

Bundesverband für fachgerechten Natur-, Tier- und Artenschutz e.V.
Ostendstraße 4
76707 Hambrücken
Tel.: 07255/2800
Fax: 07255/8355
E-Mail: gs@bna-ev.de
www.bna-ev.de

Bundesverband Deutscher Jagdaufseher (BDJa)
Am Bismarckturm 1
32108 Bad Salzuflen
Tel.: 05222-3647995
Fax: 05222-3663106
E-Mail: info@BDJa.eu
www.bdja.eu

Deutscher Bauernverband e.V.
Claire-Waldoff-Straße 7
10117 Berlin
Tel.: 030/31904-407
Fax: 030/31904-431
www.bauernverband.de

Deutscher Falkenorden e. V.
Lohnder Str. 10c
30926 Seelze
Tel: 0511/87455
E-Mail: info@d-f-o.de

Deutscher Fischerei-Verband e.V.
Venusberg 36
20459 Hamburg
Tel. 040-314884
Fax 040-3194449
E-Mail info@deutscher-fischerei-verband.de

Deutscher Forstverein
Büsgenweg 1
37077 Göttingen
Tel.: 0551/37962-65
Fax: 0551/37962-37
E-Mail: info@forstverein.de
www.forstverein.de

Deutscher Forstwirtschaftsrat e.V.
Claire-Waldoff-Str. 7
10117 Berlin
Tel.: 030/31904-560
Fax: 030/31904-564
E-Mail: info@dfwr.de
www.dfwr.de

Deutscher Jagdverband e.V. (DJV)
Vereinigung der deutschen Landesjagdverbände für den Schutz von Wild, Jagd und Natur
Chausseestr. 37
10115 Berlin
Tel.: 030/209 1394 0
Fax: 030/209 1394 30
E-Mail: djv@jagdverband.de

Bayerischer Jagdverband e.V.
Landesjagdverband Bayern e.V.
Hohenlindner Str. 12
85622 Feldkirchen
Telefon: (089) 990 234-0
Fax: (089) 990 234-35
E-Mail: info@jagd-bayern.de
www.jagd-bayern.de

Deutscher Naturschutzring e.V. (DNR)
Marienstraße 19–20
10117 Berlin
Telefon: 030/678 1775 70
E-Mail: info(at)dnr.de

Deutscher Schützenbund
Lahnstraße 120
65195 Wiesbaden
Tel.: 0611/46807-0
E-Mail: info@dsb.de
www.dsb.de

Deutsche Versuchs- und Prüfanstalt für Jagd- und Sportwaffen (DEVA)
Dune 3
33184 Altenbeken
Tel.: 05255/7343
E-Mail: info@deva-institut.de
www.deva-institut.de

Forum Waffenrecht e.V.
An der Pönt 48
40885 Ratingen
Tel.: 02102/5595740
Fax: 02102/5595739
www.fwr.de

Gesellschaft für Wildtier- und Jagdforschung e.V.
Thünen-Institut für Waldökosysteme
Alfred-Möller-Straße 1, Haus 41/42
16225 Eberswalde
Tel.: 03334/3820308
Fax: 03334/3820354
Mail: info@wildtierforschung.de
www.wildtierforschung.de

Internationaler Rat zur Erhaltung des Wildes und der Jagd – CIC
Deutsche Delegation
Röpkestraße 20
40235 Düsseldorf
Tel: 0211/69026690
Fax: 0211/69026691
E-Mail: verwaltung@cic-wildlife.de

Jagdgebrauchshundverband (JGHV)
Triftstraße 22
37327 Leinefelde-Worbis
Tel.: 03605/5461697
schafberg@jghv.de
www.jghv.de

NABU – Naturschutzbund Deutschland e.V.
Charitéstraße 3
10117 Berlin
Tel.: 030/284984-0
Fax: 030.284984-2000
NABU@NABU.de
www.nabu.de

Orden Deutscher Falkoniere (ODF)
Bund der Falkner und Greifvogelfreunde e.V.
Bundesgeschäftsstelle:
Am Stoß 2a
57234 Wilnsdorf
Mobil-Nr.: 01 51/12 64 38 00
www.falknerverband.de

ÖJV Ökologischer Jagdverband e.V.
Bundesgeschäftstelle
Waldstraße 2
91074 Herzogenaurach
Tel.: +49 (0) 9132/8369913
Fax: +49 (0) 9132/8369914
Mail: bund@oejv.de

Schutzgemeinschaft Deutscher Wald, Bundesverband e.V.
Dechenstraße 8
53115 Bonn
Telefon: 0228/94 59 830
Fax: 0228/94 59 833
E-Mail: info@sdw.de

Verband Deutscher Falkner (VDF)
Bund für Falknerei und Greifvogelschutz e.V.
Mittlere Straße 22
36404 Gehaus

WWF Deutschland
Reinhardtstr. 18
10117 Berlin
Tel.: 030 311777-0
Fax: 030 311777-199
E-Mail: info@wwf.de
http://www.wwf.de

Lehr- und Forschungsanstalten

Arbeitskreis Wildbiologie an der Justus Liebig-Universität Gießen e.V.
Leihgesterner Weg 217
35392 Gießen
Tel.: 0641/99-37720
www.uni-giessen.de/akw

Dozentur Wildökologie und Jagdwirtschaft der Technischen Universität Dresden
Pienner Straße 8
01737 Tharandt
Tel.: 035203/3831338
https://tu-dresden.de/bu/umwelt/forst/wb/wildoekologie

Landesamt für Natur, Umwelt und Verbraucherschutz NRW
Forschungsstelle für Jagdkunde und Wildschadenverhütung
Leibnizstr. 10
45659 Recklinghausen
Telefon: +49 (0)2361-305-0
E-Mail: poststelle@lanuv.nrw.de

Forstzoologisches Institut der Universität Freiburg/Br.
Arbeitsbereich Wildökologie und Jagdwirtschaft
Albert-Ludwigs-Universität Freiburg
Tennenbacherstr. 4
79106 Freiburg
Tel.: 0761/203-3663
E-Mail: forstzoo@fzi.uni-freiburg.de
www.wildlife.uni-freiburg.de

Institut für Wildtierforschung a.d. Tierärztlichen Hochschule Hannover
Bischofsholer Damm 15
30173 Hannover
Tel.: 0511/856-7568
www.tiho-hannover.de

Johann Heinrich von Thünen-Institut
Bundesforschungsinstitut für Ländliche Räume, Wald und Fischerei
Bundesallee 50
38116 Braunschweig
Tel.: + 49 531 596 1003
Mail: info@thuenen.de

Landwirtschaftliches Zentrum für Rinderhaltung, Grünlandwirtschaft, Milchwirtschaft, Wild und Fischerei Baden-Württemberg (LAZBW)
Atzenberger Weg 99
88326 Aulendorf
Telefon: 07525/942-300

Akademie für Jagd und Natur e. V.
Kommerzienrat-Meindl-Straße 1a
84405 Dorfen
Tel.: 08081/952752
Fax: 08081/952753

Oberste Jagdbehörden

Baden-Württemberg
Ministerium für Ländlichen Raum und Verbraucherschutz (MLR)
Kernerplatz 10
70182 Stuttgart
Tel.: 0711/126-0
Fax: 0711/126-2255
E-Mail: poststelle@mlr.bwl.de
https://mlr.baden-wuerttemberg.de/

Bayern
Bayerisches Staatsministerium für Ernährung, Landwirtschaft und Forsten
Ludwigstraße 2, 80539 München
Tel.: +49 89 2182-0
Fax: +49 89 2182-2677
E-Mail: poststelle@stmelf.bayern.de
www.stmelf.bayern.de

Berlin
Senatsverwaltung für Umwelt, Verkehr und Klimaschutz
Am Köllnischen Park 3
10179 Berlin
Tel.: 030 9025-0
Fax: 030 9025-1057
E-Mail: post@sensw.berlin.de

Bremen
Die Senatorin für Klimaschutz, Umwelt, Mobilität, Stadtentwicklung und Wohnungsbau
Contrescarpe 72
28195 Bremen
Tel.: 0421 361 2407
Fax: 0421 361 2050
E-Mail: office@umwelt.bremen.de

Hamburg
Behörde für Wirtschaft, Verkehr und Innovation
Alter Steinweg 4
20459 Hamburg
Tel.: 040 42828-0 oder 115
Fax.: 040 42841-1620
E-Mail: poststelle@bwvi.hamburg.de
www.bwvi.hamburg.de

Hessen
Hessisches Ministerium für Umwelt, Klimaschutz, Landwirtschaft und Verbraucherschutz
Mainzer Straße 80
65189 Wiesbaden
Tel.: +49 611 815-0
Fax: +49 611 815-1941
E-mail: poststelle@umwelt.hessen.de
www.hmuelv.hessen.de

Mecklenburg-Vorpommern
Ministerium für Landwirtschaft und Umwelt Mecklenburg-Vorpommern
Paulshöher Weg 1
19061 Schwerin
Telefon: 0385-588 0
Telefax: 0385-588 6024; 0385-588 6025
E-Mail: poststelle@lm.mv-regierung.de

Niedersachsen
Ministerium für Ländlichen Raum, Ernährung, Landwirtschaft und Verbraucherschutz
Abt. 4
Calenberger Straße 2
30169 Hannover
Tel.: 0511/120-0
Fax: 0511/120-2382
E-Mail: poststelle@ml.niedersachsen.de
www.ml.niedersachsen.de

Nordrhein-Westfalen
Ministerium für Klimaschutz, Umwelt, Landwirtschaft, Natur- und Verbraucherschutz
Schwannstraße 3
40476 Düsseldorf
Telefon: 0211-4566-0
Fax: 0211-4566-388
E-Mail: poststelle(at)mkulnv.nrw.de

Rheinland-Pfalz
Ministerium für Umwelt, Energie, Ernährung und Forsten
Kaiser-Friedrich-Straße 1
55116 Mainz
Telefon: 06131 – 16 0
Telefax: 06131 – 16 46 46
E-Mail: poststelle(at)mueef.rlp.de

Saarland
Saarland - Ministerium für Umwelt und Verbraucherschutz
Keplerstraße 18
66117 Saarbrücken
Telefonzentrale: (0681) 501-4500
Fax: (0681) 501-4521
www.saarland.de

Sachsen
Staatsministerium für Umwelt und Landwirtschaft
Archivstraße 1
01097 Dresden
Telefon: +49 (351) 564-0
Telefax: +49 (351) 564-2099
Email: Poststelle@smul.sachsen.de
http://www.smul.sachsen.de

Sachsen-Anhalt
Ministerium für Umwelt, Landwirtschaft und Energie
Leipziger Str. 58
39112 Magdeburg
Tel.: 0391-567-1950
Fax: 0391-567-1964
E-Mail: pr(at)mule.sachsen-anhalt.de

Schleswig-Holstein
Ministerium für Energiewende, Landwirtschaft, Umwelt und ländliche Räume
Mercatorstraße 3
24106 Kiel
Telefon: 0431-988-0
Fax: 0431-988-7239
E-Mail: internetredaktion@melur.landsh.de

Thüringen
Ministerium für Umwelt, Energie und Naturschutz
Beethovenstraße 3
99096 Erfurt
Telefon: 0361 / 37 900
Telefax: 0361 / 57 39 11 044
poststelle@tmuen.thueringen.de

Sonstiges

Auswertungs- und Informationsdienst (AID)
Heilsbachstraße 16
53123 Bonn
Tel.: 0228/8499-0
Fax: 0228/8499-177
E-Mail: aid@aid.de
www.aid.de

Deutsches Jagd- und Fischereimuseum
Neuhauser Straße 2
80331 München
Tel.: 089/220522
Fax: 089/2904037
E-Mail: info@jagd-fischerei-museum.de
www.jagd-fischerei-museum.de

Heinz Sielmann Stiftung
Gut Herbigshagen
37115 Duderstadt
Tel. 05527/914-0
Fax: 05527/914-100
E-Mail: info@sielmann-stiftung.de
www.sielmann-stiftung.de

Jagdmuseum Wulff
Hässelmühler Straße 26
29386 Dedelstorf-Oerrel
Tel.: 05832/2233
Fax: 05832/970163
www.jagdmuseum-wulff.de

Landesmuseum Joanneum
Jagdmuseum
Schloss Stainz
Schlossplatz 1
A-8510 Stainz
Tel.: +43 3463/2772-16
Fax: +43 3463/2772-21
E-Mail: jagd@museum-joanneum.at
www.museum-joanneum.at

Museum Jagd und Wild auf Burg Falkenstein
Burgstraße 10–12
93167 Falkenstein
Tel.: 09462/942220
E-Mail: tourist@markt-falkenstein.de
markt-falkenstein.eu

Jagdzeiten gem. BJagdZVO (Stand 07.03.2018)

(1) Die Jagd darf ausgeübt werden auf:

		Bundesjagdzeiten
Damwild	Kälber	01.09. – 28.02.
	Schmalspießer	01.07. – 28.02.
	Schmaltiere	01.07. – 31.01.
	Hirsche und Alttiere	01.09. – 31.01.
Rehwild	Kitze	01.09. – 28.02.
	Schmalrehe	01.05. – 31.01.
	Geißen	01.09. – 31.01.
	Böcke	01.05. – 15.10.
Rotwild	Kälber	01.08. – 28.02.
	Schmalspießer	01.06. – 28.02.
	Schmaltiere	01.06. – 31.01.
	Hirsche und Alttiere	01.08. – 31.01.
Sikawild	Kälber	01.09. – 28.02.
	Schmalspießer	01.07. – 28.02.
	Schmaltiere	01.07. – 31.01.
	Hirsche und Alttiere	01.09. – 31.01.
Gamswild		01.08. – 15.12.
Muffelwild		01.08. – 31.01.
Schwarzwild		01.01. – 31.12.
Feldhase		01.10. – 15.01.
Dachs		01.08. – 31.10.
Baummarder, Steinmarder		16.10. – 28.02.
Iltis, Hermelin, Mauswiesel		01.08. – 28.02.
Rebhuhn		01.09. – 15.12.
Fasan		01.10. – 15.01.
Wildtruthuhn	Hähne	15.03. – 15.05. 01.10. – 15.01.
	Hennen	01.10. – 15.01.
Ringeltaube, Türkentaube		01.11. – 20.02.
Höckerschwan		01.11. – 20.02.
Blässgans, Kanadagans, Ringelgans, Saatgans		01.11. – 15.01.
Graugans		01.08. – 31.08. 01.11. – 15.01.
Stockente		01.09. – 15.01.
Pfeifente, Krickente, Spießente, Bergente, Reiherente, Tafelente, Samtente, Trauerente		01.10. – 15.01.
Waldschnepfe		16.10. – 15.01.
Blässhuhn		11.09. – 20.02.
Lachmöwe, Sturmmöwe, Silbermöwe, Mantelmöwe, Heringsmöwe		01.10. – 10.02.

(2) Vorbehaltlich der Bestimmungen des § 22 Abs. 4 BJagdG (Schutz der für die Aufzucht der Jungtiere notwendigen Elterntiere bis zum Selbstständigwerden der Jungtiere) darf die Jagd das ganze Jahr ausgeübt werden beim Schwarzwild auf Frischlinge und Überläufer, auf Wildkaninchen und Füchse.

(3) Die in Absatz 1 festgesetzten Jagdzeiten umfassen nur solche Zeiträume einschließlich Tageszeiten, in denen nach den örtliche gegebenen äußeren Umständen für einen Jäger die Gefahr der Verwechslung von Tierarten nicht besteht.

		Baden-Württem-berg	Bayern	Berlin	Branden-burg	Bremen	Hamburg	Hessen	Mecklen-burg-Vor-pommern
Damwild	Kälber	01.09.–31.01.	01.09.–31.01.	01.09.–28.02.	01.08.–15.01.	01.09.–28.02.	01.09.–31.01.	01.09.–31.01.	01.09.–31.01.
	Schmalspießer	01.05.–31.05. 01.08.–31.01.	01.07.–31.01.	01.07.–28.02.	16.04.–15.01.	01.07.–28.02.	01.09.–31.01.	01.04.–31.05. 01.08.–31.01.	16.04.–31.01.
	Schmaltiere	01.05.–31.05. 01.08.–31.01.	01.07.–31.01.	01.07.–31.01.	16.04.–15.01.	01.07.–31.01.	01.09.–31.01.	01.04.–31.05. 01.08.–31.01.	16.04.–31.01.
	Alttiere	01.09.–31.01.	01.09.–31.01.	01.09.–31.01.	01.08.–15.01.	01.09.–31.01.	01.09.–31.01.	01.09.–31.01.	01.09.–31.01.
	Hirsche	01.09.–31.01.	01.09.–31.01.	01.09.–31.01.	01.08.–15.01.	01.09.–31.01.	01.09.–31.01.	01.09.–31.01.	01.09.–31.01.
Elchwild		GG	GG	GG	GG	GG	GG	GG	GG
Rehwild	Kitze	01.09.–31.01.	01.09.–15.01.	01.09.–28.02.	01.08.–15.01.	01.09.–31.01.	01.09.–31.01.	01.09.–31.01.	01.09.–31.01.
	Schmalrehe	01.05.–31.01.	01.05.–15.01.	01.05.–31.01.	16.04.–15.01.	01.09.–31.01.	01.05.–15.06. 01.09.–31.01.	01.04.–31.01.	16.04.–31.01.
	Ricken	01.09.–31.01.	01.09.–15.01.	01.09.–31.01.	01.08.–15.01.	01.09.–31.01.	01.09.–31.01.	01.09.–31.01.	01.09.–31.01.
	Böcke	01.05.–31.01.	01.05.–15.10.	01.05.–15.10.	16.04.–15.01.	01.05.–15.10.	01.05.–15.10.	01.04.–31.01.	16.04.–31.01.
Rotwild	Kälber	01.08.–31.01.	01.08.–31.01.	01.08.–28.02.	01.08.–15.01.	01.08.–28.02.	01.08.–28.02.	01.08.–31.01.	01.08.–31.01.
	Schmalspießer	01.05.–15.06. 01.08.–31.01.	01.06.–31.01.	01.06.–28.02.	16.04.–15.01.	01.06.–28.02.	01.06.–31.01.	01.04.–31.05. 01.08.–31.01.	16.04.–31.01.
	Schmaltiere	01.05.–15.06. 01.08.–31.01.	01.06.–31.01.	01.06.–31.01.	16.04.–15.01.	01.06.–31.01.	01.06.–31.01.	01.04.–31.05. 01.08.–31.01.	16.04.–31.01.
	Hirsche	01.08.–31.01.	01.08.–31.01.	01.08.–31.01.	01.08.–15.01.	01.08.–31.01.	01.08.–31.01.	01.08.–31.01.	01.08.–31.01.
	Alttiere	01.08.–31.01.	01.08.–31.01.	01.08.–31.01.	01.08.–15.01.	01.08.–31.01.	01.08.–31.01.	01.08.–31.01.	01.08.–31.01.
Sikawild	Kälber	01.09.–31.01.	01.09.–31.01.	01.09.–28.02.	01.09.–28.02.	01.09.–28.02.	01.09.–31.01.	01.09.–31.01.	01.09.–28.02.
	Schmalspießer	01.05.–31.05.	01.07.–31.01.	01.07.–28.02.	01.07.–28.02.	01.07.–28.02.	01.09.–31.01.	01.04.–31.05. 01.08.–31.01.	01.07.–28.02.
	Schmaltiere	01.05.–31.05.	01.07.–31.01.	01.07.–31.01.	01.07.–31.01.	01.07.–31.01.	01.09.–31.01.	01.04.–31.05. 01.08.–31.01.	01.07.–31.01.
	Hirsche, Alttiere	01.05.–31.05.	01.09.–31.01.	01.09.–31.01.	01.09.–31.01.	01.09.–31.01.	01.09.–31.01.	01.09.–31.01.	01.09.–31.01.
Gamswild	Jahrlinge	01.07.–31.01.	01.08.–15.12.	01.08.–15.12.	01.08.–15.12.	01.08.–15.12.	01.08.–15.12.	01.08.–15.12.	01.08.–15.12.
	Geißen und Kitze	01.09.–31.01.	01.08.–15.12.	01.08.–15.12.	01.08.–15.12.	01.08.–15.12.	01.08.–15.12.	01.08.–15.12.	01.08.–15.12.
	Böcke	01.09.–31.01.	01.08.–15.12.	01.08.–15.12.	01.08.–15.12.	01.08.–15.12.	01.08.–15.12.	01.08.–15.12.	01.08.–15.12.
Muffelwild	Schafe und Lämmer	01.09.–31.01.	01.08.–31.01.	01.08.–31.01.	01.08.–15.01.[1]	01.08.–31.01.	01.08.–31.01.	01.08.–31.01.	16.04.–31.01.
	Widder	01.05.–31.05. 01.09.–31.01.	01.08.–31.01.	01.08.–31.01.	01.08.–15.01.	01.08.–31.01.	01.08.–31.01.	01.08.–31.01.	01.08.–31.01.

Steinwild		GG	GG	GG	GG	GG	GG	GG	GG
Wisent		GG	GG	GG	GG	GG	GG	GG	GG
Schwarzwild	Frischlinge	ganzjährig	ganzjährig	ganzjährig	ganzjährig	ganzjährig	ganzjährig	ganzjährig	ganzjährig
	Überläufer	ganzjährig	ganzjährig	ganzjährig	ganzjährig	ganzjährig	ganzjährig	ganzjährig	ganzjährig
	Bachen	ganzjährig	16.06.–31.01.	ganzjährig außer[1]	ganzjährig	16.06.–31.01.	ganzjährig	ganzjährig	ganzjährig[1]
	Keiler	ganzjährig	16.06.–31.01.	ganzjährig	ganzjährig	16.06.–31.01.	ganzjährig	ganzjährig	ganzjährig
Feldhase		01.10.–31.12.	16.10.–31.12.	GG	01.10.–31.12.	01.10.–15.01.	01.10.–31.12.	01.10.–31.12.[1]	01.10.–15.01.
Schneehase		GG	GG	GG	GG	GG	GG	GG	GG
Wildkaninchen		01.10.–15.02.[2]	ganzjährig	01.09.–15.02.	ganzjährig	ganzjährig	ganzjährig	ganzjährig	ganzjährig
Murmeltier		GG	GG	GG	GG	GG	GG	GG	GG
Luchs		GG	GG	GG	GG	GG	GG	GG	GG
Wildkatze		GG	GG	GG	GG	GG	GG	GG	GG
Fuchs	Füchse (erw.)	01.07.–15.02.	ganzjährig	01.11.–31.01.	01.07.–31.01.	ganzjährig	ganzjährig	15.08.–28.02.	ganzjährig
	Jungfüchse	16.04.–15.02.	ganzjährig	01.05.–31.01.	ganzjährig	ganzjährig	ganzjährig	ganzjährig	ganzjährig
Dachs	Jungdachse	01.06.–31.12.	01.08.–31.10.	GG	01.08.–31.01.	GG	16.09.–31.10.	01.08.–31.10.	ganzjährig
	erw.	01.08.–31.12.	01.08.–31.10.	GG	01.08.–31.01.	GG	16.09.–31.10.	01.08.–31.10.	ganzjährig
Fischotter		GG	GG	GG	GG	GG	GG	GG	GG
Baummarder		01.10.–15.02.	16.10.–28.02.	GG	GG	01.11.–31.01.	GG	GG	16.10.–28.02.
Steinmarder		01.10.–15.02.	16.10.–28.02.	GG	01.09.–31.01.	01.11.–31.01.	16.10.–28.02.	16.10.–28.02.	ganzjährig
Iltis		01.10.–15.02.	01.08.–28.02.	GG	GG	01.09.–31.01.	GG	GG	01.08.–28.02.
Hermelin		01.10.–15.02.	01.08.–28.02.	GG	GG	01.09.–31.01.	GG	GG	16.10.–28.02.
Mauswiesel		GG	01.08.–28.02.	GG	GG	01.08.–28.02.	GG	GG	GG
Marderhund	erw.	01.07.–15.02.	ganzjährig	01.10.–31.01.	ganzjährig	01.09.–28.02.	ganzjährig	01.09.–28.02.	ganzjährig
	junvenil	01.07.–15.02.	ganzjährig	01.10.–31.01.	ganzjährig	ganzjährig	ganzjährig	01.09.–28.02.	ganzjährig
Mink		01.07.–15.02.	n. a.	01.10.–31.01.	ganzjährig	n. a.	n. a.	01.09.–28.02.	ganzjährig
Waschbär	erw.	01.07.–15.02.	ganzjährig	01.10.–31.01.	ganzjährig	16.07.–31.03.	ganzjährig	01.08.–28.02.	ganzjährig
	juvenil	01.07.–15.02.	ganzjährig	01.10.–31.01.	ganzjährig ganzjährig	ganzjährig	ganzjährig	ganzjährig	ganzjährig
Nutria		01.07.–15.02.	ganzjährig	01.10.–31.01.	ganzjährig	ganzjährig	n. a.	01.09.–28.02.	n. a.
Seehund		GG	GG	GG	GG	GG	GG	GG	GG
Auerwild		GG	GG	GG	GG	GG	GG	GG	GG
Birkwild		GG	GG	GG	GG	GG	GG	GG	GG
Rackelwild		GG	GG	GG	GG	GG	GG	GG	GG
Haselwild		GG	GG	GG	GG	GG	GG	GG	GG

		Baden-Württemberg	Bayern	Berlin	Brandenburg	Bremen	Hamburg	Hessen	Mecklenburg-Vorpommern
Rebhuhn		GG	01.09.–31.10.	GG	01.09.–15.12.	GG	GG	16.09.–31.10.	GG
Fasan	Hähne	01.10.–31.12.	01.10.–31.12.	01.10.–15.01.	01.10.–15.01.	01.10.–15.01.	16.10.–15.01.	01.10.–15.01.	01.10.–15.01.
	Hennen	01.10.–31.12.	01.10.–31.12.	01.10.–15.01.	01.10.–15.01.	01.10.–15.01.	GG	GG	01.10.–15.01.
Wachtel		GG	GG	GG	GG	GG	GG	GG	GG
Alpenschneehuhn		GG	GG	GG	GG	GG	GG	GG	GG
Wildtruthuhn	Hähne	GG GG	15.03.–15.05. 01.10.–15.01.	GG	15.03.–15.05. 01.10.–15.01.	15.03.–15.05. 01.10.–15.01.	15.03.–15.05. 01.10.–15.01.	GG	15.03.–15.05. 01.10.–15.01.
	Hennen	GG	01.10.–15.01.	GG	01.10.–15.01.	01.10.–15.01.	01.10.–15.01.	GG	01.10.–15.01.
Wildtauben	Ringeltaube	01.11.–10.02.	01.11.–20.02.	01.11.–20.02.	01.11.–20.02.	01.11.–20.02.	01.11.–20.02.	01.11.–15.01.[2]	01.11.–20.02.
	Türkentaube	01.11.–10.02.	01.11.–20.02.	GG	01.11.–20.02.	01.11.–20.02.	GG	01.11.–15.01.	01.11.–20.02.
Höckerschwan		01.11.–15.01.	01.11.–20.02.	GG	01.11.–20.02.	01.11.–20.02.	01.11.–31.12.	GG	01.11.–20.02.
Wildgänse	Blässgans	GG	01.11.–15.01.	GG	16.09.–31.01.[2]	01.11.–15.01.	GG	GG	01.11.–15.01.
	Graugans	01.08.–31.01.	01.08.–15.01.	GG	01.08.–31.01.[3]	01.08.–31.08. 01.11.–15.01.	01.08.–15.01.	01.08.–31.10.	01.08.–31.08. 01.11.–15.01.
	Kanadagans	01.08.–15.02.	01.08.–15.01.	GG	16.09.–31.01.[2]	01.11.–15.01.	01.08.–15.01.	01.08.–31.10.	01.11.–15.01.
	Ringelgans	GG	01.11.–15.01.	GG		01.11.–15.01.	GG	GG	GG
	Saatgans	GG	01.11.–15.01.	GG	GG	01.11.–15.01.	GG	GG	GG
	Nilgans	01.08.–15.02.	01.08.–15.01.	n. a.	01.09.–31.01.	01.08.–15.01.	GG	01.09.–15.01.	n. a.
Wildenten	Stockente	01.09.–15.01.	01.09.–15.01.	01.09.–15.01.	01.09.–15.01.	01.09.–15.01.	01.09.–15.01.	01.09.–15.01.	01.09.–15.01.
	Pfeifente	01.10.–15.01.	01.10.–15.01.	GG	GG	01.10.–15.01.	GG	GG	01.10.–15.01.
	Krickente	01.10.–15.01.	01.10.–15.01.	GG	01.10.–15.01.	01.10.–15.01.	GG	GG	01.10.–15.01.
	Spießente	GG	01.10.–15.01.	GG	GG	01.10.–15.01.	GG	GG	GG
	Bergente	GG	01.10.–15.01.	GG	GG	01.10.–15.01.	GG	GG	GG
	Reiherente	01.10.–15.01.	01.10.–15.01.	GG	GG	GG	01.10.–15.01.	GG	GG
	Tafelente	01.10.–15.01.	01.10.–15.01.	GG	01.10.–15.01.	GG	GG	GG	01.10.–15.01.
	Samtente	GG	01.10.–15.01.	GG	GG	01.10.–15.01.	GG	GG	GG
	Trauerente	GG	01.10.–15.01.	GG	GG	01.10.–15.01.	GG	GG	GG
Säger		GG	GG	GG	GG	GG	GG	GG	GG
Haubentaucher		GG	GG	GG	GG	GG	GG	GG	GG
Waldschnepfe		01.10.–31.12.	16.10.–15.01.	GG	16.10.–15.01.	16.10.–15.01.	GG	GG	16.10.–31.12.
Blässhuhn		01.10.–15.01.	11.09.–20.02.	11.09.–20.02.	11.09.–20.02.	11.09.–20.02.	GG	01.10.–15.01.[1]	11.09.–20.02.

Möwen	Lachmöwe	GG	01.10.–10.02.	GG	01.10.–10.02.	01.10.–10.02.	GG	01.10.–15.01.[1]	01.10.–10.02.
	Sturmmöwe	GG	01.10.–10.02.	GG	01.10.–10.02.	01.10.–10.02.	GG	01.10.–15.01.[1]	01.10.–10.02.
	Silbermöwe	GG	01.10.–10.02.	GG	01.10.–10.02.	01.10.–10.02.	GG	01.10.–15.01.[1]	01.10.–10.02.
	Mantelmöwe	GG	01.10.–10.02.	GG	01.10.–10.02.	01.10.–10.02.	GG	01.10.–15.01.[1]	01.10.–10.02.
	Heringsmöwe	GG	01.10.–10.02.	GG	01.10.–10.02.	01.10.–10.02.	GG	01.10.–15.01.[1]	01.10.–10.02.
Großtrappe		GG	GG	GG	GG	GG	GG	GG	GG
Graureiher		GG	16.09.–31.10.[1]	GG	GG	GG	GG	GG	GG
Falken		GG	GG	GG	GG	GG	GG	GG	GG
Greife		GG	GG	GG	GG	GG	GG	GG	GG
Kolkrabe		GG	GG	GG	GG	GG	GG	GG	GG
Rabenkrähe		01.08.–15.02.[1]	16.07.–14.03.	n. a.	01.10.–31.12.	n. a.	01.08.–20.02.	01.08.–31.12.	n. a.
Nebelkrähe									
Elster		01.08.–15.02.[1]	16.07.–14.03.	n. a.	01.10.–31.12.	n. a.	GG	01.08.–31.12.	n. a.
Nandu	Küken und Jährlinge								ganzjährig
	Hähne und Hennen 2j+								01.11.–31.03.
		Kormoran: 16.08.–15.03.	Eichelhäher: 16.07.–14.03.		Bisam: ganzjährig	Knäkente: GG			Kormoran: 01.08.–31.03.
		Schnatterente: 01.09.-15.01.							
		[1] Nur außerhalb von Naturschutzgebieten und Naturdenkmalen [2] Jungkaninchen: 16.04.–15.02.		[1] Führende Bachen (Frischlinge mind. 6 Monate alt): 01.10.–31.01.	[1] Jährlinge und Schmalschafe: 16.04.–15.01. [2] in der Zeit vom 16.09.–31.10. sowie vom 16.01.–31.01. nur zur Schadensabwehr auf gefährdeten Ackerkulturen [3] in der Zeit vom 01.09.–31.10. sowie vom 16.01.–31.01. nur zur Schadensabwehr auf gefährdeten Ackerkulturen			[1] in Gebieten mit ausreichenden Besätzen [2] juv. Ringeltauben 01.11.–20.02	[1] außer führende Bachen

		Niedersachsen	Nordrhein-Westfalen	Rheinland-Pfalz	Saarland	Sachsen	Sachsen-Anhalt	Schleswig-Holstein	Thüringen
Damwild	Kälber	01.09.–31.01.	01.08.–31.01.	01.08.–31.01.	01.08.–31.01.	01.08.–31.01.	01.09.–31.01.	01.09.–31.01.	01.09.–15.01.
	Schmalspießer	01.04.–15.05. 01.08.–31.01.	01.05.–31.05. 01.08.–31.01.	01.09.–31.01.	01.07.–31.01.	01.08.–31.01.	01.05.–31.01.	01.05.–31.01.	01.09.–15.01.
	Schmaltiere	01.04.–15.05. 01.08.–31.01.	01.05.–31.05. 01.08.–15.01.	01.09.–31.01.	01.07.–31.01.	01.08.–31.01.	01.05.–30.06. 01.09.–31.01.	01.05.–31.05. 01.08.–31.01.	01.09.–15.01.
	Alttiere	01.09.–31.01.	01.08.–31.01.	01.08.–31.01.	01.08.–31.01.	01.08.–31.01.	01.09.–31.01.	01.09.–31.01.	01.09.–15.01.
	Hirsche	01.08.–31.01.	01.08.–31.01.	01.08.–31.01.	01.08.–31.01.	01.08.–31.01.	01.09.–31.01.	01.09.–31.01.	01.09.–15.01.
Elchwild		GG	GG	GG	GG	GG	GG	GG	GG
Rehwild	Kitze	01.09.–31.01.	01.09.–31.01.	01.09.–31.01.	01.09.–31.01.	01.08.–31.01.	01.09.–31.01.	01.09.–31.01.	01.09.–15.01.
	Schmalrehe	01.04.–15.05. 01.09.–31.01.	01.05.–31.05. 01.09.–31.01.	01.05.–31.01.	01.04.–15.05. 01.09.–31.01.	16.04.–31.01.	15.04.–31.01.	01.05.–31.05. 01.09.–31.01.	01.05.–31.03.
	Ricken	01.09.–31.01.	01.09.–31.01.	01.09.–31.01.	01.09.–31.01.	01.08.–31.01.	01.09.–31.01.	01.09.–31.01.	01.05.–31.03.
	Böcke	01.04.–31.01.	01.05.–31.01.	01.05.–31.01.	01.04.–31.01.	16.04.–31.01.	15.04.–31.01.	01.05.–31.01.	01.05.–15.10.[1]
Rotwild	Kälber	01.08.–31.01.	01.08.–31.01.	01.08.–31.01.	01.08.–31.01.	01.08.–31.01.	01.08.–31.01.	01.08.–31.01.	01.08.–15.01.
	Schmalspießer	01.04.–15.05. 01.08.–31.01.	01.05.–31.05. 01.08.–31.01.	01.05.–31.01.	01.06.–31.01.	01.08.–31.01.	01.05.–31.01.	01.05.–31.01.	16.06.–15.01.
	Schmaltiere	01.04.–15.05. 01.08.–31.01.	01.05.–31.05. 01.08.–31.01.	01.05.–31.01.	01.06.–31.01.	01.08.–31.01.	01.05.–30.06. 01.08.–31.01.	01.05.–31.05. 01.08.–31.01.	16.06.–15.01.
	Hirsche	01.08.–31.01.	01.08.–31.01.	01.08.–31.01.	01.08.–31.01.	01.08.–31.01.	01.08.–31.01.	01.08.–31.01.	01.08.–15.01.
	Alttiere	01.08.–31.01.	01.08.–31.01.	01.08.–31.01.	01.08.–31.01.	01.08.–31.01.	01.08.–31.01.	01.08.–31.01.	01.08.–15.01.
Sikawild	Kälber	01.09.–31.01.	01.08.–31.01.	ganzjährig	n. a.	01.08.–31.01.	01.09.–28.02.	01.09.–31.01.	01.09.–28.02.
	Schmalspießer	01.08.–31.01.	01.05.–31.05. 01.08.–31.01.	ganzjährig	n. a.	01.08.–31.01.	01.07.–28.02.	01.05.–31.01.	01.07.–28.02.
	Schmaltiere	01.08.–31.01.	01.05.–31.05. 01.08.–15.01.	ganzjährig	n. a.	01.08.–31.01.	01.07.–31.01.	01.05.–31.05. 01.09.–31.01.	01.07.–31.01.
	Hirsche und Alttiere	01.08.–31.01.[1]	01.08.–31.01.	ganzjährig	n. a.	01.08.–31.01.	01.09.–31.01.	01.09.–31.01.	01.09.–31.01.
Gamswild		n. a.	n. a.	01.08.–15.12.	n. a.	01.08.–31.01.	01.08.–15.12.	01.08.–15.12.	01.08.–15.12.
Muffelwild		01.08.–31.01.[2]	01.08.–31.01.	01.08.–31.01.[1]	01.08.–31.01.	01.08.–31.01.	01.08.–31.01.	01.08.–31.01.	01.08.–15.01.[2]
Steinwild		GG	GG	GG	n. a.	GG	GG	GG	GG

Wisent		GG	GG	GG	n. a.	GG	GG	GG	GG
Schwarzwild	Frischlinge	ganzjährig	ganzjährig	ganzjährig	ganzjährig	ganzjährig	ganzjährig	ganzjährig	ganzjährig
	Überläufer	ganzjährig	01.08.–31.01.	ganzjährig	ganzjährig	ganzjährig	ganzjährig	ganzjährig	ganzjährig
	Bachen	ganzjährig	01.08.–31.01.	ganzjährig	ganzjährig	ganzjährig	ganzjährig	16.06.–31.01.	01.07.–31.01.[3]
	Keiler	ganzjährig	01.08.–31.01.	ganzjährig	ganzjährig	ganzjährig	ganzjährig	16.06.–31.01.	01.07.–31.01.[4]
Feldhase		01.10.–31.12.	16.10.–31.12.	01.10.–31.12.	01.10.–31.12.	01.10.–15.01.	01.10.–15.01.	01.10.–31.12.	01.10.–31.12.
Schneehase		GG	GG	GG	GG	GG	GG	GG	GG
Wildkaninchen		01.10.–15.02.[3]	16.10.–28.02.[1]	ganzjährig	ganzjährig	ganzjährig	ganzjährig	01.10.–31.12.	ganzjährig
Murmeltier		GG	GG	GG	GG	GG	GG	GG	GG
Luchs		GG	GG	GG	GG	GG	GG	GG	GG
Wildkatze		GG	GG	GG	GG	GG	GG	GG	GG
Fuchs	Füchse (erw.) Jungfüchse	16.06.–28.02. ganzjährig	16.07.–28.02. ganzjährig	01.08.–28.02. 01.08.–28.02.	01.07.–28.02. n. a.	ganzjährig ganzjährig	ganzjährig ganzjährig	01.07.–28.02. ganzjährig	ganzjährig ganzjährig
Dachs		01.09.–31.01.	01.09.–30.12.[2]	01.08.–31.12.	01.08.–31.01.	ganzjährig	01.08.–31.01.	01.08.–31.01.	01.08.–15.01.
Fischotter		GG	GG	GG	GG	GG	GG	GG	GG
Baummarder		16.09.–28.02.	GG	01.08.–28.02.	16.10.–28.02.	16.10.–28.02.	16.10.–28.02.	16.10.–28.02.	GG
Steinmarder		16.09.–28.02.	16.10.–28.02.	01.08.–28.02.	16.10.–28.02.	16.10.–28.02.	16.10.–28.02.	16.10.–28.02.	16.10.–28.02.
Iltis		01.08.–28.02.	16.10.–28.02.	01.08.–28.02.	GG	01.08.–28.02.	?	16.10.–28.02.	01.09.–28.02.
Hermelin		01.08.–28.02.	01.09.–28.02.	01.08.–28.02.	16.10.–28.02.	01.08.–28.02.	16.10.–28.02.	16.10.–28.02.	01.09.–28.02.
Mauswiesel		GG	GG	01.08.–28.02.	GG	GG	GG	16.10.–28.02.	GG
Marderhund		01.09.–28.02.[4]	01.09.–28.02.[3]	01.08.–28.02.	01.07.–28.02.	ganzjährig	ganzjährig	ganzjährig	ganzjährig
Mink		01.08.–28.02.[5]	16.10.–28.02.	n. a.	01.07.–28.02.	ganzjährig	ganzjährig	ganzjährig	ganzjährig
Waschbär		16.07.–31.03.[6]	01.08.–28.02.[4]	01.08.–28.02.	ganzjährig	ganzjährig	ganzjährig	ganzjährig	ganzjährig
Nutria		ganzjährig	ganzjährig	n. a.	ganzjährig	ganzjährig	ganzjährig	01.08.–28.02.	ganzjährig
Seehund		GG	GG	GG	GG	GG	GG	GG	GG
Auerwild		GG	GG	GG	GG	GG	GG	GG	GG
Birkwild		GG	GG	GG	GG	GG	GG	GG	GG
Rackelwild		GG	GG	GG	GG	GG	GG	GG	GG
Haselwild		GG	GG	GG	GG	GG	GG	GG	GG
Rebhuhn		16.09.–30.11.	GG	01.09.–15.12.	01.09.–15.12.	GG	01.09.–15.12.	GG	01.10.–30.11.

		Nieder-sachsen	Nordrhein-Westfalen	Rheinland-Pfalz	Saarland	Sachsen	Sachsen-Anhalt	Schleswig-Holstein	Thüringen
Fasan	Hähne	01.10.–15.01.	16.10.–15.01.	01.10.–15.01.	01.10.–15.01.	01.10.–15.01.	01.10.–15.01.	01.10.–15.01.	01.10.–31.12.
	Hennen	01.10.–15.01.	16.10.–15.01.	01.10.–15.01.	01.10.–15.01.	01.10.–15.01.	01.10.–15.01.	GG	GG
Wachtel		GG	GG	GG	GG	GG	GG	GG	GG
Alpenschneehuhn		GG	GG	GG	GG	GG	GG	GG	GG
Wildtruthuhn	Hähne	GG	16.03.–30.04.	01.10.–15.01.	n. a. n. a.	15.03.–15.05. 01.10.–15.01.	15.03.–15.05. 01.10.–15.01.	15.03.–15.05. 01.11.–15.01.	GG
	Hennen	GG	GG	01.10.–15.01.	n. a.	01.10.–15.01.	01.10.–15.01.	01.10.–15.01.	GG
Wildtauben	Ringeltaube	20.08.–31.03.[7]	01.11.–20.02.	01.11.–20.02.	01.09.–15.02.	01.11.–20.02.	20.08.–31.03.[1]	01.11.–31.01.	01.11.–20.02.
	Türkentaube	01.11.–31.12.	n. a.	01.11.–20.02.	GG	01.11.–20.02.	01.11.–20.02.	GG	01.11.–20.02
Höckerschwan		01.11.–20.02.	01.11.–20.02.	01.11.–20.02.	n. a.	01.11.–20.02.	01.11.–20.02.	GG	GG
Wildgänse	Blässgans	GG	GG	01.11.–15.01.	n. a.	01.11.–15.01.	01.09.–15.01.[1]	GG	01.11.–15.01.
	Graugans	16.07.–15.01.	16.07.–31.01.[5]	01.08.–31.08. 01.11.–15.01.	01.08.–31.08. 01.11.–15.01.	01.08.–31.01.	01.08.–15.01.[1]	01.08.–31.01. [1]	GG
	Kanadagans	16.07.–15.01.	16.07.–31.01.[5]	01.11.–15.01.	01.08.–15.01.	01.11.–15.01.	01.09.–15.01.[1]	01.08.–31.01.	GG
	Ringelgans	GG	GG	01.11.–15.01.	01.08.–15.10.	01.11.–15.01.	01.09.–15.01.[1]	GG	GG
	Saatgans	GG	GG	01.11.–15.01.	01.11.–15.01.	01.11.–15.01.	01.09.–15.01.[1]	GG	01.11.–15.01.
	Nilgans	16.07.–15.01.	16.07.–31.01.[6]	01.11.–15.01.	01.08.–15.01.	01.08.–31.01.	n. a.	01.08.–31.01.	ganzjährig
Wildenten	Stockente	01.09.–15.01.	16.09.–15.01.	01.09.–15.01.	01.09.–15.01.	01.09.–15.01.	01.09.–15.01.	01.09.–15.01.	01.09.–15.01.
	Pfeifente	01.10.–15.01.	GG	01.10.–15.01.	GG	01.10.–15.01.	01.10.–15.01.	01.10.–15.01[1]	GG
	Krickente	01.10.–15.01.	GG	01.10.–15.01.	GG	GG	01.10.–15.01.	01.10.–15.01	GG
	Spießente	GG	GG	01.10.–15.01.	GG	01.10.–15.01.	01.10.–15.01.	GG	GG
	Bergente	GG	GG	01.10.–15.01.	GG	01.10.–15.01.	01.10.–15.01.	GG	GG
	Reiherente	GG	GG	01.10.–15.01.	GG	01.10.–15.01.	01.10.–15.01.	01.10.–15.01.	GG
	Tafelente	GG	GG	01.10.–15.01.	GG	01.10.–15.01.	01.10.–15.01.	GG	GG
	Samtente	GG	GG	01.10.–15.01.	GG	01.10.–15.01.	01.10.–15.01.	GG	GG
	Trauerente	GG	GG	01.10.–15.01.	GG	01.10.–15.01.	01.10.–15.01.	GG	GG
Säger		GG	GG	GG	n. a.	GG	GG	GG	GG
Haubentaucher		GG	GG	GG	GG	GG	GG	GG	GG

Waldschnepfe		16.10.–31.12.	16.10.–15.01.	16.10.–15.01.	16.10.–15.01.	16.10.–15.01.	16.10.–15.01.	16.10.–15.01.	16.10.–15.01.
Blässhuhn		GG	n. a.	11.09.–15.01.	GG	11.09.–20.02.	11.09.–20.02.	GG	11.09.–20.02
Möwen	Lachmöwe	GG	n. a.	01.10.–10.02.	01.07–10.11.	01.10.–10.02.	01.10.–10.02.	GG	01.10.–10.02.
	Sturmmöwe	GG	n. a.	01.10.–10.02.	01.07–10.11.	01.10.–10.02.	01.10.–10.02.	GG	GG
	Silbermöwe	01.10.–10.02.	n. a.	01.10.–10.02.	01.07–10.11.	01.10.–10.02.	01.10.–10.02.	01.10.–10.02.	GG
	Mantelmöwe	GG	n. a.	01.10.–10.02.	01.07–10.11.	01.10.–10.02.	01.10.–10.02.	GG	GG
	Heringsmöwe	GG	n. a.	01.10.–10.02.	01.07–10.11.	01.10.–10.02.	01.10.–10.02.	GG	GG
Großtrappe		GG	n. a.	GG	GG	GG	GG	GG	GG
Graureiher		GG	n. a.	GG	GG	01.08.–31.01.	GG	GG	01.08.–15.02.[5]
Falken		GG	n. a.	GG	GG	GG	GG	GG	GG
Greife		GG	n. a.	GG	GG	GG	GG	GG	GG
Kolkrabe		GG	n. a.	GG	GG	GG	GG	GG	GG
Rabenkrähe		01.08.–20.02.	01.08.–10.03.	01.08.–20.02.	n. a.	01.08.–15.03.	16.07.–28.02.	01.08.–20.02.	01.08.–15.02.
Nebelkrähe						01.08.–15.03.		GG	
Elster		01.08.–28.02.	01.08.–28.02.	01.08.–20.02.	n. a.	01.08.–15.03.	16.07.–28.02.	GG	01.08.–15.02.
		Nonnengänse: 01.08.–15.01.	Kormoran: 16.08.–01.03.[7]	Knäkente: GG	Streifengans: 01.08.–15.01.	Wolf: GG		Nonnengänse: 01.10.–15.01.[1]	
			Bisam: ganzjährig	Löffelente: GG		Eichelhäher: GG			
				Habicht: GG					
		[1] Alttiere: 01.09.–31.01. [2] Widder: 01.08.–31.01. [3] Jungkaninchen: ganzjährig [4] Jungmarderhund: ganzjährig [5] Jungminks: ganzjährig [6] Jungwaschbären: ganzjährig [7] Jungringeltaube: 21.02.–31.03.	[1] Jungkaninchen: ganzjährig [2] Jungdachse: ganzjährig [3] Jungmarderhund: ganzjährig [4] Jungwaschbären: ganzjährig [5] mit Ausnahmen [6] Juvenile Nilgänse: ganzjährig [7] Jungkormorane: 02.03.–15.08.	[1] Schmalschafe: 01.05.–31.01.			[1] eingeschränkt; Genaueres siehe JagdZeitV	[1] eingeschränkt; Genaueres siehe JagdZV SH	[1] Gesellschaftsjagd: 16.10.–15.01. [2] Widder: 01.08.–31.03. [3] 2+-jährig: 01.07.–31.01. [4] 2+-jährig: ganzjährig [5] an Gewässern im Umkreis von 100 Metern

Anhang 2 – Jagdzeiten

GG = Ganzjährig geschont

Stand: April 2022

Die Landesjagdzeiten unterliegen regelmäßigen Änderungen und sind daher ohne Gewähr.

Alle Jagdzeiten gelten vorbehaltlich des § 22 Abs. 4 Satz 1 Bundesjagdgesetz (Schutz der Elterntiere).
Darüber hinaus sind bei gewissen Wildarten die Länderbestimmungen zu beachten, die eine Bejagung nur zur Schadensabwehr auf gefährdeten Acker- und Grünlandkulturen zulassen. Eine jagdliche Nutzung einzelner Wildarten ist in einigen Ländern erst nach Feststellung eines ausreichend großen Wildtierbestandes im jeweiligen Jagdrevier zulässig. Die Landesbehörden machen gegebenenfalls bekannt, auf welche Wildarten die Jagd zur Bestandssicherung räumlich, zeitlich, nach Anzahl, Geschlecht oder Altersklasse im Rahmen der Jagdzeit nur beschränkt ausgeübt werden darf. Einige Länder untersagen teilweise oder vollständig die Regulation von Wildarten in exakt benannten Naturschutz- sowie Vogelschutzgebieten.

Register

S

T

Z

Notizen

Notizen

BLASE

34. Auflage

Inhaltsverzeichnisse der Kapitel

Liebe Leserinnen und Leser,

leider hat sich in der aktuellen Auflage des „BLASE“ der Fehlerteufel eingeschlichen: Nach der Erweiterung des Umfangs wurden die Inhaltsverzeichnisse der Einzelkapitel nicht mit neuen Seitenangaben versehen. In diesem Heft finden Sie deshalb noch einmal die kompletten Inhaltsverzeichnisse der einzelnen Kapitel mit den richtigen Seitenangaben. Wir bitten Sie, das Versehen zu entschuldigen und wünschen Ihnen viel Erfolg bei der Benutzung dieses seit Generationen bewährten Lehr- und Nachschlagewerkes.

Ihre
BLASE-Redaktion

Notizen

Wissen, wie der Hase läuft.
Waidgefährte.
ZEISS
Seeing beyond
Jägerbrief
Jetzt Mitglied werden
zeiss.de/waidgefaehrte
Waidgefährte – das Programm für alle Jagdscheinanwärter und Jungjäger.
Für alle, die vor, während und nach ihrer jagdlichen Ausbildung ihre praktischen Kenntnisse und Fähigkeiten erweitern möchten.
Kostenfrei anmelden und von zahlreichen Angeboten profitieren!